资治通鉴

全本全注全译

第二十四册

后晋纪　后汉纪　后周纪

[宋]司马光　编著
张大可　韩兆琦　等　注译

浙江人民出版社

图书在版编目（CIP）数据

资治通鉴全本全注全译．第二十四册 / （宋）司马光编著 ；张大可等注译．-- 杭州 ：浙江人民出版社，2024．10（2025．6重印）．-- ISBN 978-7-213-11689-6

Ⅰ．K204．3

中国国家版本馆CIP数据核字第2024ZK8367号

资治通鉴全本全注全译　第二十四册

ZIZHI TONGJIAN QUANBEN QUANZHU QUANYI

［宋］司马光　编著　　张大可　韩兆琦　等　注译

出版发行：浙江人民出版社（杭州市环城北路 177 号　邮编　310006）
市场部电话：（0571）85061682　85176516
选题策划：胡俊生
项目统筹：潘海林　魏　力
责任编辑：潘海林
特约编辑：于玲玲　张梦玉
营销编辑：周乐兮
责任校对：王欢燕　陈　春
责任印务：程　琳　幸天骄
封面设计：北京之江文化传媒有限公司
电脑制版：北京之江文化传媒有限公司
印　　刷：浙江新华数码印务有限公司
开　　本：710 毫米 ×1000 毫米　1/16　　印　　张：47
字　　数：920 千字　　插　　页：4
版　　次：2024 年 10 月第 1 版　　印　　次：2025 年 6 月第 2 次印刷
书　　号：ISBN 978-7-213-11689-6
定　　价：128.00 元

目　录

卷第二百八十　后晋纪一

柔兆涒滩（丙申，公元九三六年），一年。

【题解】

本卷记事起公元九三六年岁首，迄于岁末，凡一年，当后晋高祖天福元年。此一年又嬗变了一个朝代，后晋代后唐。唐末帝即位，朝臣议与契丹和亲，专力防范石敬瑭，末帝摇摆不决而未果。末帝纵石敬瑭回晋阳，既放虎归山，而又在政权未固之时，匆匆下诏移镇逼反石敬瑭。末帝讨伐，集中全国之兵用于晋阳一线，却疏于防范契丹，孤注一掷在晋阳与敌人打阵地战，实为下下之策。吏部侍郎龙敏建言末帝立契丹降将赐名李赞华的人为契丹主北行，牵制契丹主不敢入援晋阳，此为上计，末帝竟然不纳。唐军部署，河南、河中诸镇之兵先期围攻晋阳不下，反被围于晋安寨。唐河北之兵扫境以与赵德钧，赵德钧却暗中投靠契丹拥众不战。末帝无奈统禁军亲征，逗留不进，又不采纳龙敏用奇计破敌之策，坐以待毙。石敬瑭割燕云十六州土地换得契丹主策命在晋阳即皇帝位，中原有两主，形势急转。晋安寨唐军投敌，赵德钧全线溃退，末帝禁军星散，返回洛阳无兵可战，自焚身亡，后唐灭亡。

【原文】

高祖圣文章武明德孝皇帝上之上

天福元年（丙申，公元九三六年）

春，正月，吴徐知诰始建大元帅府，以幕职[①]分判[②]吏、户、礼、兵、刑、工部及盐铁。

丁未[③]，唐主立子重美为雍王。

癸丑[④]，唐主以千春节[⑤]置酒，晋国长公主[⑥]上寿[⑦]毕，辞归晋阳。帝醉，曰：“何不且留[⑧]，遽归，欲与石郎反邪！”石敬瑭闻之，益惧。

三月丙午[⑨]，以翰林学士、礼部侍郎马胤孙为中书侍郎、同平章事。胤孙性谨懦[⑩]，中书事多凝滞[⑪]，又罕接宾客，时人目为[⑫]“三不开[⑬]”，谓口、印、门也。

石敬瑭尽收其货[⑭]之在洛阳及诸道者归晋阳，托言[⑮]以助军费，

【语译】

高祖圣文章武明德孝皇帝上之上

天福元年（丙申，公元九三六年）

春，正月，吴国的徐知诰开始建立大元帅府，用他的幕僚分别掌管吏、户、礼、兵、刑、工六部以及盐铁方面的事务。

十七日丁未，唐末帝册立他的儿子李重美为雍王。

二十三日癸丑，唐末帝在庆祝他生日的千春节摆酒设宴，晋国长公主为他祝寿之后，就告辞回晋阳。当时唐末帝喝醉了，说道："为什么不暂且留下来多住些日子，这样急着回去，是想和石郎一起造反吗？"石敬瑭听到这话后，心里更加感到害怕。

三月十七日丙午，任命翰林学士、礼部侍郎马胤孙为中书侍郎、同平章事。马胤孙生性谨慎懦弱，中书省的事务经常被他耽搁延误，他又很少接见宾客，当时人把他看作是"三不开"官员，意思是指他口不开、印不开、门也不开。

石敬瑭把他分散在洛阳和各道的财物全都收拢起来运回晋阳，借口说是用来补

人皆知其有异志。唐主夜与近臣从容语⑯曰："石郎于朕至亲，无可疑者。但流言不息[1]，万一失欢⑰，何以解之？"皆不对。

端明殿学士、给事中李崧退谓同僚吕琦曰："吾辈受恩深厚，岂得⑱自同众人，一概观望邪！计将安出？"琦曰："河东⑲若有异谋，必结契丹为援。契丹母以赞华⑳在中国，屡求和亲㉑，但求荝剌㉒等未获㉓，故和未成耳。今诚㉔归荝剌等与之和，岁以礼币约直十余万缗遗之㉕，彼必欢然承命㉖。如此，则河东虽欲陆梁㉗，无能为矣。"崧曰："此吾志㉘也。然钱谷皆出三司，宜更与张相㉙谋之。"遂告张延朗，延朗曰："如学士计，不惟可以制河东，亦省边费之什九，计无便于㉚此者。若主上听从，但责办㉛于老夫，请于库财之外捃拾㉜以供之。"他夕，二人密言于帝，帝大喜，称其忠，二人私草㉝《遗契丹书》以俟命㉞。

久之，帝以其谋告枢密直学士薛文遇。文遇对曰："以天子之尊，屈身㉟奉夷狄，不亦辱乎㊱！又，虏若循故事㊲求尚公主㊳，何以拒之？"因诵戎昱《昭君诗》㊴曰："安危托妇人。"㊵帝意遂变。一日，急召崧、琦至后楼，盛怒㊶，责之曰："卿辈皆知古今，欲佐人主致太平㊷。今乃为谋如是！朕一女尚乳臭㊸，卿欲弃之沙漠邪？且欲以养士之财输之虏庭，其意安在㊹？"二人惧，汗流浃背㊺，曰："臣等志在竭愚㊻以报国，非为虏计㊼也，愿陛下察之。"拜谢无数㊽，帝诟责不已㊾。吕琦气竭㊿，拜少止[51]，帝曰："吕琦强项[52]，肯视朕为人主邪！"琦曰："臣等为谋不臧[53]，愿陛下治其罪，多拜何为[54]！"帝怒稍解，止其拜，各赐卮酒[55]罢之。自是群臣不敢复言和亲之策。丁巳[56]，以琦为御史中丞，盖疏之也。

充军费，但人们都知道他怀有二心。唐末帝曾经与身边的近臣在一次夜谈中态度从容地说道："石郎对朕而言是至亲，本来没有什么好猜疑的。只是外间的流言汹涌不止，万一与他失和，该怎样排解呢？"近臣无人应答。

端明殿学士、给事中李崧退朝之后对同事吕琦说："我们这些人深受皇上恩宠，怎么能把自己混同于众人，在一旁观望呢！有什么好的办法吗？"吕琦说："河东那边如果有反叛的图谋，一定会勾结契丹作为外援。契丹的国母因为她的儿子赞华还在中原，所以多次要求和亲；只是因为他们要求放回被俘的萴剌等人的要求未能实现，所以和亲才未能成功。现在如果真能放回萴剌等人与他们媾和，每年再把价值十多万缗的礼物送给他们，他们一定会很高兴地答应我们的要求。如果能这样，河东那边即使想要跋扈嚣张，也无能为力了。"李崧说："这也正是我的愿望。但是钱财和谷物都要从三司开支，最好再跟张相商量一下。"于是就把这件事告诉了张延朗，张延朗说："按学士的这个办法，不仅可以制约河东，而且还可以节省边防经费的十分之九，没有比这更好的办法了。如果皇上同意的话，只要责成老夫我去办就行了，我将在府库财物之外设法搜集，以供其用。"另一天晚上，两人秘密地向唐末帝提出了这个建议，唐末帝大喜，称赞他们的忠诚，两人于是私下起草了一篇《遗契丹书》以等待诏命。

过了一段时间，唐末帝把这一谋划告诉了枢密直学士薛文遇。薛文遇回答说："以天子的尊崇，却委屈自己去侍奉夷狄，不也太蒙受耻辱了吗?！况且，胡虏如果按照过去的惯例要求迎娶公主，又怎么去拒绝他呢？"接着薛文遇吟诵了戎昱的《昭君诗》："安危托妇人。"唐末帝的主意于是有了改变。一天，唐末帝很急地把李崧、吕琦召到后楼，非常愤怒，责备他们说："你们这些人都通晓古今，都是想要辅佐人主实现天下太平的。现在竟然出了这么一个馊主意！朕的这一个女儿还很幼小，你们就想把她丢弃在沙漠之中吗？而且你们还要把养兵的钱财送到胡虏那里去，居心何在？"两人听了十分恐惧，以致汗流浃背，说道："臣等的本意在于竭尽自己的思虑以报效国家，并非在为胡虏做打算，希望陛下明察。"两人无数次地叩拜赔罪，而唐末帝仍在不停地责骂。吕琦气力用尽，叩拜稍有停顿，唐末帝就说："吕琦倔强，还肯把朕看作人主吗？"吕琦说："臣等谋划不妥，希望陛下治罪，多拜有什么用！"唐末帝的怒气这才渐渐缓解，制止他们再拜，每人赐给一大杯酒，喝完让他们回去了。从此群臣不敢再提和亲的办法了。三月二十八日丁巳，任命吕琦为御史中丞，目的是要疏远吕琦。

【段旨】

以上为第一段，写唐末帝议与契丹和亲，摇摆不定而未果。

【注释】

①幕职：以幕僚任职。②分判：分别担任。③丁未：正月十七日。④癸丑：正月二十三日。⑤千春节：后唐末帝李从珂生日为千春节。⑥晋国长公主：明宗长女，石敬瑭妻。⑦上寿：敬酒祝寿。⑧且留：暂时留下。⑨丙午：三月十七日。⑩谨懦：谨慎而怯懦。⑪凝滞：耽搁；延误。⑫目为：看作是。⑬三不开：不开口建言、不盖印发文、不开门迎宾，所谓口、印、门三不开。⑭货：财物。⑮托言：借口。⑯从容语：闲谈。⑰失欢：失和。⑱得：能。⑲河东：指河东节度使石敬瑭。⑳赞华：契丹东丹王突欲。㉑和亲：媾和而结成婚姻。㉒萴剌：契丹大将，被后唐俘虏。㉓未获：没有得到。㉔诚：假使。㉕遗之：送给他们。㉖欢然承命：高兴地接受和亲意见。㉗陆梁：跋扈嚣张。㉘志：愿望。㉙张相：指张延朗。㉚便于：好于；优于。㉛责办：责成办理。㉜捃拾：搜集。㉝私草：私下起草。㉞俟命：等待命令。㉟屈身：委屈自己。㊱不亦辱乎：不也是很羞耻的吗？㊲循故事：遵照老规矩。㊳求尚公主：请求娶公主。㊴戎昱《昭君诗》：

【原文】

吴徐知诰以其子副都统景通为太尉、副元帅，都统判官宋齐丘、行军司马徐玠为元帅府左、右司马[57]。

闽主昶改元通文，立贤妃李氏[58]为皇后，尊皇太后曰太皇太后[59]。

静江[60]节度使、同平章事马希杲[61]有善政，监军裴仁煦谮之于楚王希范，言其收众心，希范疑之。夏，四月，汉将孙德威[62]侵蒙[63]、桂二州，希范命其弟武安节度副使希广[64]权知军府事，自将步骑五千如桂州。希杲惧，其母华夫人[65]逆[66]希范于全义岭[67]，谢曰："希杲为治无状[68]，致寇戎入境，烦殿下亲涉险阻，皆妾[69]之罪也。愿削封邑，洒扫掖庭[70]，以赎希杲罪。"希范曰："吾久不见希杲，闻其治行尤异[71]，故来省之[72]，无他[73]也。"汉兵自蒙州引去，徙希杲知朗州。

高从诲遣使奉笺[74]于徐知诰，劝即帝位。

初，石敬瑭欲尝[75]唐主之意，累表自陈羸疾[76]，乞解兵柄[77]，移他镇。帝与执政议从其请，移镇郓州。房暠、李崧、吕琦等皆力谏，以为不可。帝犹豫久之。

戎昱，唐诗人，荆南（今湖北江陵）人。明人辑有《戎昱诗集》存世。昭君诗，汉元帝以王昭君嫁匈奴，后人怜之，为诗歌以言其事。这里指戎昱所写《昭君诗》。㊵ 安危托妇人：国家的安危，寄托在女人身上。㊶ 盛怒：大怒。㊷ 致太平：达到太平境界。㊸ 乳臭：乳臭未干，指年纪还小。㊹ 其意安在：你们的意图是什么。㊺ 汗流浃背：出汗很多，湿透了背上的衣服。㊻ 竭愚：竭尽愚忠。㊼ 非为虏计：不是为契丹打算。㊽ 拜谢无数：无数次磕头请罪。㊾ 诟责不已：诟骂、责备没完没了。㊿ 气竭：气力竭尽。51 拜少止：跪拜稍停。52 强项：倔强，不肯低头。53 为谋不臧：不能为你谋划好策略。54 多拜何为：多拜有什么用呢。55 卮酒：一大杯酒。56 丁巳：三月二十八日。

【校记】

［1］息：原作“释”。据章钰校，十二行本、乙十一行本、孔天胤本皆作“息”，张敦仁《通鉴刊本识误》同，今据改。

【语译】

吴国的徐知诰任命他的儿子副都统徐景通为太尉、副元帅，都统判官宋齐丘、行军司马徐玠为元帅府左、右司马。

闽主王昶改年号为通文，册立贤妃李氏为皇后，尊称皇太后为太皇太后。

静江节度使、同平章事马希杲政绩很好，监军裴仁煦在楚王马希范面前诬陷他，说他收买人心，马希范对他起了疑心。夏，四月，汉国将领孙德威入侵蒙州、桂州，马希范下令他的弟弟武安节度副使马希广暂时主持军府的事务，自己率领步兵、骑兵五千人前往桂州。马希杲得知这一消息后感到很害怕，他的母亲华夫人赶到全义岭去迎接马希范，赔罪说：“希杲他处理政务没什么成绩，以致敌寇入境，劳烦殿下亲自涉历险阻，这些都是我的罪过。希望殿下削除我的封邑，让我去宫廷里洒扫后宫，以此来赎希杲的罪过。”马希范说：“我很久没有见到希杲了，听说他的治绩很优异，所以特地来看望他，没有别的意思。”后来汉兵从蒙州退走了，马希范则把马希杲调去掌管朗州。

高从诲派使者送表文给徐知诰，劝他即皇帝位。

当初，石敬瑭想试探唐末帝的真实意图，一次次上奏表陈说自己体弱有病，请求解除兵权，调到别的镇所去。唐末帝和执政大臣商议准备答应他的请求，把他调到郓州去。房暠、李崧、吕琦等人都极力劝阻，认为不可行。唐末帝为此犹豫了很长时间。

五月庚寅[78]夜，李崧请急在外[79]，薛文遇独直[80]，帝与之议河东事，文遇曰："谚有之：'当道筑室，三年不成。'[81]兹事[82]断自圣志。群臣各为身谋，安肯尽言！以臣观之，河东移亦反，不移亦反，在旦暮耳，不若先事图之[83]。"先是，术者[84]言国家今年应得贤佐，出奇谋，定天下，帝意文遇当之。闻其言，大喜，曰："卿言殊豁吾意[85]，成败吾决行之。"即为除目[86]，付学士院使草制[87]。辛卯[88]，以敬瑭为天平节度使，以马军都指挥使、河阳节度使宋审虔为河东节度使。制出[89]，两班闻呼敬瑭名，相顾失色。

甲午[90]，以建雄[91]节度使张敬达为西北蕃汉马步都部署，趣敬瑭之郓州。敬瑭疑惧，谋于将佐曰："吾之再来河东也，主上面许终身不除代[92]。今忽有是命，得非[93]如今年千春节与公主所言乎？我不兴乱，朝廷发之[94]，安能束手死于道路乎！今且发表称疾以观其意。若其宽我，我当事之。若加兵于我，我则改图[95]耳。"幕僚段希尧极言拒之，敬瑭以其朴直，不责也。节度判官华阴赵莹[96]劝敬瑭赴郓州，观察判官平遥薛融曰："融书生，不习军旅。"都押牙刘知远曰："明公[97]久将兵，得士卒心。今据形胜之地[98]，士马精强，若称兵传檄[99]，帝业可成！奈何以一纸制书自投虎口[100]乎！"掌书记洛阳桑维翰[101]曰："主上初即位，明公入朝，主上岂不知蛟龙不可纵之深渊邪？然卒[102]以河东复授公，此乃天意假公以利器[103]也[2]。明宗遗爱在人，主上以庶孽[104]代之，群情不附[105]。公明宗之爱婿，今主上以反逆见待，此非首谢[106]可免，但力为自全之计。契丹主[3]素与明宗约为兄弟，今部落近在云、应。公诚能推心屈节[107]事之，万一有急，朝呼夕至，何患无成！"敬瑭意遂决。

【段旨】

以上为第二段，写唐末帝下诏移镇，逼反石敬瑭。

五月初二日庚寅夜晚，李崧有事请假在外，薛文遇独自一人值班，唐末帝和他商议河东方面的事情，薛文遇说："有句谚语说：'在道路边盖房子，三年也盖不成。'这件事要由皇上的意志来做决断。群臣都各为自身做打算，怎么肯把心里话都说出来！以臣看来，河东方面，移镇他要反，不移镇他也要反，只是早晚的问题而已，不如先动手把他解决了。"在此之前，术士说过国家今年应该得到一位贤能的辅佐大臣，他能提出奇谋，安定天下，唐末帝觉得薛文遇就是术士所指的这个人。因此听了他的话，非常高兴，说道："爱卿这番话使我特别受启发，不管是成功还是失败，我都决定这样做了。"当即亲笔写了任免名单，交付学士院让他们起草诏令。初三日辛卯，任命石敬瑭为天平节度使，任命马军都指挥使、河阳节度使宋审虔为河东节度使。任命诏令在朝廷宣布时，文武两班听到宣呼石敬瑭的名字，彼此相看，吓得脸色都变了。

五月初六日甲午，任命建雄节度使张敬达为西北蕃汉马步都部署，去催促石敬瑭到郓州赴任。石敬瑭对此既怀疑又害怕，就和自己的将领佐吏商议说："我第二次来河东的时候，皇上曾当面答应我，在我有生之年不会再派别人来替代我的职位。现在忽然又有了这样的命令，莫非正像今年千春节时皇上对公主所讲的那样吗？我并没有兴兵作乱，朝廷却先发起事端，我怎么能束手待毙死在路上呢？现在我暂且发送奏表推说有病，看看皇上的意图如何。如果朝廷能够宽容，我还是会拥戴他。如果对我用兵，我就另做打算了。"幕僚段希尧极力主张抗拒朝廷，石敬瑭认为他生性朴实直率，没有责怪他。节度判官华阴人赵莹劝石敬瑭到郓州赴任。观察判官平遥人薛融说："薛融我是个书生，不懂军旅之事。"都押牙刘知远说："明公您长期带兵，深受士卒拥戴。现在我们占据着有利的地势，兵强马壮，如果兴兵起事发出檄文，帝王大业就可成功！怎么能因为一纸诏书而自投虎口呢！"掌书记洛阳人桑维翰说："皇上刚即位时，明公入京朝见，皇上难道不知道蛟龙不可放回到深渊里去吗？但是最终还是把河东军镇再次授予您，这是上天的意志要把兵权交给您啊。先帝明宗的遗爱尚在人间，皇上是以庶子旁支的身份取代帝位，人心并不归附于他。您是先帝明宗的爱婿，如今皇上却把您当作谋反叛逆之人来对待，这不是磕头谢罪所能够赦免的，只能极力寻找自我保全的办法。契丹国主一向与先帝明宗相约成为兄弟，如今他们的部落就近在云州、应州一带。明公如果真能诚心诚意地低头与他们相处，万一有了紧急情况，早晨叫他们晚上就能来到，何须担心事情不能成功！"石敬瑭的主意就此定了下来。

【注释】

(57) 左、右司马：官名，协助元帅掌军政。(58) 李氏：李春燕。(59) 太皇太后：惠宗妻金氏。(60) 静江：方镇名，唐昭宗光化三年（公元九〇〇年），升桂管经略使为静江节度使，治所桂州，在今广西桂林。(61) 马希杲：镇静江，为治有善政，徙知朗州，被马希范鸩杀。传见《十国春秋》卷七十一。(62) 孙德威：勇敢有气力，多次从刘龑征伐，为诸将之冠。传见《十国春秋》卷六十三。(63) 蒙：蒙州，在今广西蒙山。(64) 希广：马希广（？至公元九五〇年），字德丕，马殷第三十五子。公元九四七至九五〇年在楚王位。事见《新五代史》卷六十六《楚世家》。(65) 华夫人：马希杲之母，马殷妻。传见《十国春秋》卷七十一。(66) 逆：迎。(67) 全义岭：地名，在今广西兴安西。(68) 为治无状：为政没有绩效。(69) 妾：女人通用的自我谦称。此指华夫人自称。(70) 洒扫掖庭：在宫廷中从事洒扫等事。(71) 尤异：优异。(72) 省之：探望他。(73) 无他：没有别的。(74) 奉笺：奉表。(75) 尝：试探。(76) 羸疾：体弱有病。(77) 乞解兵柄：请求解除兵权。(78) 庚寅：五月初二日。(79) 请急在外：请假在外。急，告、告假。(80) 独直：独自一人值夜班。(81) 当道筑室二句：人多口杂，造房者不知听谁的主意为好。(82) 兹事：此事。指如何处理石敬瑭事。(83) 先事图之：乘石敬瑭尚未发难之前处置他。(84) 术者：操阴阳、占筮、算卦的人。(85) 殊豁吾意：特别受启发。(86) 除目：

【原文】

先是，朝廷疑敬瑭，以羽林将军宝鼎杨彦询[108]为北京副留守。敬瑭将举事，亦以情告之[109]。彦询曰："不知河东兵粮几何，能敌朝廷乎？"左右请杀彦询，敬瑭曰："惟副使一人我自保之[110]，汝辈勿言也。"

戊戌[111]，昭义节度使皇甫立[112]奏敬瑭反。敬瑭表："帝养子，不应承祀[113]，请传位许王[114]。"帝手裂其表抵地[115]，以诏答之曰："卿于鄂王固非疏远，卫州之事，天下皆知。许王之言，何人肯信！"壬寅[116]，制削夺敬瑭官爵。乙巳[117]，以张敬达兼太原四面排陈使[118]，河阳节度使张彦琪为马步军都指挥使。以安国节度使安审琦为马军都指挥使，以保义节度使相里金为步军都指挥使，以右监门上将军武廷翰为壕寨使[119]。丙午[120]，以张敬达为太原四面兵马都部署[121]，以义武节度使杨光远为副部署。丁未[122]，又以张敬达知太原行府事，以前彰武节度使高行周为太原四面招抚、排陈等使。光远既行，定州军乱，牙将千乘方太[123]讨平之。

皇帝御笔亲除付外执行叫除目。⑰ 草制：起草制书。⑱ 辛卯：五月初三日。⑲ 制出：诏制在朝廷宣读。⑳ 甲午：五月初六日。㉑ 建雄：方镇名，后唐置建雄军。治所晋州，在今山西寿阳西北。㉒ 面许终身不除代：当面允许一辈子任河东节度使，不再任命别人替代。㉓ 得非：莫不是。㉔ 朝廷发之：朝廷发动了这件事。㉕ 改图：做另外打算。㉖ 赵莹：字玄辉，华州华阴（今陕西华阴）人，为人敦厚，官至后晋宰相。传见《旧五代史》卷八十九、《新五代史》卷五十六。㉗ 明公：指石敬瑭。㉘ 形胜之地：形势险要，可以控制全局的地方。㉙ 称兵传檄：举兵发布声讨文告。⑩⓪ 自投虎口：自己投到老虎的嘴巴里去。意谓自取灭亡。⑩① 桑维翰：桑维翰（？至公元九四七年），字国侨，为人丑怪，身短而面长。进士及第。石敬瑭降契丹，由桑维翰牵线。官中书令。传见《旧五代史》卷八十九、《新五代史》卷二十九。⑩② 卒：终于。⑩③ 利器：兵权。⑩④ 庶孽：指李从珂是明宗义子，不是嫡传。⑩⑤ 群情不附：众心不肯归附。⑩⑥ 首谢：磕头谢罪。⑩⑦ 推心屈节：真心诚意地低头屈身。

【校记】

［2］也：原无此字。据章钰校，十二行本、乙十一行本、孔天胤本皆有此字，张敦仁《通鉴刊本识误》同，今据补。［3］主：原无此字。据章钰校，十二行本、乙十一行本皆有此字，今据补。

【语译】

在此之前，朝廷怀疑石敬瑭，任命羽林将军宝鼎人杨彦询为北京副留守。石敬瑭准备起事时，也把实情告诉了他。杨彦询问道："不知道河东的兵力和粮草有多少，能够抵抗得了朝廷吗？"石敬瑭身边的亲信建议杀掉杨彦询，石敬瑭说："只有副使一个人我自己替他担保，你们就不要多说了。"

五月初十日戊戌，昭义节度使皇甫立上奏石敬瑭反叛。石敬瑭在上奏的表文中说皇帝是养子，不应该继承帝位，请传位给许王。唐末帝气得亲手把石敬瑭的奏表撕碎扔在地上，用诏书回答他说："你与鄂王的关系本来并不疏远，你在卫州所做的事，天下皆知。所谓传位给许王的话，谁肯相信！"十四日壬寅，下诏削去石敬瑭的官职和爵位。十七日乙巳，任命张敬达兼任太原四面排陈使，河阳节度使张彦琪为马步军都指挥使。任命安国节度使安审琦为马军都指挥使，任命保义节度使相里金为步军都指挥使，任命右监门上将军武廷翰为壕寨使。十八日丙午，任命张敬达为太原四面兵马都部署，任命义武节度使杨光远为副部署。十九日丁未，又任命张敬达主持太原行府的事务，任命前彰武节度使高行周为太原四面招抚使、排陈使等。杨光远起程之后，定州的部队发生变乱，牙将千乘人方太率兵讨伐平定了作乱的人。

张敬达将兵三万，营于晋安乡[124]。戊申[125]，敬达奏西北先锋马军都指挥使安审信[126]叛奔晋阳。审信，金全之弟子也，敬瑭与之有旧。先是，雄义都指挥使马邑安元信[127]将所部六百余人戍代州，代州刺史张朗善遇之[128]。元信密说朗曰："吾观石令公[129]长者[130]，举事必成。公何不潜遣人通意，可以自全。"朗不从，由是互相猜忌[131]。元信谋杀朗，不克[132]，帅其众奔审信。审信遂帅麾下数百骑与元信掠百井[133]奔晋阳。敬瑭谓元信曰："汝见何利害[134]，舍强而归弱？"对曰："元信非知星识气[135]，顾[136]以人事[137]决之耳。夫帝王所以御[138]天下，莫重于信[139]。今主上失大信于令公，亲而贵者[140]且不自保，况疏贱乎！其亡可翘足[141]而待，何强之有！"敬瑭悦，委以军事。振武西北巡检使安重荣[142]戍代北，帅步骑五百奔晋阳。重荣，朔州人也。以宋审虔为宁国节度使，充侍卫马军都指挥使。

天雄节度使刘延皓恃后族之势[143]，骄纵，夺人财产，减将士给赐，宴饮无度。捧圣都虞候张令昭因[144]众心怨怒，谋以魏博[145]应河东[146]。癸丑[147]未明，帅众攻牙城[148]，克之。延皓脱身走，乱兵大掠。令昭奏："延皓失于抚御[149]，以致军乱。臣以[150]抚安士卒，权领军府[151]，乞赐旌节！"延皓至洛阳，唐主怒，命远贬[152]。皇后为之请[153]，六月庚申[154]，止削延皓官爵，归私第[155]。

【段旨】

以上为第三段，写各镇官兵依违观望，甚至多有投附石敬瑭的人。

张敬达率军三万，在晋安乡扎营。五月二十日戊申，张敬达上奏说西北先锋马军都指挥使安审信叛变投奔了晋阳。安审信，是安金全的侄子，石敬瑭和他是旧交。在此之前，雄义都指挥使马邑人安元信率部下六百多人戍守代州，代州刺史张朗对他很好。安元信暗中劝张朗说："我看石令公是个宽厚长者，他举兵起事一定能够成功。您何不私下里派人与他表达您的诚意，这样可以保全自己。"张朗没有听从，从此两人便有了猜忌。安元信密谋杀掉张朗，没能成功，于是率领他的部下投奔了安审信。安审信随即率领麾下数百名骑兵与安元信一道抢掠了百井，然后投奔晋阳。石敬瑭问安元信说："你看出了什么利害关系，竟然舍强而归弱呢？"安元信回答说："元信我并不是会看星象知道气运，不过是根据人事来做出决断罢了。帝王之所以能够统御天下，没有比守信更重要的了。如今皇上对令公失去了大信，像您这样关系十分亲近而又地位尊贵的人尚且不能保全自己，何况我们这些关系疏远而又卑贱的人呢！他的灭亡只需一举足的工夫就可以等到，有什么强大可言！"石敬瑭听了这话很高兴，委托他掌管军事。振武西北巡检使安重荣戍守代北，也率领步兵和骑兵共计五百人投奔晋阳。安重荣，是朔州人。朝廷任命宋审虔为宁国节度使，充任侍卫马军都指挥使。

天雄节度使刘延皓依仗皇后家族的势力，骄横放纵，抢夺别人的财产，克减将士的赏赐，摆酒设宴毫无节制。捧圣都虞候张令昭利用人们心中的埋怨愤怒情绪，谋划在魏博起事响应河东军府。五月二十五日癸丑这天天还没亮，张令昭率领部众攻打牙城，攻了下来。刘延皓脱身逃走，乱兵们大肆抢劫。张令昭上奏朝廷说："刘延皓安抚统御失当，导致军士作乱。臣已经对士卒们进行安抚，暂时管理着军府的事务，请求皇上赐以旌节！"刘延皓到了洛阳，唐末帝大怒，下令把他贬到远方去。皇后替他求情，六月初三日庚申，只是削除了刘延皓的官职和爵位，让他回自己的宅第去。

【注释】

⑩⑧杨彦询：杨彦询（公元八七二至九四五年），字成章，河中宝鼎（今山西万荣）人，官邢州节度使。传见《旧五代史》卷九十、《新五代史》卷四十七。⑩⑨以情告之：把准备起事的情况告诉他。⑪⓪我自保之：我自己为他做担保。⑪⑪戊戌：五月初十日。⑪⑫皇甫立（？至公元九四九年）：代北（今山西代县）人，性纯谨，累官至检校太尉。传见《旧五代史》卷一百六。⑪⑬承祀：继承皇位。⑪⑭许王：明宗子许王从益。⑪⑮抵地：投在地上。⑪⑯壬寅：五月十四日。⑪⑰乙巳：五月十七日。⑪⑱四面排陈使：官名，掌布置进攻阵容。陈，通"阵"。⑪⑲壕寨使：官名，掌掘壕建寨事。⑫⓪丙午：五月十八日。⑫⑪都部署：前线总指挥；元帅。⑫⑫丁未：五月十九日。⑫⑬方太：字伯宗，青州千乘（今山东高

青）人，官安州防御使。传见《旧五代史》卷九十四。⑫晋安乡：地名，在今山西晋祠南。⑫戊申：五月二十日。⑫安审信（公元八九四至九五三年）：字行光，幼习骑射，官河中节度使，以聚敛为务，民苦暴政。传见《旧五代史》卷一百二十三。⑫安元信（公元八八四至九四六年）：朔州马邑（今山西朔州）人，少善骑射，仕晋复州防御使。传见《旧五代史》卷六十一、卷九十。⑫善遇之：很好地对待他。⑫石令公：石敬瑭。因石敬瑭加中书令，故称之。⑬长者：忠厚诚信的人。⑬猜忌：猜疑、嫉妒。⑬不克：没有成功。⑬百井：百井镇，在今山西阳曲北。⑬利害：利益和弊端。⑬知星识气：知

【原文】

辛酉[156]，吴太保、同平章事徐景迁以疾罢，以其弟景遂[157]代为门下侍郎、参政事。

癸亥[158]，唐主以张令昭为右千牛卫将军[159]、权知天雄军府事。令昭以调发未集[160]，且受新命。寻有诏徙齐州防御使，令昭托以士卒所留，实俟河东之成败。唐主遣使谕之，令昭杀使者。甲戌[161]，以宣武节度使兼中书令范延光为天雄军[4]四面行营招讨使、知魏博[162]行府事，以张敬达充太原四面招讨使，以杨光远为副使。丙子[163]，以西京留守李周为天雄军四面行营副招讨使。

石敬瑭之子右卫上将军重殷[164]、皇城副使重裔[165]闻敬瑭举兵，匿于民间井中。弟沂州都指挥使敬德[166]杀其妻女而逃，寻捕得，死狱中。从弟彰圣都指挥使敬威[167]自杀。秋，七月戊子[168]，获重殷、重裔，诛之，并族所匿之家。

庚寅[169]，楚王希范自桂州北还。

云州步军指挥使桑迁奏应州节度使尹晖逐云州节度使沙彦珣，收其兵应[170]河东。丁酉[171]，彦珣表迁谋叛应河东，引兵围子城[172]。彦珣犯围[173]走出西山[174]，据雷公口[175]。明日，收兵入城击乱兵，迁败走，军城[176]复安。是日，尹晖执[177]迁送洛阳，斩之。

丁未[178]，范延光拔魏州，斩张令昭。诏悉诛其党七指挥。

道星历、气运。⑯顾：而；不过。⑰人事：人间庶事。此指潞王处事不信。句意谓我只是用人事来决定自己的行动罢了。⑱御：统治。⑲信：守信用。⑳亲而贵者：石敬瑭为明帝之婿，可说至亲，身任中书令，建节统兵，专制北面，可说至贵。㉑翘足：举足。形容时间短暂。㉒安重荣（？至公元九四一年）：朔州（今山西朔州）人，官成德节度使。㉓恃后族之势：依靠皇后的势力。㉔因：乘。㉕魏博：天雄军。㉖河东：指石敬瑭之太原。㉗癸丑：五月二十五日。㉘牙城：衙城。节度使府衙外面的城墙。㉙失于抚御：慰抚统御失当。㉚以：通“已”。㉛权领军府：暂时管理节度使府政务。㉜远贬：贬谪流徙到远方去。㉝请：请求；说情。㉞庚申：六月初三日。㉟归私第：回到自己家里。

【语译】

六月初四日辛酉，吴国的太保、同平章事徐景迁因为有病被罢去官职，任命他的弟弟徐景遂代替他担任门下侍郎、参政事。

六月初六日癸亥，唐末帝任命张令昭为右千牛卫将军，暂时主管天雄军府的事务。张令昭因为当时调发的军队还没有集结完毕，所以暂且接受了这项新的任命。不久，有诏令调任他为齐州防御使，张令昭假托被士卒强留而没到齐州去赴任，实际上是在等待河东起兵的成败。唐末帝派使者前去告谕他，张令昭把使者杀了。十七日甲戌，任命宣武节度使兼中书令范延光为天雄军四面行营招讨使，掌管魏州行府的事务，任命张敬达充任太原四面招讨使，任命杨光远为副使。十九日丙子，任命西京留守李周为天雄军四面行营副招讨使。

石敬瑭的儿子右卫上将军石重殷、皇城副使石重裔听说石敬瑭起兵，就躲到民间井里。石敬瑭的弟弟沂州都指挥使石敬德，杀死自己的妻子、女儿后逃走，不久被抓到，死在狱中。石敬瑭的堂弟彰圣都指挥使石敬威自杀身亡。秋，七月初二日戊子，抓获石重殷、石重裔，诛杀了他们，并把藏匿他们的那一家人也全都杀了。

七月初四日庚寅，楚王马希范从桂州北返。

云州步军指挥使桑迁上奏说，应州节度使尹晖赶走云州节度使沙彦珣，并接收了他的兵马，响应河东造反。七月十一日丁酉，沙彦珣上表说，桑迁阴谋叛变响应河东，带领兵马包围了子城。沙彦珣突围走出西山，占据了雷公口。第二天，收集兵士进城反击乱兵，桑迁败走，云州军城重又安定了下来。当天，尹晖抓住桑迁把他解送洛阳，朝廷将他处斩。

二十一日丁未，范延光攻下了魏州，斩杀了张令昭。唐末帝下诏把他的党羽七个指挥全部杀掉。

张敬达发怀州彰圣军[179]戍虎北口[180]，其指挥使张万迪将五百骑奔河东。丙辰[181]，诏尽诛其家。

【段旨】

以上为第四段，写唐末帝诛灭石敬瑭诸子，以及张令昭等反叛者。

【注释】

⑯辛酉：六月初四日。⑰景遂：李景遂（？至公元九五八年），李昪第三子。性敦厚恬淡，有士风，封齐王。传见《十国春秋》卷十九。⑱癸亥：六月初六日。⑲右千牛卫将军：禁卫官名，分左、右。⑳调发未集：调发的士兵尚未集结。⑯甲戌：六月十七日。⑯魏博：这里当作魏州。因天雄军治魏州。⑯丙子：六月十九日。⑯重殷：石重殷（？至公元九三六年），又作"重英"，石敬瑭长子，天福七年（公元九四二年）追封虢王。传见《旧五代史》卷八十七。⑯重裔：石重裔（？至公元九三六年），又作"重胤"，石敬瑭第三子，天福七年追封郑王。传见《旧五代史》卷八十七。⑯敬德：石敬德（？

【原文】

石敬瑭遣间使[182]求救于契丹，令桑维翰草表[183]称臣于契丹主，且请以父礼事之[184]。约事捷之日[185]，割卢龙[186]一道及雁门关[187]以北诸州与之。刘知远谏曰："称臣可矣，以父事之太过[188]。厚以金帛赂之[189]，自足致其兵[190]。不必许以土田[191]，恐异日[192]大为中国之患，悔之无及。"敬瑭不从。表至契丹，契丹主大喜，白其母[193]曰："儿比[194]梦石郎遣使来，今果然，此天意也！"乃为复书，许俟仲秋[195]倾国[196]赴援。

八月己未[197]，以范延光为天雄节度使，李周为宣武节度使、同平章事。

癸亥[198]，应州言契丹三千骑攻城。

张敬达筑长围[199]以攻晋阳。石敬瑭以刘知远为马步都指挥使，安重荣、张万迪降兵皆隶焉。知远用法无私，抚之如一[200]，由是人无贰心[201]。敬瑭亲乘城[202]，坐卧矢石下。知远曰："观敬达辈高垒深堑，欲为

张敬达调发屯驻在怀州的彰圣军戍守虎北口，这支部队的指挥使张万迪带着五百名骑兵投奔河东去了。三十日丙辰，唐末帝下诏，把他的一家全部杀掉。

至公元九三六年），石敬瑭弟，天福七年追赠福王。⑯⑦敬威：石敬威（？至公元九三六年），石敬瑭弟，字奉信，天福七年追赠广王。传见《旧五代史》卷八十七、《新五代史》卷十七。⑯⑧戊子：七月初二日。⑯⑨庚寅：七月初四日。⑰⓪应：响应。⑰①丁酉：七月十一日。⑰②子城：内城；月城。⑰③犯围：突围。⑰④西山：地名，在今山西大同境内。⑰⑤雷公口：地名，西山的一个隘口。⑰⑥军城：指云州节度使府。⑰⑦执：抓获。⑰⑧丁未：七月二十一日。⑰⑨彰圣军：本洛阳屯卫兵，分戍怀州，被征赴张敬达军前效命，敬达又遣之戍虎北口，部署攻晋阳。⑱⓪虎北口：在太原汾水北岸。⑱①丙辰：七月三十日。

【校记】

［4］军：原无此字。据章钰校，十二行本、乙十一行本、孔天胤本皆有此字，今据补。

【语译】

石敬瑭派密使向契丹请求救援，他命令桑维翰起草表章向契丹主称臣，并请求用对待父亲的礼节来侍奉契丹主。约定事成之日，割让卢龙一道和雁门关以北各州给契丹。刘知远劝谏说："称臣就可以了，把他当父亲来侍奉就太过分了。我们用丰厚的金银丝帛贿赂他，就足以把他的援兵招来。不必答应给他们土地，恐怕以后会给中原留下极大祸患，后悔就来不及了。"石敬瑭没有采纳他的意见。表章送到契丹，契丹主大喜，就告诉他的母亲述律太后说："儿近来梦见石郎派使者来，如今果然如此，这真是天意啊！"于是写了一封回信，答应到仲秋八月一定倾国出动前去援助。

八月初三日己未，任命范延光为天雄节度使，李周为宣武节度使、同平章事。

初七日癸亥，应州奏报说契丹的三千骑兵攻城。

张敬达为了攻打晋阳修筑了一道长长的围墙。石敬瑭任命刘知远为马步都指挥使，安重荣、张万迪的降兵都隶属在他麾下。刘知远执法无私，爱护大家如一，因此人们都没有二心。石敬瑭亲自登城，坐卧都在敌人箭石的威胁之下。刘知远对他说："看张敬达这帮人设高垒挖深沟，是想做持久的打算，他们没有其他出奇制胜的

持久之计，无他奇策[203]，不足虑[204]也。愿明公四出间使，经略外事[205]。守城至易，知远独能办之。”敬瑭执知远手，抚其背而赏之。

戊寅[206]，以成德节度使董温琪为东北面副招讨使，以佐卢龙节度使赵德钧。

唐主使端明殿学士吕琦至河东行营犒军[207]，杨光远谓琦曰：“愿附奏陛下，幸宽宵旰[208]。贼若无援，旦夕当平。若引[209]契丹，当纵之令入[210]，可一战破也。”帝甚悦。帝闻契丹许石敬瑭以仲秋赴援，屡督张敬达急攻晋阳，不能下。每有营构[211]，多值风雨[212]，长围复为水潦[213]所坏，竟不能合[214]。晋阳城中日窘[215]，粮储浸乏[216]。

【段旨】

以上为第五段，写唐末帝大发兵征讨晋阳，石敬瑭引契丹为援，以割地相许。

【注释】

⑱² 间使：负有伺隙行事的秘密使者。⑱³ 草表：起草表章。⑱⁴ 以父礼事之：用对待父亲的礼节侍奉他。⑱⁵ 事捷之日：事情成功的时候。⑱⁶ 卢龙：方镇名，辖幽、涿、营、平、蓟、妫、檀、瀛、莫九州，即今河北北部地区。⑱⁷ 雁门关：关名，在今山西代县北。⑱⁸ 以父事之太过：用父亲之礼节侍奉他就太过分了。⑱⁹ 赂之：贿赂他。⑲⁰ 足致其兵：足以把

【原文】

九月，契丹主将[217]五万骑，号三十万，自扬武谷[218]而南，旌旗不绝[219]五十余里。代州刺史张朗、忻州刺史丁审琦婴城[220]自守，虏骑过城下，亦不诱胁[221]。审琦，洺州人也。

辛丑[222]，契丹主至晋阳，陈[223]于汾北之虎北口。先遣人谓敬瑭曰：“吾欲今日即破贼，可乎？”敬瑭遣人驰告曰：“南军甚厚[224]，不可轻[225]。

办法，不值得担心。希望明公能向各方派出密使，谋划好对外的事务。守城这件事十分容易，知远我一个人就能办好。”石敬瑭拉着刘知远的手，轻拍他的背，对他赞赏了一番。

八月二十二日戊寅，任命成德节度使董温琪为东北面副招讨使，以帮助卢龙节度使赵德钧。

唐末帝派端明殿学士吕琦到河东行营去犒劳军队，杨光远对吕琦说：“请你回去后顺便上奏陛下，希望陛下放宽心，不必为此事早晚过于操劳。叛贼如果没有外援，用不了多久就可以被平定。如果他们勾结契丹来犯，我们就放他们进来，到时可以把他们一举歼灭。”唐末帝听了这话很高兴。唐末帝得知契丹答应石敬瑭仲秋八月前去救援，多次督促张敬达加紧攻打晋阳，但是仍然没能攻下来。每每有营建之事，常常遇到风雨天气，那道长长的围墙又被雨水冲刷破坏，最终也难以合龙。晋阳城里也一天比一天窘迫，粮食和其他储备都渐渐缺乏。

他的兵招来。⑲¹ 许以土田：答应他土地。⑲² 异日：他日；以后。⑲³ 母：述律太后。⑲⁴ 比：近来。⑲⁵ 仲秋：八月份。⑲⁶ 倾国：竭尽全国之力。⑲⁷ 己未：八月初三日。⑲⁸ 癸亥：八月初七日。⑲⁹ 筑长围：建造包围晋阳的城垒，切断晋阳内外联系。⑳⁰ 抚之如一：爱护众人一个样子，没有亲疏之分。⑳¹ 人无贰心：人们没有反叛之心。⑳² 乘城：登城。⑳³ 无他奇策：没有其他出奇制胜的策略。⑳⁴ 不足虑：不值得担心。⑳⁵ 经略外事：管理对外联系的事。⑳⁶ 戊寅：八月二十二日。⑳⁷ 犒军：慰劳军队。⑳⁸ 宵旰：宵衣旰食，称帝王勤于政事。这里有放心之意。⑳⁹ 引：勾引。㉑⁰ 纵之令入：放他进来。㉑¹ 营构：建造。㉑² 多值风雨：大多碰到风雨天气。㉑³ 水潦：雨水冲刷。㉑⁴ 不能合：城垣长围不能合龙。㉑⁵ 日窘：一天比一天窘迫。㉑⁶ 浸乏：渐渐缺乏。

【语译】

九月，契丹主率领五万名骑兵，号称三十万，从扬武谷向南进发，旌旗绵延不断达五十多里。代州刺史张朗、忻州刺史丁审琦据城自守，敌寇的骑兵经过城下时，也没有诱降胁迫他们。丁审琦，是洺州人。

九月十五日辛丑，契丹主到达晋阳，在汾水北岸的虎北口列阵。先派人去对石敬瑭说：“我想今天就去击溃贼兵，可以吗？”石敬瑭派人快马前去告诉他：“南军力

请俟明日议战[226]未晚也。”使者未至，契丹已与唐骑将高行周、符彦卿[227][5]合战[228]，敬瑭乃遣刘知远出兵助之。张敬达、杨光远、安审琦以步兵陈于城西北山下，契丹遣轻骑三千，不被甲[229]，直犯其陈[230]。唐兵见其羸[231]，争逐之[232]，至汾曲[233]，契丹涉水[234]而去。唐兵循岸[235]而进，契丹伏兵自东北起，冲唐兵断而为二，步兵在北者多为契丹所杀，骑兵在南者引归晋安寨[236]。契丹纵兵乘之[237]，唐兵大败，步兵死者近万人，骑兵独全。敬达等收余众保晋安，契丹亦引兵归虎北口。敬瑭得唐降兵千余人，刘知远劝敬瑭尽杀之。

是夕，敬瑭出北门[238]，见契丹主。契丹主执敬瑭手，恨相见之晚。敬瑭问曰：“皇帝远来，士马疲倦，遽[239]与唐战而大胜，何也？”契丹主曰：“始吾自北来，谓唐必断[240]雁门诸路，伏兵险要，则吾不可得进矣。使人侦视[241]，皆无之，吾是以长驱深入，知大事必济[242]也。兵既相接，我气方锐，彼气方沮[243]。若不乘此急击之，旷日持久，则胜负未可知矣。此吾所以亟战[244]而胜，不可以劳逸常理[245]论也。”敬瑭甚叹伏。

壬寅[246]，敬瑭引兵会契丹围晋安寨。置营于晋安之南，长百余里，厚[247]五十里，多设铃索吠犬[248]，人跬步[249]不能过。敬达等士卒犹五万人，马万匹，四顾无所之[250]。甲辰[251]，敬达遣使告败于唐[252]，自是声问不复通。唐主大惧，遣彰圣都指挥使符彦饶[253]将洛阳步骑兵屯河阳，诏天雄节度使兼中书令范延光将魏州兵二万由青山[254]趣榆次[255]，卢龙节度使、东北面招讨使兼中书令北平王赵德钧将幽州兵由飞狐[6]出契丹军后，耀州防御使潘环纠合[256]西路戍兵[257]由晋、绛两乳岭出慈、隰，共救晋安寨。契丹主移帐于柳林[258]，游骑过石会关[259]，不见唐兵。

量很雄厚，不可轻视。请等到明天再商量攻战的事也不算晚。”使者还没有到达，契丹军队就已经和唐军的骑兵将领高行周、符彦卿接战了，石敬瑭于是派刘知远带兵出城助战。张敬达、杨光远、安审琦把步兵部署在城西北的山下结阵，契丹派出轻装骑兵三千人，不披铠甲，径直冲向唐军阵列。唐军见契丹兵力单薄，就争着追逐他们，一直追到汾水的河湾处，契丹兵渡河而走。唐军沿着河岸向前推进，这时契丹的伏兵突然从东北方向冲了上来，把唐军截为两段，在北面的步兵大多被契丹兵杀死，在南面的骑兵则退回晋安寨。契丹发兵乘胜追击，唐军大败，步兵被杀死近万人，只有骑兵没有受什么损失。张敬达等人搜集残余兵力据守晋安寨，契丹也带兵返回虎北口。石敬瑭俘获唐军降兵一千多人，刘知远劝石敬瑭把他们全部杀掉。

当天晚上，石敬瑭出晋阳城北门，去见契丹主。契丹主拉着石敬瑭的手，相见恨晚。石敬瑭问契丹主说："皇帝远道而来，兵马疲倦，骤然与唐军交战而能大获全胜，这是为什么?"契丹主说："开始我从北面来的时候，认为唐军一定会扼守雁门一线的各条道路进行阻截，在险要的地方设下伏兵，那样我就无法顺利推进了。我派人前去侦察，结果没有发现这类情况，所以我才能长驱直入，知道大事一定可以成功。交战以后，我方士气正高涨，而敌方士气正低落。如果不趁着这个机会加紧攻击，旷日持久，那么胜负就难以预料了。这就是我之所以能速战而获胜的道理，这不能用以逸待劳的常理来推断。"石敬瑭听了，十分感叹和佩服。

九月十六日壬寅，石敬瑭带兵与契丹兵会合包围晋安寨。在晋安寨的南面设营，营寨绵延一百多里，纵深五十里，设置了很多带有警铃的绳索和吠犬，人们连半步也休想通过。张敬达等的士兵还有五万人，战马有一万匹，环顾四方无处可去。十八日甲辰，张敬达派出使者向唐末帝报告唐军战败，从此再也没有与朝廷通音讯了。唐末帝十分恐惧，派彰圣都指挥使符彦饶率洛阳的步兵和骑兵驻守河阳，下诏命令天雄节度使兼中书令范延光率魏州兵二万人由青山赶赴榆次，又命令卢龙节度使、东北面招讨使兼中书令北平王赵德钧率幽州兵出飞狐陉向契丹军的后方进发，耀州防御使潘环集合西方各路的戍守士兵从晋州、绛州之间的两乳岭向慈州、隰州进发，共同救援晋安寨。契丹主把军帐移到柳林，侦察骑兵经过石会关时，没有见到唐兵。

【段旨】

以上为第六段，写契丹入援石敬瑭，初战大败唐军。

【注释】

㉑⑦将：率领。㉑⑧扬武谷：地名，在今山西原平崞阳镇。㉑⑨不绝：不断。㉒⓪婴城：环城。㉒①诱胁：引诱威胁。㉒②辛丑：九月十五日。㉒③陈：列阵。㉒④南军甚厚：唐军力量甚强大。㉒⑤轻：轻视。㉒⑥议战：商议作战事宜。㉒⑦符彦卿：符存审第三子。官凤翔节度使，封魏王。传见《旧五代史》卷五十六、《新五代史》卷二十五、《宋史》卷二百五十一。㉒⑧合战：接战。㉒⑨不被甲：不穿盔甲。被，通“披”。㉓⓪直犯其陈：直接攻打唐军阵营。陈，通“阵”。㉓①羸：瘦弱。㉓②争逐之：争先恐后地追赶他们。㉓③汾曲：汾水弯曲处。㉓④涉水：渡水。㉓⑤循岸：沿着汾河岸边。㉓⑥晋安寨：寨名，在今山西太原城郊。㉓⑦纵兵乘之：发兵追击。㉓⑧北门：晋阳城北门。㉓⑨遽：骤然。㉔⓪断：扼守；阻截。㉔①侦视：侦察。㉔②必济：一定成功。㉔③沮：沮丧；衰颓。㉔④亟战：急战。㉔⑤劳逸常理：以逸待劳的通常道理。㉔⑥壬寅：九月十六日。㉔⑦厚：宽。㉔⑧吠犬：会叫的狗。㉔⑨跬步：半步。一

【原文】

丁未[260]，唐主下诏亲征。雍王重美曰：“陛下目疾未平，未可远涉风沙[261]。臣虽童稚，愿代陛下北行。”帝意本不欲行，闻之，颇悦。张延朗、刘延皓及宣徽南院使刘延朗皆劝帝行，帝不得已，戊申[262]，发洛阳，谓卢文纪曰：“朕雅闻[263]卿有相业[264]，故排众议首用卿。今祸难如此，卿嘉谋皆安在乎？”文纪但拜谢，不能对。己酉[265]，遣刘延朗监侍卫步军都指挥使符彦饶军赴潞州，为大军[266]后援。诸军自凤翔推戴[267]以来，骄悍不为用，彦饶恐其为乱，不敢束之以法。

帝至河阳，心惮[268]北行，召宰相、枢密使议进取方略[269]。卢文纪希帝旨[270]，言国家根本，太半[271]在河南[272]。胡兵倏来忽往[273]，不能久留。晋安大寨甚固，况已发三道兵救之。河阳天下津要[274]，车驾[275]宜留此镇抚南北，且遣近臣往督战。苟[276]不能解围，进亦未晚。张延朗欲因事令赵延寿得解枢务[277]，因曰：“文纪言是也。”帝访于余人[278]，无敢异言者。泽州刺史刘遂凝[279]，鄩之子也，潜[280]自通于石敬瑭，表称车驾不可逾[281]太行[282]。帝议近臣可使北行者，张延朗与翰林学士须昌和凝[283]等皆曰：“赵延寿父德钧以卢龙兵来赴难，宜遣延寿会之。”

举足叫跬。㉕四顾无所之：环顾四方无处可去。之，往、去。㉕甲辰：九月十八日。㉕告败于唐：向唐末帝报告失败的消息。㉕符彦饶（？至公元九三七年）：符存审第二子。唐庄宗时血战有功，授曹州刺史，为政甚有民誉。为后晋滑州节度使。传见《旧五代史》卷九十一、《新五代史》卷二十五。㉕青山：地名，在今河北邢台。㉕榆次：县名，在今山西晋中市榆次区。㉕纠合：集合。㉕西路戍兵：指蒲州、潼关以西诸路戍兵。㉕柳林：地名，当在晋安寨南。㉕石会关：关名，在今山西榆社西。

【校记】

［5］符彦卿：原误作"苻彦卿"，下之"符彦饶"误作"苻彦饶"。卷二百七十六"李彦超请复姓符"作"符"，新、旧《五代史》亦作"符"，当是，今据改。下同。［6］由飞狐：原无此三字。据章钰校，十二行本、乙十一行本、孔天胤本皆有此三字，张瑛《通鉴校勘记》同，今据补。

【语译】

九月二十一日丁未，唐末帝下诏，要亲自率军征讨。雍王李重美说："陛下的眼疾还没有好，不能长途跋涉前往风沙之地。儿臣我年纪虽然还很小，但愿意代陛下北征。"唐末帝本来就不想亲征，听了雍王这话，心里很高兴。张延朗、刘延皓以及宣徽南院使刘延朗都劝唐末帝亲征，唐末帝不得已，二十二日戊申，从洛阳出发，他对卢文纪说："朕一向听说你有宰相的能力，所以力排众议首先重用了你。现在祸难到了如此地步，你的好计谋又都在哪里呢？"卢文纪只是叩拜谢罪，无法回答。二十三日己酉，派刘延朗监督侍卫步军都指挥使符彦饶的部队赶赴潞州，作为晋安寨大军的后援。各路军队自从凤翔拥戴潞王称帝以来，骄横凶悍不听指挥，符彦饶害怕他们闹乱子，所以也不敢用军法来约束他们。

唐末帝到达河阳，心里害怕北征，就召集宰相、枢密使商议进攻方略。卢文纪迎合皇帝的意旨，说国家的根本，大半在黄河以南。胡人的骑兵忽来忽往，不可能长久停留。晋安大寨十分坚固，况且已经调发了三路兵马前去救援。河阳是天下的要冲，皇上的车驾应该留在这里安抚南北，暂且先派一位近臣前去督战。如果不能解围，皇上再北进也不算晚。张延朗想借个事由让赵延寿解除枢密使的职务，于是说："文纪讲得很对。"唐末帝又征询其他大臣的意见，结果没有人敢提出异议。泽州刺史刘遂凝，是刘鄩的儿子，暗中与石敬瑭勾结，也上表声称皇上的车驾不可越过太行山。唐末帝又和大臣们商议近臣中哪一位可以派往北面，张延朗和翰林学士须昌人和凝等人都说："赵延寿的父亲赵德钧率卢龙的兵马前来解救危难，应该派赵

庚戌㉘④，遣枢密使、忠武节度使、随驾诸军都部署、兼侍中赵延寿将兵二万如潞州。辛亥㉘⑤，帝如怀州。以右神武统军康思立为北面行营马军都指挥使，帅扈从骑兵赴团柏谷㉘⑥。思立，晋阳胡人也。

帝以晋安为忧，问策于群臣。吏部侍郎永清龙敏㉘⑦请立李赞华㉘⑧为契丹主，令天雄、卢龙二镇分兵送之，自幽州趣西楼㉘⑨。朝廷露檄㉙⓪言之，契丹主必有内顾之忧，然后选募军中精锐以击之，此亦解围之一策也。帝深以为然，而执政恐其无成，议竟不决。帝忧沮形于神色㉙①，但日夕酣饮悲歌㉙②。群臣或劝其北行，则曰："卿勿言，石郎㉙③使我心胆堕地㉙④！"

【段旨】

以上为第七段，写唐末帝亲征。吏部侍郎龙敏建言立李赞华为契丹主，北行以扰乱契丹后方，末帝犹豫不决竟未施行。末帝仓皇失措。

【注释】

㉖⓪丁未：九月二十一日。㉖①风沙：指代北方。㉖②戊申：九月二十二日。㉖③雅闻：一向听说。㉖④相业：为相的业行和能力。唐主清泰元年（公元九三四年）四月即位，七月任命卢文纪为中书侍郎、同平章事，居宰相职。㉖⑤己酉：九月二十三日。㉖⑥大军：指张敬达晋安寨军。㉖⑦凤翔推戴：指在凤翔拥戴李从珂称帝。㉖⑧惮：害怕。㉖⑨议进取方略：讨论进军的策略。㉗⓪希帝旨：迎合末帝的意旨。㉗①太半：大半。㉗②河南：泛指黄河以南地区。㉗③倏来忽往：迅速地来，迅速地去。㉗④河阳天下津要：河阳是国家重要的渡口。

【原文】

冬，十月壬戌㉙⑤，诏大括㉙⑥天下将吏及民间马。又发民为兵，每七户出征夫一人，自备铠仗，谓之"义军"。期以十一月俱集，命陈州刺史郎万金㉙⑦教以战陈。用张延朗之谋也。凡得马二千余匹，征夫五千人，实无益于用，而民间大扰。

延寿前去与他们会合。”九月二十四日庚戌，唐末帝派枢密使、忠武节度使、随驾诸军都部署、兼侍中赵延寿率兵二万前往潞州。二十五日辛亥，唐末帝前往怀州。任命右神武统军康思立为北面行营马军都指挥使，率领扈从骑兵开赴团柏谷。康思立，是晋阳的胡人。

唐末帝为晋安寨的形势担忧，向群臣询问对策。吏部侍郎永清人龙敏建议立李赞华为契丹国主，命令天雄、卢龙两个军镇分出一部分兵力护送他，从幽州前往西楼。朝廷公布檄文宣布这一消息，这样契丹主一定会有后顾之忧，然后挑选招募军中的精锐士卒去攻击契丹，这也是解围的一个办法。唐末帝十分赞同这个建议，但是执政大臣担心这个计划难以成功，商议了一番最终并未做出决定。唐末帝忧愁沮丧之情表露在脸上，只是一天到晚畅饮悲歌。群臣中有人劝他北行，他就说：“你不要再说了，石郎让我心胆都掉到地上了！”

因进攻洛阳，必须从河阳渡黄河。㉗⑤车驾：指皇帝。㉗⑥苟：如果。㉗⑦得解枢务：能够解除枢密使职务。㉗⑧余人：其他大臣。㉗⑨刘遂凝：刘鄩子，事唐为刺史。王淑妃用事，受恩宠。传附《新五代史》卷二十二《刘鄩传》。㉘⓪潜：暗中。㉘①逾：越过。㉘②太行：太行山。㉘③和凝（公元八九八至九五五年）：字成绩，汶阳须昌（今山东东平）人，少好学，十九岁登进士第，任后晋宰相。著有《香奁集》存世。传见《旧五代史》卷一百二十七、《新五代史》卷五十五。㉘④庚戌：九月二十四日。㉘⑤辛亥：九月二十五日。㉘⑥团柏谷：地名，在今山西祁县境内。㉘⑦龙敏（公元八八六至九四八年）：字欲讷，幽州永清（今河北永清）人，外柔而内刚，爱决断大计。官至后晋工部尚书。传见《旧五代史》卷一百八、《新五代史》卷五十六。㉘⑧李赞华：耶律德光之兄东丹王突欲。㉘⑨西楼：契丹都城，即上京临潢府，在今内蒙古巴林左旗东南波罗城。㉙⓪露檄：公布檄文。故意使契丹知道檄文内容。㉙①忧沮形于神色：忧愁沮丧之情表现在面部。㉙②酣饮悲歌：畅快地饮酒，悲哀地歌唱。㉙③石郎：指石敬瑭。㉙④心胆堕地：形容害怕至极。

【语译】

冬，十月初七日壬戌，下诏大肆搜罗全国将领、官吏以及民间的马匹。又征调百姓当兵，每七户人家出征夫一人，自己置备铠甲、兵器，称作“义军”。限期在十一月一起集中，命令陈州刺史郎万金训练他们作战列阵，这些都是采用张延朗的计谋办的。总共搜得马二千多匹，征夫五千人，这些人马其实并无多少用处，但是民间已经大受惊扰。

初，赵德钧阴蓄异志㉘，欲因乱㉙取中原，自请救晋安寨。唐主命自飞狐踵契丹后，钞㉚其部落。德钧请将银鞍契丹直㉛三千骑，由土门㉜路西入，帝许之。赵州刺史、北面行营都指挥使刘在明㉝先将兵戍易州，德钧过易州，命在明以其众自随㉞。在明，幽州人也。德钧至镇州，以董温琪领招讨副使，邀与偕行㉟。又表称兵少，须合泽潞兵，乃自吴儿谷㊱趣潞州。癸酉㊲，至乱柳㊳。时范延光受诏将部兵二万屯辽州，德钧又请与魏博军合。延光知德钧合诸军，志趣难测，表称魏博兵已入贼境，无容㊴南行数百里与德钧合，乃止。

汉主以宗正卿兼工部侍郎刘濬㊵为中书侍郎、同平章事。濬，崇望之子也。

十一月戊子㊶[7]，以赵德钧为诸道行营都统，依前东北面行营招讨使。以赵延寿为河东道南面行营招讨使，以翰林学士张砺为判官。庚寅㊷，以范延光为河东道东南面行营招讨使，以宣武节度使、同平章事李周副之。辛卯㊸，以刘延朗为河东道南面行营招讨副使。赵延寿遇赵德钧于西汤㊹，悉以兵属㊺德钧。唐主遣吕琦赐德钧敕告㊻，且犒军。德钧志在并范延光军，逗留不进，诏书屡趣㊼之。德钧乃引兵北屯团柏谷㊽口。

【段旨】

以上为第八段，写赵德钧受命为诸道行营都统，却暗中勾结契丹为援，效石敬瑭之所为。

【注释】

㉕壬戌：十月初七日。㉖大括：大肆搜罗。㉗郎万金：后唐当时勇将。㉘阴蓄异志：暗怀反叛之心。㉙因乱：乘乱。㉚钞：同“抄”，抄掠。㉛银鞍契丹直：禁卫军名，赵德钧在幽州，以契丹来降的骁勇者编制银鞍契丹直。㉜土门：井陉，在今河北井陉。㉝刘在明（？至公元九四八年）：幽州（今北京）人，官至后晋镇州留后。传见《旧五代史》卷一百六。㉞自随：跟着自己。指赵德钧。㉟偕行：与赵德钧一起出发。㊱吴

当初，赵德钧暗怀反叛之心，想乘乱夺取中原，因此主动请求救援晋安寨。唐末帝命令他从飞狐陉尾随在契丹军后面，抄掠他们的部落。赵德钧请求率领由以往来降契丹将士组成的银鞍契丹直的骑兵三千人，从土门路向西进军，唐末帝答应了。赵州刺史、北面行营都指挥使刘在明在此之前率兵戍守易州，赵德钧经过易州时，命令刘在明带领部下跟着自己。刘在明，是幽州人。赵德钧到达镇州，任命董温琪兼任招讨副使，要挟他与自己一道西行。又向皇帝上表声称兵力太少，必须与泽州、潞州的兵力会合，于是从吴儿谷前往潞州。十月十八日癸酉，到达乱柳。当时范延光已接受诏命率部下二万人屯驻在辽州，赵德钧又请求与范延光的魏博军会合。范延光深知赵德钧会合各路兵马，用意难以预测，就上表声称魏博军已经进入敌境，不能再往南行进数百里去与赵德钧会合，这才作罢。

汉主任命宗正卿兼工部侍郎刘濬为中书侍郎、同平章事。刘濬，是刘崇望的儿子。

十一月初三日戊子，任命赵德钧为诸道行营都统，并依旧担任先前的东北面行营招讨使。任命赵延寿为河东道南面行营招讨使，任命翰林学士张砺为判官。初五日庚寅，任命范延光为河东道东南面行营招讨使，任命宣武节度使、同平章事李周当他的副使。初六日辛卯，任命刘延朗为河东道南面行营招讨副使。赵延寿在西汤与他的父亲赵德钧相遇，把自己的兵马全都归属赵德钧统领。唐末帝派吕琦赐给赵德钧任职敕告，并且犒劳军队。赵德钧志在兼并范延光的军队，因此逗留不肯前进，皇帝下诏书一再催促他，赵德钧才带兵北进屯驻在团柏谷的谷口。

儿谷：地名，在今山西长治。㉗癸酉：十月十八日。㉘乱柳：地名，乱柳寨，在今山西沁县南。㉙无容：不允许。㉚刘濬：字伯深，滑州胙（今河南延津）人，刘龑幕僚，官至南汉宰相。清简执持，养民息兵，有善政。传见《十国春秋》卷六十二。㉛戊子：十一月初三日。㉜庚寅：十一月初五日。㉝辛卯：十一月初六日。㉞西汤：地名，《旧五代史》作“西唐店”，在山西沁县西北。㉟属：归。㊱敕告：指诸道行营都统委任令。㊲趣：催促。㊳团柏谷：地名，在今山西祁县东南六十里。

【校记】

［7］戊子：原无此二字。据章钰校，十二行本、乙十一行本、孔天胤本皆有此两字，张敦仁《通鉴刊本识误》同，今据补。

【原文】

癸巳[319]，吴主诏齐王知诰置百官，以金陵府为西都。

前坊州[320]刺史刘景岩，延州人也，多财而喜侠，交结豪杰，家有丁夫兵仗，人服其强，势倾州县[321]。彰武节度使杨汉章无政[322]，失夷、夏[323]心。会括马及义军，汉章帅步骑数千人将赴军期[324]，阅之于野。景岩潜使人挠[325]之曰："契丹强盛，汝曹有去无归。"众惧，杀汉章，奉景岩为留后。唐主不获已，丁酉[326]，以景岩为彰武留后。

契丹主谓石敬瑭曰："吾三千里来[8]赴难[327]，必有成功。观汝器[9]貌识量[328]，真中原之主也。吾欲立汝为天子。"敬瑭辞让者[10]数四[329]，将吏复劝进[330]，乃许之。契丹主作册书[331]，命敬瑭为大晋皇帝，自解衣冠授之[332]。筑坛于柳林[333]，是日，即皇帝位。割幽、蓟、瀛、莫、涿、檀、顺、新、妫、儒、武、云、应、寰、朔、蔚十六州[334]以与契丹，仍许岁输帛[335]三十万匹。己亥[336]，制改长兴七年为天福元年，大赦。敕命法制，皆遵明宗之旧。以节度判官赵莹为翰林学士承旨、户部侍郎、知河东军府事，掌书记桑维翰为翰林学士、礼部侍郎、权知枢密使事，观察判官薛融为侍御史知杂事[337]，节度推官白水[338]窦贞固为翰林学士，军城都巡检使刘知远为侍卫马军都指挥使，客将景延广[339]为步军都指挥使。延广，陕州人也。立晋国长公主为皇后。

【段旨】

以上为第九段，写契丹主策命石敬瑭为皇帝，石敬瑭割燕云十六州土地给契丹做回报。

【注释】

[319]癸巳：十一月初八日。[320]坊州：州名，在今陕西合阳南。[321]势倾州县：势力之大压过了州、县官吏。[322]无政：没有政绩。[323]夷、夏：指少数民族和汉族。[324]将赴军期：按规定的期限到讨石敬瑭军前报到。[325]挠：扰乱。[326]丁酉：十一月十二日。[327]三千里来

【语译】

十一月初八日癸巳，吴主下诏，命齐王徐知诰设置百官，以金陵府为西都。

前坊州刺史刘景岩是延州人，富有钱财而又喜爱行侠仗义，与豪杰相结交，家中拥有丁夫和兵械，人们都慑服于他的强大，势力压过了州县官吏。彰武节度使杨汉章毫无政绩，夷人、汉人都对他很失望。正好遇上搜罗马匹和征调义军，杨汉章带领步兵、骑兵几千人准备按期去会师，正在野外进行检阅。刘景岩暗中派人去扰乱人心，说："契丹兵力强盛，你们这些人是有去无回。"大家一听十分害怕，就杀死了杨汉章，拥立刘景岩为留后。唐末帝不得已，于十一月十二日丁酉，任命刘景岩为彰武留后。

契丹主对石敬瑭说："我从三千里外赶来解救危难，一定要有所建树。我看你的风度、容貌、才识、气量，真适合成为中原之主。我想扶立你做天子。"石敬瑭多次推辞谦让，但将领佐吏又反复劝他即位，他这才答应下来。契丹主制作了册封文书，命石敬瑭为大晋皇帝，还脱下自己的衣服、冠冕授给他，在柳林修筑坛台。当天，石敬瑭就即皇帝之位。石敬瑭割让幽、蓟、瀛、莫、涿、檀、顺、新、妫、儒、武、云、应、寰、朔、蔚十六个州给契丹，还答应每年送纳三十万匹绢帛给他们。十一月十四日己亥，石敬瑭下制，把唐长兴七年改为晋天福元年，大赦天下。敕命和法规制度，都遵照明宗时的旧规。任命节度判官赵莹为翰林学士承旨、户部侍郎、知河东军府事，掌书记桑维翰为翰林学士、礼部侍郎、权知枢密使事，观察判官薛融为侍御史知杂事，节度推官白水人窦贞固为翰林学士，军城都巡检使刘知远为侍卫马军都指挥使，客将景延广为步军都指挥使。景延广，是陕州人。册立晋国长公主为皇后。

赴难：从三千里外赶来解救急难。三千里，虚数，表示辽远。㉘器貌识量：风度、容貌、见识、气量。㉙数四：多次。㉚劝进：劝他进位为天子。㉛册书：制书文告。立后妃，封亲王、皇子、大长公主，拜三师、三公、三省长官时用，由翰林学士撰文。㉜自解衣冠授之：自己解下衣帽赐给石敬瑭。石敬瑭着契丹服即位称皇帝。㉝柳林：地名，在今山西太原东南。㉞割幽、蓟句：割让华北大片土地给契丹，十六州之地当今河北滹沱河以北，山西雁门关以北广大地区，华北恒山险阻尽失，中原失去屏障，导致北方游牧人长期为祸中原。㉟输帛：输送绢帛。㊱己亥：十一月十四日。㊲侍御史知杂事：官名，唐御史台置侍御史，知杂事指侍御史辅助御史中丞处理御史台事务。㊳白水：县名，在今陕西白水。㊴景延广（公元八九一至九四六年）：字航川，陕州（今河南三门峡市陕州区）人，能挽强弓。官至后晋天平节度使。主张出帝石重贵对契丹称孙而不称臣，为契丹逮捕，自杀。传见《旧五代史》卷八十八、《新五代史》卷二十九。

【校记】

［8］来：原无此字。据章钰校，十二行本、乙十一行本皆有此字，今据补。［9］器：据章钰校，十二行本、乙十一行本皆作“气”。［10］者：据章钰校，十二行本、乙十一行本皆无此字。

【原文】

契丹主虽军柳林，其辎重老弱皆在虎北口，每日暝[340]辄结束[341]，以备仓猝遁逃[342]。而赵德钧欲倚契丹取中国，至团柏逾月，按兵不战。去晋安才百里，声问[343]不能相通。德钧累表为延寿求成德节度使，曰：“臣今远征，幽州势孤，欲使延寿在镇州，左右便于应接[344]。”唐主曰：“延寿方击贼，何暇往镇州！俟贼平，当如所请。”德钧求之不已[345]，唐主怒曰：“赵氏父子坚欲得镇州，何意也？苟能却胡寇，虽欲代吾位，吾亦甘心。若玩寇邀君[346]，但恐犬兔俱毙[347]耳。”德钧闻之，不悦。

闰月，赵延寿献契丹主所赐诏及甲马弓剑，诈云[348]德钧遣使致书于契丹主，为唐结好[349]，说[350]令引兵归国。其实别为密书[351]，厚以金帛赂契丹主，云：“若立己为帝，请即以见兵[352]南平洛阳，与契丹为兄弟之国。仍许石氏常镇河东。”契丹主自以深入敌境，晋安未下，德钧兵尚强，范延光在其东，又恐山北诸州[353]邀[354]其归路，欲许德钧之请。

帝闻之，大惧，亟[355]使桑维翰见契丹主，说之[356]曰：“大国举义兵以救孤危[357]，一战而唐兵瓦解，退守一栅[358]，食尽力穷。赵北平[359]父子不忠不信[360]，畏大国之强，且素蓄异志，按兵观变，非以死徇国[361]之人，何足可畏！而信其诞妄之辞[362]，贪豪末之利，弃垂成[363]之功乎！且使晋得天下，将竭中国之财以奉大国，岂此小利之比乎！”契丹主曰：“尔见捕鼠者[364]乎？不备之，犹或啮[365]伤其手，况大敌乎！”对曰：“今大国已扼[366]其喉，安能[367]啮人乎！”契丹主曰：“吾非有渝前约[368]也，但

【语译】

契丹主虽然把军队屯驻在柳林，但是他们的辎重和老弱士兵都留在虎北口，天一黑他们就收拾好行装，以备在仓促间好逃走。但是赵德钧想借助契丹的力量夺取中原，因此到了团柏一个多月，仍然控制军队不与契丹接战。离晋安寨只有一百里路，却不与他们通音讯。赵德钧多次上表替赵延寿求成德节度使一职，说："臣如今远征在外，幽州势孤力单，所以想让赵延寿在镇州，这样就左右都便于接应了。"唐末帝回答说："延寿正在进击贼兵，哪有时间前往镇州！等到贼寇平定了，我会答应你的请求。"赵德钧还是不停请求，唐末帝发怒说："赵氏父子坚持要得到镇州，是什么用意？如果能击退胡寇，即使想取代我的位置，我也甘心。如果玩忽敌寇而要挟君主，只怕是猎犬与狡兔都要死去。"赵德钧听到这话后，心里很不高兴。

闰十一月，赵延寿向唐末帝献上契丹主赐给他的诏书以及铠甲、战马、弓矢、刀剑，欺骗说赵德钧已派遣使者送信给契丹主，替唐主与契丹缔结和好，劝契丹主率兵回国。而实际上他却另写了一封密信，并用丰厚的金银、布帛去贿赂契丹主，说："假如扶立我当皇帝，我愿立即用现有的兵力向南去平定洛阳，与契丹结为兄弟之国，并仍旧答应石氏长期镇守河东军镇。"契丹主认为自己深入敌境，晋安寨还没有攻下，赵德钧的兵力还很强，范延光部又在他的东边，同时担心太行山以北各州的唐军会拦截他的退路，就准备答应赵德钧的要求。

晋帝石敬瑭得知这一消息后，十分恐惧，赶忙派桑维翰去见契丹主，向他游说道："契丹大国出动义兵来解救孤危，一经交战就使唐兵瓦解，退守到一个栅寨里，粮食吃尽，兵力穷竭。赵北平父子对唐不忠，对契丹无信，他畏惧大国的强盛，而且素来怀有野心，所以按兵不动，观望形势的变化，他不是一个能献出生命报效国家的人，有什么值得害怕的！竟要相信他的荒诞无稽的言辞，贪图毫末小利，抛弃即将完成的功业呢！况且如果让晋得了天下，将会竭尽中原的钱财进献给大国，难道是这些小利所能相比的吗?!"契丹主说："你见过捉老鼠的人吗？如果不做防备，有的尚且会被老鼠咬伤手，何况是强大的敌人呢！"桑维翰回答说："如今大国已经卡住了他的喉咙，怎么能再咬人呢！"契丹主说："我并不是要改变以前的约定，只是兵

兵家权谋㊳不得不尔㊴。”对曰：“皇帝以信义救人之急，四海之人俱属耳目㊵。奈何一旦[11]二三其命㊶，使大义不终！臣窃㊷为皇帝不取也。”跪于帐前，自旦至暮，涕泣争之。契丹主乃从之，指帐前石谓德钧使者曰：“我已许石郎。此石烂，可改矣。”

【段旨】

以上为第十段，写赵德钧、石敬瑭争相投靠契丹灭唐，石敬瑭的割地争得了先机。

【注释】

㉞日暝：日落天黑。㉟辄结束：便收拾好行装。㊱仓猝遁逃：匆忙中逃跑。㊲声问：音讯。㊳左右便于应接：如赵延寿镇镇州，则左可以接应蓟门，右可以接应团柏。㊴不已：不止；不完。㊵若玩寇邀君：如果玩忽敌人而要挟君主。㊶犬兔俱毙：猎狗与狡兔一起都死。典出《战国策》，韩子卢是天下的好狗，东郭逡是天下的狡兔，卢追逡，绕山三座，越山五座，兔死于前，狗死于后，农民见而一起获取。㊷诈云：欺骗说。㊸为唐结好：替唐主与契丹结好同盟。㊹说：劝说。㊺别为密书：另外再秘密写信给耶律德光。㊻见兵：现在的军队。见，通“现”。㊼山北诸州：指云、应、寰、朔等

【原文】

龙敏谓前郑州防御使李懿曰：“君㊽，国之近亲。今社稷之危，翘足可待，君独无忧乎？”懿为言赵德钧必能破敌之状。敏曰：“我燕人㊾也，知德钧之为人，怯而无谋，但于守城差长㊿耳。况今内蓄奸谋[377]，岂可恃乎[378]！仆[379]有狂策[380]，但恐朝廷不肯为耳。今从驾兵尚万余人，马近五千匹。若选精骑一千，使仆与郎万金将之，自介休[381]山路，夜冒[382]虏骑入晋安寨，但使其半得入，则事济[383]矣。张敬达等陷于重围，不知朝廷声问。若知大军近在团柏，虽有铁障[384]可冲陷[385]，况虏骑乎！”懿以白唐主，唐主曰：“龙敏之志极壮，用之晚矣。”

家的权术和谋略不得不这样做。”桑维翰回答说：“皇帝是凭着信义来解救人的急难，四海之内的人都听到和看到了。怎么能忽然前后不一，让皇帝的大义有始无终呢！臣私下认为皇帝的这种做法不可取。”于是就跪在军帐前面，从早到晚，流着泪与契丹主争辩。契丹主最终依从了他，指着帐前的石头对赵德钧的使者说：“我已经答应石郎了。只有这块石头烂了，才可以改变。”

州。㉔邀：拦击。㉕亟：急。㉖说之：游说他。㉗孤危：孤独而处于危险之中。㉘退守一栅：指退守晋安寨。㉙赵北平：指赵德钧。因封北平王，故称之。㉚不忠不信：指赵德钧不忠于唐，不信于契丹。㉛徇国：献出生命报效国家。徇，同“殉”。㉜诞妄之辞：荒诞无稽的话。㉝垂成：即将取得成功。㉞捕鼠者：捉老鼠的人。㉟啮：咬。㊱扼：扼住。㊲安能：怎能。㊳有渝前约：违背以前的协定。即立石敬瑭为帝。㊴但兵家权谋：只是军事家的权术和谋略。㊵不得不尔：不得不这样做。㊶俱属耳目：都听到看到。㊷二三其命：指前后反复，不专一。㊸窃：私下。

【校记】

［11］一旦：原无此二字。据章钰校，十二行本、乙十一行本、孔天胤本皆有此二字，今据补。

【语译】

龙敏对前郑州防御使李懿说：“您，是皇室的近亲。如今社稷出现危急，就在顷刻之间，你难道不曾忧虑过吗？”李懿向他分析赵德钧肯定能打败敌军的形势。龙敏说：“我是燕地人，知道赵德钧的为人，他胆小而缺乏谋略，只是在守城方面略微擅长罢了。况且如今他心怀奸谋，又怎么能依靠呢！我有个大胆的计谋，只怕朝廷不肯这样去做而已。现在护驾的士兵还有一万多人，战马将近五千匹。如果挑选出精锐骑兵一千人，让我和郎万金率领，从介休的山路行进，乘夜色冲过敌阵进入晋安寨，只要让其中一半人马得以入寨，事情就算成功了。张敬达等人身陷重围，不知道朝廷的音讯。如果知道朝廷的大军近在团柏，即使有铁打的屏障也可以冲破，何况是胡虏的骑兵呢！”李懿把这个建议告诉了唐末帝，唐末帝说：“龙敏的志气极为豪壮，但现在用这个办法已经晚了。”

丹州[386]义军作乱，逐刺史康承询，承询奔鄜州。

晋安寨被围数月，高行周、符彦卿数引[387]骑兵出战，众寡不敌，皆无功。刍粮俱竭[388]，削柿淘粪[389]以饲马，马相啖[390]，尾鬣皆秃[391]，死则将士分食之，援兵竟不至。张敬达性刚，时谓之"张生铁"。杨光远、安审琦劝敬达降于契丹，敬达曰："吾受明宗及今上[392]厚恩，为元帅而败军，其罪已大，况降敌乎！今援兵旦暮至，且当俟之。必若力尽势穷，则诸军斩我首，携之出降，自求多福[393]，未为晚也。"光远目[394]审琦欲杀敬达，审琦未忍[395]。高行周知光远欲图敬达，常引壮骑尾而卫之。敬达不知其故，谓人曰："行周每踵余后[396]，何意也？"行周乃不敢随之。诸将每旦[397]集于招讨使营，甲子[398]，高行周、符彦卿未至，光远乘其无备，斩敬达首，帅诸将上表降于契丹。契丹主素闻诸将名，皆慰劳，赐以裘帽。因戏之曰[399]："汝辈亦大恶汉[400]，不用盐酪啖战马万匹[401]！"光远等大惭。契丹主嘉张敬达之忠，命收葬而祭之，谓其下及晋诸将曰："汝曹为人臣，当效敬达也。"时晋安寨马犹近五千，铠仗五万，契丹悉取以归其国。悉以唐之将卒授帝，语之曰："勉事而主[402]。"马军都指挥使康思立愤惋而死。

【段旨】

以上为第十一段，写唐末帝不采纳龙敏奇袭契丹之计，坐以待毙，导致唐军晋安寨降敌。

【注释】

㊴君：你。㊵燕人：幽州人。㊶差长：稍为擅长。㊷内蓄奸谋：内心怀有奸谋。㊸岂可恃乎：怎么可以依靠呢。㊹仆：我。㊺狂策：大胆的策略。㊻介休：县名，在今山西介休。㊼冒：顶着。㊽济：成功。㊾铁障：铁的屏障。㊿冲陷：冲破。[386]丹州：州名，

丹州的义军发动叛乱，驱逐刺史康承询，康承询逃往鄜州。

晋安寨被围困了几个月，高行周、符彦卿多次带领骑兵出战，因为寡不敌众都未能取得成功。草料和粮食都吃完了，只好削树皮淘马粪中的草筋来喂马，马饿急了就相互啃咬，马尾和马鬃都被啃秃了，马饿死后就由将士分而食之，援兵却最终还是没有到来。张敬达性情刚烈，当时被称为“张生铁”。杨光远、安审琦劝张敬达向契丹投降，张敬达说：“我受明宗和当今皇上的厚恩，身为元帅而使军队打了败仗，罪过已经很大了，何况去向敌人投降呢！如今援兵早晚之间就会到达，暂且应当再等些日子。一旦力尽势穷，那么各部队可以砍下我的头，带着它出去投降，以便自己去求多福，也不算迟。”杨光远向安审琦递了个眼色想要杀掉张敬达，安审琦不忍心下手。高行周得知杨光远要暗算张敬达，就经常带着精壮骑兵尾随在张敬达后面保卫他。张敬达不知其中的缘故，对人说：“行周常常跟随在我后面，是什么用意呢？”高行周于是不敢再跟在他后面了。将领们每天早晨都要在招讨使的营帐中会集，闰十一月初九日甲子那一天，高行周、符彦卿还没有来到，杨光远乘趁张敬达没有戒备，砍下了他的头，然后率领将领们上表向契丹投降。契丹主早就听过这些将领的大名，对他们都加以慰劳，赐给他们皮衣皮帽。并乘机对他们开玩笑说：“你们也是太坏的汉人，不用盐和浆酪做佐料居然吃掉了上万匹战马！”杨光远等人非常羞惭。契丹主嘉许张敬达的忠烈，下令为他安葬并举行祭奠，契丹主对自己的部下和晋军的将领们说：“你们身为人臣，都应当效法张敬达。”当时晋安寨的战马尚且有将近五千匹，铠甲、兵仗有五万具，契丹把这些东西全部拿来送回国去。而把唐军的将领和士卒交给了晋皇帝，并对他们说：“勉力侍奉你们的主上。”马军都指挥使康思立愤恨郁闷而死。

在今陕西宜川东北。㊳㊇ 数引：多次率领。㊳㊈ 刍粮俱竭：马草和粮食都吃尽。㊳㊉ 削柹淘粪：削树皮，淘马粪中草筋。㊴⓪ 马相啖：马相互咬吃。㊴① 尾鬣皆秃：尾巴毛和颈毛都被彼此吞食而光秃秃。㊴② 今上：指李从珂。㊴③ 自求多福：自己可以求得较多的幸福。㊴④ 目：以目示意。㊴⑤ 未忍：不忍心。㊴⑥ 每踵余后：常常跟随在我后面。㊴⑦ 每旦：每天早晨。㊴⑧ 甲子：闰十一月初九日。㊴⑨ 因戏之曰：乘机对他们开玩笑说。㊵⓪ 大恶汉：太坏的汉人。㊵① 不用盐酪啖战马万匹：不用盐巴和浆酪吃掉了万匹战马。意指不战而降。㊵② 勉事而主：勉力服侍你们的主人。而，通“尔”，你。

【原文】

帝以晋安已降，遣使谕[403]诸州。代州刺史张朗斩其使。吕琦奉唐主诏劳北军[404]，至忻州[405]，遇晋使，亦斩之，谓刺史丁审琦曰："虏过城下而不顾[406]，其心可见，还日必无全理[407]。不若早帅兵民自五台[408]奔镇州。"将行，审琦悔之，闭牙城不从。州兵欲攻之，琦曰："家国如此，何为复相屠灭[409]！"乃帅州兵趣镇州，审琦遂降契丹。

契丹主谓帝曰："桑维翰尽忠于汝，宜以为相。"丙寅[410]，以赵莹为门下侍郎，桑维翰为中书侍郎，并同平章事，维翰仍权知枢密使事。以杨光远为侍卫马步军都指挥使，以刘知远为保义节度使、侍卫马步军都虞候。

帝与契丹主将引兵而南，欲留一子守河东，咨[411]于契丹主。契丹主令帝尽出诸子，自择之[412]。帝兄子重贵[413]，父敬儒早卒，帝养以为子，貌类帝[414]而短小。契丹主指之曰："此大目者[415]可也。"乃以重贵为北京留守、太原尹、河东节度使。契丹以其将高谟翰[416]为前锋，与降卒[417]偕[12]进[418]。丁卯[419]，至团柏，与唐兵战。赵德钧、赵延寿先遁[420]，符彦饶、张彦琦、刘延朗、刘在明继之，士卒大溃，相腾践[421]死者万计。

己巳[422]，延朗、在明至怀州，唐主始知帝即位、杨光远降。众议以天雄军府尚完[423]，契丹必惮[424]山东[425]，未敢南下，车驾宜幸魏州。唐主以李崧素[426]与范延光善[427]，召崧谋之。薛文遇不知而继至[428]，唐主怒，变色[429]。崧蹑[430]文遇足，文遇乃去。唐主曰："我见此物[431]肉颤[432]，适[433]几欲抽佩刀刺之。"崧曰："文遇小人，浅谋误国[434]，刺之益丑。"崧因劝唐主南还，唐主从之。

【语译】

晋高祖石敬瑭因为晋安已经投降，就派使者去告谕各州。代州刺史张朗杀了他派来的使者。吕琦奉唐末帝的诏命去慰问雁门关以北的守军，到达忻州，遇到晋帝的使者，也把使者杀了，他对刺史丁审琦说："胡虏经过城下而你不去理会，用意是可以看得出来的，回朝时，肯定没有理由保全身家性命。不如早一点率领军民从五台奔往镇州。"临行时，丁审琦又后悔了，关闭牙城不跟吕琦走。州兵要攻打他，吕琦说："家与国都已经这样了，为什么还要再自相残杀呢！"于是带领忻州兵直奔镇州，丁审琦则投降了契丹。

契丹主对晋高祖石敬瑭说："桑维翰对你竭尽忠诚，应该让他当宰相。"闰十一月十一日丙寅，晋高祖任命赵莹为门下侍郎，桑维翰为中书侍郎，两人都是同平章事，桑维翰仍旧暂时主持枢密使的职务。任命杨光远为侍卫马步军都指挥使，任命刘知远为保义节度使、侍卫马步军都虞候。

晋高祖和契丹主将要率军南下，晋高祖想留下一个儿子镇守河东，询问契丹主的意见。契丹主让晋高祖把他的儿子都叫出来，他自己选择。晋高祖哥哥的儿子石重贵，他的父亲石敬儒早死，晋高祖把他当作自己的儿子抚养，他的相貌很像晋高祖，而身材短小。契丹主指着他说："这个大眼睛的可以。"于是任命石重贵为北京留守、太原尹、河东节度使。契丹派自己的将领高谟翰为前锋，和晋安寨的降卒一同进发。闰十一月十二日丁卯，到达团柏，与唐军交战。赵德钧、赵延寿率先逃走，符彦饶、张彦琦、刘延朗、刘在明跟着逃跑，唐军士卒大规模溃逃，相互践踏而死的数以万计。

闰十一月十四日己巳，刘延朗、刘在明到了怀州，唐末帝这才得知石敬瑭即位称帝、杨光远投降契丹的事。群臣议论认为天雄军府还算完好，契丹一定惧怕山东，不敢轻易南下，因此圣驾应该巡幸魏州。唐末帝认为李崧一向与天雄节度使范延光关系很好，就召李崧来商议这件事。薛文遇不知这是单独召见也跟着进来，唐末帝发怒，脸色都变了。李崧踩了一下薛文遇的脚，薛文遇才退了下去。唐末帝说："我一看见这个东西肉都发颤，刚才几乎要拔出佩刀刺他。"李崧说："薛文遇是个小人，计谋短浅贻误了国家，刺了他，他更显得丑陋了。"李崧于是劝唐末帝南返，唐末帝听从了他的意见。

【段旨】

以上为第十二段，写后唐军全线溃退，唐末帝南返洛阳。

【注释】

[403]谕：晓谕。[404]北军：指雁门以北诸州固守之军。[405]忻州：州名，治所秀容，在今山西忻州。[406]不顾：不去理会。[407]还日必无全理：回朝时肯定没有理由保全身家性命。[408]五台：县名，在今山西五台。[409]何为复相屠灭：为什么再自相屠杀。[410]丙寅：闰十一月十一日。[411]咨：询问。[412]自择之：自己选择。[413]重贵：石重贵（公元九一四年至？），后晋少帝。石敬瑭侄子。石敬瑭入洛阳，以重贵为太原尹，知河东管内节度观察使。天福七年（公元九四二年）石敬瑭卒，重贵即皇帝位。公元九四二至九四六年在位。公元九四六年契丹耶律德光南侵，掠石重贵北去，不知所终。事见《旧五代史》卷八十一、《新五代史》卷九。[414]类帝：像石敬瑭。[415]此大目者：这个大眼睛的人。[416]高谟翰（？至公元九五九年）：又名松，渤海（今山东阳信）人，有膂力，善骑射，好谈兵。耶

【原文】

洛阳闻北军[435]败，众心大震，居人四出，逃窜山谷。门者[436]请禁之，河南尹雍王重美曰："国家多难，未能为百姓主[437]，又禁其求生，徒增恶名[438]耳。不若听其自便，事宁自还[439]。"乃出令任从所适[440]，众心差安[441]。

壬申[442]，唐主还至河阳，命诸将分守南、北城[443]。张延朗请幸滑州，庶与魏博声势相接，唐主不能决。

赵德钧、赵延寿南奔潞州，唐败兵稍稍从之，其将时赛帅卢龙轻骑东还渔阳[444]。帝先遣昭义节度使高行周还具食[445]，至城下，见德钧父子在城上，行周曰："仆与大王[446]乡曲[447]，敢不忠告！城中无斗粟[448]可守，不若速迎车驾[449]。"甲戌[450]，帝与契丹主至潞州。德钧父子迎谒于高河[451]，契丹主慰谕之。父子拜帝于马首，进曰："别后安否?"帝不顾[452]，亦不与之言。契丹主问德钧曰："汝在幽州所置银鞍契丹直何在?"德钧指示[453]之，契丹主命尽杀之于西郊[454]，凡三千人。遂琐[455]德钧、延寿，送归其国[456]。

德钧见述律太后，悉以所赍[457]宝货[458]并籍其田宅[459]献之。太后问曰："汝近者[460]何为往太原?"德钧曰："奉唐主之命。"太后指天

律德光夸之为“国之勇将”。官至宰相。传见《辽史》卷七十六。417 降卒：指晋安寨降卒。418 偕进：一起前进。419 丁卯：闰十一月十二日。420 先遁：先避敌逃走。421 腾践：践踏。422 己巳：闰十一月十四日。423 天雄军府尚完：天雄军节度使府尚还完好。424 惮：害怕。425 山东：指天雄军，因其在太行山之东。426 素：一向。427 善：友好。428 薛文遇不知而继至：薛文遇与李崧同轮值，不知道独召李崧，故随后也来。429 变色：改变脸色。指盛怒的样子。430 蹑：踢；踏。踢其足示意。431 此物：这个东西。指薛文遇，表示轻蔑。432 肉颤：肌肉抖动，指内心厌恶的样子。433 适：刚才。434 浅谋误国：计谋短浅，贻误国家。此指薛文遇反对与契丹和议、劝末帝移镇天平等事。

【校记】

［12］偕：原作“皆”。据章钰校，十二行本、乙十一行本皆作“偕”，今据改。

【语译】

洛阳方面听到北方赵德钧等统率的军队大败的消息后，大家的内心受到极大震动，城中居民四面出走，逃窜到山谷里。把守城门的人请求下令禁止，河南尹雍王李重美说：“国家多难，朝廷没能替百姓做主，又禁止他们寻找活路，这样只能是增加朝廷的恶名而已。不如听其自便，事情平息后他们自然就会回来的。”于是下令听任百姓到他们想去的地方，大家的心情略微安定下来。

闰十一月十七日壬申，唐末帝回到河阳，命令各位将领分别把守南、北城。张延朗建议唐末帝巡幸滑州，以便能与魏博声势相接，唐末帝一时拿不定主意。

赵德钧、赵延寿向南逃奔到潞州，唐军败兵渐渐跟上了他，他的部将时赛带领卢龙的轻骑兵向东回到渔阳。晋高祖先派昭义节度使高行周回潞州备办粮草，到了潞州城下，看见赵德钧父子正在城上，高行周说：“在下和大王是同乡，不敢不向你提出一个忠告！城中已经没有一斗之粟可以让你坚守了，不如赶快出来迎接皇上圣驾。”闰十一月十九日甲戌，晋高祖和契丹主到达潞州。赵德钧父子到高河迎候谒见，契丹主对他们抚慰了一番。他们父子二人叩拜于晋高祖的马前，并上前问道：“分别以来还好吗？”晋高祖看都不看他，也不和他搭腔。契丹主问赵德钧说：“你在幽州设置的银鞍契丹直在哪里？”赵德钧指给他看，契丹主命令把这些人带到潞州城的西郊全部杀掉，共计三千人。然后给赵德钧、赵延寿上了枷锁，押送回契丹国。

赵德钧晋见契丹主的母亲述律太后，把所有带来的宝货以及登录自己田宅的簿籍献给太后。太后问道：“你最近为什么前往太原？”赵德钧回答说：“是奉了唐主之

曰："汝从㊻¹吾儿求为天子，何妄语㊻²邪！"又自指其心曰："此不可欺㊻³也。"又曰："吾儿将行，吾戒之云：赵大王㊻⁴若引兵北向渝关㊻⁵，亟须引归，太原不可救也。汝欲为天子，何不先击退吾儿，徐图㊻⁶亦未晚。汝为人臣，既负㊻⁷其主，不能击敌，又欲乘乱邀利㊻⁸。所为如此，何面目复求生乎？"德钧俯首不能对。又问："器玩㊻⁹在此，田宅何在？"德钧曰："在幽州。"太后曰："幽州今属谁？"德钧[13]曰："属太后。"太后曰："然则又何献焉㊼⁰？"德钧益惭。自是郁郁不多食，逾年而卒。张砺与延寿俱入契丹，契丹主复以为翰林学士。

【段旨】

以上为第十三段，写赵德钧父子降敌，被械送契丹，赵德钧被述律太后斥责不忠，抑郁而死。

【注释】

㊸⁵北军：指赵德钧、符彦饶等驻团柏之兵。㊸⁶门者：守洛阳城门的官员。㊸⁷为百姓主：替老百姓做主。㊸⁸徒增恶名：白白地增加坏名声。㊸⁹事宁自还：事情平息自然会回来的。㊹⁰任从所适：听任百姓到他们想去的地方。㊹¹众心差安：大家的心情略微安定下来。㊹²壬申：闰十一月十七日。㊹³南、北城：河阳有南、北、中潬三城。守南、北城是为了保卫黄河桥。㊹⁴渔阳：幽州，在今北京。㊹⁵还具食：回去准备军食。㊹⁶大王：指赵德钧。因封北平王，故称大王。㊹⁷乡曲：同乡人，指均是幽州人。㊹⁸斗粟：指粮食稀

【原文】

帝将发上党㊼¹，契丹主举酒属㊼²帝曰："余远来徇义㊼³，今大事已成，我若南向㊼⁴，河南㊼⁵之人必大惊骇。汝宜自引汉兵南下，人必不甚惧。我令太相温㊼⁶将五千骑卫送汝至河梁㊼⁷，欲与之渡河者多少随意。余且留此，俟汝音闻，有急则下山㊼⁸救汝。若洛阳既定，吾即北返矣。"与帝执手相泣，久之不能别，解白貂裘㊼⁹以衣㊽⁰帝，赠良马二十

命。”太后指着天说：“你向我的儿子请求做天子，为什么要胡说呢！”又指着自己的心说：“这里是不可欺骗的。”又说：“我的儿子即将出发时，我告诫他说：赵大王如果带兵向渝关北进，你必须赶紧带兵回来，不能去救援太原。你想当天子，为什么不先击退我的儿子，再慢慢地谋取也不算晚。你身为人臣，既辜负了你的君主，不能进击敌人，还想乘着战乱牟取私利。所作所为到了这般地步，又有什么脸面再来寻求活路呢？”赵德钧低着头不能回答。太后又问：“你献的器物珍玩都在这里，田宅又在哪里呢？”赵德钧说：“在幽州。”太后说：“幽州现在属于谁？”赵德钧回答说：“属于太后。”太后说：“既然这样，那么你又献什么呢？”赵德钧更加羞惭，从此以后，他心中忧郁，吃不下多少食物，过了一年就死了。张砺和赵延寿一起进入契丹，契丹主还是任命他为翰林学士。

少。㊾车驾：指石敬瑭。㊿甲戌：闰十一月十九日。(451)高河：高河镇，在今山西长治西二十里。(452)不顾：不屑看他。(453)指示：指给他看。(454)西郊：潞州西门外。(455)琐：通“锁”，加上锁链。(456)送归其国：送回契丹。(457)赍：带着的。(458)宝货：珍宝财物。(459)籍其田宅：登记土地和房子的清单。(460)近者：最近。(461)从：向。(462)何妄语：为什么胡说。(463)欺：欺骗。(464)赵大王：指赵德钧。(465)渝关：山海关。(466)徐图：慢慢打算，指慢慢地图谋做天子。(467)负：辜负；违背。(468)乘乱邀利：趁混乱追逐私利。邀，通“要”，索要。(469)器玩：赵德钧所献珍宝。(470)然则又何献焉：既然这样，你又献什么呢。此皆我家物，你当无所献。

【校记】

［13］德钧：原无此二字。据章钰校，十二行本、乙十一行本皆有此二字，今据补。

【语译】

晋高祖就要从上党出发，契丹主举起酒杯嘱咐晋高祖说：“我远道而来是践行信义，现在大功已成，我如果再向南进兵，黄河以南的人们一定会十分惊慌害怕。你应该自己带领汉兵南下，人们一定不会感到太恐惧。我让太相温率领五千骑兵护送你到河梁，想要多少人随你渡河由你决定。我暂且留在这里，等候你的消息，如果有紧急情况，我就下太行山去救你。如果洛阳平定下来了，我就回到北方去了。”说完，与晋高祖手拉着手，相对而泣，久久难以分别，又脱下自己身上的白色貂皮大

匹，战马千二百匹，曰：“世世子孙勿相忘。”又曰：“刘知远、赵莹、桑维翰皆创业功臣，无大故[481]，勿弃也。”

初，张敬达既出师，唐主遣左金吾大将军[482]历山高汉筠[483]守晋州[484]。敬达死，建雄节度副使田承肇帅众攻汉筠于府署。汉筠开门延承肇入，从容谓曰：“仆与公俱受朝寄[485]，何相迫如此？”承肇曰：“欲奉公为节度使。”汉筠曰：“仆老矣，义不为乱首[486]，死生惟公所处[487]。”承肇目[488]左右欲杀之，军士投刃于地曰：“高金吾累朝宿德[489]，奈何害之！”承肇乃谢曰：“与公戏[490]耳。”听[491]汉筠归洛阳。帝遇诸涂[492]，曰：“朕忧卿为乱兵所伤，今见卿，甚喜。”

符彦饶、张彦琪至河阳，密言于唐主曰：“今胡兵[493]大下，河水复浅，人心已离，此不可守。”丁丑[494][14]，唐主命河阳节度使苌从简与赵州刺史刘在明守河阳南城，遂断浮梁[495]，归洛阳。遣宦者秦继旻、皇城使李彦绅杀昭信节度使李赞华于其第。

己卯[496]，帝至河阳，苌从简迎降，舟楫已具[497]。彰圣军[498]执刘在明以降，帝释之，使复其所[499]。

唐主命马军都指挥使宋审虔、步军都指挥使符彦饶、河阳节度使张彦琪、宣徽南院使刘延朗将千余骑至白马阪[500]行战地[501]，有五十余骑渡河[15]奔于北军[502]。诸将谓审虔曰：“何地不可战，谁肯立[503]于此？”乃还。庚辰[504]，唐主又与四将议复向河阳，而将校皆已飞状[505]迎帝。帝虑唐主西奔，遣契丹千骑扼[506]渑池[507]。

辛巳[508]，唐主与曹太后[509]、刘皇后、雍王重美及宋审虔等携传国宝[510]登玄武楼[511]自焚。皇后积薪[512]欲烧宫室，重美谏曰：“新天子至，必不露居[513]，他日重劳民力。死而遗怨[514]，将安用之[515]！”乃止[516]。王淑妃谓太后曰：“事急矣[517]，宜且避匿[518]，以俟姑夫[519]。”太后曰：“吾子孙妇女[520]一朝至此，何忍独生！妹[521]自勉之。”淑妃乃与许王从益匿于球场[522]，获免。

衣披在晋高祖身上，另外赠送了良马二十匹，战马一千二百匹，说：“希望我们的子孙世世代代都不要相忘。”又说：“刘知远、赵莹、桑维翰都是创业的功臣，没有大的过失，不要抛弃他们。”

当初，张敬达率军出征之后，唐末帝派左金吾大将军历山人高汉筠戍守晋州。张敬达死了之后，建雄节度副使田承肇带领部众到府署攻打高汉筠。高汉筠打开府署的大门让田承肇进去，很沉着地对他说：“在下和您都受朝廷的重托，为什么要这样相逼呢？”田承肇说：“想拥戴你做节度使。”高汉筠说：“在下老了，谨遵道义不能去做谋乱的祸首，是死是活任凭您处置。”田承肇向身边的军士使眼色想要杀掉高汉筠，这些军士把刀子丢在地上说：“高金吾历经几朝是年高有德之人，为什么要杀害他！”田承肇于是向高汉筠谢罪说：“和您开个玩笑而已。”田承肇听任高汉筠回洛阳。晋高祖在路上遇到高汉筠，说：“朕担心你会被乱兵伤害，现在见到你，实在令人高兴。”

符彦饶、张彦琪到了河阳，秘密地向唐末帝进言说：“现在契丹军队大举南下，黄河恰又水浅，人心已经离散，这里不可再守了。”闰十一月二十二日丁丑，唐末帝命令河阳节度使苌从简和赵州刺史刘在明戍守河阳南城，随即切断渡河的浮桥，回洛阳。又派遣宦官秦继旻、皇城使李彦绅把昭信节度使李赞华杀死在他的家里。

闰十一月二十四日己卯，晋高祖到达河阳，苌从简迎上前来投降，渡河的舟楫都已经准备好了。彰圣军的军士抓了刘在明也来投降，晋高祖释放了刘在明，仍让他回到原来的任所。

唐末帝命令马军都指挥使宋审虔、步军都指挥使符彦饶、河阳节度使张彦琪、宣徽南院使刘延朗率领一千多名骑兵到白马阪踏勘布阵作战的地方，其间有五十多名骑兵渡河投奔了北方的晋军。将领们对宋审虔说：“哪里不可以作战，谁肯在这个地方布阵？”于是就撤了回来。闰十一月二十五日庚辰，唐末帝又与以上四位将领商议再向河阳派兵的事，而此时军中不少将校都已飞快地呈上降书迎接晋高祖去了。晋高祖担心唐末帝会往西逃奔，就派契丹骑兵一千人前去扼守渑池。

闰十一月二十六日辛巳，唐末帝和曹太后、刘皇后、雍王李重美以及宋审虔等人携带传国玉玺，登上玄武楼自焚。刘皇后堆积薪柴想要烧掉宫室，李重美劝阻说：“新天子到来，肯定不会露宿在外，以后修建宫室又会使民众更加劳苦。我们死了，还要给后人留下怨恨，焚烧宫室又有什么用处呢！”刘皇后这才住手。王淑妃对曹太后说：“事情很危急了，我们应该暂且躲避藏匿一下，等姑夫来了再说。”曹太后说：“我的儿子、孙子、媳妇、孙女到了这个地步，我怎么忍心独自活着！妹妹你自己保重吧。”王淑妃于是和许王李从益一起藏匿在球场，得以幸免。

【段旨】

以上为第十四段，写唐末帝回到洛阳，无兵可战，自焚而死。

【注释】

㊼①发上党：从上党出发。上党，即潞州，治所在今山西长治。㊼②属：嘱咐。㊼③徇义：遵守信义。㊼④南向：南下。㊼⑤河南：指黄河以南洛阳地区。㊼⑥太相温：高谟翰。契丹名为太相温。㊼⑦河梁：河阳桥。㊼⑧下山：下太行山。㊼⑨白貂裘：白色貂皮衣服。㊽⓪衣：穿。㊽①无大故：没有大的过失。㊽②左金吾大将军：禁卫军官名。㊽③高汉筠（公元八七三至九三八年）：字时英，齐州历山（今山东济南市历城区）人，少好书传，投笔从戎，官至晋左骁卫大将军、内客省使。传见《旧五代史》卷九十四。㊽④晋州：州名，治所白马城，在今山西临汾。㊽⑤朝寄：朝廷寄以重托。㊽⑥义不为乱首：守义不做叛乱的首领。㊽⑦惟公所处：只听你的处分。㊽⑧目：以目示意。㊽⑨累朝宿德：历朝以来年高而有道德的人。㊾⓪戏：开玩笑。㊾①听：任凭。㊾②帝遇诸涂：石敬瑭在路上遇见他。诸，之于。涂，通“途”。㊾③胡兵：指契丹军队。㊾④丁丑：闰十一月二十二日。㊾⑤浮梁：浮桥。㊾⑥己卯：闰十一月二十四日。㊾⑦舟楫已具：船只已经准备好了。㊾⑧彰圣军：禁卫军名，驻守

【原文】

是日晚，帝入洛阳，止于旧第㉓。唐兵皆解甲待罪，帝慰而释之。帝命刘知远部署㉔京城，知远分汉军使还营，馆㉕契丹于天宫寺，城中肃然，无敢犯令。士民避乱窜匿者，数日皆还复业。

初，帝在河东，为唐朝所忌。中书侍郎、同平章事、判三司张延朗不欲河东多蓄积，凡财赋应留使㉖之外尽收取之，帝以是恨之。壬午㉗，百官入见，独收㉘延朗付御史台，余皆谢恩。

甲申㉙，车驾㉚入宫。大赦，“应㉛中外官吏一切不问。惟贼臣张延朗、刘延皓、刘延朗奸邪贪猥㉜，罪难容贷㉝。中书侍郎、同[16]平章事马胤孙，枢密使房暠，宣徽使李专美，河中节度使韩昭胤等，虽居重位，不务诡随㉞，并释罪除名㉟。中外臣僚先归顺者，委中书、门下别加任使㊱。”刘延皓匿于龙门㊲，数日，自经㊳死。刘延朗将奔南

河阳者。⑲使复其所：使刘在明仍旧回到原来的任所。⑳白马阪：胡三省注云，“白司马阪也，在洛阳北。史逸‘司’字”。㉑行战地：踏勘布阵作战的地方。㉒北军：指晋军。㉓立：立阵。㉔庚辰：闰十一月二十五日。㉕飞状：此指飞快地呈上降书。㉖扼：扼守。㉗渑池：县名，在洛阳之西，即今河南渑池。㉘辛巳：闰十一月二十六日。㉙曹太后（？至公元九三六年）：明宗妃，长兴元年册为皇后。传见《旧五代史》卷四十九。㉚传国宝：玉玺。㉛玄武楼：洛阳皇宫内楼阁名。㉜积薪：堆积柴火。㉝必不露居：一定不露宿在外。㉞遗怨：遗留怨恨给后人。㉟将安用之：谓焚烧宫室又有什么用处。㊱乃止：于是就停止烧宫室。㊲事急矣：事情已经很危急了。㊳避匿：躲避。㊴姑夫：指石敬瑭。因石敬瑭娶明宗之女，故称姑夫。㊵子孙妇女：子，指李从珂。孙，指李重美。妇，指刘皇后。女，指李从珂女儿。㊶妹：指王淑妃。㊷球场：踢鞠球的场地。

【校记】

［14］丁丑：原作“己丑”。据章钰校，十二行本、乙十一行本、孔天胤本皆作“丁丑”，张敦仁《通鉴刊本识误》同，今据改。［15］渡河：原无此二字。据章钰校，十二行本、乙十一行本、孔天胤本皆有此二字，张敦仁《通鉴刊本识误》、张瑛《通鉴校勘记》同，今据补。

【语译】

这一天晚上，晋高祖进入洛阳，住在旧日的宅第里。唐兵都脱下铠甲等待问罪，晋高祖安慰并释放了他们。晋高祖命令刘知远安排处理京城的卫戍事宜，刘知远分派汉军让他们回营，安排契丹兵住在天宫寺，城中秩序井然，没有人敢违犯命令。那些躲避战乱逃到城外藏匿起来的人，几天之后都又回到城里恢复常业了。

当初，晋高祖在河东军镇时，受到唐朝廷的猜忌。中书侍郎、同平章事、判三司张延朗不想让河东有很多的积蓄，所有财物赋税除了应留在节度使府的以外，全部都收归朝廷，晋高祖因此对他怀恨在心。闰十一月二十七日壬午，百官入宫朝见，晋高祖唯独拘捕了张延朗交付御史台究办，其余的人都因免究而谢恩。

闰十一月二十九日甲申，晋高祖车驾入宫。宣布大赦，所有宫内外官吏概不追究。只有贼臣张延朗、刘延皓、刘延朗奸诈邪恶，贪婪猥琐，罪行难以宽恕。中书侍郎、同平章事马胤孙，枢密使房暠，宣徽使李专美，河中节度使韩昭胤等人，虽然身居重要职位，但不去做不顾是非妄随人意的事，一律免除他们的罪责，削名官籍。内外臣僚先归顺的，委令中书和门下两省另行加以任用。刘延皓藏匿在龙门，几天之后，自己上吊死了。刘延朗准备逃到南山，结果被抓住，杀了。把张延朗也

山[539]，捕得，杀之。斩张延朗。既而选三司使，难其人[540]，帝甚悔之。

闽人闻唐主之亡，叹曰："潞王之罪，天下未之闻也[541]，将如吾君何[542]！"

十二月乙酉[17]朔[543]，帝如河阳，饯[544]太相温及契丹兵归国。

追废唐主为庶人。

丁亥[545]，以冯道兼门下侍郎、同平章事。

曹州刺史郑阮贪暴，指挥使石重立因乱杀之[546]，族其家。

辛卯[547]，以唐中书侍郎姚颛为刑部尚书。

初，朔方[548]节度使张希崇为政有威信，民夷[549]爱之，兴屯田[550]以省漕运。在镇五年，求内徙[551]，唐潞王以为静难节度使。帝与契丹修好，恐其复取灵武，癸巳[552]，复以希崇为朔方节度使。

初，成德节度使董温琪贪暴，积货巨万，以牙内都虞候平山[553]秘琼[554]为腹心。温琪与赵德钧俱没[555]于契丹，琼尽杀温琪家人，瘗于一坎[556]，而取其货，自称留后，表称军乱[557]。

同州小校门铎杀节度使杨汉宾，焚掠州城。

诏赠李赞华燕王，遣使送其丧[558]归国。

张朗将[559]其众入朝。

庚子[560]，以唐中书侍郎、同平章事[18]卢文纪为吏部尚书，以皇城使晋阳周瓌为大将军、充三司使。瓌辞曰："臣自知才不称职，宁[561]以避事[562]见弃，犹胜冒宠获辜[563]。"帝许之。

帝闻平卢节度使房知温卒，遣天平节度使王建立将兵巡抚青州。

改兴唐府曰广晋府[564]。

安远节度使卢文进闻帝为契丹所立，自以本契丹叛将，辛丑[565]，弃镇奔吴。所过镇戍[566]，召其主将，告之故，皆拜辞而退。

徐知诰以镇南节度使、太尉兼中书令李德诚[567]，德胜节度使兼中书令周本[568]位望[569]隆重，欲使之帅众推戴[570]。本曰："我受先王[571]大恩，自徐温父子用事，恨不能救杨氏之危，又使我为此，可乎！"其子弘祚强之[572]，不得已，与德诚帅诸将诣江都表吴主，陈[573]知诰功德，请行

斩杀了。不久选任三司使，难以找到合适的人选，晋高祖很后悔匆忙斩杀张延朗。

闽国的人得知唐末帝死亡的消息后，感叹道："潞王之罪，天下人没有听说过，对我们国君又会怎么样呢！"

十二月初一日乙酉，晋高祖前往河阳，为太相温和契丹兵归国饯行。

下诏追废唐末帝为庶人。

初三日丁亥，任命冯道兼门下侍郎、同平章事。

曹州刺史郑阮贪婪残暴，指挥使石重立乘中原之乱把他杀了，并灭了他全家。

初七日辛卯，任命原唐中书侍郎姚颉为刑部尚书。

当初，朔方节度使张希崇处理政务有威信，汉人和其他民族的人都很爱戴他，他兴办屯田，从而节省了漕运的开支。在军镇任职五年后，请求调任内地，唐潞王就改任他为静难节度使。晋高祖虽然和契丹修好，仍担心他们会再攻取灵武，十二月初九日癸巳，又派张希崇担任朔方节度使。

当初，成德节度使董温琪贪婪残暴，积聚财货巨万，他把牙内都虞候平山人秘琼当作心腹。董温琪和赵德钧一起都陷没在契丹国，秘琼把董温琪的家人全部杀死，合埋在一条沟里，然后夺取了他家的财货，自称为留后，向朝廷上表声称他们是被乱军杀死的。

同州的小军校门铎杀死了节度使杨汉宾，焚烧并抢掠州城。

下诏追赠李赞华为燕王，派使者护送他的灵柩回国。

张朗率领他的部众入朝。

十二月十六日庚子，任命原唐中书侍郎、同平章事卢文纪为吏部尚书，任命皇城使晋阳人周瓌为大将军、充任三司使。周瓌推辞说："臣自知才能不能与职位相称，宁可因躲避任职而被陛下摒弃，也胜于贪图陛下恩宠而失职获罪。"晋高祖准许了他。

晋高祖听说平卢节度使房知温去世，派遣天平节度使王建立率兵巡抚青州。

改兴唐府为广晋府。

安远节度使卢文进得知晋高祖是契丹人扶立的，考虑到自己原本是契丹的叛将，于是就在十二月十七日辛丑，撇下军镇投奔吴国去了。途中每经过一处镇戍之地，都召来那里的主将，告诉他们自己投奔吴国的缘故，这些主将都向他拜辞而退。

徐知诰认为镇南节度使、太尉兼中书令李德诚，德胜节度使兼中书令周本位高望重，想让他们率领众人推戴自己为帝。周本说："我蒙受先王的大恩，自从徐温父子当政以来，痛恨自己不能解救杨氏的危难，现在又让我干这种事，怎么可以呢！"他的儿子周弘祚强迫他，他不得已，只好与李德诚一起率领将领们前往江都向吴主上表，陈述徐知诰的功德，请求吴主施行册命，又前往金陵去劝徐知诰即皇帝位。

册命[574]，又诣金陵劝进[575]。宋齐丘谓德诚之子建勋曰："尊公[576]，太祖元勋[577]，今日扫地[578]矣。"于是吴宫多妖[579]，吴主曰："吴祚[580]其终乎！"左右曰："此乃天意，非人事[581]也。"

高丽王建[582]用兵击破新罗、百济，于是东夷诸国[583]皆附之，有二京、六府、九节度、百二十郡。

【段旨】

以上为第十五段，写石敬瑭入洛阳为中原主，是为晋高祖。吴执政徐知诰逼迫吴主禅让。

【注释】

㉓止于旧第：住宿在旧日的宅第里。㉔部署：安排处理京城的卫戍事宜。㉕馆：居住。㉖应留使：应留在节度使府而使用的财赋。唐制，诸州财赋分为三份：一上供，送京师供朝廷使用。一份送使，送节度使府。一份留州，为州部所用。㉗壬午：闰十一月二十七日。㉘收：逮捕。㉙甲申：闰十一月二十九日。㉚车驾：皇帝。㉛应：一切；所有。诏旨文书的发语词。㉜贪猥：贪婪、猥琐。㉝容贷：宽恕。㉞不务诡随：不做不顾是非妄随人意的事情。㉟释罪除名：免罪，削名官籍。㊱别加任使：另行加以任用。㊲龙门：在今河南洛阳的龙门镇。㊳自经：自杀；自缢。㊴南山：洛阳南面伊阳诸山。㊵难其人：难以有适合的人选。㊶天下未之闻也：天下人没有听说过。㊷将如吾君何：对我们的君主又会怎么样呢。㊸乙酉朔：十二初一日。㊹饯：设宴送行。㊺丁亥：十二月初三日。㊻因乱杀之：乘中原之乱而杀了郑阮。㊼辛卯：十二月初七日。㊽朔方：方镇名，唐玄宗开元九年（公元七二一年）置朔方军节度使。治所灵州，在今宁夏灵武西南。㊾民夷：汉民及少数民族的并称。㊿屯田：在边疆开辟土地种植粮食。[551]求内徙：请求内迁。[552]癸巳：十二月初九日。[553]平山：县名，在今河北平山。[554]秘琼（？至公元九三七年）：后唐镇州留后。入晋转齐州防御使，在赴任途中被郓帅范延光杀死。传见《旧五代史》卷九十四。[555]没：陷没。[556]瘗于一坎：葬在一条沟里。[557]表称军乱：上表声称董温琪一家被乱军杀死。[558]送其丧：护送他的灵柩。[559]将：率领。[560]庚子：十二月十六日。[561]宁：宁可；宁愿。[562]避事：躲避任职。[563]获辜：获罪。[564]广晋府：魏州。后唐改魏州为兴唐府，后晋改为广晋府。[565]辛丑：十二月十七日。[566]所过镇戍：奔吴所经过的各州府。[567]李德诚（公元八六三至九四〇年）：广陵（今江苏扬州）人，官镇南军节度使，封南平王，晋封赵王。为南唐佐命大臣。传见《十国春秋》卷七。[568]周本（公元八

宋齐丘对李德诚的儿子李建勋说："令尊是太祖的第一功臣，今天威信扫地了。"这时候吴国宫中出现了很多奇怪的现象，吴主说："吴国的国运就要终结了吗?"身边的人说："这是天意，不是人的力量。"

高丽王王建出兵打败了新罗、百济，于是东夷各国都归附了他，他拥有二京、六府、九节度、一百二十个郡。

六一至九三七年）：舒州宿松（今安徽宿松）人，少孤贫，有膂力，曾独力杀虎。有军事才能，官德胜军节度使，封西平王。传见《十国春秋》卷七。㊵㊾位望：地位和声望。㊵㊿帅众推戴：率领文武百官拥戴徐知诰为帝。⑤⑦①先王：指杨行密。⑤⑦②强之：强迫他。⑤⑦③陈：陈述。⑤⑦④册命：册徐知诰为帝的命令。⑤⑦⑤劝进：劝其即位为皇帝。⑤⑦⑥尊公：指李德诚。⑤⑦⑦太祖元勋：杨行密的第一功臣。⑤⑦⑧扫地：威信扫地。⑤⑦⑨妖：奇怪的现象。⑤⑧⓪祚：国运。⑤⑧①人事：人的力量。⑤⑧②高丽王建：王建（公元八七七至九四三年），朝鲜王氏，高丽的创建者。松岳（今朝鲜开城）人，本弓裔部将，公元九一八年杀弓裔自立。并新罗、百济，统一朝鲜半岛。公元九一八至九四三年在位，庙号太祖。⑤⑧③东夷诸国：指勃海等国。

【校记】

［16］同：原无此字。张敦仁《通鉴刊本识误》云："'郎'下脱'同'字。"当是，今据补。［17］乙酉：原作"辛酉"。据章钰校，十二行本、乙十一行本、孔天胤本皆作"乙酉"，张敦仁《通鉴刊本识误》、熊罗宿《胡刻资治通鉴校字记》同，今据改。［18］同平章事：原无此四字。据章钰校，十二行本、乙十一行本皆有此四字，今据补。

【研析】

本卷研析唐末帝失策拒和亲、石敬瑭割地称儿皇帝、赵德钧父子降敌三件史事。

第一，唐末帝失策拒和亲。石敬瑭在晋阳时厉兵秣马，蓄聚货财，人皆知其有异志。端明殿学士、给事中李崧与同僚吕琦共议，石敬瑭若谋反，必结援契丹。二人密言于末帝，建言与契丹结和亲，岁不过供虏礼金十余万缗以安边患，以绝石敬瑭之后路。末帝大喜，嘉奖二人忠心。两人私下草拟了《遗契丹书》以等待诏命。末帝突然以其谋告枢密直学士薛文遇，文遇迂腐，以天朝自大，反对和亲。薛文遇对唐末帝说："以天子的尊崇，却委屈自己去侍奉夷狄，不也太蒙受耻辱了吗？况且，胡虏如果按照过去的惯例要求迎娶公主，又怎么去拒绝他呢?"末帝于是一百八十度转弯，痛责李崧、吕琦二人，拿国家养士之财送虏廷，身为大臣不佐人主致太平，竟然打起了公主的主意，要把皇上的独生女弃之漠北，二人惶惧拜谢。从此群臣没人再敢提和亲之事。当时契丹雄起漠北，中原长年混战，藩镇对抗朝廷，往往引契丹为援。和亲安边，在当时是最好的决策。圣人言:“一言可以丧邦，一言可以兴邦。”这话好像就是对薛文遇说的。

第二，石敬瑭割地称儿皇帝。石敬瑭反叛于晋阳，纳桑维翰策，草表遣契丹主耶律德光，许愿四个条件以换取契丹发兵。其一，向契丹称臣。其二，以父礼事契丹主，称儿皇帝，接受契丹主的册命。其三，事成之后，割幽、蓟、瀛、莫、涿、檀、顺、新、妫、儒、武、云、应、寰、朔、蔚等十六州之地与契丹。其四，每岁奉送帛三十万匹。都押牙刘知远认为，称臣与奉送厚币两条就可以搬来契丹援兵，以父事之太过，割地更不可以，恐怕成为中原的大祸害，那时后悔就来不及了。石敬瑭不听。天福元年（公元九三六年）十一月十二日，契丹主耶律德光作册书，命石敬瑭为大晋皇帝。这一年耶律德光三十七岁，石敬瑭四十七岁，一个大十岁的成年人喊年轻小伙子为老爹，十足的认贼作父，大丢脸面。尤其是割燕云十六州，河北险阻尽失，导致北宋的积贫积弱，南宋的偏安江南，游牧人铁蹄践踏中原土地数百年，石敬瑭的卖国丑行，永远地钉在中国历史的耻辱柱上。

第三，赵德钧父子降敌。卢龙节度使赵德钧见李从珂得天下之易，野心勃发，阴蓄异志，欲趁乱取中原，赵德钧主动请缨讨石敬瑭，其实是把河北之军调离关隘，让开大路，让契丹进入国境，伺机投靠。唐末帝委任赵德钧为诸道行营都统，其子赵延寿为河东道南面行营招讨使。父子两人合兵屯团柏谷口，离被围攻的唐军晋安寨大营不过百里之地，赵德钧父子按兵不动，亦不通声问，坐等唐军失败。契丹军于柳林，助石敬瑭围攻晋安寨，而辎重老弱留在虎北口，如果赵德钧发起进攻，准备随时逃窜。赵德钧父子手握重兵，不救被围唐军，也不进攻契丹，而是两面派出使者，一路要挟唐末帝为赵延寿索求成德节度使，一路向契丹主耶律德光摇尾请求为皇帝，即以手握之兵南平洛阳，中原与契丹约为兄弟。石敬瑭割地，称儿皇帝，条件更优，加之桑维翰跪求契丹主不要爽约。耶律德光对赵德钧使者说:“我已经答应石郎了。”赵德钧父子死心投敌，吃了闭门羹仍不悔悟，坐等唐军溃败，父子投敌，被送往契丹见述律太后。述律太后讥讽赵德钧父子说:“你想当天子，为什么不先击退我的儿子，再慢慢地谋取也不算晚。你身为人臣，既辜负了你的君主，不能进击敌人，还想乘着战乱谋取私利。所作所为到了这般地步，又有什么脸面再来寻求活路呢?”赵德钧垂着脑袋，无言以对。赵德钧在虏廷，郁郁寡欢，食难下咽，一年后死去。其子赵延寿脸皮之厚，青出于蓝而胜于蓝，苟且偷生，终生为虎作伥。

卷第二百八十一　后晋纪二

起强圉作噩（丁酉，公元九三七年），尽著雍阉茂（戊戌，公元九三八年），凡二年。

【题解】

本卷记事起公元九三七年，迄公元九三八年，凡二年，当后晋高祖天福二年至三年。此时期首先讲述晋高祖石敬瑭为巩固政权而采取的施政举措。桑维翰为首辅重臣，建言晋高祖弃旧怨以抚藩镇，送厚礼以结契丹，整武备，劝农桑，数年后，中原初安。其时魏、孟、滑三州叛乱，晋高祖命将往讨，经年不克，高祖大赦，首恶范延光请降，以太子太师致仕，叛乱悉平，收弃旧怨以抚藩镇之效。石敬瑭尊礼契丹主，自甘屈辱称儿皇帝。石敬瑭下诏求言，缓建宫室，奖励垦殖，听民自铸钱，这些措施纾缓了民困。南方割据政权，吴国禅代，徐诰受禅即帝位，国号唐，都金陵，史称“后唐”，一片新兴气象。闽主王昶荒淫虐民，卖官课重税，人民嗟怨。南汉主刘龑轻浮暴众，兵败交州，国势衰落。楚主马希范纵情声色。契丹接管燕云十六州，国势日盛，改称“大辽”。

【原文】

高祖圣文章武明德孝皇帝上之下

天福二年（丁酉，公元九三七年）

春，正月乙卯[①]，日有食之。

诏以前北面招收指挥使安重荣为成德节度使，以秘琼为齐州防御使。遣引进使[②]王景崇[③]谕琼以利害。重荣与契丹将赵思温[④]偕如镇州，琼不敢拒命。丙辰[⑤]，重荣奏已视事[⑥]。景崇，邢州人也。

契丹以幽州为南京[⑦]。

李崧、吕琦逃匿于伊阙[⑧]民间。帝以始镇河东，崧有力焉，德之[⑨]，亦不责琦。乙丑[⑩]，以琦为秘书监。丙寅[⑪]，以崧为兵部侍郎、判[⑫]户部[⑬]。

初，天雄节度使兼中书令范延光微时[⑭]，有术士[⑮]张生语之云：“必为将相。”延光既贵，信重之[⑯]。延光尝梦蛇自脐入腹[⑰]，以问张生。

【语译】

高祖圣文章武明德孝皇帝上之下

天福二年（丁酉，公元九三七年）

春，正月初二日乙卯，发生日食。

晋高祖下诏任命前北面招收指挥使安重荣为成德节度使，任命秘琼为齐州防御使。派引进使王景崇去向秘琼说明利害关系。安重荣和契丹将领赵思温一同前往镇州，秘琼不敢抗拒命令。初三日丙辰，安重荣上奏说已经开始就职任事。王景崇是邢州人。

契丹把幽州当作南京。

李崧、吕琦逃亡藏匿在伊阙民间。晋高祖认为自己当初得以镇守河东，李崧是出过力的，因此很感激他，同时也没有责备吕琦。正月十二日乙丑，任命吕琦为秘书监。十三日丙寅，任命李崧为兵部侍郎、兼理户部。

当初，天雄节度使兼中书令范延光尚未做官之时，有个名叫张生的江湖术士对他说："你将来一定能做将相。"范延光地位显贵以后，对他很信任器重。范延光曾经梦见一条蛇从肚脐钻入腹中，于是去问张生。张生说："蛇就是龙，这是做帝王的

张生曰："蛇者龙也，帝王之兆[18]。"延光由是有非望之志[19]。唐潞王素与延光善，及赵德钧败，延光自辽州引兵还魏州。虽奉表请降，内不自安[20]，以书潜结[21]秘琼，欲与之为乱。琼受其书不报[22]，延光恨之。琼将之齐[23]，过魏[24]境，延光欲灭口，且利其货[25]，遣兵邀之[26]于夏津[27]，杀之。丁卯[28]，延光奏称夏津捕盗兵误杀琼，帝不问。

戊寅[29]，以李崧为中书侍郎、同平章事，充枢密使，桑维翰兼枢密使。时晋新得天下，藩镇多未服从。或虽服从，反仄[30]不安。兵火之余[31]，府库殚竭，民间困穷，而契丹征求无厌。维翰劝帝推诚弃怨以抚藩镇，卑辞厚礼[32]以奉契丹，训卒缮兵[33]以修武备，务农桑以实仓廪，通商贾以丰货财。数年之间，中国稍安[34]。

【段旨】

以上为第一段，写晋高祖用桑维翰之策，弃旧怨以抚藩镇，送厚礼以结契丹，整武备，劝农桑，数年之后，中原初安。

【注释】

①乙卯：正月初二日。②引进使：官名，掌宣谕诏令。③王景崇（？至公元九五〇年）：邢州（今河北邢台）人，为人明敏巧辩，官至后汉凤翔巡检使。传见《新五代史》卷五十三。④赵思温（？至公元九三九年）：字文美，卢龙（今河北卢龙）人，少果锐，膂力兼人。降契丹官至临海节度使。传见《辽史》卷七十六。⑤丙辰：正月初三日。⑥已视事：已经履行职权。⑦南京：辽之南京在今北京市。⑧伊阙：古县名，在今河南洛阳

【原文】

吴太子琏纳齐王知诰女为妃。知诰始建太庙、社稷[35]。改金陵为江宁府[36]，牙城[37]曰宫城，厅堂曰殿。以左、右司马宋齐丘、徐玠为左、右丞相，马步判官周宗、内枢判官黟[38]人周廷玉为内枢使。自余百官

征兆。”范延光从此有了非分之想。唐潞王一向和范延光关系很好，在赵德钧败亡之后，范延光从辽州带兵回到魏州。虽然也上表请求归降，但内心总是不能安宁，他写信暗中勾结秘琼，想和他一起叛乱。秘琼接到他的信后没有回复，范延光对他怀恨在心。秘琼准备到齐州就任，经过魏州境内，范延光想要灭掉活口，同时也贪图他的财货，就派兵在夏津拦截他，把他杀了。正月十四日丁卯，范延光上奏称是夏津捕捉强盗的士兵误杀了秘琼，晋高祖对此没有追究。

正月二十五日戊寅，任命李崧为中书侍郎、同平章事、充任枢密使，任命桑维翰兼任枢密使。当时晋刚刚取得天下，大多数藩镇还没有归服顺从。有的虽然归服顺从了，也还反复不定。战争刚刚结束，朝廷府库中的钱物都已用尽，民间更是困苦贫穷，然而契丹人征调索求却总是没有满足的时候。桑维翰劝皇帝表现出诚意、抛弃旧怨以安抚藩镇，用谦卑的言辞、丰厚的礼物来讨好契丹，训练士卒、缮治甲兵以增强武备，致力于农桑之事以充实仓储，畅通商贾贸易以增加财货。这样做了几年之后，中原地区逐渐安定下来。

南。山峦连绵，为洛阳南面屏障。⑨德之：感激他的恩德。⑩乙丑：正月十二日。⑪丙寅：正月十三日。⑫判：唐官制，以高官兼较低职位的官称判。⑬户部：指户部郎中。⑭微时：尚未做官时。⑮术士：阴阳、占卜、相面的人。⑯信重之：信任器重他。⑰自脐入腹：从肚脐眼进到肚子里。⑱兆：先兆；征兆。⑲有非望之志：有了非分之想，即有了称帝之意。⑳内不自安：内心不踏实、安宁。㉑潜结：暗中勾结。㉒不报：不作答复。㉓琼将之齐：秘琼将到齐州任防御使。之，往。㉔魏：魏州。㉕且利其货：而且贪图他的财物。㉖邀之：拦截他。㉗夏津：古县名，在今河北清河东。㉘丁卯：正月十四日。㉙戊寅：正月二十五日。㉚反仄：反侧，翻来覆去，形容坐立不安。仄，通“侧”。㉛兵火之余：战争刚刚结束。㉜卑辞厚礼：谦卑的言辞，丰厚的礼品。㉝训卒缮兵：训练士兵，缮治甲兵。㉞稍安：逐渐安定。

【语译】

吴国的太子杨琏娶齐王徐知诰的女儿为妃子。徐知诰开始修建太庙、祭祀土神和谷神的处所。改金陵为江宁府，牙城称作宫城，厅堂称作殿。任命左、右司马宋齐丘、徐玠为左、右丞相，马步判官周宗、内枢判官黟县人周廷玉为内枢使。其余皆如吴朝之制。置骑兵八军，步兵九军。

二月，吴主以卢文进为宣武[39]节度使兼侍中。戊子[40]，吴主使宜阳王璪[41]如西都[42]，册命齐王[43]。王受册，赦境内。册王妃曰王后。

吴越王元瓘之弟顺化节度使、同平章事元珦获罪于元瓘，废为庶人[44]。

契丹主自上党过云州，大同节度使沙彦珣出迎，契丹主留之，不使还镇。节度判官吴峦[45]在城中，谓其众曰："吾属礼义之俗[46]，安可臣于夷狄[47]乎！"众推峦领州事，闭城不受契丹之命。契丹攻之，不克。应州马军都指挥使金城[48]郭崇威亦耻臣契丹，挺身[49]南归。

契丹主过新州，命威塞[50]节度使翟璋敛犒军钱十万缗。初，契丹主阿保机强盛，室韦、奚、霫[51]皆役属[52]焉。奚王去诸苦契丹贪虐，帅其众西徙妫州，依刘仁恭父子，号西奚。去诸卒，子扫剌立。唐庄宗灭刘守光，赐扫剌姓李名绍威。绍威娶契丹逐不鲁之姊。逐不鲁获罪[53]于契丹，奔绍威，绍威纳之。契丹怒，攻之，不克。绍威卒，子拽剌立。及契丹主德光自上党北还，拽剌迎降，时逐不鲁亦卒。契丹主曰："汝诚无罪，扫剌、逐不鲁负我[54]。"皆命发其骨，硙而飏之[55]。诸奚[56]畏契丹之虐，多逃叛。契丹主劳[57]翟璋曰："当为汝除代[58]，令汝南归。"己亥[59]，璋表乞征诣阙[60]。既而契丹遣璋将兵讨叛奚、攻云州，有功，留不遣璋[61]。璋郁郁而卒。

张砺自契丹逃归，为追骑所获。契丹主责[62]之曰："何故舍我去？"对曰："臣华人，饮食衣服皆不与此同，生不如死，愿早就戮[63]。"契丹主顾[64]通事[65]高彦英曰："吾常戒汝善遇此人[66]，何故使之失所而亡去[67]？若失之，安可复得邪！"笞[68]彦英而谢砺。砺事契丹主甚忠直，遇事辄[69]言，无所隐避，契丹主甚重之。

文武百官都与吴国的规制一样。设置骑兵八个军，步兵九个军。

二月，吴主任命卢文进为宣武节度使兼任侍中。初五日戊子，吴主让宜阳王杨璟前往西都金陵，去册封齐王。齐王接受了册封，在所辖境内实行大赦。册封齐王的妃子为王后。

吴越王钱元瓘的弟弟顺化节度使、同平章事钱元珦得罪了钱元瓘，被废为庶人。

契丹主从上党北返经过云州，大同节度使沙彦珣出城迎接，契丹主把他留了下来，不让他返回军镇。节度判官吴峦在城内，对他的部众说："我们是遵奉礼义习俗的民族，怎么可以向夷狄称臣呢！"大家推举吴峦主持州府的事务，关闭城门，不接受契丹的命令。契丹兵攻打州城，没能攻下来。应州马军都指挥使金城人郭崇威也耻于向契丹称臣，脱身南归。

契丹主经过新州，命令威塞节度使翟璋征收犒劳军队的钱十万缗。当初，契丹主阿保机时国势强盛，室韦、奚、霫等民族都隶属于他并受其役使。奚王去诸苦于契丹的贪暴，率领他的部众向西迁徙到妫州，依附刘仁恭父子，称为西奚。去诸去世，他的儿子扫剌继立。唐庄宗消灭了刘守光，赐扫剌姓李，名叫绍威。李绍威娶了契丹逐不鲁的姐姐为妻。逐不鲁得罪了契丹，投奔李绍威，李绍威接纳了他。契丹主很生气，攻打李绍威，没能取胜。李绍威死后，他的儿子拽剌继立。等到契丹主耶律德光从上党北还时，拽剌出迎归降，当时逐不鲁也已经去世。契丹主对拽剌说："你的确无罪，是扫剌、逐不鲁对不起我。"于是下令把两人的尸骨都挖出来，碾成粉末后随风抛撒。奚族各部落畏惧契丹的暴虐，大多逃跑叛变。契丹主慰劳翟璋说："我一定会找人替代你的职务，让你回到南方去。"二月十六日己亥，翟璋上表请求征召他回朝廷。不久契丹主又派翟璋带兵讨伐叛变的奚人，攻打云州，有功劳，于是契丹主就把翟璋留下，不放他回南方了。后来翟璋在郁闷中死去。

张砺从契丹逃归南方，被追上来的骑兵抓获。契丹主责问他说："为什么离我而去？"张砺回答说："臣是中原人，吃饭穿衣都和这里不一样，如今生不如死，希望能早一点把我杀死。"契丹主回过头来对翻译高彦英说："我常常告诫你要善待这个人，为什么让他无处安身而逃走？如果失去了他，怎么可能再次得到这样的人！"于是就鞭笞高彦英而向张砺道歉。张砺侍奉契丹主非常诚直，遇到问题就会说出自己的意见，从不隐瞒回避，契丹主很器重他。

【段旨】

以上为第二段，写吴徐知诰受封齐王。契丹主接管燕云十六州。

【注释】

㉟社稷：祭土神和谷神的地方。㊱江宁府：吴以升州为金陵府，后又改名为江宁府。㊲牙城：衙城，环卫府衙之城。牙，通“衙”。㊳黟：县名，在今安徽黟县。㊴宣武：方镇名，镇治汴州，属晋，卢文进为遥领。㊵戊子：二月初五日。㊶璟：杨璟，杨溥侄子。封宜阳王，南唐禅代，降封郡公。传见《十国春秋》卷四。㊷如西都：到金陵。吴以金陵为西都。㊸册命齐王：颁布册书，任命徐知诰为齐王。㊹废为庶人：废黜为一般老百姓。㊺吴峦（？至公元九四四年）：字宝川，汶阳卢县（今山东沂水）人，少好学，官至权知贝州军州事，抗契丹殉国。传见《旧五代史》卷九十五、《新五代史》卷二十九。㊻礼义之俗：遵奉礼义习俗。㊼臣于夷狄：向契丹称臣。㊽金城：县名，县治金城，在今山西

【原文】

初，吴越王镠少子元球⑩[1]数⑪有军功，镠赐之兵仗⑫。及吴越王元瓘立，元球为土客马步军都指挥使⑬、静江节度使[2]兼中书令，恃恩骄横，增置兵仗至数千，国人多附之。元瓘忌之，使人讽⑭元球请输兵仗⑮、出判温州⑯，元球不从。铜官庙⑰吏告元球遣亲信祷神⑱，求主吴越江山⑲。又为蜡丸从水窦⑳出入，与兄元珦谋议。三月戊午㉑，元瓘遣使者召元球宴宫中。既至，左右称元球有刃㉒坠于怀袖，即格杀㉓之。并杀元珦。元瓘欲按㉔诸将吏与元珦、元球交通㉕者，其子仁俊㉖谏曰：“昔㉗光武克王郎㉘，曹公破袁绍㉙，皆焚其书疏㉚以安反侧㉛，今宜效之。”元瓘从之。

或㉜得唐潞王膂及髀骨㉝献之，庚申㉞，诏以王礼葬于徽陵㉟南。

帝遣使诣蜀告即位，且叙姻好㊱。蜀主复书，用敌国礼㊲。

范延光聚卒缮兵㊳，悉召巡内㊴刺史集魏州，将作乱。会帝谋徙都大梁⑩⑩，桑维翰曰：“大梁北控燕、赵，南通江、淮，水陆都会⑩①，资用富饶。今延光反形已露，大梁距魏不过十驿⑩②，彼若有变，大军寻至⑩③，所谓疾雷不及掩耳也。”丙寅⑩④，下诏，托以洛阳漕运有阙，东巡汴州。

应县。㊾挺身：脱身；引身。㊿威塞：方镇名，后唐置，治所新州，在今河北涿鹿。51室韦、奚、霫：皆北方古族名。室韦分布在嫩江流域及黑龙江南北岸，在契丹建立辽国的过程中，部分被并入辽国。奚族分布在内蒙古自治区西拉木伦河流域。唐末，部分奚人在首领去诸率领下西迁妫州（在今河北怀来），称西奚。东、西奚先后附于辽。霫族分布在内蒙古自治区西拉木伦河以北，依附契丹。52役属：隶属并受役使。53获罪：得罪。54负我：背叛我。55硙而飏之：将尸骨磨成粉末而迎风播扬。56诸奚：奚族的各部民众。57劳：慰问。58除代：由他人替代职务。59己亥：二月十六日。60乞征诣阙：请求征召到朝廷来。61留不遣璋：留着翟璋，不让他南归。62责：责备。63愿早就戮：希望早点杀掉我。64顾：回头。65通事：翻译。66善遇此人：善待这个人。67何故使之失所而亡去：为什么使他失去正常的生活条件而逃走。68笞：用竹片责打。69辄：就；便。

【语译】

当初，吴越王钱镠的小儿子钱元球因多次立有军功，钱镠曾赐给他兵器。等到吴越王钱元瓘继位之后，钱元球担任土客马步军都指挥使、静江节度使兼中书令，依仗恩宠，十分骄横，他增添兵器竟达数千具，很多国人都归附他。钱元瓘对他有了猜忌，派人委婉地劝他自动捐出兵器、出朝去署理温州，钱元球没有依从。铜官庙的官吏检举钱元球派亲信去向神灵祷告，祈求能够让他做吴越的君主。又检举他写信封在蜡丸里从排水孔里流进流出，和他的哥哥钱元珦密谋策划。三月初五日戊午，钱元瓘派使者召钱元球来宫中侍宴。钱元球到达之后，左右的人说钱元球带有刀子从袖子里掉了出来，于是立即上前将他击杀。同时还杀了钱元珦。钱元瓘还要查办和钱元珦、钱元球有往来联系的一些将领和官吏，他的儿子钱仁俊劝阻他，说："从前光武帝打败王郎，曹公击破袁绍，都把其他人与他们联系的书信烧掉，以安抚那些坐立不安的人，现在也应该效法这种做法。"钱元瓘采纳了他的意见。

有人得到唐潞王自焚后的脊骨和大腿骨，献给朝廷，三月初七日庚申，下诏用国王的礼仪把他安葬在徽陵的南边。

晋高祖派使者到蜀国去通报自己即位的事，同时叙及姻亲之好。蜀主写了回信，采用对等国家的礼仪。

范延光招募士卒，修缮兵器，把他辖区内的刺史全都召集到魏州，准备作乱。这时适逢晋高祖正打算要迁都大梁，桑维翰说："大梁北控燕、赵，南通江、淮，是水陆运输的中心，物资和财用都很富足。如今范延光谋反的形迹已经显露，大梁相距魏州不过十个驿站的路程，他如果发动变乱，朝廷大军马上就可以到达，这正是所谓的迅雷不及掩耳啊。"三月十三日丙寅，颁下诏命，借口洛阳漕运不继，皇帝要东巡汴州。

吴徐知诰立子景通为王太子，固辞[105]不受。追尊考[106]忠武王温曰太祖武王，妣[107]明德太妃李氏曰王太后。壬申[108]，更名诰[109]。

庚辰[110]，帝发洛阳，留前朔方节度使张从宾为东都[111]巡检使。

汉主以疾愈，大赦。

交州将皎公羡杀安南[112]节度使杨廷艺而代之。

夏，四月丙戌[113]，帝至汴州。丁亥[114]，大赦。

【段旨】

以上为第三段，写吴越王钱元瓘诛杀兄弟。晋高祖迁都汴州。

【注释】

(70)元球：钱元球（？至公元九三七年），钱镠少子，最受宠爱，恃恩骄横，为元瓘所杀。传见《十国春秋》卷八十三。(71)数：多次。(72)兵仗：武器和甲胄。(73)土客马步军都指挥使：吴越禁卫军官名，指挥少数民族民众组成的禁卫军。(74)讽：委婉地劝谕。(75)请输兵仗：请他上缴武器、甲胄给朝廷。(76)出判温州：离开朝廷到温州任刺史。(77)铜官庙：庙名，祠铸铜官神像。(78)祷神：向神祈祷，寻求非分。(79)求主吴越江山：请求做吴越君主。(80)水窦：泄水孔。(81)戊午：三月初五日。(82)刃：刀。(83)格杀：击杀。(84)按：按问；查办。(85)交通：勾结；联系。(86)仁俊：钱仁俊，钱元瓘子，警敏，有智略，官至威武军节度使。传见《十国春秋》卷八十。(87)昔：以前。(88)光武克王郎：事见本书卷三十九汉淮阳王更始二年（公元二四年）。(89)曹公破袁绍：事见本书卷六十三献帝建安五年（公元二〇〇年）。(90)焚其书疏：烧掉互相联系的书信，以示毁去凭证。(91)以安反侧：用来安抚坐卧不宁的人。(92)或：有人。(93)膂及髀骨：脊骨和大腿骨。(94)庚申：三月初七日。(95)徽陵：唐明宗坟墓名。(96)且叙姻好：而且叙及婚姻之好。孟知祥娶李克用侄女，石敬

【原文】

吴越王元瓘复建国[115]，如同光故事[116]。丙申[117]，赦境内，立其子弘僔[118]为世子。以曹仲达、沈崧、皮光业为丞相，镇海节度判官林鼎掌教令[119]。

吴国徐知诰册立他的儿子徐景通为王太子，徐景通执意推辞不接受。徐知诰追尊亡父忠武王徐温为太祖武王，亡母明德太妃李氏为王太后。三月十九日壬申，把自己的名字改为诰。

三月二十七日庚辰，晋高祖从洛阳出发，留下前朔方节度使张从宾担任东都巡检使。

汉主因为自己病好了，实行大赦。

交州将领皎公羡杀了安南节度使杨廷艺，取而代之。

夏，四月初四日丙戌，晋高祖到达汴州。初五日丁亥，大赦天下。

瑭娶明宗女，石敬瑭与后蜀孟昶为兄弟辈。⑰用敌国礼：用对等国家礼节。敌，匹敌、对等。⑱聚卒缮兵：招募军队，修缮兵器。⑲巡内：辖区范围内。天雄军管辖贝、博、魏、檀、相五州。⑽徙都大梁：迁都到河南开封。⑾水陆都会：水陆运输中心。⑿十驿：三百里。唐制三十里为一驿。驿，驿站。⒀寻至：随后就到。⒁丙寅：三月十三日。⒂固辞：执意推辞。⒃考：死去的父亲。⒄妣：死去的母亲。⒅壬申：三月十九日。⒆更名诰：徐知诰改用单名为徐诰，去掉“知”字，表示不与徐氏兄弟同行辈。⒇庚辰：三月二十七日。⑪东都：洛阳。⑫安南：方镇名，唐肃宗乾元元年（公元七五八年），升安南管内经略使为节度使。治所交州，在今越南河内。⑬丙戌：四月初四日。⑭丁亥：四月初五日。

【校记】

［1］元球：据章钰校，十二行本作“元球”、孔天胤本作“元球”。〖按〗《资治通鉴考异》云：“《晋高祖实录》《十国纪年》作‘元球’，今从《吴越备史》《九国志》。”［2］静江节度使：原无此五字。据章钰校，十二行本、乙十一行本、孔天胤本皆有此五字，张敦仁《通鉴刊本识误》同，今据补。

【语译】

吴越王钱元瓘重新建立国号，沿用唐庄宗同光年间册封吴越王时的成例。四月十四日丙申，大赦境内，册立他的儿子钱弘僔为世子。任命曹仲达、沈崧、皮光业为丞相，镇海节度判官林鼎执掌教令。

丁酉[120]，加宣武节度使杨光远兼侍中。

闽主作紫微宫[121]，饰以水晶[122]，土木之盛倍于宝皇宫。又遣使散诣诸州，伺人隐慝[123]。

五月，吴徐诰用宋齐丘策，欲结契丹以取中国。遣使以美女、珍玩泛海[124]修好，契丹主亦遣使报之[125]。

丙辰[126]，敕权署汴州牙城曰大宁宫[127]。

壬申[128]，进范延光爵临清郡王，以安其意。

追尊四代考妣[129]为帝后。己卯[130]，诏太社所藏唐室罪人首[131]听[132]亲旧收葬。初，武卫上将军娄继英[133]尝事梁均王，为内诸司使。至是，请其首而葬之。

六月，吴诸道副都统徐景迁[134]卒。

范延光素以军府之政委元随[135]左都押牙孙锐。锐恃恩专横，符奏有不如意[136]者，对延光手裂[137]之。会延光病经旬[138]，锐密召澶州刺史冯晖，与之合谋逼延光反。延光亦思张生之言[139]，遂从之。

甲午[140]，六宅使[141]张言奉使魏州还，言延光反状。义成节度使符彦饶奏延光遣兵渡河，焚草市[142]。诏侍卫马军都指挥使、昭信节度使白奉进[143]将千五百骑屯白马津[144]以备之。奉进，云州人也。丁酉[145]，以东都巡检使张从宾为魏府西南面都部署。戊戌[146]，遣侍卫都军使[147]杨光远将步骑一万屯滑州。己亥[148]，遣护圣都指挥使[149]杜重威[150]将兵屯卫州。重威，朔州人也，尚帝妹乐平长公主[151]。范延光以冯晖为都部署，孙锐为兵马都监，将步骑二万循河西抵黎阳口[152]。辛丑[153]，杨光远奏引兵逾胡梁渡[154]。

以翰林学士、礼部侍郎和凝为端明殿学士。凝署其门[155]，不通宾客[156]。前耀州团练推官襄邑[157]张谊致书于凝，以为“切近之职[158]为天子耳目，宜知四方利病[159]，奈何[160]拒绝宾客！虽安身为便[161]，如负国何[162]！”凝奇之[163]，荐于桑维翰。未几，除左拾遗。谊上言：“北狄[164]有援立之功，宜外敦信好[165]，内谨边备[166]。不可自逸[167]，以启戎心。”帝深然之。

契丹攻云州，半岁不能下。吴峦遣使间道[168]奉表求救，帝为之致书契丹主请之，契丹主乃命翟璋解围去。帝召峦归，以为武宁节度副使。

丁未[169]，以侍卫使[170]杨光远为魏府四面都部署[171]，张从宾为副部署

四月十五日丁酉，加封宣武节度使杨光远兼任侍中。

闽主兴建紫微宫，用水晶做装饰，工程的盛大倍于宝皇宫。他又派出使者分头前往各州，窥探别人的隐私。

五月，吴国的徐诰采用宋齐丘的计策，想要联合契丹以夺取中原，派使者带着美女、珍宝玩物航海与契丹修好，契丹主也派使者回访。

五月初五日丙辰，晋高祖下令暂时把汴州的牙城署名为大宁宫。

二十一日壬申，晋封范延光的爵位为临清郡王，想以此稳住他的心意。

追尊晋高祖前四代先人为皇帝、皇后。二十八日己卯，下诏把太社所藏唐室罪人的首级听任其亲朋故旧领回安葬。当初，武卫上将军娄继英曾经侍奉过梁均王，担任内诸司使。现在，他请求收殓均王的首级加以安葬。

六月，吴国诸道副都统徐景迁去世。

范延光一向都把军府的政务委托给原先一直跟随他的左都押牙孙锐处理。孙锐依仗恩宠独断专横，公文奏章如有不合意的，就当着范延光的面亲手撕掉它。适逢范延光卧病十几天，孙锐就秘密召来澶州刺史冯晖，与他合谋逼范延光造反。范延光也想着张生替他解梦的一番话，就依从了他们。

六月十三日甲午，六宅使张言奉命出使魏州回来，报告了范延光谋反的情况。义成节度使符彦饶奏报说范延光已经派兵渡过黄河，焚烧城外居民。皇帝下诏命令侍卫马军都指挥使、昭信节度使白奉进率领一千五百名骑兵屯驻白马津以做防备。白奉进，是云州人。十六日丁酉，任命东都巡检使张从宾为魏府西南面都部署。十七日戊戌，派侍卫都军使杨光远率步兵、骑兵一万名屯驻滑州。十八日己亥，派护圣都指挥使杜重威率兵屯驻卫州。杜重威，是朔州人，娶了皇帝的妹妹乐平长公主为妻。范延光则任命冯晖为都部署，孙锐为兵马都监，率步兵、骑兵二万名沿着黄河西进，抵达黎阳口。二十日辛丑，杨光远奏报说他已率军过了胡梁渡。

任命翰林学士、礼部侍郎和凝为端明殿学士。和凝在他家门上贴出告示，声明不接见宾客。前耀州团练推官襄邑人张谊写信给和凝，认为："切近中枢的职位是天子的耳目，应该知道四方各种好的或坏的事情，怎么能够拒绝宾客呢！虽然您这么做对于独善其身是有利的，可是辜负了国家的重托又该如何是好！"和凝认为他不寻常，把他推荐给桑维翰。没过多久，他就被任命为左拾遗。张谊上书说："契丹对我们有援助和拥立的功劳，应该外表上对他们加强信任友好，而在内部则严密边境防备。不能自己贪图安乐，以使戎狄产生来犯之心。"晋高祖深以为然。

契丹攻打云州，历时半年也没能攻下来。吴峦派使者从小路来朝廷上表求救，晋高祖为他写信给契丹主，请求退兵，契丹主于是命令翟璋解除包围离开云州。晋高祖把吴峦征召回京，任命他为武宁节度副使。

六月二十六日丁未，任命侍卫使杨光远为魏府四面都部署，张从宾为副部署兼

兼诸军都虞候，昭义节度使高行周将本军屯相州⑰，为魏府西面都部署⑰。军士郭威⑭旧隶刘知远，当从杨光远北征⑮，白知远乞留⑯。人问其故，威曰："杨公有奸诈之才，无英雄之气，得我何用？能用我者其刘公⑰乎！"

诏张从宾发河南兵⑱数千人击范延光。延光使人诱从宾，从宾遂与之同反。杀皇子河阳节度使重信，使上将军张继祚⑲知河阳留后。继祚，全义之子也。从宾又引兵入洛阳，杀皇子权东都留守重义，以东都副留守、都巡检使张延播⑱知河南府事。从宾[3]取内库钱帛以赏部兵，留守判官李遐不与，兵众杀之。从宾引兵东[4]扼⑱汜水关⑱，将逼汴州。诏奉国都指挥使侯益帅禁兵⑱五千会杜重威讨张从宾。又诏宣徽使刘处让⑱自黎阳分兵讨之。时羽檄纵横⑱，从官⑱在大梁者无不恟惧⑱。独桑维翰从容指画⑱军事，神色自若⑱，接对宾客，不改常度。众心差安⑲。

【段旨】

以上为第四段，写范延光反于魏州，张从宾反于河南。

【注释】

⑮复建国：重新建立国号。⑯如同光故事：像同光时后唐庄宗封钱镠为吴越王一样，用金印、玉册、赐诏不名、称国王。⑰丙申：四月十四日。⑱弘僔：钱弘僔（公元九二五至九四〇年），钱元瓘第五子。为世子，卒谥孝献。传见《十国春秋》卷八十三。⑲教令：吴越王的命令。⑳丁酉：四月十五日。㉑紫微宫：闽王王延钧所建宫殿名。㉒饰以水晶：用水晶做装饰。水晶，无色透明的石英矿物。㉓伺人隐慝：察访别人隐私。㉔泛海：浮海；航海。㉕报之：回答他。㉖丙辰：五月初五日。㉗大宁宫：石敬瑭临幸汴州，改衙城为大宁宫。古时皇帝行幸到州城，常改州城为宫，如隋于扬州立江都宫、唐在岐州立九成宫等。㉘壬申：五月二十一日。㉙四代考妣：石敬瑭以上的四代人，即高祖石璟谥靖祖孝安皇帝，妣秦氏谥元皇后，曾祖石郴谥肃祖孝简皇帝，妣安氏谥恭皇后，祖石昱谥睿祖孝平皇帝，妣米氏谥献皇后，考石绍雍谥献祖孝元皇帝，妣何氏谥懿皇后。㉚己卯：五月二十八日。㉛唐室罪人首：后梁亡国君臣，即为后唐罪人。如梁均王

诸军都虞候，昭义节度使高行周率本部人马屯驻相州，担任魏府西面都部署。军士郭威从前隶属于刘知远，本来应当跟随杨光远北征，但他向刘知远禀告请求留下来。人们问他这样做的缘故，郭威说："杨公有奸诈的才能，没有英雄的气概，得到我有什么用？能够重用我的大概只有刘公了！"

晋高祖下诏命令张从宾调发河南府的士兵数千人攻打范延光。范延光派人劝诱张从宾，张从宾于是和范延光一同反叛。杀死皇子河阳节度使石重信，让上将军张继祚主持河阳留后事务。张继祚，是张全义的儿子。张从宾又率军进入洛阳，杀死了代理东都留守事务的皇子石重乂，任命东都副留守、都巡检使张延播主持河南府事务。张从宾调取内库的钱帛用来犒赏部下的士兵，留守判官李遐不肯给，士兵们把他杀死。张从宾带兵东向扼守汜水关，即将逼近汴州。晋高祖下诏命令奉国都指挥使侯益率五千名禁兵会同杜重威讨伐张从宾。又下诏命令宣徽使刘处让从黎阳分出一部分兵力去讨伐他。当时军情文书往来纷繁，跟随皇帝到大梁的官吏无不惊骇恐惧。只有桑维翰从容安排调度军事，神色自若，接待应对宾客也不改常态。众人的情绪才稍微安定了一些。

之首，唐庄宗同光元年藏之太社。⑬² 听：任凭。⑬³ 娄继英（？至公元九三七年）：官后晋监门卫上将军。从张从宾反，被杀。传见《新五代史》卷五十一。⑬⁴ 徐景迁：徐知诰第二子。⑬⁵ 元随：原来随从人员。元，原来。⑬⁶ 不如意：不中意。⑬⁷ 手裂：亲手将符奏文书撕掉。⑬⁸ 经旬：十多天。⑬⁹ 张生之言：范延光梦蛇入腹，术士张生言此为帝王之兆。见本卷正月。⑭⁰ 甲午：六月十三日。⑭¹ 六宅使：官名，唐置十宅、六宅使，以诸王所属为名，或总称十六宅，后总称六宅使，通常无职掌。⑭² 草市：城外临时贸易市场。五代时，人民住在城外，盖草屋以成市里。此草市指滑州城外居民。⑭³ 白奉进（？至公元九三七年）：字德升，云州清塞军（今山西大同）人，官至后晋昭信军节度使、充侍卫马军都指挥使。传见《旧五代史》卷九十五。⑭⁴ 白马津：渡口名，在今河南滑县北。⑭⁵ 丁酉：六月十六日。⑭⁶ 戊戌：六月十七日。⑭⁷ 侍卫都军使：侍卫诸军都指挥使。⑭⁸ 己亥：六月十八日。⑭⁹ 护圣都指挥使：禁卫军官名，晋改奉德两军为护圣左、右军。⑮⁰ 杜重威（？至公元九四八年）：朔州（今山西朔州）人，石敬瑭妹夫，没有道德，不知将略。降契丹。传见《旧五代史》卷一百九、《新五代史》卷五十二。⑮¹ 乐平长公主：石敬瑭之妹，嫁杜重威。⑮² 黎阳口：白马津，在今河南滑县北。⑮³ 辛丑：六月二十日。⑮⁴ 胡梁渡：地名，也叫胡良渡，在今河南滑县东北。⑮⁵ 署其门：在门上贴上谢绝宾客告示。⑮⁶ 不通宾客：不接见来访客人。⑮⁷ 襄邑：县名，在今河南睢县。⑮⁸ 切近之职：指担任天子侍从的职务。⑮⁹ 四方利病：全国好的和坏的事情。⑯⁰ 奈何：为什么；怎么。⑯¹ 安身为便：对于

独善其身是有利的。⑯如负国何：可是辜负了国家的重托又该如何是好。⑯凝奇之：和凝认为他不寻常。⑯北狄：指契丹。⑯外敦信好：表面上加强信任友好。⑯内谨边备：内部要严密边境防备。⑯自逸：自己贪图安乐。⑯间道：秘密而近便的小路。⑯丁未：六月二十六日。⑰侍卫使：侍卫都军使的省称。⑰四面都部署：攻击魏州诸军的总指挥。⑰相州：州名，在今河南安阳。⑰西面都部署：西面军的指挥官。⑰郭威：后周太祖（公元九〇四至九五四年），五代后周王朝的建立者，邢州尧山（今河北隆尧）人，年十八以勇力应募，从李继韬。后从后汉刘知远，官邺都留守，乾祐四年（公元九五一年）代后汉称帝，国号周。公元九五一至九五四年在位。庙号太祖。事见《旧五代史》卷一百十、《新五代史》卷十一。⑰北征：自汴州征魏州，则自南而北，故称北征。⑰乞留：请求留在刘知远身边。⑰刘公：指刘知远。⑰河南兵：河南府兵。⑰张继祚：张全义子。传见《旧五代史》卷九十六、《新五代史》卷四十五。⑱张延播（？至公元九三七

【原文】

方士⑲言于闽主，云有白龙夜见螺峰⑲，闽主作白龙寺。时百役繁兴⑲，用度不足，闽主谓吏部侍郎、判三司候官蔡守蒙⑲曰："闻有司除官皆受赂，有诸⑲？"对曰："浮议⑲无足信也。"闽主曰："朕知之久矣，今以委卿。择贤而授，不肖及罔冒⑲者勿拒，第⑲令纳赂，籍而献之⑲。"守蒙素廉，以为不可。闽主怒，守蒙惧而从之。自是除官⑳但以货多寡[5]为差⑳。闽主又以空名堂牒⑳使医工陈究卖官于外，专务聚敛⑳，无有盈厌⑳。又诏民有隐年⑳者杖背，隐口⑳者死，逃亡者族⑳。果菜鸡豚，皆重征之。

秋，七月，张从宾攻汜水，杀巡检使宋廷浩。帝戎服⑳，严⑳轻骑，将奔晋阳以避之。桑维翰叩头苦谏曰："贼锋虽盛㉑，势不能久。请少待㉑之，不可轻动。"帝乃止。

范延光遣使以蜡丸招诱失职者㉑，右武卫上将军娄继英、右卫大将军尹晖在大梁，温韬之子延濬㉑、延沼㉑、延衮㉑居许州，皆应之㉑。延光令延濬兄弟取许州，聚徒㉑已及㉑千人。继英、晖事泄，皆出走㉑。壬子㉒，敕以延光奸谋，诬污㉒忠良，自今获㉒延光谍人㉒，赏获者，

年）：汶阳（今山东曲阜）人，从张从宾叛乱，被杀。传见《旧五代史》卷九十七。⑱扼：守。⑱汜水关：虎牢关，在今河南荥阳汜水镇。⑱帅禁兵：率领禁军。⑱刘处让（公元八八一至九四三年）：字德谦，沧州（今河北沧州）人，勤于公务，孜孜求理，对吏民不苛察。官至彰德军节度使。传见《旧五代史》卷九十四、《新五代史》卷四十七。⑱羽檄纵横：军书来往纷繁。⑱从官：跟随石敬瑭到汴州的官员。⑱无不恟惧：没有一个不害怕恐惧的。⑱指画：策划；安排调度。⑱神色自若：脸上表现出很自信的样子。⑲差安：稍微安宁。

【校记】

［3］宾：原作"军"。据章钰校，十二行本、乙十一行本、孔天胤本皆作"宾"，今据改。［4］东：原无此字。据章钰校，十二行本、乙十一行本、孔天胤本皆有此字，今据补。

【语译】

方士向闽主报告，说有白龙夜晚出现在螺峰山，闽主于是兴建了白龙寺。当时各种劳役频繁进行，费用不足，闽主对吏部侍郎、判三司的候官人蔡守蒙说："听说有关大臣在任命官吏时都接受贿赂，有这样的事吗？"蔡守蒙回答说："流言不值得相信。"闽主说："朕知道这种事已经很久了，现在我把任职授官的权力交给你。你要选拔贤能的人授予官职，对那些不成才的以及靠欺罔假冒而求官的人，也不要拒绝，只要让他们缴纳贿赂，就登记在册，然后把贿赂的财物献上来。"蔡守蒙一向清廉，认为不能这么做。闽主发起怒来，蔡守蒙害怕了，只得依从。从此以后任命官吏只以缴纳贿赂的多少为标准。闽主又拿出未填姓名的空白堂牒让医工陈究在外卖官，专门从事搜刮，从来不知满足。又下诏规定，百姓如有隐瞒年龄的杖背，隐瞒人口的处死，逃亡的灭族。对于果、菜、鸡、猪，一律征收重税。

秋，七月，张从宾进犯汜水，杀死巡检使宋廷浩。晋高祖全副戎装，部署好轻骑，准备逃往晋阳避难。桑维翰磕头在地苦苦劝谏说："敌人的兵势虽然很强大，但不可能持久。请陛下稍加等待，绝不可轻率行动。"晋高祖这才放弃了逃奔的打算。

范延光派使者带着装有密信的蜡丸去招诱那些失去官职的和失意的人，右武卫上将军娄继英、右卫大将军尹晖在大梁，温韬的儿子温延濬、温延沼、温延衮在许州，都响应范延光。范延光命令温延濬兄弟三人攻取许州，召集的徒众已达千人。娄继英、尹晖因为事情泄露，都从大梁逃走。七月初二日壬子，晋高祖下敕书，认为范延光心怀奸邪阴谋，诬蔑忠良，从今以后，凡是捕获替范延光刺探军情的人，

杀谍人，焚[6]蜡书㉔，勿以闻。晖将奔吴，为人所杀。继英奔许州，依温氏。忠武节度使苌从简盛为之备㉕，延濬等不得发，欲杀继英以自明，延沼止之，遂同奔张从宾。继英知其谋，劝从宾执三温，皆斩之。

白奉进在滑州，军士有夜掠者，捕之。获五人，其三隶㉖奉进，其二隶符彦饶，奉进皆斩之。彦饶以其不先白己㉗，甚怒。明日，奉进从㉘数骑诣彦饶谢㉙。彦饶曰："军中各有部分㉚，奈何取滑州军士并斩之，殊㉛无客主之义乎！"奉进曰："军士犯法，何有彼我！仆已引咎㉜谢公㉝，而公怒不解，岂非欲与延光同反邪！"拂衣而起㉞，彦饶不留。帐下甲士大噪㉟，擒奉进，杀之。从骑走出㊱，大呼于外，诸军争擐甲操兵㊲，喧噪㊳不可禁止。奉国左厢都指挥使马万惶惑㊴不知所为，帅步兵欲从乱㊵。遇右厢都指挥使卢顺密帅部兵出营，厉声谓万曰："符公擅杀白公，必与魏城㊶通谋㊷。此去行宫㊸才二百里，吾辈及军士家属皆在大梁，奈何不思报国，乃欲助乱，自求族灭乎！今日当共擒符公，送天子，立大功。军士从命者赏，违命者诛，勿复疑也！"万所部兵尚有呼跃者，顺密杀数人，众莫敢动。万不得已从之，与奉国都虞候方太等共攻牙城㊹，执彦饶，令太部送㊺大梁。甲寅㊻，敕斩彦饶于班荆馆㊼，其兄弟皆不问。

【段旨】

以上为第五段，写闽主卖官课重税。后晋滑州兵变。

一律奖赏捕获人，杀死刺探军情的人，并焚烧蜡书，不必把蜡书中的内容报告朝廷。尹晖准备投奔吴国，结果被人杀死。娄继英逃奔到许州，依附温氏兄弟。忠武节度使苌从简做了严密的防备，温延濬等人无法起事，准备杀死娄继英以表明自己的心迹，温延沼阻止他这样做，于是就一同投奔张从宾。娄继英后来得知了他们的阴谋，就劝张从宾把温氏三兄弟抓起来，全都斩首。

白奉进驻扎在滑州，军士中有在夜间外出抢掠的，白奉进派人抓捕他们。抓到了五个人，其中三人隶属于白奉进，另外两人隶属于符彦饶，白奉进将他们全都斩首。符彦饶因为白奉进没有先告诉自己，非常愤怒。第二天，白奉进带着几名随从骑兵到符彦饶处表示道歉。符彦饶说："军中各有分管，为什么把滑州的军士也一并处斩，实在是太没有主客之分了吧！"白奉进说："军士犯了法，还分什么你和我！在下已经承担责任向你道歉了，而你依然怒气难消，莫非是想和范延光一起造反吗？"说完，拂袖而起，符彦饶也没有留他。营帐里的士兵们不满地喧嚷着，捉住白奉进，把他杀了。白奉进的随从骑兵逃出营帐，在外面大声呼喊，各军士卒争相穿上铠甲，操起兵器，喧嚷之声难以禁止。奉国左厢都指挥使马万在惊慌疑惑中不知怎么办好，率领步兵想跟着作乱。正好遇上右厢都指挥使卢顺密率领本部人马出营，卢顺密厉声对马万说："符公擅自杀死白公，一定是与范延光串通密谋了的。这里离大梁行宫只有二百里，我们这些人和军士的家属都在大梁，为什么不想着报效国家，却要助长祸乱，自取灭族呢！现在我们应当合力捉住符公，押送给天子，建立大功。军士们服从命令的就赏，违抗命令的就杀，不要再迟疑了！"马万部下的士兵还有喊叫跳跃的，卢顺密杀了其中的几个人，众人这才不敢乱动。马万不得已只好依从了卢顺密，与奉国都虞候方太等人一起进攻牙城，捉住符彦饶，命令方太派人把符彦饶押送到大梁。七月初四日甲寅，晋高祖下令在班荆馆将符彦饶斩首，对于他的兄弟则一律不予追究。

【注释】

⑲¹方士：方术之士。⑲²螺峰：螺峰山，在今福建闽侯北，又名罗峰山。⑲³百役繁兴：各种劳役频繁进行。⑲⁴蔡守蒙（？至公元九三九年）：侯官（今福建闽侯）人，为政素廉，被迫卖官鬻爵。传见《十国春秋》卷九十八。⑲⁵有诸：有这件事吗？⑲⁶浮议：流言；谣传。⑲⁷罔冒：欺罔伪冒而求官的人。⑲⁸第：但。⑲⁹籍而献之：造成名册，将纳赂的财物献给皇帝。⑳⁰除官：任官。⑳¹差：差别；标准。⑳²空名堂牒：空白任命书。未填授官人，视得钱多少，再填写人名、官名。⑳³专务聚敛：专门干搜刮的事。⑳⁴盈厌：满足。⑳⁵隐年：隐瞒年龄。⑳⁶隐口：隐瞒人口。⑳⁷族：族诛；将全族人一起杀死。⑳⁸戎服：军装。⑳⁹严：约束；部署。㉑⁰贼锋虽盛：敌人的兵势虽然强大。㉑¹少待：稍作等待。㉑²失职者：失意

的、失去官职的人。㉑③延濬：温延濬（？至公元九三七年），温韬长子，后唐泥水关使。㉑④延沼：温延沼（？至公元九三七年），温韬次子，牙帐都校。㉑⑤延衮：温延衮（？至公元九三七年），温韬幼子，邓州指挥使。三人传附《旧五代史》卷七十三《温韬传》。㉑⑥应之：响应范延光。㉑⑦徒：部众。㉑⑧及：达到。㉑⑨出走：逃亡。㉒⓪壬子：七月初二日。㉒①诬污：玷污；诬蔑。㉒②获：捕获。㉒③谍人：刺探敌情的人。㉒④焚蜡书：焚去蜡书，可避免播扬被招者的姓名，以安反侧。㉒⑤盛为之备：做了严密的防备。㉒⑥隶：属于。㉒⑦不先白己：不事先告诉自己。㉒⑧从：随从。㉒⑨谢：表示歉意。㉓⓪各有部分：各有分管者。㉓①殊：甚；很。㉓②引咎：由自己承担责任。㉓③谢公：向您道歉。㉓④拂衣而起：表示愤怒的样子。㉓⑤大噪：大声呼叫。表示不满。㉓⑥走出：逃出。㉓⑦诸军争擐甲操兵：各路军队的士兵争先恐后披上盔甲，拿起武器。㉓⑧喧噪：大声呼叫、吵闹。㉓⑨惶惑：惊惶、困惑。㉔⓪从乱：跟着作乱。㉔①魏城：指范延光。㉔②通谋：串通谋划。㉔③行宫：指大梁。㉔④牙城：滑州州衙之城。㉔⑤部送：押送。㉔⑥甲寅：七月初四日。㉔⑦班荆馆：地名，在今河南开封郊外。

【原文】

杨光远自白皋[248]引兵趣滑州，士卒闻滑州乱，欲推光远为主。光远曰："天子岂汝辈[249]贩弄之物[250]！晋阳之降出于穷迫，今若改图[251]，真反贼也。"其下乃不敢言。时魏、孟、滑三镇[252]继叛，人情大震。帝问计于刘知远，对曰："帝者之兴，自有天命。陛下昔在晋阳，粮不支五日，俄[253]成大业。今天下已定，内有劲兵，北结强虏[254]，鼠辈[255]何能为乎[256]！愿陛下抚[257]将相以恩，臣请戢[258]士卒以威，恩威兼著[259]，京邑自安。本根深固，则枝叶不伤矣。"知远乃严设科禁[260]，宿卫诸军[261]无敢犯[262]者。有军士盗纸钱一幞[263]，主者[264]擒之。左右请释之[265]，知远曰："吾诛其情[266]，不计其直[267]。"竟杀之。由是众皆畏服[268]。

乙卯[269]，以杨光远为魏府行营都招讨使兼知行府事，以昭义节度使高行周为河南尹、东京[270]留守，以杜重威为昭义节度使、充侍卫马军都指挥使，以侯益为河阳节度使。帝以滑州奏事皆马万为首，擢万为义成节度使。丙辰[271]，以卢顺密为果州[272]团练使，方太为赵州刺史。既而知皆顺密之功也，更以顺密为昭义留后。

冯晖、孙锐引兵至六明镇[273]，光远引之[274]渡河，半渡而击之。晖、

【校记】

［5］寡：原作“少”。据章钰校，十二行本、乙十一行本、孔天胤本皆作“寡”，今据改。［6］焚：原作“禁”。据章钰校，十二行本作“焚”，张敦仁《通鉴刊本识误》同，今据改。

【语译】

杨光远从白皋率军前往滑州，士卒们听说滑州发生了变乱，于是想推举杨光远为君主。杨光远说：“天子岂是你们贩卖玩弄之物！当初我在晋阳投降是由于处境困窘，现在如果再另做打算，那就是真正的反贼了。”他的部下这才不敢再说。当时，魏州、孟州、滑州三个军镇相继叛变，人心受到很大震动。晋高祖向刘知远询问对策，刘知远回答说：“帝王的兴起，自有天命。陛下往昔在晋阳，粮食都支撑不了五天，不久却成就了大业。现在天下已经平定，内有强劲的兵力，在北方又联结了强大的胡虏，这些鼠辈又能有什么作为！希望陛下能用恩惠安抚将相，而臣请求用威严的军法安戢士卒，这样恩威并施，京城自然就会安定。树根深入稳固了，那么树枝、树叶就不会有什么伤害。”于是刘知远制定了严格的条律禁令，担任宿卫的各军没有敢违犯的。有个军士偷了值一幞头的纸钱，主事的人抓住了他。刘知远身边的佐吏请求放了他，刘知远说：“我惩办他的罪行，不计较他偷的东西价值多少。”最后还是杀了他。从此大家都畏惧服从刘知远。

七月初五日乙卯，任命杨光远为魏府行营都招讨使兼理行府事务，任命昭义节度使高行周为河南尹、东京留守，任命杜重威为昭义节度使、充任侍卫马军都指挥使，任命侯益为河阳节度使。晋高祖因为滑州方面奏报事情都是以马万为首的，就提拔马万为义成节度使。初六日丙辰，任命卢顺密为果州团练使，方太为赵州刺史。后来获悉平定滑州变乱原来都是卢顺密的功劳，于是改任卢顺密为昭义留后。

冯晖、孙锐率兵到达六明镇，杨光远吸引他们渡黄河，刚渡了一半就对他们发

锐众大败，多溺死，斩首三千级，晖、锐走㉗⑤还魏。

杜重威、侯益引兵至汜水㉗⑥，遇张从宾众万余人，与战，俘斩殆尽㉗⑦，遂克汜水。从宾走，乘马渡河，溺死。获其党张延播、继祚㉗⑧、娄继英，送大梁，斩之，灭其族。史馆修撰㉗⑨李涛㉘⓪上言，张全义有再造㉘①洛邑㉘②之功，乞免其族。乃止诛继祚妻子。涛，回之族曾孙也。

诏东都留守司百官悉赴行在㉘③。

杨光远奏知博州张晖举城降。

安州㉘④威和㉘⑤指挥使王晖闻范延光作乱，杀安远节度使周瓌，自领军府，欲俟延光胜则附之，败则渡江奔吴。帝遣右领军上将军李金全将千骑如安州巡检，许赦王晖以[7]为唐州㉘⑥刺史。

范延光知事不济㉘⑦，归罪于孙锐而族之，遣使奉表待罪㉘⑧。戊寅㉘⑨，杨光远以闻，帝不许。

【段旨】

以上为第六段，写刘知远稳重有谋，为后晋之柱石。范延光、张从宾两路叛兵皆败，张从宾战死，范延光请降。

【注释】

㉔⑧白皋：地名，在滑州北澶州界内。㉔⑨汝辈：你们。㉕⓪贩弄之物：贩卖玩弄的东西。㉕①改图：另做打算。㉕②魏、孟、滑三镇：指范延光、张从宾、符彦饶三人。㉕③俄：不久。㉕④强虏：指契丹。㉕⑤鼠辈：这是对魏、孟、滑三镇叛将的蔑称。㉕⑥何能为乎：有什么作为呢。㉕⑦抚：安抚；笼络。㉕⑧戢：安戢。㉕⑨恩威兼著：恩惠与威严并用。㉖⓪科禁：法律条文，约束违纪者。㉖①宿卫诸军：各支禁卫部队。㉖②犯：冒犯。㉖③幞：一种头巾，裹在头上。㉖④主者：主事的人。㉖⑤释之：放了他。㉖⑥吾诛其情：我追究他的盗窃罪行。㉖⑦不计其直：不计较他盗窃的价值多少。按唐律，定罪计赃多少，盗纸钱值一幞，轻罪而以死刑待之，所以威众也。㉖⑧畏服：畏惧而服从。㉖⑨乙卯：七月初五日。㉗⓪东京：胡三省注，"'京'，当作'都'。"㉗①丙辰：七月初六日。㉗②果州：州名，在今四川南充。

起攻击。结果冯晖、孙锐的兵众大败，很多人淹死在水中，有三千人被斩首，冯晖、孙锐逃回魏州。

杜重威、侯益率兵到达汜水，遇上了张从宾的兵众一万余人，便与他们交战，结果张从宾的兵众不是被俘就是被杀，几乎全军覆没，随即攻克了汜水。张从宾逃走，骑马渡黄河，结果淹死了。抓获了张从宾的党羽张延播、张继祚、娄继英，押送到大梁，处斩，并诛灭了他们的全族。史馆修撰李涛向皇帝上书说，张继祚的父亲张全义有重建洛阳的功劳，请求赦免他的族人。于是就只诛杀张继祚的妻子、儿女。李涛，是李回的族曾孙。

晋高祖下诏命令东都留守司的文武百官全部迁赴行在大梁。

杨光远奏报说主持博州事务的张晖带领全城投降。

安州威和指挥使王晖听说范延光作乱，就杀死了安远节度使周瓌，自己统领军府，打算等到范延光取胜后就依附他，他失败了就渡江投奔吴国。晋高祖派右领军上将军李金全率领一千名骑兵前往安州巡视检查，答应赦免王晖并任命他为唐州刺史。

范延光知道事情不可能成功了，就归罪于孙锐，杀了他的全族，派使者向朝廷奉表请罪。七月二十八日戊寅，杨光远把这一情况报告了朝廷，晋高祖没有答应。

时属后蜀，卢顺密为遥领。㉗③六明镇：地名，在胡梁渡北，即在今河南滑县境内。㉗④引之：吸引他们。㉗⑤走：逃。㉗⑥汜水：地名，在今河南荥阳北。㉗⑦俘斩殆尽：俘虏和斩杀几乎使全军覆没。㉗⑧继祚："继"上疑脱"张"字。"继祚"上下两人姓名俱全，"继祚"独不书姓，不当。又"继祚"与"延播"虽同姓"张"，然两人无亲缘，此"张"字不可省。查《旧五代史·晋书·高祖纪》记敕云"朋助张从宾逆人张延播、张继祚等十人……"，当补一"张"字。㉗⑨史馆修撰：官名，掌修日历。㉘⓪李涛：唐武宗朝宰相李回之族曾孙。㉘①再造：再建。㉘②洛邑：洛阳。唐末黄巢破两京，洛阳残破，居民不满百户，张全义招怀流亡，重建洛阳城。事详本书卷二百五十七唐僖宗光启三年（公元八八七年）。㉘③行在：指大梁。自此，后晋定都大梁，即今河南开封。㉘④安州：州名，治所安陆，今湖北安陆。㉘⑤威和：唐内直军名，唐有威和、拱宸内直军，晋天福六年改为兴顺左、右军。㉘⑥唐州：州名，治所比阳，在今河南泌阳。㉘⑦不济：不成功。㉘⑧待罪：等待降罪，接受处分。㉘⑨戊寅：七月二十八日。

【校记】

［7］以：原无此字。据章钰校，十二行本、乙十一行本皆有此字，张敦仁《通鉴刊本识误》同，今据补。

【原文】

吴同平章事王令谋如金陵劝徐诰受禅㉙，诰让㉑不受。

山南东道节度使安从进恐王晖奔吴，遣行军司马张朏㉒将兵会复州㉓兵于要路邀之㉔。晖大掠安州，将奔吴，部将胡进杀之。八月癸巳㉕，以状闻。李金全至安州，将士之预㉖于乱者数百人，金全说谕㉗，悉遣诣阙。既而闻指挥使武彦和等数十人挟赂甚多㉘，伏兵于野㉙，执而斩之。彦和且死㉚，呼曰："王晖首恶，天子犹赦之。我辈胁从，何罪乎！"帝虽知金全之情㉛，掩而不问㉜。

吴历阳公蒙知吴将亡，甲午㉝[8]，杀守卫军使王宏。宏子勒兵㉞攻蒙，蒙射杀之。以德胜㉟节度使周本吴之勋旧㊱，引二骑诣庐州，欲依之。本闻蒙至，将见之㊲，其子弘祚固谏㊳。本怒曰："我家郎君㊴来，何为不使我见！"弘祚合扉㊵不听本出，使人执蒙于外㊶，送江都。徐诰遣使称诏杀蒙于采石，㊷追废为悖逆庶人，绝属籍㊸。侍卫军使郭悰杀蒙妻子于和州，诰归罪于悰，贬池州。

乙巳㊹，赦张从宾、符彦饶、王晖之党㊺，未伏诛者皆不问。

梁、唐以来，士民奉使及俘掠在契丹者，悉遣使赎还其家㊻。

吴司徒、门下侍郎、同平章事、内枢使、忠武㊼节度使王令谋老病无齿，或劝之致仕，令谋曰："齐王大事未毕㊽，吾何敢自安㊾！"疾亟㊿，力劝㉑徐诰受禅。是月，吴主下诏，禅位于齐。李德诚等[9]复诣金陵帅百官劝进，宋齐丘不署表㉒。九月癸丑㉓，令谋卒。

甲寅㉔，以李金全为安远节度使。

娄继英未及葬梁均王而诛死，诏梁故臣右卫上将军安崇阮㉕与王故妃郭氏㉖葬之。

丙寅㉗，吴主命江夏王璘㉘奉玺绶㉙于齐。冬，十月甲申㉚，齐王诰即皇帝位于金陵，大赦，改元升元，国号唐㉛。追尊太祖㉜武王曰武皇帝。乙酉㉝，遣右丞相玠㉞奉册㉟诣吴主，称受禅老臣诰谨拜稽首㊱，上皇帝尊号曰高尚思玄弘古让皇，宫室、乘舆㊲、服御皆如故，

【语译】

吴国的同平章事王令谋前往金陵劝徐诰接受禅让，徐诰推辞不接受。

山南东道节度使安从进担心王晖会投奔吴国，就派行军司马张朏率兵会同复州的士兵在交通要道上拦截他。王晖在安州大肆抢掠之后，准备去投奔吴国，他的部将胡进把他杀了。八月十三日癸巳，把这一情况报告了朝廷。李金全到达安州，安州的将士参与作乱的有几百人，李金全加以开导劝说，把他们全部遣送到朝廷等候发落。不久得知指挥使武彦和等数十人携带的财物很多，就在野外埋伏下士兵，把他们抓住杀了。武彦和临死前，大声喊道："王晖是首恶，天子尚且赦免了他。我们这些人都是胁从，为什么要被治罪!"晋高祖虽然知道李金全的实情，还是把事情掩盖了起来，不加追究。

吴国的历阳公杨蒙知道吴国即将败亡，八月十四日甲午，杀死了守卫军使王宏。王宏的儿子率领士兵攻打杨蒙，杨蒙射杀了他。因为德胜节度使周本是吴国的元勋旧臣，杨蒙于是带领两名骑兵前往庐州，想依附周本。周本听说杨蒙来了，准备会见他，周本的儿子周弘祚坚决劝阻不让见。周本发怒说："我家的少主来了，为什么不让我去见!"周弘祚把门关上不让周本出去，派人到外面把杨蒙抓了起来，解送到江都。徐诰派使者前去口称诏令在采石杀了杨蒙，追废他为悖逆庶人，把他剔除出杨氏宗室的谱籍。侍卫军使郭悰在和州杀死了杨蒙的妻子、儿女，徐诰却归罪于郭悰，把他贬斥到池州。

八月二十五日乙巳，赦免张从宾、符彦饶、王晖的党羽，没有被诛杀的都不再追究。

梁、唐以来，士大夫奉命出使和百姓被俘掠滞留契丹的，朝廷派使者把他们全部赎回来，让他们回到自己家里。

吴国的司徒、门下侍郎、同平章事、内枢使、忠武节度使王令谋年老多病，牙齿都掉光了，有人劝他退休，王令谋说："齐王的大事还没有完成，我怎么敢自己安逸!"他的病情已经很危急了，还在极力劝徐诰接受禅让。就在这一月，吴主下诏，把帝位禅让给齐王徐诰。李德诚等人又到金陵率领文武百官劝齐王即位，宋齐丘不肯在劝进表上署名。九月初四日癸丑，王令谋去世。

九月初五日甲寅，任命李金全为安远节度使。

娄继英还没来得及安葬梁均王就受诛而死，晋高祖下诏命梁国旧臣右卫上将军安崇阮和均王的旧妃郭氏把均王安葬。

九月十七日丙寅，吴主命令江夏王杨璘把传国玺和绶带向齐王奉上。冬，十月初五日甲申，齐王徐诰在金陵即皇帝位，实行大赦，改年号为升元，国号为唐。追尊太祖武王为武皇帝。初六日乙酉，派右丞相徐玠带着上尊号的册书去觐见吴主，称受禅老臣徐诰谨拜稽首，上皇帝尊号为高尚思玄弘古让皇，宫室、乘舆、服御都

宗庙、正朔、徽章[338]、服色悉从吴制。丁亥[339]，立徐知证为江王，徐知谔[340]为饶王。以吴太子琏领平卢[341]节度使兼中书令，封弘农公。

唐主宴群臣于天泉阁[342]，李德诚曰："陛下应天顺人，惟宋齐丘不乐。"因出齐丘止[343]德诚劝进书。唐主执书不视[344]，曰："子嵩[345]三十年旧交，必不相负。"齐丘顿首谢。

己丑[346]，唐主表让皇改东都[347]宫殿名，皆取于仙经[348]。让皇常服羽衣[349]，习辟谷术[350]。辛卯[351]，吴宗室建安王珙[352]等十二人皆降爵为公，而加官增邑[353]。丙申[354]，以吴同平章事张延翰[355]及门下侍郎张居咏[356]、中书侍郎李建勋并同平章事。让皇以唐主上表，致书辞之。唐主表谢而不改。

丁酉[357]，加宋齐丘大司徒。齐丘虽为左丞相，不预政事，心愠怼[358]。闻制词云"布衣之交"，抗声[359]曰："臣为布衣时，陛下为刺史。今日为天子，可[10]不用老臣矣。"还家请罪[360]。唐主手诏[361]谢之，亦不改命。久之，齐丘不知所出[362]，乃更[363]上书请迁让皇于他州，及斥远[364]吴太子琏，绝其婚[365]。唐主不从。

乙巳[366]，立王后宋氏[367]为皇后。戊申[368]，以诸道都统、判元帅府事景通为诸道副元帅、判六军诸卫事、太尉、尚书令、吴王。

【段旨】

以上为第七段，写吴齐王徐知诰受禅即皇帝位，国号为唐，史称"南唐"，都金陵。

【注释】

[290]受禅：接受皇位的禅让。[291]让：辞让。[292]张朏：山南东道节度使府行军司马。[293]复州：州名，治所在今湖北仙桃南。此为安州奔吴鄂州的必经之路。[294]邀之：拦截他。[295]癸巳：八月十三日。[296]预：参与。[297]说谕：劝说；开导。[298]挟贿甚多：携带很多财物。[299]伏兵于野：在郊野埋伏士兵。[300]且死：将死。[301]情：实情。指李金全杀死武彦和等而劫其财的情节。[302]掩而不问：掩盖着不追究。[303]甲午：八月十四日。[304]勒兵：率兵。[305]德

和从前一样，宗庙、正朔、旗幡、官员的品服及吏民衣着的颜色都仍遵从吴国以前的制度。初八日丁亥，册立徐知证为江王，徐知谔为饶王。任命吴国太子杨琏遥领平卢节度使兼中书令，封为弘农公。

唐主在天泉阁宴请群臣，李德诚说："陛下应天命，顺人心，只有宋齐丘一个人不高兴。"说着，拿出了宋齐丘阻止李德诚劝唐主即位的信件。唐主拿着这封信看都不看，说："子嵩是我三十年的老朋友，一定不会对不起我。"宋齐丘听了，赶忙磕头谢罪。

十月初十日己丑，唐主向让皇上表，请求更改东都宫殿的名称，新改的名称都取自仙经。让皇经常穿着道士的羽衣，习练辟谷的方术。十二日辛卯，吴国宗室建安王杨珙等十二人都降封爵为公，但同时又提高他们的官位，增加他们的食邑。十七日丙申，任命原吴国同平章事张延翰和门下侍郎张居咏、中书侍郎李建勋都为同平章事。让皇因唐主仍用上表的形式，写信表示不敢当。唐主上表致谢，但仍不改变做法。

十月十八日丁酉，加授宋齐丘为大司徒。宋齐丘虽为左丞相，却不能参与政事，心里恼怒怨恨。当他听到唐主诏书中说"布衣之交"时，高声说道："臣为布衣时，陛下为刺史。今天做天子了，可以不用老臣了。"回家后他请求唐主治罪。唐主亲手写下诏书向他道歉，但仍然不改变原来的任命。过了好久，宋齐丘不知该如何出谋划策才好，于是又上书，请求把让皇迁徙到其他州去，并且斥逐吴国太子杨琏到远方去，断绝与杨琏的婚姻关系。唐主没有听从。

十月二十六日乙巳，册立王后宋氏为皇后。二十九日戊申，任命诸道都统、判元帅府事徐景通为诸道副元帅、判六军诸卫事、太尉、尚书令、吴王。

胜：方镇名，五代吴置，治所庐州，在今安徽合肥。㉚⑥勋旧：功勋旧臣。㉚⑦见之：会见他。㉚⑧固谏：坚决地劝阻。㉚⑨郎君：指杨蒙。旧臣称主人的儿子为郎君，表示亲切。㉛⓪合扉：关上门。㉛①外：门外。㉛②徐诰遣使句：徐知诰遣使杀杨蒙于路，不使至江都。徐诰，徐知诰改名去"知"字。采石，地名，在今安徽当涂。㉛③绝属籍：去掉杨氏的族籍。㉛④乙巳：八月二十五日。㉛⑤党：党羽。㉛⑥赎还其家：将被契丹扣留和俘掠去的人赎回家来。㉛⑦忠武：方镇名，治所许州，在今河南许昌。时属后晋，王令谋为遥领。㉛⑧齐王大事未毕：指齐王还没有受禅即皇帝位。齐王，即徐知诰。㉛⑨自安：自己安逸。㉜⓪疾亟：疾病很沉重。㉜①力劝：竭力劝告。㉜②不署表：不在劝进表文上签名。㉜③癸丑：九月初四日。㉜④甲寅：九月初五日。㉜⑤安崇阮（？至公元九四四年）：字晋臣，潞州上党（今山西长治）人，少倜傥，有词辩，擅骑射。官至晋右卫上将军。传见《旧五代史》卷

九十。㉖ 郭氏：梁末帝朱友贞次妃。庄宗赐名誓正，居于洛阳。传见《新五代史》卷十三。㉗ 丙寅：九月十七日。㉘ 璘：杨璘，杨溥第二子。封江夏王。传见《十国春秋》卷四。㉙ 玺绶：皇帝玉玺、绶带。㉚ 甲申：十月初五日。㉛ 国号唐：徐知诰本姓李，继承唐朝，故称唐，史称南唐。㉜ 太祖：指徐温。㉝ 乙酉：十月初六日。㉞ 玠：徐玠。㉟ 册：册书，指尊尚吴主杨溥为让皇的册文。㊱ 稽首：古时一种跪拜礼，磕头到地。是九拜中最恭敬的。㊲ 乘舆：皇帝乘坐的车子。㊳ 徽章：旗幡。㊴ 丁亥：十月初八日。㊵ 徐知谔：与上文之徐知证皆徐温之子，于知诰为弟。传见《十国春秋》卷二十。㊶ 平卢：方镇名，在今辽宁朝阳。杨琏为遥领。㊷ 天泉阁：楼阁名，因晋、宋天泉池故地起阁，故名天泉阁。㊸ 止：阻止。㊹ 执书不视：拿着宋齐丘阻止李德诚劝进的信不看。㊺ 子嵩：宋齐丘字。㊻ 己丑：十月初十日。㊼ 东都：南唐以扬州为东都。㊽ 皆取于仙经：所改宫殿之名都出之于仙经。㊾ 羽衣：羽毛制成的衣服，以示仙化。㊿ 习辟谷术：学习不吃谷物而生存的方法。辟，通“避”。(351) 辛卯：十月十二日。(352) 珙：杨珙，杨溥侄子。传见《十国春秋》卷四。(353) 加官增邑：提高官位，增加封邑。(354) 丙申：十月十七日。(355) 张

【原文】

闽主命其弟威武(369)节度使继恭(370)上表告嗣位于晋，且请置邸于都下(371)。

十一月乙卯(372)，唐吴王景通更名璟。

唐主赐杨琏妃号永兴公主(373)。妃闻人呼公主，则流涕而辞(374)。

戊午(375)，唐主立其子景遂为吉王，景达为寿阳公。以景遂为侍中、东都留守、江都尹，帅留司百官(376)赴东都。

戊辰(377)，诏加吴越王元瓘天下兵马副元帅，进封吴越国王。

安远节度使李金全以亲吏(378)胡汉筠为中门使，军府事一以委之(379)。汉筠贪猾残忍，聚敛无厌(380)。帝闻之，以廉吏(381)贾仁沼代之，且召汉筠，欲授以他职，庶(382)保全功臣。汉筠大惧，始劝金全以异谋(383)。乙亥(384)，金全表汉筠病，未任行(385)。金全故人(386)庞令图屡谏曰：“仁沼忠义之士，以代汉筠，所益多矣(387)。”汉筠夜遣壮士逾垣(388)灭令图之族，又毒仁沼，舌烂而卒。汉筠与推官张纬相结，以谄惑(389)金全，金全爱之弥笃(390)。

延翰（公元八八八至九四二年）：字德华，宋州睢阳（今河南睢县）人，不附权势，有治绩。官至南唐宰相。传见《十国春秋》卷二十一。㊱张居咏：官至南唐宰相。传见《十国春秋》卷二十一。㊲丁酉：十月十八日。㊳心愠怼：内心恼怒、怨恨。㊴抗声：大声。㊵请罪：请求治罪。㊶手诏：亲手写的诏书。㊷不知所出：不知如何出谋划策。㊸更：别。㊹斥远：斥退并徙之远地。㊺绝其婚：断绝与杨琏的婚姻关系。因杨琏娶徐知诰女为妃。㊻乙巳：十月二十六日。㊼宋氏（？至公元九四五年）：小名福金，治内有法，不妄言笑。传见《十国春秋》卷十八。㊽戊申：十月二十九日。

【校记】

［8］甲午：原作"甲子"。据章钰校，十二行本、乙十一行本皆作"甲午"，张敦仁《通鉴刊本识误》同，今据改。［9］等：原无此字。据章钰校，十二行本、乙十一行本皆有此字，今据补。［10］可：原作"可以"。据章钰校，十二行本、乙十一行本、孔天胤本皆无"以"字，今据删。〖按〗《十国春秋》无"以"字。

【语译】

闽主命他的弟弟威武节度使王继恭向晋帝上表报告他继承闽国君位的事，并且请求在大梁设立宅邸。

十一月初六日乙卯，唐国的吴王徐景通改名为璟。

唐主赐杨琏妃子的尊号为永兴公主。妃子一听人们喊她为公主就伤心流泪，不让人们这样喊她。

初九日戊午，唐主册立他的儿子徐景遂为吉王，徐景达为寿阳公。任命徐景遂为侍中、东都留守、江都尹，率领留台百司官员到东都去。

十一月十九日戊辰，诏令加授吴越王钱元瓘为天下兵马副元帅，晋封为吴越国王。

安远节度使李金全任用亲信官吏胡汉筠为中门使，军府的事务全都交给他办理。胡汉筠贪婪狡猾而又残忍，聚敛财物没有满足的时候。晋高祖得知这一情况后，就任命一位清廉的官吏贾仁沼来代替他，并且召回胡汉筠，准备授予他其他职务，希望以此保全功臣。胡汉筠十分恐惧，开始劝李金全图谋不轨。十一月二十六日乙亥，李金全上表声称胡汉筠生病，没有力气上路。李金全的旧友庞令图多次劝他说："贾仁沼是忠义之士，由他来代替胡汉筠，所得好处多着呢。"胡汉筠夜里派壮士翻墙进去把庞令图的全族都杀了，又向贾仁沼下毒，贾仁沼因舌头腐烂而死。胡汉筠和推官张纬相勾结，用谄媚的手段来迷惑李金全，李金全对他们的宠爱更深了。

十二月戊申[391]，蜀大赦，改明年元曰明德。

诏加马希范江南诸道都统，制置武平[392]、静江[393]等军事。

是岁，契丹改元会同，国号大辽。公卿庶官[394]皆仿中国，参用中国人。以赵延寿[395]为枢密使，寻兼政事令。

【段旨】

以上为第八段，写闽主入贡晋朝。唐主封诸子为王，嗣子徐景通改名为璟。契丹主改国号为大辽。

【注释】

[369]威武：方镇名，闽置，治所福州，在今福建福州。[370]继恭：王继恭（？至公元九三九年），王延钧子。传见《十国春秋》卷九十四。[371]置邸于都下：在晋首都汴梁建造府舍。[372]乙卯：十一月初六日。[373]永兴公主：徐知诰第四女，嫁杨琏。贤明温淑，容仪绝世，卒年二十四。传见《十国春秋》卷四。[374]流涕而辞：流着泪推辞。因吴已亡国。[375]戊午：十一月初九日。[376]留司百官：南唐仿唐制，建东、西都，置留台百司。留

【原文】

三年（戊戌，公元九三八年）

春，正月己酉[396]，日有食之。

唐德胜节度使兼中书令西平恭烈王周本以不能存吴[397]，愧恨[398]而卒。

丙寅[399]，唐以侍中吉王景遂参判尚书都省[400]。

蜀主以武信节度使、同平章事张业为左仆射兼中书侍郎、同平章事、枢密使，武泰节度使王处回兼武信节度使、同平章事。

二月庚辰[401]，左散骑常侍[402]张允[403]上《驳赦论》，以为“帝王遇天灾多肆赦[404]，谓之修德。借[405]有二人坐狱遇赦，则曲者[406]幸免，直者衔冤[407]，冤气升闻，乃所以致灾[408]，非所以弭灾[409]也”。诏褒之。帝乐闻谠言[410]，诏百官各上封事，命吏部尚书梁文矩等十人置详定院以考之，无

十二月戊申日，蜀国实行大赦，改明年的年号为明德。

晋高祖下诏，加授马希范为江南诸道都统，制置武平、静江等军府的事务。

这一年，契丹改年号为会同，国号为大辽。公卿百官的设置都仿效中国，也选拔任用中国人。任命赵延寿为枢密使，不久兼任政事令。

司百官即为留台百司官员。东都，即江都，今江苏扬州。金陵为西都，今江苏南京。㊂⑦⑦戊辰：十一月十九日。⑶⑺⑻亲吏：亲信官吏。⑶⑺⑼一以委之：全部委托给他办理。⑶⑻⓪无厌：没有满足。⑶⑻⑴廉吏：廉洁的官吏。⑶⑻⑵庶：希望。⑶⑻⑶异谋：谋反。⑶⑻⑷乙亥：十一月二十六日。⑶⑻⑸未任行：没有力气上路。此为不让胡汉筠回朝的托词。⑶⑻⑹故人：旧友。⑶⑻⑺所益多矣：所得好处多着呢。⑶⑻⑻逾垣：越过围墙。⑶⑻⑼谄惑：用谄媚的手段迷惑。⑶⑼⓪弥笃：更加深切。⑶⑼⑴戊申：十二月己卯朔，无戊申日，疑记载有误。⑶⑼⑵武平：方镇名，后唐以朗州为武平军，后晋仍置武平军。治所朗州，在今湖南常德。⑶⑼⑶静江：方镇名，唐昭宗光化三年（公元九〇〇年），升桂管经略使为静江军节度使。治所桂州，在今广西桂林。⑶⑼⑷庶官：百官。⑶⑼⑸赵延寿（？至公元九四八年）：本姓刘，赵德钧养子。降契丹，为契丹先锋，屡败晋军。官至辽丞相。传见《辽史》卷七十六。

【语译】

三年（戊戌，公元九三八年）

春，正月初二日己酉，发生日食。

唐国的德胜节度使兼中书令西平恭烈王周本因为自己没能保全吴国，在愧恨交加中死去。

十九日丙寅，唐国任命侍中吉王徐景遂参判尚书都省。

蜀主任命武信节度使、同平章事张业为左仆射兼中书侍郎、同平章事、枢密使，任命武泰节度使王处回兼武信节度使、同平章事。

二月初三日庚辰，左散骑常侍张允奏上《驳赦论》，认为："帝王遇到天灾常常实行大赦，称此为修德。假设有两个人正在坐牢而遇到赦免，那么原本理亏应该判罪的人就会侥幸得以免罪，而原本有理的人就会蒙受冤屈，冤气升腾，上闻于天，这是招致灾祸的原因，而并非消除灾祸的方法啊。"晋高祖下诏褒奖了他。晋高祖喜欢听正直的言论，下诏让文武百官各自呈上密封的奏章，命吏部尚书梁文矩等十人

取者留中，可者行之。数月，应诏者无十人。乙未[411]，复降御札趣之。

三月丁丑[412]，敕禁民作铜器[413]。初，唐世[414]天下铸钱有三十六冶[415]，丧乱以来，皆废绝，钱日益耗。民多销钱[416]为铜器，故禁之。

中书舍人李详上疏，以为："十年以来，赦令屡降[417]，诸道职掌[418]皆许推恩[419]。而藩方[420]荐论[421]动逾数百，乃至藏典[422]、书吏、优伶、奴仆，初命则至银青阶[423]，被[424]服皆紫袍象笏[425]，名器[426]僭滥，贵贱不分。请自今诸道主兵将校[427]之外，节度州[428]听奏朱记[429]大将以上十人，他州止听奏都押牙、都虞候、孔目官，自余但委本道量迁职名而已。"从之。

【段旨】

以上为第九段，写晋高祖下诏求言，纠正滥赦与滥施官位，因缺铜以木质赤字代铜印赐大将，每州限额十名。

【注释】

⑶⑼⑹己酉：正月初二日。⑶⑼⑺不能存吴：不能保全吴国。⑶⑼⑻愧恨：惭愧、悔恨。⑶⑼⑼丙寅：正月十九日。⑷⓪⓪参判尚书都省：兼任朝廷的办事机关首长，参与管理尚书省政务。⑷⓪⑴庚辰：二月初三日。⑷⓪⑵左散骑常侍：门下省属官，掌规谏。⑷⓪⑶张允（公元八八六至九五〇年）：镇州（今河北正定）人，为人刚介，官至后汉吏部侍郎。以作《驳赦论》著称。此论阐述

【原文】

夏，四月甲申[430]，唐宋齐丘自陈[431]丞相不应不豫[432]政事，唐主答以省署[433]未备。

吴让皇固辞旧宫[434]，屡请徙居。李德诚等亦亟以为言。五月戊午[435]，唐主改润州[436]牙城为丹杨宫，以李建勋为迎奉让皇使。

设置详定院对这些奏章进行审核，无所可取的就留置禁中，有可取的就加以施行。几个月之后，响应诏书的不足十个人。十八日乙未，晋高祖又颁下亲笔诏书督促这件事。

三月三十日丁丑，下敕令禁止百姓制作铜器。以前，唐代时天下有三十六处冶铜铸钱的地方，自战乱以来，都荒弃停工了，而铜钱却日益受到耗损。百姓中有很多人把铜钱销熔后制作铜器，所以要禁止。

中书舍人李详上疏，认为："十年以来，屡次颁布大赦令，诸道的职掌都允许借助恩荫任命官员。而各地藩镇所推荐的人动辄数百名，以至于藏典、书吏、优伶、奴仆这些人，开始任命就达到银印青绶的官阶，穿的都是紫色的袍子，拿的都是象牙笏，名分和器物僭越泛滥，贵贱不分。请求从今往后，各道除了主掌军务的将校之外，节度使所在的州允许奏报不给铜印只给朱记的大将以上十个人，其他州只允许奏报都押牙、都虞候、孔目官，其余的官吏只是委托各道酌量调迁职衔就可以了。"晋高祖采纳了这个建议。

经常大赦的危害性。传见《旧五代史》卷一百八、《新五代史》卷五十七。㊴④肆赦：大赦。㊴⑤借：假设；倘使。㊴⑥曲者：理曲应判罪的人。㊴⑦衔冤：蒙受冤屈。㊴⑧致灾：招来灾祸。㊴⑨弭灾：消除灾祸。㊶⓪谠言：正直的言论。㊶①乙未：二月十八日。㊶②丁丑：三月三十日。㊶③作铜器：用铜铸造用具。㊶④唐世：指晚唐。㊶⑤三十六冶：三十六处铸钱的地方。盛唐时则有冶铜处九十余所。㊶⑥销钱：将钱熔化。㊶⑦赦令屡降：多次颁布大赦令。㊶⑧诸道职掌：各州郡所主管之事。㊶⑨推恩：用恩荫任职。㊷⓪藩方：节度使。㊷①荐论：推荐人才。㊷②藏典：掌国库官吏。㊷③银青阶：指银青光禄大夫，从二品高官。㊷④被：通"披"。㊷⑤紫袍象笏：唐制三品以上穿紫袍，用象牙笏。㊷⑥名器：名分和器物。一定爵位用一定器物，不能僭越。㊷⑦主兵将校：统率军队的主将。㊷⑧节度州：节度使所在的州。㊷⑨朱记：不给铜印，给木朱记以为印信。

【语译】

夏，四月初七日甲申，唐国的宋齐丘自己向唐主陈说，认为丞相不应该不参与政事，唐主答复他说省署机构暂时还不完备。

吴国让皇坚决推辞，希望不再住在旧宫，屡次请求迁居。李德诚等人也一再提出这件事。五月十二日戊午，唐主把润州牙城改为丹杨宫，任命李建勋为迎接侍奉让皇的使者。

杨光远自恃拥重兵，颇干预朝政，屡有抗奏[437]，帝常屈意从之[438]。庚申[439]，以其子承祚[440]为左威卫将军，尚帝女长安公主，次子承信亦拜美官，宠冠当时[441]。

壬戌[442]，唐主以左宣威副统军王舆[443]为镇海[444]留后，客省使公孙圭为监军使，亲吏马思让为丹杨宫使，徙[445]让皇居丹杨宫。

宋齐丘复自陈为左右所间[446]，唐主大怒。齐丘归第[447]，白衣待罪[448]。或曰[449]："齐丘旧臣，不宜以小过弃之。"唐主曰："齐丘有才，不识大体。"乃命吴王璟持手诏[450]召之。

六月壬午[451]，或献毒酒方[452]于唐主。唐主曰："犯吾法者自有常刑[453]，安用此为[454]！"群臣争请改府寺州县名有吴及阳者，留守判官杨嗣请更姓羊，徐玠曰："陛下自应天顺人[455]，事非逆取[456]。而谄邪之人专事改更[457]，咸非急务[458]，不可从也。"唐主然之。

【段旨】

以上为第十段，写唐主徐知诰贤明，优礼让皇，不接受阴谋害人，不权落旧臣。

【注释】

[430] 甲申：四月初七日。[431] 自陈：自己陈说。[432] 豫：通"与"，参与。[433] 省署：指中央官署。[434] 固辞旧宫：坚决推辞不再居江都宫。[435] 戊午：五月十二日。[436] 润州：州名，在今江苏镇江。[437] 抗奏：抗拒中央命令的奏章。[438] 屈意从之：违背自己的意志顺从他。[439] 庚申：五月十四日。[440] 承祚：杨光远子，官单州刺史。传附《旧五代史》卷九十

【原文】

河南留守高行周奏修洛阳宫。丙戌[459]，左谏议大夫薛融[460]谏曰："今宫室虽经焚毁，犹侈于帝尧之茅茨[461]。所费虽寡，犹多于汉文之露台[462]。况魏城未下，公私困窘，诚非陛下修宫馆之日。俟海内平宁，

杨光远依仗自己拥有重兵，对朝廷政事颇有干预，屡次呈上抗命的奏章，晋高祖常常违背自己意志顺从他。五月十四日庚申，任命他的儿子杨承祚为左威卫将军，娶皇帝的女儿长安公主为妻，次子杨承信也被授予很好的官职，全家所受的恩宠为当时之冠。

五月十六日壬戌，唐主任命左宣威副统军王舆为镇海留后，客省使公孙圭为监军使，亲信官吏马思让为丹杨宫使，把让皇迁到丹杨宫居住。

宋齐丘再次自己向唐主陈说自己被左右近臣离间，唐主大怒。宋齐丘回到家中，穿上白衣等待被治罪。有人劝唐主说："齐丘是旧臣，不应该因为一点小过错而抛弃他。"唐主说："齐丘有才干，只可惜不识大体。"于是命令吴王徐璟拿着亲笔诏书去召他来。

六月初七日壬午，有人献毒酒药方给唐主。唐主说："违反我国法律的自有正常的刑罚处置，用这个东西干什么！"群臣们争相请求把府寺州县名称中有"吴"和"阳"字的都改掉，留守判官杨嗣也请求改姓为"羊"，徐玠说："陛下本来就是上应天命，下顺民心，此事不是违天意人心夺取的。然而谄媚奸邪之人却专门在更改名称上下功夫，这些都不是要紧的政务，不能听从他们的意见。"唐主很同意他的见解。

七《杨光远传》。㊶宠冠当时：宠信为当时第一。㊷壬戌：五月十六日。㊸王舆（公元八七一至九四四年）：为人勇武，不念旧恶，官至南唐金吾卫大将军。传见《十国春秋》卷七。㊹镇海：方镇名，吴置，治所润州，在今江苏镇江。㊺徙：迁移。㊻为左右所间：被唐主左右近臣离间。㊼归第：回到家中。㊽白衣待罪：穿着普通平民的白衣等待治罪。㊾或曰：有人说。㊿手诏：亲手写的诏书。(451)壬午：六月初七日。(452)毒酒方：配制毒酒的药方。(453)常刑：法律规定的刑罚。(454)安用此为：用这个干什么。(455)应天顺人：指徐知诰称帝是上合天意，下顺人心。(456)事非逆取：此事不是违逆天意人心而夺取。(457)专事改更：专门在更易名称上下功夫。(458)咸非急务：这些都不是要紧的政务。

【语译】

河南留守高行周上奏建议修缮洛阳宫。六月十一日丙戌，左谏议大夫薛融劝谏说："现在的宫室虽然经历过焚毁，但是比起帝尧的茅草宫室还是奢侈得多。修缮的费用虽然很少，但还是比汉文帝修筑露台所预计的开支要多。何况魏州城还没有攻下，国家和百姓都很穷困窘迫，确实不是陛下修缮宫馆的时候。等到天下太平安宁

营[463]之未晚。”上纳其言，仍赐诏褒之。

己丑[464]，金部郎中[465]张铸奏：“窃见乡村浮户[466]，非不勤稼穑[467]，非不乐[468]安居。但以种木未盈[469]十年，垦田未及[470]三顷，似成生业[471]，已为县司收供徭役[472]，责[473]之重赋，威以严刑。故不免捐功舍业[474]，更思他适[475]。乞自今民垦田及五顷以上，三年外乃听县司徭役。”从之。

秋，七月，中书奏：“朝代虽殊[476]，条制[477]无异。请委官取明宗及清泰时敕，详定[478]可久行者编次[479]之。”己酉[480]，诏左谏议大夫薛融等详定。

【段旨】

以上为第十一段，写晋高祖缓建宫室，奖励垦殖，疏理制度。

【注释】

[459]丙戌：六月十一日。[460]薛融（公元八八二至九四一年）：汾州平遥（今山西平遥）人，少以儒学知名，官至尚书右丞、分司西都。传见《旧五代史》卷九十三、《新五代史》

【原文】

辛酉[481]，敕作受命宝[482]，以“受天明命，惟德允昌”[483]为文。

八月[11]，帝上尊号于契丹主及太后。戊寅[484]，以冯道为太后册礼使[485]，左仆射刘昫[12]为契丹主册礼使，备卤簿[486]、仪仗[487]、车辂[488]，诣契丹行礼。契丹主大悦。帝事[489]契丹甚谨，奉表称臣，谓契丹主为“父皇帝”。每契丹使至，帝于别殿[490]拜受诏敕。岁输金帛三十万之外，吉凶庆吊[491]，岁时赠遗[492]，玩好珍异，相继于道。乃至应天太后[493]、元帅太子[494]、伟王、南北二王、韩延徽、赵延寿等诸大臣皆有赂遗[13]。小不如意，辄来责让[495]，帝常卑辞谢之[496]。晋使者至契丹，契丹骄倨[497]，多

了，再来营建也不算晚。”晋高祖采纳了他的意见，还颁赐诏书褒奖了他。

六月十四日己丑，金部郎中张铸上奏说：“我看到乡村中一些没有固定户籍的人户，不是不勤于耕种，也不是不愿意安居乐业。只是因为种树未满十年，垦田不到三顷，看来似乎要成为维持生计的产业时，就已被县府的官员收录供应徭役，要求他们缴纳重赋，用严酷的刑罚威逼他们。所以他们不免捐弃前功，丢掉产业，想再迁到其他的地方去。请求从今往后百姓开垦田地达五顷以上的，三年之后才准许县府的官员征调他们服徭役。”晋高祖听从了他的建议。

秋，七月，中书省上奏说：“朝代虽然不同，但是条规制度没有什么差异。请求委派官员选取明宗和末帝清泰时期的敕令，审定那些可以长久施行的加以编纂。”初四日己酉，下诏命令左谏议大夫薛融等人加以审定。

卷五十六。㊶帝尧之茅茨：帝尧宫室，土阶三尺，茅茨不剪。㊷汉文之露台：汉文帝欲筑露台，因需百金而不作。㊸营：修建。㊹己丑：六月十四日。㊺金部郎中：官名，户部四司之一，掌天下税收等事。㊻浮户：无固定户口的人户。㊼稼穑：种庄稼。㊽非不乐：不是不喜欢。㊾盈：满。㊿及：到。(471)似成生业：看来好像已经成为维持生计的产业。(472)收供徭役：收录供应徭役。(473)责：苛求。(474)捐功舍业：丢掉先前垦田的功效，舍弃将要形成的产业。(475)他适：到其他地方去。(476)殊：异。(477)条制：条规制度。(478)详定：审定。(479)编次：编纂。(480)己酉：七月初四日。

【语译】

七月十六日辛酉，晋高祖下令制作受命宝玺，将“受天明命，惟德允昌”刻上宝玺。

八月，晋高祖上尊号给契丹主和述律太后。初四日戊寅，任命冯道为太后册礼使，左仆射刘昫为契丹主册礼使，准备了卤簿、仪仗、车辂，前往契丹举行大礼。契丹主非常高兴。晋高祖侍奉契丹主非常恭谨，上表都自称为臣，称契丹主为“父皇帝”。每次契丹的使者到来，晋高祖都是在便殿拜受契丹主的诏书和敕令。每年除了要奉送金帛三十万之外，还有吉凶庆吊，一年中不同时节的馈赠，各种供玩赏的珍奇物品，都络绎不绝地奉送过去。甚至于对应天太后、元帅太子、伟王、南北二王、韩延徽、赵延寿等各位大臣也都有财物相送。稍有一点让他们不满意的，他们就派使者来指责，晋高祖常常低声下气地向他们道歉。晋朝的使者到契丹，契丹人

不逊语[498]。使者还，以闻，朝野咸以为耻，而帝事之曾无倦意。以是终帝之世，与契丹无隙。然所输金帛不过数县租赋，往往托以民困，不能满数。其后契丹主屡止帝上表称臣，但令为书称“儿皇帝”，如家人礼[499]。

初，契丹既得幽州，命曰南京[500]，以唐降将赵思温为留守。思温子延照在晋，帝以为祁州[501]刺史。思温密令延照言虏情终变，请以幽州内附[502]。帝不许。

契丹遣使诣唐，宋齐丘劝唐主厚贿之[503]，俟至淮北[504]，潜遣人杀之，欲以间晋[505]。

壬午[506]，杨光远奏前澶州刺史冯晖自广晋城中出战，因来降，言范延光食尽穷困。己丑[507]，以晖为义成节度使。

【段旨】

以上为第十二段，写石敬瑭向契丹称儿皇帝。

【注释】

[481] 辛酉：七月十六日。[482] 受命宝：皇帝玉玺。天子修封禅、礼神祇时使用。因原受命宝被潞王焚毁，故新制。[483] 受天明命二句：此八字为下敕令的皇帝印章。意谓接受上天光明之命，保持德行，国运昌盛。允，以。[484] 戊寅：八月初四日。[485] 册礼使：行册封礼的使者。[486] 卤簿：古代帝王出外时的仪仗队。卤，大楯，可以捍敌。簿，簿籍，记载仪仗的先后顺序。[487] 仪仗：用于仪卫的兵仗。[488] 车辂：皇帝乘坐的车。辂，绑在车辕上以备人牵挽的横木。[489] 事：侍奉。[490] 别殿：便殿。石敬瑭对契丹称儿皇帝，故对契丹使者不敢居正殿。[491] 吉凶庆吊：吉礼、凶礼、节日庆贺、吊丧。[492] 岁时赠遗：一年不同的时节的馈赠。[493] 应天太后：太祖述律皇后（公元八七九至九五三年）。传见《辽史》卷七

【原文】

杨光远攻广晋[508]，岁余不下。帝以师老[509]民疲，遣内职[510]朱宪入城谕范延光，许移大藩[511]，曰：“若降而杀汝，白日在上，吾无以享国[512]。”

却非常傲慢，大多出言不逊。使者回来以后，把这一情况向朝廷报告，朝野人士都感到羞耻，但是晋高祖侍奉契丹丝毫没有倦怠之意。因此晋高祖在位的整个时期，和契丹没有产生什么嫌隙。然而所奉送的金帛不过是几个县的田租赋税，还常常以百姓穷困为借口，不能足额送到。后来契丹主也多次阻止晋高祖上表称臣，只让他写信时自称“儿皇帝”，像家人之间的礼节那样。

当初，契丹取得幽州之后，把幽州命名为南京，任命唐降将赵思温为留守。赵思温的儿子赵延照在晋朝，晋高祖任命他为祁州刺史。赵思温秘密地让赵延照向朝廷报告说胡虏的情况终究是要变化的，请求把幽州归附于朝廷。晋高祖没有允许。

契丹派使者前往唐国，宋齐丘劝唐主给使者送去丰厚的财物，等他回去行至淮河以北晋国地境时，暗中派人把他杀掉，想以此离间契丹与晋朝的关系。

八月初八日壬午，杨光远奏报说，前澶州刺史冯晖从广晋城中出战，乘机前来投降，并说范延光在城中粮食已吃完，情势困窘。十五日己丑，任命冯晖为义成节度使。

十一。㊾④元帅太子：耀屈之。即耶律德光。㊾⑤责让：责备。㊾⑥卑辞谢之：低声下气地向契丹道歉。㊾⑦骄倨：傲慢的样子。㊾⑧多不逊语：大多出言不礼貌。㊾⑨如家人礼：行一家人相见之礼。⑤⓪⓪南京：契丹于天福元年（公元九三六年）得幽州，改为南京。⑤⓪①祁州：州名，唐昭宗景福三年（公元八九四年），王处存奏以定州无极、深泽二县置祁州，州治在今河北无极。⑤⓪②内附：归附中原后晋王朝。⑤⓪③厚赂之：用丰厚的财物贿赂他。⑤⓪④淮北：淮河以北地区。在后晋辖区内。⑤⓪⑤间晋：挑拨后晋与契丹关系。间，离间。⑤⓪⑥壬午：八月初八日。⑤⓪⑦己丑：八月十五日。

【校记】

［11］八月：原无此二字。据章钰校，十二行本、乙十一行本、孔天胤本皆有此二字，今据补。［12］刘昫：原作“刘煦”。据章钰校，十二行本、孔天胤本皆作“刘昫”，今据改。〖按〗新、旧《五代史》亦皆作“刘昫”。［13］遗：原无此字。据章钰校，十二行本、乙十一行本、孔天胤本皆有此字，张敦仁《通鉴刊本识误》同，今据补。

【语译】

杨光远攻打广晋城，一年多也没有攻下来。晋高祖考虑到军队疲惫，百姓穷困，就派宦官朱宪进入广晋城去劝说范延光投降，答应把他调到一个大的藩镇去当节度使，说：“如果你投降后我杀你，白日在上，我就不可能享有长远的国运。”范延光对

延光谓节度副使李式曰："主上重信⑬，云不死则不死矣。"乃撤守备，然犹迁延未决⑭。宣徽南院使刘处让复入谕之，延光意乃决。九月乙巳朔⑮，杨光远送延光二子守图、守英诣大梁。己酉⑯，延光遣牙将奉表待罪。壬子⑰，诏书至广晋，延光帅其众素服⑱于牙门，使者宣诏释之。朱宪，汴州人也。

契丹遣使如洛阳，取赵延寿妻唐燕国长公主⑲以归。

壬戌⑳，唐太府卿赵可封请唐主复姓李，立唐宗庙。

庚午㉑，杨光远表乞入朝。命刘处让权知㉒天雄军府事。己巳㉓，制以范延光为天平节度使，仍赐铁券㉔，应广晋城中将吏军民今日㉕以前罪皆释㉖不问。其张从宾、符彦饶余党及自官军逃叛入城者，亦释之。延光腹心将佐李式、孙汉威、薛霸皆除防御、团练使、刺史，牙兵皆升为侍卫亲军。

初，河阳行军司马李彦珣，邢州人也。父母在乡里，未尝供馈㉗。后与张从宾同反，从宾败，奔广晋。范延光以为步军都监㉘，使登城拒守。杨光远访获㉙其母，置城下以招之㉚，彦珣引弓㉛射杀其母。延光既降，帝以彦珣为坊州㉜刺史。近臣言彦珣杀母，杀母恶逆㉝不可赦。帝曰："赦令已行，不可改也。"乃遣之官。

臣光曰："治国[14]者固㉞不可无信。然彦珣之恶，三灵㉟所不容，晋高祖赦其叛君之愆㊱，治㊲其杀母之罪，何损于信哉㊳！"

【段旨】

以上为第十三段，写晋高祖赦河北叛将之罪，朝廷罢兵。

【注释】

508 广晋：魏州。后晋石敬瑭即位，改魏州为广晋。509 师老：军士疲惫，士气低落。510 内职：宦官。511 大藩：大的藩镇。512 吾无以享国：我不可能享有长远的国运。发誓的话。513 重信：重视信用。514 迁延未决：拖延时日，犹豫不决。515 乙巳朔：九月初一日。516 己酉：九

节度副使李式说:“皇上是看重信用的，说不死就不会死了。”于是撤下守备，但还是拖延了些日子，一直犹豫不决。宣徽南院使刘处让又进城劝说，范延光这才拿定了主意。九月初一日乙巳，杨光远把范延光的两个儿子范守图、范守英送到大梁。初五日己酉，范延光派牙将上表朝廷等待治罪。初八日壬子，皇帝的诏书到了广晋，范延光带领部众穿着白衣在牙门迎候，使者宣读诏书，然后释放了他们。朱宪，是汴州人。

契丹派使者前往洛阳，把赵延寿的妻子唐燕国长公主接了回去。

九月十八日壬戌，唐国太府卿赵可封请求唐主徐诰恢复姓李，建立唐室的宗庙。

九月二十六日庚午，杨光远上表请求入朝。晋高祖命刘处让暂时主持天雄军府的事务。二十五日己巳，下制书任命范延光为天平节度使，又赐给他铁券，所有广晋城中将校、官吏、士兵、百姓在今日以前所犯的罪都予以赦免，不再追究。那些张从宾、符彦饶的余党以及从官军中逃叛入城的人，也都予以赦免。范延光的心腹将领佐吏李式、孙汉威、薛霸都分别被任命为防御使、团练使、刺史，他的牙兵也都擢升为侍卫亲军。

当初，河阳行军司马李彦珣，是邢州人。父母都在邢州老家，他从来没有供养过二老。后来他和张从宾一起反叛，张从宾败亡以后，他就投奔到广晋。范延光任命他为步军都监，让他登城抵御防守。杨光远经过寻访找到了他的母亲，把她安置在城下，用来招降李彦珣，李彦珣拉弓射杀了自己的母亲。范延光归降以后，晋高祖任命李彦珣为坊州刺史。近臣们说李彦珣杀母，杀母的人犯了恶逆罪是不能赦免的。晋高祖说:“赦令已经颁布施行，不能再改了。”还是派他去赴任了。

> 司马光说:“治理国家的人当然不能不讲诚信。然而李彦珣的罪恶，是天神、地祇、人鬼三灵所不能容忍的，如果晋高祖赦免他背叛君主的过失，而惩治他杀害母亲的罪行，对于诚信又有什么损害呢!”

月初五日。⑰ 壬子：九月初八日。⑱ 素服：穿着白衣。以示有罪。⑲ 燕国长公主：明宗第十三女，嫁赵延寿。初封兴平公主，清泰二年（公元九三五年），改封燕国长公主。传附《旧五代史》卷四十九《后妃传》。⑳ 壬戌：九月十八日。㉑ 庚午：九月二十六日。㉒ 权知：暂时代理。㉓ 己巳：九月二十五日。㉔ 铁券：古代赐给有功之臣，记其功绩，免其死罪的一种凭信。㉕ 今日：指诏书到魏州之日。㉖ 释：原宥；宽大。㉗ 供馈：赡养。㉘ 步军都监：官名，掌屯戍、边防、训练政令。㉙ 访获：寻访获得。㉚ 招之：招李彦珣归降。㉛ 引弓：拉弓。㉜ 坊州：州名，在今陕西黄陵东南。㉝ 恶逆：十恶罪之一。杀父母者犯恶逆罪，恩赦也不应原宥。㉞ 固：本来。㉟ 三灵：指天神、地祇、人鬼。㊱ 愆：过失。㊲ 治：处置；处分。㊳ 何损于信哉：对于诚信有什么损害呢。

【校记】

［14］国：原作“国家”。据章钰校，十二行本、乙十一行本皆无“家”字，今据删。

【原文】

辛未[539]，以杨光远为天雄节度使。

冬，十月戊寅[540]，契丹遣使奉宝册[541]，加帝尊号[542]曰英武明义皇帝。

帝以大梁舟车所会[543]，便于漕运，丙辰[544]，建东京于汴州。复以汴州为开封府，以东都[545]为西京，以西都[546]为晋昌军节度。

帝遣兵部尚书王权使契丹谢尊号。权自以累世将相[547]，耻之，谓人曰：“吾老矣，安能向穹庐[548]屈膝！”乃辞以老疾。帝怒，戊子[549]，权坐停官[550]。

初，郭崇韬既死，宰相罕[551]有兼枢密使者。帝即位，桑维翰、李崧兼之，宣徽使刘处让及宦官皆不悦。杨光远围广晋，处让数[552]以军事衔命[553]往来，光远奏请多逾分[554]，帝常依违[555]，维翰独以法裁折之[556]。光远对处让有不平语[557]，处让曰：“是皆执政[558]之意。”光远由是怨执政。范延光降，光远密表[559]论执政过失。帝知其故而不得已，加维翰兵部尚书，崧工部尚书，皆罢其枢密使。以处让为枢密使。

太常奏：“今建东京，而宗庙、社稷皆在西京，请迁置大梁。”敕旨：“且[560]仍旧。”

戊戌[561]，大赦。

杨廷艺[562]［15］故将吴权自爱州举兵攻皎公羡于交州，公羡［16］遣使以赂求救于汉。汉主欲乘其乱而取之，以其子万王弘操[563]为静海节度使，徙封交王，将兵救公羡。汉主自将屯于海门[564]，为之声援。汉主问策于崇文使萧益[565]，益曰：“今霖雨积旬，海道险远，吴权桀黠[566]，未可轻也。大军当持重，多用乡导，然后可进。”不听，命弘操帅战舰自白藤江[567]趣交州。权已杀公羡，据交州，引兵逆战。先于海口多植大

【语译】

九月二十七日辛未，任命杨光远为天雄节度使。

冬，十月初五日戊寅，契丹派使者奉上册书，给晋高祖加尊号为英武明义皇帝。

晋高祖认为大梁是水陆交通汇聚的地方，便于漕运，丙辰日，在汴州建立东京。重新把汴州改为开封府，把东都洛阳改为西京，把西都长安改为晋昌军节度。

晋高祖派兵部尚书王权出使契丹以感谢他们给自己加了尊号。王权认为自己家几代位居将相，对这次出使感到耻辱，就对人说："我老了，怎么能向穹庐里的人屈膝呢！"于是以自己年老多病为借口加以推辞。晋高祖大怒，十五日戊子，王权获罪被罢官。

当初，郭崇韬死后，宰相很少有兼任枢密使的。晋高祖即位后，桑维翰、李崧却兼任了，宣徽使刘处让和宦官们都很不高兴。杨光远围攻广晋之时，刘处让多次因军事需要而奉命往来，杨光远上奏请求的事情往往超越应有的限度，晋高祖常常举棋不定，唯独桑维翰按照法规加以裁断约束。杨光远对刘处让说了表示不满的话，刘处让说："这些都是宰相的意思。"杨光远便因此怨恨执政大臣。范延光投降，杨光远就秘密向皇帝上表评论执政大臣的过失，晋高祖明白他这样做的原因，但又无法解决，于是就加封桑维翰为兵部尚书，李崧为工部尚书，把两人的枢密使一职都罢免了。任命刘处让为枢密使。

太常寺上奏说："现在建立了东京，但是宗庙、社稷都在西京，请求迁来安置在大梁。"皇帝下敕旨说："姑且沿袭原样不做改变。"

十月二十五日戊戌，大赦天下。

杨廷艺的旧将吴权从爱州起兵攻打在交州的皎公羡，皎公羡派使者带着贿赂来向汉求救。汉主想乘交州兵乱而夺取交州，于是任命他的儿子万王刘弘操为静海节度使，改封为交王，率兵前去救援皎公羡。汉主亲自率兵屯驻在海门，为他做后援。汉主向崇文使萧益询问计谋，萧益说："现在大雨连绵已经有十多天了，海路既险又远，吴权凶暴狡诈，不能小看了他。大军的行动应当谨慎稳重，多用向导，然后才可前进。"汉主听不进这些话，命令刘弘操率领战舰从白藤江向交州进军。这时吴权已经杀了皎公羡，占据交州，就率兵前来迎战。他首先在海口插了很多大木桩，把

杙⑱，锐其首⑲，冒之以铁⑳。遣轻舟乘潮挑战而伪遁㉑，弘操逐之[17]。须臾潮落，汉舰皆碍铁杙不得返。汉兵大败，士卒覆溺者太半，弘操死。汉主恸哭，收余众而还。先是，著作佐郎侯融㉒劝汉主弭兵息民㉓。至是，以兵不振追咎融，剖棺暴其尸。益，倣之孙也。

楚顺贤夫人彭氏㉔卒。彭夫人貌陋而治家有法，楚王希范惮之㉕。既卒，希范始纵㉖声色，为长夜之饮，内外无别。有商人妻美，希范杀其夫而夺之，妻誓不辱，自经㉗死。

【段旨】

以上为第十四段，写杨光远恃功干预朝政。南汉主轻浮暴众，兵败交州，国势转衰。楚主马希范纵情声色。

【注释】

⑤㊴辛未：九月二十七日。⑤㊵戊寅：十月初五日。⑤㊶宝册：册书。⑤㊷尊号：皇帝活着时所加的美号。⑤㊸舟车所会：水陆交通汇聚之处。⑤㊹丙辰：十月甲戌朔，无丙辰。疑为“丙申”，十月二十三日。⑤㊺东都：洛阳。后晋以洛阳为西京。⑤㊻西都：长安。后晋以长安为晋昌军。⑤㊼累世将相：好几代担任大将和丞相。⑤㊽穹庐：指代契丹。因契丹为游牧民族，居住毡帐。⑤㊾戊子：十月十五日。⑤㊿权坐停官：王权坐罪被罢官。551罕：少。552数：多次。553衔命：奉皇帝的命令。554逾分：超过限度。555依违：举棋不定。556以法裁折之：用法律规定加以裁断约束。557不平语：不满意的话。558执政：指宰相。559密表：秘密地向皇帝上奏表文。560且：姑且；暂且。561戊戌：十月二十五日。562杨廷艺：事见本

【原文】

河决郓州。

十一月，范延光自郓州入朝。

丙午578，以闽主昶579为闽国王，以左散骑常侍卢损580为册礼使，

木桩的顶端削尖，套上铁皮。然后派遣轻便的小船乘着涨潮前来挑战，之后假装败逃，刘弘操率军追击。一会儿潮水落了，汉国的战舰都被那些套上铁皮的木桩阻挡，不能返回。汉兵大败，士卒因翻船而被淹死的有一大半，刘弘操战死。汉主悲伤痛哭，收拾残余士卒退了回去。在此之前，著作佐郎侯融曾劝汉主停止用兵，让百姓休息。到这时，因为兵威不振而追究归罪于已经死去的侯融，挖出他的棺木，暴露他的尸体。萧益，是萧倣的孙子。

楚国的顺贤夫人彭氏去世。彭夫人容貌丑陋，但治家有法，楚王马希范畏惧她。她去世以后，马希范开始纵情声色，举行通宵达旦的宴饮，宫廷内外没有分别。有一个商人的妻子容貌漂亮，马希范杀了她的丈夫而把她抢了过来，商人的妻子发誓不愿受辱，自己上吊死了。

卷上年。563 弘操（？至公元九三八年）：刘龑第九子，封万王。传见《十国春秋》卷六十一。564 海门：地名，在今广东汕头。565 萧益：唐懿宗时宰相萧倣之孙，官南汉崇文使。传见《十国春秋》卷六十三。566 桀黠：凶暴狡诈。567 白藤江：水名，在今越南北部。568 大杙：尖锐的大木桩。569 锐其首：削尖木桩的一端。570 冒之以铁：用铁包裹着。571 伪遁：假装逃走。572 侯融：为人慷慨，喜直言。官著作佐郎。传见《十国春秋》卷六十三。573 弭兵息民：停止用兵，让百姓休息。574 彭氏（？至公元九三八年）：马希范妻，累封秦国顺贤夫人，貌陋而治家有法。传见《十国春秋》卷七十一。575 惮之：害怕她。576 纵：放纵；纵情。577 自经：自缢。

【校记】

［15］杨廷艺：原作“杨延艺”。胡三省注云：“‘延’当作‘廷’。”严衍《通鉴补》改作“杨廷艺”，当是，今据以校正。［16］公羡：原无“公”字。胡三省注云：“以下文考之，‘羡’上当有‘公’字。”据章钰校，乙十一行本有“公”字，今据补。［17］弘操逐之：原无此四字。据章钰校，十二行本、乙十一行本、孔天胤本皆有此四字，今据补。

【语译】

黄河在郓州决口。

十一月，范延光从郓州入京朝见。

十一月初三日丙午，册命闽主王昶为闽国王，任命左散骑常侍卢损为册礼使，

赐袒赭袍[581]。戊申[582]，以威武节度使王继恭[583]为临海郡王。闽主闻之，遣进奏官林恩白执政，以既袭帝号，辞册命及使者。闽谏议大夫黄讽[584]以闽主淫暴，与妻子辞诀[585]入谏。闽主欲杖之，讽曰："臣若迷国[586]不忠，死亦无怨。直谏被杖，臣不受也。"闽主怒，黜为民。

帝患天雄节度使杨光远跋扈难制，桑维翰请分天雄之众，加光远太尉、西京留守兼河阳节度使。光远由是怨望，密以赂自诉于契丹，养部曲[587]千余人，常蓄异志。

辛亥[588]，建邺都于广晋府[589]。置彰德军[590]于相州，以澶、卫隶之。置永清军[591]于贝州，以博、冀隶之。澶州旧治顿丘，帝虑契丹为后世之患，遣前淄州刺史汲人刘继勋[592]徙澶州城[18]跨德胜津[593]，并顿丘徙焉。以河南尹高行周为广晋尹、邺都留守，贝州防御使王廷胤为彰德节度使，右神武统军王周[594]为永清节度使。廷胤，处存之孙。周，邺都人也。

范延光屡请致仕[595]，甲寅[596]，诏以太子太师致仕。居于大梁，每预宴会，与群臣无异。

延光之反也，相州刺史掖[597]人王景拒境不从[598]。戊午[599]，以景为耀州团练使。

癸亥[600]，敕听公私自铸铜钱，无得[601]杂以铅铁，每十钱重一两，以"天福元宝"为文。仍令盐铁[602]颁下模范[603]。惟禁私作铜器。

立右[19]金吾卫上将军重贵[604]为郑王，充开封尹。

庚辰[605][20]，敕先许公私铸钱，虑铜难得，听轻重从便[606]，但勿令缺漏[607]。

辛丑[608]，吴让皇卒。唐主废朝二十七日，追谥曰睿皇帝。是岁，唐主徙吴王璟为齐王。

凤翔节度使李从曮，厚文士而薄武人，爱农民而严士卒，由是将士怨之。会[609]发兵戍西边，既出郊，作乱，突门入城，剽掠于市[610]。从曮发帐下兵[611]击之，乱兵败，东走，欲自诉于朝廷。至华州，镇国节度使太原[21]张彦泽[612]邀击[613]，尽诛之。

赐给王昶赭色的袍服。初五日戊申，封威武节度使王继恭为临海郡王。闽主得知这一消息后，派进奏官林恩前来向执政大臣说明情况，因为闽主已经袭用了皇帝的尊号，所以退回册命和使者。闽国的谏议大夫黄讽认为闽主荒淫暴虐，于是与妻子、儿女诀别后入朝进谏。闽主想用廷杖责打他，黄讽说："臣如果是迷惑君主而不忠诚，死了也毫无怨言。直言进谏而被杖罚，臣不能接受。"闽主很生气，把黄讽罢黜为庶民。

晋高祖担心天雄节度使杨光远飞扬跋扈，难以辖制，桑维翰请求分散天雄军的兵力，加封杨光远为太尉、西京留守兼河阳节度使。杨光远由此心怀怨恨，秘密贿赂契丹并向契丹表白心曲，又豢养了亲兵一千多人，常怀叛离之心。

十一月初八日辛亥，在广晋府恢复建立邺都。在相州设置彰德军，划出澶州、卫州隶属于它。在贝州设置永清军，划出博州、冀州隶属于它；澶州过去的治所在顿丘，晋高祖担心契丹成为后世的祸患，就派前淄州刺史汲人刘继勋把澶州州城迁移到地跨黄河两岸的德胜津，连同顿丘一道迁移。任命河南尹高行周为广晋尹、邺都留守，贝州防御使王廷胤为彰德节度使，右神武统军王周为永清节度使。王廷胤，是王处存的孙子。王周，是邺都人。

范延光多次请求退休，十一月十一日甲寅，下诏准许他以太子太师的身份退休，居住在大梁。他经常参与朝廷举行的宴会，和群臣没有什么不同。

当初范延光反叛的时候，相州刺史掖人王景把守着自己的辖区，没有随从他。十五日戊午，晋高祖任命王景为耀州团练使。

十一月二十日癸亥，下敕听任官方和民间自行铸造铜钱，但是不准掺杂铅、铁，每十个铜钱重一两，铸上"天福元宝"四个字。仍然命令盐铁使司颁下浇铸用的模子。只是禁止私自制作铜器。

册立右金吾卫上将军石重贵为郑王，充任开封尹。

十二月初七日庚辰，下敕先前准许官方和民间铸钱，考虑到铜料难以获得，可以听任铜的轻重随便，只是不能使铜钱的分量短缺。

十二月二十八日辛丑，吴国的让皇去世。唐主为此停止登朝二十七日，追谥让皇为睿皇帝。这一年，唐主改封吴王徐璟为齐王。

凤翔节度使李从曮，厚待文士而轻视武人，爱惜农民却对士卒很严厉，因此将士们都很怨恨他。适逢要派兵戍守西部边境，军队出发到郊外后，就发生了变乱，这些乱兵冲破城门进入城内，在街市上大肆抢掠。李从曮调动自己帐下的亲兵前去迎击乱兵，乱兵被打败，向东逃去，想亲自到朝廷去申诉。走到华州，镇国节度使太原张彦泽出兵拦击，把他们全都诛杀了。

【段旨】

以上为第十五段，写天雄军节度使杨光远骄纵。晋高祖听民自铸钱。

【注释】

⑤⑦⑧丙午：十一月初三日。⑤⑦⑨闽主昶：闽康宗王继鹏。⑤⑧⓪卢损（？至公元九五三年）：梁开平初进士，性刚介。官至秘书监，晚年退居林泉，自号具茨山人。传见《旧五代史》卷一百二十八。⑤⑧①赭袍：天子所穿袍服。⑤⑧②戊申：十一月初五日。⑤⑧③王继恭（？至公元九三九年）：王延钧子。传见《十国春秋》卷九十四。⑤⑧④黄讽：以康宗淫暴进谏，被黜为民。传见《十国春秋》卷九十五。⑤⑧⑤辞诀：诀别。⑤⑧⑥迷国：迷惑君主。⑤⑧⑦部曲：亲兵。⑤⑧⑧辛亥：十一月初八日。⑤⑧⑨广晋府：魏州，今仍建邺都。⑤⑨⓪彰德军：方镇名，后晋置，即后唐昭德军。治所相州，在今河南安阳。⑤⑨①永清军：方镇名，后晋置，治所贝州，在今河北清河。⑤⑨②刘继勋：卫州（今河南淇县）人，官同州刺史，被契丹捕去。传见《旧五代史》卷九十六。⑤⑨③德胜津：在今河南濮阳。⑤⑨④王周：魏州（今河北大名）人，少以勇力从军，官成德节度使，有善政。传见《旧五代史》卷一百六、《新五代史》卷四十八。⑤⑨⑤致仕：退休。⑤⑨⑥甲寅：十一月十一日。⑤⑨⑦掖：县名，在今山东莱州。⑤⑨⑧拒境不从：把守境界，不跟随反叛。⑤⑨⑨戊午：十一月十五日。⑥⓪⓪癸亥：十一月二十日。⑥⓪①无得：不得；不能。⑥⓪②盐铁：盐铁使。⑥⓪③模范：浇铸用的模子。⑥⓪④重贵：石重贵（公元九一四年至？），石敬瑭侄子，性谨厚，好骑射。天福七年（公元九四二年）石敬瑭死，即皇帝位。开运三年（公元九四六年）契丹南侵，攻汴梁，降石重贵为负义侯，被掠入契丹。公元九四二至九四六年在位。事见《旧五代史》卷八十一、《新五代史》卷九。⑥⓪⑤庚辰：十二月初七日。⑥⓪⑥听轻重从便：听任钱中含铜量轻重随便。⑥⓪⑦勿令缺漏：勿使钱的分量短缺。⑥⓪⑧辛丑：十二月二十八日。⑥⓪⑨会：适逢。⑥①⓪剽掠于市：在市场上抢掠。⑥①①帐下兵：节度使府亲军。⑥①②张彦泽（？至公元九四六年）：太原（今山西太原）人，投靠契丹为先锋灭后晋。恣行杀戮，百姓切齿。被契丹耶律德光处死，市人争食其肉。传见《旧五代史》卷九十八、《新五代史》卷五十二。⑥①③邀击：截击；拦击。

【校记】

［18］城：原无此字。据章钰校，十二行本、乙十一行本、孔天胤本皆有此字，张瑛《通鉴校勘记》同，今据补。［19］右：原作“左”。据章钰校，乙十一行本、孔天胤本皆作“右”，张敦仁《通鉴刊本识误》同，今据改。〖按〗《旧五代史·晋书·少帝纪》作“右”。［20］庚辰：原作“癸亥”。据章钰校，十二行本、乙十一行本皆作“庚辰”，孔天胤本、张敦仁《通鉴刊本识误》皆作“庚戌”。〖按〗天福三年十二月甲戌朔，是月无“癸亥”，亦无“庚戌”，而有“庚辰”，今据改。［21］太原：原无此二字。据章钰校，十二行本、乙十一行本、孔天胤本皆有此二字，今据补。

【研析】

本卷研析桑维翰功过、契丹主礼遇张砺、徐知诰改名去“知”三件史事。

第一，桑维翰功过。桑维翰，字国侨，河南人。形貌丑陋，身短面长，进士出身，自负有宰辅之才。石敬瑭为河阳节度使，辟举桑维翰为掌书记，宠遇日隆，为石敬瑭谋主。桑维翰、刘知远，两人一文一武，是石敬瑭的左右手。割地事契丹，石敬瑭做了儿皇帝，本谋者桑维翰，卖国求荣，桑维翰是民族的罪人。对于虏廷儿皇帝石敬瑭来说，桑维翰是后晋开国功臣。石敬瑭入洛阳，以桑维翰为翰林学士、礼部侍郎、知枢密院事，迁中书令、同中书门下平章事，兼枢密使。当时晋朝新建，藩镇多未服从，府库空虚，民不堪命，形势严峻。桑维翰建言晋高祖石敬瑭，弃旧怨安抚藩镇，卑辞厚礼事契丹，训练士卒以修武备，劝农桑以实仓廪，通商贾以足财用。高祖用其言，数年后国家粗安，这是桑维翰辅政的功绩。桑维翰的功过，用三国时许子将品评曹操的两句话：“子治世之能臣，乱世之奸雄。”差可得之。曹操为创业之主，桑维翰为无耻奸雄之谋主，又不可同日而语矣。

第二，契丹主礼遇张砺。唐翰林学士张砺奉末帝之命督军赵延寿进军团柏谷口，军败与赵延寿俱没入契丹。张砺得间南逃，为追骑所获。契丹主耶律德光责问张砺，说：“为什么离我而去?”张砺说：“臣是中原人，吃饭穿衣都和这里不一样，如今生不如死，希望能早一点把我杀死。”契丹主回头对精通翻译而负责接待的高彦英说：“我常常告诫你要善待这个人，为什么让他无处安身而逃走？如果失去了他，怎么可能再次得到这样的人!”契丹主鞭打了高彦英一顿，责其向张砺道歉。张砺见契丹主如此尊重读书人，于是归顺契丹，竭尽忠心，遇事直言敢谏，深得契丹主的礼遇和器重。契丹主耶律德光史称辽太宗，他继辽太祖耶律阿保机大力推行汉化的文明进程，建国号，备典章，是大辽国史上的一位贤君，张砺的建言与辅佐，功不可没。

第三，徐知诰改名去“知”。徐知诰，据薛史，谓为海州人，徐温养子。出身寒微，少孤，及壮，身高七尺，广颡隆准，宽厚有谋，贤于徐温亲生诸子，温是以爱之。徐温为吴杨氏政权大丞相，镇金陵。温死，知诰承袭吴大丞相，镇金陵。知诰秉政，宽刑法，推恩信，用以收人心，起延宾亭接纳四方之士，引宋齐丘、骆知祥、王令谋等为谋主。吴杨溥天祚三年（公元九三七年)，徐知诰更名为徐诰，去名上“知”字，单名诰。“知”字为徐温之子辈分用字，徐知诰去“知”字，表示将与徐姓脱离，不与徐氏兄弟徐知训、徐知询等同列，这是受禅的前奏信号。接着徐诰受封齐王，建齐国。十月初五日甲申，徐诰即皇帝位于金陵，改年号为升元。三月更名，十月受禅，是年徐诰四十九岁。徐诰册封杨溥为让皇，天福三年（公元九三八年）四月迁杨溥于润州丹杨宫，以马思让为丹杨宫使，严兵守卫，一年后杨溥幽死。杨氏政权，自唐昭宗大顺二年（公元八九一年）杨行密始有淮南之地，至杨溥逊位的晋天福二年，凡四十七年。

卷第二百八十二　后晋纪三

起屠维大渊献（己亥，公元九三九年），尽重光赤奋若（辛丑，公元九四一年），凡三年。

【题解】

本卷记事起公元九三九年，迄公元九四一年，凡三年，当后晋高祖天福四年至天福六年。本卷多载南唐与闽两国事务。南唐主徐知诰恢复姓李，改名李昪，令有司编造族谱为大唐吴王李恪之后裔，建立宗庙合祭李、徐两姓，尊徐温为义祖，在宗庙位列唐高祖、唐太宗之后。李昪保境安民，薄赋税，勤政事，南唐称治，江、淮安定。闽主王昶笃信道士，不理政事，福州政变，王延羲取代王昶为闽主，羲弟王延政据建州，兄弟二人大交兵。后晋成德节度使安重荣以反抗契丹为名蓄谋异志，山南东道节度使安从进亦蓄谋反叛，两安南北勾结。刘知远耻与杜重威同列。范延光以太子太师职致仕回河阳，西京留守杨光远杀范夺财，晋高祖优容不治，后晋危机四伏。其时，后晋节度使李金全反叛投南唐，二安继其后皆反。高行周扑灭安重荣，安从进兵败困守襄州。

【原文】

高祖圣文章武明德孝皇帝中

天福四年（己亥，公元九三九年）

春，正月辛亥[①]，以澶州防御使太原张从恩为枢密副使。

朔方节度使张希崇卒，羌胡[②]寇钞，无复畏惮[③]。甲寅[④]，以义成节度使冯晖为朔方节度使。党项酋长拓跋彦超最为强大。晖至，彦超入贺，晖厚遇之[⑤]。因为于城中治第[⑥]，丰其服玩，留之不遣[⑦]。封内[⑧]遂安。

唐群臣江王知证等累表请唐主复姓李，立唐宗庙。乙丑[⑨]，唐主许之。群臣又请上尊号，唐主曰："尊号虚美，且非古。"遂不受。其后子孙皆踵[⑩]其法，不受尊号。又不以外戚辅政，宦者不得预事。皆他国所不及也。

【语译】

高祖圣文章武明德孝皇帝中

天福四年（己亥，公元九三九年）

春，正月初九日辛亥，任命澶州防御使太原人张从恩为枢密副使。

朔方节度使张希崇去世，羌胡入侵抢劫，不再顾忌。正月十二日甲寅，任命义成节度使冯晖为朔方节度使。党项族的酋长拓跋彦超最为强大。冯晖到达朔方，拓跋彦超前来祝贺，冯晖厚礼相待。随即为他在城中修建了宅第，给很多的服饰、器玩，把他留在朔方城中不送他回去。朔方境内于是安定下来。

唐国群臣江王徐知证等人多次上表请求唐主恢复姓李，建立唐国的宗庙。正月二十三日乙丑，唐主答应了这一请求。群臣又请求加上帝王的尊号，唐主说："帝王的尊号是一种虚美，而且也不合古制。"于是没有接受。他以后的子孙都继承他的做法，不接受尊号。又不任用外戚辅佐朝政，宦官不能参与政务。这些都是其他国家比不上的。

二月乙亥⑪，改太祖庙号⑫曰义祖。己卯⑬，唐主为李氏考妣⑭发哀，与皇后斩衰居庐⑮，如初丧礼⑯，朝夕临⑰凡五十四日⑱。江王知证、饶王知谔请亦服斩衰，不许⑲。李建勋之妻广德长公主⑳假衰绖㉑入哭尽哀[1]，如父母之丧㉒。辛巳㉓，诏国事委齐王璟详决㉔，惟军旅以闻㉕。庚寅㉖，唐主更名昪。

诏百官议二祚合享礼㉗。辛卯㉘，宋齐丘等议以义祖居七室之东。唐主命居高祖于西室，太宗次之，义祖又次之，皆为不祧之主㉙。群臣言："义祖诸侯㉚，不宜与高祖、太宗同享，请于太庙正殿后别建庙祀之。"帝曰："吾自幼托身义祖㉛，向㉜非义祖有功于吴，朕安能启此中兴之业？"群臣乃不敢言。

唐主欲祖吴王恪㉝，或曰："恪诛死，不若祖郑王元懿㉞。"唐主命有司考二王苗裔㉟。以吴王孙祎㊱有功，祎子岘㊲为宰相，遂祖吴王㊳。云自岘五世至父荣，其名率皆有司所撰。㊴唐主又以历十九帝㊵、三百年，疑十世㊶太少。有司曰："三十年为世，陛下生于文德㊷，已五十年㊸矣。"遂从之。

【段旨】

以上为第一段，写唐主徐知诰复姓李，改名李昪，命有司编造族谱为大唐太宗子吴王李恪之后裔，合徐、李两姓立宗庙，奉唐高祖为始祖，唐太宗次其位，徐温为义祖，位次唐太宗之后。

【注释】

①辛亥：正月初九日。②羌胡：羌族和其他北方少数民族。③畏惮：畏忌和惧惮。④甲寅：正月十二日。⑤厚遇之：厚礼招待他。⑥治第：为拓跋彦超修建府第。⑦留之不遣：留下他不送他回部落。实际上是作为人质。⑧封内：辖境内。胡三省注曰："质彦超于城中，则党项诸部不敢钞暴于外，故安。"⑨乙丑：正月二十三日。⑩踵：继承。⑪乙亥：二月初三日。⑫庙号：皇帝死后，在太庙立室奉祀，特立名号叫庙号。徐知诰初受禅，尊徐温为太祖，今复姓李，以徐温为义父，故改庙号为义祖。⑬己卯：二月初七日。⑭考妣：已死的父母。⑮斩衰居庐：穿孝服，居丧庐。斩衰为五服中最重的丧礼，子女为父母

二月初三日乙亥，把太祖徐温的庙号改称义祖。初七日己卯，唐主为李氏已故父母发丧举哀，自己和皇后穿上斩衰丧服住进丧庐，像父母刚刚去世发丧的礼节，早晚临奠共五十四天。江王徐知证、饶王徐知谔也请求穿斩衰孝服，唐主没有答应。李建勋的妻子广德长公主穿着衰绖孝服进入灵堂哭丧尽哀，如同哭临自己的父母之丧。初九日辛巳，唐主下诏把国事委任齐王李璟具体处理，只有军事上的事情奏报唐主。十八日庚寅，唐主改名为昪。

唐主下诏书让百官讨论徐、李二姓祖先祭享礼仪。二月十九日辛卯，宋齐丘等人商议说要让义祖徐温的牌位供奉在第七室的东侧。唐主命令把唐高祖李渊供奉在西室，唐太宗李世民居其次，义祖徐温又在太宗之下，都是不迁庙的神主。群臣说："义祖是大唐的诸侯，不应该和唐高祖、唐太宗同享祭祀，请求在太庙正殿后面另外建庙祭祀。"唐主说："我从小托身于义祖，过去要不是义祖有功于吴国，我哪能开辟这番中兴大业?"群臣便不敢多说了。

唐主想以吴王李恪为祖先，有人说："李恪是被诛杀而死，不如以郑王李元懿为祖先。"唐主命令有关官员考察吴王和郑王的后代。因为吴王李恪的孙子李祎有功于国，李祎的儿子李岘曾任宰相，于是以吴王李恪为祖先。说从李岘以后五代至于唐主的父亲李荣，他们的名字全都是有关官吏所撰拟。唐主又认为从唐初到现在经历了十九个皇帝、三百年，怀疑十世太少。有关官员说："三十年为一世，陛下生于文德年间，到现在已有五十年了。"于是便接受了这些说法。

所服，为三年之丧。丧服上衣曰衰，下衣曰裳。衰为不缉的粗麻衣。⑯如初丧礼：像初次发丧的礼制。⑰朝夕临：早晚临奠。⑱五十四日：依汉、晋制，以日易月，居父、母丧各二十七日，故为五十四日。⑲不许：不允许徐知证、徐知谔服斩衰。因二人为徐温之子。⑳广德长公主：徐温之女。㉑衰绖：丧服。㉒如父母之丧：如同哭自己的父母一样。长德公主是徐温的亲生女，哭李氏考妣，如同自己的父母，并没有直接的血亲关系，胡三省注曰："势利所在，非血亲之亲而亲。"㉓辛巳：二月初九日。㉔详决：具体处理。㉕惟军旅以闻：只有军事向徐知诰报告。㉖庚寅：二月十八日。㉗二祚合享礼：徐、李二姓祖先祭享之礼。㉘辛卯：二月十九日。㉙不祧之主：不迁庙的神主。古代立庙祭祖，世数过远者则须迁庙，称之为"祧"。唯独始祖庙永远不迁，谓之"不祧"。主，神主牌位。㉚义祖诸侯：徐温仅封侯，未曾称帝。㉛托身义祖：把身子寄托于徐温，即蒙徐温抚养。㉜向：过去。㉝欲祖吴王恪：想要以吴王李恪为始祖。吴王恪，唐太宗第三子，为房遗爱所诬引，死于高宗朝。《旧五代史·僭伪传》记载为唐玄宗第六子永王李璘之后裔，《新唐书·南唐世家》记载为唐宪宗子建王李恪之后裔。㉞郑王元懿：唐高祖李渊第六子。㉟考二王苗

裔：考察唐代吴王李恪、郑王李元懿两王的后代世系。苗裔，后代。㊱祎：李祎，吴王李恪孙，仕唐中宗、睿宗、玄宗三朝，任朔方节度使，有边功，封信安王。传见《旧唐书》卷七十六、《新唐书》卷八十。㊲岘：李岘，李祎子，肃宗朝宰相。㊳遂祖吴王：于是以唐太宗子吴王李恪为始祖。㊴自岘五世至父荣二句：从李岘以下至李昪之父李荣，都是主管族籍的官员撰拟的假名。荣，李荣，徐知诰命有司给自己生父取的假名。率，一律。因徐知诰自幼流落，不知其祖姓为何氏，先为吴将李神福养子，取名昪，后为徐温养子取名知诰，为了应验"东南鲤鱼飞上天"的谶语以冒姓李氏兴唐，故杜撰祖上姓名以为李恪后

【原文】

卢损至福州，闽主称疾㊹不见，命弟继恭主之㊺。遣[2]其礼部员外郎郑元弼㊻奉继恭表，随损入贡。闽主不礼于损㊼，有士人林省邹㊽私谓损曰："吾主不事其君㊾，不爱其亲，不恤其民，不敬其神，不睦其邻，不礼其宾㊿，其能久乎！余将僧服而北逃，会当[3]相见于[4]上国(51)耳。"

三月庚戌(52)，唐主追尊吴王恪为定宗孝静皇帝，自曾祖以下皆追尊庙号及谥。

己未(53)，诏归德节度使刘知远、忠武节度使杜重威并加同平章事。知远自以有佐命功(54)，重威起[5]外戚(55)无大功，耻与之同制(56)。制下数日，杜门(57)四表辞不受(58)。帝怒，谓赵莹曰："重威朕之妹夫，知远虽有功，何得坚拒制命(59)！可落军权(60)，令归私第。"莹拜请曰："陛下昔在晋阳，兵不过五千，为唐兵十余万所攻，危于朝露(61)。非知远心如金[6]石，岂能成大业！奈何以小过弃之！窃恐此语外闻，非所以彰人君之大度也。"帝意乃解，命端明殿学士和凝诣知远第谕旨。知远惶恐，起受命。

灵州戍将王彦忠据怀远城(62)叛。上遣供奉官齐延祚往招[7]谕(63)之，彦忠降，延祚杀之。上怒曰："朕践阼(64)以来，未尝失信于人。彦忠已输仗出迎(65)，延祚何得擅杀之！"除延祚名，重杖配流(66)。议者犹以为延祚不应免死。

辛酉(67)，册回鹘可汗仁美为奉化可汗。

夏，四月，唐江王徐知证等请亦姓李，不许。辛巳(68)，唐主祀南

裔。㊵ 十九帝：指唐代从高祖李渊至哀帝李柷为十九帝，未计睿宗李旦与殇帝李重茂。㊶ 十世：十代。从李恪至李岘四代，李岘以下至李荣五代，加上李昪共十代。㊷ 文德：唐僖宗年号。㊸ 五十年：徐知诰是年五十岁，用以论证十代三百年为合理。

【校记】

［1］哀：原作“礼”。据章钰校，十二行本、乙十一行本、孔天胤本皆作“哀”，张敦仁《通鉴刊本识误》同，今据改。

【语译】

卢损到达福州，闽王说是有病不肯接见，命令自己的弟弟王继恭主持接待。派遣礼部员外郎郑元弼带着王继恭的表章，随着卢损入朝进贡。闽王对卢损不加礼遇，有位叫林省邹的士人私下对卢损说：“我们闽主不侍奉自己的君主，不仁爱自己的亲戚，不体恤自己的百姓，不恭敬本地的神祇，与自己的邻国不和睦，不礼遇自己的宾客，这样还能长久吗?！我准备穿上僧人服装逃往北方，我们应当会在晋国相见的。”

三月初八日庚戌，唐主追尊吴王李恪为定宗孝静皇帝，从自己的曾祖父以下的祖先都追尊了庙号和谥号。

三月十七日己未，诏令归德节度使刘知远、忠武节度使杜重威一起加授同平章事。刘知远自认为有辅佐登基称帝的功劳，杜重威以外戚起家又没有大功，耻于和杜重威同受制命。制令下达了好几天，刘知远闭门不出，四次上表推辞不肯接受。晋高祖发怒了，对赵莹说：“杜重威是我的妹夫，刘知远虽然有功劳，怎能坚决拒绝制命！可以削除他的军权，让他回自己的府第。”赵莹下拜请求说：“陛下过去在晋阳时，士兵不过五千，被十多万唐军围攻，危在旦夕。要不是刘知远心如金石一样坚定，怎能成就帝业！怎么能因为他有点小过错就抛弃他！臣担心这些话被外人听见，这可不是用来彰显皇上宽宏大量的言辞。”晋高祖心情这才宽缓，命令端明殿学士和凝前往刘知远府宅说明旨意。刘知远心中惊恐，起来接受制令。

灵州守将王彦忠占据怀远城叛变。晋高祖派遣供奉官齐延祚前往招抚晓谕，王彦忠投降，齐延祚杀死了他。晋高祖发怒说：“朕即帝位以来，未曾失信于人。王彦忠已缴械出来迎接你，你齐延祚怎么能擅自把他杀了！”削除齐延祚的官籍，重杖责打后发配流放。议论的人还是认为齐延祚不应被免除死罪。

三月十九日辛酉，册封回鹘可汗仁美为奉化可汗。

夏，四月，唐国江王徐知证等请求也姓李，唐主不允许。初十日辛巳，唐主在

郊。癸未⑲，大赦。

梁太祖以来，军国大政，天子多与崇政⑳、枢密使议之[8]。宰相受成命㉑，行制敕㉒，讲典故㉓，治文事㉔而已。帝惩㉕唐明宗之世安重诲专横，故即位之初，但命桑维翰兼枢密使。及刘处让为枢密使，奏对多不称旨㉖。会处让遭母丧，甲申㉗，废枢密院，以印付中书，院事皆委宰相分判。以副使㉘张从恩为宣徽使，直学士㉙、仓部郎中司徒诩㉚，工部郎中颜衎㉛并罢守本官㉜。然勋臣近习㉝不知大体，习于故事，每欲复之。

帝以唐之大臣除名㉞在两京者皆贫悴㉟，复以李专美为赞善大夫㊱。丙戌㊲，以韩昭胤为兵部尚书，马胤孙为太子宾客㊳，房暠为右骁卫大将军㊴，并致仕㊵。

【段旨】

以上为第二段，写刘知远耻与杜重威同列。后晋高祖裁抑相权，优礼旧朝遗臣。

【注释】

㊹称疾：说是有病。㊺主之：负责接待卢损。㊻郑元弼（？至公元九四四年）：官至闽礼部尚书、判三司，抗辞不屈，为朱文进所杀。传见《十国春秋》卷九十六。㊼不礼于损：不按应有的礼节接待卢损。㊽林省邹：福州（今福建福州）人，累举不第，慷慨好直节。传见《十国春秋》卷九十六。㊾不事其君：不侍奉他的国君。指不朝后晋。㊿不礼其宾：不礼遇宾客。此处指对卢损不以礼相待。51上国：指晋朝。52庚戌：三月初八日。53己未：三月十七日。54佐命功：协助登基称帝的功劳。55起外戚：因外戚而任高官。杜重威为石敬瑭妹夫。56同制：同在麻制上宣布新职。57杜门：闭门。58四表辞不受：四次上辞表，表示不接受新职。59坚拒制命：坚决拒绝皇帝的诏令。60可落军权：可以削去兵权。刘知远当时统领宿卫诸军。61危于朝露：像早上的露水一样，太阳一出即消失。意谓危在旦夕。62怀远城：怀远，县名，在今宁夏银川。其西九十余里即贺兰山。63招谕：招抚晓谕。64践阼：即位。65输仗出迎：放下武器出来迎降。66重杖配流：重杖责打，然后发配流放。67辛酉：三月十九日。68辛巳：四月初十日。69癸未：四月十二日。70崇政：

南郊祭祀。十二日癸未，大赦。

自从梁太祖以来，军国大政，晋高祖大多同崇政使、枢密使商议。宰相只是接受成命，颁行制敕，讲述典制和掌故，处理文书案牍而已。晋高祖鉴于唐明宗之世安重诲专横，所以即位初期，只令桑维翰兼任枢密使。等到刘处让任枢密使，奏对多不称皇帝心意。适逢刘处让遭遇母亲去世，四月十三日甲申，废除枢密院，把印信交给中书省，枢密院的事务都委托宰相分别判理。任命枢密副使张从恩为宣徽使，直学士、仓部郎中司徒诩，工部郎中颜衎一起罢守本官。然而有功的大臣和皇帝身边的近臣不识大体，习惯旧的一套，常常想恢复枢密院。

晋高祖因为唐在东、西两京已经除名的大臣都很贫困，又任命李专美为赞善大夫。四月十五日丙戌，任命韩昭胤为兵部尚书，马胤孙为太子宾客，房暠为右骁卫大将军，一起退休。

崇政使，即枢密使。后梁改枢密使为崇政使。⑪受成命：秉承决定的命令执行。⑫行制敕：颁布皇帝的命令。⑬讲典故：讲述典制和掌故。⑭治文事：处理文书案牍事务。⑮惩：鉴戒，指吸取教训。⑯不称旨：不符合旨意。⑰甲申：四月十三日。⑱副使：指枢密副使。⑲直学士：枢密院直学士。⑳司徒诩（公元八九四至九五九年）：字德普，清河郡（今河北清河）人，官后汉礼部侍郎。传见《旧五代史》卷一百二十八。㉑颜衎：官后晋兵部郎中。㉒本官：指仓部、工部郎中。㉓近习：近臣；帝王的亲信。㉔除名：开除公职；削除官籍。㉕贫悴：贫困。㉖赞善大夫：官名，东宫官，正五品上，掌辅导太子。㉗丙戌：四月十五日。㉘太子宾客：官名，东宫官，正三品，掌辅导太子。㉙右骁卫大将军：禁卫军统兵官。㉚并致仕：让李专美等被罢免的后唐官员带着新朝后晋的官衔致仕，可领取俸禄以免去贫困。致仕，退休。

【校记】

［2］遣："遣"下原有空格。据章钰校，十二行本、乙十一行本、孔天胤本皆无空格，今据删。［3］当：原无此字。据章钰校，十二行本、乙十一行本、孔天胤本皆有此字，今据补。［4］于：据章钰校，十二行本、乙十一行本、孔天胤本皆无此字。［5］起："起"下原有"于"字。据章钰校，十二行本、乙十一行本、孔天胤本皆无"于"字，今据删。［6］金：原作"铁"。据章钰校，十二行本、乙十一行本、孔天胤本皆作"金"，今据改。〖按〗《御批历代通鉴辑览》亦作"心如金石"。［7］招：原作"诏"。据章钰校，十二行本、乙十一行本、孔天胤本皆作"招"，张敦仁《通鉴刊本识误》同，今据改。［8］之：原无此字。据章钰校，十二行本、乙十一行本、孔天胤本皆有此字，今据补。

【原文】

闽主忌其叔父前建州刺史延武㉑、户部尚书延望㉒才名。巫者㉓林兴㉔与延武有怨，托鬼神语云：“延武、延望将为变。”闽主不复诘㉕，使兴帅壮士就第杀之㉖，并其五子。闽主用陈守元言，作三清殿㉗于禁中。以黄金数千斤铸宝皇大帝㉘、天尊㉙、老君㉚像，昼夜作乐，焚香祷祀，求神丹。政无大小，皆林兴传宝皇命决之。

戊申[101]，加楚王希范天策上将军，赐印，听[102]开府置官属。

辛亥[103]，唐徙吉王景遂为寿王，立寿阳公景达为宣城王。

乙卯[104]，唐镇海节度使兼中书令梁怀王徐知谔卒。

唐人迁让皇之族[105]于泰州，号永宁宫，防卫甚严。康化[106]节度使兼中书令杨珙[107]称疾，罢归永宁宫。乙丑[108]，以平卢节度使兼中书令杨琏为康化节度使。琏固辞，请终丧[109]，从之。

唐主将立齐王璟为太子，固辞。乃以为诸道兵马大元帅，判六军诸卫，守太尉，录尚书事，升、扬二州牧[110]。

闽判六军诸卫建王继严[111]得士心，闽主忌之。六月，罢其兵柄，更名继裕。以弟继镛[112][9]判六军，去诸卫字。林兴诈觉[113]，流泉州。望气者[114]言宫中有灾，乙未[115]，闽主徙居长春宫。

【段旨】

以上为第三段，写闽主王昶笃信道士，猜忌宗室。唐主嗣子齐王李璟不愿为太子。

【注释】

㉑延武：王延武（？至公元九三九年），王审知子，官建州刺史。传见《十国春秋》卷九十四。㉒延望：王延望（？至公元九三九年），王审知子，官户部尚书。传见《十国春秋》卷九十四。㉓巫者：借助鬼神替人祈祷的人。㉔林兴（？至公元九三九年）：以巫见幸，与陈守元相表里，蛊惑闽主。传见《十国春秋》卷九十八。㉕诘：审问；取

【语译】

闽主忌妒其叔父前建州刺史王延武、户部尚书王延望的才干和名望。巫师林兴与王延武有仇怨，假托鬼神的话说："王延武、王延望即将叛变。"闽主不再审问，让林兴率领强壮士兵到王延武、王延望家中杀了他们，连同他们五个儿子也杀了。闽主采用了陈守元的建议，在宫禁中修建三清殿。使用数千斤黄金铸造宝皇大帝、元始天尊和太上老君像，日夜奏乐，焚香祈祷，寻求神丹。政无大小，全都由林兴传递宝皇大帝的命令来决定。

五月初七日戊申，加封楚王马希范为天策上将军，赐予官印，听任他开府设置官属。

初十日辛亥，唐国徙封吉王李景遂为寿王，册封寿阳公李景达为宣城王。

十四日乙卯，唐国镇海节度使兼中书令梁怀王徐知谔去世。

唐国人把吴国让皇杨溥的族人迁移到泰州，称为永宁宫，防守极为严密。康化节度使兼中书令杨珙说是有病，罢官回到永宁宫。五月二十四日乙丑，任命平卢节度使兼中书令杨琏为康化节度使。杨琏坚决推辞，请求服完让皇的丧期后上任，唐主听从了。

唐主将要立齐王李璟为皇太子，李璟坚决推辞。于是任命李璟为诸道兵马大元帅，判六军诸卫，守太尉，录尚书事，升、扬二州牧。

闽国判六军诸卫建王王继严深得将士之心，闽主嫉恨他。六月，解除了王继严的兵权，把他改名为继裕。任用自己的弟弟王继镛判六军，去掉了官名中"诸卫"两个字。林兴的诈术被察觉，把他流放到泉州。望气的人说闽国宫中有灾异，二十五日乙未，闽主迁居长春宫。

证。⑯就第杀之：在他们的家里杀了他们。⑰三清殿：供奉道教教主的大殿。道教以上清、玉清、太清为三清。⑱宝皇大帝：玉皇大帝，道教所奉之神。⑲天尊：元始天尊。⑩老君：太上老君李耳。⑪戊申：五月初七日。⑫听：任凭。⑬辛亥：五月初十日。⑭乙卯：五月十四日。⑮让皇之族：杨溥全族人。⑯康化：方镇名，南唐升元二年（公元九三八年）升池州为康化军节度。治所池州，在今安徽池州。⑰杨珙：杨溥侄子，封建安王。传见《十国春秋》卷四。⑱乙丑：五月二十四日。⑲请终丧：请求服完杨溥之丧。⑩升、扬二州牧：南唐以升州（金陵，即今江苏南京）为西都，扬州为东都，故二州置州牧，均由李璟兼任。⑪继严：王延钧子，封建王。传见《十国春秋》卷九十四。⑫继镛：继严之弟，官判六军。传见《十国春秋》卷六十四。⑬诈觉：欺骗伎俩被发觉。⑭望气者：观望云气以预测人事活动的人。⑮乙未：六月二十五日。

【校记】

[9]继镛：原作“继镕”。据章钰校，十二行本、乙十一行本、孔天胤本皆作“继镛”，《新五代史》本传同，今据改。

【原文】

秋，七月庚子朔[116]，日有食之。

成德节度使安重荣出于行伍[117]，性粗率，恃勇骄暴[118]。每谓人曰：“今世天子，兵强马壮则为之耳。”[119]府廨[120]有幡竿[121]高数十尺，尝挟弓矢谓左右曰：“我能中竿上龙首[122][10]者，必有天命[123]。”一发中之，以是益自负[124]。

帝之遣重荣代秘琼[125]也，戒之曰：“琼不受代，当别除汝一镇。勿以力取，恐为患滋[126]深。”重荣由是以帝为怯，谓人曰：“秘琼匹夫耳，天子尚畏之。况我以将相之重，士马之众乎！”每所奏请多逾分[127]，为执政所可否[128]，意愤愤不快。乃聚亡命，市战马，有飞扬之志[129]。帝知之。义武节度使皇甫遇与重荣姻家，甲辰[130]，徙遇为昭义节度使[131]。

乙巳[132]，闽北宫火，焚宫殿殆尽。

戊申[133]，薛融等上所定编敕[134]，行之。

丙辰[135]，敕：“先令天下公私铸钱，今私钱多用铅锡[136]，小弱缺薄[137]，宜皆禁之，专令官司自铸。”

西京留守杨光远疏[138]中书侍郎、同平章事桑维翰迁除不公[139]，及营邸肆[140]于两都，与民争利。帝不得已，闰月壬申[141]，出维翰为彰德节度使兼侍中。

初，义武节度使王处直子威，避王都之难[142]，亡[143]在契丹。至是，义武缺帅[144]，契丹主遣使来言：“请使威袭父土地，如我朝[145]之法。”帝辞以“中国之法，必自刺史、团练、防御序迁[146]乃至节度使。请遣威至此，渐加进用[147]”。契丹主怒，复遣使来言曰：“尔自节度使为天子，亦有阶级[148]邪！”帝恐其滋蔓不已[149]，厚赂契丹，且请以处直兄孙彰德节度使廷胤为义武节度使以厌其意[150]。契丹怒稍解[151]。

【语译】

秋，七月初一日庚子，发生日食。

成德节度使安重荣出身行伍，性情粗率，依仗勇武骄横暴虐。他常常对人说："如今天下的皇帝，兵强马壮的人就可以当。"节度使廨署里有旗杆高几十尺，安重荣曾带着弓箭对身边的人说："我能射中杆上的龙头的话，一定是有天子之命。"一箭射中龙头，因此更加自负了。

晋高祖派遣安重荣替代秘琼的职务，告诫安重荣说："秘琼不接受你替代他，我自当别处任你为一镇节度使。你不要用武力夺取秘琼之职，这样恐怕会造成更大的后患。"安重荣因此以为晋高祖胆小怕事，对人说："秘琼一介匹夫，天子尚且怕他。何况我这拥有将相重职，兵马众多的人呢！"安重荣每次上朝奏请大多超越本分，被主管官员裁决后，心中愤愤不平。于是就召集亡命之徒，购买战马，有飞扬跋扈之心。晋高祖知道了这一情况。义武节度使皇甫遇与安重荣有儿女姻亲关系，七月初五日甲辰，调迁皇甫遇为昭义节度使。

七月初六日乙巳，闽国北宫发生火灾，把宫殿焚烧殆尽。

初九日戊申，薛融等人奏上他们所编定的敕制，颁行于世。

十七日丙辰，敕令说："早先命令天下公家和私人都可铸钱，现在私人铸钱大多使用铅、锡，钱又小又薄，应全都禁止铸造，专门让官方铸造。"

西京长安留守杨光远上疏说中书侍郎、同平章事桑维翰升降官吏不公平，并在东、西两京经营店铺与民争利。晋高祖迫不得已，闰七月初三日壬申，把桑维翰外任为彰德节度使兼侍中。

当初，义武节度使王处直的儿子王威，躲避王都之难，逃亡在契丹。到这时，义武镇缺节度使，契丹主派遣使者来说："请让王威继承他父亲的领地，如同我们契丹的法律规定。"晋高祖推辞说："中原的办法，一定要从刺史、团练使、防御使依次升迁才到节度使。请把王威送回这里，逐步加以晋升录用。"契丹主很生气，又派使者来说："你从节度使做了天子，也有升迁次第吗？"晋高祖恐怕事情没完没了地蔓延，就多给契丹贿赂，并且请任用王处直哥哥的孙子彰德节度使王廷胤来担任义武节度使以满足契丹的愿望。契丹人的愤怒才稍微缓解。

【段旨】

以上为第四段，写成德节度使安重荣蓄谋异志，契丹主颐指石敬瑭。

【注释】

(116) 庚子朔：七月初一日。(117) 出于行伍：出身于士兵。(118) 恃勇骄暴：依仗勇力骄横暴虐。(119) 今世天子二句：现在的皇帝，兵强马壮的人就可以做。(120) 府廨：节度使廨署。(121) 幡竿：旗杆。(122) 竿上龙首：旗杆顶上扎有龙头。(123) 必有天命：一定能做皇帝。(124) 自负：自诩；自己认为了不起。(125) 遣重荣代秘琼：指晋高祖于天福三年（公元九三八年）正月以安重荣代秘琼为成德节度使，徙秘琼为齐州防御使。事见上卷天福二年。(126) 滋：甚；很。(127) 逾分：超越本分。(128) 可否：可与不可。可则从之，不可则不从。(129) 有飞扬之志：有飞扬跋扈、称王称帝的野心。(130) 甲辰：七月初五日。(131) 徙遇为昭义节度使：成德治所在镇州，义武治所在定州，二者连界，担心皇甫遇与安重荣联合作乱，所以调走皇甫遇，

【原文】

初，闽惠宗[152]以太祖元从[153]为拱宸、控鹤都[154]。及康宗[155]立，更募壮士二千人[11]为腹心，号宸卫都[156]，禄赐[157]皆厚于二都[158]。或言二都怨望，将作乱，闽主欲分隶[159]漳、泉二州，二都益怒。闽主好为长夜之饮[160]，强[161]群臣酒[162]，醉则令左右伺其过失[163]。从弟继隆[164]醉失礼，斩之。屡以猜怒[165]诛宗室，叔父左仆射、同平章事延羲[166]阳[167]为狂愚以避祸，闽主赐以道士服，置武夷山[168]中。寻复召还，幽[169]于私第。

闽主数侮拱宸、控鹤军使永泰朱文进[170]、光山连重遇[171]，二人怨之。会北宫火，求贼不获[172]。闽主命重遇将内外营兵扫除余烬[173]，日役万人，士卒甚苦之。又疑重遇知纵火之谋，欲诛之，内学士[174]陈郯[175]私告重遇。辛巳[176]夜，重遇入直[177]，帅二都兵焚长春宫以攻闽主[178]。使人迎延羲于瓦砾[179]中，呼万岁。复召外营兵共攻闽主。独宸卫都拒战，闽主乃与李后如宸卫都。比明[180]，乱兵焚宸卫都，宸卫都战败，余众千余人奉闽主及李后出北关[181]。至梧桐岭[182]，众稍逃散。延羲使兄子前汀州刺史继业[183]将兵追之，及于村舍。闽主素善射，引弓杀数人。俄而追兵

使两人分离。⑬² 乙巳：七月初六日。⑬³ 戊申：七月初九日。⑬⁴ 所定编敕：天福三年令薛融等审定编敕，今编定上奏。⑬⁵ 丙辰：七月十七日。⑬⁶ 私钱多用铅锡：私铸的钱大多掺用铅、锡。⑬⁷ 小弱缺薄：既小又薄。⑬⁸ 疏：上疏陈奏。⑬⁹ 迁除不公：对官吏或升或免不公平。⑭⁰ 营邸肆：经营店铺。⑭¹ 壬申：闰七月初三日。⑭² 王都之难：王都囚王处直，夺节度使位。见本书卷二百七十一梁均王龙德元年（公元九二一年）。⑭³ 亡：逃亡。⑭⁴ 义武缺帅：原义武帅皇甫遇徙潞，故定州缺节度使。⑭⁵ 我朝：契丹自称。⑭⁶ 序迁：按次序升迁。⑭⁷ 渐加进用：慢慢地、一步一步地加以提升。⑭⁸ 阶级：升迁的次第。⑭⁹ 滋蔓不已：滋生蔓延，没完没了。⑮⁰ 以厌其意：用来满足他的愿望。⑮¹ 稍解：稍微缓解。

【校记】

［10］首：原无此字。据章钰校，十二行本、乙十一行本、孔天胤本皆有此字，张敦仁《通鉴刊本识误》、张瑛《通鉴校勘记》同，今据补。

【语译】

当初，闽惠宗把太祖原先的随从士卒编为拱宸、控鹤二都。等到康宗即位，另外招募了二千名壮士作为心腹，名叫宸卫都，俸禄和赏赐都比拱宸、控鹤二都丰厚。有人说二都心怀怨恨，准备发动叛乱，闽主想把二都分隶漳、泉二州，二都愈加愤怒。闽主喜欢通宵达旦地饮酒，强迫群臣喝酒，喝醉了就命令身边人寻查他们的过失。闽主的堂弟王继隆醉酒失礼，闽主把他杀了。闽主一再因为猜疑发怒诛杀皇室亲族，闽主的叔父左仆射、同平章事王延羲假装发疯痴呆以逃避灾祸，闽主赐给他道士服装，安置到武夷山中。不久又召回，幽禁在家中。

闽主多次侮辱拱宸、控鹤二都的军使永泰人朱文进、光山人连重遇，二人怨恨闽主。适逢北宫失火，搜寻纵火犯没有抓到。闽王命令连重遇率内外营士兵扫除大火的余烬，每天役使一万人，士兵们对此深以为苦。闽主又怀疑连重遇知道北宫纵火阴谋，想杀了连重遇。内学士陈郯私下告诉了连重遇。闰七月十二日辛巳夜晚，连重遇进宫值班，率领二都士兵焚烧了长春宫来进攻闽主。派人在瓦砾中接来王延羲，对王延羲呼喊万岁。又叫来外营兵一起进攻闽主。只有宸卫都进行抵抗，闽主就和李皇后前往宸卫都。等到天亮，乱兵焚烧宸卫都住地，宸卫都战败，剩余的部众一千多人簇拥着闽主和李皇后从北关出去。抵达梧桐岭，部众渐渐逃散了。王延羲派自己的侄儿前汀州刺史王继业率兵追赶闽主，赶到了村民的屋子旁。闽主一向善于射箭，引弓射杀了几个人。不久追兵云集，闽主知道不能免于祸，扔掉弓箭对

云集⑱，闽主知不免，投弓谓继业曰："卿臣节⑱安在！"继业曰："君无君德，臣安得[12]有臣节！新君，叔父也，旧君，昆弟⑱也，孰亲孰疏？"闽主不复言。继业与之俱还，至陀庄⑱，饮以酒，醉而缢之，并李后及诸子、王继恭皆死。宸卫余众奔吴越。

延羲自称威武节度使、闽国王，更名曦，改元永隆，赦系囚，颁赉中外⑱。以宸卫弑闽主赴⑱于邻国，谥闽主曰圣神英睿文明广武应道大弘孝皇帝，庙号康宗。遣商人间道⑲奉表称藩于晋⑲。然其在国，置百官皆如天子之制。以太子太傅致仕李真为司空兼中书侍郎、同平章事。

连重遇之攻康宗也，陈守元在宫中，易服⑲将逃，兵人⑲杀之。重遇执蔡守蒙，数⑲以卖官之罪而斩之。闽王曦既立，遣使诛林兴于泉州。

【段旨】

以上为第五段，写闽国政变，王延羲取代王昶为闽王，改年号曰永隆。

【注释】

⑮闽惠宗：闽惠皇帝王璘，据《新五代史》卷六十八本传，惠皇帝庙号太宗。⑮太祖元从：太祖王审知的亲兵。即闽建国老兵。⑮拱宸控鹤都：禁卫军名号。都，禁卫军编制，一百人为一都。⑮康宗：惠皇帝王璘之子王昶。⑮宸卫都：康宗新募的禁卫军名号。⑮禄赐：俸禄和赏赐。⑮二都：拱宸、控鹤都。⑮分隶：分别隶属。⑯长夜之饮：通宵达旦地饮酒。⑯强：强迫。⑯酒：饮酒，作动词用。⑯伺其过失：察看他的过错。⑯继隆：闽惠宗堂弟王延羲侄子。传见《十国春秋》卷九十四。⑯猜怒：猜疑发怒。⑯延羲：王延羲（？至公元九四四年），王审知第二十八子。王继鹏被杀，连重遇拥之为闽王。公元九三九至九四四年在位。被朱文进、连重遇杀死，庙号景宗。传见《旧五代史》卷一百三十四、《新五代史》卷六十八。⑯阳：通"佯"，假装。⑯武夷山：山名，在今福建武夷山市北三十里。⑯幽：禁闭；囚禁。⑰朱文进（？至公元九四四年）：

王继业说：“你做人臣的节操在哪里！”王继业说：“国君没有君德，臣子哪里有臣子的节操！我们的新国君是我的叔父，旧国君是我的兄弟，哪个亲哪个疏?”闽主不再说话。王继业和闽主一起返回，到了陀庄，给闽主酒喝，喝醉后勒死了他，连同李皇后及他几个儿子、王继恭都被处死。宸卫都剩余的人逃往吴越国。

王延羲自称为威武节度使、闽国王，改名为曦，改年号为永隆，赦免关押的囚犯，赏赐朝廷内外官吏。以宸卫都弑杀闽主讣告邻国，给闽主加谥号为圣神英睿文明广武应道大弘孝皇帝，庙号为康宗。派遣商人走小路奉表向后晋称藩国。但在自己国内，设置文武百官都和天子的制度相同。任命已退休的太子太傅李真为司空兼中书侍郎、同平章事。

连重遇进攻康宗的时候，陈守元在宫中，改换了衣服将要逃走，兵众把他杀了。连重遇抓住了蔡守蒙，历数他卖官鬻爵的罪过，把他杀了。闽王王曦即位后，派遣使臣在泉州杀了林兴。

永泰（今福建永泰）人，闽拱宸都将，公元九四四年杀闽王王延羲称帝，后晋封之为闽王，被福州人杀死。传见《十国春秋》卷九十八。⑰¹连重遇（？至公元九四四年）：光山（今河南光山）人，闽控鹤都将，杀闽康宗王继鹏（即王昶），又杀王延羲。传见《十国春秋》卷九十八。(172)求贼不获：寻找纵火犯没有抓到。(173)余烬：火烧后的剩余物。(174)内学士：官名，掌宫内文书、奏章。(175)陈郯：泉州莆田（今福建莆田）人，通“五经”。传见《十国春秋》卷九十八。(176)辛巳：闰七月十二日。(177)入直：进宫值班。(178)闽主：闽王王继鹏。(179)瓦砾：碎石、碎瓦堆。(180)比明：刚刚天亮。(181)北关：福州的北门。(182)梧桐岭：地名，在今福建闽侯北九峰山西北。(183)继业：王继业（？至公元九四一年），延宗子，杀闽王王继鹏。传见《十国春秋》卷九十四。(184)云集：像云一样聚集。形容人数很多。(185)臣节：臣子的节操。(186)昆弟：兄弟。(187)陀庄：地名，在福州北郊。(188)颁赉中外：颁赐朝廷内外。颁，分。赉，赐。(189)赴：通“讣”，讣告。(190)间道：小路。(191)称藩于晋：向后晋称藩臣。(192)易服：改换服装。(193)兵人：兵众。(194)数：列举。

【校记】

［11］人：原无此字。据章钰校，十二行本、乙十一行本、孔天胤本皆有此字，今据补。［12］得：原无此字。张敦仁《通鉴刊本识误》有此字，当是，今据补。

【原文】

河[195]决博州〔13〕。

八月辛丑[196]，以冯道守司徒兼侍中。壬寅[197]，诏中书知印[198]止委上相[199]。由是事无巨细[200]，悉委于道。帝尝访以军谋[201]，对曰："征伐大事[202]，在圣心[203]独断。臣书生，惟知谨守历代成规而已。"帝以为然[204]。道尝称疾求退，帝使郑王重贵诣第省之[205]，曰："来日[206]不出，朕当亲往。"道乃出视事。当时宠遇，群臣无与为比[207]。

己酉[208]，以吴越王元瓘为天下兵马元帅。

黔南[209]巡内溪州[210]刺史彭士愁引奖〔14〕、锦州[211]蛮万余人寇辰、澧州[212]，焚掠镇戍，遣使乞师于蜀。蜀主以道远，不许。九月辛未[213]，楚王希范命左静江指挥使刘勍[214]、决胜指挥使廖匡齐帅衡山[215]兵五千讨之。

癸未[216]，以唐许王从益[217]为郇国公，奉唐祀。从益尚幼，李后[218]养从益于宫中，奉王淑妃如事母。

冬，十月庚戌[219]，闽康宗所遣使者郑元弼至大梁。康宗遗[220]执政书曰："闽国一从兴运[221]，久历年华[222]，见北辰之帝座频移[223]，致东海之风帆多阻[224]。"又求用敌国礼[225]致书往来。帝怒其不逊[226]，壬子[227]，诏却[228]其贡物及福、建诸州纲运[229]，并令元弼及进奏官林恩部送[230]速归。兵部员外郎李知损[231]上言："王昶僭慢[232]，宜执留使者，籍没其货。"乃下元弼、恩狱。

吴越恭穆夫人马氏[233]卒。夫人，雄武节度使绰[234]之女也。初，武肃王镠禁中外畜声伎[235]。文穆王元瓘年三十余无子，夫人为之请[236]于镠。镠喜曰："吾家祭祀[237]，汝实主之。"乃听元瓘纳妾。鹿氏[238]生弘僔[239]、弘倧[240]，许氏[241]生弘佐[242]，吴氏[243]生弘俶[244]，众妾生弘偡、弘亿、弘仪〔15〕、弘偓、弘仰、弘信，夫人抚视慈爱如一。常置银鹿于帐前，坐诸儿于上而弄之。

十一月戊子[245]，契丹遣其臣遥折来使，遂如吴越。

楚王希范始开天策府[246]，置护军都尉〔16〕、领军司马等官，以诸弟及将校为之。又以幕僚拓跋恒、李弘皋[247]、廖匡图[248]、徐仲雅[249]等十八人[250]为学士。

【语译】

黄河在博州决口。

八月初三日辛丑，任命冯道行使司徒兼侍中职权。初四日壬寅，晋高祖诏令中书掌印只委托首相。从此事情不论大小，全都交给冯道办理。晋高祖曾向冯道咨询军事谋略，冯道回答说："用兵的大事，全在于皇上内心决断。臣是个书生，只知道谨守历代的成规而已。"晋高祖认为他说得对。冯道曾声称有病请求退职，晋高祖派郑王石重贵前往冯家府上探望他，说："明天还不肯出来，朕将亲自前往。"冯道才出来处理政事。当时冯道受到的恩宠和待遇，群臣中没有人能和他相比。

八月十一日己酉，任命吴越王钱元瓘为天下兵马元帅。

黔南节度使属内的溪州刺史彭士愁带领奖州、锦州蛮族一万多人侵犯辰州、澧州，焚烧抢劫边镇，边镇向蜀国请求派兵。蜀主借口道路遥远，没有答应。九月初三日辛未，楚王马希范命令左静江指挥使刘勍、决胜指挥使廖匡齐率领衡山士兵五千人前往讨伐。

九月十五日癸未，册封唐许王李从益为郇国公，以承奉唐的祭祀。李从益年龄还小，李皇后把他养在宫中，他侍奉王淑妃像侍奉自己的母亲一样。

冬，十月十三日庚戌，闽康宗派遣的使者郑元弼到达大梁。康宗写信给晋朝执政大臣说："闽国自从国运兴盛以来，经历了很多年，看到北方不断易主，以致从东海上贡的帆船一再受阻。"又请求用对等国家的礼节通信往来。晋高祖对他的不礼貌很生气，十五日壬子，下诏辞却闽国的贡物以及福州、建州等州分批起运的货物，并且命令郑元弼及其进奏官林恩安排马上回去。兵部员外郎李知损上书说："王昶僭越傲慢，应该扣留闽国使臣，没收他们的货物。"晋高祖就把郑元弼、林恩二人关进了监狱。

吴越王的恭穆夫人马氏去世。马夫人是雄武节度使马绰的女儿。当初，吴越武肃王钱镠禁止朝廷内外蓄养乐伎。文穆王钱元瓘年纪三十多岁没有儿子，马夫人替丈夫向钱镠请求让他纳妾。钱镠高兴地说："我家的香火，实际是由你做主。"于是允许钱元瓘纳妾。鹿氏生下弘僔、弘倧，许氏生下弘佐，吴氏生下弘俶，其他众妾生下弘偡、弘亿、弘仪、弘偓、弘仰、弘信，马夫人抚养慈爱他们一视同仁。常常在帐前安放银鹿，让孩子们坐在上面，逗他们玩。

十一月二十一日戊子，契丹派遣他们的使臣遥折来晋朝，接着前往吴越国。

楚王马希范开始设置天策将军府，设置护军都尉、领军司马等官，任用他的弟弟及各位将校来担任。又任命幕僚拓跋恒、李弘皋、廖匡图、徐仲雅等十八人为学士。

刘勍等进攻溪州，彭士愁兵败，弃州走保山寨。石崖四绝[251]，勍为梯栈[252]上围之。廖匡齐战死，楚王希范遣吊其母[253]。其母不哭，谓使者曰："廖氏三百口受王温饱之赐，举族效死，未足以报，况一子乎！愿王无以为念[254]。"王以其母为贤，厚恤[255]其家。

十二月丙戌[256]，禁创造[257]佛寺。

闽王作新宫，徙居之。

是岁，汉门下侍郎、同平章事赵光裔言于汉主曰："自马后崩，未尝通使于楚。亲邻旧好[258]，不可忘也。"因荐谏议大夫李纾[259]可以将命[260]，汉主从之。楚亦遣使报聘。光裔相汉二十余年，府库充实，边境无虞。及卒，汉主复以其子翰林学士承旨、尚书左丞损[261]为门下侍郎、同平章事。

【段旨】

以上为第六段，写闽王使者傲慢被晋高祖下狱。楚国蛮夷骚乱，南汉遣使与楚和好。契丹通使后晋与吴越。

【注释】

⑲⑤河：黄河。⑲⑥辛丑：八月初三日。⑲⑦壬寅：八月初四日。⑲⑧知印：掌印。⑲⑨止委上相：只委托首相。旧制，凡宰臣隔日知印，现只允首相知印。⑳⓪事无巨细：事情不管大小。⑳①访以军谋：咨询军事谋略。⑳②征伐大事：用兵的大事。⑳③圣心：皇帝内心。⑳④然：对。⑳⑤省之：探望他。⑳⑥来日：明日。⑳⑦无与为比：没有一个能同他相比。⑳⑧己酉：八月十一日。⑳⑨黔南：方镇名，唐末升黔中观察为黔南节度，唐昭宗大顺元年（公元八九〇年），赐号武泰军节度。治所黔州，在今重庆彭水。㉑⓪溪州：州名，治所在今湖南古丈东北。㉑①奖、锦州：奖，州名，在今湖南芷江侗族自治县西。锦州在今湖南麻阳西。㉑②澧州：州名，治所在今湖南澧县。㉑③辛未：九月初三日。㉑④刘勍：官至楚锦州刺史。传见《十国春秋》卷七十三。㉑⑤衡山：县名，在今湖南衡山。㉑⑥癸未：九月十五日。㉑⑦从益：后唐明宗之子，王淑妃所生。㉑⑧李后：唐明宗曹皇后之女，于从益为姐。㉑⑨庚戌：十月十三日。㉒⓪遗：致；送。㉒①一从兴运：自从国运昌盛以来。㉒②久历年华：已经过了很多年。㉒③见北辰之帝座频移：看到中原王朝不断改换。北辰，北极星，指代皇帝。㉒④阻：阻隔。说明不修职贡原因。㉒⑤敌国礼：平等的礼数。㉒⑥不逊：不敬；

刘勍等人进攻溪州，彭士愁兵败，抛弃溪州逃进山寨自保。山寨四周悬崖绝壁，刘勍制造云梯栈道上去围攻。廖匡齐战死，楚王马希范派人去慰问廖匡齐的母亲。廖匡齐的母亲没有哭泣，对使者说："廖氏一族三百多口人受大王赐予温饱，全族人献出生命，也不足以报答恩赐，何况只是献出了一个儿子呢！希望大王不要把此事放在心上。"楚王认为廖母贤德，丰厚地抚恤了她家。

十二月丙戌日，禁止新建佛寺。

闽王建造了新宫殿，搬进新宫居住。

这一年，汉国门下侍郎、同平章事赵光裔对汉主说："从马皇后去世，我国不曾和楚国互通使者。亲戚邻国之间原来的友好关系，不可忘记。"乘机推荐谏议大夫李纾可以完成这一使命，汉主听从了。楚国也派遣使臣来答谢。赵光裔任汉国宰相二十多年，国库充实，边疆没有忧患。等到去世后，汉主又任命他的儿子翰林学士承旨、尚书左丞赵损为门下侍郎、同平章事。

不礼貌。㉗壬子：十月十五日。㉘却：退回；辞却。㉙纲运：分批起运的货物。㉚部送：押送。㉛李知损：字化机，大梁（今河南开封）人，少轻薄，利口无行。传见《旧五代史》卷一百三十一。㉜僭慢：僭越傲慢。㉝马氏（公元八九〇至九三九年）：安国（今浙江杭州市余杭区）人，钱元瓘妻。性聪慧，勤于职守。卒谥恭穆。传见《十国春秋》卷八十三。㉞绰：马绰，余杭（今浙江杭州市余杭区）人，为人淳直，官雄武军节度使。传见《十国春秋》卷八十四。㉟禁中外畜声伎：禁止朝廷内外豢养乐伎。㊱请：请求准许纳妾。㊲祭祀：奉祀祖宗；有人接续香火祭祀。㊳鹿氏：元瓘妃，封鲁国夫人。㊴弘僔：钱弘僔（公元九二五至九四〇年），元瓘世子，特受钟爱，卒谥孝献。㊵弘倧：钱弘倧（公元九二八至九六九年），字隆道，元瓘第七子。公元九四七年在位，卒谥忠逊。㊶许氏（公元九〇二至九四五年）：名新月，台州（今浙江天台）人，善音律，封吴越国夫人。㊷弘佐：钱弘佐（公元九二八至九四七年），字符祐，元瓘第六子。公元九四一至九四七年在位，卒谥忠献。㊸吴氏（公元九一三至九五二年）：名汉月，钱塘（今浙江杭州）人，性慈惠节俭，尚黄老学，封顺德太夫人。卒谥恭懿。㊹弘俶：钱弘俶（公元九二九至九八八年），字文德，元瓘第九子。公元九四八至九七八年在位。太平兴国三年（公元九七八年）纳土归宋，封淮海国王。有诗数百首，集为《政本集》，陶谷作序。以上诸子传均见《十国春秋》卷八十、八十一、八十三。㊺戊子：十一月二十一日。㊻开天策府：后晋加马希范为天策上将军，今开府治事。㊼李弘皋（？至公元九五〇年）：官都统掌书记、天策府学士，曾作溪州记平蛮功铜柱铭文。传见《十国春秋》卷七十四。㊽廖匡图：虔州虔化（今江西宁都）人，善文辞，官江南观察判官、天策府学

士。传见《十国春秋》卷七十三。㉔⑨徐仲雅：字东野，长沙（今湖南长沙）人，有隽才，长于诗文，官天策府学士。传见《十国春秋》卷七十三。㉕⓪十八人：十八学士，即李铎、潘起、曹棁、李庄、徐牧、彭继英、裴颃、何仲举、孟玄晖、刘昭禹、邓懿文、李弘节、萧洙、彭继勋、拓跋恒、李弘皋、廖匡图、徐仲雅。㉕①四绝：四面绝壁。㉕②梯栈：云梯栈道。㉕③吊其母：向他的母亲表示慰问。㉕④无以为念：不必记在心上。㉕⑤恤：抚恤。㉕⑥丙戌：十二月丁酉朔，无丙戌。疑为丙辰，十二月二十日。㉕⑦创造：新造；始建。㉕⑧亲邻旧好：既有婚姻关系，又有邻国关系，本来是和好的。㉕⑨李纾：有文采，官谏议大夫。传见《十国春秋》卷六十三。㉖⓪将命：完成使命。㉖①损：赵损（？至公元九四〇年），赵光裔长子。光裔死，代执南汉政。传见《十国春秋》卷六十二。

【原文】

五年（庚子，公元九四〇年）

春，正月，帝引见闽使郑元弼等。元弼曰："王昶蛮夷之君[262]，不知礼义。陛下得其善言不足喜，恶言不足怒。臣将命无状[263]，愿伏𫓧锧[264]以赎昶罪。"帝怜之，辛未[265]，诏释[266]元弼等。

楚刘勍等因大风[267]，以火箭焚彭士愁寨而攻之，士愁帅麾下逃入奖、锦深山。乙未[268]，遣其子师暠帅诸酋长[269]纳溪、锦、奖三州印，请降于楚[270]。

二月庚戌[271]，北都[272]留守、同平章事安彦威入朝。上曰："吾所重者信与义。昔契丹以义救我，我今以信报之[273]。闻其征求不已[274]，公能屈节奉之[275]，深称朕意[276]。"对曰："陛下以苍生[277]之故，犹[278]卑辞厚币以事之，臣何屈节之有[279]！"上悦。

刘勍引兵还长沙。楚王希范徙溪州于便地[280]，表彭士愁为溪州刺史，以刘勍为锦州刺史。自是群蛮服于楚。希范自谓伏波[281]之后，以铜五千斤铸柱[282]，高丈二尺，入地六尺，铭誓状于上[283]，立之溪州。

唐康化节度使兼中书令杨琏谒[284]平陵[285]还，一夕，大醉，卒于舟中，唐主[17]追封谥曰弘农靖王[286]。

闽王[18]曦既立，骄淫苛虐[287]，猜忌宗族，多寻旧怨[288]。其弟建州

【校记】

［13］博州：原作"薄州"。胡三省注云："'薄州'当作'博州'。"据章钰校，乙十一行本作"亳州"。〖按〗史无"薄州"，"亳州"去河远，当以"博州"为是，《御批历代通鉴纲目》引此亦作"博州"，今据改。博州，在今山东聊城。［14］奖：原作"蒋"。胡三省注云："'蒋'当作'奖'。"唐所置州也。严衍《通鉴补》改作"奖"，当是，今据改。［15］弘仪：原无此二字。据章钰校，十二行本、乙十一行本、孔天胤本皆有此二字，张敦仁《通鉴刊本识误》同，今据补。［16］都尉：原作"中尉"。据章钰校，十二行本、乙十一行本、孔天胤本皆作"都尉"，今据改。

【语译】

五年（庚子，公元九四〇年）

春，正月，晋高祖接见闽国的使者郑元弼等人。郑元弼说："王昶是一个蛮夷国的君主，不晓得礼义。陛下听到他的好话不值得高兴，听到他的恶语不值得生气。臣执行使命若有失礼，愿意被处死，以赎王昶的罪过。"晋高祖很同情他。初五日辛未，下诏释放郑元弼等人。

楚国刘勍等人趁着大风，用火箭焚烧彭士愁的营寨，向他进攻，彭士愁率领部下逃进奖州、锦州的深山里。正月二十九日乙未，派他的儿子彭师暠率领各酋长交出溪州、锦州、奖州三个州的大印，向楚国请求投降。

二月十四日庚戌，北都留守、同平章事安彦威入朝。晋高祖说："我所看重的是信和义。过去契丹人以义救我，我今天用信来回报他们。听说他们没完没了地索取，你能屈节侍奉他们，这非常符合我的心意。"安彦威回答说："陛下为了百姓的缘故，尚且用谦卑的言辞和丰厚的财物来侍奉契丹，臣又有什么折节的呢！"晋高祖很高兴。

刘勍带兵返回长沙。楚王马希范把溪州州治迁徙到便于控制的地方，上表奏请彭士愁为溪州刺史，任命刘勍为锦州刺史。从此各部落蛮族都臣服于楚国。马希范自称是伏波将军马援的后人，用五千斤铜铸造柱子，高一丈二尺，入地六尺，在上面铭刻誓词，竖立在溪州。

唐国康化节度使兼中书令杨琏拜谒平陵回来，一天晚上，大醉，死在船上，唐主追封谥号为弘农靖王。

闽王王曦即位后，骄奢淫逸，苛刻暴虐，猜忌宗族，多次寻找旧时结怨的人。

刺史延政㉘⑨数以书谏之，曦怒，复书骂之。遣亲吏邺翘[19]监建州军，教练使杜汉崇监南镇军㉙⓪，二人争捃㉙①延政阴事告于曦，由是兄弟积相猜恨㉙②。一日，翘与延政议事不叶㉙③，翘诃㉙④之曰："公反邪！"延政怒，欲斩翘。翘奔南镇，延政发兵就攻之，败其戍兵。翘、汉崇奔福州，西鄙㉙⑤戍兵皆溃。

二月，曦遣统军使潘师逵、吴行真将兵四万击延政。师逵军㉙⑥于建州城西，行真军于城南，皆阻水置营，焚城外庐舍㉙⑦。延政求救于吴越，壬戌㉙⑧，吴越王元瓘遣宁国㉙⑨节度使、同平章事仰仁诠、内都监使薛万忠将兵四万救之。丞相林鼎㉚⓪谏，不听。三月戊辰㉚①，师逵分兵三千，遣都军使蔡弘裔将之出战，延政遣其将林汉彻等败之于茶山㉚②，斩首千余级。

【段旨】

以上为第七段，写楚王平定蛮夷之乱。闽国内乱，闽主王曦与其弟建州刺史王延政大交兵，吴越王出兵助王延政。

【注释】

㉖②蛮夷之君：边远化外的国君。㉖③将命无状：执行使命若有失礼。㉖④愿伏铁锧：愿意被处死。铁，斧。锧，铁砧。均为行斩刑之具。㉖⑤辛未：正月初五日。㉖⑥释：释放。㉖⑦因大风：乘着大风。㉖⑧乙未：正月二十九日。㉖⑨酋长：部落首领。㉗⓪请降于楚：请求向楚国投降。㉗①庚戌：二月十四日。㉗②北都：太原。㉗③报之：回答他。㉗④征求不已：索取没有止境。㉗⑤屈节奉之：卑躬屈节侍奉他。㉗⑥深称朕意：非常符合我的心意。㉗⑦苍生：老百姓。㉗⑧犹：还。㉗⑨何屈节之有：又有什么折节呢。㉘⓪便地：接近楚国的地方，便于控制。㉘①伏波：东汉伏波将军马援。㉘②铸柱：冶铸一根铜柱。㉘③铭誓状于上：在铜柱上铭刻着攻克溪州功勋。其中有云："五溪之众不足平，我师轻蹑如春冰。"㉘④谒：拜谒。㉘⑤平陵：杨溥坟墓。㉘⑥弘农靖王：追封弘农王，谥曰靖。㉘⑦骄淫苛虐：骄纵、淫逸、苛刻、暴虐。㉘⑧多寻旧怨：多次找寻过去结怨的人而加以报复。㉘⑨延

他的弟弟建州刺史王延政多次写书信劝谏他，王曦很生气，回信骂王延政。派遣他的亲信官员邺翘监视建州军，派教练使杜汉崇监视南镇军。两人争相搜集王延政的阴私之事向王曦报告，因此兄弟二人相互深为猜疑怨恨。有一天，邺翘与王延政商议事情，意见不一，邺翘呵斥他说："你想造反吗?!"王延政很生气，想杀了邺翘。邺翘逃往南镇，王延政调发部队去攻打他，打败了南镇的守兵。邺翘、杜汉崇逃往福州，西部边境的守兵都溃散了。

二月，王曦派遣统军使潘师逵、吴行真率军四万人攻打王延政。潘师逵驻军在建州城西，吴行真驻军在城南，都背水扎营，焚烧了城外的房舍。王延政向吴越求救。二十六日壬戌，吴越王钱元瓘派遣宁国节度使、同平章事仰仁诠，内都监使薛万忠，率军四万人救援王延政。丞相林鼎劝阻，不听从。三月初二日戊辰，潘师逵分兵三千，派遣都军使蔡弘裔率兵出战，王延政派遣他的部将林汉彻等人在茶山把敌军打败，杀死一千多人。

政：天德帝。王延羲弟，公元九四三年以建州自立为帝，国号大殷，公元九四五年降南唐。公元九四三至九四五年在位。传见《旧五代史》卷一百三十四、《新五代史》卷六十八、《十国春秋》卷九十二。㉙⓪南镇军：方镇名，闽置，在今福建福鼎。㉙①捃：搜集。㉙②积相猜恨：互相深深地猜疑怨恨。㉙③不叶：不协调；不统一。叶，通"协"。㉙④诃：大声斥责。㉙⑤西鄙：西边。㉙⑥军：驻扎。㉙⑦庐舍：房屋。㉙⑧壬戌：二月二十六日。㉙⑨宁国：方镇名，吴升宣州为宁国节度。治所宣州，在今安徽宣城。时属南唐，仰仁诠为遥领。㉚⓪林鼎（公元八九一至九四四年）：字涣文，侯官（今福建闽侯）人，官至吴越国丞相。著有《吴江应用集》二十卷。卒谥贞献。传见《十国春秋》卷八十六。㉚①戊辰：三月初二日。㉚②茶山：地名，在建州东。

【校记】

［17］唐主：原无此二字。据章钰校，十二行本、乙十一行本、孔天胤本皆有此二字，今据补。［18］王：原作"主"。据章钰校，十二行本、乙十一行本、孔天胤本皆作"王"，今据改。［19］邺翘：原作"业翘"。胡三省注云："'业'当作'邺'。"严衍《通鉴补》改作"邺翘"，当是，今据改。

【原文】

安彦威、王建立皆请致仕，不许。辛未[303]，以归德节度使、侍卫马步都指挥使、同平章事刘知远为邺都留守，徙彦威为归德节度使，加兼侍中。癸酉[304]，徙建立为昭义节度使，进爵韩王。以建立辽州人，割辽、沁[305]二州隶昭义。徙建雄[306]节度使李德珫[307]为北都留守。

山南东道节度使、同平章事安从进恃其险固，阴蓄异谋。擅邀取湖南贡物[308]，招纳亡命，增广甲卒。元随都押牙王令谦、押牙潘知麟谏，皆杀之。及[309]王建立徙潞州，帝使问之曰："朕虚青州[310]以待卿，卿有意则降制。"从进对曰："若移青州置汉南[311]，臣即赴镇。"帝亦[20]不之责。

丁丑[312]，王延政募敢死士[313]千余人，夜涉水，潜入潘师逵垒，因风纵火，城上鼓噪[314]以应之，战棹都头[315]建安陈诲杀师逵，其众皆溃。戊寅[316]，引兵欲攻吴行真寨，建人未涉水，行真及将士弃营走，死者万人。延政乘胜取永平[317]、顺昌[318]二城。自是建州之兵始盛。

夏，四月，蜀太保兼门下侍郎、同平章事赵季良请与门下侍郎、同平章事毋昭裔，中书侍郎、同平章事张业分判三司[319]。癸卯[320]，蜀主命季良判户部，昭裔判盐铁，业判度支。

庚戌[321]，以前横海节度使马全节为安远节度使[322]。

甲子[323]，吴越孝献世子[324]弘僔卒。

吴越仰仁诠等兵至建州，王延政以福州兵已败去，奉牛酒犒之[325]，请班师。仁诠等不从，营于城之西北。延政惧[326]，复遣使乞师[327]于闽王。闽王以泉州刺史王继业[328]为行营都统，将兵二万救之。且移书责[329]吴越，遣轻兵[330]绝吴越粮道。会久雨，吴越军[21]食尽。五月，延政遣兵出击，大破之，俘斩以万计。癸未[331]，仁诠等夜遁[332]。

【语译】

安彦威、王建立都请求退休，晋高祖不同意。三月初五日辛未，任命归德节度使、侍卫马步都指挥使、同平章事刘知远为邺都留守，调迁安彦威为归德节度使，加官兼任侍中。初七日癸酉，调迁王建立为昭义节度使，晋爵位为韩王。因为王建立是辽州人，所以划割辽州、沁州两个州隶属于昭义节度。调迁建雄节度使李德珫为北都留守。

山南东道节度使、同平章事安从进依仗他镇守之地险要坚固，暗怀异图。擅自截取湖南进贡的物品，招收亡命之徒，增扩兵力。元随都押牙王令谦、押牙潘知麟劝谏，安从进把他们都杀了。等到王建立迁往潞州，晋高祖派人问他说："朕空着青州地区等待你前来，你有意去，我就降旨。"安从进回答说："如果把青州迁移设置在汉水南边，臣立刻赴任。"晋高祖也没有责备他。

三月十一日丁丑，王延政招募敢死队一千多人，夜里渡过河，潜入潘师逵的营垒，乘着风势放火，城上击鼓呐喊呼应，战棹都头建安人陈诲杀了潘师逵，他的部众都溃散了。十二日戊寅，带兵攻打吴行真的营寨，建州兵马没有渡过河，吴行真和他的将士弃营逃走，死了一万人。王延政乘胜夺取了永平、顺昌二城。从此，建州的军队开始强盛。

夏，四月，蜀国太保兼门下侍郎、同平章事赵季良请求与门下侍郎、同平章事毋昭裔，中书侍郎、同平章事张业分别掌管三司。初八日癸卯，蜀主命令赵季良掌管户部，毋昭裔掌管盐铁，张业掌管度支。

十五日庚戌，任命前任横海节度使马全节为安远节度使。

二十九日甲子，吴越国孝献世子钱弘僔去世。

吴越国仰仁诠等人的部队到达建州，王延政因为福州军队已经败退，就奉献牛肉、酒食犒劳吴越军队，请求他们班师返回吴越。仰仁诠等人不同意，扎营于城的西北。王延政害怕了，又派遣使者向闽王请求援军。闽王任命泉州刺史王继业为行营都统，统率士兵二万人救援王延政。并且写信责问吴越，又派遣轻装士兵断绝吴越的粮道。适逢久雨，吴越军队的粮食吃完了。五月，王延政派兵出击，大败吴越军队，俘虏及杀死的人数以万计。十八日癸未，仰仁诠等人趁黑夜逃走。

【段旨】

以上为第八段，写山南东道节度使安从进阴蓄异谋，晋高祖优容之。闽国建州刺史王延政偷袭吴越国援兵。

【注释】

③③辛未：三月初五日。③④癸酉：三月初七日。③⑤沁：州名，在今山西沁源。③⑥建雄：方镇名，晋置，治所白马城，在今山西临汾。③⑦李德珫：应州金城（今山西应县）人，少善骑射，官至广晋尹，为将廉洁。传见《旧五代史》卷九十。③⑧邀取湖南贡物：拦截马希范进贡朝廷的财物。湖南贡物，马希范所进献。③⑨及：等到。③⑩青州：平卢军节度使治所。③⑪若移青州置汉南：如果把青州迁移到汉水南岸。即婉言谢绝。③⑫丁丑：三月十一日。③⑬敢死士：敢于自我牺牲的士兵。③⑭鼓噪：击鼓大叫。③⑮都头：都一级的统兵官。③⑯戊寅：三月十二日。③⑰永平：县名，在今福建南平。③⑱顺昌：县名，在今福建顺昌。③⑲分判三司：分别兼任户部、盐铁、度支三司长官。判，级别高的官员担任级别低

【原文】

胡汉筠既违诏命不诣阙[333]，又闻贾仁沼二子欲诉诸朝[334]。及除[335]马全节镇安州代李金全，汉筠绐[336]金全曰："进奏吏[337]遣人倍道来言，朝廷俟公受代，即按[338]贾仁沼死状，以为必有异图。"金全大惧。汉筠因说金全拒命[339]，自归于唐。金全从之。

丙戌[340]，帝闻金全叛，命马全节以汴、洛、汝、郑、单、宋、陈、蔡、曹、濮、申、唐之兵讨之，以保大节度使安审晖[341]为之副。审晖，审琦之兄也。

李金全遣推官张纬奉表请降于唐，唐主遣鄂州屯营使李承裕、段处恭将兵三千逆之[342]。

唐主遣客省使尚全恭如闽，和[343]闽王曦及王延政。六月，延政遣牙将及女奴持誓书[344]及香炉[345]至福州，与曦盟于宣陵[346]。然兄弟相猜恨犹如故。

癸卯[347]，唐李承裕等引兵[22]至安州。是夕，李金全将麾下[348]数百人诣唐军，妓妾资财皆为承裕所夺，承裕入据安州。甲辰[349]，马全节自应山[350]进军大化镇[351]，与承裕战于城南，大破之。承裕掠安州南走，全节入安州。丙午[352]，安审晖追败唐兵于黄花谷，段处恭战死。丁未[353]，

的职任。⑳癸卯：四月初八日。㉑庚戌：四月十五日。㉒马全节为安远节度使：晋高祖用马全节取代李金全。㉓甲子：四月二十九日。㉔世子：古代诸侯的嫡长子。㉕奉牛酒犒之：拿了牛、酒犒劳他们。㉖延政惧：仰仁诠逼近建州扎营，有图建州之意，所以王延政害怕。㉗乞师：请求军援。㉘王继业（？至公元九四一年）：王延宗子。杀康宗王继鹏，被景宗王延羲所杀。传见《十国春秋》卷九十四。㉙责：责问。㉚轻兵：轻装部队。㉛癸未：五月十八日。㉜夜遁：夜间逃走。

【校记】

［20］亦：原无此字。据章钰校，十二行本、乙十一行本、孔天胤本皆有此字，今据补。［21］军：原无此字。据章钰校，十二行本、乙十一行本、孔天胤本皆有此字，今据补。

【语译】

胡汉筠违抗诏令不入朝后，又听说贾仁沼的两个儿子想要向朝廷申诉其父被杀一事的真相。等到朝廷任命马全节镇守安州以代替李金全，胡汉筠就欺骗李金全说："进奏吏派人兼程赶回来说，朝廷等您接受替代，立刻查问贾仁沼死去的情况，认为这里面一定有反叛的意图。"李金全大为恐惧。胡汉筠借机劝说李金全抗拒朝廷的命令，主动归顺于唐。李金全听从了。

五月二十一日丙戌，晋高祖听说李金全反叛，命令马全节率领汴、洛、汝、郑、单、宋、陈、蔡、曹、濮、申、唐等各州的军队讨伐他，任命保大节度使安审晖做马全节的副手。安审晖，是安审琦的哥哥。

李金全派遣推官张纬携带表章请求投降于唐，唐主派鄂州屯营使李承裕、段处恭领兵三千人迎接李金全。

唐主派遣客省使尚全恭前往闽国，调解闽王王曦和王延政。六月，王延政派遣牙将及女奴拿着誓书和香炉到达福州，与王曦在宣陵结盟。然而兄弟二人依然相互猜忌怨恨如故。

六月初九日癸卯，唐国李承裕等人率军到达安州。这天晚上，李金全率领部下几百人前往唐军驻地，伎妾资财都被李承裕夺取。李承裕进城占领了安州。初十日甲辰，马全节从应山进军大化镇，与李承裕在城南交战，把他打得大败。李承裕掠夺安州后南逃，马全节进入安州。十二日丙午，安审晖追赶唐军，在黄花谷打败他们，段处恭战死。十三日丁未，安审晖又在云梦泽中打败唐军，俘虏了李承裕和他

审晖又败唐兵于云梦泽[354]中，虏承裕及其众。唐将张建崇据云梦桥拒战，审晖乃还。马全节斩承裕及其众千五百人于城下，送监军杜光业等五百七人于大梁。上曰："此曹[355]何罪！"皆赐马及器服而归之。

初，卢文进之奔吴[356]也，唐主命祖全恩将兵逆之，戒[357]无入安州城，陈[358]于城外，俟文进出，殿[359]之以归，无得剽掠。及李承裕逆李金全，戒之如[360]全恩。承裕贪剽掠，与晋兵战而败，失亡四千人。唐主惋恨累日[361]，自以戒敕之不熟[362]也。杜光业等至唐，唐主以其违命而败，不受[363]，复送于淮北[364]。遗帝书曰："边校[365]贪功，乘便据垒。"又曰："军法朝章[366]，彼此不可[367]。"帝复遣之归，使者将自桐墟[368]济淮，唐主遣战舰拒之，乃还。帝悉授唐诸将官，以其士卒为显义都[369]，命旧将刘康领之。

臣光曰："违命者将也，士卒从将之令者也，又何罪乎！受而戮其将以谢敌，吊士卒而抚之，斯可矣。何必弃民以资敌国乎！"

唐主使宦者祭庐山[370]，还，劳[371]之曰："卿此行甚精洁[372]。"宦者曰："臣自奉诏，蔬食[373]至今。"唐主曰："卿某处市鱼[374]为羹，某日市肉为胾[375]，何为蔬食？"宦者惭服[376]。仓吏岁终献羡余[377]万余石，唐主曰："出纳有数[378]，苟非掊民刻军[379]，安得[380]羡余邪！"

秋，七月，闽主曦城[381]福州西郭以备建人。又度民为僧[382]，民避[383]重赋多为僧，凡度万一千人。

乙丑[384]，帝赐郑元弼等帛，遣归。

李金全之叛也，安州马步副都指挥使桑千、威和[385]指挥使王万金、成彦温不从而死，马步都指挥使庞守荣诮[386]其愚，以徇[387]金全之意。己巳[388]，诏赠贾仁沼及桑千等官，遣使诛守荣于安州。李金全至金陵，唐主待之甚薄[389]。

丁巳[390]，唐主立齐王璟为太子，兼大元帅，录尚书事[391]。

的部众。唐将张建崇占据云梦桥抵抗，安审晖才带兵返回。马全节在城下斩杀了李承裕和他的部众一千五百人，把监军杜光业等五百零七人押送到大梁。晋高祖说："这些人有什么罪过！"便都赐给他们马匹及器物、衣服，让他们回去。

当初，卢文进投奔吴国时，唐主命令祖全恩率军迎接他，告诫祖全恩不要进入安州城，列阵城外，等卢文进出来后，就让他尾随部队回来，不许抄掠。等到李承裕迎接李金全，也像告诫祖全恩一样告诫他。但李承裕贪图抄掠，与晋兵交战失败，损失逃亡的有四千人。唐主惋惜愤恨了好几天，自己认为告诫敕令部将不周详。杜光业等人到达南唐，唐主因他违反命令而招致失败，不接纳他们，把他们又送到淮北。给晋国皇帝写了一封信说："边境的将校贪图功利，乘着方便占据了堡垒。"又说："依照军法或朝廷的章程，两国都是不能容忍的。"晋高祖又把他们遣送回去，使者将要从桐墟渡过淮河，唐主派战舰阻挡他们，他们又折回去。晋高祖一一授予南唐各位将领官职，把他们的士卒组成显义都，命令旧将刘康统率他们。

司马光说："违反命令的是将领，士卒听从将领的命令，又有什么罪过呢！接受遣返而杀掉他们的将领以向敌国谢罪，同情士卒并安抚他们，这就可以了。何必抛弃民众来帮助敌国呢！"

唐主派宦官祭祀庐山，回来后，唐主慰劳他说："你这次出行非常虔诚洁净。"宦官说："臣自从接受诏命，素食到今天。"唐主说："你在某处买鱼做羹，某日买肉做成大块肉，怎么能说吃素呢？"宦官又惭愧又佩服。仓吏年终进献多余的粮食一万多石，唐主说："支出收入有一定的数量，如果不是剥削百姓，克扣军粮，怎能有多余的粮食呢！"

秋，七月，闽主王曦修筑福州西面的城郭，以防备建州人。又剃度民众当和尚，民众为了逃避沉重的赋税很多人去做和尚，共剃度了一万一千人。

初二日乙丑，晋高祖赏赐郑元弼等人布帛，遣送他们返回闽国。

李金全反叛时，安州马步副都指挥使桑千、威和指挥使王万金、成彦温因不相从而死，马步都指挥使庞守荣讥讽他们愚蠢，以此来迎合李金全的意思。七月初六日己巳，晋高祖下诏追赠贾仁沼及桑千等人官职，派使者在安州杀了庞守荣。李金全到达金陵，唐主接待他礼数很轻。

八月二十四日丁巳，唐主立齐王李璟为太子，兼大元帅、录尚书事。

【段旨】

以上为第九段，写晋安远节度使李金全反叛投南唐。

【注释】

㉝不诣阙：不到朝廷。㉞欲诉诸朝：想要向朝廷申诉父亲被杀一事的真相。诸，之于。㉟除：任命。㊱绐：欺骗。㊲进奏吏：安远军进奏院的负责官员，住在京城，以通信息。㊳按：按问；查问。㊴拒命：不接受朝廷受代的命令。㊵丙戌：五月二十一日。㊶安审晖（公元八九〇至九五二年）：字明远，安审琦之兄。官至后周太子太师致仕，封鲁国公。卒谥静。传见《旧五代史》卷一百二十三。㊷逆之：迎接他。逆，迎。㊸和：调和；讲和。㊹誓书：结盟誓言。㊺香炉：结盟祭天时女奴二人执香炉焚香。㊻宣陵：王审知墓名。㊼癸卯：六月初九日。㊽麾下：部下。麾，指挥作战用的旗子。㊾甲辰：六月初十日。㊿应山：县名，在今湖北应城。(351)大化镇：地名，在当时应山县境内。(352)丙午：六月十二日。(353)丁未：六月十三日。(354)云梦泽：地名，在今湖北安陆南。(355)此曹：这些人；他们。(356)卢文进之奔吴：事见本书卷二百八十后晋高祖天福元年（公元九三四年）。(357)戒：告诫。(358)陈：列阵。陈，通"阵"。(359)殿：走在最后面。(360)如：同。(361)惋恨累日：惋惜愤恨了好几天。(362)不熟：不仔细、周详，有自责之意。(363)不受：

【原文】

太子太师致仕范延光请归河阳私第[392]，帝许之。延光重载[393]而行。西京留守杨光远兼领河阳，利其货[394]，且虑为子孙之患[395]，奏："延光叛臣，不家汴、洛而就外藩，恐其逃逸入敌国，宜早除之！"帝不许。光远请敕延光居西京[396]，从之。光远使其子承贵[397]以甲士围其第，逼令自杀。延光曰："天子在上，赐我铁券，许以不死。尔父子何得如此？"己未[398]，承贵以白刃[399]驱[400]延光上马，至浮梁[401]，挤于河。光远奏云自赴水死[402]，帝知其故，惮[403]光远之强，不敢诘[404]。为延光辍朝，赠太师。

唐齐王璟固辞[405]太子。九月乙丑[406]，唐主许之，诏中外致笺[407]如太子礼。

丁卯[408]，以翰林学士承旨、户部侍郎和凝为中书侍郎、同平章事。

己巳[409]，邺都留守刘知远入朝。

辛未[410]，李崧[411]奏："诸州仓粮，于计账[412]之外所余颇多。"上曰："法外税民[413]，罪同枉法。仓吏特贷[414]其死，各痛惩之。"

唐主不接受杜光业等回朝。㊍淮北：指后晋。㊎边校：边防将校。㊏军法朝章：军法与朝廷章程。㊐彼此不可：两国都不能容忍，都不可以让他们再立朝为官。㊑桐墟：地名，在今安徽宿州。㊒显义都：宿卫军名。㊓庐山：山名，在今江西九江。㊔劳：慰劳。㊕精洁：虔诚洁净。此为反语。㊖蔬食：吃蔬菜，不食荤腥。㊗市鱼：买鱼。㊘市肉为胾：买肉烧成大块肉。胾，大块的肉。㊙慚服：惭愧而佩服。㊚羡余：积余；多余。㊛出纳有数：输出和收入有一定数量。㊜掊民刻军：剥削人民，克扣军队。㊝安得：哪能；怎能。㊞城：筑城。㊟度民为僧：剃度民众做和尚。㊠避：逃避；躲避。㊡乙丑：七月初二日。㊢威和：禁卫军名。㊣诮：责备；讥诮。㊤徇：顺从。㊥己巳：七月初六日。㊦待之甚薄：接待他礼数很轻。㊧丁巳：八月二十四日。㊨录尚书事：官名，为宰相之职。

【校记】

[22] 引兵：原无此二字。据章钰校，十二行本、乙十一行本、孔天胤本皆有此二字，今据补。

【语译】

退休的太子太师范延光请求返回河阳的私人宅第，晋高祖同意了。范延光装载了很重的财物上路。西京留守杨光远兼管河阳，贪图他的财货，并且考虑到他会成为自己子孙后代的祸患，就上奏说："范延光是个叛臣，不住在汴州或洛阳，而迁往外地的藩镇，恐怕他逃入敌国，应当早些除掉他！"晋高祖不允许。杨光远请求敕令范延光住在西京洛阳，晋高祖听从了。杨光远让他的儿子杨承贵带领甲士包围了范延光的宅第，逼令他自杀。范延光说："天子在上，赐给我铁券，答应我不被杀死。你们父子为什么这样做？"八月二十六日己未，杨承贵用锋利的刀子逼使范延光上马，到了浮桥上，把他挤落黄河。杨光远上奏说是范延光自己投河死了，晋高祖知道其中的缘故，因害怕杨光远势力强大，不敢责问他。晋高祖为范延光之死而停止上朝，追赠他为太师。

唐齐王李璟坚决辞让太子的封号。九月初三日乙丑，唐主同意了，诏令朝廷内外向他写呈文如同太子的礼节。

初五日丁卯，任命翰林学士承旨、户部侍郎和凝为中书侍郎、同平章事。

初七日己巳，邺都留守刘知远入朝。

初九日辛未，李崧上奏："各州的仓库粮食，在账册数量之外，余额很多。"晋高祖说："在法定以外向民众征税，罪过与枉法相同。仓库官吏特免其一死，但每人要痛加惩罚。"

翰林学士李澣，轻薄[415]，多酒失[416]，上恶之[417]。丙子[418]，罢翰林学士[419]，并其职于中书舍人。澣，涛之弟也。

杨光远入朝，帝欲徙[420]之他镇，谓光远曰："围魏之役[421]，卿左右皆有功，尚未之赏。今当各除一州以荣之[422]。"因以其将校数人为刺史。甲申[423]，徙光远为平卢节度使，进爵东平王。

冬，十月丁酉[424]，加吴越王元瓘天下兵马都元帅、尚书令。

壬寅[425]，唐大赦，诏中外奏章无得言"睿""圣"，犯者以不敬[426]论。

【段旨】

以上为第十段，写致仕太子太师范延光回归河阳私第，西京留守杨光远贪其财物，令其子杨承贵杀之。杨光远入朝，被徙为平卢节度使。

【注释】

㊈私第：私人的宅第。㊉重载：车上装载重重的财物。㊊利其货：贪图他的财物。㊋且虑为子孙之患：而且担心范延光记恨报复其子孙。因范延光投降时，杨光远为元帅，受过杨光远侵凌。㊌西京：洛阳。㊍承贵：杨承贵（？至公元九四七年），初名承贵，后避石重贵名讳改为承勋。官至后晋汝州防御使。传见《旧五代史》卷九十七。㊎己未：八月二十六日。㊏白刃：锋利的刀。㊐驱：迫使；驱赶。㊑浮梁：浮桥。㊒自赴水死：自己

【原文】

术士孙智永以四星聚斗[427]，分野有灾[428]，劝唐主巡东都[429]。乙巳[430]，唐主命齐王璟监国。光政副使、太仆少卿陈觉以私憾[431]奏泰州刺史褚仁规贪残。丙午[432]，罢仁规为扈驾都部署[433]，觉始用事[434]。庚戌[435]，唐主发金陵。甲寅[436]，至江都。

闽王曦因商人奉表自理[437]。十一月甲申[438]，以曦为威武节度使兼中书令，封闽国王。

唐主欲遂[439]居江都，以水冻，漕运不给，乃还。十二月丙申[440]，至

翰林学士李瀚为人轻佻浮薄，常常醉酒误事，晋高祖很厌恶他。十四日丙子，撤销翰林学士，把它的职掌并入中书舍人。李瀚，是李涛的弟弟。

杨光远入朝，晋高祖想把他调往其他军镇，便对杨光远说："围攻魏州的那次战役，你的身边人都有功劳，还没有赏赐他们。现在应当各自任官一州，以使他们荣耀。"因此任命他的几个将校为刺史。九月二十二日甲申，调迁杨光远为平卢节度使，晋爵东平王。

冬，十月初五日丁酉，加任吴越王钱元瓘为天下兵马都元帅、尚书令。

初十日壬寅，唐国大赦，诏令朝廷内外奏章不得称"睿""圣"，违犯者以不敬的罪名论处。

投水而死。㊸悍：畏惧。㊹诘：责问。㊺固辞：坚决辞让。㊻乙丑：九月初三日。㊼致笺：写呈文。㊽丁卯：九月初五日。㊾己巳：九月初七日。㊿辛未：九月初九日。⑪李崧（？至公元九四八年）：深州饶阳（今河北饶阳）人，幼聪敏，能文章。官至后晋宰相。传见《旧五代史》卷一百八、《新五代史》卷五十七。⑫计账：指每年计数造账，报送三司审查的账册。⑬法外税民：法律以外向民众征收赋税。⑭贷：宽贷；饶恕。⑮轻薄：轻佻浮薄。⑯酒失：饮酒误事。⑰恶之：厌恶他。⑱丙子：九月十四日。⑲罢翰林学士：裁撤翰林学士官位。⑳徙：迁移；调动。㉑围魏之役：指平范延光的叛乱。㉒以荣之：用以使之光荣。㉓甲申：九月二十二日。㉔丁酉：十月初五日。㉕壬寅：十月初十日。㉖不敬：封建社会法律中十恶罪之一。

【语译】

术士孙智永因为四颗星聚集在斗宿，分野有灾害，劝说唐主巡视东都。十月十三日乙巳，唐主命令齐王李璟监国。光政副使、太仆少卿陈觉因为私人间的不满奏言泰州刺史褚仁规贪婪残暴。十四日丙午，罢免褚仁规，改任扈驾都部署，陈觉开始当权。十八日庚戌，唐主从金陵出发。二十二日甲寅，到达江都。

闽王王曦通过商人携带表章向朝廷申诉自己不曾称帝。十一月二十三日甲申，晋高祖任命王曦为威武节度使兼中书令，封为闽国王。

唐主想就此居住江都，因为河水冰冻，漕运供应不上，只好返回。十二月初五

金陵。唐右仆射兼门下侍郎、同平章事张延翰卒。

是岁，汉门下侍郎、同平章事赵损卒。以宁远[441]节度使南昌王定保[442]为中书侍郎、同平章事，不逾年[443]亦卒。

初，帝割雁门之北以赂契丹，由是吐谷浑[444]皆属契丹，苦其贪虐[445]，思归中国[446]。成德节度使安重荣复诱之[447]，于是吐谷浑帅部落千余帐[448]自五台[449]来奔。契丹大怒，遣使让[450]帝以招纳叛人。

【段旨】

以上为第十一段，写唐主李昪巡幸江都，太子李璟监国。

【注释】

㉗四星聚斗：岁星、荧惑、镇星、太白聚集在斗宿。㉘分野有灾：与天象对应的地区有灾情。分野，古代占星术者认为，地上各州郡邦国和天上的一定区域相对应。该天象发生变化，预示着对应区的凶吉。扬州为斗、牛、女对应区。㉙东都：江都，在今江苏扬州。㉚乙巳：十月十三日。㉛私憾：私人之间的不满。㉜丙午：十月十四日。㉝扈驾都部署：官名，保卫、随从皇帝出行的总指挥。㉞用事：掌权。㉟庚戌：十月十八

【原文】

六年（辛丑，公元九四一年）

春，正月丙寅[451]，帝遣供奉官张澄将兵二千索[452]吐谷浑在并[453]、镇、忻、代四州山谷者，逐之使还故土。

王延政城[454]建州，周二十里，请于闽王曦，欲以建州为威武军，自为节度使。曦以威武军福州也，乃以建州为镇安军[455]，以延政为节度使，封富沙王[456]。延政改镇安曰镇武而称之。

二月壬辰[457]，作浮梁于德胜口[458]。

彰义节度使张彦泽欲杀其子，掌书记张式素[459]为彦泽所厚[460]，谏止之。彦泽怒，射之。左右素恶式，从而谗之[461]。式惧，谢病去[462]，彦泽

日丙申，到达金陵。唐右仆射兼门下侍郎、同平章事张延翰去世。

这一年，汉国门下侍郎、同平章事赵损去世，任命宁远节度使南昌人王定保为中书侍郎、同平章事，没有超过一年也去世了。

当初，晋高祖割让雁门以北的地区用来贿赂契丹，因此，吐谷浑全都隶属契丹，他们苦于契丹人的贪婪暴虐，想回归中原。成德节度使安重荣又诱使他们，于是吐谷浑率领部落一千多帐从五台来投奔中原。契丹大怒，派遣使者责备晋高祖招降纳叛。

日。㊱甲寅：十月二十二日。㊲自理：为自己申诉。这里指未曾称帝一事。㊳甲申：十一月二十三日。㊴遂：就。㊵丙申：十二月初五日。㊶宁远：方镇名，南汉升容州为宁远军节度。治所容州，在今广西容县。㊷王定保（？至公元九四〇年）：南昌（今江西南昌）人，唐光化三年进士，官至南汉宰相。著《摭言》十五卷。传见《十国春秋》卷六十二。㊸不逾年：没超过一年。㊹吐谷浑：古族名，原为鲜卑的一支，游牧于今辽宁锦州西北。五代时，余部散居于今河北蔚县一带。㊺贪虐：贪婪暴虐。㊻中国：当时指后晋。㊼诱之：引诱他。㊽千余帐：游牧民族以帐幕逐水草而居，因而以帐计。㊾五台：县名，在今山西五台。㊿让：责备。

【语译】

六年（辛丑，公元九四一年）

春，正月初六日丙寅，晋高祖派遣供奉官张澄率领部队二千人搜寻吐谷浑在并、镇、忻、代等四州山谷中的人，驱逐他们，让他们返回故土。

王延政修筑建州城，周长二十里，向闽王王曦请求，想以建州为威武军，自己做节度使。王曦因为威武军是福州，就以建州为镇安军，任命王延政为节度使，封为富沙王。王延政改称镇安曰镇武。

二月初二日壬辰，在德胜口建造浮桥。

彰义节度使张彦泽想要杀死他的儿子，掌书记张式一向被张彦泽厚待，劝谏制止他。张彦泽很生气，拿箭射张式。左右的人平时就厌恶张式，乘机说他的坏话。张式害怕了，请病假离去，张彦泽派兵追赶他。张式到达邠州，静难节度使李周把

遣兵追之。式至邠州，静难节度使李周以闻，帝以彦泽故，流[463]式商州[464]。彦泽遣行军司马郑元昭诣阙求之，且曰："彦泽不得张式，恐致不测[465]。"帝不得已，与之。癸巳[466][23]，式至泾州，彦泽命决口[467]、剖心[468]、断其四支[469]。

凉州[470]军乱，留后李文谦闭门自焚死。

蜀自建国以来[471]，节度使多领禁兵，或以他职留成都[472]，委僚佐知留务[473]，专事聚敛[474]，政事不治[475]，民无所诉[476]。蜀主知其弊[477]，丙辰[478]，加卫圣马步都指挥使、武德节度使兼中书令赵廷隐，枢密使、武信节度使、同平章事王处回，捧圣控鹤都指挥使、保宁节度使、同平章事张公铎检校官，并罢其节度使。三月甲戌[479]，以翰林学士承旨李昊知[480]武德军[481][24]，散骑常侍刘英图知保宁军[482]，谏议大夫崔銮知武信军[483]，给事中谢从志知武泰军[484]，将作监张赞知宁江军[485]。

夏，四月，闽王曦以其子亚澄[486]同平章事、判六军诸卫。曦疑其弟汀州刺史延喜[487]与延政通谋[488]，遣将军许仁钦以兵三千如汀州，执延喜以归。

唐主以陈觉及万年常梦锡[489]为宣徽副使。

辛巳[490]，北京留守李德琉遣牙校以吐谷浑酋长白承福等[25]入朝。

唐主遣通事舍人[491]欧阳遇求假道[492]以通契丹，帝不许。

自黄巢犯长安[493]以来，天下血战[494]数十年，然后诸国各有分土[495]，兵革[496]稍息。及唐主即位，江、淮比年丰稔[497]，兵食有余。群臣争言："陛下中兴，今北方多难，宜出兵恢复旧疆[498]。"唐主曰："吾少长军旅[499]，见兵之为民害深矣，不忍复言[500]。使彼民安，则吾民亦安矣，又何求焉！"汉主遣使如唐[501]，谋共取楚，分其地。唐主不许。

【段旨】

以上为第十二段，写彰义节度使张彦泽凶残。唐主李昪保境安民。

这事报告了朝廷。晋高祖因为张彦泽的缘故，把张式流放到商州。张彦泽派遣行军司马郑元昭前往朝廷要人，并且说："张彦泽得不到张式，恐怕会引起预料不到的事情。"晋高祖不得已，把张式交给了他。二月初三日癸巳，张式到达泾州，张彦泽命令撕开他的嘴，挖出心脏，断裂四肢。

凉州军叛乱，留后李文谦闭门自焚而死。

蜀自从建国以来，节度使大多统领禁兵，有的人因其他的职务留在成都，委派僚属佐吏管理军府的事务，这些人专门从事聚敛财物，不治理政事，百姓无处申诉。蜀主知道其中的弊端，二月二十六日丙辰，加任卫圣马步都指挥使、武德节度使兼中书令赵廷隐，枢密使、武信节度使、同平章事王处回，捧圣控鹤都指挥使、保宁节度使、同平章事张公铎为检校官，同时罢免他们三人节度使的职务。三月十四日甲戌，任命翰林学士承旨李昊掌管武德军，散骑常侍刘英图掌管保宁军，谏议大夫崔銮掌管武信军，给事中谢从志掌管武泰军，将作监张赞掌管宁江军。

夏，四月，闽王王曦任命他的儿子王亚澄为同平章事、判六军诸卫。王曦怀疑他的弟弟汀州刺史王延喜与王延政勾结策划，便派遣将军许仁钦率兵三千人前往汀州，把王延喜抓了回来。

唐主任命陈觉及万年人常梦锡为宣徽副使。

五月二十二日辛巳，北京留守李德琉派遣牙校带着吐谷浑酋长白承福等人入朝。

唐主派遣通事舍人欧阳遇请求借道来与契丹交往，晋高祖没有同意。

自从黄巢进犯长安以来，天下血战数十年，然后诸国各有一份领土，战争逐渐平息。等到唐主即位，江、淮一带连年丰收，军队的粮食有了剩余。群臣争相进言："陛下中兴，现今北方多难，应当出兵恢复旧有的疆域。"唐主说："我年少时在军中长大，亲眼看到用兵对老百姓的危害很深，不忍心再谈用兵打仗的事。假使他们那边的百姓安宁，那么我们的百姓也就安宁了，又有什么可追求的呢！"汉主派遣使者到唐国来，谋划共同夺取楚国，分割它的地盘。唐主没有同意。

【注释】

㊿ 丙寅：正月初六日。(452) 索：搜索。(453) 并：并州，州名，在今山西太原。(454) 城：筑城。(455) 镇安军：方镇名，闽王王曦以建州为镇安军，治所建州，在今福建建瓯。王延政改为镇武军。(456) 富沙王：王延政。因州内有富沙驿、富沙里，故封富沙王。(457) 壬辰：二月初二日。(458) 德胜口：黄河津渡名，即澶州德胜渡口，在今河南濮阳北。黄河改道，今已不在黄河岸上。(459) 素：向来。(460) 厚：厚待；尊重。(461) 从而谗之：乘此机会讲他的坏话。(462) 谢病去：请病假离开。(463) 流：流放。(464) 商州：州名，在今陕西商洛市商州

区。(465)恐致不测：恐怕导致反叛。以造反要挟晋帝。(466)癸巳：二月初三日。(467)决口：撕开嘴巴。(468)剖心：挖出心脏。(469)支：通“肢”。(470)凉州：州名，治所姑臧，在今甘肃武威。(471)蜀自建国以来：后蜀建国于后唐清泰元年（公元九三四年）。(472)或以他职留成都：没有领禁兵的节度使用别的职务留在京师成都。或，有的人。指赵廷隐、王处回、张公铎等。他职，其他的朝中兼职。(473)委僚佐知留务：委托僚属处理节镇事务。(474)专事聚敛：专门从事搜刮、积累财物。(475)不治：不治理。(476)诉：申诉。(477)弊：弊端；弊病。(478)丙辰：二月二十六日。(479)甲戌：三月十四日。(480)知：知节度事，非正帅。(481)武德军：蜀以东川为武德军，取武有七德以为军号。治所梓州，在今四川三台。(482)保宁军：方镇名，治所阆州，在今四川阆中。(483)武信军：方镇名，治所遂州，在今四川遂宁。(484)武泰军：方镇名，治所黔州，在今重庆彭水。(485)宁江军：方镇名，治所夔州，在今重庆奉节。(486)亚澄：王亚澄（？至公元九四四年），闽王王曦子，封琅邪王。传见《十国春秋》卷九十四。(487)延喜：王延喜（？至公元九四四年），闽王王曦弟。传见《十国春秋》卷九十四。(488)通谋：串通谋划；勾结策划。王延喜与王延政辖地接壤，所以闽王王曦怀疑他们相通为谋。(489)常

【原文】

山南东道[502]节度使安从进谋反，遣使奉表诣蜀，请出师金、商[503]以为声援。丁亥[504]，使者至成都。蜀主与群臣谋之，皆曰：“金、商险远[505]，少出师则不足制敌[506]，多则漕挽不继[507]。”蜀主乃辞[508]之。又求援于荆南，高从诲遗[509]从进书，谕以祸福[510]。从进怒，反诬奏[511]从诲。荆南行军司马王保义[512]劝从诲具奏其状[513]，且请发兵助朝廷讨之。从诲从之。

成德节度使安重荣耻臣契丹[514]，见契丹使者，必箕踞慢骂[515]。使[516]过其境，或潜遣人杀之。契丹以让帝[517]，帝为之逊谢[518]。六月戊午[519]，重荣执契丹使拽剌[520]，遣轻[26]骑掠幽州南境，军于博野[521]。上表称：“吐谷浑[522]、两突厥[523]、浑[524]、契苾[525]、沙陀[526]各帅部众归附。党项[527]等亦遣使纳契丹告身职牒[528]，言为虏所陵暴[529]。又言自二月以来，令各具精甲壮马，将以上秋[530]南寇。恐天命不佑，与之俱灭，愿自备十万众，与晋共击契丹。又朔州[531]节度副使赵崇已逐契丹节度使刘山，求归命[532]朝廷。臣相继以闻。陛下屡敕臣承奉[533]契丹，勿自起衅端[534]。其如[535]天道[536]人心，难以违拒，机不可失，时不再来。诸节

梦锡：常梦锡（公元八九八至九五八年），字孟图，扶风（今陕西兴平东南）人，南唐翰林学士，以鲠直闻。传见《十国春秋》卷二十三。㊾⓪ 辛巳：五月二十二日。㊾① 通事舍人：官名，属阁门司，隶中书省，掌传宣赞谒之事。㊾② 假道：借路。假，借。㊾③ 黄巢犯长安：事在唐僖宗广明元年（公元八八〇年）。㊾④ 血战：浴血战斗。这里指唐末军阀混战。㊾⑤ 分土：一份土地。㊾⑥ 兵革：指战事。㊾⑦ 比年丰稔：连年丰收。稔，庄稼成熟。㊾⑧ 恢复旧疆：南唐自称承袭李唐，此谓恢复李唐时国土。㊾⑨ 少长军旅：年少时在军队中长大。㊿⓪ 不忍复言：不忍心再说用兵打仗。㊿① 如唐：到南唐。

【校记】

［23］癸巳：原作“癸未”。严衍《通鉴补》改作“癸巳”，当是，今据以校正。〖按〗二月辛卯朔，无癸未。［24］武德军：原作“武宁军”。据章钰校，十二行本、乙十一行本、孔天胤本皆作“武德军”，今据改。［25］等：原无此字。据章钰校，十二行本、乙十一行本、孔天胤本皆有此字，今据补。

【语译】

山南东道节度使安从进谋反，派使者拿着表书前往蜀国，请求出兵金州、商州以为声援。五月二十八日丁亥，使者到达成都。蜀主与群臣谋议此事，都说：“金州、商州路途艰险遥远，少出兵则不足以制服敌人，多出兵则水陆运输跟不上。”蜀主便把此事推辞掉了。安从进又求援于荆南，高从诲写信给安从进，晓谕祸福。安从进很生气，反而上奏诬陷高从诲。荆南行军司马王保义劝高从诲详细奏明情况，并且请求出兵帮助朝廷讨伐安从进。高从诲听从了这一建议。

成德节度使安重荣耻于臣服契丹，他接见契丹使者，一定伸直双腿岔开坐着谩骂。使者经过他的辖境，有时暗中派人杀掉使者。契丹拿此事责备晋高祖，晋高祖替他恭顺地表示歉意。六月二十九日戊午，安重荣抓了契丹的使者拽剌，派遣轻骑兵掠夺幽州的南部地区，驻军在博野县。向晋高祖上表说：“吐谷浑、东西两突厥、浑、契苾、沙陀各自率领他们的部众前来归附。党项等也派遣使者交出契丹发给他们的授官委任状及任职文书，说他们被契丹欺凌虐待。又说从二月以来，契丹命令他们各自准备精兵壮马，将在七月南侵。恐怕老天不保佑他们，与契丹一起灭亡，所以我们愿意自己准备十万兵众，与晋军共同攻击契丹。另外，朔州节度副使赵崇已经驱逐了契丹节度使刘山，请求归顺朝廷。臣把这些情况相继报告了朝廷。陛下多次敕令臣侍奉契丹，不要自己挑起矛盾。怎奈天道人心，难以违抗，机不可失，

度使[537]没[538]于虏庭[539]者，皆延颈企踵[540]以待王师，良可哀闵[541]。愿早决计。”表数千言，大抵斥[542]帝父事契丹[543]，竭中国以媚[544]无厌[545]之虏。又以此意为书遗朝贵[546]及移[547]藩镇，云已勒兵[548]，必与契丹决战。帝以重荣方[549]握强兵，不能制[550]，甚患[551]之。

时邺都留守、侍卫马步都指挥使刘知远在大梁。泰宁节度使桑维翰知重荣已蓄奸谋，又虑朝廷重违[552]其意，密[553]上疏曰：“陛下免于晋阳之难[554]而有天下，皆契丹之功也，不可负[555]之。今重荣恃勇[556]轻敌，吐浑假手报仇[557]，皆非国家之利，不可听也。臣窃观[558]契丹数年以来，士马精强，吞噬[559]四邻，战必胜，攻必取，割中国之土地，收中国之器械[560]。其君智勇过人，其臣上下辑睦[561]，牛马[27]蕃息[562]，国无天灾，此未可与为敌也。且中国新败[563]，士气凋沮[564]，以当契丹乘胜之威，其势[565]相去甚远。又，和亲既绝，则当发兵守塞[566]，兵少则不足以待寇[567]，兵多则馈运无以继之[568]。我出则彼归，我归则彼至，臣恐禁卫之士疲于奔命[569]，镇、定之地无复遗民[570]。今天下粗安[571]，疮痍未复，府库虚竭，蒸民[572]困弊，静而守之[573]，犹惧不济，其可妄动乎！契丹与国家恩义非轻，信誓甚著，彼[574]无间隙[575]，而自启衅端[576]，就使克之[577]，后患愈重。万一不克，大事去矣。议者[578]以岁输缯帛谓之耗蠹[579]，有所卑逊谓之屈辱。殊不知兵连而不休，祸结而不解，财力将匮，耗蠹孰甚焉！用兵则武吏功臣过求姑息[580]，边藩远郡得以骄矜，下陵上替[581]，屈辱孰大焉！臣愿陛下训农习战[582]，养兵息民，俟国无内忧，民有余力，然后观衅而动，则动必有成[583]矣。又，邺都富盛，国家藩屏[584]，今主帅[585]赴阙，军府无人。臣窃思慢藏诲盗[586]之言，勇夫重闭[587]之义，乞陛下略加巡幸，以杜[588]奸谋。”帝谓使者曰：“朕比日[589]以来，烦懑[590]不决。今见卿奏，如醉醒矣。卿勿以为忧。”

时不再来。沦陷在胡虏境内的各节度使，都伸长脖子，踮起脚跟，以等待王师的到来，实在值得哀怜，希望朝廷早日决定计策。”表章有好几千字，大体上都是斥责晋高祖父事契丹，竭尽中原所有来向贪得无厌的胡虏献媚。又把这个意思写成书信送给朝廷权贵，并移送各藩镇，说已经调兵遣将，一定和契丹决战。晋高祖因为安重荣正掌握有强大的兵力，不能节制，深感担忧。

当时邺都留守、侍卫马步都指挥使刘知远在大梁。泰宁节度使桑维翰知道安重荣已经怀有奸恶的阴谋，又担心朝廷难违其意，就秘密上疏说：“陛下免于晋阳之难而据有天下，都是契丹的功劳，不能有负于契丹。现在安重荣依仗勇力而轻视敌人，吐谷浑想借我国之手报仇，这都不是国家的利益所在，不能听从。臣私下观察契丹多年以来，士兵马匹精锐强悍，吞并四邻，战必胜，攻必取，割取中原的土地，收缴中原的器械。他们的国君智勇过人，他们的臣子上下和睦，牛马繁殖，国无天灾，这些都说明不能与他们为敌。况且中原刚刚战败，士气沮丧，以此来抵挡契丹乘胜的威势，力量对比相差太远。另外，和亲的关系断绝后，就应当调兵守卫边塞，但兵少了则不足以对抗敌人，兵多了后勤运输又跟不上。我军出击敌人就回去，我军回来敌人又到来，臣怕禁卫士兵疲于奔命，镇州、定州一带的地方不再有遗留的百姓。如今天下大致安定下来，战争的创伤还没有恢复，府库空虚，民众困苦，平静地守护国家，还担心不能成功，怎么能够轻举妄动呢！契丹与我们国家恩义不轻，信誉和誓约都很明白。契丹没有破绽，而我们自己挑起事端，即使战胜他们，后患也会愈加严重。万一不能战胜，国家大事就完了。发表意见的人认为每年输送缯帛给契丹叫作耗损国库，有所卑躬谦逊叫作委屈受辱。殊不知两国交战不休，祸患交结而不能消除，国家的财力即将匮乏，与耗损国库相比哪一个更严重呢！用兵作战，武官功臣就会过分地要求姑息迁就他们，边藩远郡得以骄傲自大，下属欺凌，朝廷衰败，与委屈受辱相比哪一个危害更大呢！臣希望陛下训导农事，习练兵战，对士卒和百姓休养生息，等到国家没有内忧，百姓有了余力，然后观察时机采取行动，那么行动一定成功。另外，邺都富裕兴盛，是国家的屏障。如今主帅入朝，军府中没有管事的人。臣想到不经心收藏财物，无异于教人盗窃这句话，想起勇敢的人也要把内外的门户层层关闭起来的道理，乞求陛下略加巡视，以杜绝奸谋。”晋高祖对使者说：“朕连日以来，烦闷不安，不能做决定。今天看见你的奏章，如同醉中醒来。请你不要担忧。”

【段旨】

以上为第十三段，写安重荣上表晋高祖反击契丹，桑维翰奏称安重荣蓄谋奸计误国。

【注释】

⑤⑩② 山南东道：方镇名，治所在今湖北襄阳。⑤⓪③ 金、商：皆州名，金州治所在今陕西安康，商州治所在今陕西商洛市商州区。两州为山南东道西境，与蜀相接。蜀出兵金、商，震动关中，遥应襄阳。⑤⓪④ 丁亥：五月二十八日。⑤⓪⑤ 险远：路途艰险遥远。⑤⓪⑥ 不足制敌：不能制服敌人。⑤⓪⑦ 漕挽不继：粮食装备的运输跟不上。漕，水运。挽，陆运。⑤⓪⑧ 辞：推辞不允。⑤⓪⑨ 遗：致送。⑤①⓪ 谕以祸福：对他说明反叛的利害关系，劝他不要谋反。⑤①① 诬奏：诬陷高从诲谋反，向朝廷奏报。⑤①② 王保义：江陵（今湖北江陵）人，累官荆南武泰军留后。传见《十国春秋》卷一百二。⑤①③ 具奏其状：详细地奏陈安从进欲谋反的情状。⑤①④ 耻臣契丹：耻于向契丹称臣。⑤①⑤ 箕踞慢骂：两脚伸直岔开，形似簸箕，摆出一副轻慢态度，开口辱骂。慢，通“谩”。⑤①⑥ 使：契丹使者。⑤①⑦ 让帝：责备石敬瑭。⑤①⑧ 逊谢：恭顺地表示歉意。⑤①⑨ 戊午：六月二十九日。⑤②⓪ 拽剌：契丹使者名。⑤②① 博野：县名，在今河北博野。⑤②② 吐谷浑：其先为鲜卑慕容部，游牧于今辽宁锦州西北。西晋末度陇，据今甘肃临夏及青海间，后又西徙至今青海湖西，号其国曰吐谷浑。⑤②③ 两突厥：东突厥和西突厥。突厥，我国古族名，公元六世纪时，游牧于金山一带。隋开皇二年（公元五八二年）分裂为东、西突厥。⑤②④ 浑：古部族名，居于今宁夏境内。⑤②⑤ 契苾：古部落名，铁勒诸部之一。隋唐时居于天山。⑤②⑥ 沙陀：西突厥之别种，居蒲类之东，唐宪宗时降唐，居盐州。唐末李克用壮大，逐鹿中原，其子李存勖建立后唐。这里指后唐沙陀余部。⑤②⑦ 党项：古族名，羌人的一支。唐末居于今陕北、宁夏、甘肃、青海一带。⑤②⑧ 告身职牒：授官委任状和任职文书。⑤②⑨ 陵暴：欺凌虐待。⑤③⓪ 上秋：七月。⑤③① 朔州：州名，治所善阳，在今山西朔州。石敬瑭割让契丹后，置节镇。⑤③② 归命：归顺晋朝。⑤③③ 承奉：应承、侍奉。⑤③④ 衅端：事端；矛盾。⑤③⑤ 其如：怎奈；无奈。⑤③⑥ 天道：天命。⑤③⑦ 诸节度使：指赵

【原文】

闽王曦闻王延政以书招[591]泉州刺史王继业，召继业还，赐死于郊外[592]，杀其子于泉州。初，继业为汀州刺史，司徒兼门下侍郎、同平章事杨沂丰[593]为士曹参军，与之亲善[594]。或告沂丰与继业通[28]谋，沂丰方侍宴，即收[595]下狱，明日斩之，夷[596]其族。沂丰，涉之从弟也，时年八十余，国人哀之。自是宗族勋旧相继被诛，人不自保[597]。谏议大夫黄峻[598]舁榇[599]诣朝堂极谏，曦曰："老物[600]狂发矣！"贬漳州[29]司户。

曦淫侈无度[601]，资用不给，谋于国计使南安陈匡范[602]。匡范请日进

德钧、董温琪、沙彦珣、翟璋等。㊳没：陷没。㊴虏庭：指契丹。㊵延颈企踵：伸长头颈，踮起脚跟。表示殷切盼望。㊶良可哀闵：实在觉得可怜。闵，通“悯”。㊷斥：斥责。㊸父事契丹：用对待父亲之礼侍奉契丹。㊹媚：讨好；取媚。㊺无厌：没有满足。㊻朝贵：朝廷中亲贵大臣。㊼移：移文。㊽勒兵：率领军队。㊾方：刚刚。㊿制：节制；驾驭。551患：担忧。552重违：难违。553密：秘密地。554晋阳之难：指后唐遣张敬达包围太原。555负：辜负。556恃勇：依仗勇力。557假手报仇：借我国之手为他报仇。558窃观：私下观察。559吞噬：吞吃；并吞。560器械：武器装备。561辑睦：安辑和睦。562蕃息：繁育。563中国新败：指张敬达晋安之败，赵德钧团柏之败。564士气凋沮：军士的勇气凋零、沮丧。565势：声势；力量。566守塞：把守要塞。567待寇：对抗敌人。568无以继之：无法源源不绝地输送。569疲于奔命：忙于奔走应付而致筋疲力尽。570无复遗民：不再有遗留的老百姓。571粗安：大致安定。572蒸民：黎民百姓。573静而守之：平静地守卫国家。574彼：指契丹。575间隙：破绽。576自启衅端：自己挑起祸端。577就使克之：即使战胜了契丹。578议者：发表意见的人。579耗蠹：侵蚀或消耗国家财富。580过求姑息：对他们过分的要求加以包涵。581下陵上替：谓功臣藩镇欺凌朝廷，朝廷衰败，纲纪不振。替，衰颓。582训农习战：训导农业，习练战事。583成：成功；成就。584藩屏：屏障。585主帅：指邺都留守刘知远。586慢藏诲盗：语出《易大传》，意即自己保管财物不慎，无异于教导人来偷窃。喻祸由自取。587勇夫重闭：语出《左传》成公八年申公巫臣之言。意谓勇敢的人也要把门户层层关闭。588杜：杜绝；堵塞。589比日：连日。590烦懑：烦闷。

【校记】

［26］轻：原无此字。据章钰校，十二行本、乙十一行本、孔天胤本皆有此字，今据补。［27］马：原作“羊”。据章钰校，十二行本、乙十一行本皆作“马”，今据改。

【语译】

闽王王曦听说王延政写信约请泉州刺史王继业，召王继业返回后，赐死在福州郊外，在泉州杀了他的儿子。当初，王继业任汀州刺史，司徒兼门下侍郎、同平章事杨沂丰为士曹参军，和他的关系亲密友好。有人诬告杨沂丰与王继业是同谋，杨沂丰正在陪侍闽王宴饮，当即把他收捕下狱，第二天杀了他，夷灭了他的家族。杨沂丰是杨涉的堂弟，时年八十多岁，闽国的民众哀怜他。从此宗族、元勋、旧臣相继被杀，人人不能自保。谏议大夫黄峻抬着棺材前往朝堂极力劝谏，王曦说：“这个老东西的狂病又发作了！”把他贬为漳州司户。

王曦淫乱奢侈无度，费用不足，就和国计使南安人陈匡范谋划。陈匡范请求每

万金，曦悦，加匡范礼部侍郎。匡范增算⑬商贾数倍。曦宴群臣，举酒属⑭匡范曰："明珠美玉，求之可得。如匡范人中之宝，不可得也！"未几，商贾之算不能足日进⑮，贷⑯诸省务钱⑰以足之。恐事觉，忧悸而卒，曦祭赠甚厚。诸省务以匡范贷帖⑱闻，曦大怒，斫棺，断其尸弃水中，以连江人黄绍颇⑲代为国计使。绍颇请"令欲仕者，自非荫补，皆听输钱即授之。以资望[30]高下及州县户口多寡定其直⑳，自百缗至千缗"。从之。

【段旨】

以上为第十四段，写闽主王曦昏庸残暴，滥杀宗族勋旧，千方百计剥削黎民。

【注释】

⑨招：招致。⑩郊外：福州郊外。城外三十里为郊。⑪杨沂丰（？至公元九四一年）：后唐宰相杨涉堂弟，官汀州士曹参军。传见《十国春秋》卷九十五。⑫亲善：亲爱友善。⑬收：逮捕。⑭夷：诛灭。⑮人不自保：人人不能自保。⑯黄峻：官闽谏议大夫，鉴于王曦昏暴，抬棺上谏。对人说："国事如此，合非永隆，恐是大昏元年。"传见《十国春秋》卷九十六。⑰舁榇：抬着棺材。⑱老物：老东西；老家伙。骂人的话。⑲淫侈无度：荒淫奢侈没有节制。⑳陈匡范：南安（今福建南安）人，官闽国计使，以聚敛取悦

【原文】

唐主自以专权取吴⑪，尤忌宰相权重。以右仆射兼中书侍郎、同平章事李建勋执政岁久，欲罢之。会建勋上疏言事，意其留中⑫。既而⑬唐主下有司施行。建勋自知事挟爱憎⑭，密⑮取所奏改之。秋，七月戊辰⑯，罢建勋归私第。

帝忧安重荣跋扈⑰，己巳⑱，以刘知远为北京⑲留守、河东节度使，复以辽、沁隶河东。以北京留守李德琉为邺都留守。知远微时⑳，为晋阳李氏赘婿㉑。尝牧马，犯㉒僧田，僧执而笞之㉓。知远至晋阳，首召其僧，命之坐，慰谕赠遗㉔，众心大悦。

天收入一万金，王曦很高兴，加任陈匡范为礼部侍郎。陈匡范把商人的税额增加了好几倍。王曦宴饮群臣，举杯向陈匡范敬酒说：“明珠美玉，寻找就可以获得。像陈匡范这样的人中之宝，不可得到！”不久，向商人征收的税额不能满足每天应收入的钱数，就借用政府各部门的费用来补足。陈匡范害怕事情被发觉，忧虑害怕而死，王曦祭祀追赠非常丰厚。各部门把陈匡范借钱的文书上报朝廷，王曦大怒，剖棺断尸，丢弃水中，任命连江人黄绍颇代理国计使。黄绍颇请求“命令那些想要做官的人，只要不是因祖先有功勋而补官的，全都听任纳钱授官。根据资历、职权和名望的高低，以及州县户口数的多少来确定官位的价值，从一百缗到一千缗”。王曦听从了这一建议。

闽王。传见《十国春秋》卷九十八。⑹⓪③算：纳税的计量单位。⑹⓪④属：敬酒。⑹⓪⑤不能足日进：不能满足每日收进万金的要求。⑹⓪⑥贷：借用。⑹⓪⑦诸省务钱：政府各机关费用。⑹⓪⑧贷帖：借钱的文书。⑹⓪⑨黄绍颇：连江（今福建连江）人，为人刻深多计数。官至闽泉州刺史。传见《十国春秋》卷九十八。⑹①⓪直：价格。

【校记】

［28］通：原作“同”。据章钰校，十二行本、乙十一行本、孔天胤本皆作“通”，今据改。［29］漳州：原作“章州”。胡三省注云：“‘章州’当作‘漳州’。”据章钰校，乙十一行本作“漳州”，严衍《通鉴补》亦改作“漳州”，当是，今据改。［30］资望：两字间原有空格。据章钰校，十二行本、乙十一行本、孔天胤本皆无空格，今据删。

【语译】

唐主自认为是靠专擅权柄而取得了吴国王位，所以特别忌讳宰相权重。因右仆射兼中书侍郎、同平章事李建勋执政的年代太长，想要罢免他。适逢李建勋上疏言事，他估计这封奏疏会留在皇帝处不下发。后来不久唐主把这封奏疏下交给有关部门去施行。李建勋自己知道奏疏所谈之事夹杂着个人的爱憎，便秘密地取回奏疏修改。秋，七月初十日戊辰，罢免李建勋，让他回到自己家里去。

晋高祖担忧安重荣飞扬跋扈，七月十一日己巳，任命刘知远为北京留守、河东节度使，又把辽州、沁州隶属于河东。任命北京留守李德琉为邺都留守。刘知远卑微时，入赘晋阳李氏做女婿。曾经放牧马匹，侵害了僧人的田地，僧人把他抓住鞭打。刘知远到了晋阳，首先叫来那个僧人，让他坐下，又抚慰又赠送礼物，众人心里大为高兴。

吴越府署火，宫室府库几尽[625]。吴越王元瓘惊惧，发狂疾[626]。唐人争劝唐主乘弊[627]取之，唐主曰："奈何利人之灾[628]！"遣使唁[629]之，且赒[630]其乏。

闽主曦自称大闽皇，领威武节度使，与王延政治兵相攻[631]，互有胜负。福、建之间，暴骨如莽[632]。镇武节度判官晋江潘承祐[633]屡请息兵修好，延政不从。闽主使者至，延政大陈甲卒以示之，对使者语甚悖慢[634]。承祐长跪切谏，延政怒，顾左右曰："判官之肉可食乎？"承祐不顾，声色愈厉。闽主曦恶泉州刺史王继严[635]得众心，罢归，鸩杀[636]之。

八月戊子朔[637]，以开封尹郑王重贵为东京[638]留守。

冯道、李崧屡荐天平节度使兼侍卫亲军马步副都指挥使、同平章事杜重威之能，以为都指挥使，充随驾御营使，代刘知远。知远由是恨二相。重威所至黩货[639]，民多逃亡。尝出过市[640]，谓左右曰："人言我驱尽百姓，何市人之多也！"

壬辰[641]，帝发[642]大梁。己亥[643]，至邺都。壬寅[644]，大赦。帝以诏谕[645]安重荣曰："尔身为大臣，家有老母，忿不思难[646]，弃君与亲[647]。吾因[648]契丹得天下，尔因吾致[649]富贵，吾不敢忘德[650]，尔乃忘之[651]，何邪？今吾以天下臣之，尔欲以一镇抗之，不亦难乎！宜审思[652]之，无取后悔！"重荣得诏愈骄，闻山南东道节度使安从进有异志，阴[653]遣使与之通谋。

【段旨】

以上为第十五段，写冯道、李崧二相秉承晋高祖之意，荐贪婪无能之杜重威为都指挥使，为晋亡张本。安重荣阴结安从进谋反。

【注释】

[611]取吴：取得吴国政权。[612]意其留中：估计留在皇帝处不下发。[613]既而：不久。[614]事挟爱憎：奏疏所谈之事夹杂着个人的爱憎。[615]密：秘密地。[616]戊辰：七月十日。[617]跋扈：专横暴戾。[618]己巳：七月十一日。[619]北京：后晋太原府。[620]微时：处境微贱时；未

吴越王的府衙失火，宫殿、府库几乎被烧光。吴越王钱元瓘惊慌恐惧，患了精神病。唐国人争相劝说唐主乘吴越困难时夺取吴越，唐主说："怎么能够利用别人的灾害而取利呢！"派遣使者慰问吴越，并且接济他们。

闽主王曦自称为大闽皇，兼任威武节度使，与王延政整军相攻，互有胜负。福州、建州之间，暴露的尸骨多如草莽。镇武节度判官晋江人潘承祐一再请求停止战争，建立友好关系，王延政不肯听从。闽主的使者到来，王延政大量士兵列阵，向使者显示，对使者讲话非常傲慢无礼。潘承祐直身跪在地上，痛切地劝谏，王延政很生气，看看身边的人说："判官的肉可以吃吗？"潘承祐也不看王延政，声色更加严厉。闽主王曦厌恶泉州刺史王继严深得民心，罢免他的官职让他回家，用毒酒毒死了他。

八月初一日戊子，任命开封尹郑王石重贵为东京留守。

冯道、李崧多次推荐天平节度使兼侍卫亲军马步副都指挥使、同平章事杜重威的才能，任命他为都指挥使，充当随驾御营使，代替刘知远。刘知远因此怀恨这两位宰相。杜重威所到之处贪污财货，百姓大多逃亡。他曾经出来经过街市，对身边的人说："人们都说我把老百姓全赶走了，为什么街市上的人这么多！"

八月初五日壬辰，晋高祖从大梁出发。十二日己亥，到达邺都。十五日壬寅，大赦天下。晋高祖下诏晓谕安重荣说："你身为大臣，家有老母，因小愤而不考虑国难，抛弃国君与老母。我依靠契丹得到天下，你靠我达到富贵，我不敢忘记契丹的恩德，你竟然忘记了契丹，为什么？如今我拥有天下而臣服契丹，你想用一个藩镇的力量抵抗契丹，不也太难了吗？你应该审慎地考虑，不得后悔！"安重荣得到诏书更加骄横，听说山南东道节度使安从进有异图，就暗中派使者和他串通谋划。

做官时。㉑赘婿：上门的女婿。㉒犯：侵犯。㉓笞之：鞭打他。㉔慰谕赠遗：抚慰、赠送，以示不念旧怨。㉕几尽：几乎全光了。㉖狂疾：精神失常。㉗乘弊：乘着别人困难的时候。㉘奈何利人之灾：怎么可以因人之灾而取利。㉙唁：慰问。㉚赒：救济。㉛治兵相攻：率兵互相攻打。㉜暴骨如莽：暴露的白骨像密生的野草。语出《左传》哀公元年。㉝潘承祐：晋江（今福建晋江）人，曾向王延政上十事奏疏，指斥弊政，削职罢归。传见《十国春秋》卷九十六。㉞悖慢：无理而傲慢。㉟王继严：王延钧子。传见《十国春秋》卷九十四。㊱鸩杀：用毒酒毒死。㊲戊子朔：八月初一日。㊳东京：开封府。㊴黩货：贪污财物。㊵市：街市。㊶壬辰：八月初五日。㊷发：出发。㊸己亥：八月十二日。㊹壬寅：八月十五日。㊺谕：晓谕；开导。㊻忿不思难：因小愤而不考虑国难。㊼弃君与亲：抛弃国君和老母。㊽因：依靠。㊾致：达到。㊿忘德：忘记契丹的恩德。(651)之：契丹。(652)审思：审慎地思考。(653)阴：暗暗地。

【原文】

吴越文穆王元瓘寝疾⑮，察内都监章德安⑯忠厚，能断大事，欲属⑯以后事，语之曰："弘佐尚少，当择宗人长者立之。"德安曰："弘佐虽少，群下伏其英敏⑰，愿王勿以为念！"王曰："汝善辅之，吾无忧矣。"德安，处州人也。辛亥⑱，元瓘卒。

初，内牙指挥使戴恽，为元瓘所亲任，悉⑲以军事委之。元瓘养子弘侑乳母，恽妻之亲⑳也，或㉑告恽谋立弘侑。德安秘不发丧㉒，与诸将谋，伏㉓甲士于幕下。壬子㉔，恽入府，执而杀之。废弘侑为庶人，复姓孙，幽㉕之明州㉖。是日，将吏以元瓘遗命，承制㉗以镇海、镇东副大使弘佐为节度使，时年十四[31]。九月庚申㉘，弘佐即王位，命丞相曹仲达摄政㉙。军中言赐与不均㉚，举仗㉛不受，诸将不能制㉜。仲达亲谕之㉝，皆释仗㉞而拜㉟。

弘佐温恭㊱，好书礼士，躬勤政务，发擿奸伏㊲，人不能欺。民有献嘉禾㊳者，弘佐问仓吏㊴："今蓄积几何？"对曰："十年。"王曰："然则军食足矣，可以宽吾民。"乃命复其境内税三年㊵。

辛酉㊶，滑州言河决㊷。

帝以安重荣杀契丹使者，恐其犯塞，乙亥㊸，遣安国节度使杨彦询使于契丹。彦询至其帐，契丹主[32]责以使者死状㊹。彦询曰："譬如人家有恶子，父母所不能制，将如之何？"契丹主怒乃解。

【段旨】

以上为第十六段，写吴越王钱元瓘去世，其子钱弘佐即王位。

【注释】

⑮寝疾：卧病不起。⑯章德安：处州丽水（今浙江丽水）人，累官至吴越内都监。为人忠直，钱元瓘委以辅佐钱弘佐。传见《十国春秋》卷八十六。⑯属：通"嘱"，嘱咐。⑰英敏：英明敏捷。⑱辛亥：八月二十四日。⑲悉：全部。⑳亲：亲戚。㉑或：有

【语译】

吴越文穆王钱元瓘卧病不起，他察知内都监章德安为人忠厚，能够决断大事，想托以后事，就对他说："弘佐年龄还小，应当选择宗族里年纪大的立为王。"章德安说："弘佐虽然年龄小，但是群臣佩服他的英明敏捷，请大王不要为此担忧！"文穆王说："你好好地辅佐他，我就没有什么担忧的了。"章德安是处州人。八月二十四日辛亥，钱元瓘去世。

当初，内牙指挥使戴恽被钱元瓘亲近重用，把军事全部委托给他。钱元瓘的养子钱弘侑的奶妈，是戴恽妻子的亲戚，有人告发戴恽谋立钱弘侑。章德安秘不发丧，与诸将谋划，在幕后埋伏甲兵。八月二十五日壬子，戴恽进入王府，把他抓起来杀了。钱弘侑被废为平民，恢复孙姓，关押在明州。这一天，将军和官吏根据钱元瓘的遗命，秉承皇帝制书任命镇海、镇东副大使钱弘佐为节度使，时年十四岁。九月初三日庚申，钱弘佐即王位，命令丞相曹仲达摄理政务。军队里说赏赐不均，举起兵器不肯接受，各位将领不能约束。曹仲达亲自劝导，大家便都放下兵器下拜。

钱弘佐温和谦恭，喜欢读书，礼待士人，亲自勤理政务，揭发隐秘的坏人坏事，人们不能欺骗他。百姓有献上好稻禾的，钱弘佐询问仓库官吏："现今粮食积蓄多少？"回答说："能用十年。"钱弘佐说："那么军队的粮食足够了，可以对我国民众宽松一些。"于是命令免除境内的三年税收。

九月初四日辛酉，滑州上报说黄河决口。

晋高祖因为安重荣杀了契丹使者，害怕契丹人侵犯边塞。十八日乙亥，派遣安国节度使杨彦询出使契丹。杨彦询到了契丹主的帐幕，契丹主责问使者死亡的情况。杨彦询说："这好比一个人家里有恶子，父母不能管束，能将他怎么样呢？"契丹主听了后，怒气才消除了。

人。⑥⑥② 秘不发丧：秘元瓘之丧而不发布消息。⑥⑥③ 伏：埋伏。⑥⑥④ 壬子：八月二十五日。⑥⑥⑤ 幽：囚禁。⑥⑥⑥ 明州：州名，治所在今浙江宁波。⑥⑥⑦ 承制：承奉诏制。⑥⑥⑧ 庚申：九月初三日。⑥⑥⑨ 摄政：摄理政务。⑥⑦⓪ 赐与不均：赏赐的钱物不公平。⑥⑦① 举仗：举起兵器。仗，刀、戟等武器的总称。⑥⑦② 制：约束。⑥⑦③ 亲谕之：亲自晓谕开导他们。⑥⑦④ 释仗：丢掉兵器。⑥⑦⑤ 拜：表示服从。⑥⑦⑥ 温恭：温和谦恭。⑥⑦⑦ 发擿奸伏：揭发隐秘的坏人坏事。⑥⑦⑧ 嘉禾：生长茂盛、籽粒饱满的稻禾，表示祥瑞。⑥⑦⑨ 仓吏：官名，掌管粮库。⑥⑧⓪ 复其境内税三年：免缴吴国境内农业税收三年。复，免。⑥⑧① 辛酉：九月初四日。⑥⑧② 河决：黄河决口。⑥⑧③ 乙亥：九月十八日。⑥⑧④ 死状：被杀的情况。

【校记】

[31] 十四：胡三省注云："欧史曰'年十三'。"严衍《通鉴补》改作"十三"。[32] 主：原无此字。据章钰校，十二行本、乙十一行本、孔天胤本皆有此字，今据补。

【原文】

闽主曦以其子琅邪王亚澄为威武节度使兼中书令，改号长乐王。

刘知远遣亲将郭威以诏指说[685]吐谷浑酋长白承福，令去[686]安重荣归朝廷，许以节钺[687]。威还，谓知远曰："虏惟利是嗜[688]，安铁胡[689]止以袍袴赂之。今欲其来，莫若[690]重赂乃可致[691]耳。"知远从之，且使谓承福曰："朝廷已割尔曹隶契丹，尔曹当自安部落[692]。今乃南来助安重荣为逆[693]，重荣已为天下所弃，朝夕败亡。尔曹宜早从化[694]，勿俟临之以兵[695]，南北无归，悔无及矣。"承福惧，冬，十月，帅其众归于知远。知远处之[696]太原东山及岚[697]、石[698]之间，表承福领大同节度使，收其精骑以隶麾下。

始，安重荣移檄[699]诸道，云与吐谷浑、达靼、契苾同起兵。既而承福降知远，达靼、契苾亦莫之赴[700]，重荣势大沮[701]。

闽主曦即皇帝位。王延政自称兵马元帅。闽同平章事李敏卒。

帝之发大梁也，和凝请[702]曰："车驾已行，安从进若反，何以备之[703]？"帝曰："卿意如何？"凝请密留空名宣敕[704]十数通[705]，付留守郑王，闻变则书诸将名，遣击之[706]。帝从之。

十一月，从进举兵攻邓州[707]，唐州刺史武延翰以闻[708]。郑王遣宣徽南院使张从恩、武德使焦继勋、护圣都指挥使郭金海[709]、作坊使陈思让将大梁兵就申州刺史李建崇[710]兵于叶县[711]以讨之。金海，本突厥。思让，幽州人也。丁丑[712]，以西京留守高行周为南面军前都部署，前同州节度使宋彦筠副之，张从恩监焉。又以郭金海为先锋使，陈思让监焉。彦筠，滑州人也。

庚辰[713]，以邺都留守李德珫权东京留守，召郑王重贵如邺都。

安从进攻邓州，威胜节度使安审晖据牙城[714]拒之，从进不能克

【语译】

闽主王曦任命他的儿子琅邪王王亚澄为威武节度使兼中书令，改封号为长乐王。

刘知远派遣亲信将领郭威根据皇帝诏书的意思劝说吐谷浑酋长白承福，让他离开安重荣归附朝廷，答应授予他符节和斧钺。郭威返回，对刘知远说："胡虏唯利是图，安铁胡只是用长袍和裤子一类的东西去收买他们。现在想要他们前来，不如用丰厚的贿赂，让他们过来。"刘知远听从了这一建议，并且派使者告诉白承福说："朝廷已经割让你们隶属契丹，你们应当自己安心在部落生活。现在竟然南来帮助安重荣叛逆。安重荣已经被天下人抛弃，早晚会败亡。你们应该尽早服从教化，不要等到大兵降临，南北无处可归，后悔就来不及了。"白承福害怕了，冬，十月，率领他的部众归附于刘知远。刘知远把他们安置在太原东山和岚州、石州之间，上表请求白承福担任大同节度使，收编他的精锐骑兵，隶属于自己的部下。

开始时，安重荣传檄各道，说与吐谷浑、达靼、契苾共同起兵。不久白承福投降了刘知远，达靼、契苾也没有前往赴约，安重荣的声势大为削弱。

闽主王曦登上了皇帝之位。王延政自称兵马元帅。闽国同平章事李敏去世。

晋高祖从大梁出发，和凝请示说："皇帝车驾出发后，如果安从进反叛，用什么来防备他？"晋高祖说："你的意思如何？"和凝请求秘密留下空着名字的宣旨和敕令十几份，交给留守郑王石重贵，听到变乱就写上各个将领的名字，派遣他们去攻打。晋高祖听从了这一建议。

十一月，安从进起兵攻打邓州，唐州刺史武延翰上报朝廷。郑王石重贵派遣宣徽南院使张从恩、武德使焦继勋、护圣都指挥使郭金海、作坊使陈思让率领大梁士兵，会合申州刺史李建崇的士兵，在叶县讨伐安从进。郭金海，原本是突厥人。陈思让，是幽州人。二十一日丁丑，任命西京留守高行周为南面军前都部署，前同州节度使宋彦筠做他的副手，张从恩监军。又任命郭金海为先锋使，陈思让监军。宋彦筠，是滑州人。

二十四日庚辰，任命邺都留守李德珫暂时代理东京留守，召郑王石重贵前往邺都。

安从进攻打邓州，威胜节度使安审晖占据牙城抵抗他，安从进未能攻克，退走

而退。癸未⑮，从进至花山⑯，遇张从恩兵，不意其至之速，合战⑰，大败。从恩获其子牙内都指挥使弘义，从进以数十骑奔还襄州，婴城⑱自守。

唐主性节俭，常蹑蒲屦⑲，盥颒⑳用铁盎㉑，暑则寝于青葛帷㉒，左右使令㉓惟老丑宫人，服饰粗略。死国事者㉔，虽士卒[33]皆给禄㉕三年。分遣使者按行民田㉖，以肥瘠㉗定其税，民间称其平允㉘。自是江、淮调兵兴役㉙及他赋敛，皆以税钱为率㉚，至今用之。唐主勤于听政，以夜继昼，还自江都，不复宴乐㉛。颇伤躁急㉜，内侍王绍颜上书，以为"今春以来，群臣获罪者众，中外疑惧"。唐主手诏㉝释其所以然㉞，令绍颜告谕㉟中外。

【段旨】

以上为第十七段，写安从进反叛，为官军所败，婴城自守。唐主李昪节俭，薄赋税，勤政事，江、淮安定。

【注释】

685以诏指说：用皇帝密诏的旨意劝说。686去：离开。687许以节钺：允许他担任节度使。节钺，符节及大斧，为节度使仪节标志。688惟利是嗜：只要有利就爱好。犹今言唯利是图。689安铁胡：安重荣小字。690莫若：不如。691致：招致。692自安部落：自己安心在部落中生活。693为逆：行大逆不道之事。694从化：服从教化。695临之以兵：大兵降临。696处之：安置他们。697岚：县名，在今山西岚县。698石：石家庄，在今山西忻州。699移檄：传送檄文。700莫之赴：没有前往参加。701大沮：大大地削弱。702请：请示。703备之：防备他。704空名宣敕：不填姓名的任命书。宣，出于枢密院。敕，出于中书、门下。705通：道；张。706遣击之：派遣他们打击安从进。707邓州：州名，在今河南邓州。708以闻：向朝廷报告。709郭金海：突厥人，官商州刺史。传见《旧五代史》卷九

了。十一月二十七日癸未，安从进到达花山，遭遇张从恩的部队，没有想到他来得这么迅速，双方交战，大败。张从恩俘获了他的儿子牙内都指挥使安弘义，安从进带领几十个骑兵逃回襄州，环城自守。

唐主生性节俭，经常脚穿蒲草鞋子，洗手、洗脸使用铁盆子，暑天就睡在青葛帷帐里，左右使唤听命的只是些又老又丑的宫女，服饰粗糙简单。为国家而死的人，即使是士兵都给俸禄三年。分派使者考察民田，根据土地的肥沃或贫瘠确定租税，民间都称道这种方法公平合理。从此，江、淮地区的调发士卒、兴办劳役以及其他赋敛，都以税钱为比率征收，到今天仍采用这种办法。唐主勤于听理政事，夜以继日，从江都回来后，不再宴饮娱乐。但是颇为急躁所伤，内侍王绍颜上书，认为“今年春天以来，群臣获罪的众多，朝廷内外疑惧”。唐主亲自下诏书，解释这样的原因，命令王绍颜告谕朝廷内外。

十四。⑩李建崇（？至公元九五三年）：潞州（今山西长治）人，初从李克用，性敦厚，不能巧佞，以致久滞偏裨。征战四十余年，部下多至节度使，而李建崇未能得节钺。传见《旧五代史》卷一百二十九。⑪叶县：县名，在今河南叶县。⑫丁丑：十一月二十一日。⑬庚辰：十一月二十四日。⑭牙城：邓州衙城。⑮癸未：十一月二十七日。⑯花山：地名，在今河南南阳，因山上有彩石辉映，望之如花，因名花山。⑰合战：交战。⑱婴城：环城。⑲常蹑蒲屦：常常穿着蒲苇织的草鞋。⑳盥頮：洗手和洗面。洗手为盥，涤面为頮。㉑铁盎：铁制的腹大口小的盆器。㉒青葛帷：青色的葛布蚊帐。㉓左右使令：在王身边服侍、宣令的人。㉔死国事者：为国牺牲的人。㉕禄：俸禄。㉖按行民田：核实、察看老百姓的田地。㉗肥瘠：田地土质的肥沃或贫瘠。㉘平允：公平合理。㉙调兵兴役：调发兵卒，兴办劳役。㉚皆以税钱为率：都以税钱为比率征收。㉛宴乐：宴饮娱乐。㉜颇伤躁急：颇为急躁所伤。㉝手诏：亲手写诏书。㉞释其所以然：解释群臣中有人获罪的原因。㉟告谕：布告、晓谕。

【校记】

［33］虽士卒：原无此三字。据章钰校，十二行本、乙十一行本、孔天胤本皆有此三字，张瑛《通鉴校勘记》同，今据补。

【原文】

十二月丙戌朔[736]，徙郑王重贵为齐王、充邺都留守，以李德玧为东都留守。

丁亥[737]，以高行周知襄州行府事。诏荆南[738]、湖南[739]共讨襄州。高从诲遣都指挥使李端将水军数千至南津[740]，楚王希范遣天策都军使张少敌[741]将战舰百五十艘入汉江助行周，仍各运粮以馈之。少敌，佶[742]之子也。

安重荣闻安从进举兵反，谋遂决[743]。大集境内饥民，众至数万，南向邺都，声言入朝。初，重荣与深州[744]人赵彦之俱为散指挥使，相得欢甚[745]。重荣镇成德，彦之自关西[746]归之，重荣待遇甚厚，使彦之招募党众，然心实忌之。及举兵，止用为排陈使，彦之恨之。

帝闻重荣反，壬辰[747]，遣护圣等马步三十九指挥击之。以天平节度使杜重威为招讨使，安国节度使马全节副之，前永清[748]节度使王周[34]为马步都虞候。

安从进遣其弟从贵将兵逆均州[749]刺史蔡行遇。焦继勋邀击[750]，败之，获从贵，断其足[751]而归之。

戊戌[752]，杜重威与安重荣遇于宗城[753]西南。重荣为偃月陈[754]，官军再击之[755]，不动。重威惧，欲退。指挥使宛丘王重胤曰："兵家忌退[756]。镇[757]之精兵尽在中军，请公分锐士[758]击其左右翼，重胤为公以契丹直[759]冲其中军，彼必狼狈[760]。"重威从之。镇人陈稍却[761]，赵彦之卷旗策马[762]来降。彦之以银饰铠胄及鞍勒，官军杀而分之。重荣闻彦之叛，大惧，退匿[763]于辎重中。官军从而乘之[764]，镇人大溃，斩首万五千级。

重荣收余众，走保宗城。官军进攻，夜分[765]，拔之。重荣以十余骑走还镇州，婴城自守。会天寒，镇人战及冻死者二万余人。

契丹闻重荣反，乃听[766]杨彦询还[767]。

庚子[768]，冀州刺史张建武等取赵州[769]。

汉主寝疾，有胡僧[770]谓汉主名龚不利。汉主自造"龑"字名之，义取"飞龙在天[771]"，读若"俨"。

庚戌[772]，制以钱弘佐为镇海、镇东[35]节度使兼中书令、吴越国王。

【语译】

十二月初一日丙戌，徙封郑王石重贵为齐王、充任邺都留守，任命李德珫为东都留守。

初二日丁亥，任命高行周掌管襄州行府事。下诏命令荆南、湖南一起讨伐襄州。高从诲派遣都指挥使李端率领水军数千人到达汉水南岸，楚王马希范派遣天策都军使张少敌率领战舰一百五十艘进入汉江援助高行周，仍然各自运粮以保证供给。张少敌，是张佶的儿子。

安重荣听说安从进起兵反叛，他的谋划便决定下来。他大规模地集合辖境内的饥民，人数达到好几万，向邺都南进，声称要入朝。当初，安重荣与深州人赵彦之都任散指挥使，彼此关系非常融洽。安重荣镇守成德，赵彦之从关西归附他，安重荣待他很优厚，让赵彦之招募党徒，但是心里其实很嫉恨赵彦之。等到起兵时，只任用他为排陈使，赵彦之也对安重荣怀恨在心。

晋高祖听说安重荣反叛，十二月初七日壬辰，派遣护圣等马步三十九指挥攻打安重荣。任命天平节度使杜重威为招讨使，安国节度使马全节做他的副手，前永清节度使王周为马步都虞候。

安从进派他的弟弟安从贵带兵迎接均州刺史蔡行遇。焦继勋拦击，打败了他，抓获安从贵，砍断他的脚，把他带回。

十二月十三日戊戌，杜重威与安重荣在宗城西南遭遇。安重荣布设偃月阵，官军两次攻打他，阵列不动。杜重威害怕，想要撤退。指挥使宛丘人王重胤说："兵家临阵忌讳退兵。安重荣的镇州精兵全在中军，请您分一部分锐士攻打他的左右两翼，我王重胤替您带着契丹直冲击他的中军，他一定狼狈不堪。"杜重威听从了这一建议。镇州兵的阵列果然稍有后退，赵彦之卷着旗帜鞭打着马前来投降。赵彦之使用银子装饰铠甲和马鞍缰勒，官军把他杀了，瓜分了这些东西。安重荣听说赵彦之叛变，大为恐惧，撤退，躲在辎重之中。官军跟随其后乘机攻打他，镇州兵大败，被斩杀一万五千人。

安重荣收拾残余部队，逃走，守卫宗城。官军进击，半夜时，攻取宗城。安重荣带着十几个骑兵逃回镇州，环城自守。适逢天寒，镇州兵战死及冻死的有两万多人。

契丹人听说安重荣反叛，同意杨彦询回去。

十五日庚子，冀州刺史张建武等人夺取赵州。

汉主卧病不起，有一个胡族僧人说汉主名叫"龚"不吉利。汉主便自己造了一个"龑"字作名字，取《易经》中"飞龙在天"的意思，读音跟"俨"字相同。

二十五日庚戌，皇帝下制书任命钱弘佐为镇海、镇东节度使兼中书令、吴越国王。

【段旨】

以上为第十八段，写安重荣反叛，南进至宗城全军覆没。

【注释】

㊱ 丙戌朔：十二月初一日。㊲ 丁亥：十二月初二日。㊳ 荆南：指荆南高从诲。㊴ 湖南：指楚马希范。㊵ 南津：汉水南岸。㊶ 张少敌：官楚都指挥使。马希范死，在议立嗣王上与李弘皋等有分歧，托疾不出。传见《十国春秋》卷七十三。㊷ 佶：张佶，与楚王马殷同时起事。㊸ 谋遂决：谋反的决心才定。㊹ 深州：州名，治所安平，在今河北深州。㊺ 相得欢甚：彼此关系十分融洽。㊻ 关西：地区名，即函谷关以西关中地区。㊼ 壬辰：十二月初七日。㊽ 永清：方镇名，后晋以贝州为永清军。治所贝州，在今河北清河。㊾ 均州：州名，治所武当，在今湖北十堰。㊿ 邀击：拦击。751 断其足：斩断他的脚。752 戊戌：十二月十三日。753 宗城：县名，在今河北威县东。754 偃月陈：阵名，呈半月形。陈，通“阵”。755 再击之：两次冲击偃月阵。756 兵家忌退：军事家忌退兵，一退，敌有可乘之机，我有溃乱之险。757 镇：镇州成德军。758 锐士：禁卫军名。759 契丹直：禁卫军名，选契丹雄健者组成。760 狼狈：困顿窘迫的样子。761 稍却：稍退。762 卷旗策马：卷起旗帜，鞭打着马。763 匿：躲。764 从而乘之：因赵彦之投降而乘势进攻。765 夜分：半夜。766 听：任凭。767 杨彦询还：本年九月杨彦询出使契丹。768 庚子：十二月十五日。769 赵州：州名，治所平棘，在今河北赵县。冀州、赵州皆为安重荣巡属。770 胡僧：汉族对少数民族僧人的称谓。771 飞龙在天：语出《易经》：“飞龙在天，利见大人。”772 庚戌：十二月二十五日。

【校记】

［34］王周：原作“王清”。据章钰校，十二行本、乙十一行本皆作“王周”，张瑛《通鉴校勘记》同，今据改。〖按〗《通鉴纪事本末》《旧五代史》皆作“王周”。［35］镇东：“东”下原有“军”字。据章钰校，十二行本、乙十一行本、孔天胤本皆无“军”字，今据删。

【研析】

本卷研析李昇建立南唐、安重荣反叛两件史事。

第一，李昇建立南唐。李昇，即徐温养子徐知诰称帝后所更名。徐知诰在受禅前先更名去“知”字，示与徐氏诸子不同列。升平二年，唐群臣以徐温之子江王徐知证为首，多次上表请唐主复姓李。正月二十三日乙丑，唐主接受群臣之请，复姓李。二月初三日乙亥，改太祖庙曰义祖庙。李昇初受禅，尊徐温为太祖，今复姓李，以温为义父，故改太祖为义祖。二月初七日己卯，唐主为李氏考妣发哀，追祖认宗，国号大唐，示意兴复唐室。史称南唐，以别于中原李存勖之唐。李昪为何氏之子，籍贯何地，史籍记载有歧。薛史载李昪为海州人，唐玄宗第六子永王李璘之后，乃李昪自称。欧洲史称李昪为徐州人，少孤贫，流寓濠间，初为杨行密所得，收为养子，不为杨氏诸子所容，杨行密转托徐温收养。《通鉴考异》引《江南录》、李昊《蜀后主实录》、《吴越备史》，另立三说。《江南录》称李昪是唐宪宗第六子建王李恪之后裔。《蜀后主实录》说李昪是薛王李知柔之后，生于岭南。李知柔为大唐岭南节度使，卒于官，李昪流落江、淮，于是为徐温养子。《吴越备史》称李昪本姓潘，湖州安吉人，吴将李神福攻安吉得李昪，于是潘氏子冒姓李，后为徐温养子。《吴越备史》编造李昪为潘氏之子，未必是实录。总之，李昪为何氏之子，何方人氏，李昪或不愿，或不知，自己也说不清楚。最后以大臣之议，以唐太宗子吴王恪为祖。吴王恪在唐高宗朝以谋反罪被冤杀，其孙祎在唐玄宗朝官至朔方节度使有边功，祎子李岘为宪宗朝宰相，李昪引以为荣。李岘以下传五世至李昪之父李荣，其名皆为主管部门编造。于是南唐太庙徐、李二姓杂陈。唐高祖、唐太宗、唐义祖徐温，皆为不祧之主。群臣认为："义祖诸侯，不宜与高祖、太宗同享。"请建别庙礼之。唐主李昪曰："吾自幼托身义祖，向非义祖有功于吴，朕安能启此中兴之业？"群臣不敢再说话。五代时两唐国，沙陀人李存勖建后唐，李昪冒姓李氏建南唐。王夫之评论说，君臣父子的伦理全乱了套，"漫取一人而子之，遂谓之子；漫推一鬼而祖考之，遂谓之祖考"。大唐李氏亡灵地下有知，是不会接受这样的子孙的。南唐太庙，两姓共祀，实为奇观。

第二，安重荣反叛。安重荣小字铁胡，朔州人。唐末为振武巡边指挥使，性格粗鲁莽撞，擅骑射，有力气。石敬瑭起兵，安重荣最先投靠。石敬瑭称帝，授安重荣成德节度使。安重荣亲见唐末帝李从珂、晋高祖石敬瑭都是凭借手中一镇兵力取天下，时常对人说："如今天下的皇帝，兵强马壮的人就可以当。"这就是五代乱世留给军阀们的信念。专制政体的本质就是强权，历代中央政府解体后的军阀混战莫不如是，直到二十世纪三十年代的北洋军阀和土匪军阀，如曹锟、张作霖，皆是安重荣式的人物。晋高祖天福六年（公元九四一年），安重荣反叛，官兵往讨一触即溃，安重荣随即被诛灭。安重荣只是一个跳梁小丑，其死不足惜，对于因这场反叛而被裹胁冤死的数万军民，则是飞来横祸，无处申诉。强权政治不根除，黎民的灾难就永无了期。

卷第二百八十三　后晋纪四

起玄黓摄提格（壬寅，公元九四二年），尽阏逢执徐（甲辰，公元九四四年）正月，凡二年有奇。

【题解】

本卷记事起公元九四二年，迄公元九四四年正月，凡两年又一个月，当后晋高祖天福七年至齐王开运元年正月。后晋高祖平定安重荣、安从进两镇之乱，不久崩殂，石重贵即位，是为出帝。景延广专权，排斥桑维翰，外结怨于契丹，内失政于民，是一乱国之臣。南汉刘龑去世，刘玢立，旋为弟刘弘熙所杀，刘弘熙立，更名晟。闽国王延政称帝于建州，国号殷，与福州闽主王曦势不两立，闽国内乱。南汉民众借助神灵起事。楚国蛮夷为乱。殷主王延政、南汉中宗刘晟、闽主王曦、楚主马希范，均为昏庸暴虐之主，无一善政可言。南唐烈祖李昪辞世，李璟立，冯延巳、冯延鲁、魏岑、查文徽、陈觉五人皆倾巧小人，朋比为奸，世谓之"五鬼"。后晋出帝，中庸之主，忠奸不辨，用人唯亲。契丹大举南犯，占贝州、夺军储，晋出帝求和未果，契丹兵渡黄河，高行周奉命拒敌。

【原文】

高祖圣文章武明德孝皇帝下

天福七年（壬寅，公元九四二年）

春，正月丁巳①，镇州牙将自西郭②水碾门③导④官军入城，杀守陴⑤民二万人，执安重荣，斩之。杜重威杀导者，自以为功。庚申⑥，重荣首至邺都，帝命漆之，函送契丹。癸亥⑦，改镇州为恒州⑧，成德军为顺国军⑨。丙寅⑩，以门下侍郎、同平章事赵莹为侍中，以杜重威为顺国节度使兼侍中。安重荣私财及恒州府库，重威尽有之，帝知而不问。又表卫尉少卿⑪范阳王瑜⑫为副使，瑜为之重敛⑬于民，恒人不胜其苦。

张式父铎诣阙讼冤⑭。壬午⑮，以河阳节度使王周为彰义节度使，代张彦泽。

闽主曦立皇后李氏⑯，同平章事真之女也。嗜酒刚愎⑰，曦宠而惮之⑱。

【语译】

高祖圣文章武明德孝皇帝下

天福七年（壬寅，公元九四二年）

春，正月初二日丁巳，镇州牙将从镇州西城外郭水碾门引领官军进入城内，杀死守城民众二万人，活捉安重荣，杀死了他。杜重威杀了引领官军进城的那个牙将，把官军进城的功劳据为己有。初五日庚申，安重荣的首级传送到邺都，晋高祖命令把头涂上漆，装在匣中送给契丹。初八日癸亥，把镇州改名为恒州，把成德军改名为顺国军。十一日丙寅，任命门下侍郎、同平章事赵莹为侍中，任命杜重威为顺国军节度使兼侍中。安重荣的个人财产和恒州府库中的财物，杜重威全部据为己有，晋高祖知道这种情况，却不过问。杜重威又上表推荐卫尉少卿范阳人王瑜为恒州节度副使，王瑜借此对百姓横征暴敛，恒州的百姓痛苦不堪。

张式的父亲张铎到朝廷为儿子申诉冤屈。正月二十七日壬午，任命河阳节度使王周为彰义节度使，取代张彦泽。

闽主王曦册立李氏为皇后，李氏是同平章事李真的女儿。她嗜好喝酒，又固执不听人言，王曦宠爱她，又惧怕她。

彰武节度使丁审琪，养部曲[19]千人，纵之[20]为暴于境内。军校贺行政与诸胡相结为乱，攻延州[21]。帝遣曹州防御使何重建将兵救之，同、鄜[22]援兵继至，乃得免[23]。二月癸巳[24]，以重建为彰武留后，召审琪归朝。重建，云、朔间胡人也。

唐左丞相宋齐丘固求豫政事[25]，唐主听入中书[26]。又求领尚书省，乃罢侍中寿王景遂判尚书省，更[27]领中书、门下省，以齐丘知尚书省事。其三省事并取齐王璟参决[28]。齐丘视事数月，亲吏夏昌图盗官钱三千缗，齐丘判贷其死[29]。唐主大怒，斩昌图。齐丘称疾[30]，请罢省事[31]，从之。

泾州奏遣押牙陈延晖持敕书诣[32]凉州，州中将吏[33]请延晖为节度使。

三月，闽主曦立长乐王亚澄为闽王。

【段旨】

以上为第一段，写杜重威贪婪，杀安重荣后劫夺其财物为私有。彰武节度使丁审琪横暴，激起兵变。

【注释】

①丁巳：正月初二日。②西郭：西面外城。③水碾门：用水为动力碾米的地方。④导：引导；向导。⑤守陴：守城。陴，城上女墙。⑥庚申：正月初五日。⑦癸亥：正月初八日。⑧恒州：镇州，镇州本为恒州，避唐穆宗李恒讳改名镇州，现仍改旧名。治所在今河北正定。⑨顺国军：晋改成德军为顺国军。⑩丙寅：正月十一日。⑪卫尉少卿：官名，卫

【原文】

张彦泽在泾州，擅[34]发兵击诸胡[35]，兵皆败没[36]，调民马千余匹以补之。还至陕，获亡将[37]杨洪，乘醉断其手足而斩之。王周奏彦泽在镇贪残不法[38]二十六条，民散亡者五千余户。彦泽既至，帝以其有军功[39]，又与杨光远连姻，释[40]不问。

彰武节度使丁审琪豢养家兵一千人，听任他们施暴境内。军中校官贺行政和众胡人互相勾结作乱，攻打延州。晋高祖派遣曹州防御使何重建率兵救援延州，同州、鄜州的援兵也相继赶到，延州城才得以幸免。二月初九日癸巳，任命何重建为彰武留后，把丁审琪召回朝廷。何重建，是云州、朔州一带的胡人。

唐国左丞相宋齐丘坚持要求参与朝政，唐主就允许他进入中书省。他又要求管尚书省，唐主就撤销侍中寿王李景遂判理尚书省一职，改管中书、门下两省，而任命宋齐丘执掌尚书省的事务。以上三省的事务都要得到齐王李璟的参与决断。宋齐丘治事几个月，他的亲信夏昌图便盗窃了三千贯官钱，宋齐丘免去他的死罪。唐主大为恼怒，把夏昌图斩首。宋齐丘推辞有病，请求免去尚书省的职务，唐主同意了。

泾州奏报说派押牙陈延晖带着皇帝的敕书到凉州，凉州的文武官员请求陈延晖任节度使。

三月，闽主王曦册立长乐王王亚澄为闽王。

尉寺副贰，协助卫尉卿掌禁卫。⑫王瑜（公元九〇八至九四六年）：范阳（今河北涿州）人，性凶狡，擅长骑射、刀笔。为郡盗酋长所杀。传见《旧五代史》卷九十六。⑬重敛：加重征收。⑭诣阙讼冤：到朝廷申诉冤枉。张彦泽杀张式事见上卷。⑮壬午：正月二十七日。⑯李氏：景宗王曦后，司空李真之女。传见《十国春秋》卷九十四。⑰嗜酒刚愎：喜欢饮酒，执拗倔强。⑱惮之：害怕她。⑲部曲：亲兵。⑳纵之：放纵他们。㉑延州：彰武节度使治所，在今陕西延安。㉒同、鄜：同州和鄜州。同州治所在今陕西大荔，鄜州治所在今陕西富县。㉓免：幸免。㉔癸巳：二月初九日。㉕豫政事：参与朝政事务。㉖中书：中书省。㉗更：改。㉘参决：参酌决定。㉙贷其死：免其死罪。㉚称疾：假装生病。㉛请罢省事：请求罢免知尚书省事。㉜诣：到。㉝将吏：将军和官吏，指文武官员。

【语译】

张彦泽在泾州，擅自发兵攻打各部胡人，军队战败覆没，便征调民间一千多匹马用以补充。他回到陕州时，抓到逃亡的将领杨洪，借着酒醉，砍下杨洪的手脚，又砍下他的头。王周上奏张彦泽在泾州贪婪残暴违法等事二十六条，百姓逃亡五千多户。张彦泽回到朝廷以后，晋高祖因为他有军功，又和杨光远联姻，就对张彦泽置之不问。

夏，四月己未㊶，右谏议大夫郑受益上言："杨洪所以被屠㊷，由陛下去岁送张式与彦泽，使之逞志㊸。致彦泽敢肆凶残㊹，无所忌惮。见闻之人无不切齿㊺，而陛下曾不动心㊻，一无诘让㊼。淑慝莫辨㊽，赏罚无章㊾。中外皆言陛下受彦泽所献马百匹，听其如是。臣窃为陛下惜此恶名㊿，乞正彦泽罪法以湔洗(51)圣德。"疏奏，留中。受益，从说之兄子也。

庚申(52)，刑部郎中李涛等伏阁(53)极论(54)彦泽之罪，语甚切至(55)。辛酉(56)，敕："张彦泽削一阶(57)，降爵(58)一级。张式父及子弟皆拜官(59)。泾州民复业(60)者，减其徭赋(61)。"癸亥(62)，李涛复与两省及御史台官伏阁奏彦泽罚太轻，请论如法(63)。帝召涛面谕之。涛端笏前迫殿陛(64)，论辨[1]声色俱厉。帝怒，连叱之，涛不退。帝曰："朕已许彦泽不死。"涛曰："陛下许彦泽不死，不可负。不知范延光铁券安在(65)！"帝拂衣起，入禁中。丙寅(66)，以彦泽为左龙武大将军。

【段旨】

以上为第二段，写晋高祖违众怙恶张彦泽，纲纪荡然。

【注释】

㉞擅：擅自。㉟诸胡：各少数民族。㊱败没：失败而溃散。㊲亡将：逃亡的将领。㊳贪残不法：贪婪残暴，目无法纪。㊴有军功：指讨伐范延光有功。㊵释：弃置。㊶己未：四月初六日。㊷屠：屠杀。㊸逞志：达到心愿。㊹敢肆凶残：敢于肆无忌惮地行凶作恶。㊺切齿：咬牙，表示愤怒。㊻曾不动心：连心都不动。㊼一无诘让：一点都不责备。㊽淑慝莫辨：善恶不能辨别。淑，善。慝，大奸。㊾赏罚无章：奖励和惩

【原文】

汉高祖(67)寝疾，以其子秦王弘度(68)、晋王弘熙(69)皆骄恣，少子越王弘昌孝谨有智识，与右仆射兼西御院使王翷(70)谋出弘度镇邕州、弘

夏，四月初六日己未，右谏议大夫郑受益进言说：“杨洪之所以被屠杀，是由于陛下去年把张式交给张彦泽，使他心意得逞。以致张彦泽敢于纵其残暴，无所畏忌。凡是看到或听说他的行径的人，无不咬牙切齿，而陛下从来不动心，一点也没有责备。善恶不加分辨，奖励与惩罚没有章法。朝廷内外都说是陛下接受了张彦泽所进献的一百匹马，所以才听任他这样做的。臣私下为陛下担此恶名而惋惜，请求陛下将张彦泽问罪正法，借以洗清皇上的圣德。”奏章呈上去，留在禁中。郑受益，是郑从谠哥哥的儿子。

四月初七日庚申，刑部郎中李涛等人匍匐在阁门前痛切论述张彦泽的罪行，说得很切中要害。初八日辛酉，皇帝下敕令：“张彦泽的官阶削去一等，爵位降低一级。张式的父亲以及子弟都授予官职。泾州百姓已经恢复从事各项职业的，减轻他们的徭役和赋税。”初十日癸亥，李涛又和中书、门下两省以及御史台的官员们匍匐在阁门前奏称对张彦泽的处罚太轻，请求依法治罪。晋高祖召见李涛，当面向他解释。李涛双手捧着朝笏向前挨近殿阶，辩论时的声音和脸色都很严厉。皇帝恼怒，连声训斥他，李涛毫不退让。晋高祖说：“朕已经答应张彦泽免死。”李涛说：“陛下答应张彦泽免死，认为不可食言。不知赐给范延光的铁券又在哪里！”晋高祖气得甩袖起来回宫去了。十三日丙寅，任命张彦泽为左龙武大将军。

罚没有规章。㊿惜此恶名：惋惜担负这个坏名声。(51)湔洗：洗刷。(52)庚申：四月初七日。(53)伏阁：伏阁门下奏事，由阁门使告知皇帝。(54)极论：深刻地论述。(55)切至：切中要害。(56)辛酉：四月初八日。(57)阶：武散阶。唐制，共分四十五等。(58)爵：封爵。唐制，共分九等。(59)拜官：授官。(60)复业：恢复从事各项职业。(61)徭赋：徭役和赋税。(62)癸亥：四月初十日。(63)如法：按照法律。(64)涛端笏前迫殿陛：李涛手持笏板向前迫近殿阶。极写李涛犯颜直谏的举动。(65)安在：在什么地方。(66)丙寅：四月十三日。

【校记】

［1］论辨：原无此二字。据章钰校，十二行本、乙十一行本、孔天胤本皆有此二字，张敦仁《通鉴刊本识误》、张瑛《通鉴校勘记》同，今据补。

【语译】

南汉高祖刘龑卧病在床，认为他的儿子秦王刘弘度、晋王刘弘熙都骄横放纵，小儿子越王刘弘昌孝顺恭谨，聪明有识见，就和右仆射兼西御院使王翷商量，把刘弘度派出去镇守邕州，把刘弘熙派出去镇守容州，立刘弘昌为太子。制书将要颁行，

熙镇容州，而立弘昌。制命将行，会崇文使萧益[71]入问疾，以其事访之[72]。益曰："立嫡以长，违之必乱。"乃止。丁丑[73]，高祖殂。

高祖为人辩察[74]，多权数[75]，好自矜大[76]，常谓中国天子为"洛州刺史[77]"。岭南[78]珍异所聚，每穷奢极丽，宫殿悉以金玉珠翠为饰[79]。用刑惨酷[80]，有灌鼻[81]、割舌、支解[82]、刳剔[83]、炮炙[84]、烹蒸[85]之法。或聚毒蛇水中，以罪人投之，谓之水狱。同平章事杨洞潜谏，不听。末年尤猜忌，以士人多为子孙计[86]，故专任宦官。由是其国中宦者大盛。

秦王弘度即皇帝位，更名玢。以弘熙辅政[87]，改元光天。尊母赵昭仪[88]曰皇太妃。

契丹以晋招纳吐谷浑，遣使来让[89]。帝忧悒[90]不知为计[91]。五月己亥[92]，始有疾。

乙巳[93]，尊太妃刘氏[94]为皇太后。太后，帝之庶母也。

唐丞相、太保宋齐丘既罢尚书省，不复朝谒[95]。唐主遣寿王景遂劳问[96]，许镇洪州，始入朝。唐主与之宴[97]，酒酣，齐丘曰："陛下中兴，臣之力也，奈何忘之！"唐主怒曰："公以游客干[98]朕，今为三公，亦足矣。乃与人言朕乌喙[99]如句践[100]，难与共安乐，有之乎？"齐丘曰："臣实有此言。臣为游客时，陛下乃偏裨[101]耳。今日杀臣可矣。"明日，唐主手诏[102]谢之曰："朕之褊性[103]，子嵩平昔所知[104]。少相亲，老相怨，可乎！"丙午[105]，以齐丘为镇南[106]节度使。

帝寝疾，一日[2]，冯道独对。帝命幼子重睿[107]出拜之，又令宦者抱重睿置道怀中，其意盖欲道辅立之。六月乙丑[108]，帝殂。道与天平节度使、侍卫马步都虞候景延广议，以国家多难，宜立长君[109]，乃奉广晋尹齐王重贵为嗣。

是日，齐王即皇帝位。延广以为己功，始用事，禁都下人无得偶语[110]。初，高祖疾亟[111]，有旨召河东节度使刘知远入辅政[112]，齐王寝之[113]。知远由是怨[114]齐王[115]。丁卯[116]，尊皇太后曰太皇太后[117]，皇后曰皇太后[118]。

适逢崇文使萧益进宫探望病情，高祖就这件事征求他的看法。萧益说："在嫡子中立太子一定要立长子，违反这一原则必然引起祸乱。"这件事便作罢了。四月二十四日丁丑，高祖刘龑去世。

高祖为人善辩明察，很有权谋，喜欢自我吹嘘，常说中原天子是"洛州刺史"。岭南地区是珍宝异物的聚集之地，他往往穷极奢侈华丽，宫殿全部用黄金、美玉、珍珠、翡翠做装饰。用刑残酷，有灌鼻、割舌头、分解肢体、挖肉剔骨、火烤、烹蒸等手段。或者把许多毒蛇放入水中，把罪人投进去，叫作水狱。同平章事杨洞潜劝阻他，他不听。到了晚年特别猜忌，认为士人大都是为自己的子孙着想，所以他一心任用宦官。因此在他的朝中当宦官的人特别多。

秦王刘弘度即位成为皇帝，改名为玢。任用刘弘熙辅佐朝政，改年号为光天。尊奉生母赵昭仪为皇太妃。

契丹因为晋朝招纳了吐谷浑，派使者来责问。晋高祖忧郁烦闷，不知怎么办。五月十六日己亥，开始生病。

二十二日乙巳，尊奉太妃刘氏为皇太后。太后，是晋高祖的庶母。

唐国丞相、太保宋齐丘被免去尚书省的职务以后，就不再入朝进见了。唐主派寿王李景遂去慰问他，答应让他去镇守洪州，他才开始入朝进见。唐主和宋齐丘宴饮，喝到酒意正浓，宋齐丘说："陛下完成中兴大业，是我出的力呀，怎么忘了呢！"唐主生气地说："你是以游说之人主动求见，现在位至三公，也该满足了吧。竟然跟人说我像勾践一样长了个乌鸦嘴，难以与人共享安乐，有这话没有？"宋齐丘说："臣确实讲过这话。臣为游说之客时，陛下只不过是个偏将而已。今天杀臣就是了。"第二天，唐主亲手写了诏书向宋齐丘道歉，说："我的急脾气，子嵩您过去也是知道的。年轻时相互亲近，到老了反而相互怨恨，能行吗？"五月二十三日丙午，任命宋齐丘为镇南节度使。

晋高祖卧病不起，一天，只有冯道一个人陪着他。晋高祖唤幼子石重睿出来拜见他，又命令宦官抱起石重睿放到冯道怀中，其用意想必是让冯道辅佐他为帝。六月十三日乙丑，晋高祖去世。冯道与天平节度使、侍卫马步都虞候景延广商议，因为国家多危难，应该立年纪大的为君主，就拥立广晋尹齐王石重贵为嗣君。

当天，齐王即皇帝位。景延广把这件事当作自己的功劳，刚开始执政，就禁止京师的人相对私语。当初，晋高祖病危，有诏旨调河东节度使刘知远进京辅佐朝政，这道命令被齐王搁置下来。刘知远因此怨恨齐王。六月十五日丁卯，尊奉皇太后为太皇太后，皇后为皇太后。

【段旨】

以上为第三段，写南汉主刘龑去世，晋高祖石敬瑭驾崩，出帝石重贵即位。

【注释】

㊽汉高祖：南汉高祖刘龑。㊾弘度：刘弘度（公元九二〇至九四三年），《新五代史》作“洪度”，名玢，刘龑第三子。刘龑死，嗣位。公元九四二至九四三年在位。荒淫无道，被杀。卒谥殇。传见《旧五代史》卷一百三十五、《新五代史》卷六十五、《十国春秋》卷五十九。㊿弘熙：李弘熙（公元九二〇至九五八年），初名弘熙，改名晟，杀弘度后为帝，公元九四三至九五八年在位，庙号中宗。传见《旧五代史》卷一百三十五、《新五代史》卷六十五、《十国春秋》卷五十九。⑦⓪王翻（？至公元九四五年）：官至南汉右仆射。传见《十国春秋》卷六十三。⑦①萧益：官南汉崇文使。传见《十国春秋》卷六十三。⑦②访之：询问他。⑦③丁丑：四月二十四日。⑦④辩察：能言善辩而苛察。⑦⑤权数：权术。⑦⑥好自矜大：喜欢夸大自己。⑦⑦洛州刺史：中原天子建都洛阳，该地原本为洛州刺史所治。此言中原天子政令不能远播，只是相当于过去洛州刺史之职。⑦⑧岭南：地区名，指五岭以南地区。⑦⑨饰：装饰。⑧⓪惨酷：惨烈残酷。⑧①灌鼻：用水灌入鼻子。⑧②支解：分尸。⑧③刳剔：挖肉剔骨。⑧④炮炙：在烧红的铜、铁板上烤炙。⑧⑤烹蒸：在镬里蒸烧。⑧⑥为子孙计：替

【原文】

闽富沙王延政围汀州，闽主曦发漳⑪⑨、泉兵五千救之。又遣其将林守亮入尤溪⑫⓪，大明宫使黄敬忠屯尤口⑫①，欲乘虚袭建州。国计使黄绍颇将步卒八千为二军声援。

秋，七月壬辰⑫②，太皇太后刘氏殂。

闽富沙王延政攻汀州，四十二战，不克而归。其将包洪实、陈望将水军以御福州之师。丁酉⑫③，遇于尤口。黄敬忠将战，占者⑫④言时刻未利⑫⑤，按兵不动。洪实等引兵登岸，水陆夹攻之，杀敬忠，俘斩二千级，林守亮、黄绍颇皆遁归。

庚子⑫⑥，大赦。

癸卯⑫⑦，加景延广同平章事，兼侍卫马步都指挥使。

勋旧⑫⑧皆欲复置枢密使，冯道等三表[3]，请以枢密旧职⑫⑨让之⑬⓪。帝不许。

子孙打算。⑧⑦辅政：协助处理政务。⑧⑧赵昭仪：刘龑妃，大有时进位昭仪。传见《十国春秋》卷六十一。⑧⑨让：责备。⑨⓪忧悒：忧愁郁闷。⑨①不知为计：不知用什么办法对付为好。⑨②己亥：五月十六日。⑨③乙巳：五月二十二日。⑨④刘氏：石敬瑭生母。⑨⑤朝谒：上朝拜谒。⑨⑥劳问：慰劳问候。⑨⑦与之宴：与宋齐丘宴饮。⑨⑧干：求；求取。⑨⑨乌喙：乌鸦的嘴巴。⑩⓪句践：春秋时越国的国君。越范蠡致文种书，说越王勾践为人，长颈乌喙，可与同患难，不可与同安乐。⑩①偏裨：裨将；下级军官。⑩②手诏：亲手写诏书。⑩③褊性：性气褊狭。⑩④知：了解。⑩⑤丙午：五月二十三日。⑩⑥镇南：方镇名，唐懿宗咸通六年（公元八六五年）升江南西道团练观察使为镇南军节度使。吴、南唐仍沿袭之，治所洪州，在今江西南昌。⑩⑦重睿：石敬瑭幼子，拟立为帝。以景延广已许诺重贵嗣位，故不得立，后为契丹所掳。传见《新五代史》卷十七。⑩⑧乙丑：六月十三日。⑩⑨长君：年纪大的为君。⑪⓪偶语：相对私语。⑪①疾亟：疾病严重。⑪②辅政：协助处理政务。⑪③寝之：搁置了这件事。⑪④怨：怨恨。⑪⑤齐王：石重贵。⑪⑥丁卯：六月十五日。⑪⑦太皇太后：石敬瑭生母刘氏。⑪⑧皇太后：石敬瑭妻李氏。

【校记】

［2］日：原作“旦”。张敦仁《通鉴刊本识误》云：“‘旦’作‘日’。”严衍《通鉴补》改作“日”，当是，今据以校正。

【语译】

闽国富沙王王延政包围汀州，闽主王曦调集漳州、泉州的士兵五千人救援汀州。又派遣他的将领林守亮进入尤溪，大明宫使黄敬忠驻扎尤溪口，打算乘着对方空虚袭击建州。国计使黄绍颇率领步兵八千人做林、黄二军的声援。

秋，七月初十日壬辰，太皇太后刘氏去世。

闽国富沙王王延政攻打汀州，经过四十二次交战，攻不下来，撤兵返回。他的部将包洪实、陈望率领水军防御福州的军队。七月十五日丁酉，两军在尤溪口相遇。黄敬忠要交战，占卜的人说时辰不吉利，黄便按兵不动。包洪实等人引兵上岸，从水陆两面夹攻福州军，杀了黄敬忠，共俘虏和斩杀了二千人，林守亮、黄绍颇都逃了回去。

七月十八日庚子，大赦天下。

二十一日癸卯，加封景延广同平章事，兼任侍卫马步都指挥使。

元勋旧臣们都想恢复枢密使，冯道等人三次上表，建议把枢密使以前所掌职责从中书省分出来。晋出帝没有同意。

有神⑬¹降于博罗县⑬²民家，与人言而不见其形⑬³。闾阎⑬⁴人往占吉凶，多验，县吏张遇贤事之甚谨。时循州⑬⁵盗贼群起，莫相统一⑬⁶。贼帅共祷⑬⁷于神，神大言曰："张遇贤当为汝主。"于是群帅[4]共奉遇贤，称中天八国王，改元永乐，置百官，攻掠海隅⑬⁸。遇贤年少，无他方略⑬⁹，诸将但告进退而已。

汉主以越王弘昌为都统，循王弘杲⑭⁰为副以讨之，战于钱帛馆。汉兵不利，二王皆为贼所围。指挥使陈道庠⑭¹等力战救之，得免。东方州县⑭²多为遇贤所陷。道庠，端州人也。

高行周围襄州逾年⑭³，不下。城中食尽，奉国军⑭⁴都虞候曲周王清言于行周曰："贼城已危，我师已老⑭⁵，民力已困⑭⁶，不早迫之，尚何俟⑭⁷乎！"与奉国都指挥使元城刘词帅众先登。八月，拔之⑭⁸。安从进举族自焚。

【段旨】

以上为第四段，写闽国内讧，南汉民众借神灵起事，高行周平定消灭安从进。

【注释】

⑪⁹漳：州名，治所龙溪，在今福建漳州。⑫⁰尤溪：县名，在今福建尤溪。⑫¹尤口：尤溪口，在尤溪入闽江处。⑫²壬辰：七月初十日。⑫³丁酉：七月十五日。⑫⁴占者：占卜的人。⑫⁵时刻未利：这时出战，时辰不利于我军。⑫⁶庚子：七月十八日。⑫⁷癸卯：七月二十一日。⑫⁸勋旧：有功勋的大臣和跟随石敬瑭的旧臣。⑫⁹枢密旧职：并枢密于中书省，由宰相代行，故称枢密院职为旧职。⑬⁰让之：让给原枢密院。⑬¹神：神仙。⑬²博罗县：县

【原文】

甲子⑭⁹，以赵莹为中书令。

闽主曦遣使以手诏及金器九百、钱万缗、将吏敕告六百四十通⑮⁰，求和于富沙王延政，延政不受。

有神降临在博罗县一个百姓家里，能和人说话，却不显现其身。街坊邻居去占问吉凶，往往很灵验，县府官吏张遇贤奉神极为恭谨。当时循州的盗贼群起，相互不能统一。盗贼的首领共同向神祈祷，神大声说："张遇贤应当做你们的首领。"于是众首领共同推戴张遇贤，称他为中天八国王，改年号为永乐，设置文武百官，攻打掠夺沿海一带。张遇贤年纪轻，没有其他方略，各位将领只是报告办事情况而已。

汉主任命越王刘弘昌为都统、循王刘弘杲为副都统，一起讨伐张遇贤，双方在钱帛馆交战。汉兵作战不利，越王和循王都被贼兵包围。指挥使陈道庠等人拼力死战解救他们，越王和循王才得以突围。东部各州县大都被张遇贤攻占。陈道庠，是端州人。

高行周围攻襄州一年多，仍没有攻下来。城中的粮食吃光了，奉国军都虞候曲周人王清对高行周说："叛贼的城池面临攻破，我们的军队也已疲惫，百姓已十分困乏，不早日加强攻势，还等待什么呢！"就和奉国军都指挥使元城人刘词率领士卒首先登城。八月，攻下襄州城。安从进全族自焚。

名，在今广东博罗。⑬³形：形象；形状。⑬⁴闾阎：泛指老百姓。⑬⁵循州：州名，治所龙川，在今广东龙川。⑬⁶莫相统一：互相不统一。⑬⁷祷：祈祷。⑬⁸海隅：海边各州县。⑬⁹方略：策略；谋略。⑭⁰弘杲：刘弘杲（？至公元九四三年），刘䶮第十子，封循王。传见《十国春秋》卷六十一。⑭¹陈道庠：陈道庠（？至公元九四六年），端州（今广东肇庆市高要区）人，曾遣人杀殇帝刘弘度。传见《十国春秋》卷六十六。⑭²东方州县：指广东番禺以东州县。⑭³逾年：超过一年。⑭⁴奉国军：方镇名，吴越以明州为奉国军。治所明州，在今浙江宁波。此系遥领。⑭⁵老：疲乏。⑭⁶困：困窘。⑭⁷何俟：等待什么。⑭⁸拔之：攻克了襄阳。

【校记】

［3］表：原作"奏"。据章钰校，十二行本、乙十一行本、孔天胤本皆作"表"，今据改。［4］群帅：原无此二字。据章钰校，十二行本、乙十一行本、孔天胤本皆有此二字，今据补。

【语译】

八月十三日甲子，任命赵莹为中书令。

闽主王曦派遣使者带着亲笔诏书和金器九百件、钱一万贯、给将吏的敕告六百四十份，向富沙王王延政讲和，王延政没有接受。

丙寅[151]，闽主曦宴群臣于九龙殿。从子继柔[152]不能饮，强之[153]。继柔私减其酒，曦怒，并客将[154]斩之。

闽人铸永隆通宝大铁钱，一当铅钱百。

汉葬天皇大帝[155]于康陵[156]，庙号高祖。

唐主自为吴相，兴利除害，变更旧法[157]甚多。及即位，命法官及尚书删定为《升元条》[158]三十卷。庚寅[159]，行之。

闽主曦以同平章事候官余廷英[160]为泉州刺史。廷英贪秽，掠人女子，诈称受诏采择以备后宫。事觉[161]，曦遣御史按[162]之。廷英惧，诣福州自归。曦诘责，将以属吏[163]。廷英退，献买宴钱万缗。曦悦，明日召见，谓曰："宴已买矣，皇后贡物安在?"廷英复献钱于李后，乃遣归泉州。自是诸州皆别贡[164]皇后物。未几，复召廷英为相。

冬，十月丙子[165]，张遇贤[166]陷循州，杀汉刺史刘传。

楚王希范作天策府[167]，极栋宇[168]之盛。户牖栏槛[169]皆饰以金玉，涂壁用丹砂[170]数十万斤。地衣[171]，春夏用角簟[172]，秋冬用木绵[173]。与子弟僚属游宴[174]其间。

【段旨】

以上为第五段，写闽主王曦纵酒贪暴，楚王马希范穷极奢侈。

【注释】

⑭⑨甲子：八月十三日。⑮⓪通：道；份。⑮①丙寅：八月十五日。⑮②继柔：王继柔（？至公元九四二年），王曦侄子。传见《十国春秋》卷九十四。⑮③强之：强迫他饮酒。⑮④客将：来自他国的将领。⑮⑤天皇大帝：刘龑。⑮⑥康陵：刘龑陵墓名。⑮⑦变更旧法：改变旧的法令。

八月十五日丙寅，闽主王曦在九龙殿设宴招待群臣。他的侄子王继柔不能饮酒，王曦强迫他喝，王继柔偷偷地把酒倒掉了一点，王曦发怒了，把他连同客将一起杀了。

闽国人铸造“永隆通宝”大铁钱，一枚相当于铅钱一百枚。

汉国把天皇大帝安葬在康陵，庙号称高祖。

唐主自从担任吴国宰相以后，兴利除弊，变革了很多旧有的法规。到他当皇帝以后，命令执法官和尚书把这些法规编定为《升元条》，共三十卷。九月初九日庚寅，颁布施行。

闽主王曦任命同平章事候官人余廷英为泉州刺史。余廷英贪婪污秽，抢夺民间女子，欺骗说是受诏命选取民女以充后宫。事情被发现后，王曦派御史查办他。余廷英害怕了，就到福州投案自首。王曦责问他，准备把他交给狱吏惩办。余廷英退下，进献买宴钱一万贯。王曦高兴了，第二天召见余廷英，对他说：“宴已经买了，给皇后的贡礼在哪里呢?”余廷英又给李皇后献了钱，王曦就打发他回泉州去了。从此各州都要另外进贡给皇后礼物。不久，又调任余廷英为宰相。

冬，十月二十六日丙子，张遇贤攻下循州，杀了汉国刺史刘传。

楚王马希范建造天策府，房屋修建得华丽无比。门窗栏槛都用金玉做装饰，粉刷墙壁使用丹砂几十万斤。地上铺的，春夏用细竹篾凉席，秋冬用木棉，和子弟及幕僚在里面游玩饮宴。

---

⑱《升元条》：书名，南唐法令条制汇编。⑲庚寅：九月初九日。⑳余廷英：候官（今福建闽侯）人，为官贪秽，开创向皇后进献贡物的先例。传见《十国春秋》卷九十八。㉑事觉：假称诏命事被发觉。㉒按：按问；查问。㉓属吏：交给官吏。吏，此处当指狱吏。㉔别贡：另外进贡。㉕丙子：十月二十六日。㉖张遇贤（？至公元九四三年）：循州博罗县（今广东博罗）小吏，被起事民众推为中天八国王，改元永乐。后越境入南唐，兵败被杀。传见《十国春秋》卷六十六。㉗天策府：在楚州城西北。造天策、光政等十六楼，又造天策、勤政等五堂。㉘栋宇：房屋。㉙户牖栏槛：门、窗、栏杆、门槛。㉚丹砂：矿物名，红色，可作涂料。㉛地衣：地毯。㉜角簟：竹席。剖竹为细篾而织成。㉝木绵：棉布。㉞游宴：游玩宴乐。

【原文】

十一月庚寅[175]，葬圣文章武明德孝皇帝于显陵[176]，庙号高祖。

先是河南、北诸州官自卖海盐，岁收缗钱[177]十七万。又散蚕盐敛民钱[178]。言事者称民坐私贩盐抵罪[179]者众，不若听民[5]自贩[180]，而岁以官所卖钱直敛于民[181]，谓之食盐钱[182]。高祖从之。俄而[183]盐价顿贱[184]，每斤至十钱。至是，三司使董遇欲增求羡利[185]，而难于骤变前法[186]，乃重征盐商[187]，过者[188]七钱，留卖者[189]十钱。由是盐商殆绝[190]，而官复自卖。其食盐钱，至今敛之如故[191]。

闽盐铁使、右仆射李仁遇[192]，敏之子，闽主曦之甥也。年少，美姿容，得幸于曦。十二月，以仁遇为左仆射兼中书侍郎，翰林学士、吏部侍郎李光凖为中书侍郎兼户部尚书，并同平章事。

曦荒淫无度，尝[193]夜宴，光凖醉忤旨[194]，命执送都市斩之。吏不敢杀，系[195]狱中。明日，视朝，召复其位。是夕，又宴，收[196]翰林学士周维岳下狱。吏拂榻待之[197]，曰："相公[198]昨夜宿此，尚书[199]勿忧。"醒而释之。他日，又宴，侍臣皆以[200]醉去，独维岳在。曦曰："维岳身甚小，何饮酒之多？"左右或曰[201]："酒有别肠[202]，不必长大。"曦欣然[203]，命捽[204]维岳下殿，欲剖[205]视其酒肠。或曰："杀维岳，无人复能[6]侍陛下剧饮[206]者。"乃舍之[207]。

帝之初即位也，大臣议奉表称臣告哀[208]于契丹，景延广请致书称孙而不称臣[209]。李崧曰："屈身[210]以为社稷[211]，何耻之有[212]！陛下如此，他日必躬擐甲胄[213]，与契丹战，于时悔无益矣。"延广固争[214]，冯道依违[215]其间。帝卒[216]从延广议。契丹大怒，遣使来责让[217]，且言[218]："何得[219]不先承禀[220]，遽即帝位！"延广复以不逊语[221]答之。

契丹卢龙节度使赵延寿欲代晋帝中国[222]，屡说契丹击晋，契丹主颇然之[223]。

【语译】

十一月初十日庚寅，将圣文章武明德孝皇帝安葬在显陵，庙号称高祖。

此前，黄河南北各州官府各自卖海盐，每年收入钱十七万贯。又发放蚕盐敛取百姓钱财。上奏的人说，百姓因私自贩卖海盐而被判罪的人很多，不如听任百姓自行贩卖，而每年依照官府所卖的钱数直接向百姓征收，叫作食盐钱。晋高祖同意了这个办法。不久盐价立刻便宜了，每斤落到十钱。到这时，三司使董遇想增加额外收入，又不便于一下子改回旧法，就对盐商加重征税，经过这里的盐每斤收七钱，留在这里贩卖的盐每斤收十钱。因此贩盐的商人几乎绝迹，而官府又恢复了自卖。至于食盐钱，到现在照旧征收。

闽国的盐铁使、右仆射李仁遇，是李敏之子，闽主王曦的外甥，年轻，姿容俊美，得到王曦的宠幸。十二月，任命李仁遇为左仆射兼中书侍郎，任命翰林学士、吏部侍郎李光準为中书侍郎兼户部尚书，两人均为同平章事。

王曦荒淫无度，曾经夜晚举行宴会，李光準酒醉违背了王曦的意旨，王曦下令把李光準绑送到都市上斩首。狱吏不敢杀他，就将他关押在监狱里。第二天，闽主上朝听政，把他叫来恢复了他的官位。这一天晚上，又举行宴会，逮捕翰林学士周维岳投入监狱。狱吏擦净床榻接待他，并说："宰相昨天晚上就住在这里，尚书您也不必担心。"闽主酒醒后把他释放了。还有一天，又举行宴会，陪侍的大臣都因喝醉离去，只有周维岳一个人在座。王曦说："维岳身材很小，为什么能喝这么多酒？"身边的侍者有人回答说："酒在另一副肠里，身材不一定很高大。"王曦一听高兴了，命人把周维岳揪下殿，想剖肚看看他的酒肠。有人说："杀了周维岳，就没有人能再陪侍陛下豪饮了。"这才放了他。

晋出帝刚即位时，大臣商讨向契丹奉表称臣告丧之事，景延广请求发书函只称孙不称臣。李崧说："委屈自身为了国家，有什么耻辱！陛下如果只称孙不称臣，必有一天得亲自披甲戴胄，和契丹开战，到那时后悔也无补了。"景延广坚持自己的主张，冯道在中间模棱两可。晋出帝最终听了景延广的话。契丹大为震怒，派使者前来责问，并且说："怎么可以不先来禀告，就急忙称帝呢！"景延广又用不礼貌的话回答他。

契丹的卢龙节度使赵延寿想取代后晋在中原称帝，多次劝说契丹攻打后晋，契丹主很赞同他的意见。

【段旨】

以上为第六段，写晋出帝即位，景延广专权，加盐税，不告丧契丹，内结怨于民，外启敌国之怒，是一亡国罪臣。

【注释】

⑮ 庚寅：十一月初十日。⑯ 显陵：石敬瑭陵墓名，在今河南宜阳。⑰ 缗钱：成串的钱，一千文为一缗。⑱ 散蚕盐敛民钱：每年二月，俵散蚕盐钱给农民，夏税时缴还给政府，用以剥削农民。⑲ 抵罪：因犯法而受到相应的处罚。⑳ 听民自贩：听任百姓贩运。㉑ 直敛于民：蚕盐用来裹茧。每年二月官府根据当时盐价卖给百姓蚕盐，百姓随夏税缴纳盐钱。百姓所请蚕盐，只能裹茧供食，不得买卖或与人。可参阅《五代会要》卷二十七、《通鉴》胡三省注。㉒ 食盐钱：向百姓收取费用的名目叫食盐钱。㉓ 俄而：不久。㉔ 顿贱：立即便宜。㉕ 增求羡利：追求增加盈余利润。㉖ 骤变前法：突然改变以前的方法。㉗ 重征盐商：加重征收盐商税收。㉘ 过者：经过的人。盐商过境每斤征收七钱过境税。㉙ 卖者：在当地贩卖的。盐商贩卖，每斤征收十钱卖盐税。㉚ 殆绝：几乎断绝。㉛ 敛之如故：仍旧同过去一样征收食盐钱。㉜ 李仁遇：王延羲甥。年少容美，得

【原文】

齐王[224]上

天福八年（癸卯，公元九四三年）

春，正月癸卯[225]，蜀主以宣徽使兼宫苑使田敬全领永平[226]节度使。敬全，宦者也，引前蜀王承休为比[227]而命之，国人非之。

帝闻契丹将入寇，二月己未[228]，发邺都。乙丑[229]，至东京[230]。然犹[231]与契丹问遗[232]相往来，无虚月[233]。

唐宣城王景达[234]，刚毅开爽，烈祖爱之，屡欲以为嗣。宋齐丘亟称其才，唐主以齐王璟年长而止。璟以是怨齐丘。

唐主幼子景逖[235][7]，母种氏[236]有宠，齐王璟母宋皇后稀得进见。唐主如璟宫，遇璟亲调乐器[237]，大怒，诮让[238]者数日。种氏乘间[239]言，景逖虽幼而慧，可以为嗣。唐主怒曰："子有过，父训之，常事也。国家大计，女子何得预知[240]！"即命嫁之[241]。

唐主尝梦吞灵丹，旦而方士史守冲[242]献丹方，以为神而饵之[243]，

宠幸于延羲，时人鄙之。传见《十国春秋》卷九十八。⑲㉓ 尝：曾经。⑲㉔ 忤旨：触犯皇帝意旨。⑲㉕ 系：关押。⑲㉖ 收：逮捕。⑲㉗ 拂榻待之：扫干净床铺接待他。⑲㉘ 相公：李光凖任中书侍郎兼户部尚书，并同平章事，为丞相之职，故称之为“相公”。⑲㉙ 尚书：指周维岳。⑳ 以：因。㉑ 或曰：有人说。㉒ 酒有别肠：饮酒有另外的肠子容纳。㉓ 欣然：高兴的样子。㉔ 捽：揪。㉕ 剖：剖腹。㉖ 剧饮：猛烈地饮酒。㉗ 舍之：赦免了他。㉘ 告哀：报告丧讯。㉙ 称孙而不称臣：自称孙子而不称臣子。㉚ 屈身：委屈自己受凌辱。㉛ 社稷：国家。㉜ 何耻之有：有什么羞耻呢。㉝ 躬擐甲胄：亲身穿着盔甲。指挑起战祸。㉞ 固争：坚持己见。㉟ 依违：犹豫不决；模棱两可。㊱ 卒：终于。㊲ 责让：责备；训斥。㊳ 且言：并且说。㊴ 得：能。㊵ 承禀：禀告。㊶ 不逊语：不礼貌的话。㊷ 帝中国：在中原称帝。㊸ 颇然之：很同意他的意见。

【校记】

［5］民：原无此字。据章钰校，十二行本、乙十一行本、孔天胤本皆有此字，今据补。［6］复能：原无此二字。据章钰校，十二行本、乙十一行本、孔天胤本皆有此二字，张敦仁《通鉴刊本识误》同，今据补。

【语译】

齐王上

天福八年（癸卯，公元九四三年）

春，正月二十四日癸卯，蜀主任命宣徽使兼官苑使田敬全兼任永平节度使。田敬全是宦官，蜀主援引前蜀宦官王承休为节度使之例而任命了他，国人认为这样做是错误的。

晋出帝听说契丹将入内地寇掠，二月十一日己未，从邺都出发。十七日乙丑，到达东京大梁。不过还是和契丹往来问讯，互相馈赠，一个月没有间断。

唐国宣城王李景达刚强开朗，烈祖很喜爱他，多次想让他成为继承人。宋齐丘也竭力称赞他的才干，唐主认为齐王李璟年长而打消了这个念头。李璟因此怨恨宋齐丘。

唐主最小的儿子叫李景逖，他的母亲种氏受唐主的宠爱，而齐王李璟的母亲宋皇后却很少有机会能进见。一次唐主到李璟宫中，碰到李璟亲手调弄乐器，大为恼怒，责骂了好几天。种氏乘机向唐主说，景逖年纪虽小，但聪明，可以当继承人。唐主发怒说：“儿子有过错，父亲教训他，这是很正常的事。国家大计，女人怎么能够过问！”当即命令把她嫁出去。

唐主曾经梦见自己吞下灵丹，天一亮方士史守冲就向他献上丹方，唐主认为是

浸[244]成躁急。左右谏，不听。尝以药赐李建勋，建勋曰："臣饵之数日，已觉躁热，况多饵乎！"唐主曰："朕服之久矣。"群臣奏事，往往暴怒。然或有正色论辩中理者[245]，亦敛容[246]慰谢而从之。

唐主问道士王栖霞[247]："何道[248]可致[249]太平？"对曰："王者治心治身[250]，乃治家国。今陛下尚未能去饥嗔、饱喜[251]，何论太平！"宋后自帘中称叹，以为至言[252]。凡唐主所赐予，栖霞皆不受。栖霞常为人奏章[253]，唐主欲为之筑坛[254]。辞曰："国用方乏，何暇及此！[255]俟焚章不化，乃当奏请耳。[256]"

驾部郎中[257]冯延巳[258]，为齐王元帅府掌书记。性倾巧，与宋齐丘及宣徽副使陈觉相结。同府在己上者[259]，延巳稍以计逐之。延巳尝戏[260]谓中书侍郎孙晟曰："公有何能，为中书郎？"晟曰："晟，山东鄙儒[261]，文章不如公，诙谐[8]不如公，谄诈[262]不如公。然主上使公与齐王游处[263]，盖欲以仁义辅导之也，岂但[264]为声色狗马之友邪！晟诚无能，如[9]公之能，适足[265]为国家之祸耳。"延巳，歙州人也。又有魏岑[266]者，亦在齐王府。

给事中常梦锡[267]屡言陈觉、冯延巳、魏岑皆佞邪小人，不宜侍东宫。司门郎中[268]判大理寺萧俨[269]表称陈觉奸回乱政[270]。唐主颇感寤[10]，未及去。会疽发背，秘不令人知，密令医治之，听政如故。庚午[271]，疾亟[272]。太医吴廷绍[273][11]遣亲信召齐王璟入侍疾。唐主谓璟曰："吾饵金石，始欲益寿，乃更伤生，汝宜戒之！"是夕，殂。秘不发丧，下制以齐王监国，大赦。

孙晟恐冯延巳等用事[274]，欲称遗诏令太后临朝称制。翰林学士李贻业[275]曰："先帝尝云：'妇人预政，乱之本[276]也。'安肯自为厉阶[277]！此必近习[278]奸人之诈[279]也。且嗣君春秋[280]已长，明德著闻，公何得遽为亡国之言！若果宣行[281]，吾必对百官毁之。"晟惧而止。贻业，蔚之从曾孙[282]也。

丙子[283]，始宣遗制。烈祖末年卞急[284]，近臣多罹[285]谴罚。陈觉称疾，累月不入，及宣遗诏，乃出。萧俨劾奏："觉端居私室，以俟升遐[286]，请按[287]其罪。"齐王不许。

自烈祖相吴，禁压良为贱[288]，令买奴婢者通官作券[289]。冯延巳及弟礼部员外郎延鲁[290]，俱在元帅府，草遗诏[291]听民卖男女，意欲自买

神灵指示就按丹方吃了起来，渐渐地出现急躁的情绪。近臣劝阻他，他不听。曾把药赐给李建勋，李建勋说："臣吃了几天，已经觉得身上燥热，何况多吃呢！"唐主说："朕服得很久了。"大臣奏事时，唐主经常突然发怒。不过或有严正论辩合乎道理的，也能严肃地表示感谢，并予以采纳。

唐主询问道士王栖霞："用什么方法可以达到天下太平？"王栖霞回答说："为帝王的要修心修身，才能治理国家。现在陛下还没能除去饿了怨怒、饱了欢喜的毛病，哪里谈得上天下太平呢！"宋皇后从帘子后大为赞叹，认为是至理名言。凡是唐主要赐予他的，王栖霞一概不接受。王栖霞经常替别人向天帝上奏章，唐主想为他修建一座祭坛。他推辞说："国家的用度正困乏，哪有时间顾及这件事！等到奏章烧不掉时，我再奏请陛下修建祭坛。"

驾部郎中冯延巳是齐王元帅府的掌书记。他生性爱排挤而奸巧，和宋齐丘以及宣徽副使陈觉互相勾结。元帅府的同事凡是能力在自己之上的，冯延巳渐渐施手段把人赶走，冯延巳曾经对中书侍郎孙晟开玩笑地说："您有什么能力，当上中书郎？"孙晟说："我孙晟是山东一个鄙陋儒生，文章不如您，诙谐不如您，谄媚欺诈不如您。然而皇上让您和齐王相游处，是想让您用仁义辅导他，哪里只叫你们做声色犬马的朋友呢！我孙晟的确没有才能，不过您的才能，恰好足够成为国家的灾祸罢了。"冯延巳，是歙州人。又有魏岑这个人，也在齐王府任职。

给事中常梦锡多次说陈觉、冯延巳、魏岑都是奸邪小人，不适合陪侍太子。司门郎中判大理寺萧俨上表说陈觉奸邪乱政。唐主稍有感悟，没有来得及免去他们的职务。正在这时唐主背上生了痈疮，隐瞒不让人知道，暗中叫医生治疗，处理政事和往常一样。二月二十二日庚午，病情恶化，太医吴廷绍派亲信告诉齐王李璟入宫护理。唐主对李璟说："我服食金石丹药，本来是想延年益寿，反而更加损害身体，你应当以此为戒！"当天晚上便去世了。把丧事隐瞒不宣布，颁下制令任命齐王李璟监理国事，实行大赦。

孙晟害怕冯延巳等人执政，就想假称遗诏让太后临朝代行天子之事。翰林学士李贻业说："先帝曾经说过：'妇人参与朝政，是祸乱的根源。'怎么能自启祸端！这一定是皇上身边亲信奸人的欺诈行为。况且嗣位之君年纪已长，圣明贤德人所共知，公怎么可以忽然说出这样的亡国之言！如果真的宣布施行，我一定要当着文武百官的面揭穿它。"孙晟很害怕，事情作罢。李贻业，是李蔚的曾侄孙。

二月二十八日丙子，才宣布遗诏。烈祖晚年性情急躁，身边大臣大都受到责罚。陈觉借口有病，几个月都不入朝，等到宣布了遗诏，才出来。萧俨弹劾他说："陈觉端坐在自己家中，只等待皇帝驾崩，请审查他的罪行。"齐王李璟没有答应。

自从烈祖担任吴国的宰相，就禁止买良家子女做奴婢，命令买奴婢的人必须报官开给证据。冯延巳和他的弟弟礼部员外郎冯延鲁，都在元帅府任职，草拟烈祖遗

姬妾。萧俨驳㉜曰："此必延巳等所为，非大行㉝之命也。昔延鲁为东都㉞判官，已有此请。先帝访臣㉟，臣对曰：'陛下昔为吴相，民有鬻㊱男女者，为出府金㊲，赎而归之㊳，故远近归心。今即位而反之，使贫人之子为富人厮役㊴，可乎？'先帝以为然，将治延鲁罪。臣以为延鲁愚，无足责。先帝斜封㊵延鲁章，抹三笔，持入宫。请求诸宫中，必尚在。"齐王命取先帝时留中㊶章奏，得[12]千余道，皆斜封一抹，果得延鲁疏。然以遗诏已行，竟不之改。

【段旨】

以上为第七段，写南唐烈祖辞世，元宗李璟立，冯延巳等倾巧小人得势。

【注释】

㉔齐王：晋出帝石重贵，高祖石敬瑭兄石敬儒之子。天福二年（公元九三七年）封郑王，天福三年徙封齐王，天福七年即皇帝位。开运三年（公元九四六年）为契丹所灭。公元九四二至九四六年在位。㉕癸卯：正月二十四日。㉖永平：方镇名，后蜀以雅州为永平军节度。治所雅州，在今四川雅安。㉗比：比照。指以宦官为节度使。㉘己未：二月十一日。㉙乙丑：二月十七日。㉚至东京：石重贵即位于邺都，至是还东京大梁。㉛犹：还。㉜问遗：问候、馈送。㉝无虚月：每月不间断。㉞景达：徐景达（公元九二四至九七一年），字子通，徐知诰第四子。性刚毅，封齐王。传见《十国春秋》卷十九。㉟景逖：徐景逖（公元九三八至九六八年），字宣远，徐知诰幼子。封信王。非毁佛书，专重六经。传见《十国春秋》卷十九。㊱种氏：名时光，江西良家女。景逖生母。得罪徐知诰，幽之别宫。传见《十国春秋》卷十八。㊲亲调乐器：亲自调弄乐器。㊳诮让：责骂。㊴乘间：乘着间隙。㊵预知：与闻。㊶嫁之：把她嫁出去。㊷史守冲：方士。传见《十国春秋》卷三十四。㊸饵之：服用它。㊹浸：慢慢地。㊺中理者：符合道理的。㊻敛容：收敛容颜，即肃穆庄重。㊼王栖霞（公元八八二至九四三年）：一名敬真，字符隐，从道士聂师道传道法。升元初，赐号元博大师。传见《十国春秋》卷三十四。㊽何道：什么办法。㊾致：达到。㊿治心治身：修心修身。(251)尚未能去饥嗔饱喜：指尚未去掉物欲之累。去，除去。饥嗔饱喜，饥饿则嗔怒，饱食则高兴。(252)至言：至理名言。(253)为人奏章：替人建醮写奏章上达于天。(254)坛：祭坛。(255)何暇及此：哪有时间考虑到这件事。(256)俟焚章不化二句：等待奏章烧不掉的时候，再奏请建祭坛。(257)驾部郎中：兵部四司之一，掌舆辇、车马、驿置、厩

诏听任百姓卖子女，目的是自己购买姬妾。萧俨反驳说："这肯定是冯延巳等人干的，不是大行皇帝的遗命。从前冯延鲁任东都判官时，已经提过这种请求。先帝征询我的意见，我回答说：'陛下从前任吴国宰相时，百姓有卖子女的，您为他们拿出府库中的钱，把人赎出来让他们回家，所以百姓无论远近都诚心归附。现在即了皇帝位却推翻它，让穷人家的子女成为富裕人家的奴仆，能行吗？'先帝认为我的话是对的，要治冯延鲁的罪。我认为冯延鲁愚笨，不值得责备他。先帝便把冯延鲁的奏章斜着封上了，抹了三笔，带进宫中。请在宫中查找，一定还在。"齐王命取出先帝时留置禁中的奏章，一共有一千多件，都是斜着封口抹上一笔的，果然找到了冯延鲁的奏疏。然而由于遗诏已经施行，终究没有更改它。

牧等事。㉘冯延巳（公元九〇三至九六〇年）：一名延嗣，字正中，广陵（今江苏扬州）人，谄佞险诈，官南唐宰相。工诗词，有"吹皱一池春水"名句传世。传见《十国春秋》卷二十六。冯氏之名，向有两说，一派以夏承焘《冯正中年谱》为代表，以为系"延巳"，延巳即午，午即正中。后俞平伯、吴小如又主"延己"说，聚讼不休。近者学界似仍以"延巳"为是。㉙在己上者：才能在自己之上的。㉚戏：开玩笑。㉛鄙儒：鄙陋寡闻的儒生。㉜谄诈：谄媚欺诈。㉝游处：同游相处。㉞但：只。㉟适足：刚好；恰巧。㊱魏岑：字景山，郓州须城（今山东东平）人，谄媚用事，官南唐枢密副使。传见《十国春秋》卷二十六。㊲常梦锡（公元八九八至九五八年）：字孟图，扶风（今陕西兴平东南）人，为人正直，官南唐翰林学士。传见《十国春秋》卷二十三。㊳司门郎中：刑部四司之一，掌门关、津梁、道路等事。㊴萧俨：庐陵（今江西吉水）人，秉身方直，弹奏不阿。传见《十国春秋》卷二十五。㊵奸回乱政：奸佞邪恶，惑乱政治。㊶庚午：二月二十二日。㊷疾亟：疾病加重。㊸吴廷绍：南唐太医令，能对症下药。传见《十国春秋》卷三十二。㊹用事：执政。㊺李贻业：唐僖宗朝宰相李蔚之从曾孙。官翰林学士，徐知诰死，反对皇太后监国之议。传见《十国春秋》卷二十五。㊻本：根本；根源。㊼厉阶：祸端；祸患的来由。厉，恶。阶，道。㊽近习：身边亲信的人。㊾诈：伪造。㊿春秋：年龄。㉛宣行：指皇后临朝称制的命令宣告。㉜从曾孙：堂曾孙。㉝丙子：二月二十八日。㉞卞急：性情急躁。㉟罹：蒙受；遭到。㊱升遐：皇帝升天，即逝世。㊲按：按问；审查。㊳压良为贱：买良人子女为奴婢。此为法律所禁止。㊴通官作券：通报官府开出证据。㊵延鲁：字叔文，一名谧。少负才名，官南唐勤政殿学士。传见《十国春秋》卷二十六。㊶草遗诏：起草徐知诰的遗诏。㊷驳：驳斥。㊸大行：皇帝死而未葬称大行皇帝。㊹东都：扬州。㊺访臣：询问我。㊻鬻：卖。㊼出府金：拿出府库之钱。㊽赎而归之：赎出来让他回家。㊾厮役：指劳役供使唤的人。㊿斜封：非正式途径下达公文。(301)留中：留在宫中不回复的文件。

【校记】

［7］景逖：原作“景遢”。据章钰校，十二行本作“景逖”，张敦仁《通鉴刊本识误》同，今据改。下同。〖按〗《十国春秋》本传作“景逖”。［8］诙谐：原作“谈谐”。据章钰校，十二行本、乙十一行本皆作“诙谐”，今据改。［9］如：原无此字。据章钰校，十二

【原文】

闽富沙王延政称帝于建州，国号大殷，大赦，改元天德。以将乐县㉚为镛州，延平镇㉛为镡州。立皇后张氏㉜。以节度判官潘承祐㉝为吏部尚书，节度巡官建阳杨思恭㉞为兵部尚书。未几，以承祐同平章事，思恭迁仆射，录军国事。延政服赭袍视事，然牙参㉟及接邻国使者，犹如藩镇礼⑱。殷国小民贫，军旅不息⑲。杨思恭以善聚敛⑳得幸，增田亩山泽之税，至于鱼盐蔬果，无不倍征㉑，国人谓之“杨剥皮”。

三月己卯朔㉒，以中书令赵莹为晋昌㉓节度使兼中书令，以晋昌节度使兼侍中桑维翰为侍中。

唐元宗即位，大赦，改元保大。秘书郎韩熙载㉔请俟逾年改元，不从。尊皇后曰皇太后㉕，立妃锺氏㉖为皇后。唐主未听政㉗，冯延巳屡入白事㉘，一日至数四。唐主曰：“书记㉙有常职，何为如是其烦也！”唐主为人谦谨，初即位，不名大臣㉚，数延公卿论政体㉛。李建勋谓人曰：“主上宽仁大度，优于先帝。但性习未定㉜，苟旁无正人，但恐不能守先帝之业耳。”

唐主以镇南节度使宋齐丘为太保兼中书令，奉化㉝节度使周宗为侍中。唐主以齐丘、宗先朝勋旧，故顺人望㉞召为相，政事皆自决㉟之。徙寿王景遂为燕王，宣城王景达为鄂王。

初，唐主为齐王，知政事㊱，每有过失，常梦锡常直言规正㊲。始虽忿怼㊳，终以谅直㊴多之。及即位，许以为翰林学士。齐丘之党疾之㊵，坐封驳制书㊶，贬池州判官。池州多迁客㊷，节度使上蔡王彦俦㊸，防制㊹过甚，几不聊生㊺，惟事梦锡如在朝廷。

行本、乙十一行本、孔天胤本皆有此字，今据补。[10]寤：原作“悟”。据章钰校，十二行本、孔天胤本皆作“寤”，今据改。[11]吴廷绍：原作“吴廷裕”。严衍《通鉴补》改作“吴廷绍”，今据以校正。〖按〗《十国春秋》作“吴廷绍”。[12]得：原无此字。据章钰校，十二行本、乙十一行本、孔天胤本皆有此字，今据补。

【语译】

闽国的富沙王王延政在建州称帝，国号大殷，实行大赦，改年号为天德。把将乐县改作镛州，延平镇改作镡州。册立张氏为皇后。任命节度判官潘承祐为吏部尚书，节度巡官建阳人杨思恭为兵部尚书。没过多久，又任命潘承祐为同平章事，杨思恭迁升为仆射，总管军国大事。王延政穿着赭色袍服听理朝政，但是在官署内接受参拜和接见邻国的使者时，还是如同藩镇的礼仪。殷国国土狭小，百姓贫困，战争却没有停止过。杨思恭因为善于搜刮民财而获得宠幸，他增加田亩山泽的税额，以至于鱼盐菜果无不加倍征税，殷国的百姓称他“杨剥皮”。

三月初一日己卯，任命中书令赵莹为晋昌节度使兼任中书令，任命原晋昌节度使兼任侍中桑维翰为侍中。

唐元宗李璟即皇帝位，实行大赦，改年号为保大。秘书郎韩熙载建议等过年再改年号，没有听从。尊奉皇后为皇太后，册立妃子锺氏为皇后。唐主还没有坐朝听政，冯延巳就多次入宫报告公务，一天甚至去三四次。唐主说：“书记有固定的职守，为什么要这样烦琐啊！”唐主为人谦逊谨慎，刚即帝位，不直接叫大臣的姓名，多次邀请公卿大臣议论政事。李建勋对人说：“皇上宽仁大度，胜过先帝。但习性没有定型，如果身边没有正派的人，只怕难以守住先帝的基业啊。”

唐主任命镇南节度使宋齐丘为太保兼中书令，奉化节度使周宗为侍中。唐主认为宋齐丘、周宗是先朝的元勋旧臣，所以就顺应众人之期盼征召他们为宰相，但是朝中政事都是自己决断。徙封寿王李景遂为燕王，宣城王李景达为鄂王。

当初，唐主为齐王，掌理政事，每当出现失误，常梦锡经常直言规劝匡正。开始虽然很愤恨，但最终因为他的坦诚和正直而称许他。到称帝以后，答应任命他为翰林学士。宋齐丘的党羽们忌恨他，以他犯了封驳皇帝制书之罪，贬他为池州判官。池州有很多遭贬逐的人，节度使上蔡人王彦俦对他们防备和限制得过于苛刻，几乎无法生存，唯独侍奉常梦锡还同他在朝廷时一样。

宋齐丘待陈觉素厚，唐主亦以觉为有才，遂委任之。冯延巳、延鲁、魏岑虽齐邸旧僚，皆依附觉，与休宁查文徽㊱更相汲引㊲，侵蠹㊳政事。唐人谓觉等为“五鬼㊴”。延鲁自礼部员外郎迁中书舍人、勤政殿学士。江州观察使杜昌业闻之，叹曰：“国家所以驱驾㊵群臣，在官爵而已。若一言称旨㊶，遽跻通显㊷，后有立功者，何以赏之！”未几，唐主以岑及文徽皆为枢密副使。岑既得志，会觉遭母丧，岑即暴扬㊸觉过恶，摈斥㊹之。

唐置定远军㊺于濠州。

【段旨】

以上为第八段，写王延政称帝于建州，国号殷。南唐陈觉、冯延巳、冯延鲁、魏岑、查文徽五人朋比为奸，时人斥之为“五鬼”。

【注释】

㉚将乐县：县名，在今福建将乐。㉛延平镇：地名，在今福建南平。㉜张氏：天德元年（公元九四三年）立为皇后。传见《十国春秋》卷九十四。㉝潘承祐：晋安（今福建南安）人，曾向天德帝上十事疏，指摘时弊，被削官爵。传见《十国春秋》卷九十六。㉞杨思恭：建州建阳（今福建南平市建阳区）人，以善聚敛得幸，国人称之“杨剥皮”。传见《十国春秋》卷九十八。㉟牙参：官衙内参拜。㊱犹如藩镇礼：还像藩镇一样的礼制。㊲军旅不息：军事行动不停止。㊳聚敛：搜刮。㊴倍征：加倍征税。㊵己卯朔：三月初一日。㊶晋昌：方镇名，后晋以雍州为晋昌节度使，治所雍州，在今陕西西安。㊷韩熙载（公元九〇二至九七〇年）：字叔言，潍州北海（今山东潍坊）人，画家、书法家。官南唐光政殿学士承旨。传见《十国春秋》卷二十八、《宋史》卷四百七十八。㊸皇太后：宋氏（？至公元九四五年），小名福金。卒谥元敬。传见《十国春秋》卷

【原文】

汉殇帝骄奢，不亲政事。高祖在殡㊻，作乐酣饮。夜与倡妇㊼微行㊽，倮男女而观之。左右忤意㊾辄死，无敢谏者。惟越王弘昌及内常侍番禺吴怀恩㊿屡谏，不听。常猜忌诸弟，每宴集，令宦者守门，群

宋齐丘一向厚待陈觉，唐主也认为陈觉有才干，于是任用他。冯延巳、冯延鲁、魏岑虽然是齐王府邸的旧时僚属，却都依附于陈觉，和休宁人查文徽互相援引，败坏政务。唐国的人把陈觉等人称为“五鬼”。冯延鲁从礼部员外郎升迁为中书舍人、勤政殿学士。江州观察使杜昌业得知这一消息，感叹地说：“国家用以驱使和驾驭群臣的，在于官爵而已。如果一句话符合上意，立即跻身于通达显赫的地位，以后有建立功勋的人，拿什么来奖赏他呢!”没过多久，唐主任命魏岑和查文徽同为枢密副使。魏岑得志以后，恰好陈觉遇上母亲去世，魏岑就公开宣扬陈觉的罪恶，排挤他。

唐国在濠州设置定远军。

十八。⑯锺氏（？至公元九六五年）：卒谥光穆。传见《十国春秋》卷十八。⑰未听政：服丧而未于御正殿听政。⑱白事：奏事。⑲书记：冯延巳时为齐王掌书记，故称之。⑳不名大臣：不叫大臣的名字。㉑政体：政事。㉒性习未定：性格、习惯还不曾定型。㉓奉化：方镇名，南唐置奉化军节度。治所江州，在今江西九江。㉔顺人望：顺从民众的愿望。㉕自决：自己裁决。㉖知政事：掌理国家政务。㉗规正：规劝匡正。㉘忿怼：愤怒怨恨。㉙谅直：坦诚正直。㉚疾之：忌恨他。㉛坐封驳制书：犯了封驳制书之罪。封驳，门下省一种纠正违失的权力，制书若不合理，也可退回，拒不执行。对皇权专制有所制约。㉜迁客：犯罪官员由中央贬迁到外州的，当地人称之为迁客。㉝王彦俦：蔡州上蔡（今河南上蔡）人，官南唐康化军节度使。传见《十国春秋》卷二十二。㉞防制：防范限制。㉟几不聊生：几乎不能生存下去。㊱查文徽（公元八九〇至九五九年）：字光慎，歙州休宁（今安徽休宁）人，初任气好侠，后与宋齐丘等结成死党。传见《十国春秋》卷二十六。㊲更相汲引：彼此之间互相援引。㊳侵蠹：危害、败坏。㊴五鬼：指陈觉、冯延巳、冯延鲁、魏岑、查文徽五人。㊵驱驾：驱使；使用。㊶一言称旨：一句话得到皇帝欢心。㊷遽跻通显：立即跻身地位通达显赫的行列。通显，这里指勤政殿学士。㊸暴扬：公开宣扬。㊹摈斥：排斥。㊺定远军：方镇名，南唐置。治所濠州，在今安徽凤阳。

【语译】

汉殇帝骄纵奢侈，不亲理政事。高祖的灵柩还未安葬，他就奏乐酣饮。夜间与妓女微服出行，让男人和女子脱光衣服供他观赏。身边的人违背他的心意就处死，因此没有敢对他劝谏的人。只有越王刘弘昌和内常侍番禺人吴怀恩多次劝谏，他不听。他常常怀疑和忌恨每个弟弟，每次举行宴会，都命令宦官把守大门，对群臣和

臣、宗室皆露索[351]，然后入。

晋王弘熙欲图之[352]，乃盛饰声伎[353]，娱悦其意，以成其恶[354]。汉主好手搏[355]，弘熙令指挥使陈道庠引力士[356]刘思潮、谭令禋、林少强、林少良、何昌廷等五人习手搏于晋府，汉主闻而悦之。丙戌[357]，与诸王宴于长春宫，观手搏，至夕罢宴，汉主大醉。弘熙使道庠、思潮等掖[358]汉主，因拉杀之[359]，尽杀其左右。

明旦[360]，百官诸王莫敢入宫。越王弘昌帅诸弟临于寝殿[361]，迎弘熙即皇帝位，更名晟，改元应乾[362]。以弘昌为太尉兼中书令、诸道兵马都元帅，知政事，循王弘杲为副元帅，参预政事。陈道庠及刘思潮等皆受赏赐甚厚。

【段旨】

以上为第九段，写南汉晋王刘弘熙弑其兄殇帝刘玢自立，弘熙更名晟。

【注释】

㉞⑥殡：棺木盛尸尚未入土埋葬。㉞⑦倡妇：妓女。㉞⑧微行：不带随从，微服出行。㉞⑨忤

【原文】

闽主曦纳金吾使[363]尚保殷之女，立为贤妃。妃有殊色[364]，曦嬖[365]之。醉中，妃所欲杀则杀之，所欲宥[366]则宥之。

夏，四月戊申朔[367]，日有食之。

唐以中书侍郎、同平章事李建勋为昭武[368]节度使，镇抚州。

殷将陈望等攻闽福州，入其西郛[369]，既而败归。

五月，殷吏部尚书、同平章事潘承祐上书陈十事，大指[370]言："兄弟相攻，逆伤[371]天理，一也。赋敛烦重[372]，力役无节[373]，二也。发民为兵，羁旅愁怨[374]，三也。杨思恭夺人[13]衣食，使归怨于上，群臣莫敢言，四也。

宗室都要脱掉衣服进行搜查，然后进门。

晋王刘弘熙想要除掉他，于是就盛装打扮歌伎，博取他的欢心，借以促成他作恶。汉主爱好徒手搏击，刘弘熙就命令指挥使陈道庠带来力士刘思潮、谭令禋、林少强、林少良、何昌廷等五人在晋王府演练徒手搏击，汉主听说后非常高兴。三月初八日丙戌，和诸王一起在长春宫宴饮，观赏徒手搏击，直到天黑宴会才结束，汉主喝得酩酊大醉。刘弘熙指使陈道庠、刘思潮等搀扶汉主，用力拉扯把他拉扯死了，并把汉主身边的近侍全都杀了。

第二天早晨，文武百官和诸王没有人敢进入宫中。越王刘弘昌率领诸弟来到寝殿吊哭，迎奉刘弘熙即皇帝位，刘弘熙更名刘晟，改年号为应乾。任命刘弘昌为太尉兼中书令、诸道兵马都元帅，主持朝廷政事，循王刘弘杲为副元帅，参与朝政。陈道庠和刘思潮等人都得到丰厚的赏赐。

意：违逆他的心意。㊿ 吴怀恩：番禺（今广东广州市番禺区）人，官南汉开府仪同三司。善于征战，曾扩大南汉疆土十一州。传见《十国春秋》卷六十四。351 露索：裸露着身体加以搜索。352 欲图之：要想除掉他。353 声伎：歌舞艺人。354 以成其恶：用以构成他的罪恶。355 手搏：指角力、摔跤、拳击之类的搏斗。356 力士：力气特别大的人。357 丙戌：三月初八日。358 掖：扶。359 因拉杀之：利用扶持汉王时用力拉扯致死。360 明旦：第二天早晨。361 寝殿：卧室。362 应乾：南汉刘晟年号。

【语译】

闽主王曦娶了金吾使尚保殷的女儿，册立为贤妃。贤妃长得特别漂亮，王曦很宠爱她。当王曦酒醉时，贤妃想要杀谁，王曦就把他杀掉，想要宽宥谁，王曦就把他放了。

夏，四月初一日戊申，发生日食。

唐国任命中书侍郎、同平章事李建勋为昭武节度使，镇守抚州。

殷国的将领陈望等攻打闽国的福州，攻进了福州西城外郭，旋即战败返回。

五月，殷国的吏部尚书、同平章事潘承祐上书陈述十件事情，大意是说："兄弟之间相互攻战，伤天害理，这是一。赋税征敛频繁而沉重，劳役征调毫无节制，这是二。征发百姓当兵，使他们寄居异乡，心怀愁怨，这是三。杨思恭掠夺百姓衣食，致使百姓把怨恨归于皇上，群臣没有人敢说话，这是四。疆土本来就狭小，却又过

疆土狭隘，多置州县，增吏困民㊼，五也。除道裹粮㊽，将攻临汀㊾，曾不忧金陵㊿、钱塘⑱乘虚相袭，六也。括高赀户⑲，财多者补官，逋负⑳者被刑，七也。延平诸津，征⑳果菜鱼米，获利至微，敛怨甚大，八也。与唐、吴越为邻，即位以来，未尝通使，九也。宫室台榭，崇饰⑳无度，十也。”殷王延政大怒，削承祐官爵，勒⑳归私第。

汉中宗既立，国中议论讻讻⑳。循王弘杲请斩刘思潮等以谢⑳中外，汉主不从。思潮等闻之，谮弘杲谋反，汉主令思潮等伺之⑳。弘杲方宴客，思潮与谭令禋帅卫兵突入，斩弘杲。于是汉主谋尽诛诸弟，以越王弘昌贤而得众，尤忌之。雄武⑳节度使齐王弘弼，自以居大镇，惧祸⑳，求入朝。许之。

初，闽主曦侍康宗宴，会新罗⑳献宝剑，康宗举以示同平章事王倓⑳曰："此何所施⑳？"倓对曰："斩为臣不忠者。"时曦已蓄异志，凛然变色⑳。至是宴群臣，复有献剑者，曦命发倓冢⑳，斩其尸。

校书郎⑳陈光逸⑳谓其友曰："主上失德，亡无日矣。吾欲死谏。"其友止之，不从，上书陈[14]曦大恶五十事。曦怒，命卫士鞭之数百，不死。以绳系其颈，悬诸庭树⑳，久之乃绝。

【段旨】

以上为第十段，写殷主王延政、南汉中宗刘晟、闽主王曦均为昏庸凶暴之主，无一人有善政可言。

【注释】

㊳金吾使：官名，掌仪卫。㊴殊色：特别漂亮。㊵嬖：宠爱。㊶宥：宽恕。㊷戊申朔：四月初一日。㊸昭武：方镇名，吴置。治所临川，在今江西抚州市临川区。㊹西郭：西面的外城。郭，外城。㊺大指：大旨；大意。指，旨意。㊻逆伤：违逆、伤害。㊼烦重：繁重。㊽无节：没有节制。㊾羁旅愁怨：寄居异乡忧愁怨恨。羁旅，作客异乡。㊿增吏困民：增加官吏，困扰百姓。⑱除道裹粮：修筑道路，携带粮食。⑲临汀：汀州，在今福建长汀。⑳金陵：指南唐。⑳钱塘：指吴越。⑳括高赀户：搜刮家富财丰的人家。赀，财产。⑳逋负：拖欠。⑳征：征税。⑳崇饰：盛饰。⑳勒：勒令。⑳讻讻：喧扰不安。指

多地设立州县，增加官吏，困扰百姓，这是五。修筑道路，携带粮食，准备攻打临汀，而不考虑南唐和吴越两国会乘虚来袭击，这是六。搜刮家富财丰的人家，财物交得多的可以补授官位，拖欠的就遭受刑罚，这是七。延平一带的各个渡口，征收果菜鱼米等税，得利极少，招来的民怨很大，这是八。与南唐、吴越两国为邻，自即位以来，未曾和他们互通使者，这是九。宫室台榭，盛饰无节制，这是十。”殷主王延政大怒，免除了潘承祐的官职和爵位，勒令他回到自己的家中去。

汉中宗即位以后，国内喧扰。循王刘弘杲奏请把刘思潮等人斩首向朝廷内外谢罪，汉主不答应。刘思潮等人得知此事后，就诬告刘弘杲谋反，汉主命令刘思潮等人监视他。刘弘杲正在宴请宾客，刘思潮和谭令禋带领卫兵闯了进去，杀死了刘弘杲。于是汉主谋划把几个弟弟全部杀掉，由于越王刘弘昌贤能而得众心，因此特别忌恨他。雄武节度使齐王刘弘弼考虑到自己位居大镇，担忧招惹祸患，就请求入朝。汉主同意了。

当初，闽主王曦陪侍康宗饮宴，遇到新罗使者进献宝剑，康宗举起宝剑叫同平章事王倓看，说：“这把宝剑有什么用？”王倓回答说：“用来斩杀做臣子而不忠心的人。”当时王曦已经蓄谋叛乱，听了这话，身上一冷，脸色都变了。这时王曦宴饮群臣，又有前来进献宝剑的，王曦命人掘开王倓的坟墓，砍他的尸首。

校书郎陈光逸对他的朋友说：“皇上无道，国家不用多久就会灭亡。我准备冒死进谏。”他的朋友阻止他，他不听，于是上书陈述王曦大恶五十条。王曦很生气，命令卫士鞭挞他好几百下，没有死。又用绳子拴住他的脖子，把他吊在庭院的树上，时间很长才断了气。

责其弑兄自立。㊳㊱谢：致歉。㊳㊲伺之：监视他。㊳㊳雄武：胡三省注认为系“建武”之误。建武，方镇名，南汉升邕州为建武军节度。治所邕州，在今广西邕宁。㊳㊴惧祸：害怕灾祸。㊳㊵新罗：朝鲜古国名，海道与闽相通。㊳㊶王倓：为人刚直，不畏强暴，官至闽同平章事。传见《十国春秋》卷九十六。㊳㊷此何所施：这把宝剑有什么用。㊳㊸凛然变色：身上一冷，改变了脸色。㊳㊹发倓冢：挖开王倓的坟墓。㊳㊺校书郎：官名，属秘书省，掌校雠典籍。㊳㊻陈光逸（？至公元九四三年）：为人正直，敢于进谏。曾疏王曦五十罪恶，被处死。传见《十国春秋》卷九十六。㊳㊼悬诸庭树：吊在庭院的树上。

【校记】

［13］人：原作“民”。据章钰校，十二行本、乙十一行本、孔天胤本皆作“人”，今据改。［14］陈：原作“谏”。据章钰校，十二行本、乙十一行本皆作“陈”，张敦仁《通鉴刊本识误》同，今据改。

【原文】

秋，七月己丑[398]，诏以年饥，国用不足，分遣使者六十余人于诸道括民谷[399]。

吴越王弘佐初立，上统军使阚璠[400]强戾，排斥异己，弘佐不能制。内牙上都监使章德安[401]数与之争[402]，右都监使李文庆不附于璠。乙巳[403]，贬德安于处州[404]，文庆于睦州[405]。璠与右统军使胡进思[406]益专横。璠，明州人。文庆，睦州人。进思，湖州人也。

唐主缘[407]烈祖意，以天雄节度使兼中书令、金陵尹燕王景遂为诸道兵马元帅，徙封齐王，居东宫[408]；天平节度使、守侍中、东都留守鄂王景达为副元帅，徙封燕王。宣告中外，约[409]以传位。立长子弘冀[410]为南昌王。景遂、景达固辞，不许。景遂自誓[411]必不敢为嗣，更其字曰退身。

汉指挥使万景忻[412]败张遇贤于循州。遇贤告于神，神曰："取虔州，则大事可成。"遇贤帅众逾岭，趣虔州[413]。唐百胜[414]节度使贾匡浩不为备，遇贤众十余万攻陷诸县，再败州兵，城门昼闭。遇贤作宫室营署于白云洞[415]，遣将四出剽掠。匡浩，公铎[416]之子也。

八月乙卯[417]，唐主立弟景逖为保宁王。宋太后[418]怨种夫人，屡欲害景逖，唐主力保全之。

【段旨】

以上为第十一段，写吴越王钱弘佐初立，上统军使阚璠专横，南唐主元宗李璟友爱兄弟，南汉流寇侵入南唐虔州。

【注释】

[398]己丑：七月十三日。[399]括民谷：收缴老百姓的谷物。[400]阚璠：明州（今浙江宁波）人，官吴越上统军使。[401]章德安：处州丽水（今浙江丽水）人，为人忠直，官吴越内都监。传见《十国春秋》卷八十六。[402]数与之争：多次与他争论。[403]乙巳：七月二十

【语译】

秋，七月十三日己丑，晋出帝下诏，因为年岁饥荒，国家财用不足，派使者六十多人分别在各道收缴百姓的谷物。

吴越王钱弘佐刚刚即位，上统军使阚璠强横暴戾，排挤异己，钱弘佐对他不能控制。内牙上都监使章德安多次同他争执，右都监使李文庆也不肯依附于阚璠。七月二十九日乙巳，把章德安贬降到处州，把李文庆贬降到睦州。从此，阚璠和右统军使胡进思更加专横。阚璠，明州人。李文庆，睦州人。胡进思，湖州人。

唐主遵循烈祖的旨意，任命天雄节度使兼中书令、金陵尹燕王李景遂为诸道兵马元帅，移封为齐王，住在东宫；任命天平节度使、守侍中、东都留守鄂王李景达为副元帅，移封为燕王。向朝廷内外宣告，约定以后要传位给他们。册立长子李弘冀为南昌王。李景遂、李景达两人坚决推辞，没有获准。李景遂自己立誓，绝不敢做嗣君，并更改他的字叫退身。

汉国的指挥使万景忻在循州打败了张遇贤。张遇贤向神祷告，神说："攻取虔州，就可以大功告成。"张遇贤率领部众翻越南岭，奔赴虔州。唐国的百胜节度使贾匡浩没做防备，张遇贤的十多万兵众攻陷了各个县城，两次打败虔州的军队，州城城门白天关闭起来。张遇贤在白云洞建造宫室、军营和官署，派将领四出抢劫。贾匡浩，是贾公铎的儿子。

八月初九日乙卯，唐主册立他的弟弟李景逖为保宁王。宋太后怨恨种夫人，多次想加害李景逖，唐主极力把他保护下来。

九日。㊵④处州：州名，治所丽水县，在今浙江丽水。㊵⑤睦州：州名，治所建德，在今浙江建德。㊵⑥胡进思：湖州（今浙江湖州）人，本以屠牛为业。官右统军使，反复弄权。传见《十国春秋》卷八十八。㊵⑦缘：遵循。㊵⑧居东宫：作为王储，准备让其嗣位。㊵⑨约：预约。㊶⓪弘冀：李弘冀（？至公元九五九年），李璟长子，立为世子。沉默寡言，性刚善断。传见《十国春秋》卷十九。㊶①自誓：自己立誓。㊶②万景忻：少以骁勇为南汉牙校。传见《十国春秋》卷六十三。㊶③趣虔州：指张遇贤由汉进入南唐。虔州为南唐百胜节度使治所，在今江西赣州。㊶④百胜：方镇名，后梁置，南唐仍沿袭之。㊶⑤白云洞：白云嶂，在今江西于都西，有三洞。㊶⑥公铎：贾公铎，据本书卷二百六十唐昭宗乾宁三年（公元八九六年）五月载，曾为右监门卫将军。胡三省注引《九国志》，云生于上蔡（今河南上蔡）。㊶⑦乙卯：八月初九日。㊶⑧宋太后：元敬王后宋氏。

【原文】

夏州牙内指挥使拓跋崇斌谋作乱，绥州刺史李彝敏将助之，事觉。辛未⑪，彝敏弃州，与其弟彝俊等五人奔⑫延州。

九月，尊帝母秦国夫人安氏为皇太妃㉑。妃，代北人也。帝事太后、太妃甚谨㉒，多侍食于其宫[15]，待诸弟㉓亦友爱。

初，河阳牙将乔荣从赵延寿入契丹，契丹以为回图使㉔，往来贩易㉕于晋，置邸㉖大梁。及契丹与晋有隙，景延广说帝囚荣于狱，悉取邸中之货㉗。凡契丹之人贩易在晋境者，皆杀之，夺其货。大臣皆言契丹有大功于晋[16]，不可负㉘。戊子㉙，释荣㉚，慰赐而归之㉛。

荣辞延广㉜，延广大言㉝曰："归语而主，先帝㉞为北朝㉟所立，故称臣奉表。今上㊱乃中国所立，所以降志㊲于北朝者，正以不敢忘先帝盟约故耳。为邻称孙，足矣㊳，无称臣之理。北朝皇帝勿信㊴赵延寿诳诱㊵，轻侮中国。中国士马，尔所目睹。翁怒则来战，孙有十万横磨剑㊶，足以相待。他日为孙所败，取笑天下，毋悔也！"荣自以亡失㊷货财，恐归获罪，且欲为异时㊸据验，乃曰："公所言颇多，惧有遗忘，愿记之纸墨。"延广命吏书其语以授之㊹，荣具㊺以白契丹主。契丹主大怒，入寇之志始决。晋使如契丹者[17]，皆絷㊻之幽州，不得见。

桑维翰屡请逊辞㊼以谢契丹，每为延广所沮。帝以延广有定策功㊽，故宠冠群臣㊾。又总宿卫兵，故大臣莫能与之争。河东节度使刘知远，知延广必致寇㊿，而畏其方用事，不敢言。但益(451)募兵，奏置兴捷、武节(452)等十余军以备契丹。

甲午(453)，定难(454)节度使李彝殷奏李彝敏作乱之状，诏执彝敏送夏州，斩之。

【语译】

夏州牙内指挥使拓跋崇斌谋划作乱，绥州刺史李彝敏准备协助他，事情被发觉。八月二十五日辛未，李彝敏放弃绥州，和他的弟弟李彝俊等五人逃往延州。

九月，晋国尊奉出帝生母秦国夫人安氏为皇太妃。皇太妃是代北人。晋出帝侍奉太后、太妃很恭谨，常去她们宫中侍奉饮食，对待各个弟弟也很友爱。

当初，河阳牙将乔荣跟随赵延寿投奔契丹，契丹任命他为回图使，和晋朝往来贸易，在大梁设置了府邸。等到契丹和晋朝有了嫌隙，景延广劝说晋出帝把乔荣囚禁在监狱里，全部收缴了他府邸中的财物。凡是在晋朝境内进行贸易的契丹人，一律杀掉，夺取他们的货物。大臣们都说契丹对晋朝有过大功，不能辜负。九月十三日戊子，释放了乔荣，对他安慰赏赐，让他回契丹去。

乔荣向景延广辞行，景延广对他说大话道："回去告诉你的主子，先帝是北朝扶植的，所以才向你们称臣上奏表。当今皇上却是中原自己拥立的，之所以还向北朝降低名分，正是因为不敢忘记先帝与北朝盟约的缘故而已。作为邻国而自称孙子，已经足够了，没有称臣的道理。北朝皇帝不要相信赵延寿的诳骗诱惑，轻视欺侮中国。中原的兵马，你是亲眼看到的。祖翁愤怒就来交战，孙儿自有十万横磨利剑，足以抵挡。日后被孙子打败，受天下人嗤笑，可不要后悔啊！"乔荣自认为丢掉了货物和钱财，担心回去后会被治罪，同时也想为他日留个凭据，就说："您说得很多，我怕有遗漏的地方，请用纸墨把它记下来。"景延广就让属吏写下他的话，交给了乔荣，乔荣把这些话原原本本地报告了契丹主。契丹主大为恼怒，入侵中原的决心这时更坚定了。晋朝派往契丹的使者，都被拘禁在幽州，不让他们面见契丹主。

桑维翰多次请求朝廷用谦逊的言辞向契丹道歉，但往往被景延广阻止。晋出帝认为景延广有扶立自己为帝的功劳，所以对他的恩宠居群臣之首。他又总管皇宫的卫队，所以大臣们没有人能和他相争。河东节度使刘知远知道景延广的这种做法一定会招致契丹的入侵，但又畏惧景延广正在执政，也不敢进言。只是增加募兵数额，奏请朝廷设置兴捷、武节等十多个军镇用以防备契丹。

九月十九日甲午，定难节度使李彝殷奏报李彝敏发动叛乱的情况，晋出帝下诏拘捕李彝敏押送到夏州，把他斩首。

【段旨】

以上为第十二段，写景延广不识大局，恶意结怨于契丹。

【注释】

⑲辛未：八月二十五日。⑳奔：逃。㉑皇太妃：安氏，代（今山西代县）北人，石敬儒妻，生石重贵。传见《新五代史》卷十七。㉒甚谨：非常恭谨小心。㉓诸弟：所有的弟弟。㉔回图使：官名，回图务的官员。回图务掌中外贸易事务。㉕贩易：贩运货物，互相贸易。㉖邸：府邸。这里指原河阳牙将，今为契丹回图使乔荣在大梁建的府邸。㉗货：财物。㉘负：辜负。㉙戊子：九月十三日。㉚释荣：释放乔荣。㉛慰赐而归之：慰勉赏赐，让他回契丹去。㉜荣辞延广：乔荣向景延广告别。㉝大言：说大话。㉞先帝：指石敬瑭。㉟北朝：指契丹。㊱今上：指石重贵。㊲降志：降低自己的名分。㊳足矣：够满足了。㊴勿信：不要相信。㊵诳诱：欺骗诱惑。㊶横磨剑：锋利的武器。指代精锐的甲兵。㊷亡失：遗失。㊸异时：他日。㊹授之：交给他。㊺具：详细；全部。㊻絷：拘

【原文】

冬，十月戊申[455]，立吴国夫人冯氏为皇后[456]。初，高祖爱少弟[457]重胤，养以为子。及留守邺都，娶副留守安喜[458]冯蒙女为其妇。重胤早卒，冯夫人寡居，有美色，帝见而悦之。高祖崩，梓宫[459]在殡[460]，帝遂纳之[461]。群臣皆贺，帝谓冯道等曰："皇太后之命，与卿等不任大庆[462]。"群臣出，帝与夫人酣饮[463]，过梓宫前，醊而告[464]曰："皇太后之命，与先帝不任大庆。"左右失笑[465]，帝亦自笑，顾谓左右曰："我今日作新婿，何如？"夫人与左右皆大笑。太后虽恚[466]，而无如之何[467]。既正位中宫[468]，颇预政事。后兄玉，时为礼部郎中、盐铁判官，帝骤擢用至端明殿学士、户部侍郎，与议政事。

汉主命韶王弘雅[469]致仕。

唐主遣洪州营屯都虞候严恩将兵讨张遇贤，以通事舍人金陵边镐为监军。镐用虔州人白昌裕为谋主[470]，击张遇贤，屡破之。遇贤祷于神，神不复言，其徒大惧。昌裕劝镐伐木开道[471]，出其营后袭[472]之，遇贤弃众奔别将[473]李台。台知神无验，执遇贤以降，斩于金陵市。

十一月丁亥[474]，汉主祀南郊[475]，大赦，改元乾和。

戊子[476]，吴越王弘佐纳妃仰氏[477]，仁诠之女也。

囚。㊼逊辞：卑谦的话。㊽定策功：策立皇帝的功劳。㊾宠冠群臣：受宠爱程度是群臣第一。㊿致寇：招致契丹侵犯。[451]益：增加。[452]兴捷、武节：招募新兵的番号名。[453]甲午：九月十九日。[454]定难：方镇名，后梁置夏州为定难军，治所岩绿，在今陕西靖边。

【校记】

［15］多侍食于其宫：原无此六字。据章钰校，十二行本、乙十一行本、孔天胤本皆有此六字，张敦仁《通鉴刊本识误》、张瑛《通鉴校勘记》同，今据补。［16］于晋：原无此二字。据章钰校，十二行本、乙十一行本、孔天胤本皆有此二字，今据补。［17］者：原无此字。据章钰校，十二行本、乙十一行本、孔天胤本皆有此字，张敦仁《通鉴刊本识误》同，今据补。

【语译】

冬，十月初三日戊申，册立吴国夫人冯氏为皇后。当初，晋高祖喜爱他最小的弟弟石重胤，把他当作自己的儿子来抚养。等到石重胤留守邺都时，娶了副留守安喜人冯蒙之女为妻。石重胤死得早，冯夫人寡居，她长得很漂亮，晋出帝见了就喜欢上了她。晋高祖驾崩，灵柩在停放期间，晋出帝就娶了她。群臣全都祝贺。晋出帝对冯道等人说："皇太后的旨令，和众卿不用大的庆祝。"群臣退出后，晋出帝和夫人畅怀饮酒，走过高祖灵柩前面时，洒酒于地并祷告说："皇太后的旨令，和先帝不用大的庆祝。"近臣不由得笑了起来，晋出帝自己也笑了，转过脸对近臣说："我今天当新女婿，怎么样?"冯夫人和近臣都大笑了起来。太后虽然很愤怒，但拿他没办法。冯夫人被正式立为皇后以后，经常干预朝政。皇后的哥哥冯玉，当时任礼部郎中、盐铁判官，晋出帝一下子把他提拔到端明殿学士、户部侍郎，参与讨论朝廷大事。

汉主命令韶王刘弘雅退休。

唐主派遣洪州营屯都虞候严恩率领军队讨伐张遇贤，任命通事舍人金陵人边镐为监军。边镐任用虔州人白昌裕为主持谋划的人，攻打张遇贤，多次打败他。张遇贤向神祈祷，神不再说话了，他的徒众非常恐惧。白昌裕劝边镐砍伐树木，开辟通道，绕到他的营寨后面袭击他。张遇贤丢下徒众投奔了别将李台。李台得知神不灵验了，就拘捕了张遇贤前来投降，把张遇贤在金陵街市上斩首。

十一月十三日丁亥，汉主在南郊祭天，实行大赦，改年号为乾和。

十四日戊子，吴越王钱弘佐娶妃子仰氏，是仰仁诠的女儿。

【段旨】

以上为第十三段，写后晋出帝纳弟媳冯夫人立为皇后，南唐主平定犯境南汉流寇。

【注释】

⑮戊申：十月初三日。⑯皇后：冯氏，定州（今河北定州）人，先嫁重胤，封吴国夫人。重贵纳之为后，乱晋政。传见《新五代史》卷十七。⑰少弟：小弟。⑱安喜：县

【原文】

初，高祖以马三百借平卢节度使杨光远，景延广以诏命取之。光远怒曰："是疑⑱我也！"密召其子单州⑲刺史承祚。戊戌⑳，承祚称母病，夜开门奔青州。庚子㉑，以左飞龙使金城何超权知单州。遣内班㉒赐光远玉带、御马㉓、金帛[18]，以安其意。壬寅㉔，遣侍卫步军都指挥使郭谨㉕将兵戍郓州㉖。

唐葬光文肃武孝高皇帝于永陵㉗，庙号烈祖。

十二月乙巳朔㉘，遣左领军卫将军蔡行遇将兵戍郓州。杨光远遣骑兵入淄州，劫刺史翟进宗归于青州。甲寅㉙，徙杨承祚为登州刺史以从其便。光远益骄，密告契丹，以晋主负德违盟㉚，境内大饥，公私困竭，乘此际攻之，一举可取。赵延寿亦劝之。契丹主乃集山后㉛及卢龙㉜兵合五万人，使延寿将㉝之，委㉞延寿经略㉟中国，曰："若得之，当立汝为帝。"又常指延寿谓晋人曰："此汝主也。"延寿信之，由是为契丹尽力，画㊱取中国之策。

朝廷颇闻其谋㊲，丙辰㊳，遣使城㊴南乐㊵及德清军㊶，征㊷近道兵以备之。

名，在今河北定州。⑲梓宫：棺材。⑳殡：棺木未入土，停在屋内。㉑纳之：收她为妻。㉒不任大庆：不用大的庆祝。㉓酣饮：痛快地饮酒。㉔醊而告：用酒酹地而祝告。醊，祭祀时将酒洒在地上。㉕失笑：不觉发笑。㉖恚：愤怒。㉗无如之何：对他没有什么办法。㉘正位中宫：指皇后。㉙弘雅：刘龑第七子，封韶王。传见《十国春秋》卷六十一。㊵谋主：主持谋划的人。㊶伐木开道：砍去树木，开辟道路。㊷袭：袭击。㊸别将：另外的将领。㊹丁亥：十一月十三日。㊺祀南郊：行祭天礼。㊻戊子：十一月十四日。㊼仰氏：仰仁诠之女。

【语译】

当初，晋高祖把三百匹马借给平卢节度使杨光远，景延广用皇帝的诏命向他讨要马匹。杨光远生气地说:“这是怀疑我啊!”就暗中叫他的儿子单州刺史杨承祚回来。十一月二十四日戊戌，杨承祚说是母亲有病，趁夜里打开城门奔往青州。二十六日庚子，任命左飞龙使金城人何超暂时主持单州的事务。又派宦官去赏给杨光远玉带、御马、金帛，以稳定他的心。二十八日壬寅，派侍卫步军都指挥使郭谨率领军队戍守郓州。

唐国把光文肃武孝高皇帝安葬在永陵，庙号为烈祖。

十二月初一日乙巳，派遣左领军卫将军蔡行遇率军戍守郓州。杨光远派遣骑兵进入淄州，劫持刺史翟进宗回到青州。初十日甲寅，调杨承祚任登州刺史，顺从他让自己方便的要求。杨光远越发骄横，暗中报告契丹，说晋主辜负恩德，违背盟约，境内严重饥荒，官府和百姓都困乏穷尽，乘这个机会来攻打，一战可以攻取晋国。赵延寿也劝说契丹攻晋。契丹主于是调集山后和卢龙的军队共计五万人，令赵延寿统领他们，并委任赵延寿处理中原的事务，对他说:“如果夺得中原，一定立你当皇帝。”还常常指着赵延寿对晋朝人说:“这是你们的君主啊。”赵延寿信以为真，从此为契丹尽心竭力，策划攻取中原的方略。

朝廷已经了解到他们的谋划，十二月十二日丙辰，派遣使者在南乐县和德清军筑城，调集邻近各道的兵力防守。

【段旨】

以上为第十四段，写平卢节度使杨光远投靠契丹，与赵延寿合兵谋犯中原。

【注释】

[478]疑：怀疑。[479]单州：州名，治所单父，在今山东单县。[480]戊戌：十一月二十四日。[481]庚子：十一月二十六日。[482]内班：宫廷诸司官员。[483]御马：赐以供皇帝所用之马。[484]壬寅：十一月二十八日。[485]郭谨（公元八九一至九五〇年）：字守节，太原晋阳（今山西太原）人，少从军，能骑射。官至后汉彰德军节度使。传见《旧五代史》卷一百六。[486]戍郓州：防卫郓州扼守河津，使杨光远不得与契丹联系。[487]永陵：徐知诰陵墓名。[488]乙巳朔：十二月初一日。[489]甲寅：十二月初十日。[490]负德违盟：辜负恩德，违

【原文】

唐侍中周宗年老，恭谨[503]自守。中书令宋齐丘广树朋党[504]，百计倾之[505]。宗泣诉[506]于唐主，唐主由是薄[507]齐丘。既而陈觉被疏，乃出齐丘为镇海节度使。齐丘忿怼[508]，表乞归九华[509]旧隐。唐主知其诈[510]，一表，即从之。赐书曰："今[19]日之行，昔时相许。朕实知公，故不夺[511]公志[512]。"仍赐号九华先生，封青阳公，食一县租税。齐丘乃治大第[513]于青阳[514]，服御将吏[515]，皆如王公[516]，而愤邑[517]尤甚。

宁州[518]酋长莫彦殊以所部温那等十八州附于楚。其州无官府，惟立牌于冈阜[519]，略以恩威羁縻[520]而已。

是岁，春夏旱，秋冬水，蝗大起，东自海壖[521]，西距陇坻[522]，南逾江、淮[20]，北抵幽、蓟[523]，原野、山谷、城郭、庐舍皆满，竹木叶俱尽。重[524]以官括民谷，使者督责[525]严急，至封碓硙[526]，不留其食，有坐[527]匿谷抵死[528]者。县令往往以督趣不办[529]，纳印[530]自劾去。民馁死[531]者数十万口，流亡[532]不可胜数。于是留守、节度使下至将军，各献马、金帛、刍粟以助国。

朝廷以恒[533]、定饥甚，独不括民谷。顺国[534]节度使杜威[535]奏称军食不足，请如诸州例[536]，许之。威用判官王绪谋，检索殆尽[537]，得百万斛。威止奏三十万斛，余皆入其家。又[21]令判官李沼称贷于民[538]，复满百万斛。来春粜之[539]，得缗钱二百万，阖境[540]苦之。定州吏欲援例为奏，义武节度使马全节不许，曰："吾为观察使[541]，职在养民，岂忍[542]效彼所为乎！"

背盟约。㊹山后：指妫、澶、云、应等州。㊺卢龙：幽州军号。㊻将：率领。㊼委：委任。㊽经略：策划处理。㊾画：谋划。㊿颇闻其谋：已经知道他的计谋。(498)丙辰：十二月十二日。(499)城：筑城防守。(500)南乐：县名，在今河北大名。(501)德清军：方镇名，晋置德清军于清丰县，在今河南清丰。(502)征：征发。

【校记】

［18］金帛：原无此二字。据章钰校，十二行本、乙十一行本、孔天胤本皆有此二字，今据补。

【语译】

唐国侍中周宗年老，谦恭谨慎，坚持操守。中书令宋齐丘广树朋党，千方百计地排挤他。周宗哭着向唐主控诉，唐主从此轻视宋齐丘。不久陈觉被疏远，于是把宋齐丘外放为镇海节度使。宋齐丘很愤恨，上表请求回到九华山从前隐居的地方。唐主知道他是欺骗，一上奏表，就答应了。赐给他书信说："今天的离去，过去就答应过。朕确实很了解您，所以不强改变您的心愿。"仍旧赐给他九华先生的名号，封为青阳公，食禄为一县租税。宋齐丘于是在青阳修建了很大的住宅，穿的、用的以及武将文吏，都和王公一样，而愤恨、抑郁的心情格外厉害。

宁州酋长莫彦殊率领他所辖的温那等十八个州归附了楚国。这些州没有官府，只是在山岗上立个牌子，稍微施行一些恩惠和威慑加以笼络而已。

这一年，春、夏两季天旱，秋、冬两季发大水，蝗灾严重，东自海岸，西到陇坻，南过长江、淮河，北到幽州、蓟州，原野、山谷、城郭、庐舍，到处是蝗虫，竹叶、树叶都被吃光。加上官府向农民搜刮谷物，使差督促责罚严苛急迫，甚至封住百姓的碓臼碾磨，不给他们留口粮，还有因为藏匿谷物而被处死刑。县令往往因为督促的事务不能办到，交出印信自我弹劾，弃官而去。百姓饿死的有几十万人，逃亡的人不能尽数。于是留守、节度使，下至将军，各自献出马匹、金钱、布帛、粮草来救助国家。

朝廷因为恒州、定州饥荒特别严重，只有这里没有搜刮百姓的谷物。顺国节度使杜威上奏说军粮不足，请求比照各州的做法办理，朝廷答应了。杜威采纳判官王绪的主意，搜求殆尽，得谷一百万斛。杜威只奏报三十万斛，剩下的都进了他的家。他又命判官李沼向百姓借贷，又足足一百万斛。来年春季卖出，得钱二百万缗，全境的百姓深受其苦。定州的官吏想援引恒州的例子向朝廷上奏，义武节度使马全节没有同意，他说："我身为观察使，职责就在于存恤百姓，怎能忍心学他们的所作所为！"

【段旨】

以上为第十五段，写中原大旱，后晋出帝仍征敛无厌，民怨沸腾。

【注释】

[503]恭谨：谦恭谨慎。[504]广树朋党：广泛地拉帮结派。[505]倾之：排挤周宗。[506]泣诉：流着眼泪控诉。[507]薄：轻视。[508]忿怼：愤怒而怨恨。[509]九华：九华山。[510]诈：假。[511]夺：改变。[512]志：指隐居九华山之心愿。[513]治大第：造大房子。[514]青阳：县名，在今安徽青阳。[515]服御将吏：穿的服装、用的器物、府内的武将文吏。[516]皆如王公：都像王爵和公爵的规格一样。[517]愤邑：愤恨和郁悒。邑，通“悒”。[518]宁州：州名，故治在今云南曲靖西。[519]冈阜：山岗。[520]羁縻：笼络。[521]海堧：海边。[522]陇坻：陇山，在今甘肃境内。[523]幽、蓟：幽州、蓟州，今河北境内。[524]重：加上。[525]督责：督促责罚。[526]至封碓

【原文】

楚地多产金银，茶利尤厚，由是财货丰殖[543]。而楚王希范，奢欲无厌[544]，喜自夸大。为长枪大槊，饰之以金[545]，可执而不可用。募富民年少肥泽[546]者八千人，为银枪都[547]。宫室、园囿、服用之物，务穷侈靡。作九龙殿，刻沈香[548]为八龙，饰以金宝，长十余丈，抱柱相向[549]。希范居其中，自为一龙，其幞头[550]脚长丈余，以象龙角。

用度不足，重为赋敛[551]。每遣使者行田[552]，专以增顷亩[553]为功，民不胜租赋[554]而逃。王曰：“但[555]令田在，何忧无谷！”命营田使邓懿文[556]籍逃田[557]，募民耕艺[558]出租。民舍故从新[559]，仅能自存，自西徂东[560]，各失其业。又听人入财拜官[561]，以财多少为官高卑之差。富商大贾，布在列位[562]。外官还者，必责贡献。民有罪，则富者输财，强者为兵，惟贫弱受刑。又置函[563]，使人投匿名书相告讦[564]，至有灭族者。

是岁，用孔目官[565]周陟议，令常税之外，大县贡米二千斛，中千斛，小七百斛，无米者输布帛。天策学士拓跋恒[566]上书曰：“殿下长深宫之中，藉[567]已成之业，身不知稼穑之劳，耳不闻鼓鼙[568]之音，驰

硙：甚至封闭舂谷的碓和磨子。㉗坐：犯。㉘匿谷抵死：藏匿谷子而被判死刑。抵死，处死刑。㉙督趣不办：督促的事情不能办到。趣，督促。㉚纳印：交还印信。㉛馁死：饿死。㉜流亡：逃亡。㉝恒：恒州，即镇州。晋天福七年（公元九四二年）正月改镇州为恒州。㉞顺国：方镇名，即成德节度使。晋天福七年改。㉟杜威：杜重威。因避石重贵讳改名杜威。㊱请如诸州例：请求像各州一样刮谷。㊲殆尽：将尽。㊳称贷于民：向人民借贷。㊴粜之：卖出去。㊵阖境：全境。㊶观察使：官名，在节度州掌民政。唐制，节度使大都兼观察使。㊷忍：忍心。

【校记】

[19]今：原作“明”。据章钰校，十二行本、乙十一行本、孔天胤本皆作“今”，今据改。[20]淮：据章钰校，十二行本、乙十一行本皆作“湖”，《通鉴总类》同。[21]又：原无此字。据章钰校，十二行本、乙十一行本、孔天胤本皆有此字，今据补。

【语译】

楚地盛产金银，种茶的利润格外丰厚，因此财物富足。然而楚王马希范却穷奢极欲从不满足，喜欢夸大自己。制作长枪、长槊，用黄金做装饰，能握持而不中用。招募有钱人家肥壮润泽的少年八千人，编为银枪都。宫室、园囿、使用的物品，都极力追求奢侈华丽。兴建九龙殿，用沉香木刻成八条龙，用金银珍宝加以装饰，长十多丈，缠绕在柱子上两龙首相对。马希范坐在中间，把自己当成一条龙，他的包头巾帽伸出的脚有一丈多长，用来象征龙角。

费用不足，就加重赋税的征敛。经常派使者巡视农田，专门以增加田亩数为功绩，百姓负担不起租赋而逃走。楚王说：“只要让田地留下，何愁没有谷物！”于是命令营田使邓懿文登记逃亡人户的田亩，招募别的农民耕种缴纳田租。农民舍弃旧有的田地，垦种新的田地，仅仅能够维持自身的生存，从西边流徙到东边，两边的产业都丧失了。楚王又允许人们缴钱授予官位，按照所交钱财的多少作为官职高低的等差。富商大贾，安排重要的官位。在外地任官的回到朝廷，一定索取贡献。百姓犯了罪，富人就交出钱财，强壮的就去当兵，贫穷衰弱的人只好接受刑罚。又设置箱子，让人们投匿名信互相检举告发阴私，以致有因此而被灭族的。

这一年，采纳孔目官周陟的建议，规定在正税之外，大县进贡米二千斛，中县一千斛，小县七百斛，没有米的就出布帛。天策学士拓跋恒上书说：“殿下生长在深宫之中，凭借既成的大业，因此自身不知道种庄稼的辛劳，耳朵也没有听到过战场鼓角的声音，只是骑着马驰奔遨游，住的是华丽的宫室，吃的是山珍海味。府库中

骋遨游，雕墙玉食。府库尽矣，而浮费益甚，百姓困矣，而厚敛⑤⁹不息。今淮南⑤⁷⁰为仇雠之国，番禺⑤⁷¹怀吞噬之志，荆渚⑤⁷²日图窥伺，溪洞⑤⁷³待我姑息。谚曰：'足寒伤⑤⁷⁴心，民怨伤国。'愿罢输米之令，诛周陟以谢郡县，去不急之务⑤⁷⁵，减兴作⑤⁷⁶之役，无令一旦祸败⑤⁷⁷，为四方所笑。"王大怒。他日，恒请见，辞以昼寝。恒谓客将区弘练曰："王逞欲而愎谏⑤⁷⁸，吾见其千口⑤⁷⁹飘零无日矣。"王益怒，遂终身不复见之。

闽主曦嫁其女，取班簿⑤⁸⁰阅视之。朝士有不贺者十二人，皆杖之于朝堂。以御史中丞刘赞不举劾⑤⁸¹，亦将杖之。赞义不受辱⑤⁸²，欲自杀。谏议大夫郑元弼谏曰："古者刑不上大夫。中丞仪刑百僚⑤⁸³，岂宜加之棰楚⑤⁸⁴！"曦正色⑤⁸⁵曰："卿欲效魏徵⑤⁸⁶邪？"元弼曰："臣以陛下为唐太宗，故敢效魏徵。"曦怒稍解，乃释赞，赞竟以忧⑤⁸⁷卒。

【段旨】

以上为第十六段，写楚主马希范、闽主王曦均骄奢淫逸，千方百计地搜刮民财。

【注释】

㊸丰殖：富足。㊹奢欲无厌：奢侈的欲望不满足。㊺饰之以金：用金子做装饰。㊻肥泽：肥壮润泽。㊼银枪都：禁卫军名。㊽沈香：亦作"沉香"，植物名，常绿乔木，为著名熏香料。㊾抱柱相向：龙盘绕柱子面对面。㊿襆头：包头布帽，上出四脚。[551]重为赋敛：加重搜刮。[552]行田：巡视农田。[553]增顷亩：增加田地的数字。[554]不胜租赋：负担不起沉重的租税田赋。[555]但：只。[556]邓懿文：以文学见长，仕楚天策学士，兼领营田使。传见《十国春秋》卷七十四。[557]籍逃田：登记逃亡者田地。[558]耕艺：耕种。艺，种。[559]舍

【原文】

开运元年（甲辰，公元九四四年）

春，正月乙亥[588]，边藩[589]驰告："契丹前锋将赵延寿、赵延照将兵五万入寇，逼[590]贝州。"延照[591]，思温之子也。

的财物已经竭尽，而浪费更加厉害，百姓生活很贫困了，但是沉重的赋敛仍不停止。现在淮南方面是我们的仇敌之国，番禺方面对我们怀有吞并的野心，荆渚方面天天都在打我们的主意，溪洞方面等待我们姑息。谚语说：'足寒伤心，民怨伤国。'希望取消输纳米的规定，斩杀周陟以向郡县的百姓谢罪，除去一切不急之务，削减建造的劳役，不要使一旦祸败，被天下人耻笑。"楚王大怒。有一天，拓跋恒请求进见，楚王推辞说正在睡午觉。拓跋恒对客将区弘练说："大王快其心意而拒绝劝谏，我看他的千口之家流离失所没有多久了。"楚王听到这话更加恼怒，从此终生不再见拓跋恒。

闽主王曦出嫁他的女儿，拿出在朝者名册查阅。朝廷官员有十二个人没来祝贺，便在朝堂都杖打他们。因为御史中丞刘赞没有举报弹劾这些人，也要杖打他。刘赞坚持正义不甘受辱，准备自杀。谏议大夫郑元弼劝谏闽主说："古时候刑不上大夫。中丞是文武官员的榜样，怎么好加以杖打呢！"王曦板着脸说："你想学魏徵吗？"郑元弼说："臣是把陛下当作唐太宗，所以才敢学魏徵。"王曦的怒气这才稍有缓解，便释放了刘赞，刘赞最终忧愤而死。

故从新：舍弃过去田地，耕种新租田地。560 自西徂东：从西到东。徂，到。561 拜官：授官。562 布在列位：分布在高官的位置上。563 置函：设置检举信箱。564 告讦：揭人阴私。565 孔目官：掌管文移簿籍财务的官吏。566 拓跋恒：本姓元，避景昭王偏讳，改今姓。少以才学见称，为天策府十八学士之首。传见《十国春秋》卷七十三。567 藉：凭借。568 鼓鼙：指代战争。569 厚敛：沉重的搜刮。570 淮南：指代南唐。571 番禺：指代南汉。572 荆渚：指代荆南。573 溪洞：指溪洞、莫、彭等少数民族。574 伤：伤害。575 不急之务：不必急办的事务，即烦琐扰民之事。576 兴作：建造宫室园囿。577 祸败：因祸而败亡。578 愎谏：拒谏。579 千口：合家之人。俗称合家之人为百口。楚王是诸侯，人口多，故称全家为千口。580 班簿：记载列班朝参人员的簿籍。581 举劾：检举弹劾。582 义不受辱：坚持正义不愿受屈辱。583 仪刑百僚：是文武百官的榜样。刑，通"型"。型范；榜样。584 棰楚：责打。585 正色：作色。586 魏徵：唐太宗时大臣，以直谏著称。587 忧：忧愤。

【语译】

开运元年（甲辰，公元九四四年）

春，正月初二日乙亥，边境藩镇飞骑报告："契丹的前锋将领赵延寿、赵延照率领五万军队入境寇掠，逼近贝州。"赵延照，是赵思温的儿子。

先是朝廷以贝州水陆要冲⑤⑨②，多聚刍粟⑤⑨③，为大军数年之储，以备契丹。军校邵珂，性凶悖⑤⑨④，永清⑤⑨⑤节度使王令温⑤⑨⑥黜之⑤⑨⑦。珂怨望，密遣人亡⑤⑨⑧入契丹，言“贝州粟多而兵弱，易取也”。会令温入朝，执政以前复州防御使吴峦权知州事，峦既[22]至，推诚抚士⑤⑨⑨。会契丹入寇，峦书生，无爪牙⑥⓪⓪，珂自请，愿效死，峦使将兵守南门，峦自守东门。契丹主自攻贝州，峦悉力拒之，烧其攻具殆尽。己卯⑥⓪①，契丹复攻城，珂引契丹自南门入，峦赴井死。契丹遂陷贝州，所杀且⑥⓪②万人。

庚辰⑥⓪③，以归德节度使高行周为北面行营都部署，以河阳节度使符彦卿为马军左厢排陈使，以右神武统军皇甫遇为马军右厢排陈使，以陕府⑥⓪④节度使王周为步军左厢排陈使，以左羽林将军潘环⑥⓪⑤为步军右厢排陈使。

太原奏契丹入雁门关⑥⓪⑥。恒、邢、沧皆奏契丹入寇。

顺国[23]节度使杜威遣幕僚曹光裔诣杨光远，为陈祸福⑥⓪⑦。光远遣光裔入奏，称：“承祚逃归，母疾故尔⑥⓪⑧。既蒙恩宥⑥⓪⑨，阖族荷恩。”朝廷信其言，遣使与光裔复往慰谕⑥①⓪之。

【段旨】

以上为第十七段，写契丹大举南下攻占贝州，夺得大量军储。归德节度使高行周受命御敌，为北面行营都部署。

【注释】

⑤⑧⑧乙亥：正月初二日。⑤⑧⑨边藩：边疆的节镇。⑤⑨⓪逼：逼近。⑤⑨①延照：契丹临海军节度使赵思温之长子。传附《辽史》卷七十三《赵思温传》。⑤⑨②水陆要冲：水路和陆路的要害地方。⑤⑨③刍粟：马草和粮食。⑤⑨④凶悖：凶残悖戾。⑤⑨⑤永清：方镇名，晋以贝州为永清军，故治在今河北清河。⑤⑨⑥王令温（公元八九五至九五六年）：字顺之，瀛州河间（今河北河间）人，少以勇武称，累官至后汉镇安军节度使。传见《旧五代史》卷一百二十四。⑤⑨⑦黜之：黜退他。⑤⑨⑧亡：逃亡。⑤⑨⑨推诚抚士：推诚相待，安抚士卒。⑥⓪⓪爪牙：武

此前，朝廷认为贝州是水陆要道，在这里聚集了很多粮草，是大军好几年的储备，用来防备契丹。军校邵珂生性凶残悖戾，永清节度使王令温免了他的职。邵珂心怀怨恨，暗中派人逃入契丹，说："贝州的粮食很多，而兵力很弱，容易攻取"。恰逢王令温入朝，执政大臣任命前复州防御使吴峦暂理贝州事务。吴峦到贝州以后，以诚相待，安抚士卒。正遇上契丹入侵，吴峦是个书生，没有武将，邵珂主动请战，愿意以死报效，吴峦就派他带兵守卫南门，吴峦自己把守东门。契丹主亲自攻打贝州，吴峦竭尽全力抵抗敌人，把契丹人的攻城器具几乎烧光。正月初六日己卯，契丹又来攻城，邵珂引领契丹兵从南门进城，吴峦投井而死。契丹终于攻克贝州，杀害了将近一万人。

正月初七日庚辰，任命归德节度使高行周为北面行营都部署，任命河阳节度使符彦卿为马军左厢排陈使，任命右神武统军皇甫遇为马军右厢排陈使，任命陕府节度使王周为步军左厢排陈使，任命左羽林将军潘环为步军右厢排陈使。

太原奏报契丹进入雁门关。恒州、邢州、沧州都奏报契丹入侵。

顺国节度使杜威派幕僚曹光裔前往杨光远那里，为他分析依违朝廷的利害关系。于是杨光远就委派曹光裔入朝上奏，说："杨承祚逃归青州，是由于他母亲生病的缘故。如能承恩宽恕，全族都感受皇上的恩德。"朝廷相信了他的话，就派遣使者和曹光裔一道去安抚劝谕杨光远。

臣，佐助的人。⑥⓪① 己卯：正月初六日。⑥⓪② 且：将近。⑥⓪③ 庚辰：正月初七日。⑥⓪④ 陕府：陕州，即保义军节度使。⑥⓪⑤ 潘环（？至公元九四六年）：字楚奇，洛阳（今河南洛阳）人，少为小贩，官至晋澶州节度使。传见《十国春秋》卷九十四。⑥⓪⑥ 雁门关：关名，在今山西代县北。⑥⓪⑦ 为陈祸福：为他分析顺受福、反受祸的道理。⑥⓪⑧ 母疾故尔：母亲患病的缘故。去年十一月杨光远私召其子单州刺史杨承祚以母病为名逃回平卢，欲谋异志。⑥⓪⑨ 宥：宽恕；赦罪。⑥①⓪ 慰谕：慰劳、劝勉。

【校记】

［22］既：原无此字。据章钰校，十二行本、乙十一行本、孔天胤本皆有此字，张敦仁《通鉴刊本识误》同，今据补。［23］顺国：原作"成德"。严衍《通鉴补》改作"顺国"，今据以校正。〖按〗本卷卷首后晋即改"成德军"为"顺国军"，下卷亦作"顺国节度使杜威"，尚不误。

【原文】

唐以侍中周宗为镇南节度使，左仆射兼门下侍郎、同平章事张居咏为镇海节度使。

唐主决欲传位于齐、燕二王[611]。翰林学士冯延巳等因之，欲隔绝中外[612]以擅权。辛巳[613]，敕齐王景遂参决庶政[614]，百官惟枢密副使魏岑、查文徽得白事[615]，余非召对不得见。国人大骇[616]。给事中萧俨上疏极论，不报[617]。侍卫都虞候贾崇[618]叩阁求见，曰："臣事先帝三十年，观其延接疏远[619]，孜孜不怠，下情犹有不通者。陛下新即位，所任者何人，而顿[620]与群臣谢绝？臣老矣，不复得奉颜色[621]。"因涕泗[622]呜咽。唐主感悟，遽[623]收前敕。

唐主于宫中作高楼，召侍臣观之，众皆叹美[624]。萧俨曰："恨楼下无井[625]。"唐主问其故，对曰："以此不及景阳楼耳。"唐主怒，贬于舒州[626]。观察使孙晟遣兵防[627]之，俨曰："俨以谏诤得罪，非有他志[628]。昔顾命[629]之际，君几危社稷[630]，其罪顾[631]不重于俨乎？今日反见[632]防邪！"晟惭惧，遽罢之。

【段旨】

以上为第十八段，写南唐主李璟亲小人、远贤臣。

【注释】

⑪齐、燕二王：指王弟李景遂、李景达。⑫隔绝中外：阻断朝廷内外。⑬辛巳：正月初八日。⑭参决庶政：参议决定国家的政务。⑮白事：向皇帝奏事。⑯大骇：大为惊恐。⑰不报：不作答复。⑱贾崇：少勇果，人称贾尉迟，官神武统军。因抗周师时不战

【语译】

唐国任命侍中周宗为镇南节度使，左仆射兼门下侍郎、同平章事张居咏为镇海节度使。

唐主拿定主意要传位给弟弟齐王和燕王。翰林学士冯延巳等人想乘此机会，阻断大臣与宫中的联系，以便把持权柄。正月初八日辛巳，唐主下令齐王李景遂参与决策各项国政，文武百官只有枢密副使魏岑、查文徽可以直接向皇帝奏事，其余的人除非召唤不得进见。唐国的百姓大为震惊。给事中萧俨上疏极力争辩，不予答复。侍卫都虞候贾崇叩首阎门请求接见，他说："臣侍奉先帝三十年，亲眼看到先帝引见接纳关系疏远的人，总是殷勤诚恳，从不倦怠，下面的情况还是有不能上达的。陛下刚刚即位，任用的是什么人呢，竟然马上就要和群臣隔绝？臣老了，不能再亲自侍奉皇上了。"于是泪流满面，声音哽咽。唐主感悟，立刻收回以前颁布的敕令。

唐主在宫中建造高楼，召集侍臣来观看，大家都赞叹称美。萧俨说："只可惜楼下没有井。"唐主问他什么缘故。他回答说："因为少了这口井就比不上陈后主的景阳楼了啊。"唐主一听大怒，把他贬到舒州。观察使孙晟派兵对他看守，萧俨说："我萧俨是因为直言敢谏而获罪，不是怀有异心。当初先主去世前留下遗命时，你几乎危害国家，那罪责难道不比我萧俨的要严重得多吗？今天反而被你看守起来了！"孙晟又羞惭又害怕，赶紧撤了防备。

而回，长流抚州。传见《十国春秋》卷二十三。⑲延接疏远：接待比较疏远的臣子。⑳顿：立即。㉑颜色：借指皇帝。㉒涕泗：涕、泪交流。自目而出叫泪，自鼻而出叫涕。㉓遽：立即。㉔叹美：感叹高楼之美丽。㉕恨楼下无井：引南陈后主亡国典故讽谏。陈后主起景阳楼，隋兵至，自投于楼下井中。㉖舒州：州名，治所怀宁，在今安徽潜山。㉗防：监视。㉘非有他志：没有其他的想法。指异心、异图。㉙顾命：天子将死时的遗命。㉚君几危社稷：你几乎危害国家。因孙晟主张太后临朝称制，故有此语。㉛顾：反而；难道。㉜见：被。

【原文】

帝遣使持书遗契丹，契丹已屯邺都，不得通而返。壬午[633]，以侍卫马步都指挥使景延广为御营使，前静难节度使李周为东京留守。是日，高行周以前军先发。时用兵方略[634]号令皆出延广，宰相以下皆无所预。延广乘势使气，陵侮[635]诸将，虽天子亦不能制。

乙酉[636]，帝发东京。丁亥[637]，滑州奏契丹至黎阳[638]。戊子[639]，帝至澶州[640]。契丹主屯元城[641]，赵延寿屯南乐[642]。以延寿为魏博节度使，封魏王。

契丹寇太原，刘知远与白承福合兵二万击之。甲午[643]，以知远为幽州道行营招讨使，杜威为副使，马全节为都虞候。丙申[644]，遣右武卫上将军张彦泽等将兵拒契丹于黎阳。

戊戌[645]，蜀主复以将相遥领节度使。

帝复遣译者[646]孟守忠致书于契丹，求修旧好[647]。契丹主复书曰："已成之势[648]，不可改也。"辛丑[649]，太原奏破契丹伟王于秀容[650]，斩首三千级。契丹自鸦鸣谷[651]遁去。

殷铸天德通宝大铁钱，一当百。

唐主遣使遗闽主曦及殷主延政书，责以兄弟寻戈[652]。曦复书，引周公诛管、蔡，唐太宗[24]诛建成、元吉为比。延政复书，斥[653]唐主夺杨氏国。唐主怒，遂与殷绝。

天平节度副使、知郓州颜衎遣观察判官窦仪奏："博州刺史周儒以城降契丹，又与杨光远通使往还，引契丹自马家口[654]济河，擒左武卫将军蔡行遇。"仪谓景延广曰："虏若济河与光远合，则河南[655]危矣。"延广然之。仪，蓟州人也。

【段旨】

以上为第十九段，写晋出帝向契丹求和未允。博州刺史周儒投降契丹，引敌渡过黄河。

【语译】

晋出帝派遣使者带书信给契丹，契丹军已经驻扎在邺都城外，使者不能通过，折返回来。正月初九日壬午，任命侍卫马步都指挥使景延广为御营使，前静难节度使李周为东京留守。当天，高行周率领前锋部队先出发。当时用兵的方略和号令全都出自景延广，宰相以下的官员都不得参与。景延广乘势用气，凌辱诸将，即使是天子也管不了。

正月十二日乙酉，晋出帝从东京出发。十四日丁亥，滑州奏报契丹兵到了黎阳。十五日戊子，晋出帝到达澶州。契丹主屯驻元城，赵延寿屯驻南乐。契丹主任命赵延寿为魏博节度使，封他为魏王。

契丹侵犯太原，刘知远与白承福集中士卒二万人迎击契丹兵。正月二十一日甲午，任命刘知远为幽州道行营招讨使，杜威为副使，马全节为都虞候。二十三日丙申，派遣右武卫上将军张彦泽等人率兵在黎阳抵御契丹。

二十五日戊戌，蜀主恢复用将相遥领节度使。

晋出帝又派遣翻译孟守忠送信给契丹，请求建立两国原有的友好关系。契丹主回信说："已经形成的局势，不能改变了。"正月二十八日辛丑，太原奏报在秀容打败了契丹的伟王，斩获三千首级。契丹兵从鸦鸣谷逃走。

殷国铸造"天德通宝"大铁钱，一枚大钱相当于一百枚小钱。

唐主派使者送给闽主王曦和殷主王延政书信，责备他们兄弟之间动用刀兵。王曦回信，援引周公诛管叔、蔡叔，唐太宗诛李建成、李元吉的例子做比喻。王延政回信，斥责唐主篡夺了杨氏天下。唐主很生气，便与殷国断绝来往。

天平节度副使、知郓州颜衎派观察判官窦仪入朝上奏："博州刺史周儒献上州城投降了契丹，又和杨光远互派使者相往来，引领契丹兵从马家口渡过黄河，掳走左武卫将军蔡行遇。"窦仪对景延广说："北虏如果渡过黄河与杨光远合兵，黄河以南就危险了。"景延广同意他的看法。窦仪，是蓟州人。

【注释】

㉝壬午：正月初九日。㉞方略：策略。㉟陵侮：欺凌侮辱。㊱乙酉：正月十二日。㊲丁亥：正月十四日。㊳黎阳：县名，在今河南浚县东北。㊴戊子：正月十五日。㊵澶州：州名，是时澶州据德胜津，在今河南濮阳。㊶元城：县名，县治古殷城，在今河北大名。㊷南乐：县名，在今河南南乐。㊸甲午：正月二十一日。㊹丙申：正月二十

三日。㊻戊戌：正月二十五日。㊼译者：翻译人员。㊽求修旧好：请求恢复过去的友好关系。㊾已成之势：已经形成的敌对形势。㊿辛丑：正月二十八日。(650)秀容：县名，故城在今山西忻州西北。(651)鸦鸣谷：地名，自鸦鸣谷可通山西长治。(652)兄弟寻戈：兄弟之间，日寻干戈。(653)斥：申斥。(654)马家口：地名，在今山东东平西北。(655)河南：借指后晋政权。

【校记】

［24］唐太宗："唐"下原空一格。据章钰校，十二行本、乙十一行本、孔天胤本空格皆作"太宗"，熊罗宿《胡刻资治通鉴校字记》同，今据补。

【研析】

本卷研析南汉高祖刘岩昏暴、闽主王曦好货、后晋出帝石重贵居丧做新郎、后晋举国贪残四件史事。

第一，南汉高祖刘岩昏暴。南汉高祖刘岩，南海王刘隐之弟，隐卒代立，袭封南海王。刘岩不满名"岩"，更名"龑"，取《易·乾卦》"飞龙在天"之义，造字曰"龑"，读"俨"。梁贞明三年（公元九一七年），刘龑即皇帝位，国号大越，公元九四二年卒，谥天皇大帝，庙号高祖。刘龑据岭南一角，弹丸小国，却狂妄自矜，呼唐天子为"洛州刺史"，认为中原天子都洛阳，政令不能及远，如同洛州刺史。刘龑为政，极端奢侈荒淫、残暴苛酷。宫殿悉以金玉珠翠为饰；用刑残酷，有灌鼻、割舌、肢解、刳剔、炮炙、烹蒸之刑，还有聚毒蛇于水中，以罪人投之，叫作水狱。只要杀人，则高兴异常。晚年，猜疑变态，认为士大夫都为子孙打算，只有宦官无后才可靠，事无巨细，专用宦官，由是南汉小国，宦官充斥。唐末宦官之祸，刘龑亲见，当自己手握无限权力，阉竖的为害便置诸脑后。宦官是集权制度的衍生物，小小南汉，提供了极为生动的例证。

第二，闽主王曦好货。闽主王曦淫虐而好货，同平章事余廷英亦贪秽之人。余廷英出为泉州刺史，掠取良家女子，还诈称是替闽主选美。事情败露，闽主王曦派御史去调查审讯。余廷英害怕了，就赶回福州自首，送给闽主宴会钱一万缗，欧史记载为钱千万。闽主十分高兴，对余廷英说还得送一份给皇后。余廷英又送了一千万钱给皇后，摆平了这件事，回到泉州任上。没有过多久，闽主召回余廷英重用为相。从此，闽国地方的贡物一份变为两份。闽主一份，皇后一份。闽主君臣，贪财如此，一对好货之徒，民不堪命矣。

第三，后晋出帝石重贵居丧做新郎。后晋高祖石敬瑭喜欢少弟石重胤，养为儿子，名字加"重"字，与自己儿子同辈分。重胤早死，其妻冯氏寡居，有美色，出帝石重贵一见神魂颠倒。后晋高祖驾崩，还未下葬，出帝就纳叔母冯氏为妃，又立为皇后，群臣都来庆贺。出帝对宰相冯道说："皇太后的旨令，和众卿不用大的庆祝。"

群臣退出，出帝与冯皇后畅饮欢快。酒足饭饱后，出帝与冯皇后走到后晋高祖灵柩前，洒酒于地，口中祷告说："皇太后的旨令，和先帝不用大的庆祝。"在场的人忍不住笑起来，出帝也红着脸笑了起来，还自我解嘲地说："我今天当新女婿，怎么样?"乐得冯皇后和周围的人大笑起来。皇太后心里很生气，可是对于出帝这样纵欲乱伦的行为无可奈何。出帝如此荒唐，不见大臣谏诤，主昏臣谬，破家亡国之祸可以想见了。

第四，后晋举国贪残。后晋出帝天福八年（公元九四三年），全国春夏大旱，秋冬大水，加之蝗灾，东起海滨，西至陇山，南逾江、淮，北抵幽、蓟，灾民遍地，竹、木叶都被采食殆尽。平卢军节度使杨光远密告契丹，晋国境内大饥，军士饿死过半，趁此出兵，可一举灭晋。杨光远早有异谋，欲效石敬瑭之所为，引纳契丹内侵，自己做儿皇帝。晋国全境大灾，引狼入室，祸害祖国，是不齿于人类的人渣。而晋国君臣，在大灾之年，不恤民生，反而搜刮民谷，使者四出，相望于道，严加督责，以至于封禁碓硙，不留一颗粮食，有藏匿谷者，处以死刑。河北恒、定两州，灾情严重，诏令不刮民财，而顺国节度使杜威奏称军食不足，请按诸州例搜刮民财，全境搜刮殆尽，得谷百万斛，上奏三十万斛，个人截留七十万斛。无独有偶，楚王马希范，也以用度不足为由，重为赋敛，民不胜租赋逃亡，马希范说："但令田在，何忧无谷。"田有人民耕种才能产谷，人去田荒，哪来谷物?在杜威、马希范、晋出帝眼里，只有钱财、谷物，黎民百姓不如粪土，苍生大众，也只知逆来顺受。读史至此，不能不思陈胜、吴广。不知何因，五代时怎么就少了发难的英雄。陈胜、吴广，你们到哪里去了?

卷第二百八十四　后晋纪五

起阏逢执徐（甲辰，公元九四四年）二月，尽旃蒙大荒落（乙巳，公元九四五年）七月，凡一年有奇。

【题解】

本卷记事起于公元九四四年二月，迄于公元九四五年七月，凡一年又六个月，当后晋齐王开运元年二月至开运二年七月。开运二年二月，高行周在戚城大败契丹。桑维翰复出，出杨光远、景延广于外，朝纲整肃，数月之间，朝廷差治。十二月，契丹第二次大举南犯，晋兵大败契丹于相州，晋出帝下诏亲征。开运二年三月，晋军在阳城大败契丹。出帝留杜威为顺国节度使镇恒州，杜威畏惧契丹复来，擅离职守逃回京都，出帝姑息不问。桑维翰屡谏乘胜与契丹修好，出帝不听，丧失和平契机。闽主王曦为部属杀死，朱文进自称闽主。王延政大破南唐兵，朱文进又为部属所杀，归服殷主，福州兵入援建州，南唐增兵大败王延政，李仁达乘机割据福州。王延政屠杀福州兵八千人，为其败亡张本。

【原文】

齐王中

开运元年（甲辰，公元九四四年）

二月甲辰朔①，命前保义节度使石赟②守麻家口，前威胜节度使何重建守杨刘镇，护圣都指挥使白再荣③守马家口，西京留守安彦威守河阳。未几，周儒引契丹将麻荅④自马家口济河，营于东岸，攻郓州北津以应杨光远。麻荅，契丹主之从弟也。

乙巳⑤，遣侍卫马军都指[1]挥使、义成节度使李守贞⑥，神武统军皇甫遇，陈州防御使梁汉璋⑦，怀州刺史薛怀让将兵万人，缘⑧河水陆俱进。守贞，河阳；汉璋，应州；怀让，太原人也。

丙午⑨，契丹围高行周、符彦卿及先锋指挥使石公霸于戚城⑩。先是，景延广令诸将分地而守，无得相救。行周等告急，延广徐白帝，帝自将救之。契丹解去，三将泣诉救兵之缓，几不免⑪。

【语译】

齐王中

开运元年（甲辰，公元九四四年）

二月初一日甲辰，任命前保义节度使石赟守卫麻家口，前威胜节度使何重建守卫杨刘镇，护圣都指挥使白再荣守卫马家口，西京留守安彦威守卫河阳。不久，周儒引导契丹将领麻荅从马家口渡过黄河，在东岸扎营，攻打郓州北岸的渡口，以此呼应杨光远。麻荅，是契丹主的堂弟。

初二日乙巳，派遣侍卫马军都指挥使、义成节度使李守贞，神武统军皇甫遇，陈州防御使梁汉璋，怀州刺史薛怀让率领一万军队，沿着黄河水陆并进。李守贞，是河阳人；梁汉璋，是应州人；薛怀让，是太原人。

初三日丙午，契丹在戚城包围了高行周、符彦卿和先锋指挥使石公霸。在此之前，景延广下令各将帅分地防守，得不到相互救援。高行周等人向朝廷告急，景延广迟迟才报告晋出帝，晋出帝亲自率军救援。契丹解围退走，三位将军哭着向皇帝诉说救兵迟缓，几乎不免于难。

戊申⑫，李守贞等至马家口。契丹遣步卒万人筑垒，散骑兵于其外，余兵数万屯河西，船数十[2]艘渡兵，未已⑬，晋兵薄之⑭。契丹骑兵退走，晋兵进攻其垒，拔之。契丹大败，乘马赴河溺死者数千人，俘斩亦数千人。河西之兵恸哭⑮而去，由是不敢复东。辛亥⑯，定难节度使李彝殷奏将兵四万自麟州济河，侵契丹之境。壬子⑰，以彝殷为契丹西南面招讨使。

初，契丹主得贝州、博州，皆抚慰其人，或拜官⑱赐服章⑲。及败于戚城及马家口，忿恚⑳，所得民，皆杀之，得军士，燔炙㉑之。由是晋人愤怒，戮力㉒争奋。

杨光远将青州兵欲西会㉓契丹。戊午㉔，诏石赟分兵屯郓州以备之。诏刘知远将部兵自土门㉕出恒州㉖击契丹。又诏会杜威、马全节于邢州。知远引兵屯乐平㉗不进。

【段旨】

以上为第一段，写契丹败北，西线刘知远观望不力战以保存实力。

【注释】

①甲辰朔：二月初一日。②石赟（公元八九八至九四六年）：字德和，少无赖，官至威胜军节度使。传见《旧五代史》卷八十七、《新五代史》卷十七。③白再荣（？至公元九五一年）：出身行伍，官后汉义成军节度使。传见《旧五代史》卷一百六、《新五代史》卷四十八。④麻荅：耶律德光堂弟，贪猾残忍，官中京留守，为辽世宗所鸩杀。传见《契丹国志》卷十七。⑤乙巳：二月初二日。⑥李守贞（？至公元九四九年）：少桀黠落魄，官后晋加同平章事。后降契丹，谋叛，自焚死。传见《旧五代史》卷一百九、《新五代史》卷五十二。⑦梁汉璋（公元八九五至九四三年）：字国宝，应州（今山西应县）人，熟于戎马，累有军功，官永清军兵马留后。传见《旧五代史》卷九十五。⑧缘：

初五日戊申，李守贞等部到达马家口。契丹派出步兵一万人修筑营垒，把骑兵散置在营垒外面，其余的兵卒数万人驻扎在黄河西岸，用数十艘船载兵过河，士兵还没有完全运过河去，晋兵就逼近了他们。契丹骑兵退却逃走，晋兵就进攻他们的营垒，攻了下来。契丹大败，骑着马冲进黄河淹死的有好几千人，被俘获和杀死的也有好几千人。黄河西岸的契丹兵痛哭着撤走，从此再不敢东进。初八日辛亥，定难节度使李彝殷奏请率领四万兵马从麟州渡过黄河，进入契丹境内。初九日壬子，任命李彝殷为契丹西南面招讨使。

当初，契丹主取得贝州、博州以后，对这些地方的百姓都加以安抚和慰问，有的还授了官职，赐给品官礼服。等到他们在戚城和马家口失败了，愤怒恼恨之下，把所抓获的百姓全部杀掉，把抓到的官兵全部用火烧烤。因此引起了晋朝人的愤怒，同心合力，踊跃奋起反抗。

杨光远带领青州兵想到河西和契丹兵会合。二月十五日戊午，晋出帝下诏命令石赟分出兵力驻守在郓州来防备他。诏令刘知远带领本部人马从土门取道恒州攻打契丹，又命令他和杜威、马全节在邢州会师。刘知远把军队带到乐平驻扎不肯前进。

沿。⑨丙午：二月初三日。⑩戚城：地名，故城在今河南濮阳北。⑪几不免：几乎不能避免祸难。⑫戊申：二月初五日。⑬未已：没有完。⑭晋兵薄之：后晋军队逼近了他们。⑮恸哭：痛哭。⑯辛亥：二月初八日。⑰壬子：二月初九日。⑱拜官：任官。⑲赐服章：赐给品官的礼服。⑳忿恚：愤恨恼怒。㉑燔炙：用火烧烤。㉒戮力：齐心协力。㉓会：会合。㉔戊午：二月十五日。㉕土门：今河北井陉关。㉖恒州：州名，治所在今河北正定。㉗乐平：古县名，在今山西昔阳西南。

【校记】

［1］指：原无此字。据章钰校，十二行本、乙十一行本、孔天胤本皆有此字，熊罗宿《胡刻资治通鉴校字记》同，今据补。［2］十：原作“千”。据章钰校，十二行本、乙十一行本、孔天胤本皆作“十”，今据改。

【原文】

帝居丧[28]期年[29]，即于宫中奏细声女乐[30]。及出师，常令左右奏三弦琵琶，和以羌笛[31]，击鼓歌舞，曰:“此非乐也[32]。”庚申[33]，百官表请听乐[34]，诏不许。

壬戌[35]，杨光远围棣州[36]，刺史李琼[37]出兵击败之，光远烧营走还青州。癸亥[38]，以前威胜节度使何重建[39]为东面马步都部署，将兵屯郓州。

阶州［3］义军指挥使王君怀帅所部千余人叛降蜀，请为乡导[40]［4］以取阶、成。甲子[41]，蜀人攻阶州。

契丹伪[42]弃元城去，伏[43]精骑于古顿丘城[44]，以俟晋军与恒、定之兵合[45]而击之。邺都留守张从恩屡奏虏已遁去，大军欲进追之，会霖雨[46]而止。契丹设伏旬日，人马饥疲。赵延寿曰:“晋军悉在河上，畏我锋锐，必不敢前。不如即[47]其城下，四合[48]攻之，夺其浮梁[49]，则天下定矣。”契丹主从之。三月癸酉朔[50]，自将兵十余万陈[51]于澶州城北[52]，东西横掩[53]城之两隅。登城望之，不见其际[54]。高行周前军在戚城之南，与契丹战，自午至晡[55]，互有胜负。契丹主以精兵当[56]中军而来，帝亦出陈以待之[57]。契丹主望见晋军之盛[58]，谓左右曰:“杨光远言晋兵半已馁死[59]，今何其多也!”以精骑左右略陈[60]，晋军不动，万弩齐发，飞矢蔽地，契丹稍却。又攻晋陈之东偏，不克。苦战至暮，两军死者不可胜数[61]。昏后[62]，契丹引去，营于三十里之外。

乙亥[63]，契丹主帐中小校窃其马亡来[64]，云契丹已传木书[65]，收军北去。景延广疑其诈[66]，闭壁[67]不敢追。

【段旨】

以上为第二段，写晋兵在戚城大胜，契丹主北还。

【语译】

晋出帝服丧一周年，就在宫中演奏起细声女乐。等到出兵打仗时，常常命身边的人为他弹奏三弦琵琶，用羌笛伴奏，敲着鼓唱歌跳舞，还说："这不是奏乐。"二月十七日庚申，文武百官上表请求聆听音乐，下诏不允许。

十九日壬戌，杨光远包围棣州，刺史李琼出兵把他打败，杨光远烧了营寨跑回青州。二十日癸亥，任命前威胜节度使何重建为东面马步都部署，率兵驻扎郓州。

阶州义军指挥使王君怀率领所部一千多人叛变投降了蜀国，请求当向导去攻取阶、成二州。二月二十一日甲子，蜀国攻打阶州。

契丹假装放弃元城离去，在古顿丘城埋伏下精锐骑兵，以等待晋军与恒州、定州的军队会合时发动攻击。邺都留守张从恩多次奏报说北虏已经逃走，晋军正要去追击契丹，碰巧遇上了连续不断的大雨而停止。契丹兵埋伏了十来天，人困马乏。赵延寿说："晋军都在黄河岸边，害怕我军兵锋锐利，一定不敢前来。不如把军队靠近他们的城下，从四面包围攻城，夺取他们的浮桥，这样天下就平定了。"契丹主听从了他的意见。三月初一日癸酉，契丹主亲自率领十多万兵马在澶州城北摆开阵势，从东到西横向拉开覆盖住州城的两个角。登城瞻望，一眼看不到边。高行周的前锋部队在戚城以南，和契丹兵交战，从中午一直打到黄昏，双方互有胜负。契丹主用他的精锐士兵向着晋军的中军冲了过来，晋出帝也摆出阵势等待契丹兵。契丹主望见晋军军威盛壮，对身边的人说："杨光远说晋兵有一半已经饿死，现在这么多啊！"于是派精锐骑兵从左右两边去冲击晋军的军阵，晋军不为所动，万弩齐发，射去的箭满地都是，契丹兵稍微后退。接着又进攻晋军军阵的东侧，仍然没能攻下。苦战到傍晚，两军死亡的人不可胜数。天黑以后，契丹兵撤离，在三十里之外扎营。

三月初三日乙亥，契丹主帐下一个小校官偷了马逃过来，说契丹主已经传下木书军令，集合军队向北退走。景延广怀疑契丹有诈，关闭营垒不敢去追。

【注释】

㉘居丧：服丧。㉙期年：一年。㉚细声女乐：音乐轻柔的女子乐舞。希其声不闻于外。㉛羌笛：横吹竹笛，起源于西北羌人，故称羌笛。㉜此非乐也：这不是在奏乐啊。石重贵自我解嘲之词。㉝庚申：二月十七日。㉞表请听乐：百官上表请石重贵听音乐，而罢歌舞。针对"此非乐也"而谏。㉟壬戌：二月十九日。㊱棣州：州名，治所在今河南信阳。㊲李琼（公元八八二至九四六年）：字隐光，沧州饶安（今河北盐山）人，官至后晋威州刺史。传见《旧五代史》卷九十四、《新五代史》卷四十七。㊳癸亥：二月二

十日。㊴何重建：其先回鹘人，避石重贵讳改为何建。累官泾、邓、贝、檀、孟五镇节度使。晋亡，奔后蜀，官至中书令。传见《旧五代史》卷九十四。㊵乡导：向导。乡，通“向”。㊶甲子：二月二十一日。㊷伪：假装。㊸伏：埋伏。㊹顿丘城：地名，在今河南浚县。㊺合：会合。㊻霖雨：连绵的大雨。㊼即：就；靠近。㊽四合：四面包围。㊾浮梁：浮桥。㊿癸酉朔：三月初一日。51陈：通“阵”，列阵。52澶州城北：在澶州城北面铁丘镇。53横掩：横向遮盖。54不见其际：看不见边际。55晡：申时；黄昏时。56当：向着。57以待之：等待他冲过来。待，等待。这里指抵御。58盛：军威盛壮。59馁死：饿死。60略陈：冲阵。61不可胜数：数也数不清楚，极言其多。62昏后：天黑之后。63乙亥：三月初三日。64亡来：逃来。65木书：指命令。将命令写在木板上，以为凭信，互相传阅，故称木书。66诈：欺骗。67闭壁：关闭壁垒。

【原文】

汉主命中书令、都元帅越王弘昌谒烈宗[68]陵于海曲[69]。至昌华宫[70]，使盗杀之[71]。

契丹主自澶州北分为两军，一出沧、德[72]，一出深、冀[73]而归。所过焚掠[74]，方广千里，民物殆尽。留赵延照为贝州留后。麻荅陷德州，擒刺史尹居璠。

闽拱宸都指挥使朱文进、阁门使连重遇既弑康宗，常惧国人之讨，相与结婚[75]以自固。闽主曦果[76]于诛杀，尝[77]游西园，因醉杀控鹤指挥使魏从朗。从朗，朱、连之党也。又尝酒酣诵白居易诗云：“惟有人心相对间，咫尺[78]之情不能料。”因举酒属[79]二人。二人起，流涕再拜，曰：“臣子事君父，安有他志[80]！”曦不应。二人大惧。

李后妬尚贤妃之宠，欲弑曦而立其子亚澄。使人告二人曰：“主上殊[81]不平于二公，奈何？”会后父李真有疾，乙酉[82]，曦如[83]真第问疾[84]。文进、重遇使拱宸马步使钱达弑曦于马上。召百官集朝堂，告之曰：“太祖[85]昭武皇帝，光启闽国[86]。今子孙淫虐[87]，荒坠厥绪[88]。天厌[89]王氏，宜更择有德者立之。”众莫敢言。重遇乃推文进升殿[90]，被衮冕，帅群臣北面再拜称臣。文进自称闽主，悉收[91]王氏宗族延喜以下少长五十余

【校记】

［3］阶州：原作“阶成”。据章钰校，十二行本、乙十一行本、孔天胤本皆作“阶州”，今据改。〖按〗四库馆臣校陈仁锡本、《十国春秋》亦作“阶州”。［4］导：原作“道”。据章钰校，十二行本、乙十一行本、孔天胤本皆作“导”，今据改。

【语译】

汉主命令中书令、都元帅越王刘弘昌到海滨之地拜谒烈宗的陵墓。当他到达昌华宫时，汉主派盗贼把他暗杀了。

契丹主从澶州北面把军队分作两路，一路取道沧州、德州，一路取道深州、冀州返回。所经过的地方烧杀抢掠，方圆千里，百姓的财物几乎全没有了。留下赵延照为贝州留后。麻荅攻陷了德州，俘获了刺史尹居璠。

闽国的拱宸都指挥使朱文进、阁门使连重遇杀了康宗以后，常常担心国人会杀他们，于是就相互结成婚姻以自保。闽主王曦杀人毫不手软，有一次他游览西园，趁着醉酒杀死控鹤指挥使魏从朗。魏从朗是朱文进、连重遇的同伙。又一次酒兴正浓时吟诵白居易的诗道：“惟有人心相对间，咫尺之情不能料。”说着，就举起酒杯注视着二人。二人站起，流着眼泪一再叩拜，说：“臣子侍奉君父，哪敢有二心！”王曦没有搭腔，二人大为恐惧。

李后嫉妒尚贤妃受宠爱，想杀死王曦立自己的儿子王亚澄。她派人告诉朱文进、连重遇二人说：“皇上对你们二位特别不满，怎么办啊？”正巧皇后的父亲李真有病，三月十三日乙酉，王曦前往李真的府上去探视他的病情。朱文进、连重遇指使拱宸马步使钱达在马上把王曦杀了。叫文武百官集中在朝堂，告诉大家说：“太祖昭武皇帝开创了闽国。现在他的子孙荒淫暴虐，毁弃了祖宗的世系，苍天已经抛弃王氏，应该另外选择有贤德的人拥立为国君。”大家不敢说话。连重遇于是就推朱文进上殿，给他穿戴上皇帝的衣服冠冕，然后率领群臣向北面再拜称臣。朱文进自称闽

人，皆杀之。葬闽主曦，谥曰睿文广武明圣元德隆道大孝皇帝，庙号景宗。以重遇总六军⑫。礼部尚书、判三司郑元弼抗辞不屈⑬，黜归田里，将奔建州，文进杀之。文进下令，出宫人，罢营造，以反曦之政。

殷主延政遣统军使吴成义将兵讨文进，不克。文进加枢密使鲍思润同平章事，以羽林统军使黄绍颇为泉州刺史，左军使程文纬为漳州刺史。汀州刺史同安⑭许文稹，举郡降之。

丁亥⑮，诏太原、恒、定[5]兵各还本镇。

辛卯⑯，马全节攻契丹泰州⑰，拔之。

敕天下籍乡兵⑱，每七户共出兵械资⑲一卒。

秦州⑩兵救阶州⑩，出黄阶岭⑩，败蜀兵于西平⑩。

【段旨】

以上为第三段，写闽国内乱，闽主王曦为部属所杀。

【注释】

⑱烈宗：刘隐。⑲海曲：海隅。⑳昌华宫：宫名，在广东广州市番禺区西。㉑使盗杀之：派盗贼暗杀他。㉒沧、德：沧州和德州。㉓深、冀：深州和冀州。㉔焚掠：焚烧掠夺。㉕相与结婚：相互结成婚姻关系。㉖果：果敢；果决。㉗尝：曾经。㉘咫尺：古代计量单位，约等于今市尺之八寸。比喻距离很近。㉙属：注视。㉚安有他志：哪有另外的打算。㉛殊：很；特别。㉜乙酉：三月十三日。㉝如：到。㉞问疾：探视病人。㉟太祖：指王审知。㊱光启闽国：创立了闽国。㊲淫虐：荒淫暴虐。㊳荒坠厥绪：荒淫迷乱，毁

【原文】

汉以户部侍郎陈偓⑭同平章事。

夏，四月丁未⑮，缘河巡检使梁进以乡社兵⑯复取德州。己酉⑰，命归德节度使高行周、保义节度使王周留镇澶州。庚戌⑱，帝发澶州。甲寅⑲，至大梁。

主，把王氏宗族从王延喜以下五十多人全部逮捕，都杀了。安葬了闽主王曦，谥号为睿文广武明圣元德隆道大孝皇帝，庙号叫景宗。任命连重遇总管六军。礼部尚书、判三司郑元弼严词不屈，被免去官职遣返回乡，他准备投奔建州的殷主王延政，朱文进把他杀了。朱文进下令，放出宫人，停止工程营建，推翻王曦的政令。

殷主王延政派遣统军使吴成义率兵讨伐朱文进，未能取胜。朱文进加封枢密使鲍思润为同平章事，任命羽林统军使黄绍颇为泉州刺史，左军使程文纬为漳州刺史。汀州刺史同安人许文稹，率郡投降了朱文进。

三月十五日丁亥，诏令太原、恒州、定州的军队各还本镇。

十九日辛卯，马全节攻打契丹的泰州，攻克了。

下令天下造册登记乡兵，每七户人家共同出兵器资助一个人当兵。

秦州兵救援阶州，取道黄阶岭，在西平打败了蜀国的军队。

弃这个皇位的世系。厥，这个。⑧⑨ 庋：庋弃。⑨⓪ 升殿：登殿。⑨① 收：逮捕。⑨② 总六军：统率六军诸卫事。六军，皇帝的禁卫军。⑨③ 抗辞不屈：对抗朱文进、连重遇，不屈服于他们的压力。⑨④ 同安：县名，在今福建厦门市同安区。⑨⑤ 丁亥：三月十五日。⑨⑥ 辛卯：三月十九日。⑨⑦ 泰州：州名，辽置。治所清苑，在今河北保定市清苑区。⑨⑧ 籍乡兵：造册登记乡兵。⑨⑨ 资：装备。⑩⓪ 秦州：治所成纪，在今甘肃秦安东北。⑩① 阶州：治所福津，在今甘肃陇南市武都区东南。⑩② 黄阶岭：山名，在阶州境。⑩③ 西平：地名，在阶州境。

【校记】

［5］定：原作“安”。据章钰校，十二行本、乙十一行本、孔天胤本皆作“定”，张瑛《通鉴校勘记》同，今据改。

【语译】

汉国任命户部侍郎陈偓为同平章事。

夏，四月初五日丁未，缘河巡检使梁进用乡社兵又攻取了德州。初七日己酉，命令归德节度使高行周、保义节度使王周留下来镇守澶州。初八日庚戌，晋出帝从澶州启程。十二日甲寅，到达大梁。

侍卫马步都指挥使、天平节度使、同平章事景延广既为上下所恶[110]，帝亦惮[111]其不逊难制[112]。桑维翰引[113]其不救戚城之罪，辛酉[114]，加延广兼侍中，出为西京留守。以归德节度使兼侍中高行周为侍卫马步都指挥使。延广郁郁不得志，见契丹强盛，始忧国破身危，遂日夜纵酒。

朝廷因契丹入寇，国用愈竭，复遣使者三十六人分道括率[115]民财，各封剑[116]以授之。使者多从[117]吏卒，携锁械、刀杖入民家，小大惊惧，求死无地。州县吏复因缘为奸[118]。河南府出缗钱二十万，景延广率[119]三十七万[120]。留守判官河南[6]卢亿言于延广曰："公位兼将相，富贵极矣。今国家不幸，府库空竭，不得已取于民。公何忍[121]复因[122]而求利，为子孙之累[123]乎！"延广惭[124]而止。先是，诏以杨光远叛，命兖州修守备。泰宁节度使安审信，以治楼堞[125]为名，率[126]民财以实私藏。大理卿张仁愿[127]为括率使[128]，至兖州，赋缗钱十万。值审信不在，拘其守藏吏，指取钱一囷[129]，已满其数。

戊寅[130]，命侍卫马步[7]都虞候、泰宁节度使李守贞将步骑二万讨杨光远于青州。又遣神武统军洛阳潘环及张彦泽等将兵屯澶州，以备契丹。契丹遣兵救青州，齐州防御使堂阳[131]薛可言邀击，败之。

丙戌[132]，诏诸州所籍乡兵，号武定军，凡得七万余人。时兵荒之余，复有此扰，民不聊生[133]。

丁亥[134]，邺都留守张从恩上言："赵延照虽据贝州，麾下兵皆久客思归[135]，宜速进军攻之。"诏以从恩为贝州行营都部署，督诸将击之。辛卯[136]，从恩奏赵延照纵火[137]大掠，弃城而遁，屯于瀛、莫，阻水自固[138]。

朱文进遣使如唐，唐主囚其使，将伐之[139]，会天暑、疾疫而止。

六月辛酉[140]，官军拔淄州，斩其刺史刘翰。

太尉、侍中冯道虽为首相，依违两可[141]，无所操决[142]。或[143]谓帝曰："冯道，承平[144]之良相。今艰难[145]之际，譬如使禅僧飞鹰[146]耳。"癸卯[147]，以道为匡国节度使兼侍中。

乙巳[148]，汉主幽[149]齐王弘弼于私第。

或谓帝曰："陛下欲御北狄[150]，安天下，非桑维翰不可。"丙午[151]，复置枢密院，以维翰为中书令兼枢密使，事无大小，悉以委之。数月之间，朝廷差治[152]。

侍卫马步都指挥使、天平节度使、同平章事景延广已被朝野憎恨，晋出帝也怕他傲慢无礼，难以控制。桑维翰检举他不援救戚城的罪过，四月十九日辛酉，加封景延广为兼侍中，外放为西京留守。任命归德节度使兼侍中高行周为侍卫马步都指挥使。景延广郁郁不得志，又看到契丹势力强盛，开始担忧起国家灭亡危及自身，于是就一天到晚放纵饮酒。

朝廷由于契丹的入侵，国家财用更加枯竭，于是又派出使差三十六人分别去各道搜刮百姓的财物，每位使差都授予一柄御封宝剑。这些使差有很多吏卒随从，拿着锁链刑械、刀杖闯入百姓家中，大人小孩都惊慌恐惧，想求一死都找不到地方，州县的官吏又乘机为非作歹。河南府应出缗钱二十万，景延广增加税率到三十七万。留守判官河南卢亿对景延广说："您位兼将相，富贵到了极点。现在国家遭到不幸，府库空竭，不得已才向百姓索取。您怎么忍心再乘机求取私利，成为子孙的负累呢！"景延广惭愧而止。在此之前，皇帝下诏，由于杨光远叛变，命令兖州修筑守备设施。泰宁节度使安审信借修筑城墙的名义，聚敛民财以饱私囊。大理卿张仁愿为括率使，来到兖州，征收缗钱十万。正巧安审信不在军镇，就拘禁了他的看守仓库的官吏，指令取走一个库的钱，就凑够了十万之数。

五月初七日戊寅，命令侍卫马步都虞候、泰宁节度使李守贞率领步兵和骑兵二万人赴青州讨伐杨光远。又派遣神武统军洛阳人潘环和张彦泽等人率兵驻扎澶州，以防备契丹。契丹派兵救援青州，齐州防御使堂阳人薛可言中途拦击，打败了契丹援兵。

五月十五日丙戌，诏令各州所登记乡兵，称为武定军，共得到七万多人。当时在兵荒马乱之外，又增加了这一骚扰，以致民不聊生。

五月十六日丁亥，邺都留守张从恩上奏说："赵延照虽然占据着贝州，但是他所部的士兵却久居在外思念回家，应该尽快进军攻打他。"诏令张从恩为贝州行营都部署，督率各军将领攻击赵延照。二十日辛卯，张从恩奏报说，赵延照放火大肆抢劫，弃城而逃，驻扎在瀛州、莫州，依水自保。

朱文进派遣使者前往唐国，唐主囚禁了他的使者，准备派兵讨伐朱文进，正赶上天气暑热、疾疫流行而作罢。

六月二十一日辛酉，官军攻克淄州，斩了淄州刺史刘翰。

太尉、侍中冯道虽然身为首相，对待事情却模棱两可，什么都不作决断。有人对晋出帝说："冯道，是太平年代的好宰相。当今是时势艰难的时候，好比让坐禅的僧人去放鹰搏兔。"初三日癸卯，任命冯道为匡国节度使兼侍中。

初五日乙巳，汉主把齐王刘弘弼幽禁在他家里。

有人对晋出帝说："陛下如果要想抵御北狄，安定天下，非任用桑维翰不可。"六月初六日丙午，又设置枢密院，任命桑维翰为中书令兼枢密使，无论大事小事，全部委托给他。几个月之间，朝廷稍微得到治理。

【段旨】

以上为第四段，写桑维翰复出，景延广罢职，数月之间，朝廷差治。

【注释】

⑭陈偓:官南汉宰相。居官无所短长，充位而已。传见《十国春秋》卷六十四。⑮丁未：四月初五日。⑯乡社兵：民兵。契丹抢掠，沿河民众自备兵械，各在其乡自保。⑰己酉：四月初七日。⑱庚戌：四月初八日。⑲甲寅：四月十二日。⑪上下所恶：上下的人所怨恨。上，指将相大臣。下，指军民。⑪惮：害怕。⑫不逊难制：傲慢无礼而难以控制。⑬引：举发；检举。⑭辛酉：四月十九日。⑮括率：按一定比例搜刮。⑯封剑：御封宝剑，以示专断，用时启封。⑰从：跟从。⑱因缘为奸：乘机做坏事。⑲率：规定增加税率。⑳三十七万：除去应出二十万，尚余十七万归景延广私有。㉑何忍：怎么忍心。㉒因：乘机。㉓为子孙之累：成为子孙的负累。㉔惭：惭愧。㉕楼堞：城楼和女墙。此指城墙。㉖率：搜刮。㉗张仁愿（公元八九六至九四五年）：字善政，开封陈留（今河南开封陈留镇）人，性温雅，明法书，官至大理卿，能秉公执法，惩治贪污。传见《旧五代史》卷九十三。㉘括率使：官名，临时派出，检查各州、府搜刮民财情况。㉙一国：

【原文】

滑州河决[153]，浸汴、曹、单、濮、郓五州之境，环[154]梁山[155]合于汶[156]。诏大发[157]数道丁夫塞[158]之。既塞，帝欲刻碑纪其事。中书舍人杨昭俭谏曰："陛下刻石纪功，不若[159]降哀痛之诏[160]。染翰颂美[161]，不若颁罪己之文[162]。"帝善其言而止。

初，高祖割北边之地[163]以赂契丹，由是府州[164]刺史折从远[165]亦北属。契丹欲尽徙河西[166]之民以实辽东[167]，州人大恐，从远因保险拒之。及帝与契丹绝，遣使谕从远使攻契丹。从远引兵深入，拔十余寨。戊午[168]，以从远为府州团练使。从远，云州人也。

甲子[169]，复置翰林学士。戊辰[170]，以右散骑常侍李慎仪为兵部侍郎、翰林学士承旨[171]，都官郎中刘温叟[172]、金部郎中知制诰武强[173]徐台符、礼部郎中李澣[174]、主客员外郎宗城范质[175]，皆为学士。温叟，岳之子也。

一库。囷，圆形的谷仓。⑬⓪ 戊寅：五月初七日。⑬① 堂阳：古县名，在今河北新河。⑬② 丙戌：五月十五日。⑬③ 民不聊生：百姓不能生活下去。⑬④ 丁亥：五月十六日。⑬⑤ 久客思归：长久在契丹当兵，思念回中原。⑬⑥ 辛卯：五月二十日。⑬⑦ 纵火：放火。⑬⑧ 阻水自固：依靠水的阻挡，巩固自己阵地。⑬⑨ 将伐之：将要讨伐他弑君之罪。⑭⓪ 辛酉：六月二十一日。六月辛丑朔，辛酉二十一日，癸卯三日，时间排序似不应如此颠倒。《旧五代史·少帝纪》："六月辛丑朔，王师拔淄州，斩杨光远伪署刺史刘翰。"疑"辛酉"为"辛丑"之误。⑭① 依违两可：犹豫不决；模棱两可。⑭② 操决：拿主意；主持决断。⑭③ 或：有人。⑭④ 承平：太平。⑭⑤ 艰难：指国家处于艰难困苦之时。⑭⑥ 使禅僧飞鹰：比喻非其所任。禅僧，指能机辩无穷而不能应物。禅，以寂静为宗。僧，以慈悲不杀为教。飞鹰，指能飞翔搏击。⑭⑦ 癸卯：六月初三日。⑭⑧ 乙巳：六月初五日。⑭⑨ 幽：囚禁。⑮⓪ 北狄：指契丹。⑮① 丙午：六月初六日。⑮② 差治：稍微得到治理。

【校记】

［6］河南：原无此二字。据章钰校，十二行本、乙十一行本、孔天胤本皆有此二字，张敦仁《通鉴刊本识误》同，今据补。［7］马步：原作"马步军"。据章钰校，十二行本、乙十一行本、孔天胤本皆无"军"字，今据删。

【语译】

滑州境内黄河决口，淹没了汴州、曹州、单州、濮州、郓州等五个州的范围，大水环绕梁山最后汇入汶水。皇帝下诏大规模调集好几个道的民夫去堵塞黄河缺口。缺口堵住后，晋出帝想刻碑记述这件事情。中书舍人杨昭俭劝谏说："陛下刻石记述功德，不如降下哀痛的诏书。用笔墨歌颂赞美，不如颁布责备自己的诏文。"晋出帝认为他的话说得很好，便停止了刻碑。

当初，高祖割让出北部的国土贿赂契丹，从此府州刺史折从远也北属契丹了。契丹想全部迁走黄河以西的百姓去充实辽东，府州的百姓非常恐慌，折从远便据守险要之地，抗拒迁徙。到晋出帝和契丹断绝交往时，派使者告谕折从远，让他攻打契丹。折从远率军深入契丹境内，攻下了十多个营寨。六月十八日戊午，任命折从远为府州团练使。折从远，是云州人。

六月二十四日甲子，又设置翰林学士。二十八日戊辰，任命右散骑常侍李慎仪为兵部侍郎、翰林学士承旨，都官郎中刘温叟、金部郎中知制诰武强人徐台符、礼部郎中李浣、主客员外郎宗城人范质，都为翰林学士。刘温叟，是刘岳的儿子。

秋，七月辛未朔⑰，大赦，改元⑰。

己丑⑰，以太子太傅刘昫为司空兼门下侍郎、同平章事。

八月辛丑朔⑰，以河东节度使刘知远为北面行营都统，顺国节度使杜威为都招讨使，督十三节度⑱以备契丹。桑维翰两秉⑱朝政，出杨光远、景延广于外，至是一制指挥⑱，节度使十五人⑱无敢违者，时人服其胆略。

朔方节度使冯晖上章自陈⑱未老可用，而制书见遗⑱。维翰诏禁直学士⑱使为答诏曰："非制书忽忘，实以朔方重地，非卿无以弹压。比⑱欲移卿内地，受代⑱亦须奇才。"晖得诏，甚喜。

时军国多事，百司及使者咨请辐凑⑱。维翰随事裁决⑲，初若⑲不经思虑，人疑其疏略。退而熟议⑲之，亦终不能易⑲也。然为相颇任爱憎⑲，一饭之恩、睚眦⑲之怨必报，人亦以是[8]少⑲之。

【段旨】

以上为第五段，写晋出帝塞河决口。桑维翰两秉朝政，出杨光远、景延广于外，朝纲整肃，然而气度狭小，人以此轻视之。

【注释】

⑮河决：黄河决口。⑮环：环绕。⑮梁山：山名，在今山东梁山。⑮合于汶：与汶水相会合，流入汶水。⑮发：征发。⑮塞：堵塞。⑮不若：不如。⑯降哀痛之诏：颁布表示哀怜痛惜人民的诏书。⑯染翰颂美：用笔墨歌颂赞美。⑯罪己之文：责备自己的诏文。⑯割北边之地：事见本书卷二百八十高祖天福元年（公元九三六年），即割燕云十六州之地。⑯府州：州名，治所府谷，在今陕西府谷县。⑯折从远（？至公元九五五年）：字可久，避后汉高祖刘知远讳，改为从阮，云中（今山西大同西）人，官后周宣义、保义、静难节度使。传见《旧五代史》卷一百二十五、《新五代史》卷五十。⑯河西：地区名，今陕北黄河西岸地区。⑯辽东：地区名，泛指辽河以东东北地区。⑯戊午：六月十八日。⑯甲子：六月二十四日。⑰戊辰：六月二十八日。⑰翰林学士承旨：官名，掌制、诰、诏、令撰述之事。不常置，以学士久次者为之。⑰刘温叟：后唐明宗时吏部侍郎刘岳子。方正守道，以名教为己任，事母孝，官至御史中丞。传见《旧五代史》卷六十八、《宋史》卷二百六十二。⑰武强：县名，在今河北武强。⑰李澣（？至公元九六

秋，七月初一日辛未，全国大赦，改年号为“开运”。

十九日己丑，任命太子太傅刘昫为司空兼门下侍郎、同平章事。

八月初一日辛丑，任命河东节度使刘知远为北面行营都统，顺国节度使杜威为都招讨使，督率十三镇节度使以防备契丹。桑维翰两度执掌朝政，把杨光远、景延广放为外任，到这时他统一指挥，十五个节度使没有敢违抗他的命令的，当时的人们都佩服他的胆识和谋略。

朔方节度使冯晖上奏章陈说自己没有老，还可以为国效劳，而制书中却把我给遗忘了。桑维翰告诉在禁中值班的学士拟写答诏说：“不是制书中忘记了您，实在因为朔方是紧要之地，除非您就没有办法控制。近来也想把您调回内地，可是接替您的人也必须是奇才啊。”冯晖接到诏书，极为高兴。

当时统军治国多有变故，朝中各部门以及各地使者来咨询请示的人聚集。桑维翰根据情况当机立断，乍一看好像是没有经过深思熟虑，人们怀疑他粗心大意。事后仔细计议，也终究不能改变。不过身为宰相多凭好恶处事，一饭之恩，瞪眼小怨，他必定回报，人们也因此轻视他。

二年)：字日新，官翰林学士，陷契丹多年。著有《丁年集》。传见《宋史》卷二百六十二、《辽史》卷一百三。⑰⑤范质（公元九一三至九六四年）：字文素，大名宗城（今河北威县东）人，后唐长兴四年（公元九三三年）进士，官至宋宰相。著有《通录》六十五卷。传见《宋史》卷二百四十九。⑰⑥辛未朔：七月初一日。⑰⑦改元：改元为开运。⑰⑧己丑：七月十九日。⑰⑨辛丑朔：八月初一日。⑱⓪十三节度：郓州张从恩、西京留守景延广、徐州赵在礼、晋州安叔千、兖州安审信、河中安审琦、河阳符彦卿、滑州皇甫遇、右神武统军张彦泽、沧州王廷胤、陕州宋彦筠、金州田武、左神武统军潘环。⑱①秉：掌握。⑱②一制指挥：枢密使统一指挥。⑱③十五人：除以上十三人外，加河东刘知远、顺国杜威。⑱④自陈：自己陈请。⑱⑤见遗：被遗忘。⑱⑥禁直学士：在禁中入直的学士。⑱⑦比：近来。⑱⑧受代：接受替代。⑱⑨咨请辐凑：请示的人络绎不绝。辐凑，比喻人或物聚集在一起。⑲⓪随事裁决：根据事情加以裁处决策。⑲①若：好像。⑲②熟议：仔细计议；反复深入地研究。⑲③易：更改。⑲④颇任爱憎：多凭自己的好恶处事。⑲⑤睚眦：小怨小忿。眦，瞪眼睛，怒目而视。⑲⑥少：轻视。

【校记】

[8]亦以是：原作“以此”。据章钰校，十二行本、乙十一行本、孔天胤本皆作“亦以是”，今据改。

【原文】

契丹之入寇也，帝再命刘知远会兵山东[197]，皆后期[198]不至。帝疑之，谓所亲曰："太原殊不助朕，必有异图。果有分[199]，何不速为之[200]！"至是虽为都统，而实无临制之权，[201]密谋大计，皆不得预。知远亦自知见疏[202]，但慎事自守[203]而已。郭威见知远有忧色，谓知远曰："河东山河[9]险固，风俗尚武，土多战马，静则勤稼穑，动则习军旅，此霸王之资也，何忧乎！"

朱文进自称威武留后，权知闽国事，遣使奉表称藩于晋。癸丑[204]，以文进为威武节度使，知闽国事。

癸亥[205]，置镇宁军[206]于澶州，以濮州隶焉。

初，吴濠州刺史刘金[207]卒，子仁规[208]代之。仁规卒，子崇俊[209]代之。唐烈祖置定远军[210]于濠州，以崇俊为节度使。会清淮[211]节度使姚景[212]卒，崇俊厚赂权要，求兼领寿州。唐主阳[213]为不知其意，徙崇俊为清淮节度使，以楚州刺史刘彦贞[214]为濠州观察使，驰往代之。崇俊悔之。彦贞，信之子也。

九月庚午朔[215]，日有食之。

丙子[216]，契丹寇遂城[217]、乐寿[218]，深州刺史康彦进击却之。

冬，十月丙午[219]，汉主毒杀镇王弘泽[220]于邕州。

殷主延政遣其将陈敬佺以兵三千屯尤溪及古田[221]，卢进以兵二千屯长溪[222]。

泉州散员[223]指挥使桃林留从效[224]谓同列王忠顺[225]、董思安[226]、张汉思[227]曰："朱文进屠灭王氏，遣腹心分据诸州。吾属世受王氏恩，而交臂[228]事贼，一旦富沙王克福州，吾属死有余愧！"众以为然。十一月，从效等各引军中所善壮士，夜饮于从效之家。从效绐[229]之曰："富沙王已平福州，密旨令吾属讨黄绍颇。吾观诸君状貌，皆非久处贫贱者。从吾言，富贵可图。不然，祸且至矣。"众皆踊跃，操白梃，逾垣而入，执绍颇，斩之。从效持州印诣王继勋[230]第，请主军府。从效自称平贼统军使，函绍颇首，遣副兵马使临淮陈洪进[231]赍诣建州。

【语译】

当契丹入侵时，晋出帝两次命令刘知远到太行山以东会师，结果他都是过了限期还没有到达。晋出帝怀疑他，对亲信们说："太原方面特别不帮助朕，必定有其他图谋。真有天命，怎么不赶快做皇帝！"到这时，刘知远虽然任北面行营都统，但是实际上并没有指挥诸镇的权力，朝中的秘密谋划和军国大计，都不能参与。刘知远也知道自己被疏远了，只是谨慎处事自守职分而已。郭威看出刘知远面有愁色，就对刘知远说："河东山川形势险要坚固，风俗崇尚武勇，此地多产战马，局势安定就努力耕种，局势动荡就训练士卒，这是成就霸王事业的资本，有什么好忧虑的呢！"

朱文进自称为威武留后，暂理闽国的事务，派遣使者呈表向晋朝自称藩属。八月十三日癸丑，晋国任命朱文进为威武节度使，管理闽国的事务。

二十三日癸亥，在澶州设置镇宁军，濮州隶属于它。

当初，吴国的濠州刺史刘金去世，他的儿子刘仁规接替了他的职位。刘仁规去世，他的儿子刘崇俊接替了他的职位。唐烈祖在濠州设置了定远军，任命刘崇俊为节度使。恰遇清淮节度使姚景去世。刘崇俊厚礼贿赂朝中的当权要人，请求让他兼领寿州。唐主假装不明白他的意图，就把刘崇俊调任为清淮节度使，同时任命楚州刺史刘彦贞为濠州观察使，驰马前去接替了他的职位。刘崇俊很后悔。刘彦贞，是刘信的儿子。

九月初一日庚午，发生日食。

初七日丙子，契丹入侵遂城、乐寿，深州刺史康彦进把他打退了。

冬，十月初七日丙午，汉主在邕州把镇王刘弘泽毒死。

殷主王延政派遣他的将领陈敬佺率领三千士兵驻扎尤溪和古田，卢进率领二千士兵驻扎长溪。

泉州散员指挥使桃林人留从效对他的同僚王忠顺、董思安、张汉思说："朱文进杀光了王氏家族，分派心腹之人把持各州。我等世代蒙受王氏的恩泽，却拱手侍奉奸贼，哪一天富沙王攻下了福州，我等就是死了也留下愧悔啊！"大家认为他的话很有道理。十一月，留从效等人各自带领军中平时善待的壮士，夜晚在留从效家中喝酒。留从效欺骗他们说："富沙王已经平定了福州，有密旨让我们讨伐黄绍颇。我观察诸位的形体相貌，都不是久居贫贱之人。听从我的话，富贵是可以谋取的。要不然的话，灾祸将要临头了。"大家都跳跃起来，拿起棍棒，翻墙进去，抓住黄绍颇，把他杀了。留从效拿着州官印信来到王继勋的府上，请他主持军府的事务。留从效自称平贼统军使，把黄绍颇的头盛在匣子里，派副兵马使临淮人陈洪进带着匣子送到建州去。

洪进至尤溪，福州戍兵数千遮道㉜。洪进绐之曰："义师已诛朱福州㉝，吾倍道逆㉞嗣君㉟于建州，尔辈尚守此何为㊱乎？"以绍颇首示之，众遂溃，大将数人从洪进诣建州。延政以继勋为侍中、泉州刺史，从效、忠顺、思安、洪进皆为都指挥使。漳州将程谟闻之，亦[10]杀刺史程文纬，立王继成㊲权州事。继勋、继成皆延政之从子也，朱文进之灭王氏，二人以疏远㊳获全。汀州刺史许文稹奉表请降于殷。

【段旨】

以上为第六段，写闽国福州兵变杀黄绍颇，朱文进势孤。

【注释】

⑲⑦山东：地区名，泛指太行山以东河北之地。⑲⑧后期：过了约定的期限。⑲⑨果有分：如果分内可以做天子。⑳⓪何不速为之：为什么不赶快做呢。这是愤怒的话。⑳①虽为都统二句：指刘知远名义为幽州道行营招讨使，但没有指挥诸镇的权力。⑳②见疏：被疏远。⑳③慎事自守：谨慎处事，自守职分。⑳④癸丑：八月十三日。⑳⑤癸亥：八月二十三日。⑳⑥镇宁军：方镇名，后晋开运元年（公元九四四年）置，治所燕乐，在今北京市密云区东北。⑳⑦刘金（？至公元九〇五年）：曲溪（今云南建水）人，为吴三十六英雄之一。官吴濠州团练使。传见《十国春秋》卷六。⑳⑧仁规：刘金子，官至吴清淮军节度使。传见《十国春秋》卷六。⑳⑨崇俊：仁规子，字德修，官吴定远军节度使。传见《十国春秋》卷二十二。㉑⓪定远军：方镇名，吴置，治所濠州，在今安徽凤阳。㉑①清淮：方镇名，吴置，治所寿州，在今安徽寿县。㉑②姚景：初为厩卒，颇清廉。传见《十国春秋》卷二十三。㉑③阳：假装。㉑④刘彦贞：善骑射，矢不虚发，军中号"刘一箭"。传见《十国春秋》卷二十二。㉑⑤庚午朔：九月初一日。㉑⑥丙子：九月初七日。㉑⑦遂城：县名，在今河北保定市徐水区。㉑⑧乐寿：县名，在今河北献县。㉑⑨丙午：十月初七日。㉒⓪弘泽：刘龑第八子，封镇王。传见《十国春秋》卷六十一。㉒①古田：县名，在今福建古田。㉒②长

【原文】

十二月癸丑㊴，加朱文进同平章事，封闽国王㊵。

李守贞围青州经时㊶，城中食尽，饿死者太半㊷。契丹援兵不至，

陈洪进到了尤溪，福州防守的士兵几千人挡住去路。陈洪进骗他们说：“义师已经杀了福州的朱文进，我加倍赶路到建州去迎接继位的国君，你们还守在这里干什么？”并把黄绍颇的头拿给他们看，兵众当即溃散了，有几员大将跟随陈洪进前往建州。王延政任命王继勋为侍中、泉州刺史，留从效、王忠顺、董思安、陈洪进都被任命为都指挥使。漳州的将领程谟听到这一消息，也杀了刺史程文纬，拥立王继成暂理漳州的事务。王继勋、王继成都是王延政的侄子，朱文进在除掉王氏时，他们二人由于关系疏远而得以保全性命。汀州刺史许文稹上表向殷国请求归降。

溪：古县名，故治在今福建霞浦南。㉒③散员：有官称而无实际权力的人员。㉒④留从效（公元九〇六至九六二年）：泉州桃林（今福建永春）人，略知书，好兵法。占漳、泉二州，封晋江王。勤俭养民，受人爱戴。传见《十国春秋》卷九十三。㉒⑤王忠顺（？至公元九四六年）：晋江（今福建晋江）人，抗南唐军，力战死。传见《十国春秋》卷九十六。㉒⑥董思安（？至公元九四九年）：莆田（今福建莆田）人，身长九尺，勇冠一时，官漳州刺史。传见《十国春秋》卷九十六。㉒⑦张汉思：传附《十国春秋》卷九十三《陈洪进传》。㉒⑧交臂：拱手。㉒⑨绐：欺骗。㉓⓪王继勋：王延美次子，后归降南唐。传见《十国春秋》卷九十四。㉓①陈洪进：字济川，临淮（今江苏盱眙）人，取漳、泉两州为留后，太平兴国三年（公元九七八年），纳漳、泉两州归宋。传见《十国春秋》卷九十三。㉓②遮道：拦住道路。㉓③朱福州：指朱文进。㉓④逆：迎。㉓⑤嗣君：指王延政。㉓⑥何为：干什么。㉓⑦王继成：王延政侄子，南唐任其为和州刺史。传见《十国春秋》卷九十四。㉓⑧疏远：与王曦关系疏远。

【校记】

[9]河：原作“川”。据章钰校，十二行本、乙十一行本、孔天胤本皆作“河”，《通鉴纪事本末》同，今据改。[10]亦：原作“亡”，胡三省注云：“‘亡’当作‘立’，笔误也，否则‘亦’字。”据章钰校，乙十一行本作“立”，孔天胤本作“亦”。《通鉴纪事本末》《十国春秋》皆作“亦”，今据以校正。

【语译】

十二月十五日癸丑，加朱文进为同平章事，封为闽国王。

李守贞包围青州已经很长时间，城中粮食吃光了，饿死的人有一大半。契丹的

杨光远遥㉔³稽首㉔⁴于契丹曰："皇帝，皇帝，误光远矣！"其子承勋㉔⁵、承祚、承信劝光远降，冀全其族㉔⁶。光远不许，曰："吾昔在代北，尝㉔⁷以纸钱祭天池㉔⁸而沈㉔⁹，人皆言当为天子，姑待之㉕⁰。"丁巳㉕¹，承勋斩劝光远反者节度判官丘涛等，送其首于守贞。纵火大噪，劫其父出居私第，上表待罪，开城纳官军。

朱文进闻黄绍颇死，大惧，以重赏募兵二万，遣统军使林守谅、内客省使李廷锷将之攻泉州，钲鼓㉕²相闻五百里。殷主延政遣大将军杜进将兵二万救泉州，留从效开门与福州兵战，大破之，斩守谅，执廷锷。延政遣统军使吴成义帅战舰千艘攻福州，朱文进遣子弟为质㉕³于吴越以求救。

初，唐翰林待诏㉕⁴臧循，与枢密副使查文徽同乡里。循常㉕⁵为贾人，习㉕⁶福建山川，为文徽画㉕⁷取建州之策。文徽表请用兵击王延政，国人多以为不可。唐主以文徽为江西安抚使，循行境上㉕⁸，觇㉕⁹其可否。文徽至信州㉖⁰，奏言攻之必克。唐主以洪州营屯都虞候边镐㉖¹为行营招讨诸军都虞候，将兵从文徽伐殷。文徽自建阳㉖²进屯盖竹㉖³，闻泉、漳[11]、汀三州皆降于殷，殷将张汉真[12]自镛州㉖⁴将兵八千将至，文徽惧，退保建阳。臧循屯邵武㉖⁵，邵武民导㉖⁶殷兵袭破循军，执循送建州斩之。

朝廷以杨光远罪大，而诸子归命㉖⁷，难于显诛㉖⁸，命李守贞以便宜从事㉖⁹。闰月癸酉㉗⁰，守贞入青州，遣人拉杀光远于别第㉗¹，以病死闻。丙戌㉗²，起复杨承勋，除汝州防御使。

殷吴成义闻有唐兵，诈㉗³使人告福州吏民曰："唐助我讨贼臣，大兵今至矣。"福人益惧。乙未㉗⁴，朱文进遣同平章事李光準等奉国宝㉗⁵于殷。丁酉㉗⁶，福州南廊承旨㉗⁷林仁翰㉗⁸谓其徒㉗⁹曰："吾曹世事王氏，今受制贼臣㉘⁰，富沙王㉘¹至，何面见之！"帅其徒三十人被甲趣㉘²连重遇第。重遇方㉘³严兵自卫，三十人者望之，稍稍遁去。仁翰执槊直前㉘⁴刺重遇，杀之，斩其首以示众曰："富沙王且至，汝辈族矣！今重遇已死，何不亟取文进以赎罪！"众踊跃从之，遂斩文进，迎吴成义入城，函㉘⁵二首送建州。

援兵没有到来，杨光远遥对契丹磕头说："皇帝啊，皇帝，您误了我杨光远的大事啊！"他的儿子杨承勋、杨承祚、杨承信劝杨光远投降，希望保全杨氏家族。杨光远不同意，他说："我从前在代北的时候，曾经用纸钱祭祀过天池，纸灰下沉了，人们都说我一定能当天子，暂且等等看吧。"十二月十九日丁巳，杨承勋杀了劝诱杨光远造反的节度判官丘涛等人，把他们的首级送给李守贞。又纵火大声喧噪，从家里劫持他的父亲出来住在私宅里，向朝廷上表等待处置，打开城门让官军入城。

朱文进得知黄绍颇被杀，大为恐惧，用重赏招募了二万名士兵，派遣统军使林守谅、内客省使李廷锷率领他们攻打泉州，一路上钲鼓之声远闻五百里。殷主王延政派大将军杜进率领二万兵马救援泉州，留从效打开城门和福州兵交战，把福州兵打得大败，杀了林守谅，活捉了李廷锷。王延政派遣统军使吴成义率领一千艘战舰进攻福州，朱文进送子弟到吴越国做人质请求救援。

当初，唐国的翰林待诏臧循和枢密副使查文徽是同乡。臧循曾经当过商贩，熟悉福建的山川形势，于是就替查文徽谋划攻取建州的方略。查文徽上表请求出兵攻打王延政，国人大多认为不可。唐主任命查文徽为江西安抚使，让他巡视边境，侦察能否出兵。查文徽到了信州，向唐主奏报说只要派兵攻打，一定能够攻下建州。唐主于是任命洪州营屯都虞候边镐为行营招讨诸军都虞候，率兵跟随查文徽讨伐殷国。查文徽从建阳进驻盖竹，听说泉、漳、汀三州都投降了殷国，殷国的将领张汉真自镛州率领八千兵马即将赶到，查文徽害怕了起来，退兵守卫建阳。臧循驻扎在邵武，邵武的百姓引导殷国的士兵偷袭击溃臧循的军队，活捉了臧循，押送到建州斩首。

朝廷认为杨光远罪行严重，可是他的各个儿子能归顺朝廷，对杨光远不便于公开处斩，就命令李守贞根据具体情况加以处理。闰十二月初五日癸酉，李守贞进入青州城，派人把杨光远在他的另外一处住宅里拉杀而死，以他得病而死上报。十八日丙戌，重新起用杨承勋，授予他汝州防御使。

殷国的吴成义听说有唐兵前来，就派人前去向福州的官吏和百姓诈称："唐国帮助我国讨伐贼臣，大军马上就到了。"福州人更加恐惧。闰十二月二十七日乙未，朱文进派遣同平章事李光準等人捧着传国玉玺给殷国。二十九日丁酉，福州的南廊承旨林仁翰对他的徒众说："我们世代侍奉王氏，现在却受贼臣的辖制，富沙王来了，我们有什么脸面见他！"他率领徒众三十个人穿上铠甲直奔连重遇的住宅。连重遇正在部署军队自卫，这三十个人看到这一情况，逐渐逃离。林仁翰手拿长槊径直向前刺连重遇，把他刺死了，砍下他的头叫众人看，说："富沙王马上就到，你们这些人要被灭族了！现在连重遇已死，为什么不赶快捉拿朱文进为自己赎罪！"众人踊跃地跟着他，于是杀死了朱文进，迎接吴成义进城，用匣子盛着朱、连二人的头送往建州。

契丹复大举入寇[286]，卢龙节度使赵延寿引兵先进。契丹前锋至邢州，顺国节度使杜威遣使间道[287]告急。帝欲自将拒之，会有疾，命天平节度使张从恩[288]、邺都留守马全节、护国节度使安审琦会诸道兵屯邢州，武宁节度使赵在礼屯邺都。契丹主以大兵继至，建牙[289]于元氏[290]。朝廷惮契丹之盛，诏从恩等引兵稍却。于是诸军恟惧[291]，无复部伍[292]，委弃器甲，所过焚掠。比[293]至相州，不复能整[294]。

【段旨】

以上为第七段，写闽国王延政大破南唐兵，朱文进为部属诛杀，晋叛将杨光远伏诛，契丹主第二次大举南犯。

【注释】

㉓⑨癸丑：十二月十五日。为后晋册礼使出发之日，未至闽国而朱文进已被诛。㉔⓪闽国王：为后晋所封。㉔①经时：超过一季度。此指时间很长。㉔②太半：大半；三分之二。㉔③遥：远。㉔④稽首：跪拜，磕头到地。㉔⑤承勋：杨光远长子。㉔⑥冀全其族：希望保全宗族，不致被杀戮。㉔⑦尝：曾经。㉔⑧天池：山西汾阳的天池。㉔⑨沈：纸灰沉入水中。㉕⓪姑待之：姑且等一等。㉕①丁巳：十二月十九日。㉕②钲鼓：古代行军时用的两种乐器，指挥军队进退。钲，形似钟而狭长，有长柄可握，击之发声。㉕③质：人质。㉕④翰林待诏：官名，盛唐时置，用以安置伎艺之人。待诏，有候补之意。㉕⑤常：通“尝”。㉕⑥习：熟悉。㉕⑦画：谋划。㉕⑧循行境上：在边境上巡视。㉕⑨觇：窥探。㉖⓪信州：州名，在今江西上饶。㉖①边镐：升州（今江苏南京）人，御下无法，号“边和尚”。传见《十国春秋》卷二十二。㉖②建阳：县名，在今福建南平市建阳区。㉖③盖竹：地名，在建阳南二十五里。㉖④镛州：州名，闽王延政置，故治在今福建将乐。㉖⑤邵武：县名，在今福建邵武。㉖⑥导：向导。㉖⑦归命：归顺。㉖⑧显诛：公开处斩。㉖⑨便宜从事：授权根据具体

【原文】

二年（乙巳，公元九四五年）

春，正月，诏赵在礼还屯澶州，马全节还邺都。又遣右神武统军张彦泽屯黎阳，西京留守景延广自滑州引兵守胡梁渡[295]。庚子[296]，张从

契丹又大举入侵，卢龙节度使赵延寿带兵先行。契丹的先头部队到达邢州，顺国节度使杜威派遣使者从小道向朝廷告急。晋出帝要亲自率军抵抗，正巧得了病，便命令天平节度使张从恩、邺都留守马全节、护国节度使安审琦会合各道兵马屯驻邢州，武宁节度使赵在礼屯驻邺都。契丹主率领大军随后到达，在元氏县建立了牙帐。朝廷害怕契丹兵势强盛，诏令张从恩等人带兵稍作后退。这样一来各路军队都畏惧恐慌起来，不再能统领，部队抛弃兵器、铠甲，所过之处放火抢劫。等到他们退到相州时，已经无法重新整顿队伍了。

情况自行处理。㉗⓪癸酉：闰十二月初五日。㉗①别第：另外住宅。㉗②丙戌：闰十二月十八日。㉗③诈：假；伪。㉗④乙未：闰十二月二十七日。㉗⑤国宝：皇帝印玺。㉗⑥丁酉：闰十二月二十九日。㉗⑦南廊承旨：闽所置官，侍卫武臣。㉗⑧林仁翰：王曦内儿，杀连重遇、朱文进。传见《十国春秋》卷九十六。㉗⑨徒：徒众；部下。㉘⓪贼臣：指朱文进、连重遇。㉘①富沙王：王延政。㉘②趣：奔向。㉘③方：刚好；正在。㉘④直前：径直向前。㉘⑤函：用匣子盛放。㉘⑥入寇：入侵。㉘⑦间道：小道。㉘⑧张从恩（公元八九八至九六六年）：并州太原（今山西太原）人，石重贵岳父，官后晋天平军节度。宋初，改封许国公。传见《旧五代史》卷九十一、《宋史》卷二百五十四。㉘⑨牙：牙帐，契丹主行营。㉙⓪元氏：县名，在今河北元氏。㉙①恂惧：惊怕。㉙②无复部伍：诸军混乱，不再能统领队伍。㉙③比：及。㉙④不复能整：诸军散逃，已无法重新整顿队伍。

【校记】

［11］泉、漳：原作“漳泉”。据章钰校，十二行本、乙十一行本、孔天胤本二字皆互乙，今据改。〖按〗《通鉴纪事本末》亦作“泉漳”。［12］张汉真：原作“张汉卿”。据章钰校，十二行本、乙十一行本、孔天胤本皆作“张汉真”，今据改。〖按〗《通鉴纪事本末》作“张汉真”，且本卷后文亦作“张汉真”。

【语译】

二年（乙巳，公元九四五年）

春，正月，晋出帝下诏，命令赵在礼回师驻扎澶州，马全节回到邺都。又派遣右神武统军张彦泽驻扎黎阳，西京留守景延广从滑州率兵把守胡梁渡。初三日庚子，张从恩

恩奏契丹逼邢州，诏滑州、邺都复进军拒之。义成节度使皇甫遇将兵趣邢州。契丹寇邢、洺、磁三州，杀掠殆尽，入邺都境。

壬子㉗，张从恩、马全节、安审琦悉以行营兵数万，陈㉘于相州安阳水㉙之南。皇甫遇与濮州刺史慕容彦超㉚将数千骑，前觇㉛契丹。至邺县㉜，将渡漳水㉝，遇契丹数万。遇等且战且却㉞，至榆林店㉟，契丹大至。二将谋曰："吾属㊱今走㊲，死无遗㊳矣！"乃止，布陈㊴，自午至未，力战百余合，相杀伤甚众。遇马毙㊵，因步战，其仆杜知敏以所乘马授之，遇乘马复战。久之，稍解㊶，顾知敏已为契丹所擒。遇曰："知敏义士，不可弃也。"与彦超跃马入契丹陈，取知敏而还。俄而㊷契丹继出新兵来战，二将曰："吾属势不可走，以死报国耳。"

日且暮㊸，安阳诸将怪㊹觇兵不还。安审琦曰："皇甫太师㊺寂无声[13]问，必为虏所困。"语未卒，有一骑白遇等为虏数万所围。审琦即引骑兵出，将救之，张从恩曰："此言未足信。必若虏众猥至㊻，尽吾军，恐未足以当㊼之，公往何益！"审琦曰："成败，天也。万一不济，当共受之㊽。借使虏不南来，坐失皇甫太师，吾属何颜以见天子！"遂逾水㊾而进。契丹望见尘起，即解去。遇等乃得还，与诸将俱归相州，军中皆服二将之勇。彦超本吐谷浑也，与刘知远同母。

【段旨】

以上为第八段，写晋军大破契丹于相州。

【注释】

㉕胡梁渡：也名胡良渡，在今河南滑县东北，接濮阳境。㉖庚子：正月初三日。㉗壬子：正月十五日。㉘陈：列阵。㉙安阳水：安阳河，在今河南安阳境内。㉚慕容彦超：刘知远同母弟，曾冒姓阎，体黑麻面，故号"阎昆仑"。传见《旧五代史》卷一百三十、《新五代史》卷五十三。㉛觇：窥探。㉜邺县：县名，在今河北临漳。㉝漳水：水

奏报说契丹逼近了邢州，晋出帝诏命滑州、邺都再进兵抵抗它。义成节度使皇甫遇率兵直奔邢州。契丹入侵邢、洺、磁三州，把这些地方几乎抢光杀尽，又进入邺都境内。

正月十五日壬子，张从恩、马全节、安审琦率领行营数万兵马，在相州安阳河南岸布阵。皇甫遇和濮州刺史慕容彦超带领数千名骑兵，到前面去侦察契丹的情况。他们到了邺县，正要渡过漳河，遇上数万名契丹兵。皇甫遇等人且战且退，退到榆林店，契丹的大队人马来到。二位将军商量说："我们现在逃走，就会死得一个也不剩！"于是停了下来，摆开阵势，从午时到未时，力战百余回合，双方都死伤惨重。皇甫遇的马战死，因而徒步战斗，他的仆人杜知敏把自己所乘的马交给他，皇甫遇骑上马再战。经过很长时间，战况稍有缓解，回头看到杜知敏已被契丹俘去。皇甫遇说："知敏是个义士，不能丢下他不管。"与慕容彦超跃上战马冲入契丹军阵，把杜知敏抢了回来。不一会儿，契丹接连来了新的部队投入战斗，二位将军说："形势已不允许我们逃走，以死报国罢了。"

天色将晚，安阳水南岸的各位将领对侦察兵没有回来感到奇怪。安审琦说："皇甫太师一点音讯也没有，一定是被敌人围困。"话还没说完，有一名骑兵报告说皇甫遇等人被几万名敌人包围。安审琦立刻带领骑兵出发，准备去救援他们，张从恩说："这话未必可信。敌人如果真的突然而至，把我们军队全部派出去，恐怕不能抵挡得住敌人，你前去有什么帮助！"安审琦说："成败是天意。万一不能成功，应当共同承担后果。即便是敌人不向南来，白白地失去皇甫太师，我们有什么脸面去见天子！"于是就越过安阳河向北进发。契丹兵看到尘土飞扬，立刻解围而去。皇甫遇等人才得以回来，和诸位将领一道返回相州，军中都叹服二位将军的勇壮。慕容彦超本来是吐谷浑人，和刘知远是同一个母亲。

名，今名漳河。经安阳，入卫河。㉚④且战且却：边战边退。㉚⑤榆林店：地名，在今河北临漳西。㉚⑥吾属：我们。㉚⑦走：逃。㉚⑧死无遗：死无遗类，即将被全部歼灭。㉚⑨布陈：列阵迎战。㉛⓪毙：死。㉛①稍解：谓战况稍微缓解。㉛②俄而：不久。㉛③日且暮：天色将晚。㉛④怪：奇怪。㉛⑤皇甫太师：指皇甫遇。因其累官至检校太师，故称。㉛⑥猥至：杂然而至，言其众多。㉛⑦当：阻挡；抵挡。㉛⑧当共受之：应当共同承担后果。㉛⑨逾水：渡水。水，指安阳河。

【校记】

［13］声：原作"音"。据章钰校，十二行本、乙十一行本、孔天胤本皆作"声"，《通鉴纪事本末》同，今据改。

【原文】

契丹亦引军退，其众自相惊曰："晋军悉至矣！"时契丹主在邯郸，闻之，即时北遁，不再宿[320]，至鼓城[321]。

是夕，张从恩等议曰："契丹倾国[322]而来，吾兵不多，城中粮不支一旬。万一有[14]奸人往告吾虚实，虏悉众围我，死无日矣。不若引军就[323]黎阳仓[324]，南倚大河以拒之，可以万全。"议未决，从恩引兵先发[325]，诸军继之。扰乱失亡，复如发邢州之时。

从恩等[15]留步兵五百守安阳桥[326]。夜四鼓[327]，知相州事符彦伦谓将佐曰："此夕纷纭，人无固志[328]。五百弊卒，安能守桥！"即召入，乘城为备。至曙，望之，契丹数万骑已陈于安阳水北，彦伦命城上扬旌鼓噪[329]约束[330]，契丹不测。日加辰[331]，赵延寿与契丹惕隐帅众逾水[332]，环相州而南，诏右神武统军张彦泽将兵趣相州。延寿等至汤阴[333]，闻之，甲寅[334]，引还。马全节等拥大军在黎阳，不敢追。延寿悉陈甲骑于相州城下，若将攻城状，符彦伦曰："此虏将走耳。"出甲卒五百，陈于城北以待之，契丹果引去。

以天平节度使张从恩权[335]东京留守。

庚申[336]，振武节度使折从远击契丹，围胜州[337]，遂攻朔州。

帝疾小愈，河北相继告急。帝曰："此非安寝之时！"乃部分[338]诸将为行计[339]。

更命[340]武定军[341]曰天威军。

北面副招讨使马全节等奏："据降者言，虏众不多，宜乘其散归种落[342]，大举径袭幽州。"帝以为然，征兵诸道。壬戌[343]，下诏亲征。乙丑[344]，帝发大梁。

【语译】

契丹也带兵后退，他们的兵众自相惊吓说："晋军全部来了！"当时契丹主在邯郸，听到这一消息，立即向北逃去，不到两宿，到达鼓城。

当天晚上，张从恩等人商议道："契丹出动了全国的兵力而来，我们的兵员不多，城中的粮食支撑不了十天。万一有奸人去契丹报告我们的虚实，北虏用全部军队包围我们，我们就离死不远了。不如带领军队前往黎阳仓，南边凭借黄河抵抗敌人，可以万无一失。"商议未定，张从恩就带领部队先行出发了，诸军继踵其后。一路上骚扰混乱，人员逃亡，又跟从邢州出发时一样。

张从恩等留下五百名步兵把守安阳桥。夜间四更鼓时，知相州事符彦伦对将领和幕僚们说："今晚乱哄哄的，人们没有坚守的斗志。五百名疲惫的兵卒，怎么能守得住桥！"当即就把守桥的士兵召进城内，让他们登上城墙做防备。等到天亮，远远望去，契丹有数万名骑兵已在安阳河北摆开阵势，符彦伦命令在城上摇动旌旗，击鼓呼叫，申严号令，契丹兵揣测不准城中的虚实。日到辰时，赵延寿和契丹惕隐率领部众越过安阳河，绕过相州南进，晋出帝下诏命右神武统军张彦泽率兵赶赴相州。赵延寿等人到达汤阴，得知这一消息，正月十七日甲寅，率兵返回。马全节等人在黎阳聚集大量军队，却不敢追击。赵延寿把他的全部披甲骑兵都列阵在相州城下，好像要攻城的架势，符彦伦说："这些北虏马上要逃走了。"于是派五百名披甲的士卒出城，在城北列阵加以防御，契丹兵果然撤走了。

任命天平节度使张从恩暂代东京留守。

正月二十三日庚申，振武节度使折从远出兵攻打契丹，包围胜州，接着攻打朔州。

晋出帝的病情稍微好转，黄河以北地区相继告急。晋出帝说："这不是我安心睡大觉的时候啊！"于是部署诸将，做出征的打算。

把武定军改名为天威军。

北面副招讨使马全节等人上奏："根据投降的人说，北虏的兵众不多，应该乘他们分散回部落之际，大举出兵直接袭击幽州。"晋出帝认为这个看法是对的，于是向各道征调部队。正月二十五日壬戌，下诏要御驾亲征。二十八日乙丑，晋出帝从大梁出发。

【段旨】

以上为第九段，写晋出帝乘胜出击契丹，兵发大梁。

【注释】

⑳不再宿：不到两个晚上；未至两宿。㉑鼓城：县名，在今河北晋州。㉒倾国：倾尽全国兵力。㉓就：前往。㉔黎阳仓：黎阳城屯粮仓库，在今河南浚县西南。㉕先发：先出发。张从恩为主将，不北追契丹而南撤就黎阳仓，自是胆虚，造成诸军自相惊扰。㉖安阳桥：安阳河上的桥梁。㉗四鼓：四更。㉘固志：固守的斗志。㉙扬旌鼓噪：挥动旗子，击鼓呼叫。㉚约束：申严号令。㉛日加辰：太阳移至辰时，即早晨七至九时。㉜逾水：渡安阳河。㉝汤阴：县名，在今河南汤阴。㉞甲寅：正月十七日。㉟权：暂代。㊱庚申：正月二十三日。㊲胜州：州名，在今内蒙古托克托。㊳部分：部署。㊴为

【原文】

闽之故臣㊺共迎殷主延政，请归福州，改国号曰闽。延政以方有唐兵，未暇㊻徙都。以从子门下侍郎、同平章事继昌㊼都督南都㊽内外诸军事，镇福州。以飞捷指挥使㊾黄仁讽为镇遏使㊿，将兵卫之。林仁翰至福州⑤¹，闽主赏之甚薄⑤²，仁翰未尝自言其功。发南都侍卫及两军⑤³甲士万五千人，诣建州以拒唐。

二月壬辰朔⑤⁴，帝至滑州。壬申⑤⁵[16]，命安审琦屯邺都。甲戌⑤⁶，帝发滑州。乙亥⑤⁷，至澶州。己卯⑤⁸，马全节等诸军以次北上。刘知远闻之曰："中国疲弊，自守恐不足。乃横挑强胡⑤⁹，胜之犹有后患，况不胜乎！"

契丹自恒州还，以羸兵驱牛羊过祁州⑥⁰城下，刺史下邳沈斌⑥¹出兵击之。契丹以精骑夺其城门，州兵不得还。赵延寿知城中无余兵，引契丹急攻之。斌在上⑥²，延寿语之曰："沈使君⑥³，吾之故人。'择祸莫若轻⑥⁴'，何不早降！"斌曰："侍中父子⑥⁵失计⑥⁶，陷身虏庭，忍⑥⁷帅犬羊⑥⁸以残⑥⁹父母之邦⑦⁰！不自愧耻，更有骄色，何哉！沈斌弓折矢尽，宁为国家死耳，终不效公所为！"明日，城陷，斌自杀。

丙戌⑦¹，诏北面行营都招讨使杜威以本道兵会马全节等进军。

端明殿学士、户部侍郎冯玉⑦²，宣徽北院使、权侍卫马步都虞候太原李彦韬⑦³皆挟恩⑦⁴用事，恶中书令桑维翰，数毁之。帝欲罢维翰

行计：做出征的打算。㉞⓪ 更命：改名。㉞① 武定军：军队番号名，即开运元年夏编诸州乡兵为武定军，后改名为天威军。㉞② 散归种落：分散回到各自的部落去。㉞③ 壬戌：正月二十五日。㉞④ 乙丑：正月二十八日。

【校记】

［14］有：原无此字。据章钰校，十二行本、乙十一行本、孔天胤本皆有此字，张敦仁《通鉴刊本识误》同，今据补。［15］等：原无此字。据章钰校，十二行本、乙十一行本、孔天胤本皆有此字，张敦仁《通鉴刊本识误》同，今据补。

【语译】

闽国的旧臣一起迎接殷主王延政，请他返回福州，改国号为闽。王延政认为这时正有唐兵来犯，没时间迁都。就任命他的侄子门下侍郎、同平章事王继昌总领南都内外诸军事，镇守福州。任命飞捷指挥使黄仁讽为镇遏使，率兵保卫福州。林仁翰到了建州，闽主对他的赏赐很微薄，林仁翰从来没有说过自己的功劳。派遣南都侍卫及两军的甲士一万五千人，前往建州抵御唐兵。

二月壬辰朔，晋出帝到了滑州。初五日壬申，命令安审琦驻兵邺都。初七日甲戌，晋出帝从滑州出发。初八日乙亥，到达澶州。十二日己卯，马全节等各路军队依次北上。刘知远得知这一消息后说："中原疲敝，自守恐怕力量还不足。竟然任意挑战强大的北胡，即使打胜了尚且有后患，何况打不胜呢！"

契丹从恒州返回，让瘦弱的士兵驱赶着牛羊经过祁州城下，祁州刺史下邳人沈斌出兵拦击。契丹用精锐骑兵夺取了祁州城门，州兵不能回城。赵延寿知道城中没有多余的兵力，就带领契丹兵加紧攻城。沈斌在城上，赵延寿对他说："沈使君，我的老朋友。'择祸不如选择轻的'，为什么不早一点投降！"沈斌说："侍中父子失策，陷身于北虏，竟然忍心带领一帮犬羊之兵来残害父母之国！自己不感到惭愧可耻，反而有骄傲的神色，这是为什么呢！沈斌我即使弓折矢尽，宁可为国家而死，终究不会效法你的作为！"第二天，祁州城被攻陷，沈斌自杀。

二月十九日丙戌，诏命北面行营都招讨使杜威率领本道兵马会合马全节等人一起进军。

端明殿学士、户部侍郎冯玉，宣徽北院使、暂理侍卫马步都虞候太原人李彦韬都是依仗恩宠而得以掌权，他们忌恨中书令桑维翰，多次诋毁他。晋出帝想罢免桑

政事，李崧、刘昫固谏而止。维翰知之，请以玉为枢密副使，玉殊不平。丙申[375]，中旨[376]以玉为户部尚书、枢密使，以分维翰之权。彦韬少事[377]阎宝，为仆夫[378]，后隶高祖[379]帐下。高祖自太原南下，留彦韬侍帝，为腹心，由是有宠。性纤巧[380]，与嬖幸[381]相结，以蔽帝耳目。帝委信[382]之，至于升黜[383]将相，亦得预议。常谓人曰："吾不知朝廷设文官何所用[384]，且欲澄汰[385]，徐[386]当尽去之。"

【段旨】

以上为第十段，写契丹仓皇北逃，晋出帝听嬖幸之言欲罢桑维翰政事。

【注释】

[345]故臣：旧臣。[346]未暇：没有空闲。[347]继昌：王延政侄子，暗弱嗜酒，不恤军士。官闽都督南都内外诸军事。传见《十国春秋》卷九十四。[348]南都：王延政以福州为南都。[349]飞捷指挥使：官名，闽置行营属官，掌骑军。[350]镇遏使：官名，闽置，掌镇守都城军事。[351]福州：当作建州。林仁翰在福州诛朱文进、连重遇，自福州至建州见王延政。[352]甚薄：非常微薄。[353]两军：指控鹤、拱宸两都军士。[354]壬辰朔：二月戊辰朔，壬辰朔误。[355]壬申：二月初五日。[356]甲戌：二月初七日。[357]乙亥：二月初八日。[358]己卯：二月十二日。[359]横挑强胡：任意地向强大的契丹挑衅。[360]祁州：州名，治所无极，在今河北无极。[361]沈斌（？至公元九四五年）：《旧五代史》作沈赟，下邳（今江苏邳州）人，守祁州自刭死。传见《旧五代史》卷九十五、《新五代史》卷三十三。[362]斌在上：沈斌在城上。胡三省注："'在'字之下当逸'城'字。"[363]沈使君：指沈斌。使君，州刺史之尊称。[364]择祸莫若轻：语出

【原文】

唐查文徽表求益兵。唐主以天威都虞候何敬洙[387]为建州行营招讨马步都指挥使、将军祖全恩为应援使、姚凤为都监，将兵数千会攻建州，自崇安[388]进屯赤岭。闽主延政遣仆射杨思恭、统军使陈望将兵万人拒之，列栅水南[389]，旬余不战。唐人不敢逼。

思恭以延政之命督望战。望曰："江、淮兵精，其将习[390]武事。国

维翰的政务，李崧、刘昫坚决谏阻才作罢。桑维翰知道了这一情况，建议任命冯玉为枢密副使，冯玉内心格外不满。二月二十九日丙申，宫中下旨任命冯玉为户部尚书、枢密使，以便分散桑维翰的权力。李彦韬年少时侍奉阎宝，当车夫，后来隶属于晋高祖帐下。晋高祖从太原南下时，留下他陪侍晋出帝，成为心腹之人，由此受到宠幸。他生性心细奸巧，和受宠幸的内臣相互勾结，以蒙蔽晋出帝的视听。晋出帝委以重任，亲信他，以至于提升和罢免将相，他也能参与讨论。他常常对人说："我不知道朝廷设置文官有什么用处，正想淘汰，应该慢慢地全部废除。"

《文子》，指处理祸事应避重就轻。㉟侍中父子：指赵德钧、赵延寿父子。㊱失计：失于计算；决策失误。㊲忍：忍心。㊳犬羊：指契丹。轻蔑之词。㊴残：残害。㊵父母之邦：指后晋。㊶丙戌：二月十九日。㊷冯玉（？至公元九五三年）：字璟臣，定州（今河北定州）人，石重贵妻舅，官后晋宰相，从石重贵陷于契丹。传见《旧五代史》卷八十九、《新五代史》卷五十六。㊸李彦韬：太原（今山西太原）人，官后晋陈州节度使，与宦官近臣勾结弄权，败坏后晋政治。传见《旧五代史》卷八十八。㊹挟恩：依靠皇帝的恩宠。㊺丙申：二月二十九日。㊻中旨：宫中的命令。冯玉以后兄专权，故旨由中出。㊼事：侍奉。㊽仆夫：古代驾驭车马的人。㊾高祖：指石敬瑭。㊿性纤巧：生性心细奸巧，指小人。(381)嬖幸：皇帝所宠幸的内臣。(382)委信：委以重任而亲信。(383)升黜：升迁与黜免。(384)何所用：有什么用。(385)澄汰：澄清淘汰。(386)徐：慢慢地。

【校记】

［16］壬申：原无此二字。据章钰校，十二行本、乙十一行本、孔天胤本皆有此二字，张瑛《通鉴校勘记》同，今据补。

【语译】

唐国的查文徽上表请求增加兵力。唐主任命天威都虞候何敬洙为建州行营招讨马步都指挥使、将军祖全恩为应援使、姚凤为都监，率领数千兵马联合攻打建州，从崇安进兵屯驻赤岭。闽主王延政派遣仆射杨思恭、统军使陈望率领士兵一万人抵抗唐兵，在河流的南岸布置栅栏，十几天都不出战。唐兵也不敢逼近。

杨思恭用闽主王延政的命令督促陈望出战。陈望说："江、淮的唐国士兵精锐，

之安危，系此一举，不可不万全而后动。”思恭怒曰：“唐兵深侵[391]，陛下寝不交睫，委之将军。今唐兵不出数千，将军拥众万余，不乘其未定而击之，有如唐兵惧而自退，将军何面目[17]见陛下乎！”望不得已，引兵涉水与唐战。全恩等以大军[18]当[392]其前，使奇兵出其后，大破之。望死，思恭仅以身免。

延政大惧，婴城自守。召董思安、王忠顺，使将泉州兵五千诣建州，分守要害。

初，高祖置德清军[393]于故澶州城。及契丹入寇，澶州、邺都之间，城戍俱陷。议者以为澶州、邺都相去百五十里，宜于中涂筑城以应接南北，从之。三月戊戌[394]，更筑德清军城[395]，合德清、南乐之民以实之。

初，光州人李仁达[396]，仕闽为元从指挥使，十五年不迁职。闽主曦之世，叛奔建州，闽主延政以为将。及朱文进弑曦，复叛奔福州，陈取建州之策。文进恶其反覆，黜居福清[397]。先是[19]，浦城[398]人陈继珣亦叛闽主延政奔福州，为曦画策取建州，曦以为著作郎。及延政得福州，二人皆不自安。

王继昌暗弱[399]嗜酒，不恤[400]将士，将士多怨。仁达潜入福州[401]，与继珣[20]说[402]黄仁讽曰：“今唐兵乘胜，建州孤危[403]。富沙王不能保建州，安能保福州！昔王潮兄弟[404]，光山布衣[405]耳，取福、建如反掌[406]。况吾辈乘此机会，自图富贵，何患不如彼乎！”仁讽然之。是夕，仁达等引甲士突入[407]府舍，杀继昌及吴成义。

仁达欲自立，恐众心未服，以雪峰寺僧卓岩明[408]素为众所重，乃言：“此僧目重瞳子[409]，手垂过膝，真天子也。”相与迎之。己亥[410]，立以[21]为帝，解去衲衣[411]，被[412]以衮冕[413]，帅将吏北面拜之。然犹称天福十年，遣使奉表称藩[414]于晋。延政闻之，族黄仁讽家，命统军使张汉真将水军五千，会漳、泉兵讨岩明。

将领熟悉战阵。我们国家的安危在此一举，必须在做好万无一失之后才能行动。”杨思恭生气地说：“唐兵深侵境内，陛下睡觉合不上眼，把拒敌之事交给将军。现在唐国之兵不过几千人，将军拥有兵众一万多人，不乘敌人立足未稳发动攻击，如果唐兵因畏惧而自行撤退，将军有什么脸面去见陛下呢！”陈望不得已，带兵涉水去与唐兵交战。祖全恩等人用大队人马挡在他的前面，又派奇兵绕到他的后面，把闽兵打得大败。陈望战死，杨思恭也仅仅只身得以逃脱。

王延政大为恐惧，环城自守，召来董思安、王忠顺，让他们率领五千名泉州兵前往建州，分兵把守要害之地。

当初，晋高祖在旧澶州城设置德清军。等到契丹入侵时，从澶州到邺都的城防都陷落了。廷议大臣认为澶州、邺都之间相距一百五十里，应该在半路上修建城池，以便接应南北，晋出帝听从了这个建议。三月初二日戊戌，另外修筑德清军城，集合德清、南乐的百姓充实新城。

当初，光州人李仁达在闽国做官任元从指挥使，十五年没有得到提拔。闽主王曦时代，他叛逃到建州，殷主王延政任用他为将领。及至朱文进杀了王曦，他又叛逃到福州，向朱文进陈述攻取建州的计策。朱文进厌恶他反复无常，就把他贬到福清居住。当初，浦城人陈继珣也背叛殷主王延政逃到福州，替王曦攻取建州出谋划策，王曦任命他为著作郎。等到王延政取得福州，二人都心不自安。

王继昌昏昧懦弱，喜欢酗酒，不体恤将士，将士们多有怨恨。李仁达潜入福州，和陈继珣游说黄仁讽：“现在唐兵乘胜而来，建州孤立而危急。富沙王连建州都保不住，又怎么能来保福州呢！从前的王潮兄弟，只不过是光山的平民百姓罢了，夺取福、建二州易如反掌。况且我们能利用这一时机，自己谋求富贵，哪里还担心不如他们！”黄仁讽同意了他的意见。当天晚上，李仁达等人带领甲兵冲进官邸，杀死王继昌和吴成义。

李仁达想自立为帝，又怕人心不服，因为雪峰寺的僧人卓岩明一向被众人尊重，便说：“这位僧人的眼睛是两个瞳子，手垂下来超过膝盖，是真正的天子。”便和大家一起把他迎来，三月初三日己亥，立为皇帝，脱下袈裟，给他穿上龙袍，戴上皇冠，率领文武百官面朝北向他叩拜。不过还是把当年称为天福十年，派遣使者向晋朝呈送章表自称藩属。王延政得知这一消息，就灭了黄仁讽全家，命令统军使张汉真率领五千名水军，会合漳州、泉州的兵马讨伐卓岩明。

【段旨】

以上为第十一段，写南唐兵大败闽主王延政，李仁达据福州以叛，奉僧人卓岩明为帝。

【注释】

㊸㊷ 何敬洙（公元八八八至九六四年）：广陵（今江苏扬州）人，性残忍，积官至南唐右卫上将军，封芮国公。传见《十国春秋》卷二十二。㊸㊸ 崇安：县名，故治在今福建南平市建阳区。㊸㊹ 水南：崇阳溪南面。㊸㊺ 习：熟悉。㊸㊻ 深侵：深入侵犯。㊸㊼ 当：阻挡。㊸㊽ 德清军：方镇名，晋置。治所清丰，在今河南清丰。㊸㊾ 戊戌：三月初二日。㊹㊵ 德清军城：在澶州与邺都之间，在今河南南乐、清丰境内。㊹㊶ 李仁达：光州（今河南潢川）人，反复无常。屡改名字，降南唐更名宏义，降后晋更名宏达，降吴越更名达，又更名孺赟。传见《十国春秋》卷九十八。㊹㊷ 福清：县名，在今福建福清。㊹㊸ 浦城：县名，在今福建浦城县。㊹㊹ 暗弱：昏昧懦弱。㊹㊺ 恤：体恤。㊹㊻ 仁达潜入福州：李仁达从福清暗中进入福州。㊹㊼ 说：游说。㊹㊽ 孤危：孤立无援而危险。㊹㊾ 王潮兄弟：指闽政权创立者王潮与王审知兄弟。㊺㊵ 布衣：普通老百姓。㊺㊶ 反掌：翻过手掌，比喻极其容易。㊺㊷ 突入：

【原文】

乙巳[415]，杜威等诸军会于定州，以供奉官萧处钧权知祁州事。庚戌[416]，诸军攻契丹，泰州[417]刺史晋廷谦举州降。甲寅[418]，取满城[419]，获契丹酋长没刺及其兵二千人。乙卯[420]，取遂城[421]。赵延寿部曲有降者言："契丹主还至虎北口[422]，闻晋取泰州，复拥众南向[423]。约八万余骑，计来夕当至，宜速为备。"杜威等惧，丙辰[424]，退保泰州。戊午[425]，契丹至泰州。己未[426]，晋军南行，契丹踵之[427]。晋军至阳城[428]，庚申[429]，契丹大至。晋军与战，逐北[430]十余里，契丹逾[431]白沟[432]而去。

壬戌[433]，晋军结陈而南[434]，胡骑[435]四合如山，诸军力战拒之。是日，才行十余里，人马饥乏。癸亥[436]，晋军至白团卫村，埋鹿角[437]为行寨[438]。契丹围之数重，奇兵出寨后断粮道。是夕，东北风大起，破屋折树。营中掘井，方及水[439]辄崩，士卒取其泥，帛绞[440]而饮之，人马俱渴。至曙[441]，风尤甚。契丹主坐奚车[442][22]中，令其众曰："晋军止此耳，当尽擒之，然后南取大梁！"命铁鹞[443]四面下马，拔鹿角而入，奋短兵[444]以击晋军。又顺风纵火扬尘以助其势。

军士皆愤怒，大呼曰："都招讨使[445]何不用兵[446]，令士卒徒死！"诸

冲入。⑯卓岩明（？至公元九四五年）：莆田（今福建莆田）人，本名偃，落发神光寺为僧，改名体明。李仁达奉之为帝，被王延政所杀。传见《十国春秋》卷九十八。⑯重瞳子：眼内有两个瞳子。⑯己亥：三月初三日。⑯衲衣：僧衣。衲，百衲。⑯被：穿着。⑯衮冕：皇帝的衣帽。⑯称藩：称臣。

【校记】

［17］面目："目"下原有"以"字。据章钰校，十二行本、乙十一行本、孔天胤本皆无"以"字，今据删。［18］军：原作"兵"。据章钰校，十二行本、乙十一行本、孔天胤本皆作"军"，今据改。［19］先是：原无此二字。据张敦仁《通鉴刊本识误》云"'浦'上脱'先是'二字。"当是，今据补。［20］与继珣：原无此三字。据章钰校，十二行本、乙十一行本、孔天胤本皆有此三字，张敦仁《通鉴刊本识误》同，今据补。［21］以：原无此字。据章钰校，十二行本、乙十一行本、孔天胤本皆有此字，今据补。

【语译】

三月初九日乙巳，杜威等各路军队在定州会合，任命供奉官萧处钧暂理祁州事务。十四日庚戌，各军进攻契丹，契丹的泰州刺史晋廷谦率领全州投降。十八日甲寅，夺取了满城，俘虏了契丹酋长没刺以及他的士兵二千人。十九日乙卯，夺取了遂城。赵延寿的亲兵有投降过来的人报告说："契丹主回到虎北口，听说晋朝夺取了泰州，又统率兵众南下。约有八万多名骑兵，估计明晚就会来到，应该赶快做准备。"杜威等人害怕了起来，二十日丙辰，撤退到泰州防守。二十二日戊午，契丹兵到达泰州。二十三日己未，晋军向南进，契丹兵踵随其后。晋军到达阳城，二十四日庚申，契丹大部队来到。晋军与契丹兵交战，追逐契丹败兵十多里，契丹兵越过白沟离去。

三月二十六日壬戌，晋军排成阵列向南行进，契丹的骑兵像山一样从四面包围，各军奋力作战，进行抵抗。这一天才走了十多里路，士兵和战马都饥饿疲乏。二十七日癸亥，晋军到达白团卫村，埋设鹿角做成临时营寨。契丹兵把营寨包围了好几层，派出奇兵绕到营寨的后面切断了晋军的粮道。当天晚上，东北风刮得强劲，破坏房屋，折断树木。晋兵在营中掘井，刚见到水井围就塌了，士卒们取出泥，用布包住拧出水来饮用，人和战马都很干渴。到天刚亮时，风刮得更厉害了。契丹主坐在奚车中，对他的兵众发命令说："晋军也只有这些了，应当把他们全部抓获，然后再向南夺取大梁！"命令铁鹞兵在晋军营寨的四面下马，拔去鹿角进入营寨，挥舞短兵器攻击晋军。又顺风放火，扬起尘沙，以助其声势。

晋朝的官兵都很愤怒，大声呼叫："都招讨使为什么不下令出战，让士卒们白白

将请出战，杜威曰："俟风稍缓，徐观可否[447]。"马步都监李守贞曰："彼众我寡，风沙之内，莫测多少，惟力斗者胜，此风乃助我也。若俟风止，吾属无类[448]矣。"即呼曰："诸军齐击贼！"又谓威曰："令公[449]善守御，守贞以中军决死矣！"马军左厢都排陈使张彦泽召诸将问计，皆曰："虏得风势，宜俟风回[450]与战。"彦泽亦以为然。诸将退，马军右厢副排陈使太原药元福[451]独留，谓彦泽曰："今军中饥渴已甚，若俟风回，吾属已为虏矣。敌谓我不能逆风以战，宜出其不意急击之，此兵之诡道也。"马步左右厢都排陈使符彦卿[452]曰："与其束手[23]就擒，曷若[453]以身殉国！"乃与彦泽、元福及左厢都排陈使皇甫遇引精骑出西门[454]击之，诸将继至。契丹却[455]数百步。彦卿等谓守贞曰："且曳队[456]往来乎，直前奋击，以胜为度[457]乎？"守贞曰："事势如此，安可回鞚[458]！宜长驱取胜耳。"彦卿等跃马而去，风势益甚，昏晦如夜。彦卿等拥万余骑横击[459]契丹，呼声动天地，契丹大败而走，势如崩山。李守贞亦令步兵尽拔鹿角出斗[460]，步骑俱进，逐北二十余里。铁鹞既下马，苍皇[461]不能复上，皆委弃[462]马及铠仗蔽地。

契丹散卒至阳城东南水上，稍复布列[463]。杜威曰："贼已破胆[464]，不宜更令成列[465]！"遣精骑[466]击之，皆渡水去。契丹主乘奚车走十余里，追兵急，获一橐驼[467]，乘之而走[468]。诸将请急追之。杜威扬言[469]曰："逢贼幸不死，更索衣囊邪[470]？"李守贞曰："两日人马渴甚，今得水饮之，皆足重，难以追寇，不若全军而还。"乃退保定州[471]。

契丹主至幽州，散兵稍集。以军失利，杖[472]其酋长各数百，唯赵延寿得免。

乙丑[473]，诸军自定州引归。诏以泰州隶定州。

夏，四月辛巳[474]，帝发澶州。甲申[475]，还大梁。己丑[476]，复以邺都为天雄军[477]。

送死！”各将领请求出战，杜威说：“等风势稍微减弱，慢慢观察能否出兵。”马步都监李守贞说：“敌众我寡，在风沙之内，难以看出兵力多少，只有拼力作战的人才能取得胜利，这场大风就是帮助我们啊。如果等到风停了，我们就全都没命了。”说完就大声呼叫：“各军一齐击贼啊！”又对杜威说：“令公您好好防守，李守贞我用中军去和敌人决一死战！”马军左厢都排陈使张彦泽召集诸将询问计策，大家都说：“北虏占有上风头，最好等到风往回吹了再与他们交战。”张彦泽也认为这话有道理。诸将退了下去，马军右厢副排陈使太原人药元福独自留下来，对张彦泽说：“现在军中人马又饥又渴情况十分严重，如果等风往回刮，我们早已成俘虏了。敌人认为我们不可能逆风出战，我们就应该出其不意地迅速发动攻击，这正是用兵的诡诈之术啊。”马步左右厢都排阵使符彦卿说：“与其束手就擒，怎如以身殉国！”于是就和张彦泽、药元福以及左厢都排阵使皇甫遇率领精锐骑兵出营寨的西门攻击敌兵，其他将领也相继来到。契丹兵后退了几百步。符彦卿等人问李守贞说：“是带着队伍往来砍杀呢，还是一直往前冲杀，以取胜为标准呢？”李守贞说：“事情已经到了这个地步，怎能掉转马头！应该长驱直入直到取胜为止。”符彦卿等人策马冲了过去，这时风势更加强劲了，天昏地暗如同黑夜。符彦卿等人统领一万多名骑兵纵横冲杀契丹兵，呼喊之声震天动地，契丹兵被打得大败而逃，势如山崩。李守贞也命令步兵全部拔掉鹿角出营作战，步兵和骑兵一同向前推进，把契丹败兵追赶了二十多里。铁鹞兵下马后，匆忙之中不能再骑上去，全部丢下战马以及铠甲、兵仗，满地都是。

契丹溃散的士兵到达阳城东南的水边，才渐渐重新排成队形。杜威说：“贼兵已经吓破了胆，不能再让他们排列成队形！”于是派遣精锐骑兵向敌人攻击，契丹兵全部渡水退走。契丹主坐在奚车上跑了十多里，追兵追得急，得到一头骆驼，骑上逃走了。诸将要求追赶契丹主。杜威扬言说：“碰到强盗，侥幸不死，还想再向他要回包裹吗？”李守贞说：“两天来人马都渴得很厉害，现在得到了水喝，喝得大家肚子足够沉重了，难以追赶敌人，不如保全军队实力撤回去。”于是退守定州。

契丹主回到幽州，溃散的兵卒渐渐聚拢。由于作战失利，就杖打他的酋长每人几百下，只有赵延寿得以免杖。

三月二十九日乙丑，各军从定州班师。诏令泰州隶属于定州。

夏，四月十六日辛巳，晋出帝从澶州起程。十九日甲申，回到了大梁。二十四日己丑，重新把邺都改为天雄军。

【段旨】

以上为第十二段，写后晋军在阳城大败契丹。

【注释】

㊶乙巳：三月初九日。⑯庚戌：三月十四日。⑰泰州：州名，辽置。治所清苑，在今河北保定市清苑区。⑱甲寅：三月十八日。⑲满城：县名，在今河北保定市满城区。⑳乙卯：三月十九日。㉑遂城：古县名，在今河北保定市徐水区西。㉒虎北口：亦名古北口。长城关口，在今北京密云东北。㉓拥众南向：统率兵众南下。㉔丙辰：三月二十日。㉕戊午：三月二十二日。㉖己未：三月二十三日。㉗踵之：跟着他。㉘阳城：古县名，故治在今河北无极。㉙庚申：三月二十四日。㉚逐北：追赶败兵。㉛逾：越。㉜白沟：河名，在当时阳城之北。㉝壬戌：三月二十六日。㉞结陈而南：排成阵列向南移动。㉟胡骑：指契丹骑兵。㊱癸亥：三月二十七日。㊲鹿角：军事上的防御设备。把带枝杈的树木插在地上，以阻止敌人行进，形如鹿角。㊳行寨：暂时驻兵的营寨。㊴及水：见到水。㊵帛绞：用布包泥，绞出水来。㊶曙：天亮。㊷奚车：车名，长毂广轮。轮齿厚度不少于四寸，车底部横木厚度不少于五寸。用骆驼拉车，车顶加毡毯文饰。㊸铁鹞：契丹的精锐骑兵。㊹短兵：用刀、剑等短武器。㊺都招讨使：指杜威。㊻用兵：指下令出战。㊼徐观可否：慢慢观察能否出兵。㊽无类：没有性命。㊾令公：指杜威。因其当时带中书令，故称之。㊿风回：风向由逆转顺。(451)药元福（约公元八八四至九六〇年）：并州晋阳（今山西太原）人，幼有胆气，善骑射，时称骁将。宋初官检校太师，卒赠侍中。传见《宋史》卷二百五

【原文】

闽张汉真至福州，攻其东关(478)。黄仁讽闻其[24]家夷灭(479)，开门力战，大破闽兵，执汉真，入城，斩之。

卓岩明无他方略(480)，但于殿上噀水散豆(481)，作诸法事而已。又遣使迎其父于莆田，尊为太上皇。

李仁达既立岩明，自判六军诸卫事，使黄仁讽屯西门，陈继珣屯北门。仁讽从容谓继珣曰："人之所以为人者，以(482)有忠、信、仁、义也。吾顷(483)尝有功于富沙，中间叛之(484)，非忠也；人以从子(485)托我而与人杀之，非信也；属者(486)与建兵战，所杀皆乡曲故人(487)，非仁也；弃妻子，使人鱼肉(488)之，非义也。此身十沉九浮，死有余愧(489)！"因拊膺(490)恸哭。继珣曰："大丈夫徇(491)功名，何顾妻子！宜置此事，勿以取祸。"仁达闻之，使人告仁讽、继珣谋反，皆杀之。由是兵权尽归仁达。

十四。⑫ 符彦卿（公元八九八至九七五年）：字冠侯，陈州宛丘（今河南周口市淮阳区）人，符存审第四子。将门之后，勇略有谋，善用兵。官至后周天雄军节度使，封魏王。传见《旧五代史》卷五十六、《新五代史》卷二十五、《宋史》卷二百五十一。⑬ 曷若：何如。⑭ 西门：行寨西门。⑮ 却：退。⑯ 曳队：带着队伍。⑰ 度：尺度；标准。⑱ 回鞚：勒转马头。比喻后退。鞚，有嚼口的马络头。⑲ 横击：拦腰袭击。⑳ 出斗：出战。㉑ 苍皇：匆忙。㉒ 委弃：丢弃。㉓ 稍复布列：逐渐又排成队列。㉔ 破胆：吓破了胆。㉕ 更令成列：再让他们排列成队形。㉖ 精骑：精锐的骑兵。㉗ 橐驼：骆驼。㉘ 走：逃。㉙ 扬言：散布言论，故意宣扬。㉚ 更索衣囊邪：还要向盗贼索取包裹吗。意为做事要适可而止，贪利反受害。㉛ 定州：为义武军节度。㉜ 杖：责打。㉝ 乙丑：三月二十九日。㉞ 辛巳：四月十六日。㉟ 甲申：四月十九日。㊱ 己丑：四月二十四日。㊲ 天雄军：方镇名，驻节魏州邺城，唐置。后唐庄宗以魏州为东京兴唐府，罢天雄镇节。同光三年（公元九二五年），罢东京为邺都。晋兴，因之，改兴唐府为广晋府，后复改为天雄军。

【校记】

［22］奚车：原作“大奚车”。据章钰校，十二行本、乙十一行本、孔天胤本皆无“大”字，今据删。〖按〗《新五代史》作“奚车”，无“大”字。［23］束手：原作“束首”。据章钰校，十二行本、乙十一行本、孔天胤本皆作“束手”，严衍《通鉴补》同，今据改。

【语译】

闽国的张汉真到了福州，攻打福州的东关。黄仁讽得知自己的家人被全部杀死，就打开城门，拼力死战，把闽兵打得大败，活捉了张汉真，入城后把他斩首。

卓岩明没有别的方略，只是在殿上喷水撒豆，做各种法事而已。又派使者到莆田把他的父亲接来，尊奉他为太上皇。

李仁达在立卓岩明为帝之后，自己兼管六军及宫廷保卫等事，让黄仁讽屯驻西门，陈继珣屯驻北门。闲谈中黄仁讽对陈继珣说：“人之所以是人，就因为具备了忠、信、仁、义。我从前为富沙王立过功，中途背叛了他，这是不忠啊；人家把侄子托付给我，而我和别人一道把他杀了，这是不信啊；近来和建州兵交战，所杀的人都是家乡的旧相识，这是不仁啊；抛弃妻子儿女，任人残害，这是不义啊。我这一辈子总是随波逐流，死有余愧！”说完，就捶胸痛哭起来。陈继珣说：“大丈夫要追求功名，哪里还顾得上妻子儿女！应该把这些事搁在一边，不要因此得祸。”李仁达得知了这件事，就指使别人告发黄仁讽、陈继珣谋反，把他俩都杀了。从此兵权全都归了李仁达。

【段旨】

以上为第十三段，写闽国李仁达并灭黄仁讽、陈继珣，不忠不信之人没有好下场。

【注释】

㊽78 东关：福州外城东门。㊽79 夷灭：全部杀死。㊽80 方略：策略。㊽81 噀水散豆：喷水撒

【原文】

五月丙申朔[492]，大赦。

顺国节度使杜威久镇[493]恒州，性贪残，自恃贵戚[494]，多不法。每以备边为名，敛[495]吏民钱帛以充私藏[496]。富室有珍货或名姝[497]、骏马，皆夺[25]取之。或诬以罪杀之，籍没其家。又畏懦过甚[498]，每契丹数十骑入境，威已闭门登陴[499]。或数骑驱[500]所掠华人千百过城下，威但瞋目延颈[501]望之，无意邀取[502]。由是虏无所忌惮，属城[503]多为所屠，威竟不出一卒救之。千里之间，暴骨如莽[504]，村落殆尽[505]。

威见所部[506]残弊[507]，为众所怨，又畏契丹之强，累[508]表请入朝，帝不许。威不俟报，遽[509]委镇[510]入朝。朝廷闻之，惊骇。桑维翰言于帝曰："威固违朝命[511]，擅离边镇。居常[512]凭恃勋旧，邀求[513]姑息，及疆埸[514]多事，曾[515]无守御之意。宜因[516]此时废之[517]，庶无后患。"帝不悦。维翰曰："陛下不忍废之，宜授以近京小镇，勿复委以雄藩[518]。"帝曰："威，朕之密亲，必无异志。但宋国长公主切[519]欲相见耳，公勿以为疑！"维翰自是不敢复言国事，以足疾辞位。丙辰[520]，威至大梁。

豆。道教作法的样子。⑱ 以：因。⑱ 顷：往时；昔日。⑭ 叛之：背叛富沙王。⑯ 从子：指王继昌。⑱ 属者：现在。⑱ 乡曲故人：乡里的熟人。⑱ 鱼肉：比喻受残害。⑲ 余愧：多余的惭愧。⑲ 拊膺：拍胸。⑲ 徇：追求。

【校记】

［24］其：原无此字。据章钰校，十二行本、乙十一行本、孔天胤本皆有此字，今据补。

【语译】

五月初一日丙申，实行大赦。

顺国节度使杜威长期镇守恒州，生性贪婪残暴，仗着自己是贵戚，做了很多违法的事。常常借着守备边境的名义，敛取官吏和百姓的金银、布帛来充实私己的库房。富裕人家如果有珍宝或美女、骏马，他都要掠取过来。或者诬加罪名，把人杀了，再登记没收他的家产。他又过于畏惧懦弱，每逢契丹几十个骑兵进入辖境，杜威就怕得关闭城门，登上城墙。有时只有几个契丹骑兵驱赶着所掠得的成百上千中原人经过城下，杜威只是睁大眼睛，伸长脖子望着他们，无意把他们拦截并夺回来。因此北虏无所忌惮，辖区内的很多城邑居民都被北虏杀光，杜威竟然没有派出一兵一卒去解救他们。千里原野，暴露的尸骨像莽莽野草，村落几乎没有了。

杜威眼见辖区内残破凋敝，被民众怨恨，又害怕契丹的强盛，就多次上表请求入朝，晋出帝没答应。杜威不等朝廷答复，就突然撇下军镇入朝。朝廷听说了，非常震惊。桑维翰对晋出帝说："杜威顽固地违抗朝廷使命，擅自离开边疆重镇。平日又依仗元勋旧臣的身份，朝廷对他的乞求一味迁就，等到边疆多事时，乃无保疆卫土之心。应该乘这个机会把他罢黜，也许没有后患。"晋出帝听了不高兴。桑维翰说："陛下如果不忍心罢黜他，最好给他一个靠近京师的小军镇的官职，再不要交给他势力雄厚的藩镇了。"晋出帝说："杜威是朕的近亲，一定没有反叛的想法。只是宋国长公主急着想和他见面罢了，公就不要对这事猜疑了！"桑维翰从此不敢再谈论国家大事了，借口脚有毛病辞掉了职位。五月二十一日丙辰，杜威到了大梁。

【段旨】

以上为第十四段，写杜威畏惧契丹再来，擅离职守，晋出帝姑息不问。

【注释】

[492] 丙申朔：五月初一日。[493] 镇：镇守。[494] 自恃贵戚：自己倚仗贵戚的权势。杜威娶石敬瑭妹宋国长公主。[495] 敛：搜刮。[496] 私藏：私人的库藏。[497] 名姝：绝色美女。[498] 畏懦过甚：过于畏惧懦弱。[499] 陴：女墙。[500] 驱：赶。[501] 瞋目延颈：睁大眼睛，伸长脖颈。[502] 邀取：拦截夺取。[503] 属城：恒州所属州城。[504] 暴骨如莽：语出《左传》，暴露在野外的白骨好像莽莽野草。[505] 殆尽：将尽。[506] 所部：所统辖的地区。[507] 残弊：残破凋敝。[508] 累：

【原文】

丁巳[521]，李仁达大阅战士，请卓岩明临视[522]。仁达阴[523]教军士突前[524]登阶，刺杀岩明。仁达阳惊[525]，狼狈而走[526]。军士共执仁达，使居岩明之坐[527]。仁达乃自称威武留后，用保大[528]年号，奉表称藩于唐，亦遣使入贡于晋。并杀岩明之父。唐以仁达为威武节度使、同平章事，赐名弘义，编之属籍[529]。弘义又遣使修好于吴越。

己未[530]，杜威献部曲[531]步骑合四千人并铠仗。庚申[532]，又献粟十万斛，刍二十万束，云皆在本道[533]。帝以其所献骑兵隶扈圣[534]，步兵隶护国[535]，威复请以为牙[26]队[536]，而禀赐[537]皆仰县官[538]。威又令公主白帝，求天雄节钺[539]，帝许之。

唐兵围建州，屡破泉州兵[540]。许文稹败唐兵于汀州[541]，执其将时厚卿。

六月癸酉[542]，以杜威为天雄节度使。

契丹连岁[543]入寇，中国疲于奔命[544]，边民涂地[545]。契丹人畜亦多死，国人厌苦[546]之。述律太后谓契丹主曰："使汉人为胡主，可乎？"曰："不可。"太后曰："然则汝何故欲为汉主？"曰："石氏负恩，不可容[547]。"太后曰："汝今虽得汉地，不能居也。万一蹉跌[548]，悔何所及！"又谓其群下曰："汉儿何得[549]一向眠[550]！自古但闻汉和蕃，未闻蕃和汉。汉儿果能回意[551]，我亦何惜与和！"

桑维翰屡劝帝复请和于契丹以纾[552]国患，帝假[553]开封军将张晖供

多次。㊾遽：突然。510 委镇：丢下军镇。511 固违朝命：顽固地违反朝廷命令。512 居常：平常。513 邀求：要求；乞求。514 疆埸：边疆。515 曾：乃。516 因：乘。517 废之：废黜他。518 雄藩：大的藩镇。519 切：迫切。520 丙辰：五月二十一日。

【校记】

［25］夺：原作“虏”。据章钰校，十二行本、乙十一行本、孔天胤本皆作“夺”，熊罗宿《胡刻资治通鉴校字记》同，今据改。

【语译】

五月二十二日丁巳，李仁达大规模阅兵，请卓岩明亲临视察。李仁达暗中叫军士冲向前登上台阶，刺杀了卓岩明。李仁达装作很吃惊的样子，狼狈地逃走了。军士们一起捉住李仁达，让他坐在卓岩明那个位子上。李仁达于是自称为威武留后，使用“保大”为年号，呈上章表向唐国称藩属，还派遣使者向晋朝进贡。连卓岩明的父亲也杀了。唐国任命李仁达为威武节度使、同平章事，赐给他名字叫弘义，把他编入李氏宗室族谱。李弘义又派遣使者去和吴越国建立友好关系。

五月二十四日己未，杜威向朝廷献出他的亲兵步兵和骑兵共四千人，以及铠甲、兵器。二十五日庚申，又献出粟十万斛，饲草二十万束，说这些东西都在本镇。晋出帝把他所献的骑兵隶属于扈圣，步兵隶属于护国。杜威又请求把这些亲兵拨给他作卫队，而这些人的口粮和赏赐全都仰赖朝廷。杜威又叫公主告诉晋出帝，要求授给他天雄军的符节和斧钺，晋出帝答应了。

唐国的军队包围建州，多次打败泉州兵。许文稹在汀州打败了唐国的军队，活捉了唐国的将领时厚卿。

六月初九日癸酉，任命杜威为天雄节度使。

契丹连年对内地入侵，中原士卒为执行命令奔走疲惫，边疆的百姓惨遭杀害。契丹的人口和牲畜也死了很多，契丹百姓对战争已感到厌恶和痛苦。述律太后对契丹主说：“让汉人来做契丹人的国主，可以吗？”契丹主回答说：“不可以。”太后又说：“既然如此，你为什么想当汉人的国君呢？”契丹主说：“姓石的忘恩负义，不可容忍。”太后说：“你现在虽然获得了汉人的土地，但是不能住在那儿。万一有个闪失，后悔又哪里来得及！”又对她的群臣说：“汉家儿郎哪得睡过一会儿安稳觉！自古以来，只听说汉人向蕃人和解，从没有听说蕃人向汉人和解。汉家儿郎果真能够回心转意的话，我又怎能不肯与他们和解呢！”

桑维翰多次劝说晋出帝再向契丹请和，以缓解国家的灾患，晋出帝任命开封府

奉官，使奉表称臣诣契丹，卑辞谢过[554]。契丹主曰："使景延广、桑维翰自来，仍割镇、定两道隶我[555]，则可和。"朝廷以契丹语忿[556]，谓其无和意，乃止。及契丹主入大梁，谓李崧等曰："向[557]使晋使再来，则南北不战矣。"

秋，七月，闽人或告[558]福州援兵谋叛，闽主延政收其铠仗[559]，遣还。伏兵于隘[560]，尽杀之，死者八千余人，脯[561]其肉以归为食[562]。

唐边镐拔镡州[563]，查文徽之党魏岑、冯延巳、延鲁以师出有功，皆踊跃赞成之。征求供亿[564]，府库为之耗竭，洪、饶、抚、信之民尤苦之。

延政遣使奉表称臣于吴越，请为附庸[565]以求救。

楚王希范疑静江[566]节度使兼侍中、知朗州希杲得人心，遣人伺之[567]。希杲惧，称疾求归，不许。遣医往视疾，因[568]毒杀之。

【段旨】

以上为第十五段，写闽国李仁达阴谋得逞，自称威武留后。殷主王延政凶残，杀福州兵八千人。晋出帝不纳桑维翰之策，痛失乘胜与契丹和解的时机。

【注释】

㉑丁巳：五月二十二日。㉒临视：亲临视察。㉓阴：暗中。㉔突前：冲到前面。㉕阳惊：假装吃惊。㉖狼狈而走：困顿窘迫而逃。㉗坐：座。㉘保大：南唐李璟年号。㉙编之属籍：将他编到李姓的谱籍之中。㉚己未：五月二十四日。㉛部曲：亲兵。㉜庚申：五月二十五日。㉝本道：指恒州节度。㉞扈圣：禁卫军名。㉟护国：禁卫军名。㊱牙队：卫队。㊲禀赐：口粮、赏赐。禀，通"廪"。㊳县官：朝廷。㊴求天雄节钺：请求任命为天雄军节度使。节钺，符节和斧钺，节度使权力的凭证。此指代节度使。㊵泉州兵：董思安、王忠顺所统率泉州军队。㊶汀州：州名，治所长汀，在今福建长汀。㊷癸酉：六月初九日。㊸连岁：连年。㊹疲于奔命：为执行命令奔走疲惫。㊺涂地：惨遭杀害。㊻厌苦：厌恶和痛苦。㊼容：容忍。㊽蹉跌：失足跌倒。比喻闪失。㊾何得：何能。㊿一向眠：一会儿睡得安稳。[551]回意：回心转意。[552]纾：纾缓；缓解。[553]假：任命。[554]卑辞谢过：以谦卑的言辞谢罪。[555]隶我：归我。[556]语忿：语气蛮横。[557]向：过去。[558]或告：有人告密。[559]铠仗：铠甲和兵器。此指武器装备。[560]隘：险狭的地方。[561]脯：

军将张晖为供奉官，派他到契丹去呈表称臣，用谦卑的言辞表示谢罪。契丹主说："叫景延广、桑维翰亲自来谢罪，再割让镇州、定州两个道隶属于我，才可以讲和。"朝廷因为契丹主口气蛮横，认为他无意讲和，只好作罢。等到契丹主进入大梁，他对李崧等人说："当初假如晋朝派使者第二次来，南北双方就不会打仗了。"

秋，七月，闽国有人告发福州的援兵图谋叛变，闽主王延政收缴了他们的铠甲和兵器，遣送他们回去。在险要处布下伏兵，把他们全部杀掉，被杀死的有八千多人，把他们的肉做成肉干，带回来当作食物。

唐国的边镐攻取了镡州，查文徽的同伙魏岑、冯延巳、冯延鲁认为出师有功，都踊跃地赞成出兵。征调军需供应，府库被他们消耗光了，洪州、饶州、抚州、信州的百姓尤其深受其苦。

王延政派遣使者向吴越国奉表称臣，请求做它的附庸，以求得救兵。

楚王马希范怀疑静江节度使兼侍中、知朗州的马希杲得民心，就派人去窥视他。马希杲恐惧，推说有病，请求归养，楚王不答应。派医生前去看病，乘机毒死了他。

干肉。㊷为食：作为粮食。563镡州：州名，闽王延政置，在今福建南平。564供亿：供给。565附庸：附属于大国的小国。566静江：方镇名，唐昭宗光化三年（公元九〇〇年）升桂管经略使为静江军节度使。治所桂州，在今广西桂林。567伺之：窥视他。568因：乘机。

【校记】

［26］牙：原作"衙"。据章钰校，十二行本、乙十一行本、孔天胤本皆作"牙"，今据改。〖按〗新、旧《五代史》皆作"牙"。

【研析】

本卷研析后晋大破契丹、沈斌痛斥赵延寿两件史事。

第一，后晋大破契丹。平卢节度使杨光远招引契丹在晋大灾之年入寇。开运元年（公元九四四年）正月，契丹攻晋，陷贝州。二月，杨光远公开反叛，契丹从马家口渡黄河攻郓州接应杨光远，晋军在马家口大破契丹。杨光远援绝。三月，契丹主耶律德光率十万大军南犯，在澶州再次被晋军打败，契丹北归，所过之处焚掠一空。杨光远被困青州，城中食尽，饿死者大半，杨光远遥拜契丹，绝望地哀号，说："皇帝，皇帝，误光远矣！"一副奴才的嘴脸，让人恶心。十二月，其子承勋、承祚、承信杀了煽动杨光远反叛的节度判官丘涛等，劫持父亲杨光远开城投降晋军。后晋军在大灾之年打败气势汹汹的契丹人，表现了中原汉人军民不甘做亡国奴的正气。人人奋勇血战，契丹败北。杨光远的卖国行径，是白天做皇帝梦，他的下场是人心大快。晋将李守贞暗杀杨光远，以病死上奏。

第二，沈斌痛斥赵延寿。赵延寿认贼作父，死心塌地做汉奸。契丹大举入寇，集中了燕云十六州汉兵五万，命赵延寿为将，替契丹人打先锋。契丹主谎称，打下中原，立赵延寿为帝；又多次对汉人士众说："赵将军，他就是你们真正的主人。"赵延寿心花怒放，真以为能当儿皇帝，为契丹竭尽全力，多次进言灭亡中原的方法。契丹败还，过祁州城，赵延寿知城中兵少，献策契丹夺取祁州城。沈斌在城上斥责赵延寿，赵延寿劝沈斌投降。赵延寿说："沈使君，我的老朋友。择祸不妨选择轻的，为什么不早一点投降！"沈斌回答说："侍中父子失策，陷身于北虏，竟然忍心带领一帮犬羊之兵来残害父母之国！自己不感到惭愧可耻，反而有骄傲的神色，这是为什么呢！沈斌我即使弓折矢尽，宁可为国家而死，终究不会效法你的作为！"第二天城破，沈斌自杀。一个是民族英雄，沈斌永垂不朽。一个是民族败类，赵延寿是无耻的汉奸，白日做皇帝梦，至死不悟。

卷第二百八十五　后晋纪六

起旃蒙大荒落（乙巳，公元九四五年）八月，尽柔兆敦牂（丙午，公元九四六年），凡一年有奇。

【题解】

本卷记事起于公元九四五年八月，迄于公元九四六年，凡一年又五个月，当后晋齐王开运二年八月至开运三年。南唐兵攻破建州，殷主王延政请降。泉州人赶走南唐兵。闽主王仁达求救于吴越王，南唐兵败福州。后晋出帝骄奢淫逸，将士寒心。赵延寿诈降，后晋出帝委任杜威为元帅收复瀛、莫，契丹主第三次大举南犯。后晋与契丹夹滹沱河两岸对峙，杜威按兵不战，投降契丹，求为中原之主，河北诸镇望风降敌。契丹主命杜威领后晋兵南下，张彦泽为前锋直取大梁清宫，后晋出帝被迫迁于开封府封禅寺以待契丹主，后晋灭亡。

【原文】

齐王下

开运二年（乙巳，公元九四五年）

八月甲子朔[①]，日有食之。

丙寅[②]，右仆射[③]兼中书侍郎[④]、同平章事[⑤]和凝罢守本官[⑥]。加枢密使[⑦]、户部尚书[⑧]冯玉[⑨]中书侍郎、同平章事，事无大小，悉以委之。

帝自阳城之捷[⑩]，谓天下无虞[⑪]，骄侈益甚。四方贡献珍奇，皆归内府[⑫]。多造器玩，广宫室，崇饰后庭[⑬]，近朝[⑭]莫之及。作织锦楼[⑮]以织地衣[⑯]，用织工数百，期年[⑰]乃成。又赏赐优伶[⑱]无度[⑲]。桑维翰[⑳]谏曰："向者[㉑]陛下亲御胡寇[㉒]，战士重伤者，赏不过帛数端[㉓]。今优人一谈一笑称旨[㉔]，往往赐束帛[㉕]、万钱、锦袍、银带。彼战士见之，能不觖望[㉖]，曰：'我曹冒白刃、绝筋折骨，曾不如一谈一笑之功乎！'如此，则士卒解体，陛下谁与卫社稷乎！"帝不听。

冯玉每善承迎帝意，由是益有宠。尝有疾在家，帝谓诸宰相曰：

【语译】

齐王下

开运二年（乙巳，公元九四五年）

八月初一日甲子，发生日食。

初三日丙寅，右仆射兼中书侍郎、同平章事和凝被罢免中书侍郎、同平章事的职务，只保留右仆射本官。枢密使、户部尚书冯玉加授中书侍郎、同平章事，政事不论大小，全都委托给他。

晋出帝自从在阳城打了胜仗，认为天下没有忧患了，更加骄满奢侈。四方所进献的珍宝奇物，全部都收进王室的仓库。制造很多用来赏玩的器物，扩建宫室，装饰后宫庭苑，近代几朝没有赶得上的。建造织锦楼编织地毯，动用几百名编织工，一年才做成。还有赏赐歌伎艺人毫无节制。桑维翰劝告说："前不久陛下亲自抵御胡寇，战士受重伤的，赏赐不过几匹布帛，现在那些歌伎艺人一颦一笑符合皇上的心意，常常赏赐束帛、万钱、锦袍、银带。如果让那些战士看到这种情况，能不抱怨说：'我们这些人顶着锋利的刀刃、折断筋骨，还不如一谈一笑的功劳呢！'这样一来，士卒人心离散，陛下靠谁来保卫国家呢！"晋出帝不听。

冯玉常常善于奉承迎合晋出帝的心意，因此更加受恩宠。冯玉曾经患病在家，

“自刺史以上，俟冯玉出乃得除㉗。”其倚任如此。玉乘势弄权，四方赂遗，辐辏㉘其门。由是朝政益坏。

唐兵㉙围建州㉚既久，建人离心。或谓董思安㉛：“盍[1]早择去就？”思安曰：“吾世事王氏㉜，危而叛之，天下其谁容我！”众感其言，无叛者。丁亥㉝，唐先锋桥道使㉞上元㉟王建封㊱先登㊲，遂克建州，闽主延政㊳降。王忠顺㊴战死，董思安整众奔泉州㊵。

初，唐兵之来，建人苦王氏之乱与杨思恭之重敛㊶，争伐木开道以迎之。及破建州，纵兵大掠，焚宫室庐舍俱尽。是夕，寒雨，冻死者相枕，建人失望。唐主以其有功，皆不问。

汉主杀韶王弘雅㊷。

【段旨】

以上为第一段，写后晋出帝阳城大捷后高枕无忧，骄侈荒政，将士寒心。南唐兵破建州，殷主王延政降南唐。

【注释】

① 甲子朔：八月初一日。② 丙寅：八月初三日。③ 右仆射：执行政务的尚书省长官为尚书令，副手有左、右仆射。因唐太宗曾为尚书令，其后不再设置，仆射即为尚书省最高长官。④ 中书侍郎：起草政令的中书省长官为中书令，副手为中书侍郎。因中书令不轻易授人，中书侍郎即为中书省之长官。⑤ 同平章事：官名，同中书门下平章事之省称。职司宰相。唐初别官加此衔者同预宰相事，至开元以后，三省长官必须加授此衔才能预宰相事，五代承袭。⑥ 和凝罢守本官：免去和凝兼任的中书侍郎、同平章事，只保留尚书右仆射，即罢去和凝之相位。和凝（公元八九五至九五五年），字成绩，历仕后唐、后晋、后汉、后周。传见《旧五代史》卷一百二十七、《新五代史》卷五十六。⑦ 枢密使：官名，职掌军事及边防事务。⑧ 户部尚书：户部主管全国财政，长官为尚书。⑨ 冯玉：字璟臣，其姐为后晋出帝后，以外戚拜相兼枢密使，国家军政事务全取决于冯玉。传见《旧五代史》卷八十九、《新五代史》卷五十六。⑩ 阳城之捷：后晋出帝石重贵即位后，对契丹不称臣，契丹怒，伐后晋，战于阳城（在今河北保定市清苑区东南），契丹兵败，北归。事详上卷开运二年三月。⑪ 无虞：无忧。指天下太平。⑫ 内府：后宫府库，为王室私库。⑬ 后庭：后宫。⑭ 近朝：近世。指后梁、后唐。⑮ 作织锦楼：兴建织造锦缎地毯的皇家手工工场楼

晋出帝对各位宰相说:“自刺史以上的职位,要等冯玉来了才能除授。”晋出帝对他的倚重和信任到了如此地步。冯玉凭借职位滥用权力,四方的贿赂馈赠,都聚集到冯玉的门下。因此朝政更加衰败。

南唐军队围困建州已经很长时间了,建州城内人心涣散。有人对董思安说:“何不及早选择自己的去留呢?”董思安说:“我家祖祖辈辈侍奉王氏,在他危难之时要是背叛他,天下还有谁能收留我!”众人被他的话感召,没有背叛王氏的。八月二十四日丁亥,南唐先锋桥道使上元人王建封率先登城,于是攻克建州,闽主王延政投降。王忠顺战死,董思安整顿部众逃奔泉州。

当初,南唐军队到来,建州百姓痛恨王氏的横暴无道和杨思恭的繁重聚敛,争相砍伐树木、开辟道路去迎接南唐军队。等到南唐军队攻下建州,纵容士兵大肆抢掠,把宫殿房屋全部烧光。当天晚上,寒冷下雨,冻死的人纵横相枕,建州百姓大失所望。南唐主因为这些军队有功劳,都不进行追究。

南汉主刘晟杀韶王刘弘雅。

房。⑯地衣:地毯。⑰期年:一整年。⑱优伶:指以乐舞戏谑为业的艺人。⑲无度:没有节制;没有界限。⑳桑维翰(公元八九九至九四七年):字国侨,助石敬瑭称帝,任中书侍郎、同中书门下平章事兼枢密使。受冯玉排挤。晋亡,被叛降契丹的张彦泽缢杀。传见《旧五代史》卷八十九、《新五代史》卷二十九。㉑向者:从前;早先。㉒陛下亲御胡寇:指开运二年(公元九四五年)的澶州之战,事见上卷。㉓端:古代布帛长度单位。《左传》昭公二十六年“币锦二两”杜预注:“二丈为一端,二端为一两,所谓匹也。”又《集韵》卷二十六则谓“布帛六丈曰端”。㉔称旨:中意。指迎合皇帝心意。㉕束帛:唐制,帛以十端为一束,合五匹,每匹从两端卷起,即得十端。㉖觖望:抱怨。㉗除:拜官授职。㉘辐辏:车轮的辐条聚集在毂上。此喻趋炎附势之徒聚集在冯玉门下。㉙唐兵:南唐之兵。是年二月围攻建州,至此,已半年。㉚建州:州名,此时为王氏闽国都城。治所建安,在今福建建瓯。㉛董思安:闽将,都指挥使。㉜王氏:指割据建州开创闽政权的王潮、王审知等统治集团。㉝丁亥:八月二十四日。㉞桥道使:先锋官名。㉟上元:县名,县治在今江苏南京市江宁区。㊱王建封:南唐武将。㊲先登:首先登上城头。㊳闽主延政:闽政权末主,王审知之子王延政。称帝于建州,改国号大殷,改元天德,公元九四三至九四五年在位。㊴王忠顺:闽将,都指挥使。㊵泉州:州名,治所晋江,在今福建泉州。㊶杨思恭之重敛:杨思恭为闽政权兵部尚书,迁仆射、录军国事。善聚敛,闽人切齿,称之为“杨剥皮”。闽亡,为唐主所杀。重敛事见本书卷二百八十三天福八年(公元九四三年)。㊷汉主杀韶王弘雅:汉主,南汉中宗刘晟,原名弘熙。弘雅,刘晟之弟,封韶王,遭刘晟猜忌而被杀害。

【校记】

［1］盇：原作“宜”。据章钰校，十二行本、乙十一行本、孔天胤本皆作“盇”，今据改。〖按〗《通鉴纪事本末》作“盇”。

【原文】

九月，许文稹以汀州㊸、王继勋以泉州㊹、王继成以漳州㊺，皆降于唐。唐置永安军于建州。

丙申㊻，以西京㊼留守㊽兼侍中景延广㊾充㊿北面行营副招讨使(51)。

殿中监(52)王钦祚权知(53)恒州(54)事。会(55)乏军储，诏钦祚括籴(56)民粟。杜威(57)有粟十余万斛在恒州，钦祚举籍(58)以闻。威大怒，表称：“臣有何罪，钦祚籍没臣粟！”朝廷为之召钦祚还，仍厚赐威以慰安之。

戊申(59)，置威信军于曹州(60)。

遣侍卫马步都指挥使(61)李守贞(62)戍澶州(63)。

乙卯(64)，遣彰德(65)节度使张彦泽(66)戍恒州。

汉主杀刘思潮、林少强、林少良、何昌延(67)［2］。以左仆射王翻［3］尝与高祖谋立弘昌(68)，出为英州(69)刺史，未至，赐死。内外皆惧不自保。

冬，十月癸巳(70)，置镇安军于陈州(71)。

唐元敬宋太后(72)殂(73)。

王延政至金陵，唐主以为羽林大将军(74)。斩杨思恭以谢建人。以百胜(75)节度使王崇文为永安(76)节度使。崇文治以宽简(77)，建人遂安。

初，高丽王建用兵吞灭邻国(78)，颇强大。因胡僧袜啰(79)言于高祖曰：“勃海(80)，我婚姻也，其王为契丹(81)所虏，请与朝廷共击取之。”高祖不报(82)。及帝与契丹为仇，袜啰复言之。帝欲使高丽扰契丹东边以分其兵势，会建卒，子武自称权知国事，上表告丧。十一月戊戌(83)，以武为大义军使、高丽王。遣通事舍人(84)郭仁遇使其国，谕指(85)使击契丹。仁遇至其国，见其兵极弱。向者袜啰之言，特建为夸诞耳，实不敢与契丹为敌。仁遇还，武更以他故为解。

【语译】

九月，许文稹率汀州、王继勋率泉州、王继成率漳州，全都投降南唐。南唐在建州设置永安军。

初三日丙申，晋出帝任命西京留守兼侍中景延广充任北面行营副招讨使。

殿中监王钦祚暂时主持恒州事务。恰遇军中粮食储备缺乏，晋出帝诏命王钦祚强行征购百姓的谷子。杜威在恒州存有十几万斛的谷子，王钦祚将它全部登记没收，上报朝廷。杜威大怒，上表说："臣有什么罪，王钦祚没收臣的谷子！"朝廷为此事把王钦祚调回来，还重赏杜威来安抚他。

九月十五日戊申，在曹州设置威信军。

晋出帝派遣侍卫马步都指挥使李守贞戍守澶州。

二十二日乙卯，派遣彰德节度使张彦泽戍守恒州。

南汉主杀刘思潮、林少强、林少良、何昌延。由于左仆射王翷曾经和高祖刘龑图谋立刘弘昌为帝，将他外放为英州刺史，还没有到达任所，又被赐死。于是朝廷内外官员都害怕自身难保。

冬，十月三十日癸巳，朝廷在陈州设置镇安军。

南唐元敬宋太后去世。

王延政到达金陵，南唐主任命他为羽林大将军。斩杨思恭首级向建州百姓谢罪。任命百胜节度使王崇文为永安节度使。王崇文利用宽松简约的方法进行治理，建州百姓因此安定下来。

当初，高丽王王建用武力灭掉邻国，势力颇为强大。通过胡僧袜啰对晋高祖说："勃海国是我的亲戚，他的国王被契丹掳走，请求与朝廷共同攻打契丹，夺回勃海王。"晋高祖未做答复。等到晋出帝和契丹成为仇敌，袜啰又说起此事。晋出帝想让高丽骚扰契丹的东部边境来分散他的兵力，正赶上高丽王王建去世，王建的儿子王武自称暂理国事，上表报告丧讯。十一月初五日戊戌，朝廷任命王武为大义军使、高丽王。派遣通事舍人郭仁遇出使高丽，告知他朝廷的旨意，让高丽攻打契丹。郭仁遇到达高丽，发现高丽的兵力非常弱小。以前袜啰所说的话，只是王建夸大其词罢了，实际上不敢与契丹为敌。郭仁遇返回，王武又以其他的理由进行辩解。

【段旨】

以上为第二段，写后晋结纳高丽为援，高丽国弱，无益于晋。

【注释】

㊸汀州：州名，治所长汀，在今福建长汀。㊹泉州：州名，治所在今福建晋江。㊺漳州：州名，治所龙溪，在今福建漳州。㊻丙申：九月初三日。㊼西京：后晋陪都洛阳。后晋天福三年（公元九三八年），自东都河南府（治所洛阳）迁都汴州，以汴州为东京开封府，改东都河南府为西京。历五代后汉、后周及北宋，沿袭不改。㊽留守：官名，陪都和行都常设留守，以地方行政长官兼任。㊾景延广（公元八九〇至九四五年）：后晋权臣。传见《旧五代史》卷八十八、《新五代史》卷二十九。㊿充：兼任。51北面行营副招讨使：官名，五代有行营南面招讨使、行营北面招讨使，又置都招讨使。多以将帅或地方军政长官兼任，负责镇压起事民众或招降伐叛等事，事后即撤销。行营，出征时的军营。副招讨使，招讨使之佐。52殿中监：官名，殿中省长官，职掌内廷供奉。53权知：代理主持政务。54恒州：州名，为成德军节度使驻节重镇。治所真定，在今河北正定。后晋外戚杜重威镇恒州，惧契丹入寇，连表乞还京师，后晋出帝拜杜重威为邺都留守，以殿中监王钦祚权知恒州事。55会：适值。56括粜：强行征购民间粮食。57杜威：杜重威（？至公元九四八年），后晋高祖石敬瑭妹夫，因避后晋出帝石重贵名，去“重”字。杜威镇恒州，搜刮聚敛私粟十余万斛。开运三年（公元九四六年），契丹南侵，杜威为北面行营招讨使，率兵御敌，不战而降，导致后晋灭亡。后汉建国，杜威降汉被诛。传见《旧五代史》卷一百九、《新五代史》卷五十二。58举籍：全部登录没收。59戊申：九月十五日。60曹州：州名，治所济阴，在今山东曹县北。61侍卫马步都指挥使：官名，掌禁卫军中马军与步军指挥官。多由皇帝亲信担任，后唐明宗始置。62李守贞：历仕后晋、后汉两朝为节度使。传见《旧五代史》卷一百九、《新五代史》卷五十二。63澶州：州名，治所濮阳，在今河南濮阳南。64乙卯：九月二十二日。65彰德：方镇名，驻节相州，在今河南安阳。后晋天福三年（公元九三八年）置。66张彦泽：突厥部后裔，后晋

【原文】

乙卯[86]，吴越王弘佐[87]诛内都监使杜昭达[88]。己未[89]，诛内牙上统军使明州[90]刺史阚璠。昭达，建徽之孙也，与璠皆好货。钱塘富人程昭悦[91]以货结二人，得侍弘佐左右。昭悦为人狡佞，王悦之，宠待逾于

叛臣，恶贯满盈，为契丹主耶律德光所杀。传见《旧五代史》卷九十八、《新五代史》卷五十二。⑥⑦汉主杀刘思潮、林少强、林少良、何昌延：天福八年（公元九四三年），南汉中宗刘晟曾指使刘思潮等四人杀其兄汉殇帝洪度（刘玢）而自立。朝臣议论纷纷，刘晟为了灭口，又将刘思潮等四人处死。⑥⑧弘昌：南汉高祖刘龑第五子，封越王。王翷与高祖谋立弘昌事见本书卷二百八十三天福七年。事未遂，而遭中宗刘晟忌恨，赐死。弘昌亦为中宗所害。⑥⑨英州：州名，治所浈阳，在今广东英德。⑦⓪癸巳：十月三十日。⑦①陈州：州名，治所秣陵，在今河南沈丘南。⑦②元敬宋太后：南唐烈祖李昪皇后，元宗李璟母，元敬为谥号。⑦③殂：死亡。⑦④羽林大将军：官名，禁军首领。⑦⑤百胜：方镇名，五代十国吴置。治所虔州，在今江西赣州。⑦⑥永安：方镇名，五代十国唐置。治所建州，在今福建建瓯。⑦⑦治以宽简：利用宽松简约的方法进行治理。⑦⑧高丽王建用兵吞灭邻国：高丽王建用兵击破新罗、百济，东夷诸国皆附。事见本书卷二百八十一后晋天福元年（公元九三六年）。⑦⑨胡僧袜啰：西域僧，善火卜。后晋天福年间来中国，后又游历高丽，受高丽王建的委托，欲促使两国联合，共击契丹，袜啰于是还报高祖，未遂。⑧⓪勃海：国名，又作渤海。唐代我国东北以靺鞨、粟末部为主体建立的政权（公元六九八至九二六年）。创始人为粟末部大祚荣，被唐封为左骁卫大将军、勃海郡王，经常派使者到长安朝贡。后为辽所灭。⑧①契丹：古族名、古国名，源于东胡。唐末，首领阿保机统一契丹及邻近各部，建立辽朝（公元九一六至一一二五年），与五代和北宋并立。宋宣和七年（公元一一二五年），为金所灭。⑧②不报：不答复，即不许。⑧③戊戌：十一月五日。⑧④通事舍人：官名，属中书省，掌通奏引纳、承旨宣劳等事，多以善辞令者担任。⑧⑤谕指：皇帝对臣下的命令、文告。指，旨意。

【校记】

［2］何昌延：原作“何昌廷”。据章钰校，十二行本、乙十一行本、孔天胤本皆作“何昌延”，今据改。〖按〗《新五代史》作“何昌廷”，《十国春秋》《通鉴纪事本末》皆作“何昌延”。［3］王翷：据章钰校，十二行本、乙十一行本皆作“王翻”。〖按〗《十国春秋》《通鉴纪事本末》记此事悉作“左仆射王翷”，唯《新五代史·南汉世家》有“右仆射王翻”，二人职、名俱近，未知孰是。

【语译】

十一月二十二日乙卯，吴越王钱弘佐杀死内都监使杜昭达。二十六日己未，杀死内牙上统军使、明州刺史阚璠。杜昭达，是杜建徽的孙子，和阚璠都贪爱钱物。钱塘富人程昭悦用钱物交结他们两人，得以陪侍在钱弘佐的身边。程昭悦为人狡诈

旧将，璠不能平。昭悦知之，诣璠顿首谢罪。璠责让久之，乃曰："吾始者决欲杀汝，今既悔过，吾亦释然。"昭悦惧，谋去璠。

璠专而愎，国人恶之者众，王亦恶之[4]。昭悦欲出璠于外[92]，恐璠觉之，私谓右统军使胡进思[93]曰："今欲除公及璠各为本州，使璠不疑，可乎？"进思许之，乃以璠为明州刺史，进思为湖州[94]刺史。璠怒曰："出我于外，是弃我也。"进思曰："老兵得大州，幸矣，不行何为！"璠乃受命。既而复以他故留进思。

内外马步都统军使钱仁俊[95]母，杜昭达之姑也。昭悦因谮璠、昭达谋奉仁俊作乱，下狱锻炼[96]成之。璠、昭达既诛，夺仁俊官，幽于东府。于是昭悦治阚、杜之党，凡权位[5]与己侔[97]，意所忌者，诛放百余人，国人畏之侧目[98]。胡进思重厚寡言，昭悦以为戆[99]，故独存之。昭悦收仁俊故吏慎温其，使证仁俊之罪，拷掠备至。温其坚守不屈，弘佐嘉之，擢为国官[100]。温其，衢州人也。

十二月乙丑[101]，加吴越王弘佐东南面兵马都元帅[102]。

辛未[103]，以前中书舍人[104]广晋[105]殷鹏[6]为给事中[106]、枢密直学士[107]。鹏，冯玉之党也。朝廷每有迁除[108]，玉皆与鹏议之。由是请谒赂遗[109]，充满其门。

初，帝疾未平，会正旦[110]，枢密使、中书令桑维翰遣女仆入宫起居[111]太后，因问："皇弟睿[112]近读书否？"帝闻之，以告冯玉，玉因谮[113]维翰有废立之志。帝疑之。

李守贞素恶维翰，冯玉、李彦韬[114]与守贞合谋排之。以中书令行开封尹[115]赵莹[116]柔而易制，共荐以代维翰。丁亥[117]，罢维翰政事，为开封尹。以莹为中书令，李崧[118]为枢密使、守侍中。维翰遂称足疾，希复朝谒[119]，杜绝宾客。

或谓冯玉曰："桑公元老，今既解其枢务，纵不留之相位，犹当优以大藩[120]。奈何使之尹京，亲猥细之务乎？"玉曰："恐其反耳。"曰："儒生安能反！"玉曰："纵不自反，恐其教人耳。"

楚湘阴[121]处士[122]戴偃，为诗多讥刺，楚王希范[123]囚之。天策副都

谄媚，吴越王喜欢他，宠信他超过旧将，阚璠不服气。程昭悦知道了，亲自到阚璠府上磕头赔罪。阚璠责骂了他很久，才说："我起初下决心要杀掉你，现在你已经承认错误，我也就不生气了。"程昭悦害怕了，谋划要除掉阚璠。

阚璠既专横又固执，国中憎恨他的人很多，吴越王钱弘佐也很厌恶他。程昭悦想把阚璠逐到地方做官，又担心阚璠察觉出来，私下对右统军使胡进思说："现在想任命您和阚璠各自为家乡所在州的刺史，使阚璠不致生疑，可以吗?"胡进思答应了，于是任命阚璠为明州刺史，胡进思为湖州刺史。阚璠愤怒地说："把我调出在外，是抛弃我啊。"胡进思说："老兵得任大州，够幸运了，不去上任干什么呢!"阚璠这才接受任命。不久又以其他的理由将胡进思留在朝中。

内外马步都统军使钱仁俊的母亲是杜昭达的姑母，程昭悦便诬陷阚璠和杜昭达谋划拥戴钱仁俊一起作乱，把二人关进监狱，罗织罪名铸成其罪。阚璠、杜昭达被杀以后，剥夺钱仁俊的官职，囚禁在东府。接着程昭悦惩处阚、杜二人的同伙，凡权力职位与自己相当、心里所嫉恨的，诛戮、放逐了一百多人，国人畏惧他，不敢正视。胡进思敦厚持重，沉默寡言，程昭悦认为他很憨厚，所以只留下他一人。程昭悦收捕钱仁俊原来的属吏慎温其，让他检举钱仁俊的罪行，拷打逼供无所不用。慎温其始终坚定不屈，钱弘佐非常赞许，提拔他为京都朝官。慎温其，是衢州人。

十二月初三日乙丑，朝廷加授吴越王钱弘佐为东南面兵马都元帅。

初九日辛未，任命前任中书舍人广晋人殷鹏为给事中、枢密直学士。殷鹏是冯玉的党羽。朝廷每逢有官吏的迁升任命，冯玉都要和殷鹏商议。因此前来请求谒见、馈赠财物的人，挤满殷鹏的家门。

起始，晋出帝的病还没有恢复，正遇上正月初一，枢密使、中书令桑维翰打发女佣人进宫向太后参拜问候，顺便问道："皇弟睿近来读书了没有?"晋出帝听说了，就把这话告诉了冯玉，冯玉就诬陷桑维翰有废皇帝、立新君的打算。晋出帝对桑维翰产生了怀疑。

李守贞一向憎恨桑维翰，冯玉、李彦韬和李守贞共同谋议排挤他。认为中书令兼摄开封尹赵莹软弱，容易控制，便共同推荐赵莹来代替桑维翰。十二月二十五日丁亥，罢免桑维翰的朝廷职务，叫他当开封府尹。任命赵莹为中书令，李崧为枢密使署理侍中。桑维翰于是借口脚有病，很少再上朝进谒，闭门谢绝宾客。

有人对冯玉说："桑公是开国元老，现在既已解除他枢密使的职务，纵然不能留他在相位，也应该从优授给他大的藩镇。为什么让他主管京城，经办一些琐碎的事情呢?"冯玉说："恐怕他造反啊。"这人说："书生怎么能造反!"冯玉说："纵然他自己不造反，恐怕他教唆别人造反哩。"

楚国湘阴隐士戴偃，作诗多所讽刺，楚王马希范把他囚禁起来。天策副都军使

军使丁思瑾[124]上书切谏[125]，希范削其官爵。

唐齐王景达[126]府属谢仲宣言于景达曰："宋齐丘[127]，先帝布衣之交，今弃之草莱，不厌众心。"景达为之言于唐主曰："齐丘宿望，勿用可也，何必弃之以为名！"唐主乃使景达自至青阳[128]召之。

【段旨】

以上为第三段，写吴越王信用奸人程昭悦诛杀大臣，晋出帝信用群小排挤桑维翰。

【注释】

⑧⑥乙卯：十一月二十二日。⑧⑦吴越王弘佐：钱弘佐，吴越王钱元瓘第六子，十四岁袭位，二十岁卒，谥忠献王。公元九四一至九四七年在位。⑧⑧杜昭达：吴越丞相杜建徽孙，盛治宅第，任内牙都监使，因罪被诛。⑧⑨己未：十一月二十六日。⑨⓪明州：州名，治所鄮县，在今浙江宁波。⑨①程昭悦：吴越钱塘富人，深受吴越王弘佐信任，屡造冤案，后被诛。⑨②出播于外：出，调出、外任。外，在外做地方官。⑨③胡进思：吴越大将、右统军使。事附《旧五代史》《新五代史》之《钱镠传》中。⑨④湖州：州名，治所乌程，在今浙江湖州市吴兴区。⑨⑤钱仁俊：吴越宗室，其父为武肃王钱镠第八子余姚侯钱传瓘。吴越王弘佐在位时，仁俊为内外马步都统军使，遭富人程昭悦诬陷，囚于东府。后复其官职，历任威武军节度使、检校太保。⑨⑥锻炼：罗织罪名铸成其罪。⑨⑦侔：齐等。⑨⑧侧目：不敢正视。⑨⑨戆：憨厚。⑩⓪国官：吴越京都朝官。⑩①乙丑：十二月初三日。⑩②都元帅：大元帅。⑩③辛未：十二月初九日。⑩④中书舍人：官名，掌管诏令、侍从、宣旨、慰劳等事。⑩⑤广晋：府名，五代后唐改魏州为兴唐府，后晋又改为广晋府。治所贵乡，在今河北大名东北。⑩⑥给事中：官名，隋唐以后给事中为门下省要职，在侍中及门下侍郎之下，掌驳正政令之违失。⑩⑦枢密直学士：枢密使下属人员，多选精通政术、文学之士担任。⑩⑧迁除：升职授官。⑩⑨请谒赂遗：请托求见，赠送财物。⑪⓪正旦：正月初一。⑪①起居：参拜问候。⑪②皇弟睿：晋出帝石重贵弟重睿，讳帝名，去"重"字。⑪③谮：捏造事实，背后诬告。⑪④李彦韬：为后晋石重贵心腹，历官蔡州刺史、寿州节度使、陈州节度使等职。传见《旧五代史》卷八十八。⑪⑤中书令行开封尹：以中书令职实授开封府尹。

丁思瑾上书直言强谏，马希范对丁思瑾免官夺爵。

南唐齐王李景达府中的属吏谢仲宣对李景达说："宋齐丘是先帝的贫贱之交，现在把他抛弃在山野，不能让大家满意。"李景达为这件事对南唐主说："宋齐丘素来负有重望，不用他也就算了，何必抛弃他，为他制造名声！"南唐王于是派李景达亲自到青阳召请宋齐丘。

行，兼理。此为实授。尹，都城行政长官。⑯赵莹：字玄辉，晋高祖时官至中书令，出帝时守中书令，行开封尹事，性柔弱，故权臣冯玉等复荐为相以代桑维翰。传见《旧五代史》卷八十九、《新五代史》卷五十六。⑰丁亥：十二月二十五日。⑱李崧（？至公元九四八年）：深州饶阳（今河北饶阳）人，历仕后唐、后晋、契丹、后汉，为中枢大臣。后汉隐帝乾祐元年（公元九四八年）被诬谋反，灭族。传见《旧五代史》卷一百八十、《新五代史》卷五十七。⑲希复朝谒：很少再上朝谒见皇帝。希，少。⑳大藩：大的藩镇节度使。㉑湘阴：县名，县治在今湖南湘阴。㉒处士：古时称有才德而隐居不仕的人。㉓楚王希范：楚王马殷第四子。公元九三二至九四七年在位，谥文昭王。传见《旧五代史》卷一百三十三、《新五代史》卷六十六。㉔丁思瑾：楚王马希范牙将，累官天策副都军使。㉕切谏：直言强谏。丁思瑾上书事见《旧五代史》卷一百三十三、《新五代史》卷六十六。㉖唐齐王景达：南唐烈祖李昪第四子李景达，字子通，封齐王。后主李煜即位，加太师、尚书令。㉗宋齐丘：字子嵩，庐陵（今江西吉水东北）人，佐南唐李昪建号之谋臣，官至中书令，封卫国公。南唐元宗李景立，不得意，弃官隐于九华山，封青阳公。不久复出，因与陈觉等结党为奸，事发放还青阳，赐死。事见《新五代史》卷六十二。㉘青阳：县名，县治在今安徽青阳。九华山在其县境西南。

【校记】

［4］王亦恶之：原无此四字。据章钰校，十二行本、乙十一行本、孔天胤本皆有此四字，张敦仁《通鉴刊本识误》、张瑛《通鉴校勘记》同，今据补。［5］位：原作"任"。据章钰校，十二行本、乙十一行本、孔天胤本皆作"位"，张敦仁《通鉴刊本识误》同，今据改。［6］殷鹏：原作"阴鹏"。据章钰校，十二行本、乙十一行本、孔天胤本皆作"殷鹏"，今据改。〖按〗《旧五代史》卷八九有殷鹏本传，当系一人。

【原文】

三年（丙午，公元九四六年）

春，正月，以齐丘为太傅⑫⁹兼中书令，但奉朝请⑬⁰，不预政事。以昭武⑬¹节度使李建勋⑬²为右仆射兼门下侍郎，与中书侍郎冯延巳⑬³皆同平章事。建勋练习吏事，而懦怯少断。延巳工文辞，而狡佞，喜大言，多树朋党。水部郎中⑬⁴高越，上书指延巳兄弟过恶，唐主怒，贬越蕲州⑬⁵司士⑬⁶。

初，唐主置宣政院于禁中⑬⁷，以翰林学士⑬⁸、给事中常梦锡⑬⁹领之，专典机密，与中书侍郎严续⑭⁰皆忠直无私。唐主谓梦锡曰："大臣惟严续中立，然无才，恐不胜其党，卿宜左右之。"未几，梦锡罢宣政院，续亦出为池州⑭¹观察使⑭²。梦锡于是移疾⑭³纵酒，不复预朝廷事。续，可求⑭⁴之子也。

二月壬戌朔⑭⁵，日有食之。

晋昌⑭⁶节度使兼侍中赵在礼⑭⁷，更历十镇⑭⁸，所至贪暴，家赀为诸帅之最。帝利其富，三月庚申⑭⁹，为皇子镇宁⑮⁰节度使延煦⑮¹娶其女。在礼自费缗⑮²钱十万，县官⑮³之费，数倍过之。延煦及弟延宝⑮⁴皆高祖诸孙，帝养以为子。

唐泉州刺史王继勋致书修好于威武⑮⁵节度使李弘义⑮⁶。弘义以泉州故隶威武军，怒其抗礼。夏，四月，遣弟弘通将兵万人伐之。

初，朔方⑮⁷节度使冯晖⑮⁸在灵州⑮⁹，留党项⑯⁰酋长拓跋彦超于州下，故诸部不敢为寇。及将罢镇而纵之。前彰武⑯¹节度使王令温⑯²代晖镇朔方，不存抚羌、胡，以中国法绳之。羌、胡怨怒，皆叛[7]，竞为寇钞⑯³。拓跋彦超、石存、也厮褒三族，共攻灵州，杀令温弟令周。戊午，令温上表告急。

泉州都指挥使⑯⁴留从效⑯⁵谓刺史王继勋曰："李弘通兵势甚盛，士卒以使君⑯⁶赏罚不当，莫肯力战。使君宜避位自省！"乃废继勋归私第。代领军府事，勒兵击李弘通，大破之。表闻于唐，唐主以从效为泉州刺史，召继勋还金陵，遣将将兵戍泉州。徙漳州刺史王继成为和州⑯⁷刺史，汀州刺史许文稹为蕲州刺史。

【语译】

三年（丙午，公元九四六年）

春，正月，南唐任命宋齐丘为太傅兼中书令，只是春秋二季定期参加朝会，不参与政事。任命昭武节度使李建勋为右仆射兼门下侍郎，与中书侍郎冯延巳都为同平章事。李建勋熟悉官方事务，却胆小怕事，优柔寡断。冯延巳擅长文章辞藻，但狡诈谄佞，喜欢说大话，爱树党结派。水部郎中高越，上书指责冯延巳兄弟的错误和罪行，南唐主很生气，把高越贬为蕲州司士。

当初，南唐主在宫禁中设置宣政院，任命翰林学士、给事中常梦锡兼领其事，专门掌管机密，与中书侍郎严续都忠贞正直，没有私心。南唐主对常梦锡说："大臣中只有严续立身中正，然而没有才能，恐怕对付不了那一伙人，你应该辅助他。"没过多久，常梦锡被解除宣政院的职务，严续也外放为池州观察使。常梦锡于是上书称病，纵情饮酒，不再参与朝廷的政事。严续，是严可求的儿子。

二月初一日壬戌，发生日食。

晋昌节度使兼侍中赵在礼，前后连续担任过十个藩镇的节度使，所到之处贪婪残暴，家里的钱财在各藩镇将帅中首屈一指。晋出帝贪图他的财富，三月二十九日庚申，为皇子镇宁节度使石延煦娶了他的女儿，赵在礼自己花费十万缗，晋出帝的花费又超过好几倍。石延煦和弟弟石延宝都是高祖石敬瑭的孙子，晋出帝把他们当作自己的儿子来抚养。

南唐泉州刺史王继勋发信给威武节度使李弘义，想建立友好关系。李弘义因为泉州以前隶属于威武军，认为王继勋发信是用对等的礼节，很恼怒。夏，四月，派遣弟弟李弘通率兵一万人讨伐王继勋。

当初，朔方节度使冯晖在灵州，把党项酋长拓跋彦超扣留在州内，所以党项各部落不敢寇掠。等到冯晖将要解除节度使职务时，把拓跋彦超放了回去。前任彰武节度使王令温接替冯晖镇守朔方，不抚慰羌、胡，用适于中原地区的法令去约束他们。羌、胡怨恨而愤怒，纷纷反叛，争相寇掠。拓跋彦超、石存、也厮褒三族共同攻打灵州，杀死王令温的弟弟王令周。五月二十九日戊午，王令温上表告急。

泉州都指挥使留从效对刺史王继勋说："李弘通军力极为强大，而我们的士兵因为您赏罚不恰当，没有人肯尽力作战。您应该让位自我反省！"于是撤销王继勋的职务，让他回家。留从效自己代为主持军府事务，部署军队攻打李弘通，把李弘通打得大败。留从效上表奏报南唐朝廷，南唐主任命留从效为泉州刺史，叫王继勋返回金陵，派遣将领率兵戍守泉州。调任漳州刺史王继成为和州刺史，汀州刺史许文稹为蕲州刺史。

【段旨】

以上为第四段，写南唐奸佞当道，直臣被贬黜。泉州都指挥使留从效击退福州兵，代王继勋为泉州刺史。

【注释】

⑫⑨太傅：官名，与太师、太保为三公，多为大臣的加衔，无实职。⑬⓪奉朝请：古代贵族、官僚定期朝见皇帝为奉朝请。春季朝见为朝，秋季朝见为请。⑬①昭武：方镇名，五代十国吴置。治所抚州，在今江西抚州。⑬②李建勋：字致尧，南唐权臣。累官中书侍郎、同平章事，加左仆射，监修国史。以司徒致仕。⑬③冯延巳（约公元九〇三至九六〇年）：一名延嗣，字正中，广陵（今江苏扬州）人，南唐权臣，以善文辞被重用，官中书侍郎、同平章事。与冯延鲁、魏岑、陈觉、查文徽等专朝政，时人称“五鬼”。有乐府词传世。⑬④水部郎中：官名，水部为工部四司之一，郎中为司的主官，掌水道政令。⑬⑤蕲州：州名，治所蕲春，在今湖北蕲春蕲州镇西北。⑬⑥司士：官名，唐代州县有司士参军和司士，掌工役之事。⑬⑦禁中：宫禁之中。⑬⑧翰林学士：官名，皇帝最亲近的顾问兼秘书官，经常值宿内廷，为皇帝起草文告。⑬⑨常梦锡：字孟图，扶风（今陕西兴平东南）人，历任南唐翰林学士、给事中，领宣政院，专掌密命。因斥宋齐丘、陈觉等为小人，备受排挤。⑭⓪严续：南唐烈祖李昪婿。历任中书侍郎、门下侍郎、同平章事。因不依附宋齐丘等人，多遭排斥。⑭①池州：州名，治所秋浦，在今安徽贵池西南。⑭②观察使：官名，掌考察州县官吏政绩，后兼理民事。管辖地区为道，凡不设节度使之处，即以观察使为一道的行政长官。⑭③移疾：旧时官员上书称病辞职。移，公文的一种。⑭④可求：严可求，徐温谋臣。累官尚书左仆射兼同平章事。⑭⑤壬戌朔：二月初一日。⑭⑥晋昌：方镇名，五代后晋置。治所京兆府，在今陕西西安西北。⑭⑦赵在礼：字干臣，涿州（今河北涿州）人，仕唐、晋，历任十节度使，贪婪残暴，积资巨万。晋亡，畏罪自缢。传见《旧五代史》卷九十、《新五代史》卷四十六。⑭⑧更历十镇：赵在礼起于邺都，徙义成而未就任，后来又历横海、泰宁、匡国、天平、忠武、武宁、归德、晋昌，凡十镇。⑭⑨庚

【原文】

定州[168]西北二百里有狼山[169]，土人筑堡于山上以避胡寇。堡中有佛舍，尼孙深意居之，以妖术惑众，言事颇验，远近信奉之。中山[170]人孙方简[171]及弟行友，自言深意之侄，不饮酒食肉，事深意甚谨。深意

申：三月二十九日。⑮⓪镇宁：方镇名，五代后晋天福九年置。治所澶州，在今河南濮阳南。⑮①延煦：石延煦，晋高祖石敬瑭孙，出帝石重贵以为子。官至镇宁节度使。晋亡，随出帝北迁。⑮②缗：本指穿钱的绳子，亦指成串的钱。一千文为一缗。⑮③县官：古指天子。⑮④延宝：石延宝，晋高祖石敬瑭孙，出帝石重贵以为子。官至威信军节度使。晋亡，随出帝北迁。延煦、延宝传见《旧五代史》卷八十七、《新五代史》卷十七。⑮⑤威武：方镇名，唐乾宁三年（公元八九六年）置。治所福州，在今福建福州。⑮⑥李弘义：光州（今河南光山）人，本名仁达，仕闽惠宗（王鏻）为元从都指挥使。服叛无常，屡改名字。投南唐，为威武军节度使，更名弘义，不久改弘达；后奉表于晋，任同平章事，又改名达；称臣于吴越，又更名为孺赟。终因谋降南唐被吴越将鲍修让杀，灭族。事见《新五代史》卷六十八。下句中的"威武军"为其方镇军号名。⑮⑦朔方：方镇名，唐玄宗开元元年（公元七一三年）置。治所灵州，在今宁夏灵武西南。⑮⑧冯晖：后晋灵武节度使，抚绥边部，深得夷心，官至中书令，封陈留王。传见《旧五代史》卷一百二十五、《新五代史》卷四十九。⑮⑨灵州：州名，治所薄骨律镇，在今宁夏灵武西南。⑯⓪党项：古族名，又称党项羌，为羌人之一支，唐五代时分布在今青海、甘肃、宁夏、陕西北部一带。拓跋氏为大姓之一，最强。⑯①彰武：方镇名，原为忠义军，后梁置，后唐改名彰武。治所延州，在今陕西延安东北。⑯②王令温：字顺之，瀛州河间（今河北河间）人，历仕后唐、后晋、后汉、后周，官至镇安军节度使。传见《旧五代史》卷一百二十四。⑯③钞：亦作"抄"。强取、掠夺。⑯④都指挥使：官名，五代始用作统兵将领之称。分都指挥使、副都指挥等官。⑯⑤留从效：泉州永春（今福建永春）人，初仕闽，后降后唐，封晋江王。传见《新五代史》卷六十八。⑯⑥使君：汉时称刺史为使君，五代沿用。王继勋曾被留从效拥立主持泉州府事，故称使君。⑯⑦和州：州名，治所历阳，在今安徽和县。

【校记】

［7］皆叛：原无此二字。据章钰校，十二行本、乙十一行本、孔天胤本皆有此二字，张敦仁《通鉴刊本识误》同，今据补。

【语译】

定州西北二百里有狼山，当地人在山上修建城堡用来躲避胡兵的侵掠。城堡中有一座佛寺，尼姑孙深意住在里面，用妖术迷惑众人，预言事情多有灵验，远近的人们都信奉她。中山人孙方简和他的弟弟孙行友，自称是孙深意的侄子，不饮酒，不吃肉，侍奉孙深意非常恭谨。孙深意死后，孙方简继续传播她的妖术，宣称孙深

卒，方简嗣行其术，称深意坐化⑫，严饰，事之如生，其徒日滋。

会晋与契丹绝好，北边赋役烦重，寇盗充斥，民不安其业。方简、行友因帅乡里豪健者，据寺为寨以自保。契丹入寇，方简帅众邀击⑬，颇获其甲兵、牛马、军资，人挈家往依之者[8]益众。久之，至千余家，遂为群盗。惧为吏所讨，乃归款⑭朝廷。朝廷亦资其御寇，署东北招收指挥使。

方简时入契丹境钞掠，多所杀获。既而邀求⑮不已，朝廷小不副⑯其意，则举寨降于契丹，请为乡道以入寇。时河北大饥，民饿死者所在以万数，兖、郓、沧、贝⑰之间，盗贼峰起，吏不能禁。

天雄⑱节度使杜威遣元随军将刘延翰市⑲马于边，方简执之，献于契丹。延翰逃归，六月壬戌⑱，至大梁⑱，言方简欲乘中国凶饥，引契丹入寇，宜为之备。

初，朔方节度使冯晖在灵武，得羌、胡心，市马期年，得五千匹。朝廷忌之，徙镇邠州⑱及陕州⑱，入为侍卫步军都指挥使、领河阳⑱节度使。晖知朝廷之意，悔离灵武，乃厚事冯玉、李彦韬，求复镇灵州。朝廷亦以羌、胡方扰，丙寅⑱，复以晖为朔方节度使，将关西⑱兵击羌、胡。以威州⑱刺史药元福为行营马[9]军都指挥使。

乙丑⑱，定州言契丹勒兵⑱压境。诏以天平⑲节度使、侍卫马步都指挥使李守贞为北面行营都部署，义成⑲节度使皇甫遇⑲副之，彰德节度使张彦泽充马军都指挥使兼都虞候⑲，义武⑲节度使蓟人李殷充步军都指挥使兼都排陈使⑲。遣护圣指挥使临清王彦超、太原白延遇⑲以部兵十营诣邢州⑲。时马军都指挥使、镇安⑲节度使李彦韬方用事⑲，视守贞蔑如⑳也。守贞在外所为，事无大小，彦韬必知之，守贞外虽敬奉而内恨之。

意坐化，刻意装饰孙深意的尸体，侍奉孙深意像她在世的时候一样，孙方简的信徒一天比一天增多。

正遇上后晋和契丹断绝友好关系，北方边境赋税徭役繁重，盗贼遍地，百姓不能安其生业。孙方简、孙行友于是率领家乡魁梧健壮的人，占据寺院作为寨子来保护自己。契丹入侵，孙方简率领民众截击，缴获很多铠甲、兵器、牛马和军用物资，百姓携带家眷前往投靠他的日益增多。时间长了，达到一千多家，于是成为一群强盗。他们害怕官吏讨伐，就诚心归顺了朝廷。朝廷也借助他们来抵御契丹，委任孙方简为东北招收指挥使。

孙方简时不时进入契丹境内抢劫，斩杀缴获很多。后来向朝廷索取无止境，朝廷稍微不称他的心意，就率领全寨投降契丹，愿为向导入中原寇掠。当时河北发生大饥荒，百姓饿死的，到处都以万计，兖、郓、沧、贝州之地，盗贼蜂拥而起，官府不能禁止。

天雄节度使杜威派遣原随军将领刘延翰去边境上买马，孙方简抓住他，献给契丹。刘延翰逃回来，六月初三日壬戌，到达大梁，说孙方简想趁中原饥馑凶年，引领契丹入侵，应该做好防备。

当初，朔方节度使冯晖在灵武时，得到羌、胡人的诚心归附，买马一年就购得五千匹。朝廷猜忌他，调他镇守邠州和陕州，入朝升为侍卫步军都指挥使兼领河阳节度使。冯晖知道朝廷的用心，悔不该离开灵武，于是厚赂冯玉和李彦韬，请求再出镇灵州。朝廷也因为羌、胡正侵扰边境，六月初七日丙寅，重新任命冯晖为朔方节度使，率领关西军队攻打羌、胡。任命威州刺史药元福为行营马军都指挥使。

六月初六日乙丑，定州说契丹部署军队紧逼边境。晋出帝诏封天平节度使、侍卫马步都指挥使李守贞为北面行营都部署，义成节度使皇甫遇做他的副手，彰德节度使张彦泽充任马军都指挥使兼都虞候，义武节度使蓟州人李殷充任步军都指挥使兼都排陈使。派遣护圣指挥使临清人王彦超、太原人白延遇率领所部士兵十个营到邢州。当时马军都指挥使、镇安节度使李彦韬正当权，蔑视李守贞。李守贞在外的所有行动，事情不论大小，李彦韬必须知道。李守贞表面虽然恭敬地侍奉李彦韬，但内心里很恨他。

【段旨】

以上为第五段，写中山人孙方简以妖术惑众，成为定州地方豪强，依违于后晋与契丹之间，叛服无常，趁河北大饥荒，引导契丹入寇。

【注释】

⑯定州：州名，治所安喜，在今河北定州。⑯狼山：山名，在河北易县西南，又称郎山。其上有西水及姑姑窝等寨。⑰中山：府名，治所在今河北定州。⑰孙方简：本传《新五代史》卷四十九作孙方谏，避周太祖皇考郭简讳改。⑰坐化：佛教名词，又称“坐脱”。据说有些高僧临终时常常端坐而逝，称“坐化”。尼姑孙深意的枯骨于宋乾德年间迁往开封，焚于北郊，信徒遂息。⑰邀击：截击。⑰归款：诚心归顺。⑰邀求：索求。⑰副：符合。⑰兖、郓、沧、贝：皆州名。兖，治所瑕丘，在今山东济宁市兖州区。郓，治所须昌，在今山东东平西北。沧，治所清池，在今河北沧县东南。贝，治所武城，在今河北南宫东南。⑰天雄：方镇名，唐天祐元年（公元九〇四年）置。治所魏州，在今河北大名东北。⑰市：交易。此处为购买。⑱壬戌：六月初三日。⑱大梁：古城名，在今河南开封西北。⑱邠州：州名，治所新平，在今陕西彬州。⑱陕州：州名，治所陕县，在今河南三门峡市陕州区。⑱河阳：方镇名，唐建中时置河阳三城节度使。治所河阳，在今河南孟州西。⑱丙寅：六月初七日。⑱关西：古地区名，泛指函谷关或潼关以西地区。⑱威州：州名，又称环州，由灵州地分置。⑱乙丑：六月初六日。⑱勒兵：部

【原文】

初，唐人既克建州，欲乘胜取福州[201]，唐主不许。枢密使陈觉[202]请自往说李弘义，必令入朝。宋齐丘荐觉才辩，可不烦寸刃，坐致弘义。唐主乃拜弘义母、妻皆为国夫人，四弟皆迁官。以觉为福州宣谕使[203]，厚赐弘义金帛。弘义知其谋，见觉，辞色甚倨，待之疏薄。觉不敢言入朝事而还。

秋，七月，河决杨刘[204]，西入莘县[205]，广四十里，自朝城[206]北流。

有自幽州[207]来者，言赵延寿[208]有意归国。枢密使李崧、冯玉信之，命天雄节度使杜威致书于延寿，具述朝旨，啖[209]以厚利。洺州[210][10]军将赵行实尝事延寿，遣赍[211]书潜往遗之。延寿复书言：“久处异域，思归中国。乞发大军应接，拔身南去。”辞旨恳密。朝廷欣然，复遣行实诣延寿，与为期约。

八月，李守贞言：“与契丹千余骑遇于长城北，转斗四十里，斩其

署军队。⑲⓪ 天平：方镇名，唐宪宗元和十五年（公元八二〇年）置。治所郓州，在今山东东平西北。⑲① 义成：方镇名，唐德宗贞元元年（公元七八五年）由永平军节度使更号为义成军节度使。治所滑州，在今河南滑县东。⑲② 皇甫遇：常山真定（今河北正定）人，官至马军右厢都指挥使。契丹侵晋，奋力抵抗。后随杜重威降契丹，途中割断喉咙而死。传见《旧五代史》卷九十五、《新五代史》卷四十七。⑲③ 都虞候：虞候，藩镇所置军法官，主官为都虞候。⑲④ 义武：方镇名，唐德宗建中三年（公元七八二年）置。治所定州，在今河北定州。⑲⑤ 都排陈使：出征时临时设置之官。陈，通“阵”。⑲⑥ 白延遇：字希望，太原（今山西太原西南）人，历仕后晋、后周，官至同州节度使。传见《旧五代史》卷一百二十四。⑲⑦ 邢州：州名，治所龙冈，在今河北邢台。⑲⑧ 镇安：方镇名，五代后晋出帝开运二年（公元九四五年）置。⑲⑨ 用事：当权。⑳⓪ 蔑如：轻视；蔑视。如，形容词词尾。

【校记】

［8］者：“者”下原有“日”字。据章钰校，十二行本、乙十一行本、孔天胤本皆无“日”字，今据删。［9］马：原作“马步”。据章钰校，十二行本、乙十一行本、孔天胤本皆无“步”字，今据删。

【语译】

当初，南唐人攻克建州以后，想乘胜夺取福州，南唐主不同意。枢密使陈觉愿亲自到福州劝说李弘义，一定让李弘义来朝见。宋齐丘推荐陈觉才智机辩，无须动用任何兵力，坐等把李弘义召来。南唐主于是封李弘义的母亲和妻子都为国夫人，四个弟弟都升官，任命陈觉为福州宣谕使，赏赐给李弘义丰厚的金帛。李弘义知道他们的计谋，见到陈觉，言辞和神色非常傲慢，对待陈觉疏远冷淡。陈觉不敢提入朝的事就回来了。

秋，七月，黄河在杨刘决口，向西流入莘县，宽广四十里，从朝城向北流淌。

有从幽州来的人，说赵延寿有意回归晋国。枢密使李崧、冯玉相信了这人的话，命令天雄节度使杜威发信给赵延寿，具体说明了朝廷的旨意，用厚利引诱他。洺州军将赵行实曾经在赵延寿手下做过事，派他带书信暗中到契丹送给赵延寿。赵延寿回信说：“长久居住他国，想回到中原。请求调发大军接应，我好抽身南下。”言辞诚恳亲切。朝廷非常高兴，又派赵行实前往赵延寿处，与赵延寿约定时间。

八月，李守贞奏言：“在长城以北与一千多名契丹骑兵遭遇，转战四十里，杀掉酋帅解里，拥余众入水溺死者甚众。”丁卯[212]，诏李守贞还屯澶州。

帝既与契丹绝好，数召吐谷浑[213]酋长白承福[214]入朝，宴赐甚厚。承福从帝与契丹战澶州，又与张从恩戍滑州[215]。属[216]岁大热，遣其部落还太原[217]，畜牧于岚[218]、石[219]之境。部落多犯法，刘知远[220]无所纵舍[221]。部落知朝廷微弱，且畏知远之严，谋相与遁归故地。有白可久者，位亚承福，帅所部先亡归契丹，契丹用为云州[222]观察使，以诱承福。

知远与郭威[223]谋曰："今天下多事，置此属于太原，乃腹心之疾也，不如去之。"承福家甚富，饲马用银槽。威劝知远诛之，收其货以赡军[224]。知远密表吐谷浑反覆难保，请迁于内地。帝遣使发其部落千九百人，分置河阳[225]及诸州。知远遣威诱承福等入居太原城中，因诬承福等五族[226]谋叛，以兵围而杀之，合四百口，籍没其家赀。诏褒赏之。吐谷浑由是遂微。

【段旨】

以上为第六段，写契丹卢龙节度使赵延寿诈降后晋。太原留守刘知远剪除朔州效力于晋的吐谷浑部，为形成割据扫清道路。

【注释】

[201]福州：州名，治所闽县，在今福建福州。[202]陈觉：泰州（今江苏泰州）人，南唐权臣，与宋齐丘等专国政，历任监军使、枢密使，出兵多败。宋齐丘事发，被贬，元宗派人诛于路。[203]宣谕使：掌宣谕皇帝的诏令。[204]杨刘：津名，在卢县东北，今山东东阿北，因水道变迁，已堙为陆地。[205]莘县：县名，县治在今山东莘县。[206]朝城：县名，在莘县西南四十里。[207]幽州：州名，治所蓟县，在今北京城西南。[208]赵延寿：本姓刘，常山（今河北正定）人，被赵德钧收养为子，娶后唐明宗李嗣源女，任唐枢密使。入契丹，任幽州节度使，封燕王。契丹灭晋，又兼中京留守、大丞相。后被契丹兀欲罢黜。传见《旧五代史》卷九十八、《新五代史》卷七十三。[209]啖：引诱；利诱。[210]洺州：州名，治所广年，在今河北永年东南。[211]赍：带着。[212]丁卯：八月初九。[213]吐谷浑：古族名，原为鲜卑的一支，游牧于今辽宁凌海西北。西晋末迁今甘肃、青海间。唐初一部迁灵州，

他们的酋帅解里，其他人互相拥挤落入水中溺死的很多。”初九日丁卯，诏命李守贞还军屯守澶州。

晋出帝和契丹断绝友好关系以后，多次邀请吐谷浑酋长白承福来朝，宴请、赏赐都很丰厚。白承福随从晋出帝与契丹在澶州交战，又和张从恩一起戍守滑州。正遇上这年天气炎热，便遣送白承福的部落返回太原，在岚州、石州地区放牧。部落中经常有人犯法，刘知远毫不宽容。部落了解朝廷衰弱，又害怕刘知远的严厉，谋议共同逃回旧地。有一个叫白可久的人，地位仅次于白承福，率领自己所管辖的人马先逃往契丹。契丹任用白可久为云州观察使，用来引诱白承福。

刘知远和郭威谋划说：“现在天下多事，把这些人放在太原，是心腹之患，不如除掉他们。”白承福家里十分富有，喂马用银槽。郭威劝刘知远杀掉白承福，没收他的财物来供给军用。刘知远秘密上表朝廷，称吐谷浑反复无常难以依靠，请把他们迁往内地。晋出帝派出使者迁徙他们的部落一千九百人，分别安置在河阳和其他各州。刘知远派遣郭威引诱白承福等人到太原城里居住，借以诬告白承福等五族谋反，派军队包围并杀死他们，一共四百口，登记没收他的家产。晋出帝下诏褒奖刘知远。吐谷浑从此便衰落了。

五代时散处蔚州，在今河北西北部。㉔白承福：唐庄宗时吐谷浑首领，任宁朔、奉化府都督，赐其姓名为李绍鲁。传见《新五代史》卷七十四《四夷附录》第三。㉕滑州：州名，治所滑台城，在今河南滑县东。㉖属：适值。㉗太原：府名，治所太原，在今山西太原西南。㉘岚：州名，治所在今山西岚县。㉙石：州名，治所离石，在今山西吕梁市离石区。㉚刘知远（公元八九五至九四八年）：后汉高祖，沙陀族后裔。晋出帝时为河东节度使、北面行营都统，封北平王。契丹灭后晋，在太原称帝，国号汉，建都汴（今河南开封）。公元九四七至九四八年在位。传见《旧五代史》卷九十九、《新五代史》卷十。㉛无所纵舍：毫不宽待；无所宽容。㉜云州：州名，治所云中，在今山西大同。㉝郭威（公元九〇四至九五四年）：邢州尧山（今河北隆尧）人，后汉时为邺都留守、天雄节度使。后称帝，国号周，建都汴（今河南开封）。公元九五一至九五四年在位。传见《旧五代史》卷一百十、《新五代史》卷十一。㉞赡军：供给军用。㉟河阳：县名，县治在今河南孟州西。㊱承福等五族：白承福及其族白铁匮、赫连海龙等五家。

【校记】

［10］洺州：原作“洛州”。据章钰校，十二行本、乙十一行本、孔天胤本皆作“洺州”，今据改。

【原文】

濮州[227]刺史慕容彦超[228]坐违法科敛，擅取官麦五百斛造曲[229]，赋[230]与部民。李彦韬素与彦超有隙，发其事，罪应死。彦韬趣[231]冯玉使杀之，刘知远上表论救。李崧曰："如彦超之罪，今天下藩侯皆有之。若尽其法，恐人人不自安。"甲戌[232]，敕免彦超死，削官爵，流房州[233]。

唐陈觉自福州还，至剑州[234]，耻无功，矫诏使侍卫官[235]顾忠召弘义入朝，自称权福州军府事，擅发汀、建、抚[236]、信州[237]兵及戍卒，命建州监军使冯延鲁[238]将之，趣福州迎弘义。延鲁先遗弘义书，谕以祸福。弘义复书请战，遣楼船指挥使杨崇保将州师[239]拒之。觉以剑州刺史陈诲[240]为缘江战棹[241]指挥使，表福州孤危，旦夕可克。唐主以觉专命[242]，甚怒。群臣多言兵已傅城下，不可中止，当发兵助之。

丁丑[243]，觉、延鲁败杨崇保于候官[244]。戊寅[245]，乘胜进攻福州西关。弘义出击，大破之，执唐左神威指挥使杨匡邺。唐主以永安节度使王崇文为东南面都招讨使，以漳泉[246]安抚使、谏议大夫魏岑[247]为东面监军使，延鲁为南面监军使，会兵攻福州，克其外郭。弘义固守第二城。

冯晖引兵过旱海[248]，至辉德[249]，糗[250]粮已尽。拓跋彦超众数万，为三陈[251]，扼要路，据水泉以待之。军中大惧。晖以赂求和于彦超，彦超许之。自旦至日中，使者往返数四，兵未解。药元福曰："虏知我饥渴，阳许和以困我耳。若至暮，则吾辈成擒矣。今虏虽众，精兵不多，依西山而陈者是也。其余步卒，不足为患。请公严陈以待我，我以精骑先犯西山兵，小胜则举黄旗，大军合势击之，破之必矣。"乃帅骑先进，用短兵力战。彦超小却，元福举黄旗，晖引兵赴之，彦超大败。明日，晖入灵州。

【语译】

濮州刺史慕容彦超坐罪违法征敛，擅自用官府的五百斛麦制造酒曲，给予管辖下的百姓。李彦韬一向和慕容彦超有仇怨，揭发了他的事情，慕容彦超的罪行应当处死。李彦韬催促冯玉派人杀掉慕容彦超。刘知远上表辩护，解救慕容彦超。李崧说："像慕容彦超这样的罪，现在天下的藩镇长官都有。如果都依法追究，恐怕人人心里都不安稳。"八月十六日甲戌，敕书赦免慕容彦超的死罪，夺去他的官爵，流放到房州。

南唐陈觉从福州返回，到达剑州，因为无功而感到羞愧，便假托皇帝的诏令，命令侍卫官顾忠召李弘义入朝，自称暂理福州军府的事务，擅自调发汀州、建州、抚州、信州等四州军队以及戍守的士兵，命建州监军使冯延鲁率领，赶赴福州去迎接李弘义。冯延鲁先给李弘义写了信，用祸福得失来开导他。李弘义回信要求开战，派遣楼船指挥使杨崇保率领福州军队抵抗他们。陈觉任命剑州刺史陈诲为缘江战棹指挥使，上表唐主称福州孤立危急，很快就能攻克。南唐主认为陈觉无诏命而擅自行动，非常生气。群臣大多认为大军已经兵临福州城下，不可中途停止，应该发兵援助陈觉。

八月十九日丁丑，陈觉、冯延鲁在侯官打败杨崇保。二十日戊寅，乘胜进攻福州西关。李弘义出兵抗击，大败南唐军队，抓获南唐左神威指挥使杨匡邺。南唐主任命永安节度使王崇文为东南面都招讨使，任命漳泉安抚使、谏议大夫魏岑为东面监军使，冯延鲁为南面监军使，联合兵力攻打福州，攻下外城。李弘义坚守第二重城墙。

冯晖领兵越过旱海，到达辉德，干粮已经没有了。拓跋彦超的部众几万人，组成三层战阵，把守住冲要的道路，占领水源以等待冯晖。冯晖的军队大为恐惧。冯晖送财货向拓跋彦超求和，拓跋彦超答应了冯晖的请求。从日出到正午，使者往来好几次，双方的军队还没有解除战斗状态。药元福说："敌人知道我们又饥又渴，表面上答应讲和以便困住我们。如果到了天黑，我们就会被擒了。现在敌人虽多，精兵并不多，背靠着西山列阵的那些就是了。剩下的步兵，不必担忧，请您严整阵势等待我的消息，我率领精锐的骑兵对西山的敌军首先发起进攻，取得小胜就举起黄旗为信号，然后大军合力攻击他们，打败他们是肯定的了。"于是率领骑兵首先进攻，用短兵器奋力拼杀。拓跋彦超稍稍后退，药元福举起黄旗，冯晖领兵冲杀过去，拓跋彦超大败。第二天，冯晖率兵进入灵州。

【段旨】

以上为第七段，写南唐征闽，兵败福州。晋将冯晖复镇灵州，赶走拓跋彦超。

【注释】

㉗濮州：州名，治所鄄城，在今山东鄄城北旧城。㉘慕容彦超：刘知远同母弟，官至泰宁节度使。多智诈，好聚敛。郭威建后周，据兖州叛。城破，投井死。传见《新五代史》卷五十三。㉙曲：含有大量能发酵的活微生物或其酶类的发酵剂。一般用粮食或粮食副产品培养微生物制成。可造酒用。㉚赋：授；给予。㉛趣：催促。㉜甲戌：八月十六日。㉝房州：州名，治所房陵，在今湖北房县。㉞剑州：州名，治所剑浦，在今

【原文】

九月，契丹三万寇河东㉒。壬辰㉓，刘知远败之于阳武谷㉔，斩首七千级。

汉刘思潮等既死，陈道庠㉕内不自安。特进㉖邓伸㉗遗㉘之《汉纪》㉙，道庠问其故。伸曰："憨獠㉚！此书有诛韩信、醢彭越㉛事，宜审读之！"汉主闻之，族道庠及伸。

李弘义自称威武留后、权知闽国事[11]，更名弘达㉜，奉表请命于晋。甲午㉝，以弘达为威武节度使、同平章事，知闽国事。

张彦泽奏败契丹于定州北，又败之于泰州㉞，斩首二千级。

辛丑，福州排陈使马捷引唐兵自马牧山㉟拔寨而入，至善化门桥，都指挥使丁彦贞以兵百人拒之。弘达退保善化门，外城再重皆为唐兵所据。弘达更名达㊱，遣使奉表称臣，乞师于吴越。

楚王希范知帝好奢靡，屡以珍玩为献，求都元帅。甲辰㊲，以希范为诸道兵马都元帅。

丙辰㊳，河决澶州临黄㊴。

契丹使瀛州㊵刺史刘延祚遗乐寿㊶监军王峦书，请举城内附。且云："城中契丹兵不满千人，乞朝廷发轻兵袭之，己为内应。又，今秋

福建南平。㉟侍卫官：在皇帝左右侍奉的侍卫者，犹如盛唐时的侍官。㊱抚：抚州，州名，治所临川，在今江西抚州西。㊲信州：州名，治所上饶，在今江西上饶。㊳冯延鲁：字叔文，冯延巳异母弟。官至中书舍人、勤政殿学士。善辞令，急功近利。陈觉矫诏攻福州，任监军使。被吴越兵击败，流放舒州，遇赦，复少府监、户部尚书。㊴州师：胡三省注云，“一本‘州师’作‘舟师’”。㊵陈诲：建安（今福建建瓯）人，南唐剑州刺史、永安军节度使、兼侍中。屡立战功，号名将。㊶棹：划船的用具。此指船。㊷专命：无所承命而独断专行。㊸丁丑：八月十九日。㊹候官：侯官。县名，县治福州，在今福建福州。㊺戊寅：八月二十日。㊻漳泉：军镇名，置安抚使，统漳州和泉州。㊼魏岑：字景山，郓州须城（今山东东平）人，南唐谏议大夫、兵部侍郎、枢密副使。工谄谀，善揣人意，朝中直臣多遭其排斥。㊽旱海：戈壁滩。此指宁夏灵武东南的旱江平沙漠地。㊾辉德：地名，在今宁夏灵武南。㊿糗：炒熟的米、麦等谷物。(251)陈：战阵。

【语译】

九月，契丹三万兵力入侵河东。初五日壬辰，刘知远在阳武谷打败契丹军，斩首七千级。

南汉刘思潮等人死了以后，陈道庠内心不安宁。特进邓伸送给他一本《汉纪》，陈道庠问他送书原因。邓伸说：“蠢蛮子！这本书里面有杀韩信、把彭越剁成肉酱的事，应该仔细阅读！”南汉主听说这件事，诛灭陈道庠和邓伸的全族。

李弘义自称为威武留后，暂时主持闽国事务，改名为弘达，奉表表示愿意听命于晋朝。九月初七日甲午，朝廷任命李弘达为威武节度使、同平章事，主持闽国事务。

张彦泽奏报在定州城北打败契丹，又在泰州打败契丹，斩首二千级。

九月十四日辛丑，福州排陈使马捷引导唐国军队从马牧山攻取寨栅入城，到达善化门桥，都指挥使丁彦贞率领一百名士兵抵挡。李弘达退守善化门，外城和第二重城都被南唐军队占领。李弘达改名为李达，派遣使者奉章表称臣，向吴越请求援兵。

楚王马希范知道晋出帝喜欢奢侈浪费，屡次拿珍贵的玩物来进贡，请求做都元帅。九月十七日甲辰，任命马希范为诸道兵马都元帅。

二十九日丙辰，黄河在澶州临黄县决口。

契丹让瀛州刺史刘延祚写信给乐寿县监军王峦，愿意率全城归附朝廷。并且说：“城中契丹兵不足一千人，请求朝廷派遣轻装部队袭击他们，自己做内应。再者，今

多雨，自瓦桥[272]以北，积水无际。契丹主已归牙帐[273]，虽闻关南[274]有变，地远阻水，不能救也。”峦与天雄节度使兼中书令杜威屡奏瀛、莫乘此可取，深州刺史慕容迁献《瀛莫图》[275]。冯玉、李崧信以为然，欲发大兵迎赵延寿及延祚。

先是，侍卫马步都指挥使、天平节度使李守贞数将兵过广晋，杜威厚待之，赠金帛甲兵，动以万计。守贞由是与威亲善。守贞入朝，帝劳之曰：“闻卿为将，常费私财以赏战士。”对曰：“此皆杜威尽忠于国，以金帛资臣，臣安敢掠有其美！”因言：“陛下若他日用兵，臣愿与威戮力以清沙漠。”帝由是亦贤之。

及将北征，帝与冯玉、李崧议，以威为元帅，守贞副之。赵莹私谓冯、李曰：“杜令国戚，贵为将相，而所欲未厌，心常慊慊[276]，岂可复假以兵权！必若有事北方，不若止任守贞为愈也。”不从。冬，十月辛未[277]，以威为北面行营都招讨使[12]。以守贞为兵马都监[278]，泰宁[279]节度使安审琦[280]为左右厢都指挥使，武宁[281]节度使符彦卿[282]为马军左厢都指挥使，义成节度使皇甫遇为马军右厢都指挥使，永清[283]节度使梁汉璋[284]为马军都排陈使，前威胜[285]节度使宋彦筠[286]为步军左厢都指挥使，奉国左厢都指挥使王饶[287]为步军右厢都指挥使，洺州团练使[288]薛怀让为先锋都指挥使。仍下敕榜[289]曰：“专发大军，往平黠虏。先收[13]瀛、莫，安定关南。次复幽、燕[290]，荡平塞北。”又曰：“有能[14]擒获虏主者，除上镇节度使，赏钱万缗、绢万匹、银万两。”时自六月积雨，至是未止，军行及馈运者甚艰苦。

【段旨】

以上为第八段，写晋出帝中赵延寿诈降之计，命将杜威收复瀛、莫，为后晋败亡张本。

年秋天多雨水，从瓦桥关以北，积水无边无际。契丹主已经回到大本营，即使得知瓦桥关南有变故，因为地域遥远，积水阻隔，也不能救援。”王峦与天雄节度使兼中书令杜威一再上奏说可以利用这一机会夺取瀛、莫二州，深州刺史慕容迁进献《瀛莫图》。冯玉、李崧信以为真，想调动大军接应赵延寿和刘延祚。

在此之前，侍卫马步都指挥使、天平节度使李守贞多次率兵路过广晋，杜威优厚地款待他，送给他金帛、兵甲，动辄数以万缗计。李守贞由此与杜威亲近友好。李守贞入朝，晋出帝慰劳他说：“听说你当将领，常常花费自已的钱财犒赏战士。”李守贞回答说：“这都是杜威对国家竭尽忠诚，拿金帛来资助我，我怎么敢掠他人之美！”又趁机说：“陛下如果异日用兵，臣愿意和杜威同心合力，肃清沙漠。”晋出帝因此也认为李守贞有才能。

等到将要北征契丹，晋出帝与冯玉、李崧商议，任命杜威为元帅，李守贞为副元帅。赵莹私下对冯玉和李崧说：“杜令公是皇亲国戚，贵为将相，但欲望没有满足，常常心怀嫌怨，怎么能又授予他兵权呢！如果一定致力于北方，不如只任命李守贞为元帅更好些。”冯、李不听。冬，十月十四日辛未，任命杜威为北面行营都招讨使。任命李守贞为兵马都监，泰宁节度使安审琦为左右厢都指挥使，武宁节度使符彦卿为马军左厢都指挥使，义成节度使皇甫遇为马军右厢都指挥使，永清节度使梁汉璋为马军都排陈使，前任威胜节度使宋彦筠为步军左厢都指挥使，奉国左厢都指挥使王饶为步军右厢都指挥使，洺州团练使薛怀让为先锋都指挥使。晋出帝还颁布文告说：“全力调发大军，前去平定狡猾的胡虏，首先夺取瀛州和莫州，安定瓦桥关南。再收复幽、燕，扫平塞北。”又说：“有能擒获胡虏首领的人，授予上等军镇的节度使，赏钱一万缗、绢帛一万匹、银子一万两。”当时从六月久雨，到这时还没有停止，行进的军队士兵和运送物资的人都非常艰苦。

【注释】

㉜河东：古地区名，此泛指今山西全省，因位于黄河以东而得名。㉝壬辰：九月初五日。㉞阳武谷：山谷名，在今山西原平北。㉟陈道庠：南汉殇帝时官指挥使，与刘思潮等人参与杀殇帝刘玢。后又被中宗刘晟灭族。传见《新五代史》卷六十五。㊱特进：官名，朝廷优礼重臣在其本官之外加赐的名号，无实际职事。㊲邓伸：南汉大臣。路振《九国志》称：陈道庠父玽与邓伸有旧，故邓伸赠《汉纪》以讽之。而吴任臣《十国春秋》载邓伸父玽与陈道庠为旧友。㊳遗：赠送。㊴《汉纪》：载西汉一代的编年体史书，东汉荀悦撰。㊵憨獠：蠢蛮。当时南方的骂人语。獠，是古籍中对我国少数民族仡佬族的侮称。㊶诛韩信、醢彭越：韩信、彭越都是汉初诸侯王，辅佐刘邦击败项羽。西汉建立后，

两人均以谋反罪为刘邦所杀。醢，古代的一种酷刑，把人剁成肉酱。㉖② 更名弘达：李弘义本名仁达，南唐李璟赐名弘义，今既叛唐，遂更还其本名。㉖③ 甲午:九月初七日。㉖④ 泰州：州名。后唐天成三年（公元九二八年）升奉化军为泰州，治清苑县。晋开运二年（公元九四五年）九月移治满城，即今河北保定市满城区。㉖⑤ 马牧山：在福建闽侯，即越王山之西麓。㉖⑥ 弘达更名达：李弘达奉表吴越王称臣求救，因避吴越王钱弘佐讳，去“弘”字。㉖⑦ 甲辰：九月十七日。㉖⑧ 丙辰：九月二十九日。㉖⑨ 临黄：县名，县治在今河南范县西南临黄集。㉗⓪ 瀛州：州名，治所赵都军城，在今河北河间。㉗① 乐寿：县名，县治在今河北献县西南。㉗② 瓦桥：关名，在河北雄县南易水上。㉗③ 牙帐：将帅竖军旗于军帐前，称牙帐。此指大本营。㉗④ 关南：指瓦桥关南的瀛、莫二州，晋已割属契丹。莫州治所莫县，在今河北任丘北。㉗⑤《瀛莫图》：瀛、莫二州地形图。㉗⑥ 慊慊：嫌恨；不满意。㉗⑦ 辛未：十月十四日。㉗⑧ 兵马都监：掌京师巡捕盗贼、疏理街道沟渠以及管理囚犯、火禁等事。㉗⑨ 泰宁：方镇名，唐昭宗乾宁四年（公元八九七年）置。治所兖州，在今山东济宁市兖州区。㉘⓪ 安审琦：沙陀族后裔，历仕后唐、后晋、后汉、后周四朝。入周，官至太师，封陈王。传见《旧五代史》卷一百二十三。㉘① 武宁：方镇名，唐宪宗元和二年（公元八〇七年）置。治所徐州，在今江苏徐州。㉘② 符彦卿:后唐宰相符存审之子。传见《旧五代史》卷五十六、《新五代史》卷二十五。㉘③ 永清：方镇名，后晋高祖天福三年（公元

【原文】

唐漳州将林赞尧作乱，杀监军使周承义、剑州刺史陈诲。泉州刺史留从效举兵逐赞尧，以泉州裨将董思安权知漳州。唐主以思安为漳州刺史，思安辞以父名章，唐主改漳州为南州，命思安及留从效将州兵会攻福州。庚辰㉙①，围之。

福州使者至钱塘㉙②，吴越王弘佐召诸将谋之，皆曰：“道险远，难救。”惟内都监使临安㉙③水丘昭券㉙④以为当救。弘佐曰：“唇亡齿寒，吾为天下元帅，曾不能救邻道，将安用之！诸君但乐饱食[15]安坐邪！”壬午㉙⑤，遣统军使㉙⑥[16]张筠、赵承泰将兵三万，水陆救福州。

先是募兵，久无应者，弘佐命纠㉙⑦之，曰：“纠而为兵者，粮赐减半。”明日，应募者云集。弘佐命昭券专掌用兵，昭券惮程昭悦，以用兵事让之。弘佐命昭悦掌应援馈运事，而以军谋委元德昭㉙⑧。德昭，危仔倡之子也。

九三八年）置。治所贝州，在今河北南宫东南。㉘④梁汉璋：历仕后唐、后晋，与契丹战，阵亡。传见《旧五代史》卷九十五。㉘⑤威胜：方镇名，后唐庄宗同光元年（公元九二三年）改宣化军为威胜军。治所邓州，在今河南邓州。㉘⑥宋彦筠：历仕后唐、后晋、后汉、后周。入周，官至左卫上将军、太子太师。勇健善战，时人称“宋忙儿”。传见《旧五代史》卷一百二十三。㉘⑦王饶：历仕后晋、后汉、后周。入周，官至彰德军节度使兼侍中。传见《旧五代史》卷一百二十五。㉘⑧团练使：官名，唐代中期以后，于不设节度使的地区置都团练使、团练使，掌本区各州军事。㉘⑨敕榜：晓谕军民的文告。㉙⓪幽、燕：地区名，今河北北部及辽宁一带。

【校记】

［11］权知闽国事：原无此五字。据章钰校，十二行本、乙十一行本、孔天胤本皆有此五字，张敦仁《通鉴刊本识误》、张瑛《通鉴校勘记》同，今据补。［12］都招讨使：原作“都指挥使”。据章钰校，十二行本、乙十一行本、孔天胤本皆作“都招讨使”，今据改。〖按〗新、旧《五代史》皆作“都招讨使”。［13］收：原作“取”。据章钰校，十二行本、乙十一行本、孔天胤本皆作“收”，张敦仁《通鉴刊本识误》同，今据改。［14］能：原无此字。据章钰校，十二行本、乙十一行本、孔天胤本皆有此字，今据补。

【语译】

南唐漳州将领林赞尧叛乱，杀死监军使周承义和剑州刺史陈诲。泉州刺史留从效起兵驱逐林赞尧，任命泉州副将董思安暂且管理漳州事务。南唐主任命董思安为漳州刺史，董思安因为父亲名叫董章而推辞，南唐主就改漳州为南州，命令董思安和留从效各领本州士兵联合攻打福州。十月二十三日庚辰，包围福州。

福州使者到达钱塘，吴越王钱弘佐召集众将谋议这件事，大家都说：“路途险阻而又遥远，难以救援。”唯独内都监使临安人水丘昭券认为应当去救援。钱弘佐说：“唇亡则齿寒，我是全国兵马都元帅，连邻地的危难都不能解救，这个元帅又有什么用！各位只喜欢吃饱肚子待着吗?!”十月二十五日壬午，派遣统军使张筠、赵承泰率军三万，水陆两道救援福州。

此前招募士兵，长期没有人来应招。钱弘佐下令督察此事，说：“被查出来才当兵的，口粮和赏赐减半。”第二天，应募的人云集。钱弘佐命令水丘昭券专门负责用兵，水丘昭券畏惧程昭悦，把负责用兵的事让给他了。钱弘佐命令程昭悦负责接应援助、运送粮草等事，而把军事谋划委托给元德昭。元德昭是危仔倡的儿子。

弘佐议铸铁钱以益将士禄赐，其弟牙内都虞候[299]弘亿[300]谏曰："铸铁钱有八害。新钱既行，旧钱皆流入邻国，一也。可用于吾国而不可用于他国，则商贾不行，百货不通，二也。铜禁至严，民犹盗铸，况家有铛釜，野有铧犁，犯法必多，三也。闽人铸铁钱而乱亡，不足为法，四也。国用幸丰而自示空乏，五也。禄赐有常而无故益之以启无厌之心，六也。法变而弊，不可遽复，七也。'钱'者国姓，易之不祥，八也。"弘佐乃止。

【段旨】

以上为第九段，写吴越王钱弘佐发兵救闽主李弘义，并停止铸铁钱。

【注释】

㉙庚辰：十月二十三日。㉜钱塘：吴越国都，在今浙江杭州。㉝临安：县名，治所在今浙江杭州。㉞水丘昭券：吴越内都监使，深得忠献王、忠逊王信任，后被胡进思杀死。水丘，复姓。㉟壬午：十月二十五日。㊱统军使：唐以后在禁军中设统军使，位次于大将军，高于将军。㊲纠：纠察；督察。㊳元德昭：本姓危，恶之，改姓元。淮南节

【原文】

杜威、李守贞会兵于广晋而北行。威屡使公主[301]入奏，请益兵，曰："今深入虏境，必资众力。"由是禁军皆在其麾下，而宿卫空虚。

十一月丁酉[302]，以李守贞权知幽州行府事。

己亥[303]，杜威等至瀛州，城门洞启，寂若无人，威等不敢进。闻契丹将高谟翰[304]先已引兵潜出，威遣梁汉璋将二千骑追之。汉璋[17]遇契丹于南阳务，败死。威等闻之，引兵而南。时束城[305]等数县请降，威等焚其庐舍，掠其妇女而还。

己酉[306]，吴越兵至福州，自罾浦[307]南潜入州城。唐兵进据东武门，

钱弘佐谋议铸造铁钱来增加将帅和士兵的俸禄赏赐，他的弟弟牙内都虞候钱弘亿劝谏说："铸造铁钱有八种弊病。新钱通行以后，旧钱都流入邻国，这是第一。新钱只能在我国境内使用，而不能在其他国家使用，那么商人不便往来，各种货物不能流通，这是第二。禁止开采铜矿的法令极为严厉，而老百姓尚且偷偷铸钱，何况百姓家里有铁锅，田野有铧犁，犯法的人一定很多，这是第三。闽人因为铸造铁钱造成社会混乱而灭亡，不值得效法，这是第四。国家的财用幸而丰足，却自己示人库用空乏，这是第五。俸禄和赏赐有常法，若无故增加，会引发不满足的心理，这是第六。法令改变若产生弊害，不能迅速恢复，这是第七。'钱'是国姓，改变它不吉利，这是第八。"钱弘佐就停止了铸铁钱。

度副使危仔倡子。厚重多谋，掌文翰机密事，深得忠懿王钱俶信任。㉙牙内都虞候：五代及宋初藩镇的亲卫官，多由子弟充任。牙，古代官署的称呼。后多作"衙"。㊿弘亿：吴越文穆王钱元瓘第十子。善属文，忠懿王时官至丞相，入宋，升奉国军节度使、检校太保。

【校记】

［15］食：原作"身"。据章钰校，十二行本、乙十一行本皆作"食"，张敦仁《通鉴刊本识误》同，今据改。［16］使：原无此字。据章钰校，十二行本、乙十一行本、孔天胤本皆有此字，张敦仁《通鉴刊本识误》同，今据补。

【语译】

杜威、李守贞在广晋会师，向北进发。杜威屡次让其妻宋国长公主入朝上奏，请求增兵，说："如今深入胡虏境内，必须靠人多力量大。"从此禁军都在他的将旗之下，而宫廷的警卫却空虚了。

十一月初十日丁酉，任命李守贞暂理幽州行营事务。

十二日己亥，杜威等军到达瀛州，瀛州城门敞开着，寂静得好像没有人，杜威等军不敢进城。听说契丹将领高谟翰已经先领兵暗中出城，杜威派遣梁汉璋率领两千名骑兵追赶。梁汉璋在南阳务与契丹军队遭遇，战败而死。杜威等人听到这个消息，领兵南撤。此时束城等几个县请求投降，杜威等军焚烧他们的房舍，抢夺他们的妇女而返回。

十一月二十二日己酉，吴越军队到达福州，从罾浦的南面秘密进入州城。南唐

李达与吴越兵共御之，不利。自是内外断绝，城中益危。唐主遣信州刺史王建封助攻福州。时王崇文虽为元帅，而陈觉、冯延鲁、魏岑争用事，留从效、王建封倔强不用命，各争功，进退不相应。由是将士皆解体，故攻城不克。

唐主以江州㉚⑧观察使杜昌业为吏部尚书，判省事㉚⑨。先是昌业自兵部尚书判省事，出江州。及还，阅簿籍，抚案叹曰："未数年，而府库[18]所耗者半，其能久乎！"

契丹主大举入寇，自易㉛⓪、定趣恒州。杜威等至武强㉛①，闻之，将自冀㉛②、贝[19]而南。彰德节度使张彦泽时在恒州，引兵会之，言契丹可破之状。威等复趣恒州，以彦泽为前锋。甲寅㉛③，威等至中度桥㉛④，契丹已据桥，彦泽帅骑争之，契丹焚桥而退。晋兵与契丹夹滹沱㉛⑤而军。始，契丹见晋军大至，又争桥不胜，恐晋军急渡滹沱，与恒州合势击之，议引兵还。及闻晋军筑垒为持久之计，遂不去。

蜀施州㉛⑥刺史田行皋叛，遣供奉㉛⑦官耿彦珣将兵讨之。

【段旨】

以上为第十段，写后晋军与契丹夹滹沱河两岸对峙。

【注释】

㉚①公主：杜威妻，宋国长公主，晋出帝姑。㉚②丁酉：十一月初十。㉚③己亥：十一月十二日。㉚④高谟翰：一名松，辽勇将。契丹伐晋，屡立战功。官中台省右相。传见《辽史》卷七十六。㉚⑤束城：县名，在今河北河间东北束城。㉚⑥己酉：十一月二十二日。㉚⑦罾浦：地名，在福建闽侯东南，福州人多到此罾鱼，故名。罾，网起之意。㉚⑧江州：州名，治所德化，在今江西九江。㉚⑨判省事：判尚书省事。判，以高官兼任低职。㉛⓪易：易州，州名，治所易县，在今河北易县。㉛①武强：县名，县治在今河北武强。㉛②冀：冀州，州

军队进入并占据东武门，李达和吴越军队共同抵御，交战不利。从此城内城外断绝，城中更加危急。南唐主派遣信州刺史王建封帮助攻打福州。当时王崇文虽然是元帅，但是陈觉、冯延鲁、魏岑等人互相争权，留从效、王建封固执强横不听命令，各自争功，进退不相互呼应。因此将士全都人心涣散，攻城不下。

南唐主任命江州观察使杜昌业为吏部尚书，兼管尚书省事务。此前，杜昌业由兵部尚书兼管尚书省事务，外放至江州。等到回来，翻阅档案图籍，拍着桌子叹息说："没有几年，府库耗费掉一半，怎么可能长久！"

契丹主大举入侵，从易州、定州直奔恒州。杜威等人到达武强，听到这个消息，准备从冀州、贝州南去。彰德节度使张彦泽当时在恒州，领兵与他们会合，说明可以打败契丹的理由。杜威等人又赶赴恒州，以张彦泽为前锋。十一月二十七日甲寅，杜威等人到达中度桥，契丹已经占据此桥，张彦泽率领骑兵争夺，契丹把桥烧掉退走。后晋军队和契丹军队在滹沱河的两岸扎营。起初，契丹看见后晋军队大量到来，争夺中度桥又没有取胜，害怕后晋军队快速渡滹沱河，和恒州合力攻击他，商议撤兵回去。等到听说后晋军队修筑堡垒做长久打算，于是就不撤退了。

后蜀施州刺史田行皋叛乱，后蜀派遣供奉官耿彦珣率兵讨伐他。

名，治所信都，在今河北衡水市冀州区。⑬甲寅：十一月二十七日。⑭中度桥：滹沱河上渡桥之一。胡注引《考异》载《备史》谓"真定东垣渡"，则桥在真定南门外，因用木料柴草搭建，故可焚毁。⑮滹沱：水名，发源于山西繁峙，出山西流经河北中部，至天津入海。河经恒州治所真定南不足一里。⑯施州：州名，治所清江，在今湖北恩施。⑰供奉：在皇帝左右供职者的称呼。

【校记】

［17］汉璋：原无此二字。据章钰校，十二行本、乙十一行本、孔天胤本皆有此二字，今据补。［18］府库：原无此二字。据章钰校，十二行本、乙十一行本、孔天胤本皆有此二字，张敦仁《通鉴刊本识误》同，今据补。［19］冀贝：原作"贝冀"。据章钰校，十二行本、乙十一行本二字皆互乙，今据改。〖按〗冀州在贝州北，杜威南还必先冀后贝，"冀贝"义长。

【原文】

杜威虽以贵戚为上将，性懦怯。偏裨皆节度使⑱，但日相承迎，置酒作乐，罕议军事。磁州⑲刺史兼北面转运使李榖说威及李守贞曰："今大军去恒州咫尺，烟火相望。若多以三股木⑳置水中，积薪布土其上，桥可立成。密约城中举火相应，夜募壮士[20]斫虏营而入，表里合势，虏必遁逃。"诸将皆以为然，独杜威不可，遣谷榖至怀、孟㉑督军粮。

契丹以大兵[21]当晋军之前，潜遣其将萧翰㉒、通事㉓刘重进将百骑及羸卒，并㉔西山出晋军之后，断晋粮道及归路。樵采者遇之，尽为所掠，有逸归者，皆称虏众之盛，军中恟惧。翰等至栾城㉕，城中戍兵千余人，不觉其至，狼狈降之。契丹获晋民，皆黥其面曰"奉敕不杀"，纵之南走。运夫在道遇之，皆弃车惊溃。翰，契丹主㉖之舅也。

十二月丁巳朔㉗，李榖自书密奏，具言大军危急之势，请车驾幸滑州，遣高行周㉘、符彦卿扈从，及发兵守澶州、河阳㉙以备虏之奔冲。遣军将关勋走马上之㉚。己未㉛，帝始闻大军屯中度。是夕，关勋至。庚申㉜，杜威奏请益兵，诏悉发守宫禁者得数百人，赴之。又诏发河北㉝及滑、孟、泽、潞㉞刍粮㉟五十万㊱诣军前。督迫严急，所在鼎沸㊲。辛酉㊳，威又遣从者张祚等来告急，祚等还，为契丹所获。自是朝廷与军前声问两不相通。

时宿卫兵皆在行营，人心懔懔㊴，莫知为计。开封尹桑维翰以国家危在旦夕，求见帝言事。帝方在苑中调鹰㊵，辞不见。又诣执政㊶言之，执政不以为然。退，谓所亲曰："晋氏不血食㊷矣！"

帝欲自将北征，李彦韬谏而止。时符彦卿虽任行营职事，帝留之，使戍荆州口㊸。壬戌㊹，诏以归德节度使高行周为北面都部署，以彦卿副之，共戍澶州。以西京留守景延广戍河阳，且张形势。

奉国都指挥使王清㊺言于杜威曰："今大军去恒州五里，守此何为！营孤食尽，势将自溃。请以步卒二千为前锋，夺桥开道。公帅诸军继之，得入恒州，则无忧矣。"威许诺，遣清与宋彦筠俱进。清战甚

【语译】

杜威虽然是以皇室贵戚的身份担任主将，但是生性软弱胆怯，偏将和副将都是节度使，他们只是每天相迎接，摆酒作乐，很少商议军事。磁州刺史兼北面转运使李榖劝杜威和李守贞说："现在大军距离恒州近在咫尺，烟火相望。如果把许多三股木竖立在水中，在上面堆积柴草，铺上泥土，一座桥立刻可以造成。秘密约定城里举火相呼应，选募壮士晚上冲杀敌营而入，城内外合力，敌人必然逃走。"众将都认为是对的，唯独杜威不同意，打发李榖到南边怀、孟二州去督办军粮。

契丹用大量军队挡在后晋军队的前面，暗中派遣他的将领萧翰、通事刘重进率领一百名骑兵和瘦弱兵卒，沿着西山绕到后晋军队的后面，切断后晋军队的粮道和退路。上山打柴的人遇到他们，全被他们掳走，有逃回来的，都说胡虏人马众多，后晋军队非常害怕。萧翰等人到达栾城，城中守兵一千多人，没有发觉敌军到来，都仓皇投降。契丹俘虏后晋的百姓，全都在他们脸上刺上"奉敕不杀"四个字，然后放他们向南逃走。运军粮的民夫在路上碰到他们，都抛弃车辆，惊慌逃散。萧翰，是契丹主的舅父。

十二月初一日丁巳，李榖亲笔写了一份秘密的奏章，详细说明大军危急的情形，请求皇上亲至滑州，派遣高行周、符彦卿随从护驾，同时派兵防守澶州和河阳以防胡虏奔袭。李榖派遣军将关勋快马上报皇帝。初三日己未，晋出帝才听说大军屯驻在中度桥。当天晚上，关勋抵达大梁。初四日庚申，杜威上奏请求增兵，晋出帝下诏调发全部防守皇宫的士兵，一共得到几百名，前去支援。又下诏调发河北和滑、孟、泽、潞等州的草料、粮食五十万石送到军前。催逼严厉而紧迫，到处如鼎中热水沸腾。初五日辛酉，杜威又派遣随从张祚等人前来告急，张祚等人回去的路上，被契丹俘获。从此朝廷和前线军队就不互通音信了。

当时禁军都在前线军营中，朝内人心危惧，不知道怎么办。开封尹桑维翰因为国家危在旦夕，请求进见晋出帝进言国事。晋出帝正在花园里调教鹰，拒而不见。桑维翰又去见执政大臣言说国事，执政大臣不认为是正确的。桑维翰从朝廷出来，对自己亲近的人说："晋朝宗庙不得血食了！"

晋出帝打算亲自率兵北征，李彦韬劝谏而作罢。当时符彦卿虽然担任行营的职务，但晋出帝把他留下，让他去戍守荆州口。十二月初六日壬戌，下诏任命归德节度使高行周为北面都部署，符彦卿做他的副手，一起戍守澶州。命令西京留守景延广戍守河阳，聊以壮大声势。

奉国都指挥使王清对杜威说："现在大军距离恒州五里，守在这里有什么用！军营孤立，粮食光了，势将自行溃败。我愿率领步兵二千人为前锋，夺取桥梁，打通道路。您率领各军进击，如果能进入恒州，就没有什么忧虑了。"杜威答应了，派王清和宋

锐，契丹不能支，势小却。诸将请以大军继之，威不许。彦筠为契丹所败，浮水抵岸得免，因退走[22]。清独帅麾下陈于水北力战，互有杀伤，屡请救于威，威竟不遣一骑助之。清谓其众曰："上将握兵，坐观吾辈困急而不救，此必有异志。吾辈当以死报国耳！"众感其言，莫有退者，至暮，战不息。契丹以新兵继之，清及士众尽死。由是诸军皆夺气㊻。清，洺州人也。

甲子㊼，契丹遥以兵环晋营，内外断绝，军中食且尽。杜威与李守贞、宋彦筠谋降契丹，威潜遣腹心诣契丹牙帐，邀求重赏。契丹主绐㊽之曰："赵延寿威望素浅，恐不能帝中国。汝果降者，当以汝为之。"威喜，遂定降计。丙寅㊾，伏甲召诸将，出降表示之，使署名。诸将骇愕，莫敢言者，但唯唯听命。威遣阁门使㊿高勋[351]赍诣契丹，契丹主赐诏慰纳之。是日，威悉命军士出陈于外，军士皆踊跃，以为且战。威亲谕之曰："今食尽涂穷，当与汝曹共求生计。"因命释甲。军士皆恸哭，声振原野。威、守贞仍于众中扬言："主上失德，信任奸邪，猜忌于己。"闻者无不切齿。契丹主遣赵延寿衣赭袍[352]至晋营慰抚士卒，曰："彼皆汝物也。"杜威以下，皆迎谒于马前。亦以赭袍衣威以示晋军，其实皆戏之耳。以威为太傅，李守贞为司徒。

【段旨】

以上为第十一段，写杜威畏懦不出战，坐以待毙，转运使李穀急报出帝。

【注释】

[318]偏裨皆节度使：此处指李守贞、安审琦、皇甫遇、梁汉璋、宋彦筠等皆节度使，为杜威之副，权重，不听指使。偏裨，部属副将。[319]磁州：州名，治所滏阳，在今河北磁县。[320]三股木：用三根木交叉捆绑，撑开三足立于水中，便于搭桥。[321]怀、孟：二州名。怀州，治所野王，在今河南沁阳。孟州，治所河阳，在今河南孟州。[322]萧翰：契丹大族述律阿钵之子，契丹主之舅，妹亦嫁契丹主。传见《旧五代史》卷九十八。[323]通事：契丹所用通晓汉语和中原情况的人。[324]并：通"傍"。挨着；沿着。[325]栾城：县名，县治

彦筠一道前进。王清打仗很勇猛，契丹人不能抵挡，军队稍稍后退。众将请求率大军跟上去，杜威不同意。宋彦筠被契丹打败，游水到岸边，才得以幸免，于是退走了。王清独自率领部下在滹沱河北岸布阵拼命作战，双方互有死伤，王清屡次向杜威请求救援，杜威竟然不派一个骑兵去援助他。王清对部众说："主将掌握重兵，却坐看我们艰难危急而不救，可见他必有叛逆之心。我们应当以死报国啊！"部众被他的话感动，没有一个后退的，一直到傍晚，战斗没有停止。契丹把新调来的军队增援上来，王清和部下全部战死。从此各军都丧失了勇气。王清，是洺州人。

十二月初八日甲子，契丹兵从远处包围了后晋军营，后晋军营内外联系断绝，军中粮食即将吃完。杜威和李守贞、宋彦筠谋划投降契丹，杜威暗中派遣心腹到契丹主的牙帐，要求重赏。契丹主欺骗他说："赵延寿的声望向来低微，恐怕不能当中原的皇帝。假如你真的投降，将让你来当皇帝。"杜威很高兴，于是制订了投降的计划。初十日丙寅，杜威埋伏甲兵，召集众将，拿出降表给大家看，叫他们签名。众将很吃惊，没有敢说话的，只说"是是"，听命而已。杜威打发阁门使高勋带着降表去见契丹主，契丹主颁赐诏书慰勉，接受了降表。这一天，杜威下令所有的将士到营外列阵，将士们都欢呼雀跃，以为将要出战。杜威亲自向他们宣告说："现在粮食已经吃完，走投无路，应当和你们共同谋求生存的办法。"于是命令士兵卸下盔甲。将士们都悲伤痛哭，哭声震动原野。杜威和李守贞还在士兵中扬言说："皇上失德，信任奸诈邪恶的人，猜忌我们。"听的人无不切齿痛恨。契丹主派赵延寿穿着赭色袍子到后晋军营去安抚士卒，说："那紫袍都是你们的东西。"杜威以下的将领都到赵延寿的马前迎接拜见。赵延寿也拿赭色袍子给杜威穿上让后晋将士观看，其实只是戏弄他们罢了。契丹主授予杜威为太傅，李守贞为司徒。

在今河北石家庄市栾城区。㉖契丹主：辽太宗耶律德光（公元九〇二至九四七年），统治期间，借后唐叛将石敬瑭求援之机，立石敬瑭为儿皇帝，取得燕云十六州（今河北、山西北部）。公元九四六年南下，灭后晋。公元九二七至九四七年在位。㉗丁巳朔：十二月初一日。㉘高行周：历仕后唐、后晋、后汉、后周，官至侍卫亲军都指挥使、中书令。传见《旧五代史》卷一百二十三、《新五代史》卷四十八。㉙澶州、河阳：均在汴京与黄河的北部，为南渡黄河的要冲。故李毂密奏，发兵守卫，以防契丹兵渡河。㉚走马上之：意为快马奔驰，上报朝廷。㉛己未：十二月初三日。㉜庚申：十二月初四日。㉝河北：道名，治所魏州，在今河北大名东北。㉞滑、孟、泽、潞：皆州名。滑州治所，在今河南滑县。孟州治所，在今河南孟州南。泽州治所晋城，在今山西晋城。潞州治所上党，在今山西长治。㉟刍粮：刍，草料，以束为单位。粮，军粮，以石为单位。㊱五十万：合刍粮之

总数五十万束、石而言之。㊲鼎沸：形容剧烈动荡的局势，如鼎水之沸腾。㊳辛酉：十二月初五日。㊴懔懔：危惧。㊵调鹰：驯鹰，使其听人使唤。㊶执政：指冯玉、李彦韬等掌权者。㊷不血食：谓不祭祀宗庙，意味国亡。祭祀要杀牲取血而祭，故称血食。㊸荆州口：一名西江口，又名三江口，在今湖南岳阳北，为洞庭水入江处。㊹壬戌：十二月初六日。㊺王清：历仕后唐、后晋，官至溪州刺史、加检校司徒。契丹伐晋，力战身亡。传见《旧五代史》卷九十五、《新五代史》卷三十三。㊻夺气：丧胆；因恐惧而丧气。㊼甲子：十二月初八日。㊽绐：欺骗。㊾丙寅：十二月初十日。㊿阁门使：官名，掌供奉乘舆、朝会游幸、大宴引赞、引接亲王宰相百僚藩国朝见、纠弹失仪等事。[351]高勋：字鼎臣，晋北平王高信韬之子。后降契丹，官南枢密院使。因谋害萧思温被杀。传见《辽史》卷八十五。[352]赭袍：赤褐色的龙袍。契丹主让赵延寿、杜威均穿此服，暗示统治中国者还是华人，以防晋人不服。

【原文】

威引契丹主至恒州城下，谕顺国[353]节度使王周[354]以已降之状，周亦出降。戊辰[355]，契丹主入恒州。遣兵袭代州[356]，刺史王晖以城降之。先是契丹屡攻易州，刺史郭璘[357]固守拒之。契丹主每过城下，指而叹曰："吾能吞并天下，而为此人所扼！"及杜威既降，契丹主遣通事耿崇美至易州，诱谕其众，众皆降。璘不能制，遂为崇美所杀。璘，邢州人也。义武节度使李殷[358]、安国[359]留后方太[360]皆降于契丹。契丹主以孙方简为义武节度使、麻荅[361]为安国节度使，以客省副使[362]马崇祚权知恒州事。

契丹翰林承旨[363]、吏部尚书张砺[364]言于契丹主曰："今大辽已得天下，中国将相宜用中国人为之，不宜用北人及左右近习。苟政令乖失，则人心不服，虽得之，犹将失之。"契丹主不从。引兵自邢、相[365]而南，杜威将降兵以从。遣张彦泽将二千骑先取大梁，且抚安吏民，以通事傅住兒为都监。

杜威之降也，皇甫遇初不预谋。契丹主欲遣遇先将兵入大梁，遇辞。退，谓所亲曰："吾位为将相，败不能死，忍复图其主乎！"至平棘[366]，谓从者曰："吾不食累日矣，何面目复南行！"遂扼吭[367]而死。

张彦泽倍道疾驱，夜渡白马津[368]。壬申[369]，帝始闻杜威等降。是夕，又闻彦泽至滑州，召李崧、冯玉、李彦韬入禁中计事，欲诏刘知远发

【校记】

［20］壮士：原作“将士”。据章钰校，十二行本、乙十一行本、孔天胤本皆作“壮士”，张敦仁《通鉴刊本识误》同，今据改。［21］兵：原作“军”。据章钰校，十二行本、乙十一行本、孔天胤本皆作“兵”，《通鉴纪事本末》同，今据改。［22］因退走：原无此三字。据章钰校，十二行本、乙十一行本、孔天胤本皆有此三字，今据补。

【语译】

杜威领着契丹主到达恒州城下，把自己投降的情形告知顺国节度使王周，王周也出城投降。十二月十二日戊辰，契丹主进入恒州城。派兵袭击代州，代州刺史王晖率城投降。此前，契丹几次攻打易州，刺史郭璘坚守抵抗。契丹主每次经过易州城下，指着州城叹息说：“我能吞并天下，却被这个人扼制！”等到杜威投降以后，契丹主派遣通事耿崇美到易州，劝诱郭璘的部众，部众都投降了。郭璘不能控制，于是被耿崇美杀害。郭璘，是邢州人。义武节度使李殷、安国留后方太都投降了契丹。契丹主任命孙方简为义武节度使、麻荅为安国节度使，任命客省副使马崇祚暂时掌理恒州事务。

契丹翰林承旨、吏部尚书张砺对契丹主说：“现在大辽已经取得天下，中原地区的宰相和将帅应该由中原人来担任，不应该任用契丹人和身边亲近的人。如果政令出现差错，人心就不服。纵然取得了天下，还会失掉的。”契丹主不听。契丹主带兵从邢州、相州南进，杜威率领降兵跟随。契丹主派遣张彦泽率领二千名骑兵先去夺取大梁，并且安抚官吏和百姓，任命通事傅住兒为都监。

杜威投降契丹这件事，皇甫遇最初没有参与谋划。契丹主想派遣皇甫遇先率兵进入大梁，皇甫遇推辞了。回来后，对他亲近的人说：“我官居将相，兵败不能以死报国，怎么还能忍心图谋自己的国君！”到达平棘，对随从的人说：“我不吃饭好几天了，还有什么脸面再向南走！”于是掐自己的咽喉而死。

张彦泽兼程速进，晚上渡过白马津。十二月十六日壬申，晋出帝才知道杜威等人投降契丹。当天晚上，又听说张彦泽到达滑州，便召集李崧、冯玉、李彦韬进宫议事，

兵入援。癸酉㊲⓪，未明，彦泽自封丘门斩关㊲①而入，李彦韬帅禁兵五百赴之，不能遏。彦泽顿兵明德门㊲②外，城中大扰。

帝于宫中起火，自携剑驱后宫十余人将赴火，为亲军将薛超所持。俄而彦泽自宽仁门㊲③传契丹主与太后书慰抚之，且召桑维翰、景延广，帝乃命灭火，悉开宫城门。帝坐苑中，与后妃相聚而泣，召翰林学士范质草降表，自称"孙男臣重贵，祸至神惑，运尽天亡。今与太后及妻冯氏，举族于郊野面缚待罪次。遣男镇宁节度使延煦、威信节度使延宝，奉国宝㊲④一、金印三出迎。"太后亦上表称"新妇㊲⑤李氏妾"。

傅住兒入宣契丹主命，帝脱黄袍，服素衫，再拜受宣，左右皆掩泣。帝使召张彦泽，欲与计事。彦泽曰："臣无面目见陛下。"帝复召之，彦泽微笑不应。

或劝桑维翰逃去。维翰曰："吾大臣，逃将安之！"坐而俟命。彦泽以帝命召维翰，维翰至天街㊲⑥，遇李崧，驻马语未毕，有军吏于马前揖维翰赴侍卫司㊲⑦。维翰知不免，顾谓崧曰："侍中㊲⑧当国，今日国亡，反令维翰死之，何也？"崧有愧色。彦泽踞坐见维翰，维翰责之曰："去年拔公于罪人之中㊲⑨，复领大镇，授以兵权，何乃负恩至此！"彦泽无以应，遣兵[23]守之。

宣徽使㊳⓪孟承诲㊳①，素以佞巧有宠于帝。至是，帝召承诲，欲与之谋，承诲伏匿不至。张彦泽捕而杀之。

彦泽纵兵大掠，贫民乘之，亦争入富室，杀人取其货。二日方止，都城为之一空。彦泽所居，宝货[24]山积，自谓有功于契丹，昼夜以酒乐自娱，出入骑从常数百人，其旗帜皆题"赤心为主"，见者笑之。军士擒罪人至前，彦泽不问所犯，但瞋目竖三指㊳②，即驱出断其腰领。彦泽素与阁门使高勋不协，乘醉至其家，杀其叔父及弟，尸诸门首。士民不寒而栗。

中书舍人李涛谓人曰："吾与其逃于沟渎而不免，不若往见之。"乃投刺㊳③谒彦泽曰："上疏[25]请杀太尉人李涛㊳④，谨来请死。"彦泽欣然接之，谓涛曰："舍人今日惧乎？"涛曰："涛今日之惧，亦犹足下昔年之惧也。向使高祖用涛言，事安至此！"彦泽大笑，命酒饮之。涛引满而去，旁若无人。

想诏令刘知远派兵入京救援。十七日癸酉，天还没亮，张彦泽从封丘门破门入城，李彦韬率领五百名禁卫兵前去，不能阻止。张彦泽驻兵在明德门外，城中大乱。

晋出帝在宫中点火，提剑驱赶后宫十多人将要一同跳入火中，被亲军将领薛超抱住。一会儿张彦泽从宽仁门传来契丹主给太后的信，抚慰他们，并且召请桑维翰和景延广，晋出帝这才命人灭火，打开所有的宫城门。晋出帝坐在禁苑中，和后妃们聚在一起哭泣，召翰林学士范质草拟降表，自称："孙男臣重贵，灾祸降临，神明惑乱，气数已尽，天命已失。现在与太后及妻子冯氏，率族人在郊外背绑待于罪位。派遣儿子镇宁节度使石延煦、威信节度使石延宝捧持传国玺一件、金印三枚出城迎接。"太后也上表称"新妇李氏妾"。

傅住兒进宫宣布契丹主的命令，晋出帝脱下黄袍，穿上素色的单衣，拜了又拜接受契丹主所宣布的命令，左右的人都掩面哭泣。晋出帝让人邀请张彦泽，想要和他商议事情。张彦泽说："臣没有脸面见陛下。"晋出帝又邀请他，张彦泽只是微笑，不做应答。

有人劝桑维翰逃走。桑维翰说："我是大臣，要逃到哪里去！"就坐着待命。张彦泽以晋出帝的命令召唤桑维翰，桑维翰走到天街，遇到李崧，停下马来话还没说完，有一个军官在马前向桑维翰作揖，请他到侍卫司去。桑维翰知道难免一死，回过头来对李崧说："侍中你主持国事，现在国家灭亡，反而让我桑维翰为它去死，这是为什么？"李崧面有愧色。张彦泽傲慢地坐着见桑维翰，桑维翰斥责张彦泽说："去年从犯人中把你解救起来，又让你统领重要的藩镇，交给你兵权，怎么竟然负恩到这种地步！"张彦泽无话可答，派兵看守桑维翰。

宣徽使孟承诲，向来靠奉迎机巧受到晋出帝的宠信。到了这个时候，晋出帝召唤孟承诲，想和他谋议，孟承诲躲藏着不来。张彦泽把他抓住杀了。

张彦泽纵兵大肆抢劫，贫穷的百姓也乘机争着闯进富人家里，杀人抢东西，两天后才停下来，都城为之一空。在张彦泽的住处，财货堆积如山，自认为对契丹有功，日夜以饮酒作乐来自我娱悦，出入时随从的骑兵常常几百人，他的旗帜上全都写着"赤心为主"，看到的人都笑他。军士捉到犯罪的人送到他面前，张彦泽不问犯了什么罪，只是瞪着眼睛竖起中指，犯人就被推出去腰斩。张彦泽向来与阁门使高勋不和，乘着酒醉到高勋家里，杀死他的叔父和弟弟，把尸体摆在门口。士民不寒而栗。

中书舍人李涛对人说："我与其逃亡到沟渠而不免一死，不如前去见张彦泽。"于是送上名帖求见张彦泽，说："上疏请求杀太尉的李涛，恭来请死。"张彦泽欣然接见了李涛，对李涛说："舍人今天惧怕吗？"李涛说："我李涛今天的惧怕，也像足下当年的惧怕一样。以前假如高祖听从我李涛的话，事情怎么会到这种地步！"张彦泽大笑，命人拿酒叫他喝。李涛斟满一杯，喝干就走，旁若无人。

【段旨】

以上为第十二段，写河北诸镇望风降敌。契丹主挟杜威南进，派降将张彦泽先入大梁清宫，张彦泽纵兵大掠。

【注释】

㉝顺国：方镇名，原为成德军，后晋高祖天福七年（公元九四二年）改为顺国军。治所恒州，在今河北正定。㉞王周：历仕后唐、后晋、后汉。契丹灭后晋，自杀未遂，归降。传见《旧五代史》卷一百六、《新五代史》卷四十八。㉟戊辰：十二月十二日。㊱代州：州名，治所广武，在今山西代县。㊲郭璘：历仕后唐、后晋，官至易州刺史，加检校太保。契丹灭晋，迫降后被杀。传见《旧五代史》卷九十五。㊳李殷：历仕后唐、后晋、后汉，官至贝州节度使，加检校太傅。契丹灭后晋，初降，后又逃归。传见《旧五代史》卷一百六。㊴安国：安国军，方镇名，后唐庄宗同光元年（公元九二三年）由保义军改名。治所邢州，在今河北邢台。㊵方太：历任后晋凤州防御使、邢州留后。契丹灭后晋，归降。传见《旧五代史》卷九十四。㊶麻荅：本名解里，字泼单，耶律阿保机从子。契丹勇将，所至无敢当其锋。传见《辽史》卷七十六。㊷客省副使：官名，辽设都客省，掌外国使者的招待供应。下设客省使、左右客省使、客省副使。㊸翰林承旨：官名，翰林学士承旨的省称，掌天子文翰之事。翰林学士承旨位在诸学士之上。㊹张砺：字梦臣，有文才，历仕后唐与契丹。在契丹，官至右仆射、平章事、集贤殿大学士。传见《旧五代史》卷九十八。㊺相：州名，治所邺县，在今河北临漳西南邺

【原文】

甲戌[385]，张彦泽迁帝于开封府，顷刻不得留，宫中恸哭。帝与太后、皇后乘肩舆，宫人、宦者十余人步从，见者流涕。帝悉以内库金珠自随，彦泽使人讽之曰："契丹主至，此物不可匿也。"帝悉归之，亦分以遗彦泽。彦泽择取其奇货，而封其余以待契丹。彦泽遣控鹤指挥使[386]李筠以兵守帝，内外不通。帝姑乌氏公主[387]赂守门者，入与帝诀，相持而泣[26]，归第自经死[27]。帝与太后所上契丹主表章，皆先示彦泽，然后敢发。

帝使取内库帛数段，主者不与，曰："此非帝物也。"又求酒于李

城镇。㊱平棘：县名，在今河北赵县。㊲吭：喉咙；颈项。㊳白马津：津名，又名黎阳津、鹿鸣津。在河南滑县北。旧为河水分流处，今已涸。㊴壬申：十二月十六日。㊵癸酉：十二月十七日。㊶斩关：砍开城门。关，本指门闩，此代城门。㊷明德门：据《五代会要》，"明德门，大梁皇城南门。"天福三年（公元九三八年）十月，改大宁宫门为明德门。㊸宽仁门：据《五代会要》，大梁皇城之东门为宽仁门。㊹国宝：指晋高祖天福三年（公元九三八年）所制受命之宝。㊺新妇：古代称儿媳为新妇。㊻天街：宫城正南门外之街，谓天街。㊼侍卫司：统率禁军的机构。㊽侍中：此指李崧。晋高祖时，曾拜李崧为中书侍郎、同平章事。㊾拔公于罪人之中：晋高祖时张彦泽因滥杀无辜，朝野皆请诛之，高祖仅削夺其一阶一爵。少帝即位，桑维翰又推举他任节度使，掌兵权。㊿宣徽使：官名，职掌承受表奏于内中进呈，为宫廷要职。(381)孟承诲：晋权臣，官至右武卫大将军。居第华敞，财帛累积。传见《旧五代史》卷九十六。(382)竖三指：竖起中指，表示从中斩断，即腰斩。三指，中指。(383)投刺：投名帖，请谒。(384)请杀太尉人李涛：李涛请杀张彦泽，事见本书卷二百八十三高祖天福七年（公元九四二年）、《旧五代史》卷九十八、《新五代史》卷五十二。

【校记】

[23]兵："兵"下原有空格。据章钰校，十二行本、乙十一行本皆无空格，今据删。[24]宝货：原无此二字。据章钰校，十二行本、乙十一行本、孔天胤本皆有此二字，张瑛《通鉴校勘记》同，今据补。[25]疏：原作"书"。据章钰校，十二行本、乙十一行本、孔天胤本皆作"疏"，今据改。

【语译】

十二月十八日甲戌，张彦泽把晋出帝迁移到开封府，片刻不许停留，宫中一片痛哭声。晋出帝和太后、皇后坐轿子，宫人、宦官等十几个人徒步跟随，看到的人都流泪。晋出帝把内库的金银珠宝全都随身带着，张彦泽让人暗示他说："契丹主来了，这些东西不能掩藏。"晋出帝把它们全部送了回去，也分一部分送给张彦泽，张彦泽拿走其中的珍奇宝物，而把剩下的封好，等待契丹主。张彦泽派遣控鹤指挥使李筠带兵看守晋出帝，使内外不能相通。晋出帝的姑母乌氏公主贿赂守门的人，进去与晋出帝诀别，相拥痛哭，回家后上吊自杀。晋出帝和太后呈送给契丹主的表章，都先出示给张彦泽，然后才敢发出去。

晋出帝让人从内库里取几段布帛，守库的人不给，说："这不是皇帝的东西了。"

崧，崧亦辞以他故不进。又欲见李彦韬，彦韬亦辞不往。帝惆怅久之。

冯玉佞[388]张彦泽，求自送传国宝，冀契丹复任用。楚国夫人丁氏，延煦之母也，有美色。彦泽使人取之，太后迟回[389]未与。彦泽诟詈[390]，立载之去。是夕，彦泽杀桑维翰。以带加颈，白契丹主，云其自经。契丹主曰："吾无意杀维翰，何为如是！"命厚抚其家。

高行周、符彦卿皆诣契丹牙帐降。契丹主以阳城之战为彦卿所败，诘之。彦卿曰："臣当时惟知为晋主竭力，今日死生惟命。"契丹主笑而释之。己卯[391]，延煦、延宝自牙帐还，契丹主赐帝手诏，且遣解里谓帝曰："孙勿忧，必使汝有啖[392]饭之所。"帝心稍安，上表谢恩。

契丹以所献传国宝追琢非工，又不与前史相应，疑其非真。以诏书诘帝，使献真者。帝奏："顷王从珂自焚[393]，旧传国宝不知所在，必与之俱烬。此宝先帝所为，群臣备知。臣今日焉敢匿宝！"乃止。

帝闻契丹主将渡河，欲与太后于前途奉迎。张彦泽先奏之，契丹主不许。有司又欲使帝衔璧牵羊，大臣舆榇，[394]迎于郊外，先具仪注[395]白契丹主。契丹主曰："吾遣奇兵直取大梁，非受降也。"亦不许。又诏晋文武群官，一切如故，朝廷制度，并用汉礼。有司欲备法驾[396]迎契丹主，契丹主报曰："吾方擐甲总戎[397]，太常仪卫，未暇施也。[398]"皆却之。

先是契丹主至相州，即遣兵趣河阳捕景延广。延广苍猝无所逃伏，往见契丹主于封丘[399]。契丹主诘之曰："致两主失欢，皆汝所为也。十万横磨剑安在[400]！"召乔荣[401]，使相辩证，事凡十条。延广初不服，荣以纸所记语示之，乃服。每服一事，辄授一筹[402]。至八筹，延广但以面伏地请死，乃锁之。

丙戌晦[403]，百官宿于封禅寺[404]。

又向李崧要酒，李崧也用其他的理由推辞不进呈。晋出帝又想见李彦韬，李彦韬也推辞不前往。晋出帝伤感了很久。

冯玉巧言谄媚张彦泽，请求亲自送传国玺，希望契丹主再任用自己。楚国夫人丁氏，是石延煦的母亲，容貌美丽。张彦泽派人过去要娶她，太后犹豫没有给。张彦泽大骂，立即把丁氏装上车拉走了。当天晚上，张彦泽杀死桑维翰。把带子套在桑维翰的脖子上，告诉契丹主，说桑维翰是上吊自杀。契丹主说："我没有打算杀桑维翰，他为什么要这样！"下令优厚抚恤桑维翰的家属。

高行周、符彦卿都到契丹主的牙帐投降。契丹主因为阳城那一战被符彦卿打败，就责问符彦卿。符彦卿说："我当时只知道为晋主尽力，今天死生由命。"契丹主笑着把他释放了。十二月二十三日己卯，石延煦和石延宝从契丹主牙帐回来，契丹主赐给晋出帝亲手写的诏书，并且派解里对晋出帝说："孙子不必担心，一定会让你有个吃饭的地方。"晋出帝心里才稍加安定，上表谢恩。

契丹认为晋出帝献出的传国玺雕刻不精，上面的文字又和以前的历史记载不相符，怀疑那不是真的。用诏书责问晋出帝，叫他献出真的传国玺。晋出帝上奏说："前不久王从珂自焚，旧的传国玺就不知去处，一定是和他一起焚毁了。现在的这个玉玺是先帝所制，大臣们全都知道。臣现在怎敢隐藏玉玺呢！"这才作罢。

晋出帝听说契丹主将要渡过黄河，想和太后在前面的路上恭迎。张彦泽先把这件事上奏，契丹主不允许。有关官员又想让晋出帝口含璧、手牵羊，大臣们抬着棺木，在郊外迎接，事先把这些仪式报告契丹主。契丹主说："我是派遣奇兵直接攻下大梁的，不是接受投降的。"也不允许。契丹主又下诏命后晋文武百官，朝廷制度一切照旧，全部采用汉人的礼仪。有关衙门想准备天子的车驾去迎接契丹主，契丹主回答说："我正穿着铠甲，总管军事，太常的仪仗，没有工夫来用它。"都推辞掉了。

此前，契丹主到达相州，立刻派遣军队赶赴河阳逮捕景延广。景延广仓促之间没有地方躲藏，就到封丘去见契丹主。契丹主质问景延广："造成两国君主不和，都是你干的。所谓'十万横磨剑'在哪里！"把乔荣唤来，让他们互相辩论对质，一共十件事情。景延广最初不承认，乔荣把当时记录在纸上的话拿给景延广看，景延广这才承认。景延广每承认一件事，就给他一支筹码。到给第八支的时候，景延广只是把脸伏在地上请求死罪，契丹主就命人把他用铁链锁起来。

十二月三十日丙戌，后晋文武百官在封禅寺住下。

【段旨】

以上为第十三段，写张彦泽迁晋出帝于开封府，晋百官宿于封禅寺。契丹主至相州。

【注释】

㊳85甲戌：十二月十八日。㊳86控鹤指挥使：近卫军长官。㊳87帝姑乌氏公主：晋高祖第十一妹。㊳88佞：用花言巧语谄媚人。㊳89迟回：迟疑不决。㊳90诟詈：辱骂。㊳91己卯：十二月二十三日。㊳92啖：吞吃。㊳93王从珂自焚：王从珂即后唐末帝李从珂（公元八八五至九三六年），本姓王，名阿三，后唐明宗养以为子，取名从珂。屡立战功，封潞王。后杀愍帝自立。石敬瑭入洛阳，从珂自焚。公元九三四至九三六年在位。事见本书卷二百八十天福元年（公元九三六年）。传见《旧五代史》卷四十八。㊳94帝衔璧牵羊二句：国君两手反缚，衔璧为贽；大臣抬着棺材，谒见尊者。此为国君投降的仪式。㊳95仪注：仪式；礼仪制度。㊳96法驾：天子的车驾。㊳97擐甲总戎：穿着铠甲，总管军事。㊳98太常仪卫二句：意为如用太常的礼仪，当更换胡服而穿华服，故言未暇。太常，官名，掌宗庙礼仪。㊳99封丘：县名，在今河南封丘。㊵00十万横磨剑安在：晋高祖死，出帝立，景延广力主出帝向契丹只称孙，不称臣，且扬言晋有“十万横磨剑”，足以对抗。契丹使者乔荣让他书于纸上以备遗忘。事见本书卷二百八十三天福八年（公元九四三年）。《旧五代史》卷八十八《景延广传》亦载此事。㊵01乔荣：《新五代史》卷二十九《景延广传》作“乔莹”。㊵02筹：计数用具。㊵03丙戌晦：十二月三十日。㊵04宿于封禅寺：寺在大梁城东。宿于此是为了迎契丹主。

【校记】

［26］相持而泣：原无此四字。据章钰校，十二行本、乙十一行本、孔天胤本皆有此四字，今据补。［27］死：原无此字。据章钰校，十二行本、乙十一行本、孔天胤本皆有此字，今据补。

【研析】

本卷研析契丹主借晋奸南犯、刘知远阴蓄异志、后晋灭亡三件史事。

第一，契丹主借晋奸南犯。后晋出帝石重贵不满儿皇帝的境遇，误听景延广之言与契丹交恶，契丹主耶律德光连年南犯，开运元年至三年，三次大兵压境。开运元年（公元九四四年）一月，契丹第一次大举南犯，平卢节度使杨光远叛晋附夷。契丹深入，被晋军河东节度使刘知远、右武卫上将军张彦泽打败，三月退还。同年十二月，契丹第二次大举南犯，救援晋奸杨光远，当月，杨光远被诛。第二年三月，契丹再次败还，六月，两国交好。开运三年六月，河北定州人孙方简聚众抄掠，趁河北饥荒，勾引契丹第三次大举南犯。契丹主耶律德光挂帅亲出，借晋奸内应，志在灭晋。契丹在河东、定州连吃败仗而不退兵。契丹主派出先前投降契丹的卢龙节度使赵延寿诈降晋出帝，麻痹晋军，又诱降晋军前敌总指挥大将杜威，张彦泽也随后出降。数十万大军不战降敌，后晋于是灭亡。石敬瑭投靠契丹，割地卖国，做了儿皇帝，“名为天子，贱同仆隶”，皇帝宝座为人所轻。杨光远、杜威之流，前仆后继，争相效法石敬瑭之所为，引导契丹连年进犯。契丹第二次大举南犯，晋出帝亲征，开运二年三月，晋军在阳城大破契丹军，契丹北还。晋军的两次大胜，生动地说明契丹不是不可战胜。由于后晋君不像君，臣不像臣，君臣骄侈荒淫，不恤民生，将士寒心，国事日非，导致契丹生出亡晋之心，正如王夫之所说：“杨光远诱之，赵延寿导之，而中国水旱非常，上下疲于岁币，乃敢举兵南向。”（《读通鉴论》卷三十）赵延寿、杜威整日盘算投靠契丹，白日做梦当儿皇帝，他们不以当晋奸为丑，反以认贼作父为荣，成为祸国殃民的败类。这些晋奸，权力越大，越是急于争当晋奸，图谋卖国换取儿皇帝，这就是他们手握重兵不战降敌的原因。

第二，刘知远阴蓄异志。刘知远，沙陀人，称帝后改名暠。刘知远骁勇善战，为石敬瑭心腹爱将。石敬瑭投靠契丹，割地做儿皇帝，本谋者桑维翰，助成者刘知远。刘知远未当晋奸，却是一个野心家，一度遭石敬瑭猜疑，差点被罢官。由于刘知远有佐命之功，天福六年（公元九四一年）石敬瑭任命刘知远为河东节度使，镇守北京太原，实为放虎归山。第二年石敬瑭死，晋出帝即位，刘知远已成尾大不掉之势，出帝只能用加官晋爵来笼络刘知远，开运二年封刘知远北平王，加守太尉。刘知远的威权更重，却不出兵抗击契丹，反而杀灭臣服晋朝、抗御契丹的吐谷浑白承福部族，夺其资财巨万、良马数千。契丹犯京师，刘知远坐视不救，等到出帝被掳，军将推戴，刘知远名正言顺在太原称帝，继续用石敬瑭的天福年号，表示自己对晋的忠心。刘知远的这一掩耳盗铃把戏，数年后，又为其爱将郭威所效法，他在澶州发动兵变夺了后汉天下。郭威之后，宋太祖赵匡胤照方抓药，亦用阴谋手段发动陈桥兵变，从后周孤儿寡母手中夺取政权。从石敬瑭、刘知远、郭威到赵匡胤，一个个野心家都用手中军权，导演军将推戴夺权的闹剧，如同螳螂捕蝉，黄雀在后，皇位来得不正，故失之也易。五代易姓，如同走马灯换位，可知阴谋只能得逞一时，不可欺人一世。这大概就是五代军阀政权短命的原因吧！

第三，后晋灭亡。后晋之亡，论者主要有两种观点：其一，景延广对契丹使者大言抗拒不称臣，挑动了契丹的怨怒，发兵灭晋；其二，称臣、割地、输币，主谋者桑维翰，兴晋也灭晋，成也萧何，败也萧何。称臣，做儿皇帝，贬低了天子权威；割地，削弱了中国；输币，凋敝了民众。后晋之亡，桑维翰亡之。反向之论，认为景延广耻为夷虏之臣，奋起抗敌，虽败犹荣。桑维翰扶孱弱之主，委曲求全借契丹之力以制御强藩，是保国之臣。单向思维，就事论事，公说公有理，婆说婆有理，难以决是非。从后晋灭亡的过程来看，论从史出，上述论说皆为偏颇。后晋之灭，有主观、客观两大因素。主观因素，石敬瑭父子皆平庸凡夫，非命世之才。石敬瑭开启了接受契丹主册封为儿皇帝的恶例，也开启了藩镇效法石敬瑭唯契丹之命是从，争为儿皇帝的野心，于是赵延寿、杨光远、杜威争相认贼作父，唯恐后晋不亡。后晋出帝石重贵淫逸轻躁，无胆无略，比乃父更等而下之，焉能守国？即使无契丹南犯，亦将为权臣所夺。后晋之亡，实石敬瑭父子自亡之也。客观因素，自唐末以来，藩镇势强，尾大不掉，军阀混战不休，势大者称雄，此亦时势造就野心家前仆后继，成则为王，败则为寇，刘知远、郭威之流是也。契丹南犯，只是加剧了中原政权的更迭，而不是后晋灭亡的主因。

契丹南犯，野蛮烧杀，遭到中原军民的奋起反击，即便是衰弱的后晋，也多次打败来犯之敌，最终契丹未能入主中原。但契丹连年侵犯，破坏了黄河两岸，尤其是河北地区的生产力，进一步削弱了中原人民的抵抗力。称臣、割地、纳币，没有比这一策略更卑污的了，所以桑维翰是中国历史上最大的卖国贼，其罪比之秦桧有过之而无不及。晋之亡，桑维翰不能辞其咎。景延广手握重兵，畏敌如鼠，契丹南犯，不敢与之战，可见其只是一个大言狂徒，与岳飞抗金不可同日而语，且甚至比南宋韩侂胄还不如，何况景延广还是一个贪婪之徒，亦亡晋之罪人也。

卷第二百八十六　后汉纪一

起强圉协洽（丁未，公元九四七年）正月，尽四月，不满[1]一年。

【题解】

本卷记事起于公元九四七年正月，迄于四月，仅四个月史事，当后汉高祖天福十二年元月至四月。契丹主入大梁，囚送晋出帝及太后于北方，安置在黄龙府。张彦泽纵兵大掠京都，凌虐百官，军民怨愤，契丹主诛杀张彦泽以收民心。太原留守刘知远，不救晋室之危，不战契丹，坐山观虎斗，养蓄力量，至是称帝，是为后汉高祖。河北、河南民众大起反抗契丹，耻为臣虏的藩镇也归附后汉。契丹主大肆搜刮民财，搬运缴获的军器、物资及战马，后晋室宫中珍宝也北运契丹。公元九四七年二月，刘知远称帝，契丹主耶律德光北还，一路烧杀屠城，病死于途中。临终，契丹主自谓有三失：一失于搜刮民财，再失于纵胡骑抢掠，三失于不及早遣节度使回到镇所。南唐主为群小所误，丧失了北进中原的大好时机，派重兵入闽，越过吴越国以争利，吴越王坐收渔人之利。南唐兵败福州，吴越王据有闽地。

【原文】

高祖睿文圣武昭肃孝皇帝上

天福十二年（丁未，公元九四七年）

春，正月丁亥朔①，百官遥辞晋主于城北②，乃易素服纱帽，迎契丹主，伏路侧请罪。契丹主貂帽、貂裘，衷甲③，驻马高阜④，命起、改服，抚慰之。左卫上将军安叔千⑤独出班胡语，契丹主曰："汝安没字邪？汝昔镇邢州，已累表输诚，我不忘也。"叔千拜谢呼跃⑥而退。晋主与太后已下迎于封丘门外，契丹主辞不见。

契丹主入门，民皆惊呼而走。契丹主登城楼，遣通事谕之曰："我亦人也，汝曹勿惧！会当使汝曹苏息⑦。我无心南来，汉兵引我至此耳。"至明德门，下马拜，而后入宫。以其枢密副使刘密权开封尹事。日暮，契丹主复出，屯于赤冈。

戊子⑧，执郑州防御使杨承勋⑨至大梁，责以杀父叛契丹，命左

【语译】

高祖睿文圣武昭肃孝皇帝上

天福十二年（丁未，公元九四七年）

春，正月初一日丁亥，后晋文武百官在大梁城北遥辞后晋主，然后换上素服纱帽，迎接契丹主，匍匐在路边请罪。契丹主戴着貂皮帽，穿着貂皮衣，铠甲穿在衣服里面，驻马高丘，命百官起身、更换衣服，并安抚他们。左卫上将军安叔千一人从百官行列中走出来，用胡语跟契丹主说话，契丹主说："你就是安没字吧？你以前镇守邢州，已经多次上表向我表示忠心，我没有忘记。"安叔千作揖示谢，呼跃退下。后晋主和太后及以下官员到封丘门外去迎接契丹主，契丹主推辞不见。

契丹主进入城门，百姓们都惊叫着跑开。契丹主登上城楼，叫翻译官对百姓们说："我也是人，你们不要害怕！我将会让你们休养生息。我本无心南来，是汉兵引我到这里来的。"到了明德门，下马拜了一下，然后入宫。任命他的枢密副使刘密暂时代理开封府尹的职务。傍晚，契丹主又出城去，屯驻在赤冈。

正月初二日戊子，契丹主命人拘捕郑州防御使杨承勋并送到大梁，责备杨承勋

右脔[10]食之。未几，以其弟右羽林将军承信为平卢节度使，悉以其父旧兵授之。

高勋诉张彦泽杀其家人于契丹主，契丹主亦怒彦泽剽掠京城，并傅住兒锁之。以彦泽之罪宣示百官，问："应死否?"皆言："应死。"百姓亦投牒[11]争疏彦泽罪。己丑[12]，斩彦泽、住兒于北市，仍命高勋监刑。彦泽前所杀士大夫子孙，皆绖杖[13]号哭，随而诟詈，以杖扑之。勋命断腕出锁，剖其心以祭死者。市人争破其脑取髓，脔其肉而食之。

契丹送景延广归其国，庚寅[14]，宿陈桥[15]。夜，伺守者稍怠，扼吭而死。

辛卯[16]，契丹以晋主为负义侯，置于黄龙府[17]。黄龙府，即慕容氏和龙城也。契丹主使谓李太后曰："闻重贵不用母命以至于此，可求自便，勿与俱行。"太后曰："重贵事妾甚谨。所失者，违先君之志，绝两国之欢耳。今幸蒙大恩，全生保家，母不随子，欲何所归!"

癸巳[18]，契丹迁晋主及其家人于封禅寺，遣大同节度使兼侍中河内崔廷勋[19]以兵守之。契丹主数遣使存问，晋主每闻使至，举家忧恐。时雨雪连旬，外无供亿[20]，上下冻馁。太后使人谓寺僧曰："吾尝于此饭僧数万，今日独无一人相念邪!"僧辞以"虏意难测，不敢献食"。晋主阴祈守者，乃稍得食。

是日，契丹主自赤冈引兵入宫。都城诸门及宫禁门，皆以契丹守卫，昼夜不释兵仗。磔犬于门，以竿悬羊皮于庭为厌胜[21]。契丹主谓晋[2]群臣曰："自今不修甲兵，不市战马，轻赋省役，天下太平矣。"废东京，降开封府为汴州、[22]尹为防御使。乙未[23]，契丹主改服中国衣冠，百官起居皆如旧制。

赵延寿、张砺共荐李崧之才，会威胜节度使冯道[24]自邓州入朝，契丹主素闻二人名，皆礼重之。未几，以崧为太子太师、充枢密使，道守太傅、于枢密院祗候以备顾问。

杀死父亲，背叛契丹，契丹主命令左右的人把杨承勋剁成肉块吃掉。不久，任命杨承勋的弟弟右羽林将军杨承信为平卢节度使，把他父亲的旧部交给他统领。

高勋向契丹主控诉张彦泽杀害他的家人，契丹主对张彦泽放纵士兵抢劫京城也很恼怒，就把张彦泽和监军傅住兒一起用铁链锁起来。把张彦泽的罪行向文武百官公布，问道："应该处死吗？"大家都说："应该处死。"百姓也争相呈递文书条述张彦泽的罪恶。正月初三日己丑，在大梁北市把张彦泽、傅住兒斩首，依然派高勋监斩。以前被张彦泽杀害的士大夫的子孙们都缠着麻布带子，手拿丧棒，号啕大哭，接着痛骂，用丧棒扑打张彦泽。高勋命令砍断张彦泽的手腕，脱落铁锁，挖出张彦泽的心来祭奠那些被他杀害的人。街上的人抢着敲破张彦泽的脑袋，挖取脑髓，并把他切成肉块吃掉。

契丹解送景延广返回其国，正月初四日庚寅，住宿在陈桥。晚上，景延广趁守兵稍微疏忽，掐自己的咽喉而死。

正月初五日辛卯，契丹以后晋主为负义侯，安置在黄龙府。黄龙府，就是慕容氏的和龙城。契丹主派人对李太后说："听说石重贵不听母亲的话，以致落到这种地步，你可以请求自便，不必跟石重贵同行。"太后说："重贵侍奉我很周到。他的过错，是违背先君的遗志，断绝两国的友好关系罢了。现在庆幸蒙受大恩，得以保全生命和家庭，做母亲的不跟随儿子，能去什么地方去呢！"

正月初七日癸巳，契丹把后晋主和他的家人迁移到封禅寺，派遣大同节度使兼侍中河内人崔廷勋带兵看守他们。契丹主多次派遣使者去抚慰，后晋主每当听到使者到来，全家都担忧害怕。当时接连下了十几天的雪，外面没有供给，一家大小受冻挨饿。太后派人对寺里的和尚说："我曾在这里给几万名和尚供饭，今天难道没有一个人相怜吗？"和尚们推辞说胡虏的心意难以揣测，因此不敢进献食物。后晋主暗地里请求看守的人，才获得一点食物。

这一天，契丹主从赤冈领兵进入后晋宫廷。都城各门和宫廷门都有契丹兵把守，日夜都不放下兵器。在宫廷门口肢解一只狗，在庭院中用竹竿悬挂羊皮，用以压制邪气。契丹主对后晋的大臣们说："从今不治甲兵，不买战马，减轻赋税，省免徭役，天下就太平了。"废除东京的设置，把开封府降为汴州、开封府尹降为汴州防御使。正月初九日乙未，契丹主改穿中原衣帽，百官日常生活一切按照原来的制度。

赵延寿和张砺共同推荐李崧，恰好威胜节度使冯道从邓州入朝，契丹主一向听说两人的名字，都很敬重他们。不久，任命李崧为太子太师、充任枢密使，冯道署理太傅、在枢密院恭候以备咨询。

【段旨】

以上为第一段，写契丹主入大梁，幽囚晋出帝于开封府封禅寺，将其安置于契丹黄龙府。契丹主诛杀民愤极大的张彦泽，起用李崧、冯道以安中原。

【注释】

①丁亥朔：正月初一日。②城北：大梁城北。③衷甲：把铠甲穿在外衣里面。衷，本指贴肉的内衣，引申为穿在里面。④高阜：后文所称“赤冈”，在汴京北郊。⑤安叔千：沙陀三部落人，状貌堂堂，行为鄙陋，懂胡语，不通文字，人称“没字碑”。⑥呼跃：少数民族礼节，犹如汉族群臣朝拜皇帝时做出的舞蹈。⑦苏息：困顿后得到休养生息，恢复生机。⑧戊子：正月初二日。⑨杨承勋：初名承贵，避少帝讳改承勋，历任光州、濮州刺史，郑州防御使。其父杨光远叛晋暗通契丹，承勋囚父降晋。后光远被李守贞杀死，故契丹主以“杀父叛契丹”责之。传见《旧五代史》卷九十七、《新五代史》卷五十一。⑩脔：切成块的肉。⑪投牒：投送凭证。牒，公文、凭证。⑫己丑：正月初三日。⑬绖杖：绖，古代丧服中的麻带，在首为首绖，在腰为腰绖。杖，丧棒。⑭庚寅：正月初四日。⑮陈桥：陈桥镇，在今开封东北。⑯辛卯：正月初五日。⑰黄龙府：故城

【原文】

契丹主分遣使者，以诏书赐晋之藩镇。晋之藩镇争上表称臣，被召者无不奔驰而至。惟彰义节度使史匡威㉕据泾州㉖不受命。匡威，建瑭㉗之子也。雄武节度使何重建㉘斩契丹使者，以秦、成、阶㉙[3]三州降蜀。

初，杜重威既以晋军降契丹，契丹主悉收其铠仗数百万贮恒州，驱马数万归其国，遣重威将其众从己而南。及河，契丹主以晋兵之众，恐其为变，欲悉以胡骑拥而纳之河流。或谏曰：“晋兵在他所者尚多，彼闻降者尽死，必皆拒命为患[4]。不若且抚之，徐思其策。”契丹主乃使重威以其众屯陈桥㉚。会久雪，官无所给，士卒冻馁，咸怨重威，相聚而泣。重威每出，道旁人皆骂之。

契丹主犹欲诛晋兵。赵延寿言于契丹主曰：“皇帝亲冒矢石以取晋国，欲自有之乎，将为他人取之乎？”契丹主变色曰：“朕举国南征，

在今吉林农安。⑱癸巳：正月初七日。⑲崔廷勋：自幼陷契丹，官至云中节度使、侍中。耶律德光死，归镇州、定州，死于北蕃。传见《旧五代史》卷九十八。⑳供亿：供给储备。亿，有储备之意。估计所需之物，随多少而供之，以待其乏。㉑厌胜：古代方术士的一种巫术。以某种能制胜之物，施以方术，消除邪气。㉒废东京二句：五代后晋天福三年（公元九三八年）迁都汴州，改汴州为开封府，建号东京。契丹灭后晋，废除东京，又把开封降为汴州。㉓乙未：正月初九日。㉔冯道（公元八八二至九五四年）：字可道，自号长乐老，五代瀛州景城（今河北泊头市交河镇东北）人，初事刘守光，光败事张承业，继而历仕后唐、后晋、契丹、后汉、后周，官至宰相、太傅、太师。时人以其事五朝七姓，多非其人品。传见《旧五代史》卷一百二十六、《新五代史》卷五十四。

【校记】

［1］满：原作“尽”。据章钰校，十二行本、乙十一行本、孔天胤本皆作“满”，今据改。〖按〗《通鉴》体例，各卷此处作“不满一年”者凡十二见，作“不尽一年”者仅此一例，作“满”字义长。［2］晋：原无此字。据章钰校，十二行本、乙十一行本、孔天胤本皆有此字，张瑛《通鉴校勘记》同，今据补。

【语译】

契丹主分别派遣使者，颁赐诏书给后晋的藩镇。后晋藩镇争相上表称臣，被召见的人没有一个不是奔驰而来。只有彰义节度使史匡威据守泾州不接受命令。史匡威，是史建瑭的儿子。雄武节度使何重建杀死契丹主的使者，带着秦、成、阶三州投降后蜀。

当初，杜重威率领后晋军投降契丹以后，契丹主全部收缴他们的铠甲、兵器数百万件存放在恒州，把几万匹战马赶回他们的国内，派遣杜重威率领他的部众跟随自己南下。到达黄河，契丹主因为晋兵众多，害怕他们叛乱，想要让契丹骑兵把他们全部推挤到黄河里。有人劝谏说：“晋兵在其他地方的还很多，他们听说投降的人都死了，一定都拒绝接受命令并惹出祸端。不如暂时安抚他们，慢慢再想对付他们的办法。”契丹主于是命令杜重威把他的部众驻扎在陈桥。适逢久雪，官府没有东西可供给，士卒们受冻挨饿，都埋怨杜重威，大家聚在一起哭泣。杜重威每次出来，路旁的人都骂他。

契丹主还是想杀掉后晋的士兵。赵延寿对契丹主说：“皇上亲自冒着矢石夺取晋国，是想自己拥有它呢，还是要替别人夺取呢？”契丹主变了脸色，说：“朕发动全国

五年不解甲㉛，仅能得之，岂为他人乎！”延寿曰：“晋国南有唐、西有蜀，常为仇敌，皇帝亦知之乎？”曰：“知之。”延寿曰：“晋国东自沂、密㉜，西及秦、凤㉝，延袤㉞数千里，边于吴、蜀，常以兵戍之。南方暑湿，上国㉟之人不能居也。他日车驾北归，以晋国如此之大，无兵守之，吴、蜀必相与乘虚入寇。如此，岂非为他人取之乎？”契丹主曰：“我不知也。然则奈何？”延寿曰：“陈桥降卒，可分以戍南边，则吴、蜀不能为患矣。”契丹主曰：“吾昔在上党㊱，失于断割，悉以唐兵授晋。既而返为仇[5]雠，北向与吾战，辛勤累年，仅能胜之。今幸入吾手，不因此时悉除之，岂可复留以为后患乎？”延寿曰：“向留晋兵于河南，不质其妻子，故有此忧。今若悉徙其家于恒、定、云、朔㊲之间，每岁分番使戍南边，何忧其为变哉！此上策也。”契丹主悦曰：“善！惟大王㊳所以处之。”由是陈桥兵始得免，分遣还营。

契丹主㊴杀右金吾卫大将军李彦绅、宦者秦继旻，以其为唐潞王杀东丹王㊵故也。以其家族赀财赐东丹王之子永康王兀欲㊶。兀欲眇一目，为人雄健好施。

【段旨】

以上为第二段，写契丹主收缴晋兵数百万件兵器，以及掠夺的几万匹马启运到北方，又计划诛杀全部投降的二十余万晋军，赵延寿再三劝说，使晋军幸免于难。

【注释】

㉕史匡威：正史无传。《旧五代史》卷八十八与《新五代史》卷二十五有其父史建瑭子史匡翰传。㉖泾州：州名，治所泾川，在今甘肃泾川。㉗建瑭：史建瑭，史匡威父，雁门人。从晋王李克用多次与后梁军作战，因功升任贝州、相州刺史。传见《新五代史》卷二十五。㉘何重建：后晋雄武军节度使。后晋亡，以秦、阶、成三州降后蜀，官至中书令。《旧五代史》写作何建。传见《旧五代史》卷九十四。㉙成、阶：皆州名。成州，治所成县，在今甘肃成县。阶州，治所皋兰镇，在今甘肃武都东南。㉚陈桥：陈桥镇，又名陈桥驿，在开封东北。因在陈桥门外故名。㉛五年不解甲：指处于战争状态。天福

南征，五年没有脱过甲胄，才能够得到它，哪里是为了别人哩!”赵延寿说：“晋国的南面有南唐国、西面有蜀国，与晋常为仇敌，皇上也知道吗?”契丹主说：“知道。”赵延寿说：“晋国东起沂河、密水，西到秦州、凤州，绵延几千里，紧挨着吴国和蜀国，常常派兵戍守那里。南方炎热，湿气又重，贵国之人不能居住。以后皇上回到北方去，凭晋国这样广阔，没有军队防守它，吴、蜀两国一定共同乘虚入侵。这样一来，岂不是替别人夺取晋国吗?”契丹主说：“这些我倒还没想到。既然这样，那么我该怎么办?”赵延寿说：“陈桥的降兵，可以分开来戍守南方的边境，这样吴、蜀就不会成为祸患了。”契丹主说：“我以前在上党，决断错误，把后唐兵全部交给晋国，后来反而变为仇敌，向北跟我开战，我们辛辛苦苦好几年才把他们打败。现在幸亏落在我的手中，不趁这个机会全部把他们除掉，哪能再留下他们成为后患呢?”赵延寿说：“从前把晋兵留在黄河以南，没有把他们的妻子儿女作为人质，所以有这种忧患。现在如果把他们的家属全部迁徙到恒州、定州、云州、朔州一带，每年派他们分批轮流戍守南方边境，怎么会怕他们叛变呢！这是最好的计策。”契丹主高兴地说：“好！就按大王的办法处置。”因此陈桥的降兵才得以免于一死，分别遣送他们回营。

契丹主杀死右金吾卫大将军李彦绅、宦官秦继旻，因为他们替后唐潞王李从珂杀了东丹王的缘故。把他们家族和财货赐给东丹王的儿子永康王兀欲。兀欲瞎了一只眼睛，为人勇武有力、喜欢施舍。

八年（公元九四三年）始攻后晋，至天福十二年共五年。㉜沂、密：两水名，指代山东沂密地区。沂，沂河，在山东南部，江苏北部。密，密水，在山东半岛。㉝秦、凤：两州名，秦州治所在今甘肃天水西北，凤州治所在今陕西凤县。㉞延袤：连绵延伸。㉟上国：地方割据者称中原为上国。当时晋奉契丹，又称契丹为上国。㊱上党：郡名，治所壶关，在今山西长治北。㊲朔：朔州，州名，治所招远，在今山西朔州。㊳大王：契丹封赵延寿为燕王，故称之为大王。㊴契丹主：耶律德光。㊵唐潞王杀东丹王：后唐潞王即末帝李从珂。东丹王，即耶律德光兄东丹王突欲，为阿保机长子，阿保机死后，未能拥立为帝，遂率部曲四十人越海投后唐明宗，明宗赐姓东丹，名慕华，任怀化节度使，瑞、慎等州观察使。后契丹助晋反唐，后唐潞王便派宦者秦继旻、皇城使李彦绅杀突欲。契丹灭后晋，耶律德光为兄报仇，故又杀此二人。事见本书卷二百七十五、二百七十七、二百八十，《新五代史》卷七十三。㊶永康王兀欲：东丹王突欲子，耶律德光侄。德光死后，兀欲嗣立，即辽世宗耶律阮，小字兀欲，公元九四七至九五一年在位。传见《辽史》卷五、《新五代史》卷七十三。

【校记】

［3］成、阶：原作“阶成”。据章钰校，十二行本、乙十一行本、孔天胤本二字皆互乙，今据改。〖按〗新、旧《五代史》皆作“成阶”。［4］为患：原无此二字。据章钰校，十二行本、乙十一行本皆有此二字，今据补。［5］仇：原作“寇”。据章钰校，十二行本、乙十一行本皆作“仇”，今据改。〖按〗《通鉴纪事本末》作“仇”。

【原文】

癸卯㊷，晋主与李太后㊸、安太妃㊹、冯后㊺及弟睿，子延煦、延宝，俱北迁。后宫左右从者百余人。契丹遣三百骑援送之。又遣晋中书令赵莹、枢密使冯玉、马军都指挥使李彦韬与之俱。晋主在涂，供馈不继，或时与太后俱绝食，旧臣无敢进谒者。独磁州刺史李穀迎谒于路，相对泣下。穀曰：“臣无状，负陛下。”因倾赀以献。晋主至中度桥，见杜重威寨，叹曰：“天乎！我家何负，为此贼所破！”恸哭而去。

癸丑㊻，蜀主以左千牛卫上将军李继勋为秦州宣慰使。

契丹主以前燕京㊼留守刘晞㊽为西京㊾留守，永康王兀欲之弟留珪为义成节度使，族人郎五为镇宁节度使［6］，兀欲姊婿潘聿撚为横海㊿节度使［7］，赵延寿之子匡赞(51)为护国(52)节度使，汉将张彦超(53)为雄武(54)节度使，史佺为彰义(55)节度使，客省副使刘晏僧为忠武(56)节度使，前护国节度使侯益(57)为凤翔(58)节度使，权知凤翔府(59)事，焦继勋(60)为保大(61)节度使。晞，涿州人也。既而何重建附蜀，史匡威不受代(62)，契丹势稍沮(63)。

晋昌节度使赵在礼入朝(64)，其裨将(65)留长安者作乱，节度副使建人李肃讨诛之，军府以安。

晋主之绝契丹也，匡国(66)节度使刘继勋(67)为宣徽北院使，颇豫其谋。契丹主入汴，继勋入朝，契丹主责之。时冯道在殿上，继勋急指道曰：“冯道为首相，与景延广实为此谋。臣位卑，何敢发言！”契丹主曰：“此叟非多事者，勿妄引之！”命锁继勋，将送黄龙府。

赵在礼至洛阳，谓人曰：“契丹主尝言庄宗之乱(68)由我所致，我此

【语译】

正月十七日癸卯，后晋主与李太后、安太妃、冯皇后以及他的弟弟石睿，他的儿子石延煦、石延宝，一起向北迁徙。后宫官人及左右近侍跟随迁徙的有一百多人。契丹派遣三百名骑兵护送他们。又派遣后晋中书令赵莹、枢密使冯玉、马军都指挥使李彦韬跟他们同行。后晋主在路上，供应接不上，有时跟太后都断了粮，以前的大臣没有敢去进见的。只有磁州刺史李穀在路上迎接谒见，君臣相对落泪。李穀说："臣乏善可陈，辜负了陛下。"于是把所有的家财都进献给后晋主。后晋主到中度桥，见到了杜重威的营垒，叹息说："天啊！我家亏待谁了，被这个叛贼给毁掉！"痛哭着离开。

二十七日癸丑，后蜀主授左千牛卫上将军李继勋为秦州宣慰使。

契丹主任命前任燕京留守刘晞为西京留守，永康王兀欲的弟弟留珪为义成节度使，族人耶律郎五为镇宁节度使，兀欲的姐夫潘聿撚为横海节度使，赵延寿的儿子赵匡赞为护国节度使，汉将张彦超为雄武节度使，史佺为彰义节度使，客省副使刘晏僧为忠武节度使，前任护国节度使侯益为凤翔节度使，代理凤翔府事务的焦继勋为保大节度使。刘晞，是涿州人。不久何重建归附后蜀，史匡威不接受别人替代他，契丹的势力逐渐受到抑制。

晋昌节度使赵在礼入朝，留在长安的偏将作乱，节度副使建州人李肃讨伐他，把他杀了，节度使府得以安定下来。

后晋主跟契丹断绝关系时，匡国节度使刘继勋为宣徽北院使，多参与这件事的谋划。契丹主进入汴州，刘继勋入朝，契丹主责备他。当时冯道在宫殿上，刘继勋急忙指着冯道说："冯道是宰相，实际是他和景延广策划了这件事。臣地位卑下，怎敢说话！"契丹主说："这位老人不是多事的人，不要胡乱牵涉他！"下令把刘继勋用铁链锁起来，准备送往黄龙府。

赵在礼到了洛阳，对别人说："契丹主曾经说唐庄宗时候的乱事是我导致的。我这次

行良可忧。”契丹遣其[8]将述轧、奚王拽剌⑲、勃海将高谟翰戍洛阳，在礼入谒，拜于庭下，拽剌等皆踞坐⑳受之。乙卯㉑，在礼至郑州㉒，闻继勋被锁，大惊。夜，自经于马枥㉓间。契丹主闻在礼死，乃释继勋。继勋忧愤而卒。

刘晞在契丹尝为枢密使、同平章事。至洛阳，诟奚王曰：“赵在礼汉家大臣，尔北方一酋长耳，安得慢之如此！”立于庭下以挫之。由是洛人稍安。

契丹主广受四方贡献，大纵酒作乐，每谓晋臣曰：“中国事，我皆知之，吾国事，汝曹弗[9]知也。”

赵延寿请给上国兵廪食㉔，契丹主曰：“吾国无此法。”乃纵胡骑四出，以牧马为名，分番剽掠，谓之“打草谷”。丁壮毙于锋刃，老弱委于沟壑㉕。自东、西两畿㉖及郑、滑、曹、濮，数百里间，财畜殆尽。

契丹主谓判三司㉗刘昫曰：“契丹兵三十万，既平晋国，应有优赐，速宜营办。”时府库空竭，昫不知所出，请括借都城士民钱帛，自将相以下皆不免。又分遣使者数十人诣诸州括借，皆迫以严诛，人不聊生。其实无所颁给，皆蓄之内库，欲辇归其国。于是内外怨愤，始患苦契丹，皆思逐之矣。

【段旨】

以上为第三段，写后晋帝及太后被囚送北方，契丹主纵胡骑四出劫掠，又满载宫中府库财物运送回国。

到大梁去实在叫人担忧。”契丹主派遣契丹将领述轧、奚王拽剌、勃海将领高谟翰戍守洛阳，赵在礼去进见他们，在庭下下拜，拽剌等人都蹲坐在地，接受赵在礼的下拜。正月二十九日乙卯，赵在礼到达郑州，听说刘继勋被锁，大为惊恐。晚上，在马槽间上吊自杀。契丹主听说赵在礼死了，就放了刘继勋。刘继勋忧愤而死。

刘晞在契丹曾经担任过枢密使、同平章事。到了洛阳，辱骂奚王说：“赵在礼是汉家大臣，你是北方的一个酋长而已，怎么能够傲慢到如此地步！”叫他站在庭下以折辱他，由此洛阳的人心才稍稍安定。

契丹主普遍接受四方的进贡，放肆地喝酒作乐，常常对后晋大臣说：“中原的事情，我都知道；我国的事情，你们就不懂了。”

赵延寿建议由国库供给契丹士兵粮食，契丹主说：“我们国家没有这种制度。”于是放纵胡人骑兵从四面八方出去，以牧马为名，分批轮流抢劫，叫作“打草谷”。百姓中年轻力壮的死在他们的刀下，年老体弱的被抛弃在山沟里，从东、西两个京畿到郑州、滑州、曹州、濮州的几百里之内，百姓的钱财和牲畜几乎被抢劫一空。

契丹主对判三司刘昫说：“契丹兵三十万人，平定晋国后，应该有优厚的赏赐，最好赶快筹办。”当时国家库藏空虚，刘昫不知道赏赐从哪里来，便建议用借贷的名义向京师的士大夫和老百姓征收钱帛，从宰相、将帅以下都不能脱免。又分别派遣使者数十人前往各州征收借贷，都用严厉的刑罚加以催逼，民不聊生。实际上契丹主并没有把这些分发给士兵，都储存在皇家的仓库里，打算运回北国。于是官民怨恨，开始对契丹感到痛苦，都想赶走他们。

【注释】

㊷癸卯：正月十七日。㊸李太后：后唐明宗第三女，嫁石敬瑭，立为皇后。石重贵尊为皇太后。后晋灭，随出帝北迁。传见《旧五代史》卷八十六、《新五代史》卷十七。㊹安太妃：石重贵生母，石敬瑭兄石敬儒妻。后晋灭，随出帝北迁，死于途中。传同上。㊺冯后：邺都副留守冯蒙女，后晋权臣冯玉妹。石重贵娶之，立为皇后，后晋灭，随出帝北迁。传同上。㊻癸丑：正月二十七日。㊼燕京：辽会同元年（公元九三八年）称幽州（今北京西南）为燕京。㊽刘晞：涿州（今河北涿州）人，年轻时没入契丹，官至同平章事兼侍中。后汉兴，卒于北蕃。传见《旧五代史》卷九十八。㊾西京：后晋天福三年（公元九三八年）迁都汴州，改东都河南府为西京（即今河南洛阳）。后汉、后周及北宋沿袭不改。㊿横海：方镇名，后唐同光元年（公元九二三年）改顺化军为横海军。治所鄚州，在今河北沧州。(51)匡赞：字符辅，赵延寿子。历仕契丹、后汉，惧汉疑己，降后蜀，复又归后汉，并仕后周、宋。传见《旧五代史》卷九十八。(52)护国：方镇

名，唐至德二年（公元七五七年）置。治所河中府，在今山西永济蒲州镇。㊸张彦超：沙陀部人。传见《旧五代史》卷一百二十九。㊹雄武：方镇名，五代后梁置。治所秦州，在今甘肃天水。㊺彰义：方镇名，五代后梁置。治所泾州，在今甘肃泾川。㊻忠武：方镇名，五代后唐置。治所许州，在今河南许昌。㊼侯益：汾州（今山西汾阳）人，历仕数朝，卒于宋。传见《宋史》卷二百五十四。㊽凤翔：方镇名，唐永泰初改兴平节度使为凤翔节度使，治所凤翔，在今陕西宝鸡市凤翔区。㊾凤翔府：府名，治所天兴，在今陕西宝鸡市凤翔区。㊿焦继勋：字成绩，许州长社（今许昌）人。传见《宋史》卷二十六。[61]保大：方镇名，唐中和年间置。治所鄜州，在今陕西富县。[62]不受代：史匡威据守泾州抗拒史佺，不受取代。[63]沮：沮丧。指气焰受到抑制。[64]入朝：指从长安入朝于大梁。[65]裨将：偏将。[66]匡国：方镇名，唐乾元初置。治所同州，在今陕西大荔。[67]刘继勋：卫州（今河南卫辉）人。传见《旧五代史》卷九十六。[68]庄宗之乱：指后唐庄宗同光四年（公元九二六年），魏军卒皇甫晖谋反，杀将校，推赵在礼为首领，大掠民家，拥立明宗。庄宗死，明宗即位，擢皇甫晖为陈州刺史。史称“庄宗之乱”。事见本书卷二百七十四。[69]奚王拽剌：奚王去诸孙、李绍威子。绍威死，拽剌立，归附耶律德光，常

【原文】

初，晋主与河东[78]节度使、中书令、北平王刘知远相猜忌，虽以为北面行营都统，徒尊以虚名，而诸军进止，实不得预闻。知远因之广募士卒，阳城之战，诸军散卒归之者数千人。又得吐谷浑财畜。由是河东富强冠诸镇，步骑至五万人。

晋主与契丹结怨，知远知其必危，而未尝论谏。契丹屡深入，知远初无邀遮[79]、入援之志。及闻契丹入汴，知远分兵守四境以防侵轶[80]。遣客将[81]安阳[82]王峻[83]奉三表诣契丹主。一、贺入汴。二、以太原夷、夏杂居，戍兵所聚，未敢离镇。三、以应有贡物，值契丹将刘九一军自土门[84]西入屯于南川[85]，城中忧惧，俟召还此军，道路始通，可以入贡。契丹主赐诏褒美，及进画[86]，亲加“儿”字于知远姓名之上，仍赐以木拐[87]。胡法，优礼大臣则赐之，如汉赐几杖之比，惟伟王[88]以叔父之尊得之。

知远又遣北都[89]副留守太原白文珂[90]入献奇缯[91]名马。契丹主知

以兵从。传见《新五代史》卷七十四。⑩踞坐：坐时两脚底和臀部着地，两膝上耸，即蹲坐。⑪乙卯：正月二十九日。⑫郑州：州名，治所管城，在今河南郑州。⑬马枥：马槽。⑭廪食：官府给以粮食。⑮沟壑：坑谷、深沟。⑯东、西两畿：唐制，大梁属县为东畿，洛阳属县为西畿。畿，古代王都所在处的千里地面，后多指京城管辖的地区。⑰判三司：判，唐、宋官制，以大兼小，即以高官兼较低职位的官称判。三司，五代、北宋称盐铁、户部、度支为三司，长官称三司使，掌管统筹国家财政。北宋元丰后废。

【校记】

［6］族人郎五为镇宁节度使：原无此十字。据章钰校，十二行本、乙十一行本、孔天胤本皆有此十字，张敦仁《通鉴刊本识误》、张瑛《通鉴校勘记》、熊罗宿《胡刻资治通鉴校字记》同，今据补。［7］节度使："使"下原有空格。据章钰校，十二行本、乙十一行本、孔天胤本皆无空格，今据删。［8］其：原作"契丹"。张瑛《通鉴校勘记》云："'遣'字下有'其'字，下'契丹'二字衍。"当是，今据改。［9］弗：原作"不"。据章钰校，十二行本、乙十一行本皆作"弗"，今据改。〖按〗《通鉴纪事本末》作"弗"。

【语译】

当初，后晋主和河东节度使、中书令、北平王刘知远互相猜忌，后晋主虽然任命刘知远为北面行营都统，但只是用虚名来尊崇他，对于各军的调度指挥，实际上他不能够参与和得知内情。刘知远借此大量招募士卒，阳城战役，各军流散的士卒归附他的有几千人。又获得吐谷浑的财物和牲畜。因此河东镇的富强为各个藩镇之首，步兵和骑兵达到五万人。

后晋主跟契丹结下怨仇，刘知远知道后晋一定会有危险，却没有说明或劝谏。契丹屡次深入中原，刘知远根本没有拦截或派兵入援的意思。等到听说契丹兵进了汴州，刘知远分派军队防守四面边境，以防备契丹的突袭。派遣客将安阳人王峻捧持三封奏表往见契丹主。第一封表，祝贺契丹进入汴州。第二封表，说明因为太原蛮夷和汉人混杂居住，戍守的军队集结在那里，自己不敢离开镇所。第三封表，说明本来是应该进贡物品的，恰逢契丹将领刘九一的军队从土门向西进发，屯驻在南川，太原城中的百姓担忧害怕，等您把这支军队调走，道路开始畅通，就可以进贡了。契丹主颁赐诏书予以褒奖称赞，在送呈契丹主签发诏书时，契丹主亲自在刘知远的姓名之上加了一个"儿"字，照旧赐给他木拐棍。按照胡人的礼仪，对大臣厚加礼遇时才颁赐木拐棍，就像汉人颁赐手杖一样，只有伟王以叔父的尊贵地位才得过木拐棍。

刘知远又派遣北都副留守太原人白文珂进献珍奇的丝织品和名贵的马匹。契丹

知远观望不至，及文珂还，使谓知远曰："汝不事南朝，又不事北朝，意欲何所俟邪？"蕃汉孔目官⑫郭威⑬言于知远曰："虏恨我深矣！王峻言契丹贪残失人心，必不能久有中国。"

或劝知远举兵进取。知远曰："用兵有缓有急，当随时制宜。今契丹新降晋兵十万，虎据京邑，未有他变，岂可轻动哉！且观其所利止于货财，货财既足，必将北去。况冰雪已消，势难久留。宜待其去，然后取之，可以万全。"

昭义⑭节度使张从恩⑮以地迫怀⑯、洛，欲入朝于契丹。遣使谋于知远，知远曰："我以一隅之地，安敢抗天下之大！君宜先行，我当继往。"从恩以为然。判官高防⑰谏曰："公晋室懿亲⑱，不可轻变臣节。"从恩不从。左骁卫大将军王守恩⑲，与从恩姻家⑳，时在上党。从恩以副使㉑赵行迁知留后，牒守恩权巡检使，与高防佐之，遂行[10]。守恩，建立㉒之子也。

荆南㉓节度使高从诲㉔遣使入贡于契丹，契丹遣使以马赐之。从诲亦遣使诣河东劝进㉕。

【段旨】

以上为第四段，写契丹入侵，北都留守刘知远在观望中保存实力，图谋帝位，坐收渔人之利。

【注释】

⑱河东：方镇名，唐开元十八年（公元七三〇年）置。治所太原，在今太原西南晋源区。⑲邀遮：遮阻；拦击。⑳侵轶：侵袭；突击。㉑客将：职掌宾赞事务的将领。㉒安阳：县名，县治安阳，在今河南安阳西南。㉓王峻：字秀峰，相州安阳人，年轻时因"善歌事"服事梁、唐权臣。刘知远起兵，任客将、宣徽北院使。入周为枢密使兼宰相。自认有佐命之功，极其奢侈，言多不逊，被贬为商州司马。传见《旧五代史》卷一百三十、《新五代史》卷五十。㉔土门：也叫土门关，在河北井陉东北井陉山上，与鹿泉接界。为太行八陉的第五陉。㉕南川：指晋阳（今山西太原）城南之地。㉖进画：进呈文稿，经御画后发布施行，谓之进画。㉗木拐：木拐棍，犹如汉之杖。㉘伟王：耶律德光叔父。㉙北都：五代后唐同

主知道刘知远持观望态度不肯前来，等到白文珂将要返回时，叫他对刘知远说："你不侍奉南朝，又不侍奉北朝，你想要等待什么呢？"蕃汉孔目官郭威对刘知远说："胡虏恨我们很深了！王峻说契丹贪婪残暴，丧失民心，肯定不能长久占领中原。"

有人劝刘知远起兵攻取中原。刘知远说："用兵有时候要缓慢，有时候要紧急，应当根据形势制定恰当的方略。现在契丹刚刚降服了晋国的十万军队，雄踞京师，没有其他的变故，怎么能轻易举动呢！而且看他们所贪图的，只限于财货，等财货搜刮够了，一定会回北方去。何况冰雪已经融化，他们势必不能久留。应该等到他们走了以后，然后出兵夺取中原，可以万无一失。"

昭义节度使张从恩因为辖区紧靠怀州和洛州，所以想去归顺契丹。打发使者来跟刘知远商量，刘知远说："我凭一个小角落的地盘，怎么敢对抗偌大的天下！君可先走一步，我随后就去。"张从恩认为说得有道理。判官高防劝谏他说："您是晋室至亲，不可轻易地改变为臣的气节。"张从恩不听。左骁卫大将军王守恩与张从恩是亲家，当时在上党。张从恩命节度副使赵行迁掌管留后事宜，发公文给王守恩，命王守恩代理巡检使，和高防共同辅佐赵行迁，然后就出发了。王守恩，是王建立的儿子。

荆南节度使高从诲派遣使者向契丹进贡，契丹派遣使者赐给他马匹。高从诲同时也派遣使者前往河东劝刘知远即位为皇帝。

光元年（公元九二三年）十一月改西京太原府为北京，又称北都，沿至晋、汉不改。⑽白文珂：字德温，太原人。传见《旧五代史》卷一百二十四。⑼奇缯：珍奇的丝织品。⑼孔目官：官名，唐代州镇始设，略等于文书、事务长。⑼郭威（公元九〇四至九五四年）：邢州尧山（今河北隆尧）人，五代后周建立者。公元九五一至九五四年在位。传见《旧五代史》卷一百十、《新五代史》卷十一。⑼昭义：方镇名，五代后唐长兴元年（公元九三〇年）改安义军为昭义军。治所潞州，在今山西长治。⑼张从恩：女为后晋少帝前妃张氏。入北宋，封许国公。传见《旧五代史》卷九十一、《宋史》卷二百五十四。⑼怀：怀州，州名，治所野王，在今河南沁阳。⑼高防：字修己，并州寿阳（今山西寿阳）人。传见《宋史》卷二百七十。⑼懿亲：至亲，古代特指皇室的宗亲。⑼王守恩：字保信，太原人，王建立子。与张从恩为亲家。张从恩投契丹，王守恩权为巡检使。后举潞州归刘知远，官至西京留守。传见《旧五代史》卷一百二十五。⑽姻家：儿女亲家。⑽副使：谓节度副使。⑽建立：王建立，历仕后唐明宗、后晋高祖，官检校太师，进封韩王。传见《旧五代史》卷九十一、《新五代史》卷四十六。⑽荆南：方镇名，唐至德二年（公元七五七年）置。治所江陵府，在今湖北江陵。⑽高从诲：南平王高季兴长子，唐明宗封为荆南节度使，后袭南平王。地处吴、楚之间，常掠夺过往使者财富，被劫者发兵征讨，便又退还其物，素有"高赖子"之称。传见《旧五代史》卷一百三十三、《新五代史》卷六十九。⑽劝进：劝之即帝位。

【校记】

［10］遂行：原无此二字。据章钰校，十二行本、乙十一行本皆有此二字，今据补。

【原文】

唐主立齐王景遂[106]为皇太弟。徙燕王景达[107]为齐王，领诸道兵马元帅。徙南昌王弘冀[108]为燕王，为之副。

景遂尝与宫僚燕集[109]，赞善大夫[110]元城张易[111]有所规谏，景遂方与客传玩玉杯，弗之顾。易怒曰："殿下重宝而轻士。"取玉杯抵地碎之。众皆失色，景遂敛容谢之，待易益厚。

景达性刚直，唐主与宗室近臣饮，冯延巳、延鲁、魏岑、陈觉辈，极倾谄之态，或乘酒喧笑。景达屡诃责之，复极言谏唐主，以不宜亲近佞臣。延巳以二弟立非己意，欲以虚言德之。尝宴东宫，阳醉，抚景达背曰："尔不可忘我！"景达大怒，拂衣入禁中白唐主，请斩之。唐主谕解，乃止。张易谓景达曰："群小交构[112]，祸福所系。殿下力未能去，数面折之，使彼惧而为备，何所不至！"自是每游宴，景达多辞疾不预。

唐主遣使贺契丹灭晋，且请诣长安修复唐室［11］诸陵[113]。契丹不许，而遣使报之。

晋密州[114]刺史皇甫晖[115]、棣州刺史王建，皆避契丹，帅众奔唐。淮北贼帅多请命于唐。唐虞部员外郎[116]、史馆修撰［12］韩熙载[117]上疏，以为"陛下恢复祖业，今也其时。若虏主北归，中原有主，则未易图也"。时方连兵福州，未暇北顾，唐人皆以为恨。唐主亦悔之。

【语译】

南唐主立齐王李景遂为皇太弟，徙封燕王李景达为齐王，兼任诸道兵马元帅。徙封南昌王李弘冀为燕王，为诸道兵马副元帅。

李景遂曾经跟宫中的僚属饮宴，赞善大夫元城人张易有所规劝，李景遂正在跟客人传递着玩赏一只玉杯，没有理睬他。张易生气地说："殿下重视宝物而轻视贤士。"拿起玉杯摔在地上破碎了。众人都惊骇得变了脸色；李景遂端庄脸色向张易赔礼，对待张易更加亲厚。

李景达生性刚强正直。南唐主跟宗室近臣饮宴，冯延巳、冯延鲁、魏岑、陈觉一伙人极尽谄媚之丑态，有的乘着酒兴喧哗笑闹。李景达屡次斥责他们，又直言劝谏南唐主，认为不应该亲近奸邪之臣。冯延巳因为李景遂被立为皇太弟、李景达被封为齐王不合自己的心意，想用虚假之言让人感激自己。有一次在东宫饮宴，冯延巳假装喝醉，用手抚摸李景达的背说："你不能忘记我！"李景达非常生气，将衣袖一甩，进入宫中禀告南唐主，请求杀掉冯延巳。南唐主开导劝解，才平息下来。张易对李景达说："一班小人互相构陷，涉及您的祸福。殿下既然无力除掉他们，又屡次当面责难他们，使他们感到恐惧而有所戒备，什么事做不出来呢！"从此每次游玩饮宴，李景达大多称病不参加。

南唐主派遣使者祝贺契丹灭掉后晋，并且请求到长安整修唐朝的陵墓。契丹没有答应，派遣使者回复南唐主。

后晋密州刺史皇甫晖、棣州刺史王建，都躲避契丹，率领部众投奔南唐。淮水以北的盗贼头目大多向南唐请求颁授官职。南唐虞部员外郎、史馆修撰韩熙载上奏疏，认为："陛下恢复祖先的基业，现在正是时候。如果胡虏的首领回北方去，中原有了君主，就没那么容易图谋了。"当时南唐正对福州连续用兵，没有余力顾及北方，对此南唐人都感到很遗憾。南唐主也很后悔。

【段旨】

以上为第五段，写南唐主为冯延巳等群小所误，丧失了趁契丹灭晋北图中原的时机。

【注释】

⑯ 齐王景遂：字退身，南唐烈祖第三子，平居好客，善属文，封齐王。又被南唐元宗李璟立为皇太弟，居东宫十三年。因常躁忿，被弘冀派人送鸩酒毒死。⑰ 燕王景达：字子通，南唐烈祖第四子，初封燕王，后徙封齐王，南唐后主时官太师、尚书令。⑱ 南昌王弘冀：南唐元宗李璟长子，初封东平郡公，后封南昌王，留守东都。为人刚直，处事果断，一度为太子，早亡。谥宣武，又改谥文献。传见《新五代史》卷六十二。⑲ 燕集：宴饮。⑩ 赞善大夫：官名，唐龙朔三年（公元六六三年），于左右春坊各置赞善大夫，掌侍从翊养（辅佐养护），职比朝廷的谏议大夫。⑪ 张易：字简能，元城（今河北大名）人，皇太弟景遂初立，召为赞善大夫。敢直言，南唐后主即位，迁谏议大夫，复判大理事。⑫ 交构：互相构陷。⑬ 请诣长安修复唐室诸陵：南唐自称是李唐之后裔，唐末丧乱，

【原文】

契丹主召晋百官悉集于庭，问曰："吾国广大，方数万里，有君长二十七人。今中国之俗异于吾国，吾欲择一人君之，如何？"皆曰："天无二日。夷、夏之心，皆愿推戴皇帝。"如是者再。契丹主乃曰："汝曹既欲君我，今兹所行，何事为先？"对曰："王者初有天下，应大赦。"二月丁巳朔⑱，契丹主服通天冠⑲、绛纱袍，登正殿，设乐悬⑳、仪卫于庭㉑。百官朝贺，华人皆法服㉒，胡人仍胡服、立于文武班中间㉓。下制称大辽会同十年㉔，大赦。仍云："自今节度使、刺史毋得置牙兵㉕，市战马。"

赵延寿以契丹主负约，心怏怏㉖。令李崧言于契丹主曰："汉天子所不敢望，乞为皇太子。"崧不得已为言之。契丹主曰："我于燕王，虽割吾肉，有用于燕王，吾无所爱。然吾闻皇太子当以天子儿为之，岂燕王所可为也！"因令为燕王迁官㉗。时契丹以恒州为中京，翰林承旨张砺奏拟燕王中京留守、大丞相、录尚书事㉘、都督中外诸军事，枢密使如故。契丹主取笔涂去"录尚书事、都督中外诸军事"而行之。

壬戌㉙，蜀李继勋与兴州㉚刺史刘景攻固镇㉛，拔之。乙丑㉜[13]，何重建请出蜀兵与阶成兵共扼散关㉝以取凤州。丙寅㉞，蜀主发山南兵㉟三千七百赴之。

诸陵多遭破坏，故请赴长安修复。⑭密州：州名，治所东武，在今山东诸城。⑮皇甫晖：魏州（治所在今河北大名）人，后唐庄宗末年发动庄宗之乱。入晋任密州刺史。后与周师作战失败，被俘身死。传见《新五代史》卷四十九。⑯唐虞部员外郎：虞部，属工部第三司，掌京都衢巷苑囿山泽草木及百官等时蔬薪炭供顿畋猎之事，长官为郎中，副职为员外郎。⑰韩熙载（公元九〇二至九七〇年）：字叔言，潍州北海（今山东潍坊）人，后唐同光进士。父光嗣为李嗣源所杀，遂亡归南唐。喜蓄声伎，善为文，开门馆以招揽宾客，累官至中书侍郎、光政殿学士承旨等。传见《宋史》卷四百七十八。

【校记】

[11] 唐室：原无此二字。据章钰校，十二行本、乙十一行本皆有此二字，今据补。[12] 史馆修撰：原无此四字。据章钰校，十二行本、乙十一行本皆有此四字，今据补。

【语译】

契丹主把后晋的文武百官都召集在朝廷上，问他们说："我国地域广阔，方圆几万里，有君长二十七人。现在中原的习俗跟我们不同，我想选择一个人让他为国君，你们认为怎么样？"大家都说："天上没有两个太阳，胡人、汉人之心，都愿意拥戴皇帝您。"这样说了多次，契丹主才说："你们既然想让我做君主，那么现在所要做的，什么事应该放在最前面？"大家回答说："做帝王的新有天下，应该实行大赦。"二月初一日丁巳，契丹主头戴通天冠，身穿深红色纱袍，登上正殿，在庭中设置全套乐器、仪仗和卫兵。百官朝见祝贺，汉人官员都穿着法定的礼服，胡人官员仍旧穿着胡人的衣服、站在文武两班官员的中间。下制书称大辽会同十年，实行大赦。接着说："从今以后，各节度使、刺史不许设置卫兵，购买战马。"

赵延寿认为契丹主违背了立他为帝的承诺，心里郁郁不乐。让李崧对契丹主说："做中原皇帝，我不敢奢求，请求做皇太子。"李崧迫不得已，替他去说。契丹主说："我和燕王之间的关系，就是割我的肉，只要对他有用，我也毫不吝惜。但是我听说皇太子应当由天子的儿子来当，岂是燕王所能担任的呢！"因而命令为燕王提升官职。当时契丹以恒州为中京，翰林承旨张砺上奏拟定燕王赵延寿为中京留守、大丞相、录尚书事、都督中外诸军事，依旧为枢密使。契丹主拿笔涂掉"录尚书事、都督中外诸军事"语，然后实施。

二月初六日壬戌，后蜀李继勋和兴州刺史刘景攻打固镇，攻了下来。初九日乙丑，何重建建议派出后蜀兵和阶州、成州的兵力共同把守散关，以便夺取凤州。初十日丙寅，后蜀主派出山南兵三千七百人开赴散关。

【段旨】

以上为第六段，写契丹主耶律德光自为中原主，爽约不立赵延寿为傀儡皇帝。

【注释】

⑱丁巳朔：二月初一日。⑲通天冠：皇帝之冠。始于秦，终于明。唯元朝不用。凡郊祀、朝贺、宴会，皆戴此冠。《太平御览》卷六百八十五引徐广《舆服杂注》："天子通天冠，高九寸，黑介帻，金博山。"历代大同小异。⑳乐悬：悬挂的钟磬一类的打击乐器。㉑仪卫于庭：在宫廷设仪仗和卫兵。㉒法服：古代礼法规定的服饰。㉓立于文武班中间：文官班在东侧，武官班在西侧，胡人胡服立中间。㉔大辽会同十年：公元九四七年。会同，耶律德光第二个年号。㉕牙兵：将军麾下掌旗之兵，即护卫亲军。㉖怏怏：

【原文】

刘知远闻何重建降蜀，叹曰："戎狄凭陵[136]，中原无主，令藩镇外附。吾为方伯[137]，良可愧也！"于是将佐劝知远称尊号，以号令四方，观诸侯[138]去就。知远不许。闻晋主北迁，声言欲出兵井陉[139]，迎归晋阳。丁卯[140]，命武节都指挥使荥泽[141]史弘肇[142]集诸军于球场，告以出军之期。军士皆曰："今契丹陷京城，执天子，天下无主。主天下者，非我王而谁！宜先正位号，然后出师。"争呼万岁不已。知远曰："虏势尚强，吾军威未振，当且建功业。士卒何知！"命左右遏止之。

己巳[143]，行军司马[144]潞城[145]张彦威等三上笺[146]劝进，知远疑未决。郭威与都押牙[147]冠氏杨邠[148]入说知远曰："今远近之心，不谋而同，此天意也。王不乘此际取之，谦让不居，恐人心且移。移则反受其咎[149]矣。"知远从之。

契丹以其将刘愿为保义[150]节度副使，陕人苦其暴虐。奉国都头[151]王晏[152]与指挥使[153]赵晖[154]、都头侯章[155]谋曰："今胡虏乱华，乃吾属奋发之秋。河东刘公，威德远著。吾辈若杀愿，举陕城[156]归之，为天下唱[157]，取富贵如返[158]掌耳。"晖等然之。晏与壮士数人，夜逾牙

因不平或不满而郁郁不乐。㉗迁官：古代调动官职叫迁，一般指升职。㉘录尚书事：总领尚书事。录，总领。其权力在其他公卿大臣之上。㉙壬戌：二月初六日。㉚兴州：州名，治所汉曲，在今陕西略阳。㉛固镇：戍镇名，在今甘肃徽县。㉜乙丑：二月初九日。㉝散关：在陕西宝鸡西南大散岭上，当秦岭咽喉，扼川、陕间交通孔道，为古代兵家必争之地。宋以后称大散关。㉞丙寅：二月初十日。㉟山南兵：山南西道兴元之兵。兴元，府名，山南西道治所，在今陕西汉中。

【校记】

[13]乙丑：原无此二字。据章钰校，十二行本、乙十一行本、孔天胤本皆有此二字，今据补。〖按〗张敦仁《通鉴刊本识误》作“乙酉”，然二月丁巳朔，“乙丑”为初九日，“乙酉”为二十九日，依记事之先后，应以“乙丑”为是。

【语译】

刘知远听说何重建投降后蜀，叹息说：“戎狄欺凌中原，中原无主，使得藩镇依附外邦。我作为一方之长，实在令人惭愧！”于是将帅僚佐都劝刘知远称帝，以号令天下，观察各藩镇的动向。刘知远没有同意。听说后晋主北迁，刘知远便放出话说要出兵井陉，迎接后晋主返回晋阳。二月十一日丁卯，命令武节都指挥使荥泽人史弘肇在球场集合各军，告诉他们出兵的日期。军士们都说：“现在契丹攻陷京城，俘虏天子，天下没有君主。能君临天下的，除了我王还能有谁！应该先即帝位，称尊号，然后再出兵。”军士们争着呼喊万岁不止。刘知远说：“胡虏的势力还很强大，我们自己的军威还没有振作，应当暂且先建功立业。士兵们懂得什么！”便命令左右制止士兵呼喊。

二月十三日己巳，行军司马潞城人张彦威等人三次上表劝刘知远称帝，刘知远迟疑不决。郭威和都押牙冠氏人杨邠进见刘知远并劝说他：“现在远近的人心，都不谋而合，这是天意呀。大王不乘这个时机取得帝位，却谦让不居其位，恐怕人心将会转变。人心一变，就反而会遭受灾祸了。”刘知远听从了他们的意见。

契丹主任命他的将领刘愿为保义节度副使，陕州百姓遭受刘愿的暴虐之苦。奉国都头王晏和指挥使赵晖、都头侯章商议说：“现在胡虏扰乱中华，正是我们奋发有为的时候。河东刘公，声威和德行闻名于远方。我们如果杀掉刘愿，攻占陕城，归附刘公，做天下的倡导，求取富贵就像翻转手掌那样容易了。”赵晖等人赞成王晏的意见。于是王晏和几个壮士在夜晚翻越牙城进入军府，拿出仓库里的兵器发给部众。

城[159]入府，出库兵以给众。庚午[160]旦，斩愿首，悬诸府门，又杀契丹监军，奉晖为留后。晏，徐州；晖，澶州；章，太原人也。

辛未[161]，刘知远即皇帝位。自言未忍改晋国[14]，又恶开运之名，乃更称天福十二年[162]。壬申[163]，诏诸道为契丹括率[164]钱帛者，皆罢之，其晋臣被迫胁为使者勿问，令诣行在[165]，自余契丹，所在诛之。

何重建遣宫苑使崔延琛将兵攻凤州，不克，退保固镇。

甲戌[166]，帝自将东迎晋主[15]及太后。至寿阳[167]，闻已过恒州数日，乃留兵戍承天军[168]而还。

【段旨】

以上为第七段，写刘知远即皇帝位。

【注释】

⑬凭陵：进逼、侵凌。⑬方伯：古代诸侯中的首领，为一方之长，故称方伯。刘知远为北平王、北面行营都统，故以方伯自喻。⑬诸侯：谓诸藩镇。⑬井陉：关名，在今河北井陉西。⑭丁卯：二月十一日。⑭荥泽：县名，县治在今河南荥阳。⑭史弘肇：字化元，后汉权臣，刘知远卒，受顾命，辅佐隐帝，滥用刑罚，威震人主，被隐帝处死。传见《旧五代史》卷一百七、《新五代史》卷三十。⑭己巳：二月十三日。⑭行军司马：官名，唐代出征将帅及节度使下都设行军司马，总理所部事务，作战时也负责参谋之责。⑭路城：县名，县治在今山西长治市路城区。⑭笺：文体名，上呈皇后、太子、诸王的书札、奏记。⑭都押牙：官名，唐代藩镇均置押牙，为衙署内部的亲信武职，其主官称都押牙。⑭杨邠：魏州冠氏（今山东冠县）人，后汉权臣，常逆隐帝之意行事，与史弘肇同日被杀。传见《旧五代史》卷一百七、《新五代史》卷三十。⑭咎：灾祸。⑮保义：方镇名，后唐同光三年（公元九二五年）改镇国军节度为保义军，治所陕州，在今

【原文】

晋主既出塞，契丹无复供给，从官、宫女皆自采木实、草叶而食之。至锦州[169]，契丹令晋主及后妃拜契丹主阿保机[170]墓。晋主不胜屈辱，

二月十四日庚午清晨，砍下刘愿的头，高挂在军府的大门上，又杀掉契丹监军，推举赵晖为保义留后。王晏，是徐州人；赵晖，是澶州人；侯章，是太原人。

二月十五日辛未，刘知远就皇帝位。自称不忍心改变后晋的国号，但又讨厌“开运”这个名称，于是接着称此年为天福十二年。十六日壬申，刘知远下诏，令各道为契丹搜刮钱帛的，全部停止。那些晋朝的臣子被逼迫驱使的，不要追究，命他们前往皇帝所在地。其余的契丹人，就在当地杀掉。

何重建派遣官苑使崔延琛带兵攻打凤州，没有攻下，退守固镇。

二月十八日甲戌，汉高祖亲自带兵向东去迎接后晋主及太后。走到寿阳，听说他们已经过了恒州好几天，于是留下军队戍守承天军，自己返回太原。

河南三门峡市陕州区。⑮¹ 奉国都头：军职名。都，亲军部伍编制，奉国为其名号。⑮² 王晏：保义军节镇亲兵奉国都首领，徐州滕县（今山东滕州）人。传见《宋史》卷二百五十二。⑮³ 指挥使：保义军马步都指挥使之省称。⑮⁴ 赵晖：字重光。传见《旧五代史》卷一百二十五。⑮⁵ 侯章：并州榆次（今山西晋中市榆次区）人。传见《宋史》卷二百五十二。⑮⁶ 陕城：故址在今河南三门峡市陕州区。⑮⁷ 唱：首倡，带头。⑮⁸ 返：胡注，“当作‘反’”。⑮⁹ 牙城：唐代藩镇主帅所居之内城，后以泛称主将所居之城。⑯⁰ 庚午：二月十四日。⑯¹ 辛未：二月十五日。⑯² 乃更称天福十二年：天福为后晋高祖石敬瑭年号，此时恰当天福十二年（公元九四七年），刘知远憎恶晋出帝“开运”年号，故改。⑯³ 壬申：二月十六日。⑯⁴ 括率：搜刮、聚敛。⑯⁵ 行在：行在所。皇帝出行所在之处。此指刘知远所镇晋阳，因称帝，故称行在。⑯⁶ 甲戌：二月十八日。⑯⁷ 寿阳：县名，县治寿阳，在今山西寿阳。⑯⁸ 承天军：军镇名，唐置。后改为承天寨，在今山西平定东。

【校记】

［14］国：原无此字。据章钰校，十二行本、乙十一行本、孔天胤本皆有此字，张敦仁《通鉴刊本识误》同，今据补。［15］主：原作“王”。据章钰校，十二行本、乙十一行本、孔天胤本皆作“主”，今据改。

【语译】

后晋主出塞以后，契丹不再供给东西，随从的官员、宫女都自己采摘树木的果实和植物的叶子充饥。到了锦州，契丹命令后晋主和后妃们祭拜契丹主阿保机的坟

泣曰："薛超[171]误我！"冯后阴令左右求毒药，欲与晋主俱自杀，不果[172]。

契丹主闻帝即位，以通事耿崇美为昭义节度使、高唐英为彰德节度使、崔廷勋为河阳节度使，以控扼要害[173]。

初，晋置乡兵[174]，号天威军[175]。教习岁余，村民不闲[176]军旅，竟不可用。悉罢之，但令七户输钱十千，其铠仗悉输官。而无赖子弟，不复肯复农业[177]，山林之盗，自是而繁。及契丹入汴，纵胡骑打草谷。又多以其子弟及亲信左右为节度使、刺史，不通政事，华人之狡狯者多往依其麾下，教之妄作威福，掊敛[178]货财。民不堪命，于是所在相聚为盗，多者数万人，少者不减千百，攻陷州县，杀掠吏民。滏阳[179]贼帅梁晖，有众数百，送款[180]晋阳求效用，帝许之。磁州刺史李穀密通表于帝，令晖袭相州。晖侦知高唐英未至，相州积兵器，无守备。丁丑[181]夜，遣壮士逾城入，启关纳其众，杀契丹数百，其守将突围走。晖据州自称留后，表言其状。

戊寅[182]，帝还至晋阳，议率民财以赏将士。夫人李氏[183]谏曰："陛下因河东创大业，未有以惠泽其民而先夺其生生之资[184]，殆[185]非新天子所以救民之意也！今宫中所有，请悉出之以劳军，虽复不厚，人无怨言。"帝曰："善！"即罢率民，倾内府蓄积以赐将士。中外闻之，大悦。李氏，晋阳人也。

吴越内都监程昭悦，多聚宾客，畜兵器，与术士[186]游。吴越王弘佐欲诛之，谓水丘昭券曰："汝今夕帅甲士千人围昭悦第。"昭券曰："昭悦，家臣也。有罪当显戮[187]，不宜夜兴兵。"弘佐曰："善！"命内牙指挥使诸温伺昭悦归第，执送东府[188]。己卯[189]，斩之。释钱仁俊之囚[190]。

武节都指挥使史弘肇攻代州，拔之，斩王晖。

建雄留后刘在明[191]朝于契丹，以节度副使骆从朗知州事。帝遣使者张晏洪等如晋州，谕以已即帝位，从朗皆囚之。大将药可俦杀从朗，推晏洪权留后，庚辰[192]，遣使以闻。契丹主遣右谏议大夫赵熙[193]使晋州，括率钱帛，征督甚急。从朗既死，民相帅共杀熙。

契丹主赐赵晖诏，即以为保义留后。晖斩契丹使者，焚其诏，遣

墓，后晋主不堪忍受屈辱，哭泣着说："薛超害了我！"冯皇后暗中让左右的人寻找毒药，想跟后晋主一起自杀，结果没有实现。

契丹主听说刘知远即皇帝位，任命通事耿崇美为昭义节度使、高唐英为彰德节度使、崔廷勋为河阳节度使，用以控制要害的地方。

当初，后晋设立乡兵，号称天威军。教练了一年多，乡下的百姓不熟悉战阵之事，终于不能用。只好全部解散，只命每七户人家捐钱十千，他们的铠甲和兵器全部交给公家。但一些无生活依靠的年轻人，不愿再回去从事农业，山林的盗贼从此多了起来。及至契丹进入汴州，放纵胡兵打草谷。又多任命胡人子弟及左右亲近的人为节度使、刺史。他们不通晓政务，汉人中狡猾的大多去投靠他们的旗下，教唆他们胡乱作威作福，聚敛财货。老百姓不能活命，于是到处相聚为盗贼，人数多的达到几万人，少的也不下千百，他们攻陷州县城池，抢劫杀害官吏和百姓。滏阳的盗贼首领梁晖，有部众几百人，向晋阳投诚以求效命，汉高祖答应了他。磁州刺史李穀秘密上表给汉高祖，叫梁晖去偷袭相州。梁晖侦察得知高唐英尚未到达，相州储藏有兵器，没有军队防守。二月二十一日丁丑晚上，梁晖派遣壮士翻越城墙进城，打开城门让他的部众进去，杀死几百名契丹兵，契丹的守将突围逃走。梁晖占据相州，自称留后，上表报告事情的经过。

二月二十二日戊寅，汉高祖回到晋阳，商议要向老百姓征收钱财以犒赏将士。夫人李氏劝谏他说："陛下凭借河东创立大业，还没有施恩泽给百姓，反而先剥夺他们维持生存的物资，这恐怕不是新天子用以救助百姓的用意吧！现在宫中所有的东西，请全部拿出用以犒赏军队，虽然还不怎么多，人们也不会有怨言。"汉高祖说："好！"立刻停止征收民财，把皇家府库所储藏的财物全部拿出来赏赐将帅和士兵。京城内外的人听说这件事，都非常高兴。李氏，是晋阳人。

吴越内都监程昭悦大量地聚集宾客，储备武器，跟术士交往。吴越王钱弘佐想要杀掉他，对水丘昭券说："你今天晚上带领一千名披甲士兵包围程昭悦的宅第。"水丘昭券说："程昭悦，是一个家臣。有罪应该公开处死，不应该在夜晚动用军队。"钱弘佐说："对！"命令内牙指挥使诸温暗中监视程昭悦回到家中，将他抓住送到丞相府。二月二十三日己卯，将他斩首。解除对钱仁俊的囚禁。

武节都指挥使史弘肇进攻代州，攻克代州，杀了王晖。

建雄留后刘在明到契丹朝拜，命节度副使骆从朗主管州事。汉高祖派遣使者张晏洪等人前往晋州，告诉他们自己已经即皇帝位，骆从朗把张晏洪等人全部囚禁起来。大将药可俦杀了骆从朗，推举张晏洪代理留后。二月二十四日庚辰，派遣使者向朝廷奏报这件事情。契丹主派遣右谏议大夫赵熙出使晋州，搜刮百姓的钱财和布帛，催办得非常急迫。这时骆从朗已死，百姓联合起来杀死了赵熙。

契丹主颁赐诏书给赵晖，任命他为保义留后。赵晖杀掉契丹使者，烧掉他的诏

支使河间⑭赵矩奉表诣晋阳。契丹遣其将高谟翰攻晖，不克。帝见矩，甚喜，曰："子挈咽喉之地⑮以归我，天下不足定也。"矩因劝帝早引兵南向以副⑯天下之望，帝善之。辛巳⑰，以晖为保义节度使，侯章为镇国⑱节度使、保义军马步都指挥使，王晏为绛州⑲防御使、保义军马步副指挥使。

高防与王守恩谋，遣指挥使李万超⑳白昼帅众大噪入府，斩赵行迁，推守恩权知昭义留后。守恩杀契丹使者，举镇来降。

镇宁节度使邪律郎五，性残虐，澶州人苦之。贼帅王琼帅其徒千余人，夜袭据南城，北度浮航㉑，纵兵大掠，围郎五于牙城。契丹主闻之，甚惧，始遣天平节度使李守贞、天雄节度使杜重威还镇，由是无久留河南㉒之意。遣兵救澶州，琼退屯近郊，遣其[16]弟超奉表来求救。癸未㉓，帝厚赐超，遣还。琼兵败，为契丹所杀。

蜀主加雄武节度使何重建同平章事。

【段旨】

以上为第八段，写河北、河南各藩民心所向归服刘知远，纷纷反抗契丹主。

【注释】

⑯锦州：府名，治所在今辽宁锦州。⑰阿保机：辽太祖（公元八七二至九二六年），耶律氏，汉名亿。十世纪初统一契丹八部，控制邻近女真、室韦等族。公元九一六年称帝，年号神册。公元九〇七至九二六年在位。传见《辽史》卷一。⑰薛超：后晋出帝亲军将。契丹灭后晋，出帝在宫中放火，携剑驱十余人将赴火，为薛超所抱持，免于自焚。事见上卷。⑰不果：终于没有成为事实。⑰控扼要害：控制兵争要塞之地。昭义军驻节潞州，彰德军驻节相州，河阳军驻节孟州，皆阻河东军东出，屏卫洛阳、大梁，故为要害。⑰乡兵：本土士兵。选自户籍，或士民应募，在当地集结训练，以资防守。⑰天威军：军号名，后晋开运元年（公元九四四年）曾"诏诸州所籍乡兵，号武定军，凡得七万余人"。开运二年又"更名武定军为天威军"。⑰闲：通"娴"。熟悉。⑰不复肯复农业：不愿再返回又从事农业生产。⑰掊敛：聚敛。⑰滏阳：古县名，县治在今河北磁县。以城在滏水之阳，故名。⑱送款：表诚心。款，真诚。⑱丁丑：二月二十一日。⑱戊寅：二月二十二日。⑱李

书，派遣节度支使河间人赵矩奉表前往晋阳。契丹派遣他的将领高谟翰进攻赵晖，没有攻下来。汉高祖见到赵矩，极为高兴，说："您携交通要害之地来归附我，平定天下就容易了。"赵矩趁机劝汉高祖及早引兵南下，以迎合天下人的愿望，汉高祖夸奖了他。二月二十五日辛巳，任命赵晖为保义节度使，侯章为镇国节度使、保义军马步都指挥使，王晏为绛州防御使、保义军马步副指挥使。

高防和王守恩谋划，派遣指挥使李万超白天率领部众大声喊叫着冲入军府，杀掉赵行迁，推举王守恩代理昭义留后。王守恩杀掉契丹的使者，率整个昭义军前来归降。

镇宁节度使邪律郎五，生性残忍暴虐，澶州的百姓怨恨他。盗贼首领王琼率领他的部众一千多人，夜里偷袭攻占南城，向北渡过德胜浮桥，放纵士兵大肆抢劫，把邪律郎五包围在牙城中。契丹主听到这个消息，非常害怕，这才派遣天平节度使李守贞、天雄节度使杜重威返回镇所，从此就没有了长久留在黄河以南的打算。契丹主派遣军队救援澶州，王琼撤退到澶州近郊屯驻，派遣他的弟弟王超持表前来求救。二月二十七日癸未，汉高祖丰厚地赏赐王超，打发他回去。王琼兵败，被契丹杀死。

蜀主加授雄武节度使何重建同平章事。

氏：后汉高祖刘知远皇后，晋阳人，隐帝生母。高祖在位，多以停敛惠民进谏，深得高祖信赖。后周立，尊为德圣皇太后。传见《旧五代史》卷一百四、《新五代史》卷十八。⑱④生生之资：维持生存的物资。⑱⑤殆：大概；恐怕。⑱⑥术士：道术之士。此指占卜星相等操迷信职业的人。⑱⑦显戮：公开处决。⑱⑧东府：丞相府。⑱⑨己卯：二月二十三日。⑲⓪释钱仁俊之囚：程昭悦专权囚内外马步都统军使钱仁俊，见上卷开运二年。⑲①刘在明：幽州（今北京市西南）人，历仕后唐、后晋、后汉，官至镇州节度使。传见《旧五代史》卷一百六。《旧五代史》本传无"朝于契丹"事。⑲②庚辰：二月二十四日。⑲③赵熙：字绩巨。传见《旧五代史》卷九十三。⑲④河间：府名，治所在今河北河间。⑲⑤咽喉之地：交通要害之地。陕州是自河东入洛、汴的必经之路，故称"咽喉之地"。⑲⑥副：符合；满足。⑲⑦辛巳：二月二十五日。⑲⑧镇国：方镇名，唐上元初置。治所华州，在今陕西渭南市华州区。⑲⑨绛州：州名，治所正平，在今山西新绛。⑳⓪李万超：太原人。传见《宋史》卷二百六十一。⑳①浮航：浮桥。⑳②河南：古地区名，指黄河以南。⑳③癸未：二月二十七日。

【校记】

［16］其：原无此字。据章钰校，十二行本、乙十一行本皆有此字，今据补。

【原文】

延州[204]录事参军[205]高允权[206]，万金[207]之子也。彰武节度使周密[208]暗而贪，将士作乱，攻之。密败，保东城。众以允权家世延帅[209]，推为留后，据西城[210]。密，应州[211]人也。丹州[212]都指挥使高彦珣杀契丹所署刺史，自领州事。

契丹述律太后[213]遣使以其国中酒馔脯果赐契丹主，贺平晋国。契丹主与群臣宴于永福殿，每举酒，立而饮之，曰："太后所赐，不敢坐饮。"

唐王淑妃[214]与郇公从益[215]居洛阳。赵延寿娶明宗女为夫人，淑妃诣大梁会礼[216]。契丹主见而拜之曰："吾嫂也[217]。"统军刘遂凝因淑妃求节钺[218]，契丹主以从益为许王、威信[219]节度使，遂凝为安远[220]节度使。淑妃以从益幼，辞不赴镇，复归于洛。

契丹主以张砺为右仆射兼门下侍郎、同平章事，左仆射和凝兼中书侍郎、同平章事。司空兼门下侍郎、同平章事刘昫以目疾辞位，罢为太保[221]。

东方群盗大起，陷宋、亳[222]、密三州。契丹主谓左右曰："我不知中国之人难制如此！"亟遣泰宁节度使安审琦、武宁节度使符彦卿等归镇，仍以契丹兵送之。彦卿至埇桥[223]，贼帅李仁恕帅众数万急攻徐州[224]。彦卿与数十骑至城下，扬鞭欲招谕之，仁恕控彦卿马，请从相公入城[225]。彦卿子昭序，自城中遣军校陈守习缒[226]而出，呼于贼中曰："相公已陷虎口，听相公助贼攻城，城不可得也。"贼知不可劫，乃相率罗拜[227]于彦卿马前，乞赦其罪。彦卿与之誓，乃解去。

三月丙戌朔[228]，契丹主服赭袍，坐崇元殿[229]，百官行入阁礼[230]。

戊子[231]，帝遣使以诏书安集农民保聚山谷避契丹之患者。

辛卯[232]，高允权奉表来降。帝谕允权听[233]周密诣行在，密遂弃东城来奔。

壬辰[234]，高彦珣[17]以丹州来降。

蜀翰林承旨李昊[235]谓枢密使[18]王处回[236]曰："敌复据固镇，则兴州道绝，不复能救秦州矣。请遣山南西道[237]节度使孙汉韶[238]将兵急攻凤州。"癸巳[239]，蜀主命汉韶诣凤州行营。

【语译】

延州录事参军高允权是高万金的儿子。彰武节度使周密昏庸贪财，将士们发动叛乱，攻打周密。周密被打败，据守延州东城。大家认为高允权家世代为延州的将帅，推举他为彰武留后，占据延州西城。周密，是应州人。丹州都指挥使高彦珣杀掉契丹所任命的刺史，自己兼管丹州的政事。

契丹述律太后派遣使者把他们国内所产的美酒、菜肴、干肉和水果赐给契丹主，祝贺他平定晋国。契丹主跟大臣们在永福殿宴饮，每次举起酒杯，都是站起来喝酒，说："太后所赏赐的酒，不敢坐着喝。"

后唐的王淑妃和郇公李从益居住在洛阳。赵延寿娶唐明宗的女儿燕国长公主为夫人，王淑妃到大梁举行见面礼。契丹主见了向她行礼说："我的嫂夫人。"统军刘遂凝通过王淑妃向契丹主请求担任节度使，于是契丹主封李从益为许王、威信节度使，任命刘遂凝为安远节度使。王淑妃因为李从益年幼，辞谢不上任，又回到洛阳。

契丹主任命张砺为右仆射兼门下侍郎、同平章事，左仆射和凝兼中书侍郎、同平章事。司空兼门下侍郎、同平章事刘昫因为患了眼疾而辞职，于是被免去职务而任太保。

东部成伙的盗贼蜂拥而起，攻下宋州、亳州和密州。契丹主对左右的人说："我不知道中原的百姓这么难以统治！"紧急命令泰宁节度使安审琦、武宁节度使符彦卿等人回到自己的藩镇，仍旧派契丹兵护送他们。符彦卿到达埇桥，盗贼首领李仁恕率领部众几万人猛攻徐州。符彦卿与几十名骑兵来到城下，高举马鞭想劝导招抚他们，李仁恕上前抓住符彦卿的马笼头，要求随从符彦卿进城。符彦卿的儿子符昭序，从城里派遣军校陈守习从城上用绳索系身降于城外，在贼群中大声呼喊："相公已经陷入虎口，任凭相公帮助盗贼攻城，城也不能到手。"盗贼知道劫持符彦卿也没用，就一起围绕拜倒在符彦卿的马前，请求赦免他们的罪过。符彦卿跟他们立了誓言，盗贼才散去。

三月初一日丙戌，契丹主穿上赭色袍服，坐在崇元殿，百官施行入阁礼。

三月初三日戊子，汉高祖派遣使者携带诏书去安抚那些躲避契丹危害，为自保而聚集在山谷的农民。

初六日辛卯，高允权奉表前来归降。汉高祖告知高允权，允许周密前来行在所。周密于是放弃东城跑来投降。

初七日壬辰，高彦珣献出丹州来投降。

后蜀翰林承旨李昊对枢密使王处回说："敌人如果再占据固镇，那么通往兴州的道路断绝，不能再救援秦州了。请派遣山南西道节度使孙汉韶率兵猛攻凤州。"三月初八日癸巳，后蜀主命令孙汉韶前往凤州行营。

契丹主复召晋百官，谕之曰："天时向暑[19]，吾难久留，欲暂至上国省㉔⁰太后㉔¹。当留亲信一人于此为节度使。"百官请迎太后㉔²，契丹主曰："太后族大，如古柏根，不可移也。"契丹主欲尽以晋之百官自随，或曰："举国北迁，恐摇人心，不如稍稍迁之。"乃诏有职事者从行，余留大梁。复以汴州为宣武军㉔³，以萧翰为节度使。翰，述律太后之兄子，其妹复为契丹主后。翰始以萧为姓，自是契丹后族皆称萧氏。

【段旨】

以上为第九段，写大河南北民众纷纷反抗契丹，契丹主留萧翰为宣武节度使，自己带领部分后晋百官北还。

【注释】

⑳④延州：州名，治所广武，在今陕西延安东北。⑳⑤录事参军：官名，多设于王府、公府、州郡，掌各曹文书、纠察等事。⑳⑥高允权：初仕后晋，后汉立，授彰武节度使。⑳⑦万金：允权父，仕后梁、后唐，为延州节度使。传见《旧五代史》卷一百二十五、《新五代史》卷四十。⑳⑧周密：字德峰。传见《旧五代史》卷一百二十四。⑳⑨众以允权家世延帅：指高氏祖孙世代做延州牙将、节度使等。㉑⓪西城：延州有东、西二城，中间有深涧为界。㉑①应州：州名，治所金城，在今山西应县东。㉑②丹州：州名，治所在今陕西宜川东北。㉑③述律太后：辽太祖淳钦皇后，有雄略。太祖崩，摄军国事。太宗继位，尊为皇太后。太宗崩，世宗兀欲自立。太后怒，遣兵击之，败，被软禁。传见《新五代史》卷七十三、《辽史》卷七十一。㉑④王淑妃：后唐明宗李嗣源妃。后晋立，与郇公从益居洛阳。契丹北归，复随从益入汴。后被刘知远派人处死。㉑⑤郇公从益：后唐明宗子，王淑妃母之，封许王。后晋立，封郇国公，与王淑妃退居洛阳。契丹北归，迫使从益入汴知南朝军国事。刘知远拥兵南下，派人杀从益母子，死时年十七。传见《新五代史》卷十五。㉑⑥淑妃诣大梁会礼：赵延寿妻原为唐明宗女兴平公主，此时已死，又娶从益妹永安公主。永安公主养于王淑妃，故王淑妃诣大梁，为她主婚礼。事见《旧五代史》卷九十八、《新五代史》卷十五。㉑⑦吾嫂也：耶律德光以唐明宗年长为兄，故尊王淑妃为嫂。㉑⑧统军刘遂凝因淑妃求节钺：王淑妃年轻时卖于梁故将刘鄩为侍儿，鄩卒，方被明宗纳为妃。刘遂凝与刘鄩有旧交，故托王淑妃向契丹求节钺。㉑⑨威信：方镇名，五代后晋置。治所曹州，在今山东曹县西北。㉒⓪安远：方镇名，五代后唐置。治所安州，在今

契丹主再度召见后晋百官，告诉他们说："天气渐渐炎热起来，我难以长久留在这里，想暂时回到上国去探望太后。将要留一个亲近的人在这里做节度使。"百官建议迎接太后到大梁来。契丹主说："太后的家族庞大，就像老柏树的根一样，不能移动。"契丹主想让后晋的全部官员随他北上。有人说："整个国家的官员一起迁到北方，恐怕会动摇人心，不如逐渐迁移。"于是诏令任职的官员跟着走，其余的人留在大梁。又把汴州改为宣武军，任命萧翰为宣武节度使。萧翰是述律太后哥哥的儿子，他的妹妹又嫁给契丹主为皇后。萧翰开始以萧为姓，从此契丹皇后族人都称萧氏。

湖北安陆。㉑太保：官名，三公之一。多为大官加衔，并无实职。㉒宋、亳：皆州名。宋州，治所宋城，在今河南商丘南。亳州，治所谯县，在今安徽亳州。㉓埇桥：一作甬桥。故址在今安徽宿州城南古汴河上。金以后汴河湮废，此桥亦废。㉔徐州：州名，治所在今江苏徐州。㉕请从相公入城：李仁恕是想劫持符彦卿为质以取徐州。㉖缒：系在绳子上放下去。㉗罗拜：四面围绕着下拜。㉘丙戌朔：三月初一日。㉙崇元殿：汴京的正衙殿。㉚入阁礼：百官朝见皇帝的仪式。一般在朔日举行，后唐朔望皆入阁。详见宋王溥《五代会要》"入阁仪"条。㉛戊子：三月初三日。㉜辛卯：三月初六日。㉝听：任凭。㉞壬辰：三月初七日。㉟李昊：字穷佐，历仕前蜀、后蜀五十余年，官同平章事兼修国史。入宋，拜工部尚书。㊱王处回：字亚贤，彭城（今江苏徐州）人，初事后蜀高祖孟知祥为枢密使，孟死，受顾命，辅佐后主孟昶，加兼侍中、领三镇节度使。以太子太傅致仕。㊲山南西道：方镇名，唐上元初置。治所兴元府，在今陕西汉中。㊳孙汉韶：振武人，初从后唐明宗为武定军节度使。降后蜀，多立功，封乐安郡王。㊴癸巳：三月初八日。㊵省：探望；问候。㊶太后：契丹主耶律德光母述律太后。㊷百官请迎太后：百官上表契丹主迎请太后来大梁，意欲契丹主不必北归。而"省太后"，只不过是契丹主北归的遁词而已，故谕百官云云。㊸宣武军：契丹入大梁，降开封府为汴州防御使，今欲北还，又以汴州置节镇，复盛唐之旧。

【校记】

［17］高彦珣：原作"高彦询"。据章钰校，十二行本、乙十一行本皆作"高彦珣"，今据改。〖按〗《旧五代史·汉书·高祖纪》作"高彦珣"。［18］枢密使：原无此三字。据章钰校，十二行本、乙十一行本皆有此三字，张瑛《通鉴校勘记》同，今据补。［19］暑：原作"热"。据章钰校，十二行本、乙十一行本、孔天胤本皆作"暑"，今据改。

【原文】

吴越复发水军，遣其将余安将之，自海道救福州。己亥㉔，至白虾浦㉕。海岸泥淖㉖，须布㉗竹箦㉘乃可行。唐之诸军在城南者，聚而射之，箦不得施。冯延鲁曰："城所以不降者，恃此救也。今相持不战，徒老我师，不若纵其登岸尽杀之，则城不攻自降矣。"裨将孟坚㉙曰："浙兵㉚至此已久[20]，不能进退，求一战而死不可得。若听[21]其登岸，彼必致死于我，其锋不可当，安能尽杀乎！"延鲁不听，曰："吾自击之。"吴越兵既登岸，大呼奋击，延鲁不能御，弃众而走，孟坚战死。吴越兵乘胜而进，城中兵亦出，夹击唐兵，大破之。唐城南诸军皆遁，吴越兵[22]追之。王崇文以牙兵三百拒之，诸军陈于崇文之后，追者乃还。

或言浙兵欲弃福州，拔李达之众归钱唐，东南守将刘洪进等白王建封，请纵其尽出而取其城。留从效不欲福州之平，建封亦忿陈觉等专横，乃曰："吾军败矣，安能与人争城！"是夕，烧营而遁，城北诸军亦相顾而溃。冯延鲁引佩刀自刺，亲吏救之，不死。唐兵死者二万余人，委弃军资器械数十万，府库为之耗竭。余安引兵入福州，李达举所部授之。

留从效引兵还泉州，谓唐戍将曰："泉州与福州世为仇敌㉛，南接岭海瘴疠之乡㉜，地险土瘠。比年军旅屡兴，农桑废业，冬征夏敛㉝，仅能自赡㉞，岂劳大军久戍于此！"置酒饯之，戍将不得已引兵归。唐主不能制，加从效检校太傅。

【段旨】

以上为第十段，写南唐兵败于福州，吴越王据有闽地。

【语译】

吴越又调发水军，派他的将领余安统领，从海路救援福州。三月十四日己亥，到达白虾浦。海岸泥泞，需要铺上竹席才能行走。南唐在城南的各军，集中用箭射向他们，竹席无法铺上。冯延鲁说："福州城不投降的原因，就是依赖这批援军。现在双方相持不战，只会把我们的军队拖疲。不如任凭他们登上岸来，把他们全部杀死，那么福州城不需攻打就会自己投降了。"偏将孟坚说："吴越兵来到这里很久了，不能进退，寻求拼死一战都不可能。如果放任他们登上岸，他们一定跟我们拼死，那锋芒锐不可当，又怎么能将他们全部杀掉呢！"冯延鲁不听，说："我自己去攻打他们。"吴越兵上岸以后，大声喊叫，奋勇拼杀，冯延鲁抵挡不住，丢下部众逃走，孟坚战死。吴越兵乘胜前进，福州城里的士兵也出城来，夹攻南唐兵，把南唐兵打得大败。南唐在城南的各军全都逃走了，吴越兵追击他们。王崇文率领三百名卫队阻挡追兵，各军在王崇文的后面列阵，追赶的士兵这才回去。

有人说吴越兵想放弃福州，抽调李达的部众回钱唐。东南守将刘洪进等人把这个消息告诉王建封，请求等他们全部出城后夺取城池。留从效不愿意福州被平定，王建封也怨恨陈觉等人专横，就说："我们的军队被打败了，怎么能跟人家争夺城池！"当天晚上，焚烧营垒逃走，城北各军也相继溃散。冯延鲁抽出身上的佩刀自杀，亲信的官吏救了他，没有死。南唐兵死了两万多人，丢弃军用物资和器械几十万件，国库因此消耗完了。余安带兵进入福州，李达把自己的部众全部交给他。

留从效带兵返回泉州，对南唐的守将说："泉州与福州世代都是仇敌，南面连接岭南和大海充满瘴疠之气的地方，地势险峻，土地贫瘠。连年屡次爆发战争，农耕和蚕桑业荒废，冬征夏敛，百姓仅能自养，怎么能有劳大军长久地戍守在这里！"于是摆设酒席，为他们饯行。南唐守将不得已，只好带兵回去。南唐主对他不能控制，便加授留从效检校太傅。

【注释】

㉔④己亥：三月十四日。㉔⑤白虾浦：地名，现在福建福州东部和闽侯县。㉔⑥泥淖：泥沼。㉔⑦布：铺垫。㉔⑧竹箦：竹席。㉔⑨孟坚：始事闽，为建州裨将。后降南唐，多立功。随冯延鲁攻福州，与吴越兵力战而死。㉕⓪浙兵：吴越王钱弘佐所遣救李达之兵。㉕①泉州与福州世为仇敌：唐末王潮兄弟曾自泉州攻福州，留从效先是以泉州兵击破福州兵，又会合南唐兵围福州，故称有世仇。㉕②瘴疠之乡：有瘴气瘟疫的地方。㉕③冬征夏敛：指秋粮成熟，征租至冬季；春蚕毕收，敛帛到夏季。一年收二税。㉕④自赡：供养自己。

【校记】

[20] 已久：原无此二字。据章钰校，十二行本、乙十一行本皆有此二字，张敦仁《通鉴刊本识误》同，今据补。[21] 听：原作“纵”。据章钰校，十二行本、乙十一行本皆作“听”，今据改。[22] 兵：原无此字。据章钰校，十二行本、乙十一行本皆有此字，张瑛《通鉴校勘记》同，今据补。

【原文】

壬寅[255]，契丹主发大梁，晋文武诸司从者数千人，诸军吏卒又数千人，宫女、宦官数百人。尽载府库之实以行，所留乐器仪仗而已。夕，宿赤冈，契丹主见村落皆空，命有司发榜数百通[256]，所在招抚百姓，然竟不禁胡骑剽掠。丙午[257]，契丹[258]自白马[259]渡河，谓宣徽使高勋曰：“吾在上国，以射猎为乐，至此令人悒悒[260]。今得归，死无恨矣。”

蜀孙汉韶将兵二万攻凤州，军于固镇，分兵扼散关以绝援路。

张筠[261]、余安皆还钱唐。吴越王弘佐遣东南安抚使鲍修让[262]将兵戍福州，以东府[263]安抚使钱弘倧[264]为丞相。

庚戌[265]，以皇弟北京[266]马步都指挥使崇[267]行太原尹，知府事。

辛亥[268]，契丹主将攻相州，梁晖请降；契丹主赦之，许以为防御使，晖疑其诈，复乘城拒守。夏，四月己未[269]，未明，契丹主命蕃、汉诸军急攻相州，食时[270]克之。悉杀城中男子，驱其妇女而北，胡人掷婴孩于空中，举刃接之以为乐。留高唐英守相州。唐英阅城中，遗民男女得七百余人。其后节度使王继弘敛城中髑髅瘗[271]之，凡得十余万。

或告磁州刺史李榖谋举州应汉，契丹主执而诘之，榖不服。契丹主引手于车中，若取所获文书者。榖知其诈，因请曰：“必有其验，乞显示之。”凡六诘，榖辞气不屈，乃释之。

帝以从弟北京马军都指挥使信[272]领义成节度使、充侍卫马军都指挥使，武节都指挥使史弘肇领忠武节度使、充步军都指挥使，右都押

【语译】

三月十七日壬寅，契丹主从大梁出发，后晋文武各部门随从的有几千人，各军的官吏和士兵又有几千人，宫女和宦官几百人。把府库所藏的物资全部载运上路，留下来的只是一些乐器、仪仗而已。晚上，住在赤冈，契丹主看见村落都空无一人，命令有关官员发布几百张公告，所到之处招抚百姓，却不禁止胡兵抢劫。二十一日丙午，契丹主从白马渡黄河，对宣徽使高勋说："我在上国以射箭打猎为乐，到了这里，令人愁闷不乐，现在能够回去，死而无憾。"

后蜀孙汉韶率领两万军队攻打凤州，驻军固镇，分出一部分兵力控制散关，以切断救援的通路。

张筠、余安都返回钱唐。吴越王钱弘佐派遣东南安抚使鲍脩让率兵戍守福州，任命东府安抚使钱弘倧为丞相。

三月二十五日庚戌，命皇弟北京马步都指挥使刘崇代理太原尹，掌管太原府的事务。

三月二十六日辛亥，契丹主将攻打相州，梁晖表示愿意投降；契丹主赦免他的罪，答应任命他为相州防御使，梁晖怀疑契丹主有诈，又登城设防抵抗。夏，四月初四日己未，天还没亮，契丹主命令胡、汉各军猛攻相州，吃早饭的时候攻克相州。把城里的男人全部杀掉，驱赶城中妇女一起向北走。胡人将婴孩抛向空中，举刀接住，以此来取乐。契丹主留下高唐英防守相州。高唐英巡视城里，所剩百姓男女合起来仅七百多人。后来节度使王继弘收敛城中死人骨架埋葬了，总共找到十多万具。

有人告发磁州刺史李穀谋划献出磁州，归附后汉，契丹主把他抓来质问，李穀不承认。契丹主把手伸进车里，好像要拿出他所得到的文书证据似的。李穀知道他是欺诈，就向他请求说："一定有证据，请亮出来看一看。"契丹主共质问了六次，李穀的口气丝毫不怯懦，契丹主这才放了他。

后汉高祖命堂弟北京马军都指挥使刘信兼任义成节度使、充当侍卫马军都指挥使，武节都指挥使史弘肇兼任忠武节度使、充当步军都指挥使，右都押牙杨邠暂

牙杨邠权枢密使，蕃汉兵马都孔目官郭威权副枢密使，两使[273]都孔目官南乐王章[274]权三司使。

癸亥[275]，立魏国夫人李氏为皇后。

契丹主见所过城邑丘墟，谓蕃、汉群臣曰："致中国如此，皆燕王[276]之罪也。"顾张砺曰："尔亦有力焉。"

【段旨】

以上为第十一段，写契丹主北还，一路屠城滥杀，千里沃野变得一片荒残。

【注释】

㉕㉕壬寅：三月十七日。[256]百通：此谓榜文百张。[257]丙午：三月二十一日。[258]契丹：胡注云"契丹"下脱"主"字。[259]白马：古津渡名，在今河南滑县东北，秦、汉白马县西北古黄河南岸，与北岸黎阳津相对，为历代兵家必争之地。[260]悒悒：忧闷不乐；忧愁不得志。[261]张筠：海州（今江苏东海）人。传见《旧五代史》卷九十、《新五代史》卷四十七。[262]鲍脩让：吴越福州戍将，入宋知福州彰武军事、同参丞相府事。[263]东府：吴越以越州为东府，在今浙江绍兴。[264]钱弘倧：吴越王钱镠孙，钱弘佐弟。弘佐死，子昱年幼，立弘倧为王。对宿将旧勋不甚优礼，遂被大将囚禁，立弘倧异母弟俶为王。传见《旧五代史》卷一百三十三。[265]庚戌：三月二十五日。[266]北京：唐和五代后唐、后晋、后汉

【原文】

甲子[277]，帝以河东节度判官长安苏逢吉[278]、观察判官苏禹珪[279]为中书侍郎、同平章事。禹珪，密州人也。

振武[280]节度使、府州团练使折从远[281]入朝，更名从阮，置永安军[282]于府州[283]，以从阮为节度使。又以河东左都押牙刘铢[284]为河阳节度使。铢，陕人也。

契丹昭义节度使耿崇美屯泽州，将攻潞州。乙丑[285]，诏史弘肇将步骑万人救之。

理枢密使，蕃汉兵马都孔目官郭威暂理副枢密使，两使都孔目官南乐人王章暂理三司使。

四月初八日癸亥，立魏国夫人李氏为皇后。

契丹主看到他经过的城市乡村都已变成荒丘和废墟，对蕃、汉大臣们说："把中原弄到这种地步，都是燕王赵延寿的罪过。"又回过头来对张砺说："你也同样出了力。"

都以它的发祥地太原府为北京，在今山西太原西南晋源区。㉖㉗崇：刘崇，高祖刘知远母弟，初名崇，后更名旻。高祖即位，为太原尹、北京留守、同中书门下平章事。隐帝时，累加中书令。郭威建后周，刘崇于太原自立为帝，是为北汉，与契丹称叔侄之国。公元九五一至九五四年在位。传见《旧五代史》卷一百三十五、《新五代史》卷七十、《宋史》卷四百八十二。㉖㉘辛亥：三月二十六日。㉖㉙己未：四月初四日。㉗⓪食时：吃早饭时，相当于五至七时。㉗①瘞：埋葬。㉗②信：刘信，刘知远从弟。后汉立，官义成节度使、加检校太尉、同平章事。性昏懦，黩货无厌，喜行酷法。澶州军变后，惶惑自杀。传见《旧五代史》卷一百五、《新五代史》卷十八。㉗③两使：节度使与观察使。㉗④王章：魏州南乐（今河北大名南）人，后汉权臣，官至太尉、同中书门下平章事。不喜文士，赋敛苛刻，民不堪命。与史弘肇、杨邠同日被杀。传见《旧五代史》卷一百七、《新五代史》卷三十。㉗⑤癸亥：四月初八日。㉗⑥燕王：指赵延寿。

【语译】

四月初九日甲子，汉高祖任命河东节度判官长安人苏逢吉、观察判官苏禹珪为中书侍郎、同平章事。苏禹珪，是密州人。

振武节度使、府州团练使折从远入朝，改名为折从阮，在府州设置永安军，任命折从阮为永安节度使。又任命河东左都押牙刘铢为河阳节度使。刘铢是陕州人。

契丹昭义节度使耿崇美屯驻泽州，将要进攻潞州。四月初十日乙丑，诏命史弘肇率领步兵、骑兵一万人救援潞州。

丙寅㉖，以王守恩为昭义节度使，高允权为彰武节度使。又以岢岚㉗军使郑谦为忻州㉘刺史，领彰国㉙节度使兼忻、代二州义军都部署㉚。丁卯㉛，以缘河巡检使阎万进[23]为岚州刺史，领振武节度使兼岚、宪㉜二州义军都制置使㉝。帝闻契丹北归，欲经略河南，故以弘肇为前驱，又遣阎万进出北方以分契丹兵势。万进，并州㉞人也。

契丹主以船数十艘载晋铠仗，将自汴溯河归其国㉟，命宁国都虞候榆次武行德㊱将士卒千余人部送之。至河阴㊲，行德与将士谋曰："今为虏所制，将远去乡里。人生会有死，安能为异域之鬼乎！虏势不能久留中国，不若共逐其党，坚守河阳，以俟天命之所归者而臣之，岂非长策乎！"众以为然。行德即以铠仗授之，相与杀契丹监军使。会契丹河阳节度使崔廷勋以兵送耿崇美之潞州，行德遂乘虚入据河阳，众推行德为河阳都部署。行德遣弟行友奉蜡表㊳间道㊴诣晋阳。

契丹遣武定㊵节度使方太㊶诣洛阳巡检，至郑州。州有戍兵，共迫太为郑王。梁嗣密王朱乙㊷逃祸为僧，嵩山㊸贼帅张遇得之，立以为天子，取嵩岳神衮冕㊹以衣之，帅众万余袭郑州，太击走之。太以契丹尚强，恐事不济，说谕戍兵，欲与俱西。众不从，太自西门逃奔洛阳。戍兵既失太，反谮太于契丹，云胁我为乱。太遣子师朗自诉于契丹，契丹将麻荅杀之，太无以自明。会群盗攻洛阳，契丹留守刘晞弃城奔许州㊺，太乃入府行留守事，与巡检使潘环㊻击群盗却之，张遇杀朱乙请降。伊阙㊼贼帅自称天子，誓众于南郊坛㊽，将入洛阳，太逆击，走之。太欲自归于晋阳，武行德使人诱太曰："我裨校也。公旧镇此地，今虚位相待。"太信之，至河阳，为行德所杀。

萧翰遣高谟翰援送刘晞自许还洛阳，晞疑潘环构㊾其众逐己，使谟翰杀之。

戊辰㊿，武行友至晋阳。

庚午[51]，史弘肇奏遣先锋将马诲击契丹，斩首千余级。时耿崇美、崔廷勋至泽州，闻弘肇兵已入潞州，不敢进，引众[24]而南。弘肇遣诲追击，破之，崇美、廷勋与奚王拽剌退保怀州。

四月十一日丙寅，任命王守恩为昭义节度使，高允权为彰武节度使。又任命岢岚军使郑谦为忻州刺史，领彰国节度使，兼任忻、代二州义军都部署。十二日丁卯，任命缘河巡检使阎万进为岚州刺史，领振武节度使，兼任岚、宪二州义军都制置使。皇帝听说契丹要回北方，打算谋划黄河以南，所以命史弘肇为先头部队，又派遣阎万进出兵到北方，以分散契丹的兵力。阎万进，是并州人。

契丹主利用几十艘船只装载后晋的铠甲兵器，将从汴州逆黄河而上返回国内，命令宁国都虞候榆次人武行德率领一千多人押送。到达河阴后，武行德跟将士们商议说："我们现在被契丹控制，将要远离家乡。人总会有一死，怎么能够做他乡的鬼呢！胡虏势必不能长久留在中国，不如我们一起驱逐他们的同党，坚守河阳，借以等待天命有所归的人，就去向他称臣，岂不是良计吗？"大家认为这话很对。武行德就把船上的铠甲和武器交给他们，合力杀死契丹的监军使。正好这时契丹的河阳节度使崔廷勋带兵护送耿崇美前往潞州，武行德于是乘着州城空虚入据河阳，大家推举武行德为河阳都部署。武行德打发他的弟弟武行友带着装在蜡丸中的表章，抄小路前往晋阳。

契丹派遣武定节度使方太前往洛阳巡视考察，到达郑州。郑州驻有守兵，他们一起逼着方太为郑王。梁朝的后人密王朱乙，为了逃避祸乱当了和尚，嵩山的盗贼首领张遇抓住了朱乙，立朱乙为天子，把嵩岳庙神像上的龙袍和冠冕给朱乙穿上，率领一万多人袭击郑州，方太把他们打跑了。方太考虑到契丹势力还很强大，恐怕事情不能成功，于是劝导守兵，打算带他们一起西行。大家不听，方太自己从西门逃奔洛阳。守兵在方太跑掉以后，反而在契丹面前诬陷方太，说方太逼迫我们作乱。方太派儿子方师朗主动去向契丹解释，契丹将领麻荅将他杀掉，方太没有办法表明心迹。适逢盗贼攻打洛阳，契丹留守刘晞放弃州城，跑往许州，方太便进入洛阳的府署执行留守的职务，和巡检使潘环击退了盗贼。张遇杀死朱乙请求投降。伊阙的盗贼首领自称天子，在洛阳城南的祭坛上向部众誓师，将要进入洛阳。方太迎击，把他们赶跑了。方太想主动归附晋阳，武行德派人诱骗他说："我是军中偏校，您以前镇守过这里，现在我空出河阳首领的位子，等待您的到来。"方太相信了他的话，到了河阳，被武行德杀死。

萧翰派遣高谟翰援助并护送刘晞从许州返回洛阳，刘晞怀疑是潘环挑拨部众驱逐自己，让高谟翰杀了潘环。

四月十三日戊辰，武行友到达晋阳。

十五日庚午，史弘肇奏报说派遣先锋将马诲袭击契丹，斩首一千多级。当时，耿崇美、崔廷勋到达泽州，听说史弘肇的部队已经进入潞州，不敢前进，带领众人南走。史弘肇派遣马诲追击，打败了他们。耿崇美、崔廷勋和奚王拽剌退兵守卫怀州。

辛未[312]，以武行德为河阳节度使。

契丹主闻河阳乱，叹曰："我有三失，宜天下之叛我也！诸道括钱，一失也。令上国人打草谷，二失也。不早遣诸节度使还镇，三失也。"

【段旨】

以上为第十二段，写各地军民反抗契丹，契丹主慨叹有三失：搜刮民众，一失；放纵胡骑抢掠，二失；不早遣汉人节度使还镇，三失。

【注释】

㉗甲子：四月初九日。㉘苏逢吉：京兆长安人，后汉权臣，深得刘知远宠信，官中书侍郎、同中书门下平章事。贪诈无行，滥杀无辜。后周郭威起兵，畏罪自杀。传见《旧五代史》卷一百八、《新五代史》卷三十。㉙苏禹珪：字玄锡，后汉权臣。刘知远卒，受顾命辅佐少主，任左仆射。后周立，加守司空，封莒国公。传见《旧五代史》卷一百二十七。㉚振武：方镇名，唐乾元初置。治所在今内蒙古和林格尔。㉛折从远：字可久，初名从远，避刘知远讳，改名从阮，云中（今山西大同）人，官振武等数镇节度使。传见《旧五代史》卷一百二十五、《新五代史》卷五十。㉜永安军：折从远保府州以拒契丹，始置永安军节度以赏之。㉝府州：州名，为永安军治所，在今陕西府谷。㉞刘铢：陕州人，与刘知远有旧。后汉立，官永兴军节度使、加检校太师、同平章事，又加侍中。郭威进兵京师，铢悉杀其家属，后被郭威所杀。传见《旧五代史》卷一百七、《新五代史》卷三十。㉟乙丑：四月初十日。㊱丙寅：四月十一日。㊲岢岚：唐县名，五代置为岢岚军，治所在今山西岢岚。㊳忻州：州名，治所秀容，在今山西忻州。㊴彰国：方镇名，五代后唐置。治所应州，在今山西应县东。㊵都部署：官名，五代后唐设立，为战时指挥一部分军队的总指挥官。㊶丁卯：四月十二日。㊷宪：州名，治所楼烦，在今山西静

【原文】

唐主以矫诏败军，皆陈觉、冯延鲁之罪[313]，壬申[314]，诏赦诸将，议斩二人以谢中外。御史中丞江文蔚[315]对仗弹冯延巳、魏岑曰："陛下践阼以来，所信任者，延巳、延鲁、岑、觉四人而已。皆阴狡弄权，壅

十六日辛未，汉高祖任命武行德为河阳节度使。

契丹主听到河阳发生变乱，叹息说："我有三个失误，天下应该背叛我！向各地搜刮钱财，这是第一个失误。叫上国的士兵打草谷，这是第二个失误。不及早派各节度使回到自己的藩镇去，这是第三个失误。"

乐南七十里。㉓都制置使：官名，唐代后期在用兵前后，为控制地方秩序而设立的长官。㉔并州：州名，治所晋阳，在今山西太原西南。㉕自汴溯河归其国：自汴河溯黄河，再从河阳取道太行路归契丹。㉖武行德：并州榆次（今山西晋中市榆次区）人，历仕后晋、契丹、后汉、后周，入宋，官至太子太傅。传见《宋史》卷二百五十二。㉗河阴：旧县名，县治在今河南荥阳北古汴河口。㉘蜡表：作表置于蜡丸中。㉙间道：偏僻的小路。㉚武定：方镇名，唐光启中置。治所洋州，在今陕西洋县。㉛方太：字伯宗，青州千乘（今山东高青县高城镇）人，后晋邢州留后。契丹灭后晋，充洛京巡检使，守郑州。后被武行德杀害。传见《旧五代史》卷九十四。㉜朱乙：后梁太祖兄朱存之子友伦，封密王，朱乙为其后人，仍称密王。梁亡，避祸为僧。㉝嵩山：古称"中岳"，在河南登封北。㉞衮冕：衮衣和冕。古代皇帝和上公的礼服。㉟许州：州名，治所长社，在今河南许昌。㊱潘环：字楚奇，洛阳人，历仕后梁、后唐、后晋、后汉。所至以聚敛为务，后被蕃将高谟翰杀死。传见《旧五代史》卷九十四。㊲伊阙：山名，因两山相对如阙门，伊水流经其间，故名。在今河南洛阳南。㊳南郊坛：后唐郊祀上天之坛设在洛阳城南。㊴构：挑拨离间。㊵戊辰：四月十三日。㊶庚午：四月十五日。㊷辛未：四月十六日。

【校记】

［23］阎万进：据章钰校，十二行本、乙十一行本、孔天胤本皆作"谦万进"，张敦仁《通鉴刊本识误》同。〖按〗《旧五代史》亦作"阎万进"，未知孰是。［24］众：原作"兵"。据章钰校，十二行本、乙十一行本皆作"众"，今据改。

【语译】

南唐主认为假传圣旨，以致军事失败，都是陈觉和冯延鲁的罪过，四月十七日壬申，下诏赦免其他将领的罪过，议定斩杀陈、冯二人，以便向全国上下谢罪。御史中丞江文蔚在朝堂当面弹劾冯延巳、魏岑说："陛下即位以来，所信任的人，只有冯延巳、冯延鲁、魏岑和陈觉等四人而已。这四个人都是阴险狡诈，滥用权力，蒙

蔽聪明，排斥忠良，引用群小，谏争者逐，窃议者刑，上下相蒙，道路以目[316]。今觉、延鲁虽伏辜，而延巳、岑犹在，本根未殄[317]，枝干复生。同罪异诛，人心疑惑。”又曰：“上之视听，惟在数人，虽日接群臣，终成孤立。”又曰：“在外者握兵，居中者当国。”又曰：“岑、觉、延鲁，更相违戾[318]。彼前则我却，彼东则我西。天生五材[319]，国之利器，一旦为小人忿争妄动之具。”又曰：“征讨之柄，在岑折简，帑藏取与，系岑一言。”[320]唐主以文蔚所言为太过，怒，贬江州司士参军[321]。械送觉、延鲁至金陵。宋齐丘以尝荐觉使福州，上表待罪。

诏流觉于蕲州，延鲁于舒州[322]。知制诰[323]会稽[324]徐铉[325]、史馆修撰韩熙载[326]上疏曰：“觉、延鲁罪不容诛，但齐丘、延巳为之陈请，故陛下赦之。擅兴者不罪，则疆埸有生事者矣。丧师者获存，则行陈无效死者矣。请行显戮以重军威。”不从。中书侍郎、同平章事冯延巳罢为太弟[327]少保[328]，贬魏岑为太子洗马[329]。

韩熙载屡言宋齐丘党与必为祸乱。齐丘奏熙载嗜酒猖狂，贬和州司士参军。

【段旨】

以上为第十三段，写南唐主裁制群小，同时又贬抑进言直臣，猜忌一方势盛则裁抑以平衡之。

【注释】

⑬13 皆陈觉、冯延鲁之罪：事见上卷晋出帝开运三年（公元九四六年）。⑬14 壬申：四月十七日。⑬15 江文蔚：字君章，建安（今福建建瓯）人，后唐长兴中举进士，善作赋。南唐初任御史中丞，直言上疏，弹劾陈觉等“四凶”。元宗怒，贬江州司士参军，一年后召回。⑬16 道路以目：路上相遇，只以目相视而不敢言。⑬17 殄：灭绝。⑬18 违戾：悖谬、乖张。⑬19 天生五材：语出《左传》襄公二十七年：“天生五材，民并用之。”杜预注：“五材，

蔽皇上耳目，排斥忠良，引荐任用众多小人，向皇上上诤言的人被驱逐，私下议论的人被处刑，上下相互蒙蔽，百姓路上相遇用眼色示意，不敢言语。现在陈觉和冯延鲁已被处死，但是冯延巳和魏岑还在。根部没有铲除，枝干还会再生。同样的罪，受到不同的处罚，人心将产生疑惑。”江文蔚又说：“皇上所看见、听见的只局限于几个人，即便每天接见大臣们，最后还是陷于孤立。”又说：“在外任职的人掌握兵权，在朝廷任职的人主持国事。”又说：“魏岑、陈觉、冯延鲁，交相悖谬。你向前我就退后，你向东我就向西。天生的各种材质，国家的兵权，一下子成了小人愤怒相争和轻率行动的工具。”又说：“出征讨伐的大权，由魏岑片纸决定；国家府库库藏的取用，取决于魏岑的一句话。”南唐主认为江文蔚的话太过分，恼怒起来，把江文蔚贬为江州司士参军。把陈觉、冯延鲁戴着枷锁解送到金陵去。宋齐丘由于曾经推荐陈觉出使福州，上表等待处分。

南唐主下诏，把陈觉流放到蕲州，冯延鲁流放到舒州。知制诰会稽人徐铉、史馆修撰韩熙载上疏说：“陈觉、冯延鲁罪不容诛，但宋齐丘、冯延巳却替他们讲情，所以陛下赦免了他们。擅自兴兵的人不治罪，那么边疆上就会有制造事端的人了。丧失军队的人得以存活，那么行军作战中就没有以死效忠的人了。请公开杀戮陈觉和冯延鲁，以严肃军威。”南唐主没有听从。中书侍郎、同平章事冯延巳被罢免，降为太弟少保，贬魏岑为太子洗马。

韩熙载多次说宋齐丘同党一定作乱。宋齐丘奏言韩熙载嗜好喝酒，狂妄放肆，于是贬韩熙载为和州司士参军。

谓金、木、水、火、土也。”⑳征讨之柄四句：意为征讨的大事，全凭魏岑写几个字；国库财物的取用，全凭魏岑一句话。折简，折半之简，谓不正规，犹今言写个便条。帑，国库。㉑司士参军：官名，在州县掌工役之事。㉒舒州：州名，治所在今安徽安庆。㉓知制诰：官名，掌起草诏令。㉔会稽：郡名，治所在今浙江绍兴。㉕徐铉（公元九一六至九九一年）：字鼎臣，祖籍会稽，后迁至扬州。初仕南唐，后归宋，官至散骑常侍。与弟锴齐名，号“大小二徐”。善属文，有口辩，精通文字。曾与句中正等校《说文解字》。传见《宋史》卷四百四十一。㉖韩熙载（公元九〇二至九七〇年）：字叔言，潍州北海（今山东潍坊）人，五代时学者，与徐铉齐名，时称韩徐。后唐同光进士，避难入南唐为史馆修撰，官至中书侍郎。㉗太弟：皇帝尊其弟之称，一般指皇帝诸弟中定为皇位继承者的。㉘少保：辅导太弟的官。一般师、傅、保多为加官及赠官，并无实职。㉙太子洗马：太子的侍从官。

【原文】

乙亥㉚，凤州防御使石奉頵㉛举州降蜀。奉頵，晋之宗属也。

契丹主至临城㉜，得疾。及栾城㉝，病甚，苦热，聚冰于胸腹手足，且啖之。丙子㉞，至杀胡林㉟而卒。国人剖其腹，实盐数斗，载之北去，晋人谓之“帝羓㊱”。

赵延寿恨契丹主负约，谓人曰：“我不复入龙沙㊲矣。”即日，先引兵入恒州，契丹永康王兀欲及南北二王㊳，各以所部兵相继而入。延寿欲拒之，恐失大援㊴，乃纳之。

时契丹诸将已密议奉兀欲为主，兀欲登鼓角楼受叔兄拜。而延寿不之知，自称受契丹皇帝遗诏，权知南朝军国事。仍下教布告诸道，所以供给兀欲与诸将同，兀欲衔之㊵。恒州诸门管钥及仓库出纳，兀欲皆自主之。延寿使人请之，不与。

契丹主丧至国，述律太后不哭，曰：“待诸部宁壹如故，则葬汝矣。”

帝之自寿阳还也，留兵千人戍承天军。戍兵闻契丹北还，不为备。契丹袭击之，戍兵惊溃。契丹焚其市邑，一日狼烟㊶百余举。帝曰：“此虏将遁，张虚势也。”遣亲将叶仁鲁将步骑三千赴之。会契丹出剽掠，仁鲁乘虚大破之，丁丑㊷，复取承天军。

冀州人杀契丹刺史何行通，推牢城指挥使张廷翰㊸知州事。廷翰，冀州人，符习㊹之甥也。

或说赵延寿曰：“契丹诸大人数日聚谋，此必有变。今汉兵不减[25]万人，不若先事图之。”延寿犹豫不决。壬午㊺，延寿下令，以来月朔日于待贤馆上事㊻，受文武官贺。其仪：宰相、枢密使拜于阶上，节度使以下拜于阶下。李崧以虏意不同，事理难测，固请赵延寿未行此礼，乃止。

【语译】

四月二十日乙亥，凤州防御使石奉頵以凤州投降后蜀。石奉頵，是后晋宗室成员。

契丹主到了临城，得病。到达栾城时，病情加重，被高烧困扰，把冰堆放在契丹主的胸部腹部和手脚上，而且还吃冰块。四月二十一日丙子，契丹主到杀胡林就死了。契丹人切开他的肚子，塞进几斗盐，载着他向北去，晋人称他为“帝羓”。

赵延寿痛恨契丹主违背让他当皇帝的约定，对别人说：“我不能再去龙沙了。”当天先带兵进入恒州。契丹永康王兀欲以及南北二王，各自率领所管辖的部队也相继进入恒州。赵延寿想抵制他们入城，又恐怕失去契丹人的支持，只好接纳他们进来。

当时契丹各将领已经秘密议定拥立兀欲为契丹主，兀欲登上鼓角楼接受叔父和兄弟们的拜贺。赵延寿还不知道这件事，自称领受契丹皇帝的遗诏，暂理南朝的军国大事。依旧颁下告示通告各地，对兀欲的日常供给和其他将领一样，兀欲心中痛恨赵延寿。恒州各城门的锁和钥匙以及仓库的物资出入，兀欲都亲自掌管。赵延寿派人去请求掌管，兀欲不给钥匙。

契丹主的遗体送回到国内，述律太后没有哭，说：“等到各部落像以前那样安定统一，就安葬你了。”

汉高祖从寿阳回来时，留下一千人戍守承天军。戍守的士兵听说契丹回北方去了，便不做防备。契丹来偷袭他们，守兵惊慌溃散。契丹焚烧他们的城邑，一天之中，燃起烽火一百多次。皇帝说：“这胡虏将要逃走，故意虚张声势。”派遣亲近将领叶仁鲁率领三千名步兵和骑兵奔赴承天军。适逢契丹外出抢劫，叶仁鲁乘其空虚，大败契丹。四月二十二日丁丑，又夺取了承天军。

冀州人杀掉契丹刺史何行通，推举牢城指挥使张廷翰掌管州府的事务。张廷翰是冀州人，符习的外甥。

有人劝赵延寿说：“契丹各部大人连日来聚会商议，这里面一定有变故。现在这里的汉兵不下一万人，不如赶在他们之前采取行动。”赵延寿犹豫不决。四月二十七日壬午，赵延寿下令，在下个月初一的那天，在待贤馆举行就职仪式，接受文武百官的朝贺。朝贺的仪式是：宰相、枢密使在阶上朝拜，节度使以下的官员在阶下朝拜。李崧认为胡虏的意思跟我们不一样，形势难以预测，坚决请求赵延寿不要举行这次典礼，赵延寿这才停止。

【段旨】

以上为第十四段，写契丹主北还死于途中，赵延寿矫诏权知南朝军国事。

【注释】

㉚乙亥：四月二十日。㉛石奉頵：晋高祖宗属，出帝时官凤州防御使。广政十年（公元九四七年）以凤州降后蜀，为后蜀名将。㉜临城：县名，县治临城，在今河北临城。㉝栾城：县名，县治栾城，在今河北石家庄市栾城区。㉞丙子：四月二十一日。㉟杀胡林：地名，在今河北石家庄市栾城区北。辽太宗病死于此，时人遂以为地名。一说唐武后时袭突厥，胡人死于此，故名。㊱羓：干肉。㊲龙沙：地区名，古指我国西部、西北部边远山地和沙漠地区。㊳南北二王：指南院大王和北院大王，均属北面官。分掌部族军民之政。㊴恐失大援：赵延寿欲主中原，以契丹为大援，故内心恨而又不得已而纳之。㊵衔之：心里怀恨，藏而不发。㊶狼烟：烽火。古代烧狼粪以报警，故名。㊷丁丑：四月二十二日。㊸张廷翰：冀州信都（今河北衡水市冀州区）人，初为冀州军校，后汉初拜刺史，有政绩。后周与北宋任数州团练使。传见《宋史》卷二百七十一。㊹符习：赵州昭庆（今河北隆尧）人，事后唐庄宗及明宗，官天平节度使。传见《旧五代史》卷五十九、《新五代史》卷二十六。㊺壬午：四月二十七日。㊻上事：就职；接任。

【校记】

［25］减：原作“下”。据章钰校，十二行本、乙十一行本、孔天胤本皆作“减”，今据改。〖按〗《通鉴纪事本末》作“减”。

【研析】

本卷研析张彦泽之死、赵延寿黄粱梦破灭、南唐主坐失北进中原之良机三件史事。

第一，张彦泽之死。张彦泽，突厥人，为人骁悍残忍，暴虐不可理喻。因与高祖石敬瑭联姻，恃宠为恶肆无忌惮。张彦泽因怒其子，嘱其掌书记张式写奏章请诛杀其子，张式不肯写无理奏章，张彦泽毒杀张式，剖心决口，断手足而斩之。张彦泽镇泾州，残害泾人，大体如此。张式之父张铎诣阙诉冤，邠州节度使王周又上奏张彦泽不法之事二十六桩，以及泾人遭害情由。公卿大臣连章上奏请诛张彦泽，石敬瑭姑息不忍，给张式之父张铎、张式之弟张守贞、张式之子张希范皆授官，免泾州民税及杂役一年，下诏罪己以为张彦泽请命。后晋之君臣，君不像君，臣不像臣，全无体统。开运三年（公元九四六年），张彦泽为马军都排陈使，随杜重威投降契丹，摇身一变，打着“赤心为主”的旗帜为先锋，入大梁清宫，纵兵大掠，都城为之一空。张彦泽掠取财物，堆积如山。又以私怨诛杀阁门使高勋的叔父及高勋之弟，把尸首摆在大门口，士民见之，不寒而栗。高勋及京都士民，向契丹主耶律德光控诉遭张彦泽之祸。张彦泽自认为有功于契丹，日夜纵酒为乐。耶律德光询问百官，百官皆曰“彦泽当死”。契丹主命斩张彦泽于闹市，高勋监斩，剖彦泽之心以祭冤死者，士民争相打破张彦泽之头，吸其脑髓，脔其肉，以解心头之恨。张彦泽，衣冠禽兽不足论。石敬瑭纵之为恶，而契丹主耶律德光蛮夷之主，却不为张彦泽“赤心为主”所迷惑，诛杀张彦泽以收民心。张彦泽之生死，如同一面镜子，照出石敬瑭的嘴脸不若蛮夷之主。石氏父子为君，举国之民皆为之蒙羞。

第二，赵延寿黄粱梦破灭。契丹主耶律德光许诺赵延寿破晋之后立为中原皇帝。耶律德光召问晋朝投降的百官，谁可为帝。百官奉承曰:“天上没有两个太阳，胡人、汉人之心，都愿意拥戴皇帝您。”耶律德光于是自领中原皇帝。赵延寿仍不甘心，乞为皇太子。耶律德光说:“我和燕王之间的关系，就是割我的肉，只要对他有用，我也毫不吝惜。但是我听说皇太子应当由天子的儿子来当，岂是燕王所能担任的呢!”至此，赵延寿做儿皇帝的黄粱美梦破灭。到了夏天，契丹主难耐中土炎热，此时刘知远称帝于太原，耶律德光北还，一路所过，城邑皆为废墟。耶律德光把契丹人的暴行全都推到汉奸赵延寿身上，对蕃、汉百官们说:“把中原弄到这种地步，都是燕王赵延寿的罪过。”耶律德光固然无耻，而蔑视汉奸的心意却溢于言表。无论中外之主，没有一个人喜欢叛臣贼子。而卖国贼子，既叛主，又叛国，是双重的背叛，要想赢得尊敬，亦是一场白日梦。赵延寿的下场，可为叛主卖国者戒!

第三，南唐主坐失北进中原之良机。五代时，中朝之外的周边十国，只有江、淮之间的南唐堪称大国。当契丹灭晋，正值南唐第二代国主李璟即位第四年，与吴越国交兵争闽国的控制权而难解难分。南唐史馆修撰韩熙载上疏，劝李璟北进，借北方士民之力，驱逐契丹，夺取中原，统一中国，恢复大唐基业。如果契丹退走，中原有新皇帝，不会有进取的机会。李璟同其父李昇，皆继承杨行密、徐温保境安民的国策，不思进取，丧失了北进中原的良机。乱世纷争，不进则退，机会之来，稍纵即逝。东汉末刘表据有荆州，帐下雄兵十万，只图保境，不思进取，一次又一次丧失了北进的机会，结果坐以待毙。南唐北进，未必是刘知远的对手，而刘知远不救晋室之危，阴图异志，坐视中原之民惨遭涂炭，若此时南唐北进，解中原之民于倒悬，未必没有机会。即使没有成功，也无覆国的危险。当时南唐四围，皆无强手，挥师北进，驱逐鞑虏，义正气盛，有机会则进，无机会则退。契丹灭晋，是天赐南唐的一次大好机会。机会丧失，士民之气亦消，等到宋太祖南进，只有拱手称臣的分。刘知远称帝后，南唐主李璟深以为憾。

卷第二百八十七　后汉纪二

起强圉协洽（丁未，公元九四七年）五月，尽著雍涒滩（戊申，公元九四八年）二月，不满一年。

【题解】

本卷记事起于公元九四七年五月，迄于公元九四八年二月，凡九个月史事，当后汉高祖天福十二年五月至高祖乾祐元年二月。此时期中原王朝又一次易主，刘知远起兵太原，逐走契丹，建立后汉，史称高祖。契丹永康王兀欲，讳阮，即耶律阮，小字兀欲，太宗耶律德光之兄子。太宗爱兀欲为己子，兀欲从太宗伐晋，封永康王。太宗耶律德光死于北还归途之栾城，兀欲用诡计在镇阳即皇帝位于柩前。辽太后萧氏发兵抗击兀欲返国，兀欲打败太后之兵，回国正位，是为辽世宗。后汉高祖刘知远抚定中原，河北诸镇驱赶契丹人，形势一片大好。可惜刘知远气识狭小，不容后唐明宗之子李从益母子，犯杀降大忌，又信用苏逢吉、史弘肇等贪残暴虐之臣。又滥杀幽州无辜士兵一千五百人，非仁也；诱骗张琏而诛之，非信也；杜重威罪大恶极而赦之，非刑也。司马光评论说，刘知远有仁、信、刑三失，是以国运不久。蜀兵犯凤翔，吴越国发生政变，钱弘倧取代钱弘倧为国主。荆南、南唐、南汉诸小国均政治腐败，无贤臣任政。

【原文】

高祖睿文圣武昭肃孝皇帝中

天福十二年（丁未，公元九四七年）

五月乙酉朔[①]，永康王兀欲召延寿及张砺、和凝、李崧、冯道于所馆[②]饮酒。兀欲妻素以兄事延寿，兀欲从容谓延寿曰："妹自上国[③]来，宁欲见之乎？"延寿欣然与之俱入。良久，兀欲出，谓砺等曰："燕王谋反，适已锁之矣。"又曰："先帝在汴时，遗我一筹[④]，许我知南朝军国。近者临崩，别无遗诏。而燕王擅自知南朝军国，岂理邪！"下令："延寿亲党，皆释不问。"间一日[⑤]，兀欲至待贤馆受蕃、汉官谒贺，笑谓张砺等曰："燕王果于此礼上，吾以铁骑围之，诸公亦不免矣。"

后数日，集蕃、汉之臣于府署[⑥]，宣契丹主遗制。其略曰："永康王，大圣皇帝[⑦]之嫡孙，人皇王[⑧]之长子，太后钟爱，群情允归[⑨]，

【语译】

高祖睿文圣武昭肃孝皇帝中

天福十二年（丁未，公元九四七年）

五月初一日乙酉，永康王兀欲招呼赵延寿及张砺、和凝、李崧、冯道等人到他所住的馆舍里饮酒。兀欲的妻子向来把赵延寿当兄长对待，兀欲不慌不忙地对赵延寿说："弟妹从上国来，可想见见她？"赵延寿高兴地跟他一起进去。过了好一会，兀欲出来，对张砺等人说："燕王图谋反叛，刚才已经用铁链把他锁起来了。"又说："先帝在汴梁的时候，交给我一个筹签，答应由我主持南朝的军国政事。最近临终的时候，没有其他遗诏。可是燕王擅自主持南朝的军国大事，岂有这样的道理！"下令说："赵延寿的亲信党羽全部赦免，不加追究。"隔了一天，兀欲到待贤馆接受蕃、汉百官的拜见祝贺，笑着对张砺等人说："燕王假如真的在这里举行就职礼仪，我用铁甲骑兵包围他，你们各位也就不能幸免了。"

几天以后，在恒州府署召集蕃、汉大臣，宣读契丹主的遗诏。遗诏大意说："永康王是大圣皇帝的嫡孙，人皇王的长子，太后极为喜爱，人情诚心归向，可以在中

可于中京即皇帝位。”于是始举哀成服⑩。既而易吉服⑪见群臣，不复行丧，歌吹之声不绝于内。

【段旨】

以上为第一段，写契丹永康王兀欲用诡计即皇帝位。

【注释】

①乙酉朔：五月初一日。②所馆：指兀欲所住之处。③上国：指契丹。④筹：筹

【原文】

辛卯⑫[1]，以绛州防御使王晏为建雄⑬节度使。

帝集群臣庭议⑭进取。诸将咸请出师井陉，攻取镇、魏⑮，先定河北，则河南拱手自服。帝欲自石会⑯趋上党，郭威曰：“虏主虽死，党众犹盛，各据坚城。我出河北，兵少路迂⑰，旁无应援。若群虏合势，共击我军，进则遮前，退则邀后，粮饷路绝，此危道也。上党山路险涩，粟少民残，无以供亿，亦不可由。近者陕、晋⑱二镇，相继款附，引兵从之，万无一失。不出两旬⑲，洛、汴定矣。”帝曰：“卿言是也。”苏逢吉等曰：“史弘肇大军已屯上党，群虏继遁，不若出天井⑳，抵孟津㉑为便。”司天㉒奏：“太岁㉓在午，不利南行。宜由晋、绛抵陕。”帝从之。辛卯㉔，诏以十二日㉕发北京㉖，告谕诸道。

甲午㉗[2]，以太原尹崇为北京留守，以赵州刺史李存瓌为副留守、河东幕僚真定李骧为少尹、牙将太原蔚进为马步指挥使以佐之。存瓌，唐庄宗之从弟也。

是日，刘晞弃洛阳，奔大梁。

京即皇帝位。”于是开始放声痛哭，穿起丧服。过了一会儿又换上礼服接见群臣，不再举办丧事，歌唱吹奏的声音在府署内一直没有停止。

签。⑤间一日：隔了一天。⑥府署：指兀欲在恒州（今河北正定）的衙署。恒州时称中京。⑦大圣皇帝：辽太祖耶律阿保机谥号。⑧人皇王：阿保机长子突欲号人皇王。⑨允归：诚心归附。⑩成服：旧时丧礼，殡之明日，亲属按与死者关系的亲疏，穿上不同规制的丧服，称“成服”。⑪吉服：本谓祭服，祭祀于五礼属吉礼，故祭服称作“吉服”。此指吉庆礼仪所穿的礼服。

【语译】

五月初七日辛卯，任命绛州防御使王晏为建雄节度使。

汉高祖召集群臣在朝廷商议进取中原。众将都建议军队取道井陉，攻取镇州和魏州，先平定黄河以北，黄河以南就会拱手臣服。汉高祖则想从石会关直奔上党。郭威说：“契丹主虽然死了，他的手下部众还很强盛，各自据守坚固的城池。我们出兵黄河以北，兵力缺少，道路迂回曲折，周围没有接应援兵。如果各处胡虏联合起来共同进攻我军，那么我们前进，他们就挡在前面，我们后退，他们就在后面拦截，运送粮草的道路断绝，这是很危险的策略。上党山路险峻阻塞，粮食缺乏，百姓残破，用度无法供应，这条路也不可以走。近来陕州和晋州两个藩镇相继诚心归顺，带兵经过这里，可以万无一失。不出二十天，洛阳、大梁就可以平定了。”汉高祖说：“您说得很对。”苏逢吉等人说：“史弘肇的大军已经驻扎上党。胡虏们相继逃走，不如取道天井关，直达孟津最为便利。”主管天文的官员奏道：“太岁星在午的位置，不利于南行。应该经由晋州和绛州抵达陕州。”汉高祖听从了这个建议。五月初七日辛卯，下诏定于十二日丙申从太原出发，通告各道。

五月初十日甲午，任命太原尹刘崇为北京留守，任命赵州刺史李存瓌为副留守、河东幕僚真定人李骧为少尹、牙将太原人蔚进为马步指挥使辅佐刘崇。李存瓌，是后唐庄宗的堂弟。

这一天，刘晞放弃洛阳，逃往大梁。

【段旨】

以上为第二段，写刘知远起兵晋阳。

【注释】

⑫辛卯：五月初七日。⑬建雄：方镇名，后唐同光元年（公元九二三年）由定昌军改置。治所白马城，在今山西临汾。⑭庭议：在朝廷讨论。⑮镇、魏：皆州名。镇州，即恒州，五代后汉改恒州为镇州。魏州，治所贵乡，在今河北大名东北。⑯石会：石会关，在山西榆社西。⑰路迂：道路迂回曲折。⑱晋：州名，治所白马城，在今山西临汾。⑲旬：十天为旬。⑳天井：天井关，在今山西晋城市南四十五里太行山上。㉑孟津：古黄河津渡名，在今河南洛阳市孟津区东北，孟州西南。㉒司天：官名，掌天文历数占

【原文】

武安㉘节度副使、天策府都尉、领镇南㉙节度使马希广㉚，楚文昭王希范之母弟也。性谨顺，希范爱之，使判内外诸司事。壬辰㉛夜，希范卒，将佐议所立。都指挥使张少敌㉜、都押牙[3]袁友恭㉝，以武平㉞节度使知永州㉟事希萼㊱于希范诸弟为最长，请立之。长直都指挥使刘彦瑫㊲，天策府学士李弘皋㊳、邓懿文㊴，小门使㊵杨涤㊶皆欲立希广。张少敌曰："永州㊷齿长㊸而性刚，必不为都尉㊹之下明矣。必立都尉，当思长策以制永州，使帖然㊺不动，则可。不然，社稷危矣。"彦瑫等不从。天策府学士拓跋恒㊻曰："三十五郎㊼虽判军府之政，然三十郎居长，请遣使以礼让之。不然，必起争端。"彦瑫等皆曰："今日军政在手，天与不取，使他人得之，异日吾辈安所自容乎！"希广懦弱，不能自决。乙未㊽，彦瑫等称希范遗命，共立之。张少敌退而叹曰："祸其始此乎！"与拓跋恒皆称疾不出。

丙申㊾，帝发太原，自阴地关㊿出晋、绛。丁酉(51)，史弘肇奏克泽州。始，弘肇攻泽州，刺史翟令奇固守不下。帝以弘肇兵少，欲召还。苏逢吉、杨邠曰："今陕、晋、河阳皆已向化，崔廷勋、耿崇美朝夕遁去。若召弘肇还，则河南人心动摇，虏势复壮矣。"帝未决，使人谕指

候推步之事。㉓太岁：古代天文学中假设的星名。由东向西运行，与岁星（木星）运行方向正相反。又称岁阴或太阴。太岁有方位，每十二年一循环，以每年所在方位来纪年，如乙丑年，就说太岁在丑，丙午年就说太岁在午。方术士以太岁所在位置为凶方，苏逢吉等人主张“出天井，抵孟津”，正好迎着太岁所在方向，所以司天说：“太岁在午，不利南行。”㉔辛卯：五月初七日。㉕十二日：指丙申日。㉖北京：自五代后唐以来，以太原为北京。㉗甲午：五月初十日。

【校记】

［1］辛卯：原作“辛巳”。严衍《通鉴补》改作“辛卯”，当是，今据以校正。〖按〗五月乙酉朔，无辛巳。［2］甲午：原作“甲申”。据章钰校，十二行本、乙十一行本、孔天胤本皆作“甲午”，严衍《通鉴补》同，今据改。〖按〗五月乙酉朔，无甲申。

【语译】

武安节度副使、天策府都尉、兼任镇南节度使马希广，是楚国文昭王马希范的同母弟弟。他性情谨慎温顺，马希范喜爱他，让他裁定内外各司的事务。五月初八日壬辰晚上，马希范去世，将帅幕僚商议继位的人选。都指挥使张少敌、都押牙袁友恭认为，武平节度使兼主持永州事务的马希萼在马希范各个弟弟中年纪最大，请求拥立他。长直都指挥使刘彦瑫，天策府学士李弘皋、邓懿文，小门使杨涤都想拥立马希广。张少敌说：“马希萼年岁长而性情刚烈，必定不肯居于马希广之下，这是很明显的。如果一定要立马希广，就应当想出一个长远的办法控制马希萼，使他服服帖帖不敢行动才行。否则，国家就危险了。”刘彦瑫等人不同意。天策府学士拓跋恒说：“三十五郎马希广虽然裁定军府的政事，可是三十郎马希萼年纪居长，请派遣使者对他以礼相让。否则，一定会引起争端。”刘彦瑫等人都说：“现在军政大权在自己手里，上天赐予而不取，让别人得到，以后我们这些人在哪里安身呢！”马希广怯懦软弱，自己不能决断。十一日乙未，刘彦瑫等人声称是马希范的遗命，共同拥立马希广。张少敌退朝叹息说：“祸患恐怕就从此开始了吧！”与拓跋恒都推说有病不出仕。

五月十二日丙申，汉高祖从太原出发，经阴地关取道晋州、绛州。十三日丁酉，史弘肇奏报攻克泽州。当初，史弘肇攻打泽州，泽州刺史翟令奇顽强防守，攻不下来。汉高祖认为史弘肇兵力太少，想召他回来。苏逢吉、杨邠说：“现在陕州、晋州、河阳都已归服，崔廷勋、耿崇美不久要逃走。如果召回史弘肇，那么黄河以南的人心就会动摇，胡虏的气势又会强盛起来了。”汉高祖没有立刻做出决定，派人去把皇

于弘肇㊾。弘肇[4]曰："兵已及此，势如破竹，可进不可退。"与逢吉等议合。帝乃从之。弘肇遣部将李万超说令奇，令奇乃降。弘肇以万超权知泽州。

崔廷勋、耿崇美、奚王拽剌合兵逼河阳。张遇帅众数千救之，战于南阪㊿，败死[5]。武行德出战，亦败，闭城自守。拽剌欲攻之，廷勋曰："今北军(51)已去，得此城[6]何用！且杀一夫犹可惜，况一城乎！"闻弘肇已得泽州，乃释河阳，还保怀州。弘肇将至，廷勋等拥众北遁，过卫州(52)，大掠而去。契丹在河南者相继北去，弘肇引兵与武行德合。

弘肇为人，沈毅寡言，御众严整。将校小不从命，立檛(53)杀之。士卒所过，犯民田及系马于树者，皆斩之。军中惕息(54)，莫敢犯令，故所向必克。帝自晋阳安行入洛及汴，兵不血刃，皆弘肇之力也。帝由是倚爱之。

辛丑(55)，帝至霍邑(56)。遣使谕河中节度使赵匡赞(57)，仍以契丹囚其父延寿[7]告之(58)。

【段旨】

以上为第三段，写楚国马希广嗣位，侵边之契丹兵北遁。

【注释】

㉘武安：方镇名，唐光启初置。治所潭州，在今湖南长沙。㉙镇南：方镇名，唐咸通中置。治所洪州，在今江西南昌。㉚马希广：楚武穆王马殷第三十五子，文昭王马希范同母弟。性谨顺，颇受希范喜爱。希范死，被拥立为楚王，引起马希萼不满，终被推翻，赐死，谥废王。公元九四七至九四九年在位。传见《新五代史》卷六十六。㉛壬辰：五月初八日。㉜张少敌：文昭王亲信，希范死，力主立希萼，未果，称疾不出。㉝袁友恭：与张少敌同为文昭王亲信。㉞武平：方镇名，后周广顺三年（公元九五三年）置。治所朗州，在今湖南常德。㉟永州：州名，治所零陵，在今湖南永州市零陵区。〖按〗胡三省注以为"永州"系"朗州"之误。盖胡氏以武平节度使置于朗州，下文又言希萼求还朗州，又希广欲分潭、朗而治，故胡氏以为当悉改作"朗州"，严衍《通鉴补》据改。胡、严之说近是，然《旧五代史·晋书·少帝纪》记天福八年（公元九四三年）桂州节度使马希杲兼知朗州军州事，而希萼是时为朗州武平军节度使，故节度使、知州事似可

帝的旨意告诉史弘肇。史弘肇说："用兵已经到这种程度，势如破竹，只能前进，不能后退。"他的意见跟苏逢吉等人所议一致，汉高祖便听从了他们的意见。史弘肇派遣部将李万超去游说翟令奇，翟令奇便投降了。史弘肇命李万超暂时主持泽州事务。

崔廷勋、耿崇美、奚王拽剌联合兵力迫近河阳。张遇率领几千名部众援救，在南阪交战，张遇战败而死。武行德出城交战，也战败，便关闭城门防守。拽剌想要攻城，崔廷勋说："现在契丹军队已经离去，得到这座城池有什么用！况且杀害一个人都还可惜，何况杀一城人呢！"听说史弘肇已经得到泽州，于是放弃河阳，回军守卫怀州。史弘肇将要到达怀州，崔廷勋等人率领部众向北逃走，经过卫州，大肆抢掠后离去。契丹在黄河以南的军队相继北去，史弘肇领兵与武行德会合。

史弘肇为人深沉刚毅，寡言少语，统率部众严明而整齐。将校稍微不听从命令，立刻击杀。士兵经过的地方，侵害百姓田地和把马拴在树上的，全部斩首。军中恐惧屏息，没有一个敢违反命令，所以兵锋所向，一定克敌制胜。汉高祖从晋阳平平安安地进入洛阳和大梁，兵不血刃，都是史弘肇的功劳。汉高祖因此倚重他，喜欢他。

五月十七日辛丑，汉高祖到达霍邑。派遣使者晓谕河中节度使赵匡赞，并且把契丹囚禁他父亲赵延寿的消息告诉他。

分授两人。希萼既作武平节度使，所知之州亦可为永州而非朗州。㊱希萼：马希萼，马殷第三十子，性刚狠无礼，希广袭王位，兴师争国，破长沙后，袭楚王，委政事于弟马希崇，后又与马希崇争斗，导致楚亡，降南唐，死于金陵，谥恭孝王。公元九五〇至九五一年在位。传见《新五代史》卷六十六。㊲刘彦瑫：初仕文昭王。希范死，力主立希广，曾率兵讨希萼，失败后投南唐。㊳李弘皋：文昭王时任天策府学士。希范死，力主立希广，希萼立，被杀。㊴邓懿文：文昭王时为静江府掌书记、天策府学士。希范死，力主立希广，后为希萼所杀。㊵小门使：官名，各军镇所置，掌门户之事。军府如有宴集，则执兵器立于门外。㊶杨涤：马希广将领，勇于作战，死于战场。㊷永州：代指马希萼。㊸齿长：年龄大。㊹都尉：代指马希广。㊺帖然：帖服。㊻拓跋恒：本姓元，避景庄王偏讳，改姓。为天策府学士。切直强谏，希范死力主立希萼，未果，称疾不出。㊼郎：藩府将吏称府主之子为郎君。㊽乙未：五月十一日。㊾丙申：五月十二日。㊿阴地关：关名，在今山西灵石西南。今已废，遗址犹存。(51)丁酉：五月十三日。(52)使人谕指于弘肇：刘知远派人询问史弘肇进退方略。(53)南阪：在太行山南麓。(54)北军：崔廷勋等在南，称聚集在恒州的契丹兵为北军。(55)卫州：州名，治所汲县，在今河南卫辉。(56)挝：击；打。(57)惕息：战兢恐惧，不敢出声。(58)辛丑：五月十七日。(59)霍邑：县名，县治霍邑，在今山西霍州。(60)赵匡赞：赵延寿之子。(61)告之：告契丹囚其父，用以断绝赵匡赞北顾之心。

【校记】

［3］押牙："牙"下原有空格。据章钰校，十二行本、乙十一行本、孔天胤本皆无空格，今据删。［4］弘肇：二字原不重。据章钰校，乙十一行本二字重，其义长，今据

【原文】

滋德宫⑫有宫人五十余人，萧翰欲取之，宦者张环不与。翰破锁夺宫人，执环，烧铁灼之，腹烂而死。

初，翰闻帝拥兵而南，欲北归。恐中国无主，必大乱，己不得从容而去。时唐明宗子许王从益与王淑妃在洛阳，翰遣高谟翰迎之，矫称契丹主命⑬，以从益知南朝军国事，召己赴恒州。淑妃、从益匿于徽陵⑭下宫⑮，不得已而出。至大梁，翰立以为帝，帅诸酋长拜之。又以礼部尚书王松⑯、御史中丞赵远为宰相，前宣徽使甄城⑰［8］翟光邺⑱为枢密使，左金吾大将军王景崇⑲为宣徽使。以北来⑳指挥使刘祚权侍卫亲军都指挥使，充在京巡检。松，徽之子也。

百官谒见淑妃，淑妃泣曰："吾母子单弱如此，而为诸公所推，是祸吾家也！"翰留燕兵千人守诸门，为从益宿卫。壬寅，翰及刘晞辞行，从益饯于北郊。遣使召高行周于宋州㉑，武行德于河阳，皆不至。淑妃惧，召大臣谋之曰："吾母子为萧翰所逼，分㉒当灭亡。诸公无罪，宜早迎新主，自求多福，勿以吾母子为意！"众感其言，皆未忍叛去。或曰："今集诸营兵［9］，不减五千，与燕兵并力坚守一月，北救㉓必至。"淑妃曰："吾母子亡国之余，安敢与人争天下！不幸至此，死生惟人所裁。若新主见察，当知我无所负。今更为计划㉔，则祸及他人，阖㉕城涂炭㉖，终何益乎！"众犹欲拒守，三司使文安刘审交㉗曰："余燕人，岂不为燕兵计！顾事有不可如何者。今城中大乱之余，公私穷竭，遗民无几，若复受围一月，无噍类㉘矣。愿诸公勿复言，一从太妃处分。"乃用赵远、翟光邺策，称梁王㉙，知军国事。遣使奉表称臣迎帝，请早赴京师，仍出居私第。

补。[5]败死：张敦仁《通鉴刊本识误》云“败”上有“遇”字。[6]城：据章钰校，十二行本、乙十一行本、孔天胤本皆无此字。[7]延寿：原无此二字。据章钰校，十二行本、乙十一行本、孔天胤本皆有此二字，张敦仁《通鉴刊本识误》同，今据补。

【语译】

滋德宫有宫人五十多人，萧翰想夺取她们，宦官张环不给。萧翰砸坏门锁，抢走宫人，把张环抓起来，用烧红的铁块烙他，张环腹部被烧烂致死。

当初，萧翰听说汉高祖拥兵南下，想回到北方去。又担心中原没有君主，一定会大乱，自己不能轻松地离去。当时后唐明宗的儿子许王李从益与其母王淑妃在洛阳，萧翰派高谟翰把他们接来，假称契丹主的诏命，命李从益主持南朝军政大事，召自己前往恒州。王淑妃、李从益躲藏在唐明宗徽陵的地宫中，不得已才出来。到了大梁，萧翰立李从益为皇帝，率领各酋长向他下拜。又任命礼部尚书王松、御史中丞赵远为宰相，前任宣徽使鄄城人翟光邺为枢密使，左金吾大将军王景崇为宣徽使，任命随契丹主北来的指挥使刘祚暂任侍卫亲军都指挥使，充任在京巡检。王松，是王徽的儿子。

百官拜见王淑妃，王淑妃哭着说：“我们母子二人这样孤弱，却被各位拥戴，这是害我们家啊！”萧翰留下一千名燕兵防守各城门，为李从益担任警卫。五月十八日壬寅，萧翰及刘晞辞行，李从益在城外北郊为他们饯行。李从益派遣使者到宋州征召高行周，到河阳征召武行德，结果都不来。王淑妃害怕起来，召集大臣商量说：“我们母子被萧翰逼迫，料当死去，你们大家没有罪，应该尽早迎接新的君主，自求多福，不要以我们母子俩人为念了！”大家被她的话感动，都不忍心背叛离去。有人说：“现在集合各营的士兵，不下五千人，跟燕兵合力坚守一个月，北方契丹的救兵一定会到来。”王淑妃说：“我们母子俩人是亡国的遗民，怎么敢跟人家争夺天下！不幸落到这种地步，死生只有听任别人决定，如果得到新的君主体察，会知道我们没有对不起人的地方。现在如果再做别的打算，就会祸害连累到别人，全城的人都受摧残，最终有什么好处呢！”大家还是想固守抵抗，三司使文安人刘审交说：“我是燕人，怎能不为燕兵考虑！但是事情有无可奈何的情况。现在城中处在大乱之后，官府和民间都已经穷尽，留下的百姓没有多少，如果再被包围一个月，那就没有活人了。希望大家不要再说了，一切遵从太妃的安排。”于是采用赵远、翟光邺的计策，李从益改称梁王，主持军国政事。派遣使者奉表称臣，迎接汉高祖，请汉高祖早日前往京师，接着李从益移出宫禁住到私宅里。

甲辰[80]，帝至晋州。

契丹主兀欲以契丹主德光有子在国[81]，己以兄子袭位，又无述律太后[82]之命，擅自立，内不自安。初，契丹主阿保机卒于勃海[83]，述律太后杀酋长及诸将凡数百人。[84]契丹主德光复卒于境外，酋长诸将惧死，乃谋奉契丹主兀欲勒兵北归。契丹主以安国节度使麻荅[85]为中京留守，以前武州[86]刺史高奉明为安国节度使。晋文武官及士卒悉留于恒州，独以翰林学士徐台符、李澣[87]及后宫、宦者、教坊人自随。乙巳[88]，发真定[89]。

帝之即位也，绛州[90]刺史李从朗与契丹将成霸卿等拒命。帝遣西南面招讨使、护国节度使白文珂攻之，未下。帝至城下，命诸军四布而勿攻，以利害谕之。戊申[91]，从朗举城降。帝命亲将分护诸门，士卒一人毋得入。以偏将薛琼为防御使。辛亥[92]，帝至陕州，赵晖自御帝马而入。壬子[93]，至石壕[94]，汴人有来迎者。

六月甲寅朔[95]，萧翰至恒州，与麻荅以铁骑围张砺之第。砺方卧病，出见之。翰数之曰："汝何故言于先帝，云胡人不可以为节度使[96]？又，吾为宣武节度使，且国舅也，汝在中书乃帖[97]我！又，先帝留我守汴州，令我处宫中，汝以为不可。又，谮我及解里于先帝，云解里好掠人财，我好掠人子女。今我必杀汝！"命锁之。砺抗声曰："此皆国家大体，吾实言之。欲杀即杀，奚以锁为！"麻荅以大臣不可专杀[98]，力救止之，翰乃释之。是夕，砺愤恚而卒。崔廷勋见麻荅，趋走拜，起，跪而献酒，麻荅踞而受之。

乙卯[99]，帝至新安[100]，西京[101]留司官悉来迎。

吴越忠献王弘佐卒。遗令以丞相弘倧为镇海[102]、镇东[103]节度使兼侍中。

丙辰[104]，帝至洛阳，入居宫中。汴州百官奉表来迎。诏谕以受契丹补署[105]者皆勿自疑，聚其告牒[106]而焚之。赵远更名上交[107]。

命郑州[108]防御使郭从义[109]先入大梁清宫，密令杀李从益及王淑妃。淑妃且死，曰："吾儿为契丹所立，何罪而死！何不留之，使每岁寒食[110]，以一盂麦饭洒明宗陵乎！"闻者泣下。

五月二十日甲辰，汉高祖到达晋州。

契丹主兀欲认为契丹主耶律德光有儿子在国内，自己以侄子的身份承袭帝位，又没有述律太后的诏命，擅自即位，内心感到不安。当初，契丹主阿保机死在勃海，述律太后杀死酋长和众将共几百人。契丹主耶律德光又死在境外，酋长及众将怕死，于是谋划拥奉契丹主兀欲勒兵北归。契丹主任命安国节度使麻荅为中京留守，前任武州刺史高奉明为安国节度使。后晋文武官员和士兵全部留在恒州，只让翰林学士徐台符、李澣以及宫女、宦官、教坊的乐师跟随自己。五月二十一日乙巳，从真定出发。

汉高祖即位时，绛州刺史李从朗和契丹将领成霸卿等人抗命。汉高祖派遣西南面招讨使、护国节度使白文珂攻打他们，没有攻下。汉高祖到达城下，命令各军四面布阵而不攻打，用利害关系来劝谕他。五月二十四日戊申，李从朗率城投降。汉高祖命令亲信的将领分别守护各城门，士兵一个人也不许进城。任命偏将薛琼为防御使。二十七日辛亥，汉高祖到达陕州，赵晖亲自驾驭帝马进城。二十八日壬子，到达石壕，大梁百姓有前来迎接的。

六月初一日甲寅，萧翰到达恒州，和麻荅带领铁甲骑兵包围张砺的住宅。张砺正卧病在床，出来会见他们。萧翰数落他说："你为什么对先帝说，胡人不可以做节度使？还有，我担任宣武节度使，而且又是国舅，你在中书省竟敢用堂帖处置我！还有，先帝留下我防守汴州，叫我住在宫中，你认为不行。还有，在先帝面前中伤我和解里，说解里喜欢掠夺人家的财物，我喜欢掠夺民间的子女。今天我一定要杀了你！"下令把张砺用铁链锁起来。张砺大声抗辩说："这些都是国家的根本，我是实话实说。要杀就杀，还锁起来干什么！"麻荅认为大臣不可以擅自杀戮，尽力解救、阻止，萧翰这才放了张砺。当晚，张砺愤恨而死。崔廷勋见到麻荅，小步跑上前去下拜，起身，跪着献酒，麻荅蹲坐着接受了。

六月初二日乙卯，汉高祖到达新安，西京留守各司的官员都来迎接。

吴越忠献王钱弘佐去世。遗命以丞相钱弘倧为镇海、镇东节度使兼侍中。

初三日丙辰，汉高祖到达洛阳，进入宫中居住。汴州文武百官持表前来迎接。汉高祖下诏告诉接受契丹补任官职的人都不要自我疑虑，把所有的告发文书堆在一起烧掉。赵远改名为赵上交。

汉高祖命令郑州防御使郭从义先进入大梁清理宫殿，秘密命令他杀掉李从益和王淑妃。王淑妃即将死去时，说："我的儿子是被契丹立为皇帝的，有什么罪要处死他！为什么不留下他，让他在每年的寒食节，用一碗麦饭祭洒明宗的陵墓呢！"听到的人都流下了泪来。

【段旨】

以上为第四段，写后唐明宗之子李从益母子为乱世所不容的悲剧命运。

【注释】

⑫滋德宫：据胡三省注引《五代会要》，后晋天福四年（公元九三九年）改明德殿为滋德殿，因与宫城南门同名，所以改换宫名。⑬矫称契丹主命：此矫称契丹主兀欲之命。兀欲当时尚在恒州。⑭徽陵：后唐明宗陵，在洛阳。⑮下宫：皇帝棺下葬之所。⑯王松：唐僖宗宰相王徽子。传见《新五代史》卷五十七。⑰鄄城：县名，县治在今山东鄄城县北旧城。⑱翟光邺：字化基。传见《旧五代史》卷一百二十九、《新五代史》卷四十九。⑲王景崇：邢州（今河北邢台）人，历仕后唐、后晋、契丹、后汉。隐帝时，叛，拥李守贞为秦王，后兵败自焚。传见《新五代史》卷五十三。⑳北来：指随契丹主到北边来。㉑遣使召高行周于宋州：高行周为后唐明宗亲将，王淑妃欲以旧恩召之为卫。㉒分：料想；应分。㉓北救：指自北而来的契丹救兵。㉔计划：谋划。㉕阖：全。㉖涂炭：亦作“荼炭”。比喻极端困苦的境地。涂，泥淖。炭，炭火。㉗刘审交：字求益，文安（今河北文安东）人，少知书，通吏事。后晋高祖时官三司使，有善政。后汉隐帝立，官汝州防御使。传见《旧五代史》卷一百六、《新五代史》卷四十八。㉘噍类：原指能饮食的动物，此处指活着的人。㉙称梁王：因从益称号于大梁，故称梁王。㉚甲辰：五月二十日。㉛德光有子在国：指耶律德光长子耶律璟，小字述律。封寿安王。兀欲死，即位，号天顺皇帝。公元九五一至九六九年在位。谥穆宗。㉜述律太后：兀欲的祖母。㉝契丹主阿保机卒于勃海：公元九二六年阿保机率军攻灭勃海，病死于扶余城。㉞述律太后杀酋长句：事载本书卷二百七十五后唐明宗天成元年（公元九二六年）七月辛巳。㉟麻荅：

【原文】

戊午[111]，帝发洛阳。枢密院吏魏仁浦[112]自契丹逃归，见于巩[113]。郭威问以兵数及故事，仁浦强记精敏，威由是亲任之。仁浦，卫州人也。辛酉[114]，汴州百官窦贞固[115]等迎于荥阳[116]。甲子[117]，帝至大梁，晋之藩镇相继来降。

丙寅[118]，吴越王弘倧袭位。

戊辰[119]，帝下诏大赦。凡契丹所除节度使，下至将吏，各安职任，不复变更。复以汴州为东京[120]，改国号曰汉，仍称天福年，曰：“余未

耶律德光从弟，父名萨剌。㊽武州：州名，治所在今河北宣化，后改名归化州。㊾李澣：初仕晋为中书舍人。契丹北归，随入上京，授翰林学士、工部侍郎。屡谋逃归、自杀，均未果。卒于契丹，时值北宋建隆三年（公元九六二年）。传见《辽史》卷一百三、《宋史》卷二百六十二。㊿乙巳：五月二十一日。(89)真定：五代后晋在恒州建真定府，治所在今河北正定。(90)绛州：州名，治所正平，在今山西新绛。(91)戊申：五月二十四日。(92)辛亥：五月二十七日。(93)壬子：五月二十八日。(94)石壕：地名，石壕镇，在今河南三门峡市陕州区东南。(95)甲寅朔：六月初一日。(96)云胡人不可以为节度使：张砺此言见本书卷二百八十五后晋齐王开运三年（公元九四六年）。(97)帖：堂帖，即宰相所下判事文书，出自政事堂，故称堂帖。张砺做右仆射兼门下侍郎、平章事时曾对萧翰使用堂帖，萧翰自以为是节度使、国舅，有损尊严，故责难张砺。(98)专杀：擅自杀戮。(99)乙卯：六月初二日。(100)新安：县名，县治在今河南新安。(101)西京：此指东都河南府。(102)镇海：方镇名，唐贞元中置。治所杭州，在今浙江杭州。(103)镇东：方镇名，五代吴越置。治所越州，在今浙江绍兴。(104)丙辰：六月初三日。(105)补署：补任官职。(106)告牒：告发的文书。(107)赵远更名上交：避刘知远讳改。(108)郑州：州名，治所管城，在今河南郑州。(109)郭从义：其先沙陀部人，事后唐，赐姓李，后晋初复姓郭。有谋略，多技艺。历仕后唐、后晋、后汉、后周。入宋，官左金吾卫上将军。传见《宋史》卷二十五。(110)寒食：节令名，清明前两天（一说前一天）。相传起源于晋文公悼念介之推故事，以介之推抱木焚死，便定此日为寒食节，禁火寒食。

【校记】

［8］鄄城：原作“甄城”。胡三省注云：“‘甄’当作‘鄄’。”严衍《通鉴补》改作“鄄城”，今据以校正。〖按〗新、旧《五代史》翟光邺本传皆作“鄄城”。［9］兵：原无此字。据章钰校，十二行本、乙十一行本皆有此字，今据补。

【语译】

六月初五日戊午，汉高祖从洛阳出发。枢密院吏魏仁浦从契丹逃归，在巩县进见汉高祖。郭威问魏仁浦契丹的兵力及前代制度，魏仁浦博闻强记，精明敏捷，郭威因此亲近信任他。魏仁浦，是卫州人。初八日辛酉，汴州文武百官窦贞固等人在荥阳迎接汉高祖。十一日甲子，皇帝到达大梁，后晋的藩镇相继前来投降。

十三日丙寅，吴越王钱弘倧继承王位。

十五日戊辰，汉高祖下诏大赦。凡是契丹所任命的节度使下至将吏，各自安守职位，不再变更。又以汴州为东京，改国号为汉，依旧称“天福”年号。汉高祖说：

忍忘晋也。”复青、襄、汝三节度⑫。壬申⑬，以北京留守崇为河东节度使，同平章事。

契丹述律太后闻契丹主自立，大怒，发兵拒之。契丹主以伟王为前锋，相遇于石桥⑭。初，晋侍卫马军都指挥使李彦韬从晋主北迁，隶述律太后麾下，太后以为排陈使。彦韬迎降于伟王，太后兵由是大败。契丹主幽太后于阿保机墓⑮。改元天禄，自称天授皇帝，以高勋为枢密使。

契丹主慕中华风俗，多用晋臣，而荒于酒色，轻慢诸酋长。由是国人不附，诸部数叛，兴兵诛讨。故数年之间，不暇南寇。

初，契丹主德光命奉国都指挥使南宫王继弘⑯、都虞候樊晖以所部兵戍相州，彰德节度使高唐英⑰善待之。戍兵无铠仗，唐英以铠仗给之，倚信如亲戚。唐英闻帝南下，举镇请降。使者未返，继弘、晖杀唐英。继弘自称留后，遣使告云唐英反覆，诏以继弘为彰德留后。庚辰⑱，以晖为磁州刺史。安国节度使高奉明闻唐英死，心不自安。请于麻荅，署马步都指挥使刘铎为节度副使、知军府事，身归恒州。

帝遣使告谕荆南⑲。高从诲上表贺，且求郢州⑳，帝不许。及加恩使㉑至，拒而不受。

唐主闻契丹主德光卒，萧翰弃大梁去，下诏曰：“乃眷中原㉒，本朝故地。”以左右卫圣统军、忠武节度使、同平章事[10]李金全㉓为北面[11]行营招讨使，议经略㉔北方。闻帝已入大梁，遂不敢出兵。

秋，七月甲午㉕，以马希广为天策上将军、武安节度使、江南诸道都统，兼中书令，封楚王。

或传赵延寿已死。郭威言于帝曰：“赵匡赞，契丹所署，今犹在河中㉖。宜遣使吊祭，因起复移镇。彼既家国无归，必感恩承命。”从之。会邺都㉗留守、天雄节度使兼中书令杜重威、天平节度使兼侍中李守贞皆奉表归命。重威仍请移他镇。归德㉘节度使兼中书令高行周入朝。丙申㉙，徙重威为归德节度使，以行周代之，守贞为护国节度使，加兼中书令。徙护国节度使赵匡赞为晋昌㉚节度使。后二年，延寿始卒于契丹。

吴越王弘倧以其弟台州㉛刺史弘俶㉜同参相府事。

李达以其弟通㉝知福州留后，自诣钱唐㉞见吴越王弘倧。弘倧承

“我不忍心忘记晋国。”恢复青州、襄州、安州三州节度使。十九日壬申，任命北京留守刘崇为河东节度使、同平章事。

契丹述律太后听说契丹主自立为皇帝，非常恼怒，发兵抵抗他。契丹主使伟王为前锋，两军在石桥遭遇。当初，后晋的侍卫马军都指挥使李彦韬随从后晋主北迁，隶属在述律太后的部下，太后任命他为排陈使。李彦韬迎接伟王并向他投降，太后的军队因此大败。契丹主把太后幽禁在阿保机的陵墓。改年号为天禄，自称天授皇帝，任命高勋为枢密使。

契丹主仰慕中华的风俗，任用很多后晋大臣，却沉迷于酒色，对各部落的酋长态度傲慢。因此契丹人不归附，各部落屡次叛乱，契丹主兴兵讨伐。所以几年内没有顾得上南下侵略。

当初，契丹主德光命令奉国都指挥使南宫人王继弘、都虞候樊晖用各自统领的士兵戍守相州，彰德节度使高唐英对待他们很好。守兵没有铠甲兵器，高唐英就给他们铠甲兵器，倚重、信任他们如同亲人。高唐英听说汉高祖南来，率领本镇请求投降。派去的使者还没有回来，王继弘和樊晖就杀了高唐英。王继弘自称留后，派遣使者去报告说高唐英反复无常。汉高祖下诏任命王继弘为彰德留后。六月二十七日庚辰，任命樊晖为磁州刺史。安国节度使高奉明听说高唐英死去，心里自己感觉不安稳。向麻荅请求委任马步都指挥使刘铎为节度副使、主持军府的事务，自己回到恒州。

汉高祖派遣使者通告荆南。高从诲上表祝贺，并且要求得到郢州，汉高祖不答应。等到汉高祖派遣的加恩使来到的时候，高从诲拒绝使者而不接受投降。

南唐主听说契丹主德光去世，萧翰放弃大梁逃走，颁布诏书说：“我们眷念中原，那是本朝的故土。”任命左右卫圣统军、忠武节度使、同平章事李金全为北面行营招讨使，商议筹划北方。听说汉高祖已经进入大梁，于是不敢出兵。

秋，七月十一日甲午，任命马希广为天策上将军、武安节度使、江南诸道都统，兼中书令，封为楚王。

有传言说赵延寿已经死了。郭威对汉高祖说：“赵匡赞是契丹所任命，现今还在河中。应该派遣使者前往吊祭，乘此机会起用他，并调换镇所。他既然无家无国可归，一定会感恩而接受诏命。”汉高祖同意他的建议。适逢邺都留守、天雄节度使兼中书令杜重威、天平节度使兼侍中李守贞都上表归顺。杜重威并请求调到其他的藩镇。归德节度使兼中书令高行周入朝。七月十三日丙申，调杜重威为归德节度使，命高行周代替他为天雄节度使，任命李守贞为护国节度使、加兼中书令。调护国节度使赵匡赞为晋昌节度使。两年以后，赵延寿才死在契丹。

吴越王钱弘倧任命他的弟弟台州刺史钱弘俶共同参与相府的事务。

李达以他的弟弟李通主持福州留后的事务，自己前往钱唐进见吴越王钱弘倧。

制[144]加达兼侍中，更其名曰孺赟。既而孺赟悔惧，以金笋二十株及杂宝赂内牙统军使胡进思，求归福州。进思为之请，弘倧从之。

【段旨】

以上为第五段，写契丹主兀欲返国正位，是为辽世宗，汉高祖刘知远抚定中国。

【注释】

⑪ 戊午：六月初五日。⑫ 魏仁浦：字道济，卫州汲（今河南卫辉）人，为人谨厚强记，郭威任枢密使时问他阙下兵数，他能亲手写出六万人名。历仕后晋、后汉、后周。入宋，官右仆射。传见《宋史》卷二百四十九。⑬ 巩：巩县，县治在今河南巩义。⑭ 辛酉：六月初八日。⑮ 窦贞固：字体仁，同州白水（今陕西白水）人，持重寡言，深明礼仪。历仕后晋、后汉、后周。官至司徒，封沂国公。传见《宋史》卷二百六十二。⑯ 荥阳：县名，县治在今河南荥阳。⑰ 甲子：六月十一日。⑱ 丙寅：六月十三日。⑲ 戊辰：六月十五日。⑳ 复以汴州为东京：后汉高天福十二年（公元九四七年）正月，"废东京，降开封府为汴州。"至此，又以汴州为东京。㉑ 复青、襄、汝三节度：恢复青州、襄州、汝（应为安）州三节度使。青州属平卢军，晋开运元年（公元九四四年）十二月因杨光远叛，废。至此又恢复。襄州属山南东道，晋天福七年（公元九四二年）因安从进叛，废。至此又恢复。安州属安远军，晋天福五年七月因李金全叛，废。至此又恢复。㉒ 壬申：六月十九日。㉓ 石桥：位于沙河，在今内蒙古巴林左旗南。㉔ 阿保机墓：位于祖州，在今内蒙古自治区巴林左旗西南石房子村。㉕ 王继弘：冀州南宫（今河北南宫）人，历仕后晋、契丹、后汉、后周，官同平章事。常见利忘义，希求富贵，时人颇轻之。传见《旧五代史》卷一百二十五。㉖ 彰德节度使高唐英：高唐英守相州，为彰德节度使，系契丹委任。㉗ 庚辰：六月二十七日。㉘ 荆南：五代十国之一。公元九〇七年高季兴任后梁荆南节度使，公元九二四年受后唐封为南平王，史称荆南或南平，建都荆州（今湖北

【原文】

杜重威自以附契丹，负中国，内常疑惧。及移镇制下，复拒而不受，遣其子弘璲质于麻荅以求援。赵延寿有幽州亲兵二千在恒州，[145]指挥使张琏将之，重威请以守魏。麻荅遣其将杨衮将契丹千五百人及幽

钱弘倧秉承皇帝旨意加李达兼侍中，把他的名字改为李孺赟。不久，李孺赟又后悔又恐惧，用二十根金竹笋和各种宝物贿赂内牙统军使胡进思，请求返回福州。胡进思替他请求，钱弘倧答应了。

江陵)。⑫⑨ 郢州：州名，治所长寿，在今湖北钟祥。⑬⓪ 加恩使：自唐以来新君即位，便派使加恩于诸镇，称加恩使。⑬① 乃眷中原：怀念中原。乃，语助词，无义。眷，本意为回顾，引申为关心、怀念。⑬② 李金全：其先出于吐谷浑，后仕后唐、后晋，不久叛投南唐，官润州节度使。⑬③ 经略：筹划进取。⑬④ 甲午：七月十一日。⑬⑤ 河中：赵延寿子赵匡赞受契丹任命为河中节度使。河中，方镇名，以位在黄河中游得名。唐至德二年（公元七五七年）置。治所河中府，在今山西永济蒲州镇。⑬⑥ 邺都：后晋天福二年（公元九三七年）改兴唐府为广晋府，三年复以广晋府为邺都，故址在今河北大名东北。⑬⑦ 归德：方镇名，后唐同光二年（公元九二四年）置。治所宋州，在今河南商丘南。⑬⑧ 丙申：七月十三日。⑬⑨ 晋昌：方镇名，治所长安。为后晋所置。⑭⓪ 台州：州名，治所临海，在今浙江临海。⑭① 弘俶：钱弘俶（公元九二九至九八八年），名俶，字文德，初名弘俶。吴越文穆王元瓘第九子，忠逊王弘倧弟。初为台州刺史。胡进思废弘倧，拥立弘俶，袭吴越国王。公元九四七至九七八年在位。宋平江南，他出兵策应，后入朝。太平兴国三年（公元九七八年）献所据两浙十三州之地归宋。谥忠懿王。传见《旧五代史》卷一百三十三、《新五代史》卷六十七、《宋史》卷四百八十。⑭② 通：李达弟，初名弘通，因犯吴越王讳，止名通。⑭③ 钱唐：旧县名，秦始置，县治在今浙江杭州西灵隐山麓。唐代以“唐”为国号，遂加“土”，为钱塘。⑭④ 承制：秉承皇帝旨意。

【校记】

［10］同平章事：原无此四字。据章钰校，十二行本、乙十一行本、孔天胤本皆有此四字，今据补。［11］面：原作“向”。据章钰校，十二行本、乙十一行本、孔天胤本皆作“面”，今据改。

【语译】

杜重威自己认为曾经归附契丹，愧对中国，内心常常疑虑恐惧。等到调换藩镇的诏令下达，他又拒不接受，打发他的儿子杜弘璲到麻荅那里做人质，借以求得麻荅的援助。赵延寿有幽州的两千名亲兵在恒州，由指挥使张琏统率，杜重威请求用他们防守魏州。麻荅派遣他的部将杨衮率领契丹兵一千五百人和幽州兵前往魏州。

州兵赴之。闰月庚午⑭⑥，诏削夺重威官爵，以高行周为招讨使，镇宁节度使慕容彦超副之，以讨重威。

辛未⑭⑦，杨邠、郭威、王章皆为正使⑭⑧。时兵荒之余，公私匮竭，北来兵与朝廷兵合⑭⑨，顿增数倍。章白帝罢不急之务，省无益之费以奉军，用度克赡⑮⓪。

庚辰⑮①，制建宗庙。太祖高皇帝、世祖光武皇帝，皆百世不迁⑮②。又立四亲庙⑮③，追尊谥号。凡六庙。

麻荅贪猾残忍，民间有珍货、美妇女，必夺取之。又捕村民，诬以为盗，披面⑮④、抉目⑮⑤、断腕、焚炙而杀之，欲以威众。常以其具自随，左右前后[12]悬人肝、胆、手、足，饮食起居于其间，语笑自若。出入或被黄衣，用乘舆，服御物，曰："兹事汉人以为不可，吾国无忌也。"又以宰相员不足，乃牒冯道判弘文馆，李崧判史馆，和凝判集贤，刘昫判中书。其僭妄如此。然契丹或犯法，无所容贷⑮⑥，故市肆⑮⑦不扰。常恐汉人亡[13]去，谓门者曰："汉有窥门者，即断其首以来。"

麻荅遣使督运于洺州⑮⑧。洺州防御使薛怀让⑮⑨闻帝入大梁，杀其使者，举州降。帝遣郭从义将兵万人会怀让攻刘铎于邢州，不克。铎请兵于麻荅，麻荅遣其将杨安及前义武节度使李殷⑯⓪将千骑攻怀让于洺州。怀让婴城⑯①自守，安等纵兵大掠于邢、洺之境。

契丹所留兵不满二千⑯②，麻荅令所司给万四千人食，收其余以自入。麻荅常疑汉兵，且以为无用，稍稍废省，又损其食以饲胡兵。众心怨愤，闻帝入大梁，皆有南归之志。前颍州⑯③防御使何福进⑯④、控鹤指挥使⑯⑤太原李荣，潜结军中壮士数十人谋攻契丹，然畏契丹尚强，犹豫未发。会杨衮、杨安等军出，契丹留恒州者才八百人。福进等遂决计，约以击佛寺钟为号。

辛巳⑯⑥，契丹主兀欲遣骑至恒州，召前威胜⑯⑦节度使兼中书令冯道、枢密使李崧、左仆射和凝等，会葬契丹主德光于木叶山⑯⑧。道等未行，食时，钟声发。汉兵夺契丹守门者兵击契丹，杀十余人，因突入府中。李荣先据甲库⑯⑨，悉召汉兵及市人，以铠仗授之，焚牙门⑰⓪，与契丹战。荣召诸将并力，护圣左厢都指挥使、恩州⑰①团练使白再荣⑰②狐疑，

闰七月十八日庚午，皇帝下诏削夺杜重威的官爵，任命高行周为招讨使，镇宁节度使慕容彦超为副招讨使，讨伐杜重威。

闰七月十九日辛未，杨邠、郭威、王章都由原暂理职位改为正使。当时在兵荒马乱之后，国家和民间都资财匮乏，北方来的士兵和后晋朝廷的士兵合起来，数量一下子增加了几倍。王章建议汉高祖取消不紧迫的工作，节省无益的费用来供给军队，费用才能够充足。

闰七月二十八日庚辰，汉高祖下制书建立宗庙。太祖高皇帝刘邦和世祖光武帝刘秀，其神主百世不迁移。又建立四代亲庙，追尊谥号。一共立了六庙。

麻荅贪婪狡猾残忍，民间有珍宝、美女，一定抢夺过来，又抓捕村民，诬陷他们是盗贼，割裂脸面、挖眼、砍手、用火烧烤致死，想以此来威胁民众。麻荅常把刑具随身带着，周遭悬挂着人的肝、胆、手、脚，他在其中饮食起居，谈笑自如。出入有时身穿黄袍，乘坐皇帝坐的车子，使用天子用的器物，他说："这些事汉人认为不可，在我国是没有禁忌的。"又认为宰相员数不够，于是发公文命冯道兼管弘文馆，李崧兼管史馆，和凝兼管集贤院，刘昫兼管中书。他的僭越狂妄到了如此地步。可是契丹人有犯法的，麻荅也不加宽恕，所以市中店铺没有受到骚扰。麻荅常担心汉人逃跑，对守门的人说："汉人有窥探城门的，就砍掉他的头拿过来。"

麻荅派遣使者在洺州督运粮草。洺州防御使薛怀让听说汉高祖进入大梁，杀掉了麻荅的使者，率领全州投降。汉高祖派遣郭从义率领一万士兵会合薛怀让一起在邢州攻打刘铎，没有攻下。刘铎向麻荅请求援兵，麻荅派遣他的部将杨安以及前任义武节度使李殷率领一千名骑兵在洺州攻打薛怀让。薛怀让环城自守，杨安等人纵容士兵在邢、洺二州境内大肆抢劫。

契丹留在恒州的兵力不足两千人，麻荅命令有关官员提供一万四千人的粮食，把多出来的部分收归自己所有。麻荅经常猜疑汉兵，并且认为他们没用途，就逐渐裁减，又减少他们的粮食转而给胡兵吃。汉兵心里怨恨愤怒，听说汉高祖进入大梁，都有向南归顺的想法。前任颍州防御使何福进、控鹤指挥使太原人李荣，暗中联络军中的几十名壮士，谋划攻打契丹，然而又畏惧契丹势力还很强大，犹豫没有动手。适逢杨衮、杨安等的军队开拔，契丹留在恒州的兵力只有八百人。何福进等人于是决定按照计划行事，相约以敲佛寺钟声为信号。

闰七月二十九日辛巳，契丹主兀欲派遣骑兵到恒州，招来前任威胜节度使兼中书令冯道、枢密使李崧、左仆射和凝等人，在木叶山一起安葬契丹主耶律德光。冯道等人还没有上路，吃早饭的时候，寺庙的钟声响了起来，汉兵夺取契丹守门人的武器攻击契丹，杀了十几个人，趁机冲进府中。李荣先占领军械库，叫来所有的汉兵和市民，把铠甲、兵器发给他们，焚烧营门，和契丹兵交战。李荣叫汉人众将合力作战，护圣左厢都指挥使、恩州团练使白再荣迟疑不决，躲在偏室里。军吏用佩

匿于别室。军吏以佩刀决幕，引其臂，再荣不得已而行。诸将继至，烟火四起，鼓噪震地。麻荅等大惊，载宝货、家属，走保北城。而汉兵无所统壹，贪狡者乘乱剽掠，懦者窜匿。八月壬午朔[173]，契丹自北门入，势复振，汉民死者二千余人。前磁州刺史李穀恐事不济，请冯道、李崧、和凝至战所慰勉士卒，士卒见道等至，争自奋。会日暮，有村民数千噪于城外，欲夺契丹宝货、妇女。契丹惧而北遁，麻荅、刘晞、崔廷勋皆奔定州，与义武节度使邪律忠合。忠，即郎五也。

【段旨】

以上为第六段，写河北诸镇驱赶契丹人。

【注释】

⑭⑤赵延寿有幽州亲兵句：赵延寿被契丹主兀欲锁之北去，其亲兵未散，尚留在恒州。⑭⑥庚午：闰七月十八日。⑭⑦辛未：闰七月十九日。⑭⑧杨邠、郭威、王章皆为正使：后汉高祖即位之初，以杨邠权枢密使，郭威权枢密副使，王章权三司使，今皆为正使。⑭⑨北来兵与朝廷兵合：北来兵指与刘知远、史弘肇从太原来者，朝廷兵指晋朝旧兵。⑮⓪用度克赡：经费能充足。克，能。⑮①庚辰：闰七月二十八日。⑮②百世不迁：帝王家庙中祖先的神主，世数远的要依次迁于祧庙（远祖庙）中合祭，但始祖神主不迁。刘知远尊刘邦、刘秀为始祖，故"百世不迁"。⑮③四亲庙：高祖、曾祖、祖父、父四人家庙。据《五代会要》，刘知远追尊高祖湍，明元皇帝，庙号文祖；曾祖昂，恭僖皇帝，庙号德祖；祖僎，昭献皇帝，庙号翼祖；父琠，章圣皇帝，庙号显祖。⑮④披面：割裂脸面。披，分解。⑮⑤抉目：挖出眼睛。⑮⑥容贷：宽容；饶恕。⑮⑦市肆：市中店铺。⑮⑧洺州：州名，治所广年，在今河北邯郸市永年区东南。⑮⑨薛怀让：其先戎人，徙居太原。传见《宋史》

【原文】

冯道等四出安抚兵民，众推道为节度使。道曰："我书生也，当奏事而已，宜择诸将为留后。"时李荣功最多，而白再荣位在上，乃以再荣权知留后。具以状闻，且请援兵，帝遣左飞龙使[174]李彦从[175]将兵赴之。

刀划破布幕，拉住他的手臂，白再荣不得已而跟着军吏走。众将相继来到，烟火四处燃起，喧哗呼叫声震动大地。麻荅等人大为惊恐，载上宝物和家属，逃到北城防守。而汉兵没有统一的指挥，贪婪狡猾的人趁乱抢劫，懦弱胆怯的人逃匿。八月初一日壬午，契丹兵从北门进城，势力又振作起来，汉人死了两千多人。前任磁州刺史李榖担心事情不能成功，请冯道、李崧、和凝到战斗场地慰问劝勉士兵，士兵看到冯道等人来了，人人争先奋力。正好天色已晚，有村民几千人在城外鼓噪呼喊，打算夺取契丹的宝货、妇女。契丹害怕而向北逃走，麻荅、刘晞、崔廷勋都跑往定州，与义武节度使邪律忠会合。邪律忠，就是邪律郎五。

卷二百五十四。⑯李毂：蓟州（今天津市蓟州区）人。传见《旧五代史》卷一百六。⑯婴城：环城。⑯契丹所留兵不满二千：谓留恒州之兵。⑯颍州：州名，治所汝阴，在今安徽阜阳。⑯何福进：字善长，太原人。传见《旧五代史》卷一百二十四。⑯控鹤指挥使：禁卫军长官。⑯辛巳：闰七月二十九日。⑯威胜：方镇名，后唐同光元年（公元九二三年）改宣化军为威胜军。治所邓州，在今河南邓州。⑯木叶山：在今内蒙古西拉木伦河与老哈河合流处，是契丹族的先世居地，山上建有辽始祖庙。⑯甲库：兵器铠甲库。⑰牙门：古代军营门口置牙旗，故营门也叫牙门。⑰恩州：州名，治所恩州，在今广东恩平北。时为南汉地，由白再荣遥领。⑰白再荣：本蕃部人，历仕契丹、后汉。贪而多疑，时人称“白麻荅”。官义成军节度使，后被周太祖兵所杀。传见《旧五代史》卷一百六、《新五代史》卷四十八。⑰壬午朔：八月初一日。

【校记】

［12］前后：原无此二字。据章钰校，十二行本、乙十一行本皆有此二字，今据补。［13］亡：原作“妄”。据章钰校，十二行本、乙十一行本、孔天胤本皆作“亡”，张敦仁《通鉴刊本识误》、张瑛《通鉴校勘记》同，今据改。

【语译】

冯道等人到各地安抚军民，大家推举冯道为节度使。冯道说：“我是个书生，只适合奏报事情而已，应该从众位将领中选取留后。”当时李荣功劳最多，而白再荣地位在他之上，于是就由白再荣暂时主持留后事务。把详细的情形上报汉高祖，并且请求派兵援助。汉高祖派遣左飞龙使李彦从带兵前往。

白再荣贪昧，猜忌诸将。奉国厢[14]主华池王饶⑯恐为再荣所并，诈称足疾，据东门楼，严兵自卫。司天监赵延乂⑰善于二人，往来谕释，始得解。再荣以李崧、和凝久为相⑱，家富，遣军士围其第求赏给。崧、凝各以家财与之，又欲杀崧、凝以灭口。李穀往见再荣，责之曰："国亡主辱，公辈握兵不救。今仅能逐一虏将，镇民⑲死者几三千人，岂独公之力邪！才得脱死，遽欲杀宰相，新天子若诘公专杀之罪，公何辞以对？"再荣惧而止。又欲率民财以给军，穀力争之，乃止。汉人尝事麻荅者，再荣皆拘之以取其财。恒人以其贪虐，谓之"白麻荅"。

杨衮至邢州，闻麻荅被逐，即日北还，杨安亦遁去。李殷以其众来降。

庚寅⑱，以薛怀让为安国节度使。刘铎闻麻荅遁去，举邢州降。怀让诈云巡检，引兵向邢州，铎开门纳之，怀让杀铎，以克复闻。朝廷知而不问。

辛卯⑱，复以恒州顺国军为镇州成德军⑱。

乙未⑱，以白再荣为成德留后。逾年，始以何福进为曹州防御使，李荣为博州⑱刺史。

敕"盗贼毋问赃多少，皆抵死"。时四方盗贼多，朝廷患之，故重其法，仍分命使者逐捕。苏逢吉自草诏，意云"应⑱贼盗，并四邻同保⑱，皆全族处斩"。众以为盗犹不可族，况邻保乎！逢吉固争，不得已，但省去"全族"字。由是捕贼使者张令柔杀平阴⑱十七村民。

逢吉为人，文深好杀⑱。在河东幕府，帝尝令静狱⑱以祈福，逢吉尽杀狱囚还报。及为相，朝廷草创，帝悉以军旅之事委杨邠、郭威，百司庶务委逢吉及苏禹珪。二相决事，皆出胸臆⑲，不拘旧制。虽事无留滞，而用舍黜陟⑲，惟其所欲。帝方倚信之，无敢言者。逢吉尤贪诈，公求货财，无所顾避。继母死，不为服。庶兄⑲自外至，不白逢吉而见诸子，逢吉怒，密语郭威，以他事杖杀之。

白再荣贪婪财货，猜忌众将。奉国厢主华池人王饶害怕被白再荣吞并，谎称脚有病，据守东门楼，严密部署军队守卫。司天监赵延义和他们二人都很要好，往来于两人之间说明解释，两人才得以和解。白再荣认为李崧、和凝长时间做宰相，家里一定很富有，就打发士兵包围他们的住宅，要求赏赐。李崧、和凝各自拿出家财给他们，白再荣又想杀李崧、和凝灭口。李穀去见白再荣，责备白再荣说："国家灭亡，君主受辱，你们手握兵权不去救援。现在只是驱逐一个虏将麻荅，镇州的民众死了将近三千人，难道是你一个人的力量吗？刚刚得以死里逃生，马上想杀了宰相，新天子如果追究你擅自杀人的罪过，你用什么话来回答？"白再荣害怕而住手了。白再荣又打算征收民众的财物来供给军队，李穀极力劝阻，他才停止。汉人曾经替麻荅做过事的，白再荣都把他们拘禁起来索取财物。恒州人因为白再荣贪婪暴虐，称他为"白麻荅"。

杨衮到达邢州，听说麻荅被赶走，当天返回北方。杨安也逃走了。李殷率领他的部众前来投降。

八月初九日庚寅，任命薛怀让为安国节度使。刘铎听说麻荅逃走，率领邢州投降。薛怀让假称巡视检查，领兵前往邢州，刘铎打开城门让他进来，薛怀让杀掉刘铎，以攻取邢州上报朝廷。朝廷知道真相而不予过问。

初十日辛卯，又把恒州顺国军改为镇州成德军。

十四日乙未，汉高祖任命白再荣为成德留后。第二年，才任命何福进为曹州防御使，李荣为博州刺史。

汉高祖敕令盗贼不论赃物多少，全都判处死刑。当时四方盗贼众多，朝廷很担忧，所以加重处罚盗贼的刑法，同时分别命令使者追捕。苏逢吉亲自草拟诏书，意思是说："接应盗贼的，连带他的四周邻居以及同保的人，都全族处以斩首"。大家认为盗贼尚且不可以灭族，何况是邻居同保人呢！苏逢吉坚持力争，不得已，只删掉"全族"两字。根据这一法令，捕贼使者张令柔杀了平阴县十七村的百姓。

苏逢吉为人，用法峻刻，喜欢杀人。在河东幕府的时候，汉高祖曾经命他清理狱囚来求福，苏逢吉杀掉所有的囚犯来向汉高祖复命。等到当了宰相，朝廷刚刚创始，汉高祖把全部军事事务交给杨邠、郭威，所有部门事务交给苏逢吉和苏禹珪。两位宰相处理事务，完全出于自己的想法，不拘守旧有的制度。尽管事情没有积压耽误，但是对事情的取舍，对官员的升降，只凭自己的意愿。汉高祖正依赖信任他们，没有人敢说话。苏逢吉尤其贪婪狡诈，公开地索要财货，毫无回避。他的继母去世，他不为她服丧。他的异母哥哥从外面回来，没有告诉他就去见侄子们，苏逢吉发怒了，秘密告诉郭威，借口其他的事情用杖把哥哥打死。

【段旨】

以上为第七段，写节镇白再荣、宰臣苏逢吉贪酷。

【注释】

⑰④左飞龙使：掌管宫廷御马的长官。⑰⑤李彦从：字士元，仕后汉，官至濮州刺史，有政声。传见《旧五代史》卷一百六。⑰⑥王饶：字受益，华池（今甘肃华池）人，历仕后晋、后汉、后周。传见《旧五代史》卷一百二十五。⑰⑦赵延义：字子英，历仕前蜀、后唐、后周，为司天监，善相人。传见《旧五代史》卷一百三十一、《新五代史》卷五十七。⑰⑧李崧、和凝久为相：本书卷二百八十一后晋高祖天福二年（公元九三七年）正月载以李崧为中书侍郎、同平章事，充枢密使。而《新五代史》卷五十七《李崧传》载高祖入京师即召崧为户部侍郎，拜中书侍郎、同中书门下平章事兼枢密使，为相似在天福

【原文】

楚王希广庶弟⑲③天策左司马希崇，性狡险，阴遗兄希萼书，言刘彦瑫等[15]违先王⑲④之命，废长立少，以激怒之。希萼自永州来奔丧，乙巳⑲⑤，至跌石。彦瑫白希广遣侍从都指挥使周廷诲等将水军逆之，命永州将士皆释甲而入，馆希萼于碧湘宫⑲⑥，成服于其次，不听入与希广相见。希萼求还朗州，周廷诲劝希广杀之。希广曰："吾何忍杀兄，宁分潭、朗⑲⑦而治之。"乃厚赠希萼，遣还朗州。希崇常为希萼诇⑲⑧希广，语言动作，悉以告之，约为内应。

契丹之灭晋也，驱战马二万匹[16]归其国。至是汉兵乏马，诏市⑲⑨士民马于河南诸道不经剽掠者。

制以钱弘倧为东南兵马都元帅，镇海、镇东节度使兼中书令，吴越王。

高从诲闻杜重威叛，发水军数千袭襄州⑳⓪，山南东道⑳①节度使安审琦击却之。又寇郢州，刺史尹实大破之。乃绝汉，附于唐、蜀。初，荆南介居湖南、岭南、福建⑳②之间，地狭兵弱。自武信王季兴⑳③时，诸道入贡过其境者，多掠夺其货币。及诸道移书诘让⑳④，或加以兵，不

元年。和凝为相则在天福五年。二人为相均久历年月，故此处云“久为相”。⑰镇民：指恒州之民。恒州旧为镇州。⑱庚寅：八月初九日。⑱辛卯：八月初十日。⑱成德军：方镇名，唐置。治所恒州，在今河北正定。后晋高祖天福七年改为顺国军，后又复原名为成德军。⑱乙未：八月十四日。⑱博州：州名，治所聊城，在今山东聊城东。⑱应：接应。⑱保：旧时户籍编制单位，犹如“里”“甲”等。⑱平阴：县名，县治在今山东平阴。⑱文深好杀：用法峻刻，喜欢杀人。文，法令条文。⑱静狱：清理狱囚。⑲胸臆：主观臆断。⑲黜陟：亦写作“绌陟”。指官吏的进退升降。黜，罢黜贬斥。陟，升迁进用。⑲庶兄：父妾所生的哥哥。

【校记】

［14］厢：原作“军”。据章钰校，十二行本、乙十一行本皆作“厢”，今据改。〖按〗《旧五代史·白再荣传》作“厢”。

【语译】

楚王马希广的异母弟天策左司马马希崇，生性狡诈阴险，暗中给哥哥马希萼写信，说刘彦瑫等人违背先王的遗命，废黜年长的哥哥，拥立年少的弟弟，以此来激怒马希萼。马希萼从永州前来奔丧，八月二十四日乙巳，到达跌石。刘彦瑫禀告马希广派遣侍从都指挥使周廷诲等人率领水军前去迎接，命令永州来的将士全部脱下铠甲入城，安置马希萼住在碧湘宫，在住的地方穿上丧服，不让他进宫与马希广相见。马希萼要求返回朗州，周廷诲劝告马希广杀了他。马希广说：“我怎么忍心杀死哥哥，宁愿把潭州和朗州分开各自治理一州。”于是送给马希萼丰厚的礼物，送他返回朗州。马希崇常常替马希萼侦察马希广，把马希广的言论行动全部都告诉马希萼，相约做他的内应。

契丹灭了后晋，驱赶走两万匹战马回到他们国内。到了这时，汉兵缺乏马匹，汉高祖下诏命到河南各道没被抢劫过的地方购买百姓的马匹。

汉高祖下制令任命钱弘倧为东南兵马都元帅，镇海、镇东节度使兼中书令，吴越王。

高从诲听说杜重威反叛，便派出几千名水军袭击襄州，山南东道节度使安审琦打退了他。高从诲又侵犯郢州，郢州刺史尹实把他打得大败，高从诲于是跟后汉断绝关系，归附南唐和后蜀。当初，荆南地处湖南、岭南、福建之间，土地狭窄，兵力薄弱。从武信王高季兴时起，各道入贡朝廷过荆南境的，就经常抢夺人家的钱财。等到各道移送文书责备他，或者出兵去讨伐他时，他才不得已把财物归还人家，一

得已复归之，曾不为愧。及从诲立，唐、晋、契丹、汉更据中原，南汉、闽、吴、蜀皆称帝，从诲利其赐予，所向称臣。诸国贱之，谓之“高无赖”。

唐主以太傅兼中书令宋齐丘为镇南节度使。

南汉主[205]恐诸弟与其子争国，杀齐王弘弼、贵王弘道、定王弘益、辨王弘济、同王弘简、益王弘建、恩王弘伟、宜王弘照，尽杀其男[206]，纳其女充后宫。作离宫[207]千余间，饰以珠宝，设镬汤[208]、铁床、刳剔[209]等刑，号“生地狱”。尝醉，戏以瓜置乐工之颈试剑，遂断其头。

【段旨】

以上为第八段，写南方割据小国楚、荆南、南唐、南汉等国事务。

【注释】

⑲③庶弟：父妾所生的弟弟。⑲④先王：指楚王马殷。马殷死时曾“遗命诸子，兄弟相继”，还“置剑于祠堂，曰：‘违吾命者戮之’”。见本书卷二百七十七。⑲⑤乙巳：八月二十四日。⑲⑥碧湘宫：在长沙府西北碧湘门之侧。⑲⑦潭、朗：潭州与朗州。潭州，五代改为长沙府，治所在今湖南长沙。朗州，治所在今湖南常德。⑲⑧诇：侦察；刺探。⑲⑨市：买。⑳⓪襄州：州名，治所襄阳，在今湖北襄阳。⑳①山南东道：方镇名，唐至德元年（公元七五六年）置。治所襄州，在今湖北襄阳。⑳②湖南、岭南、福建：此指三个道。湖南，方镇名，唐广德二年（公元七六四年）置。治所潭州，在今湖南长沙。唐末马氏据为楚国。岭南，方镇名，唐至德元年（公元七五六年）置。治所广州，在今广东广州。唐末刘氏据为汉国。福建，方镇名，唐至德元载置福建经略使。治所福州，在今福建福州。唐末王氏据为闽国。⑳③武信王季兴：高季兴（公元八五八至九二八年），字贻孙，陕州硖石（今河南三门峡南）人，少随朱全忠，因军功为颍州防御使，后升为荆南节度使。后

【原文】

初，帝与吏部尚书窦贞固俱事晋高祖，雅相知重。及即位，欲以为相，问苏逢吉：“其次谁可相者？”逢吉与翰林学士李涛善，因荐之，

点也不感到羞愧。等到高从诲继位，后唐、后晋、契丹、后汉相继占据中原，南汉、闽、吴、后蜀都称帝。高从诲贪图各国的赏赐，无论对哪一国都称臣，各国都看不起他，称他为“高无赖”。

南唐主任命太傅兼中书令宋齐丘为镇南节度使。

南汉主害怕弟弟们和自己的儿子争夺天下，就杀了齐王刘弘弼、贵王刘弘道、定王刘弘益、辨王刘弘济、同王刘弘简、益王刘弘建、恩王刘弘伟、宜王刘弘照，同时把他们家中的男子全部杀死，收捕他家女子充实后宫。南汉主建造了一千多间离宫，用珠宝装饰，设置热水锅、铁床、剖挖等酷刑，号称“活地狱”。曾经醉酒，开玩笑地把一个瓜放在乐工的脖子上试剑，就这样砍下了乐工的头。

唐同光二年（公元九二四年）受封为南平王，谥武信王。公元九二四至九二八年在位。传见《旧五代史》卷一百三十三、《新五代史》卷六十九。㉔移书诘让：移送文书进行责备。㉕南汉主：南汉中宗刘晟，初名弘熙，南汉高祖刘䶮第四子，杀其兄刘玢（弘度）自立。公元九四三至九五八年在位。传见《旧五代史》卷一百三十五、《新五代史》卷六十五。㉖尽杀其男：指南汉主弘熙杀尽诸弟。刘䶮共有十九子。长子邕王耀枢，次子康王龟图早卒。刘䶮死，第三子弘度立，昏暴，被弘熙弑杀。弘熙为刘䶮第四子，猜忌诸弟，除万王弘操战死之外，其余十五个弟弟先后皆为弘熙所杀，齐王弘弼等八弟在南汉乾和五年同日被害。齐王弘弼为第六子，贵王弘道为十六子，定王弘益为十九子，辨王弘济为十五子，同王弘简为十三子，益王弘建为十四子，恩王弘伟（《新五代史》写作“玮”）为十一子，宜王弘照（本书卷二百七十八作“弘昭”）为第十七子。㉗离宫：皇帝正宫以外临时居住的宫室。㉘镬汤：开水锅。镬，古时指无足的鼎。㉙刳剔：剖开挖空。

【校记】

［15］等：原无此字。据章钰校，十二行本、乙十一行本皆有此字，张敦仁《通鉴刊本识误》同，今据补。［16］匹：原无此字。据章钰校，十二行本、乙十一行本、孔天胤本皆有此字，张敦仁《通鉴刊本识误》同，今据补。

【语译】

当初，汉高祖和吏部尚书窦贞固一起侍奉后晋高祖，素来互相赏识和敬重。及至汉高祖即位，想让窦贞固当宰相。汉高祖问苏逢吉：“其次谁可以当宰相？”苏逢吉跟翰林学士李涛很要好，借此机会推荐李涛，说：“过去李涛请求杀掉张彦泽，陛下

曰："昔涛乞斩张彦泽[210]，陛下在太原，尝重之，此可相也。"会高行周、慕容彦超共讨杜重威于邺都，彦超欲急攻城，行周欲缓之以待其弊。行周女为重威子妇，彦超扬言："行周以女故，爱贼不攻。"由是二将不协。帝恐生他变，欲自将击重威，意未决。涛上疏请亲征。帝大悦，以涛有宰相器。

九月甲戌[211]，加逢吉左仆射兼门下侍郎，苏禹珪右仆射兼中书侍郎，贞固司空兼门下侍郎，涛户部尚书兼中书侍郎，并同平章事。

戊寅[212]，诏幸澶、魏劳军，以皇子承训[213]为东京留守。

冯道、李崧、和凝自镇州还，己卯[214]，以崧为太子太傅，凝为太子太保。

庚辰[215]，帝发大梁。

晋昌节度使赵匡赞恐终不为朝廷所容，冬，十月，遣使降蜀，请自终南山路出兵应援。

戊戌[216]，帝至邺都城下，舍于高行周营。行周言于帝曰："城中食未尽，急攻，徒杀士卒，未易克也。不若缓之，彼食尽自溃。"帝然之。慕容彦超数因事陵轹[217]行周，行周泣诉于执政[218]，掬粪壤实其口[219]。苏逢吉、杨邠密以白帝，帝深知彦超之曲[220]，犹命二臣和解之。又召彦超于帐中责之，且使诣行周谢[221]。

杜重威声言车驾至即降，帝遣给事中陈观往谕指，重威复闭门拒之。城中食浸竭，将士多出降者。慕容彦超固请攻城。帝从之。丙午[222]，亲督诸将攻城。自寅至辰[223]，士卒伤者万余人，死者千余人，不克而止。彦超乃不敢复言。

初，契丹留幽州兵千五百人[17]戍大梁。帝入大梁，或告幽州兵将为变，帝尽杀之于繁台[224]之下。及围邺都，张琏将幽州兵二千助重威拒守，帝屡遣人招谕，许以不死。琏曰："繁台之卒，何罪而戮？今守此，以死为期耳。"由是城久不下。十一月丙辰[225]，内殿直韩训献攻城之具，帝曰："城之所恃者，众心耳。众心苟离，城无所保，用此何为！"

杜重威之叛也[18]，观察判官金乡王敏[226]屡泣谏，不听。及食竭力

那时在太原，曾经对李涛很推重，这人可以任宰相。”适逢高行周和慕容彦超一起在邺都讨伐杜重威，慕容彦超想要加紧攻城，高行周想推迟进攻，等待敌人自行崩溃。高行周的女儿是杜重威的儿媳，慕容彦超扬言说：“高行周因为女儿的缘故，怜惜敌人，不肯进攻。”由此两位将领不和。汉高祖害怕引起其他变故，打算亲自率兵攻打杜重威，想法还没有定下来。李涛上疏建议皇上亲征。汉高祖非常高兴，认为李涛有宰相的才识。

九月二十三日甲戌，加封苏逢吉为左仆射兼门下侍郎，苏禹珪为右仆射兼中书侍郎，窦贞固为司空兼门下侍郎，李涛为户部尚书兼中书侍郎，全都为同平章事。

二十七日戊寅，皇帝下诏亲临澶州和魏州慰劳军队，任命皇子刘承训为东京留守。

冯道、李崧、和凝从镇州返回。二十八日己卯，任命李崧为太子太傅，和凝为太子太保。

二十九日庚辰，汉高祖从大梁出发。

晋昌节度使赵匡赞担心最终不能被朝廷接纳。冬，十月，派遣使者投降后蜀，请求后蜀从终南山路出兵接应救援。

十月十七日戊戌，汉高祖抵达邺都城下，住在高行周的军营里。高行周对汉高祖说：“城里粮食还没吃完，急于进攻会白白地伤害士卒，又不容易攻下。不如延缓攻城，等到他们粮食吃光了，自然会崩溃。”汉高祖认为是对的。慕容彦超多次借事端欺压高行周，高行周向执政大臣哭诉自己好比被人拿粪土塞进嘴里。苏逢吉、杨邠把这些情况秘密报告汉高祖，汉高祖深知慕容彦超理屈，但还是让苏、杨二人为他们和解。又把慕容彦超叫到帐中来责备他，并且要他到高行周那里道歉。

杜重威声称汉高祖一到，他立即投降。汉高祖派遣给事中陈观前去告诉他皇帝的旨意，杜重威又关闭城门拒绝使者。城里的粮食渐渐地没有了，将士有很多出城投降的。慕容彦超坚决要求攻城，汉高祖同意了。十月二十五日丙午，汉高祖亲自监督众将攻城。从寅时到辰时，士兵受伤的有一万多人，死亡的一千多人，城没有攻下而停止。慕容彦超这才不敢再说攻城。

当初，契丹留下一千五百名幽州兵戍守大梁，汉高祖进入大梁时，有人报告说幽州兵将要叛乱，汉高祖把他们全都杀死在繁台下。等到这次包围邺都，张琏率领两千名幽州兵帮助杜重威防守抵抗。汉高祖多次派人招抚劝告，答应不杀他们。张琏说：“繁台的士兵，有什么罪而被杀戮？现在防守此地，到死为止。”因此邺城很久不能攻下。十一月初六日丙辰，内殿直韩训献上攻城的器具，汉高祖说：“城池所依赖的，是众人的决心。众人的心一旦涣散分离，城池就不能守护，要这些器具干什么！”

杜重威背叛时，观察判官金乡人王敏屡次哭着劝阻他，杜重威不听。等到粮食

尽，甲戌㉗，遣敏奉表出降。乙亥㉘，重威子弘琏来见。丙子㉙，妻石氏来见。石氏，即晋之宋国长公主也。帝复遣入城。丁丑㉚，重威开门出降，城中馁死者什七八，存者皆尪瘠㉛无人状。张琏先邀朝廷信誓，诏许以归乡里，及出降，杀琏等将校数十人。纵其士卒北归，将出境，大掠而去。郭威请杀重威牙将㉜百余人，并重威家赀籍㉝之以赏战士，从之。以重威为太傅兼中书令、楚国公。重威每出入，路人往往掷瓦砾诟之㉞。

臣光曰："汉高祖杀幽州无辜千五百人，非仁也。诱张琏而诛之，非信也。杜重威罪大而赦之，非刑也。仁以合众㉟，信以行令㊱，刑以惩奸㊲。失此三者，何以守国！其祚运㊳之不延㊴也，宜哉！"

【段旨】

以上为第九段，写后汉高祖刘知远仁、信、刑三失，是以国祚不久。

【注释】

⑩ 昔涛乞斩张彦泽：事见本书卷二百八十三晋高祖天福七年。⑪ 甲戌：九月二十三日。⑫ 戊寅：九月二十七日。⑬ 承训：字德辉，刘知远长子。官至开封尹、检校太尉、同平章事。年二十六卒，追封魏王。传见《旧五代史》卷一百五、《新五代史》卷十八。⑭ 己卯：九月二十八日。⑮ 庚辰：九月二十九日。⑯ 戊戌：十月十七日。⑰ 陵轹：欺凌。⑱ 执政：执政大臣，即苏逢吉、杨邠等。⑲ 掬粪壤实其口：用手掬取粪土塞进嘴里，表示受凌辱而不敢言。⑳ 曲：理亏。㉑ 谢：谢罪。㉒ 丙午：十月二十五日。㉓ 自寅至辰：从寅时到辰时，相当于早晨三时至九时。㉔ 繁台：在大梁，本为师旷吹台，梁孝王增筑。后有繁氏居其侧，里人便以其姓称之为繁台。㉕ 丙辰：十一月初六日。㉖ 王敏：

吃完兵力用尽，十一月二十四日甲戌，杜重威派遣王敏奉表出城请降。二十五日乙亥，杜重威的儿子杜弘琏前来进见。二十六日丙子，杜重威的妻子石氏前来进见。石氏就是后晋的宋国长公主。汉高祖又送他们进城。二十七日丁丑，杜重威打开城门投降，城里饿死的人十之七八，存活下来的人也都瘦弱得不成人样。张琏首先请求朝廷发誓，汉高祖下诏承诺让他们回到自己家乡去。等到他们出城投降，便杀了张琏等将校几十人。放他们的士兵向北回家。这些士兵们将要出魏州地界时，大肆抢劫后离去。郭威请求杀掉杜重威的牙将一百多人，并没收杜重威的家财来奖赏战士，汉高祖同意了。汉高祖任命杜重威为太傅兼中书令、楚国公。杜重威每次出入，路上的人常常向他投石头瓦块，辱骂他。

史臣司马光说："后汉高祖杀死一千五百名无辜的幽州士兵，这不是仁心。诱骗张琏投降而把他杀死，这不是诚信。杜重威罪恶大而赦免他，这不是刑罚所当。仁用来团结众人，信用来推行政令，刑用来惩罚奸邪。失去这三项，还用什么来治理国家！他的国运不能长久，是理所应当的啊！"

字待问，金乡（今山东金乡）人，少力学攻文，登进士第。后依杜重威，历数镇从事。重威叛于邺，采纳敏言，降刘知远。入后周，官给事中、刑部侍郎。传见《旧五代史》卷一百二十八。㉗甲戌：十一月二十四日。㉘乙亥：十一月二十五日。㉙丙子：十一月二十六日。㉚丁丑：十一月二十七日。㉛尪瘠：瘦弱、瘠病。㉜牙将：此指杜重威的亲兵将领。㉝籍：登记入册，此指籍没，清查没收。㉞路人往往掷瓦砾诟之：这是因为杜重威在藩镇贪黩无厌，为将则卖国害民。诟，辱骂。㉟合众：聚合万众为一心。㊱行令：执行命令。㊲惩奸：惩罚奸佞。㊳祚运：国运。㊴不延：没有延续。后汉建国前后四岁而亡，为五代最短祚之国。

【校记】

［17］人：原无此字。据章钰校，十二行本、乙十一行本、孔天胤本皆有此字，张敦仁《通鉴刊本识误》同，今据补。［18］也：原无此字。据章钰校，十二行本、乙十一行本、孔天胤本皆有此字，今据补。

【原文】

高行周以慕容彦超在澶州，固辞邺都。己卯[240]，以忠武节度使史弘肇领归德节度使、兼侍卫马步都指挥使，义成节度使刘信领忠武节度使、兼侍卫马步副都指挥使，徙彦超为天平节度使，并加同平章事。

吴越王弘倧大阅水军，赏赐倍于旧。胡进思固谏，弘倧怒，投笔水中，曰："吾之财与士卒共之，奚多少之限邪！"

十二月丙戌[241]，帝发邺都[242]。

蜀主遣雄武都押牙吴崇恽以枢密使王处回书招凤翔节度使侯益。庚寅[243]，以山南西道[244]节度使兼中书令张虔钊[245]为北面行营招讨安抚使，雄武节度使何重建副之，宣徽使韩保贞[246]为都虞候，共将兵五万，虔钊出散关[247]，重建出陇州[248]，以击凤翔。奉銮肃卫都虞候李廷珪[249]将兵二万出子午谷[250]，以援长安。诸军发成都，旌旗数十里。

辛卯[251]，皇子开封尹承训卒。承训孝友忠厚，达于从政，人皆惜之。

癸巳[252]，帝至大梁。

威武节度使李孺赟与吴越戍将鲍脩让不协，谋袭杀脩让，复以福州降唐。脩让觉之，引兵攻府第。是日，杀孺赟，夷其族。

乙未[253]，追立皇子承训为魏王。

侯益请降于蜀，使吴崇恽持兵籍、粮帐西还，与赵匡赞同上表请出兵平定关中。

己酉[254]，鲍脩让传李孺赟首至钱塘，吴越王弘倧[255]以丞相山阴吴程[256]知威武节度事。

吴越王弘倧，性刚严，愤忠献王弘佐[257]时容养诸将，政非己出。及袭位，诛杭、越侮法吏三人。内牙统军使胡进思恃迎立功，干预政事。弘倧恶之，欲授以一州，进思不可。进思有所谋议，弘倧数面折之。进思还家，设忠献王位，被发恸哭。民有杀牛者，吏按之，引人所市肉近千斤。弘倧问进思："牛大者肉几何？"对曰："不过三百斤。"弘倧曰："然则吏妄也。"命按其罪。进思拜贺其明。弘倧曰："公何能知其详？"进思踧踖[258]对曰："臣昔未从军，亦尝从事于此。"进思以弘倧为知其素业，故辱之，益恨怒。进思建议遣李孺赟归福州，及孺赟

【语译】

高行周因为慕容彦超在澶州，坚决推辞镇守邺都。十一月二十九日己卯，汉高祖任命忠武节度使史弘肇兼领归德节度使、兼任侍卫马步都指挥使，义成节度使刘信兼领忠武节度使、兼任侍卫马步副都指挥使，调任慕容彦超为天平节度使，都加授同平章事。

吴越王钱弘倧大举检阅水军，赏赐比以前加倍。胡进思极力劝阻，钱弘倧很生气，把笔扔到水中，说："我的钱财和士兵共同所有，哪有多少的界限呢！"

十二月初六日丙戌，汉高祖从邺都出发。

后蜀主派遣雄武都押牙吴崇恽，带着枢密使王处回的信去招抚凤翔节度使侯益。十二月初十日庚寅，任命山南西道节度使兼中书令张虔钊为北面行营招讨安抚使，雄武节度使何重建为副使，宣徽使韩保贞为都虞候，总共率领士兵五万人，张虔钊从散关出发，何重建从陇州出发，攻打凤翔。奉銮肃卫都虞候李廷珪率领士兵二万人从子午谷出发，来援救长安。各路军从成都出发，旌旗数十里。

十一日辛卯，皇子开封尹刘承训去世。刘承训孝顺友爱，忠诚厚道，通晓政事，人人都惋惜他。

十三日癸巳，汉高祖回到大梁。

威武节度使李孺赟与吴越守将鲍脩让不和，谋划偷袭杀死鲍脩让，再以福州投降南唐。鲍脩让察觉出来，带兵攻打福州府署。这天，杀了李孺赟，灭了他的全族。

十五日乙未，追立皇子刘承训为魏王。

侯益请求投降后蜀，让吴崇恽带着士兵名籍、粮食账目向西返回，与赵匡赞一起上表请求出兵平定关中。

二十九日己酉，鲍脩让把李孺赟的首级传送到钱塘，吴越王钱弘倧使丞相山阴人吴程主持威武节度的事务。

吴越王钱弘倧性情刚强严厉，愤恨忠献王钱弘佐时常容忍姑息众将，政令不由自己颁发。等到他继承王位，杀了杭州、越州轻慢法令的三名官吏。内牙统军使胡进思倚仗迎立钱弘倧为国君的功劳，干涉朝政。钱弘倧厌恶他，想授给他一个州的官职，胡进思不同意。胡进思有什么谋划建议，钱弘倧多次当面斥责他。胡进思回到家里，设置忠献王钱弘佐的灵位，披头散发地痛哭。百姓有杀牛的，官吏予以查办，带来一个人所卖的牛肉将近一千斤。钱弘倧问胡进思："牛大的有多少肉？"回答说："不超过三百斤。"钱弘倧说："那么官吏是胡说的了。"命令胡进思治那官吏的罪。胡进思恭贺吴越王的明察。钱弘倧说："你怎么知道其中的底细呢？"胡进思局促不安地回答说："我以前还没有参军的时候，也曾经干过这种营生。"胡进思认为钱弘倧知道他以前的职业，故意侮辱他，就更加痛恨愤怒。胡进思建议遣送李孺赟回福

叛，弘倧责之，进思愈不自安。

弘倧与内牙指挥使何承训谋逐进思，又谋于内都监使水丘昭券。昭券以为进思党盛难制，不如容之，弘倧犹豫未决。承训恐事泄，反以谋告进思。庚戌晦[259]，弘倧夜宴将吏。进思疑其图己，与其党谋作乱，帅亲兵百人戎服执兵入见于天策堂，曰："老奴无罪，王何故图之？"弘倧叱之不退，左右持兵者皆愤怒。弘倧猝愕不暇发言[260]，趋入义和院。进思锁其门，矫称王命，告中外云："猝得风疾[261]，传位于同参相府事弘俶。"进思因帅诸将迎弘俶于私第，且召丞相元德昭。德昭至，立于帘外不拜，曰："俟见新君。"进思亟出褰帘[262]，德昭乃拜。

进思称弘倧之命，承制授弘俶镇海、镇东节度使兼侍中。弘俶曰："能全吾兄，乃敢承命。不然，当避贤路。"进思许之。弘俶始视事。进思杀水丘昭券及进侍[263]鹿光铉。光铉，弘倧之舅也。进思之妻曰："他人犹可杀。昭券，君子也，奈何害之！"

是岁，唐主以羽林大将军王延政为安化[264]节度使、鄱阳王，镇饶州。

【段旨】

以上为第十段，写后蜀犯凤翔，吴越国发生政变。

【注释】

㉔⓪己卯：十一月二十九日。㉔①丙戌：十二月初六日。㉔②帝发邺都：指刘知远从邺都回大梁。㉔③庚寅：十二月初十日。㉔④山南西道：方镇名，治所兴元，在今陕西汉中市。㉔⑤张虔钊：先仕后唐，又投后蜀，与蜀军攻凤翔，无功，惭愤而死。㉔⑥韩保贞：字永吉，随父入后蜀，官至检校太尉兼侍中。㉔⑦散关：关名，宋以后习称大散关。在陕西宝鸡西南大散岭上，当秦岭咽喉，扼川、陕交通孔道，为古代兵家必争之地。㉔⑧陇州：州名，治所汧源，在今陕西陇县。㉔⑨李廷珪：并州太原（今山西太原）人，幼隶孟知祥帐下。知祥建后蜀，廷珪补军职，累迁奉銮肃卫都虞候，后任侍中、武信节度使等职。

州，等到李孺赟叛乱，钱弘倧责备他，胡进思更加内心不安。

钱弘倧与内牙指挥使何承训谋划驱逐胡进思，又和内都监使水丘昭券商议。水丘昭券认为胡进思党羽强大，难以制服，不如容忍他，钱弘倧犹豫不决。何承训害怕事情泄露，反而把谋划告诉了胡进思。十二月三十日庚戌，钱弘倧晚上宴请将领官吏。胡进思怀疑他要谋害自己，就和自己的党羽图谋作乱，率领一百名亲兵，身穿军服，手拿武器，进入天策堂见钱弘倧，胡进思说："老奴没有罪，大王为什么要谋害我？"钱弘倧呵斥胡进思，胡进思不退去，左右拿兵器的人都很愤怒。钱弘倧却惊慌失措说不出话来，跑进义和院。胡进思锁上义和院的门，假传王命，告示中外说："皇帝突然中风，传位给同参相府事钱弘俶。"胡进思于是率领众将到私宅去迎接钱弘俶，并且叫来丞相元德昭。元德昭来了，站在帘外不下拜，说："等着见新君主。"胡进思赶紧出来掀起帘子，元德昭才下拜。

胡进思说是钱弘倧的诏命，秉承皇帝旨意任命钱弘俶为镇海、镇东节度使兼侍中。钱弘俶说："要能保全我的哥哥，我才敢接受王命。不如此，我将让开贤路。"胡进思答应了。钱弘俶才开始处理政事。胡进思杀掉水丘昭券和进侍鹿光铉。鹿光铉，是钱弘倧的舅父。胡进思的妻子说："其他人还可杀。水丘昭券是个君子，为什么把他杀了！"

这一年，南唐主任命羽林大将军王延政为安化节度使、鄱阳王，镇守饶州。

领兵与后周、宋军作战屡败，遂与后主一起降宋。传见《宋史》卷四百七十九。㉕⓪子午谷：地名，在陕西西安市长安区南秦岭山中，为川、陕间要道。㉕①辛卯：十二月十一日。㉕②癸巳：十二月十三日。㉕③乙未：十二月十五日。㉕④己酉：十二月二十九日。㉕⑤弘倧：字隆道，吴越文穆王钱元瓘第七子，继王位不足一年便被大将胡进思废。幽居二十年后始卒，谥忠逊王。㉕⑥吴程：字正臣，山阴（今浙江绍兴）人，仕吴越，任丞相、威武军节度使。㉕⑦弘佐：字符祐，吴越文穆王钱元瓘第六子。公元九四一至九四七年在位。温柔好礼，恭勤政务，谥忠献王。㉕⑧踧踖：恭敬而局促不安的样子。㉕⑨庚戌晦：十二月三十日。㉖⓪猝愕不暇发言：急促惊慌之间来不及说话。㉖①风疾：中风；瘫痪。㉖②褰帘：掀起帘幕。㉖③进侍：吴越所设置的在王左右的官。㉖④安化：方镇名，五代十国南唐置。治所饶州，在今江西鄱阳。

【原文】

乾祐元年（戊申，公元九四八年）

春，正月乙卯㉖⁵，大赦，改元。

帝以赵匡赞、侯益与蜀兵共为寇，患之。会回鹘㉖⁶入贡，诉称为党项所阻，乞兵应接。诏右[19]卫大将军王景崇、将军齐藏珍㉖⁷将禁军数千赴之，因使之经略关西㉖⁸。

晋昌节度判官李恕，久在赵延寿幕下，延寿使之佐匡赞。匡赞将入蜀，恕谏曰："燕王入胡[20]，岂所愿哉！今汉家新得天下，方务招怀。若谢罪归朝，必保富贵。入蜀非全计也。'蹄涔不容尺鲤㉖⁹'，公必悔之。"匡赞乃遣恕奉表请入朝。景崇等未行而恕至，帝问恕："匡赞何为附蜀？"对曰："匡赞自以身受虏官㉗⁰，父在虏庭，恐陛下未之察，故附蜀求苟免耳。臣以为国家必应存抚，故遣臣来祈哀。"帝曰："匡赞父子，本吾人也，不幸陷虏。今延寿方坠槛阱㉗¹，吾何忍更害匡赞乎！"即听其入朝。侯益亦请赴二月四日圣寿节㉗²上寿。景崇等将行，帝召入卧内，敕之曰："匡赞、益之心，皆未可知。汝至彼，彼已入朝，则勿问。若尚迁延顾望㉗³，当以便宜从事。"

己未㉗⁴，帝更名暠㉗⁵。

以前威胜节度使冯道为太师。

壬戌㉗⁶，吴越王弘俶迁故王弘倧于衣锦军㉗⁷私第，遣匡武都头薛温㉗⁸将亲兵卫之。潜戒之曰："若有非常处分㉗⁹，皆非吾意，当以死拒之。"

帝自魏王承训卒，悲痛过甚。甲子㉘⁰，始不豫㉘¹。

赵匡赞不俟李恕返命，已离长安，丙子㉘²，入见。

王景崇等至长安，闻蜀兵已入秦川㉘³，以兵少，发本道㉘⁴及赵匡赞牙兵千余人同拒之。景崇恐匡赞牙兵亡逸，欲文其面㉘⁵，微露风旨㉘⁶。军校赵思绾㉘⁷首请自文其面以帅下，景崇悦。齐藏珍窃言曰："思绾凶暴难制，不如杀之。"景崇不听。思绾，魏州人也。

蜀李廷珪将至长安，闻赵匡赞已入朝，欲引归。王景崇邀之，败廷珪于子午谷。张虔钊至宝鸡㉘⁸，诸将议不协，按兵未进。侯益闻廷

【语译】

乾祐元年（戊申，公元九四八年）

春，正月初五日乙卯，大赦，改年号为乾祐。

汉高祖因为赵匡赞、侯益和后蜀军队一起入侵，很担忧。正遇上回鹘来朝贡，诉说被党项拦阻，请求朝廷发兵接应。皇帝诏命右卫大将军王景崇、将军齐藏珍率领禁卫军几千人前往，乘此机会让他们谋略关西。

晋昌节度判官李恕长期在赵延寿的幕府中，赵延寿让他辅佐赵匡赞。赵匡赞将要入后蜀，李恕劝谏他说："燕王归附契丹，难道是他愿意的吗？现在汉家刚刚得到天下，正致力于招徕安抚。如果谢罪回归朝廷，一定能够保有富贵。入蜀不是万全之策，'马蹄窝里的水，容纳不了一尺长的鲤鱼'，您一定会后悔的。"赵匡赞就派遣李恕奉表请求来朝见。王景崇等人还没有启程，李恕就到了大梁。汉高祖问李恕："赵匡赞为什么要归附蜀国？"李恕回答说："赵匡赞自己认为本人接受胡虏任命的官职，父亲又在胡虏朝廷，恐怕陛下不能明察，所以归附蜀国求得苟且免难罢了。臣认为国家一定会存恤安抚，所以派臣前来请求陛下哀怜。"汉高祖说："赵匡赞父子本来就是我们中原人，不幸陷身于胡虏。现在赵延寿正陷于胡人的陷阱，我怎能忍心再加害赵匡赞呢！"当即答应他入朝。侯益也请求参加二月四日的圣寿节，给汉高祖祝寿。王景崇等人将要出发，汉高祖把他们召到卧室，命令他们说："赵匡赞和侯益的心，都还没有摸清，你们到了那里，他们如果已经入朝，就什么也不用说，如果还拖延观望，就该见机行事。"

正月初九日己未，汉高祖改名为暠。

汉高祖任命前任威胜节度使冯道为太师。

十二日壬戌，吴越王钱弘俶把前王钱弘倧迁到衣锦军的私宅，派遣匡武都头薛温率领亲兵护卫钱弘倧。钱弘俶秘密告诫薛温说："如果有异常的处置，都不是我的意思，你要拼死抵挡。"

汉高祖自从魏王刘承训去世之后，悲痛过度，十四日甲子，开始生病。

赵匡赞不等李恕回来复命，就已离开长安，二十六日丙子，入朝拜见汉高祖。

王景崇等人到达长安，听说后蜀军队已经进入秦川，因为兵力少，就征调该道的兵力以及赵匡赞的牙兵一千多人一起抵抗后蜀军队。王景崇担心赵匡赞的牙兵逃跑，想在他们的脸上刺字，稍稍透露了想法。军校赵思绾首先请求在自己脸上刺字给部下做表率，王景崇很高兴。齐藏珍私下对王景崇说："赵思绾凶狠残暴，难以控制，不如杀了他。"王景崇不同意。赵思绾，是魏州人。

后蜀李廷珪即将到达长安，听说赵匡赞已经入朝，想带兵回去。王景崇在半路拦击他，在子午谷打败李廷珪。张虔钊到达宝鸡，众将意见不一致，按兵不动。侯

珪西还，因闭壁拒蜀兵，虔钊势孤，引兵夜遁。景崇帅凤翔、陇、邠、泾、鄜㉘、坊㉚之兵追败蜀兵于散关，俘将卒四百人。

丁丑㉛，帝大渐㉜。杨邠忌侍卫马军都指挥使、忠武节度使刘信，立遣之镇㉝。信不得奉辞，雨泣而去。帝召苏逢吉、杨邠、史弘肇、郭威入受顾命㉞，曰：“余气息微，不能多言。承祐幼弱，后事托在卿辈。”又曰：“善防重威。”是日，殂㉟于万岁殿，逢吉等秘不发丧。

庚辰㊱，下诏，称：“重威父子，因朕小疾，谤议摇众，并其子弘璋、弘琏、弘璨皆斩之。晋公主㊲及内外亲族，一切不问。”磔㊳重威尸于市。市人争啖其肉，吏不能禁，斯须而尽。

二月辛巳朔㊴，立皇子左卫大将军、大内都点检承祐㊵为周王、同平章事。有顷㊶，发丧，宣遗制，令周王即皇帝位。时年十八。

蜀韩保贞、庞福诚引兵自陇州还，要何重建俱西。是日，保贞等至秦州，分兵守诸门及衢路㊷，重建遂入于蜀。

丁亥㊸，尊皇后曰皇太后。

朝廷知成德留后白再荣非将帅才，庚寅㊹，以前建雄留后刘在明代之。

癸巳㊺，大赦。

【段旨】

以上为第十一段，写后汉大败蜀兵，后汉高祖驾崩，次子刘承祐嗣位，是为隐帝。

【注释】

㉕乙卯：正月初五日。㉖回鹘：回纥，维吾尔族的古称。唐贞元四年（公元七八八年）回纥可汗请唐改称回纥为回鹘，取“回旋轻捷如鹘”之意。开成五年（公元八四〇年）为黠戛斯人所破，部众分为三支西迁。一支迁吐鲁番盆地，称高昌回鹘或西州回鹘；一支迁葱岭西楚河一带，即葱岭西回鹘；一支迁河西走廊，称河西回鹘。㉗齐藏珍：历仕后汉、后周，官至濠州行州刺史。贪婪善辩，人多畏其利口。后因冒称检校官罪，被

益听说李廷珪向西返回，就关闭营门拒绝后蜀军队进来；张虔钊势单力薄，率领军队夜间逃走。王景崇率领凤翔、陇州、邠州、泾州、鄜州、坊州的军队追赶，在散关打败后蜀军队，俘虏将领士卒四百人。

正月二十七日丁丑，汉高祖病危。杨邠嫉恨侍卫马军都指挥使、忠武节度使刘信，立即派遣刘信回他的镇所。刘信不能向汉高祖行告别之礼，泪流如雨而离去。汉高祖召请苏逢吉、杨邠、史弘肇、郭威等人进宫接受临终遗命，说："我气息微弱，不能多说话。承祐年幼弱小，以后的事委托在诸位身上了。"又说："要好好地防备杜重威。"当天，汉高祖在万岁殿去世，苏逢吉等人保密，没有发布丧事消息。

正月三十日庚辰，下诏说："杜重威父子，趁朕小病，诽谤惑众，连同他的儿子弘璋、弘琏、弘璨全部斩首。晋公主以及内外亲族，一概不加追究。"把杜重威分尸陈之于市。市人争吃他的肉，官吏无法禁止，一会儿就吃光了。

二月初一日辛巳，立皇子左卫大将军、大内都点检刘承祐为周王、同平章事。不一会儿，公告丧事，宣布遗诏，命周王即皇帝位。当时刘承祐十八岁。

后蜀韩保贞、庞福诚带兵从陇州返回，约何重建一起西行。当天，韩保贞等人到达秦州，派兵分别把守各个城门和重要的通道，何重建于是进入后蜀。

二月初七日丁亥，尊皇后为皇太后。

朝廷知道成德留后白再荣不是当将帅的材料，初十日庚寅，任命前任建雄留后刘在明代替他。

十三日癸巳，实行大赦。

周世宗处死。传见《旧五代史》卷一百二十九。㉖⑧关西：古地区名，汉唐时代泛指函谷关或潼关以西地区。㉖⑨蹄涔不容尺鲤：存水少的蹄窝，容不下一尺多长的鲤鱼。比喻蜀国小，容不下赵匡赞。涔，本指连日下雨所积的水。㉗⓪身受虏官：谓先受契丹主耶律德光之命镇河中府。㉗①槛阱：陷阱。赵延寿被契丹所锁，落入陷阱。事见上年五月。㉗②圣寿节：刘知远生于唐乾宁二年（公元八九五年）二月四日，故称这一天为圣寿节。㉗③迁延顾望：拖延观望。㉗④己未：正月初九日。㉗⑤皜：白；洁白。㉗⑥壬戌：正月十二日。㉗⑦衣锦军：唐昭宗升钱镠所居营为衣锦军，在今浙江杭州市临安区。㉗⑧薛温：吴越将领，以勇武著称。因保护弘倧不被胡进思害有功，官镇国都指挥使。㉗⑨非常处分：指意外的处置。弘俶估计胡进思必害弘倧，故密嘱薛温倍加防备。㉘⓪甲子：正月十四日。㉘①不豫：旧称帝王有病。㉘②丙子：正月二十六日。㉘③秦川：地区名，指今陕西关中渭河平原地带。因春秋、战国时地属秦国而得名。㉘④本道：指晋昌。㉘⑤文其面：在脸上刺字。文，本指花纹，在此做动词用。㉘⑥微露风旨：稍稍透露其旨意。㉘⑦赵思绾：魏州（今河北大名东

北）人，牙将出身，投后汉，不久叛，又投李守贞盘踞永兴。守贞败，又欲投蜀，被郭威擒杀。传见《旧五代史》卷一百九、《新五代史》卷五十三。㉘宝鸡：县名，县治陈仓，在今陕西宝鸡。㉙鄜：州名，治所鄜县，在今陕西富县。㉚坊：州名，治所中部县，在今陕西黄陵。㉛丁丑：正月二十七日。㉜大渐：病情加剧。㉝镇：指许州。许州为忠武节度使驻地。㉞顾命：本为《尚书》篇名，有临终遗命之意。后世称天子之遗诏为顾命。㉟殂：死亡。㊱庚辰：正月三十日。㊲晋公主：后晋高祖妹石氏，杜重威妻。㊳磔：古代的一种酷刑，即分尸。㊴辛巳朔：二月初一日。㊵承祐：后汉高祖第二子，封周王。高祖死，即位。郭威起兵，被杀，谥隐帝。公元九四八至九五〇年在位。传见《旧五代史》卷一百一、《新五代史》卷十。㊶有顷：不久；不一会儿。㊷衢路：四通八达的路。此指交通要道。㊸丁亥：二月初七日。㊹庚寅：二月初十日。㊺癸巳：二月十三日。

【原文】

吴越内牙指挥使何承训复请诛胡进思及其党。吴越王弘俶恶其反覆[306]，且惧召祸，乙未[307]，执承训，斩之。

进思屡请杀废王弘倧以绝后患，弘俶不许。进思诈以王命密令薛温害之，温曰：“仆受命之日，不闻此言，不敢妄发。”进思乃夜遣其党方安等[21]二人逾垣而入。弘倧阖户拒之，大呼求救。温闻之，率众而入，毙安等于庭中。入告弘俶[308]，弘俶大惊，曰：“全吾兄，汝之力也。”

弘俶畏忌进思，曲意下之[309]。进思亦内忧惧，未几，疽[310]发背卒。弘倧由是获全。

诏以王景崇兼凤翔巡检使。景崇引兵至凤翔，侯益尚未行，景崇以禁兵分守诸门。或劝景崇杀益，景崇以受先朝密旨，嗣主未之知，或疑于专杀，犹豫未决。益闻之，不告景崇而去，景崇悔，自诟。戊戌[311]，益入朝，隐帝问：“何故召蜀军？”对曰：“臣欲诱致而杀之。”帝哂[312]之。

蜀张虔钊自恨无功，癸卯[313]，至兴州，惭忿而卒。

侍卫马步都指挥使、同平章事史弘肇遭母丧，不数日，复出朝参[314]。

【校记】

［19］右：原作"左"。据章钰校，十二行本、乙十一行本、孔天胤本皆作"右"，今据改。〖按〗《旧五代史·汉书·隐帝纪》作"右"。［20］胡：原作"朝"。据章钰校，十二行本、乙十一行本、孔天胤本皆作"胡"，今据改。

【语译】

吴越内牙指挥使何承训又请求诛杀胡进思和他的党羽。吴越王钱弘俶痛恨他反复无常，而且害怕招来祸患，二月十五日乙未，拘捕何承训，将他斩首。

胡进思屡次请求杀掉被废的吴越王钱弘倧，以绝后患，钱弘俶不答应。胡进思诈称王命，秘密让薛温杀害钱弘倧。薛温说："我接受诏命的时候，没有听到叫杀他的话，不敢妄自动手。"胡进思于是在晚上派遣他的党羽方安等两人翻墙而入。钱弘倧关住房门抵挡，大声呼喊救命。薛温听到，率领众人冲进去，在院子里打死方安等人。薛温入内禀报钱弘俶，钱弘俶大惊，说："保护我哥哥得以安全，是你的功劳。"

钱弘俶又害怕又嫉恨胡进思，常常委屈自己，甘居下位。胡进思内心也忧虑恐惧，不久，背上毒疮发作而死。钱弘倧从此得以活下来。

朝廷下诏任命王景崇兼任凤翔巡检使。王景崇带兵到达凤翔，侯益还没有启程。王景崇派禁卫军分别把守各个城门。有人劝说王景崇杀掉侯益，王景崇认为自己接受了先帝的密旨，继位的君主不知道，或许会被怀疑擅自杀人，犹豫不决。侯益听说，不告诉王景崇就离去了，王景崇很后悔，自己骂自己。二月十八日戊戌，侯益入朝，汉隐帝问："为什么要招来蜀国军队？"回答说："臣是想引诱他们来而杀掉他们。"汉隐帝微微地笑了笑。

后蜀张虔钊自恨没有功劳，二月二十三日癸卯，到达兴州，羞愧愤恨而死。

侍卫马步都指挥使、同平章事史弘肇遭逢母亲去世，没过几天，又上朝参见皇帝。

【段旨】

以上为第十二段，写吴越国主钱弘俶友爱兄弟。

【注释】

㊱弘俶恶其反覆：钱弘倧曾与何承训谋逐胡进思，后何承训又把此事密告胡进思，故弘俶憎恶他。㊲乙未：二月十五日。㊳入告弘俶：谓薛恩从临安去钱唐告其事。㊴曲意下之：委屈己意，甘居下位。㊵疽：痈疽。㊶戊戌：二月十八日。㊷哂：讥笑。㊸癸卯：二月二十三日。㊹朝参：官吏上朝参见皇帝。古代礼教规定，官吏遭父母丧事应辞官守孝三年，到期再起复任用。史弘肇母死，既不守孝，又不经起复，便参见皇帝，说明当时朝章十分紊乱。

【校记】

［21］等：原无此字。据章钰校，十二行本、乙十一行本、孔天胤本皆有此字，张敦仁《通鉴刊本识误》同，今据补。

【研析】

本卷研析唐明宗子李从益母子为乱世所不容、河北诸镇驱赶契丹人、司马光论刘知远治国三失三件史事。

第一，唐明宗子李从益母子为乱世所不容。后唐灭亡，明宗之子许王李从益与其母王淑妃守陵洛阳，闭门不出，与世无争。突然间，天降馅饼，契丹北还，不甘心刘知远从容进大梁，于是策立一个傀儡皇帝来抗衡刘知远，至少迟滞刘知远的追击。李从益被选为傀儡皇帝。李从益拒不从命，藏匿在明宗寝殿之中，被使者绑架至大梁，强立为帝。百官谒见王淑妃，王淑妃泣对众官说："我们母子二人这样孤弱，却被各位拥戴，这是害我们家啊！"王淑妃明白大体，天不会降馅饼，这送上门的皇位是无妄之灾。王淑妃与百官计议，李从益去帝号，只称梁王，权知军国事务，遣使奉表称臣于刘知远，请新皇帝早早到京，梁王母子仍回自家去守陵。刘知远气度褊狭，竟然不容孤儿寡母活命，命郑州防御使郭从义入大梁清宫，密令杀害李从益及王淑妃。王淑妃临死前对郭从义说："我的儿子是被契丹立为皇帝的，有什么罪要处死他！为什么不留下他，让他在每年的寒食节，用一碗麦饭祭洒明宗的陵墓呢！"听到的人没有一个不流泪的。

第二，河北诸镇驱赶契丹人。留镇恒州的契丹将麻荅，贪猾残忍，劫掠民间珍宝、妇女，捕杀村民，诬为盗贼，割脸挖眼，剖尸悬挂人肝、人胆、手脚肢体，用以恫吓民众，残暴之状，目不忍睹。恒州军民奋起反抗，邢、洺等州守将亦举州反正，驱赶契丹，麻苔等仓皇遁逃。河北州县易旗归汉。

第三，司马光论刘知远治国三失。契丹北还，留幽州兵一千五百人守大梁，幽州兵随从梁王李从益投降刘知远。刘知远入都大梁，不仅密令杀害李从益母子，还借口幽州兵将反叛，将一千五百名幽州兵将全部杀死。反复之臣杜重威闻听消息，在邺都叛变，幽州将张琏率领二千名幽州兵助杜重威留守邺都，刘知远发重兵往讨，久攻不克。刘知远下诏亲征，丧师万余，仍未攻克。刘知远又诱降张琏，下诏不死，许以归乡里。等到杜重威和张琏投降后，刘知远爽约，杀张琏及亲将数十人，而罪大恶极又反复无常的杜重威，刘知远以许其不死为由，任用为太傅兼中书令、楚国公。杜重威出入朝廷，路人见之，无不诟骂，还随手拾起破瓦碎石投掷，如此小人，刘知远却信用之。司马光情不自禁评论说："后汉高祖杀死一千五百名无辜的幽州士兵，这不是仁心。诱骗张琏投降而把他杀死，这不是诚信。杜重威罪恶大而赦免他，这不是刑罚所当。仁用来团结众人，信用来推行政令，刑用来惩罚奸邪。失去这三项，还用什么来治理国家！他的国运不能长久，是理所应当的啊！"刘知远称帝，两年死亡；儿子继位，两年亡国。后汉立国四年即亡，是中国历史上最短命的一个朝代。刘知远没有像石敬瑭那样向契丹人称儿皇帝，而是从契丹人手中捡了一个漏，他的为人品性和治国失序，连石敬瑭都不如，他没有殁身亡国，算是便宜他了。

卷第二百八十八　后汉纪三

起著雍涒滩（戊申，公元九四八年）三月，尽屠维作噩（己酉，公元九四九年），凡一年有奇。

【题解】

本卷记事起于公元九四八年三月，迄于公元九四九年，凡一年又十个月，当后汉隐帝乾祐元年三月至乾祐二年。乾祐元年高祖刘知远崩殂，次子刘承祐嗣位，是为隐帝。隐帝年少轻佻，无威略。永兴小校赵思绾随王景崇西征后蜀，从凤翔返镇途中据守长安，联结河中李守贞与凤翔王景崇反叛后汉，史称三镇叛汉。后汉枢密使郭威奉命征讨，平定三叛，有大功于汉，然而跋扈不臣，以个人小忿，擅自更易节镇主帅，而隐帝不问，标志朝纲堕坏。后蜀主昏庸，权奸当路。南汉与楚交兵。吴越王奖励垦荒，境内无弃田。

【原文】

高祖睿文圣武昭肃孝皇帝下

乾祐元年（戊申，公元九四八年）

三月丙辰①，史弘肇起复②，加兼侍中。

侯益家富于财，厚赂执政③及史弘肇等，由是大臣争誉之。丙寅④，以益兼中书令，行开封尹。

改广晋府[1]为大名府⑤，晋昌军为永兴军⑥。

侯益盛毁王景崇于朝，言其恣横。景崇闻益尹开封，知事已变，内不自安，且怨朝廷。会诏遣供奉官王益如凤翔，征赵匡赞牙兵诣阙，赵思绾⑦等甚惧，景崇因以言激之。思绾途中谓其党常彦卿曰："小太尉⑧已落其手，吾属至京师，并死矣！奈何？"彦卿曰："临机制变，子勿复言！"

癸酉⑨，至长安，永兴节度副使安友规、巡检乔守温出迎王益，

【语译】

高祖睿文圣武昭肃孝皇帝下

乾祐元年（戊申，公元九四八年）

三月初七日丙辰，史弘肇起用复职，加授兼任侍中。

侯益家里钱财很多，重重地贿赂执政大臣和史弘肇等人，由此大臣们争相称誉侯益。十七日丙寅，任命侯益兼任中书令，代理开封尹。

朝廷把广晋府改为大名府，晋昌军改为永兴军。

侯益在朝中极力毁谤王景崇，说他放肆蛮横。王景崇听说侯益主政开封府，知道事情已经起了变化，内心感到不安，并且怨恨朝廷。适逢皇帝诏命派遣供奉官王益前往凤翔，征调赵匡赞的卫队到京城，赵思绾等人很害怕，王景崇便趁机用言语激他们。赵思绾在路上对他的党羽常彦卿说："小太尉赵匡赞已经落入他们的手中，我们这些人到了京城，都得被杀！怎么办？"常彦卿说："随机应变，您不要再说了！"

二十四日癸酉，赵思绾等到达长安。永兴节度副使安友规、巡检乔守温出城迎

置酒于客亭[10]。思绾前白曰："壕寨使[11]已定舍馆于城东。今将士家属皆在城中[12]，欲各入城挈家诣城东宿。"友规等然之。时思绾等皆无铠仗，既入西门，有州校坐门侧，思绾遽夺其剑斩之。其徒因大噪，持白梃，杀守门者十余人，分遣其党守诸门。思绾入府，开库取铠仗给之，友规等皆逃去。思绾遂据城，集城中少年，得四千余人。缮城隍[13]，葺楼堞[14]，旬日间，战守之具皆备。

王景崇讽[15]凤翔吏民表景崇知军府事，朝廷患之，甲戌[16]，徙静难[17]节度使王守恩为永兴节度使，徙保义节度使赵晖为凤翔[18]节度使，并同平章事。以景崇为邠州留后，令便道之官[19]。

虢州[20]伶人[21]靖边庭杀团练使[22]田令方，驱掠州民，奔赵思绾。至潼关[23]，潼关守将出击之，其众皆溃。

初，契丹主北归，至定州，以义武节度副使邪律忠为节度使，徙故节度使孙方简[24]为大同[25]节度使。方简怨恚，且惧入朝为契丹所留，迁延不受命，帅其党三千人保狼山故寨[26]，控守要害。契丹攻之，不克。未几，遣使请降，帝复其旧官[27]，以捍[28]契丹。

邪律忠闻邺都既平，常惧华人为变。诏以成德留后刘在明为幽州道马步都部署，使出兵经略定州。未行，忠与麻荅等焚掠定州，悉驱其人弃城北去。孙方简自狼山帅其众数百，还据定州，又奏以弟行友为易州刺史、方遇为泰州[29]刺史。每契丹入寇，兄弟奔命[30]，契丹颇畏之。于是晋末州县陷契丹者，皆复为汉有矣。

丙子[31]，以刘在明为成德节度使。

麻荅至其国，契丹主责以失守。麻荅不服，曰："因朝廷征汉官[32]致乱耳。"契丹主鸩杀[33]之。

苏逢吉等为相，多迁补官吏。杨邠以为虚费国用，所奏多抑之。逢吉等不悦。

中书侍郎兼户部尚书、同平章事李涛上疏言："今关西纷扰，外御为急。二枢密[34]皆佐命功臣，官虽贵而家未富，宜授以要害大镇。枢机之务在陛下目前，易以裁决，逢吉、禹珪自先帝时任事，皆可委也。"杨邠、

接王益，在客亭设置酒宴。赵思绾走上前去说："壕寨使已经在城东安排了馆舍，现在将士们的家属都在城中，想各自进城带领家属前往城东住宿。"安友规等人认为赵思绾说得对。当时赵思绾等人都没有铠甲、兵器，他们进了西门以后，有一个本州的军官坐在门边，赵思绾立刻夺了他的剑，把他杀了。赵思绾的部众趁机大声叫嚷，手拿大木棒，杀死守门的十多人，分别由他的党羽把守各个城门。赵思绾进入官署中，打开武器库，取出铠甲、兵器发给部众。安友规等人全部逃离。赵思绾于是占据州城，召集城内的少年，得到四千多人。修理护城河，整修城楼和城上的矮墙，十天之间，一切战斗和防守的用具都准备好了。

王景崇暗示凤翔的官吏和百姓上表向皇帝推荐自己主持军府的事务，朝廷对此感到担忧。三月二十五日甲戌，调任静难节度使王守恩为永兴节度使，调任保义节度使赵晖为凤翔节度使，二人都为同平章事。任命王景崇为邠州留后，命他从长安直接赴任。

虢州的乐人靖边庭杀死团练使田令方，抢劫和驱赶州城百姓，投奔赵思绾。到达潼关，潼关守将出关攻打靖边庭，他的部众全部溃散。

当初，契丹主向北返回，走到定州，任命义武节度副使邪律忠为节度使，调任前任节度使孙方简为大同节度使。孙方简很怨恨，又怕去朝见时被契丹扣留，故意拖延不肯接受任命，率领他的部众三千人固守狼山旧寨，控制把守险要的地方。契丹进攻他，没有攻下。不久，孙方简派遣使者前来请求归降汉朝，汉隐帝恢复他原来的官职，用以抵御契丹。

邪律忠听说邺都已经平定，常常害怕汉人发动叛乱。汉隐帝下诏任命成德留后刘在明为幽州道马步都部署，叫他出兵谋取定州。刘在明还没有出发，邪律忠和麻荅等人在定州焚烧抢劫，驱赶所有州城居民放弃州城北去。孙方简率领他的部众几百人，从狼山回来占据定州，又上奏请求任命他的弟弟孙行友为易州刺史、孙方遇为泰州刺史。每当契丹入境寇掠，兄弟三人相互奔走救援，契丹很害怕他们。于是后晋末年沦陷于契丹的州县，又都为后汉所有了。

三月二十七日丙子，汉隐帝任命刘在明为成德节度使。

麻荅到了他的国内，契丹主谴责他失守州城。麻荅不服，说："这是因为朝廷信用汉人官员招致祸乱罢了。"契丹主毒死了麻荅。

苏逢吉等人当了宰相，升迁补任很多官吏。杨邠认为这是白白地浪费国家的钱财，所上奏章大多被扣押。苏逢吉等人不高兴。

中书侍郎兼户部尚书、同平章事李涛上疏说："现在关西动荡不安，抵御外部入侵是当务之急。两位枢密使都是帮助先帝建立基业的功臣，官位虽然显贵，而家中没有富足，应该授予他们冲要大镇。枢密机要的事务就在陛下的眼前，很容易处理决定。苏逢吉和苏禹珪从先帝时候起就开始任职，都可以委派出去。"杨邠、郭威听

郭威闻之，见太后泣诉，称："臣等从先帝起艰难中，今天子取人言，欲弃之于外。况关西方有事㉟，臣等何忍自取安逸，不顾社稷。若臣等必不任职，乞留过山陵㊱。"太后怒，以让帝，曰："国家勋旧之臣，奈何听人言而逐之！"帝曰："此宰相所言也。"因诘责宰相。涛曰："此疏臣独为之，他人无预。"丁丑㊲，罢涛政事，勒㊳归私第。

是日，邠、泾、同、华四镇㊴俱上言护国节度使兼中书令李守贞与永兴、凤翔同反㊵。

始，守贞闻杜重威死而惧，阴有异志。自以晋世尝为上将，有战功㊶，素好施，得士卒心。汉室新造，天子年少初立，执政皆后进㊷，有轻㊸朝廷之志。乃招纳亡命，养死士，治城堑，缮甲兵，昼夜不息。遣人间道㊹赍蜡丸结契丹，屡为边吏所获。

浚仪人赵修己㊺，素善术数。自守贞镇滑州，署司户参军，累从移镇。为守贞言："时命不可，勿妄动！"前后切谏非一，守贞不听，乃称疾归乡里。僧总伦，以术媚守贞，言其必为天子，守贞信之。又尝会将佐置酒，引弓指《舐掌虎图》㊻曰："吾有非常之福，当中其舌。"一发中之，左右皆贺。守贞益自负。

会赵思绾据长安，奉表献御衣于守贞，守贞自谓天人协契㊼，乃自称秦王。遣其骁将平陆王继勋㊽将兵[2]据潼关，以思绾为晋昌节度使。

同州距河中最近，匡国㊾节度使张彦威常诇守贞所为，奏请先为之备，诏滑州马军都指挥使罗金山将部兵戍同州。故守贞起兵，同州不为所并。金山，云州人也。

【段旨】

以上为第一段，写赵思绾据长安城，联合河中李守贞、凤翔王景崇反叛后汉。

说这件事，进见太后哭诉说："臣等跟随先帝出身于艰难之中，现在天子听信别人的话，想把我们弃置在外，何况关西正发生变乱，臣等怎么忍心自取安逸，不顾国家。如果臣等无论如何都不称职，请求留任到先帝下葬山陵。"太后很生气，拿这件事去责问皇帝，说："国家有功劳的旧臣，怎么能听信别人的话把他们赶走呢！"汉隐帝说："这是宰相说的。"因而责问宰相。李涛说："这份奏章是我独自一人写的，其他的人没有参与。"三月二十八日丁丑，罢免李涛的官职，勒令他回家。

这一天，邠州、泾州、同州、华州这四个藩镇都向朝廷奏报，说护国节度使兼中书令李守贞和永兴、凤翔两节度使一起反叛。

起初，李守贞听说杜重威被处死，就害怕了，暗中就有反叛的想法。他自认为在后晋曾为上将，立有战功，向来喜欢施恩于人，深得士兵之心。后汉初建，天子年少，刚刚即位，执政大臣都是晚辈，因此有了轻视朝廷的想法。于是招收亡命之徒，豢养敢死士，修筑城池，整修铠甲、武器，日夜不停。派遣使者抄小路带着装有密信的蜡丸去勾结契丹，多次被守边的官吏抓获。

浚仪人赵修己，向来擅长星占命相之术。自从李守贞镇守滑州，任命他为司户参军，多次随从李守贞调换镇所。赵修己对李守贞说："时运不允许，不要轻举妄动！"先后痛切地劝谏不止一次，李守贞不听，于是就称病回到家乡。有个和尚叫总伦，用妖术取悦于李守贞，说李守贞一定能当皇帝，李守贞相信了。李守贞又曾经聚集将吏僚属，置办酒宴，拉满弓指着《舐掌虎图》说："如果我有不同寻常的福分，一定会射中老虎的舌头。"一箭就射中了，身边的人都向他祝贺。李守贞更加自负。

正好这时赵思绾占据长安，奉章表进献帝王穿的衣服给李守贞。李守贞自以为天道和人心相契合，于是自称秦王。派遣他的猛将平陆人王继勋率军据守潼关，任命赵思绾为晋昌节度使。

同州距离河中府最近，匡国节度使张彦威常常侦察李守贞的所作所为，上奏朝廷请求预先做好准备。汉隐帝诏命滑州马军都指挥使罗金山带领他所统辖的军队戍守同州。所以李守贞起兵时，同州没有被他吞并。罗金山是云州人。

【注释】

① 丙辰：三月初七日。② 起复：居丧被夺情任用为起复。③ 执政：指苏逢吉、杨邠等当权大臣。④ 丙寅：三月十七日。⑤ 大名府：府名，治所在今河北大名。⑥ 晋昌军为永兴军：后汉已取代后晋，"广晋"与"晋昌"之名含"晋"字，已不适宜，故改。⑦ 赵思绾：赵匡赞的牙校。⑧ 小太尉：赵思绾等本为赵延寿部曲，故称赵匡赞为小太尉。赵延寿官至契丹大丞相、枢密使，故称为太尉。⑨ 癸酉：三月二十四日。⑩ 客亭：当时各

州镇都设客亭，作为迎送宴饯之处。⑪壕寨使：掌管营造浚筑及安营扎寨等事。⑫今将士家属皆在城中：赵思绾所部士卒此前随从赵匡赞镇长安，所以家属全在长安城中。⑬缮城隍：修理护城河。城隍，护城河。⑭葺楼堞：修理整治城楼和城上的矮墙。葺，原指用茅草覆盖房屋，泛指修理房屋。堞，城上的矮墙，也称女墙。⑮讽：用委婉的语言暗示。此时王景崇为凤翔巡检使，他想“知军府事”，也就是当凤翔节度使，但又不明说，只是暗谕吏民上表，向朝廷反映。⑯甲戌：三月二十五日。⑰静难：方镇名，五代后梁置。治所邠州，在今陕西彬州。⑱凤翔：方镇名，唐永泰初改兴平节度使为凤翔节度使。治所凤翔府，在今陕西凤翔。⑲便道之官：意为就从长安直接上任。⑳虢州：州名，治所弘农，在今河南灵宝。㉑伶人：古代乐人之称。㉒团练使：官名，唐代中期以后，在不设节度使的地区置团练使、都团练使，掌本区各州军事，常与观察使、防御使互兼，又曾与防御使互易称号。㉓潼关：关名，在今陕西潼关县北。古为桃林塞地，东汉末设潼关，当陕西、山西、河南三省要冲。㉔故节度使孙方简：后晋齐王开运三年（公元九四六年）十二月，义武节度使李殷投降契丹，契丹主任命孙方简为义武节度使。㉕大同：方镇名，后唐同光二年（公元九二四年）置。治所云中，在今山西大同。㉖狼山故寨：狼山在当时定州西北二百里，孙方简乘乱据狼山，事见本书卷二百八十五晋开运三年。契丹北还，孙方简入据定州，今又复聚于狼山。㉗复其旧官：恢复为义武节度使。㉘捍：保卫；防御。㉙泰州：州名，治所在今河北保定市清苑区。㉚奔命：奔走救急。指孙氏兄弟三人互相声援救难，抗击契丹。㉛丙子：三月二十七日。㉜征汉官：谓征冯道等人。㉝鸩杀：以毒酒害死人。鸩，鸩鸟，传说其羽毛置酒中能毒杀人。㉞二枢密：指杨

【原文】

定难㊿节度使李彝殷发兵屯境上，奏称：“去[51]三载前羌族[52]㖡毋[53]杀绥州[54]刺史李仁裕叛去，请讨之。”庆州[55]上言：“请益兵为备。”诏以司天[56]言“今岁不利先举兵”，谕止之。

夏，四月辛巳[57]，陕州都监[58]王玉奏克复潼关。

帝与左右谋，以太后怒李涛离间，欲更进用二枢密，以明非帝意。左右亦疾二苏[59]之专，欲夺其权，共劝之。壬午[60]，制以枢密使杨邠为中书侍郎兼吏部尚书、同平章事，枢密使如故，以副枢密使郭威为枢密使，又加三司使王章同平章事。

凡中书除官、诸司奏事，帝皆委邠斟酌。自是三相拱手[61]，政事尽

邠、郭威二人，均做过枢密使。㉟关西方有事：指赵思绾等人的反叛。㊱乞留过山陵：请求留任到先帝下葬山陵。旧称帝王坟墓为山陵。此时刘知远尚未正式下葬。㊲丁丑：三月二十八日。㊳勒：勒令；强制。㊴邠、泾、同、华四镇：邠帅王守恩、泾帅史匡威、同帅张彦威、华帅扈从珂，四镇同时上疏李守贞与赵思绾、王景崇联合反汉。李守贞带中书令镇护国河中府，赵思绾据永兴长安，王景崇据凤翔。㊵与永兴、凤翔同反：与赵思绾、王景崇同反。当时赵思绾据永兴，王景崇据凤翔。㊶有战功：李守贞曾在马家口打败契丹，攻克青州，又破契丹于阳城。㊷后进：指苏逢吉等皆后辈而进身为执政大臣。㊸轻：看不起。㊹间道：偏僻小路。㊺赵脩己：浚仪（今河南开封）人，少精天文推步之学，为李守贞谋主。守贞反，屡劝不听，辞归。入周，官司天监，入宋迁太府卿、判监事。传见《宋史》卷四百六十一。㊻《舐掌虎图》：一幅老虎伸舌舐掌的图画。㊼天人协契：意为天道和人心相契合的征兆。㊽王继勋：平陆（今山西平陆）人，初投李守贞为牙校，后随之谋反，作战屡败，降郭威。宋初为贺州道行营马步军都监。在军阵中常用铁鞭、铁槊、铁楇，被称作“王三铁”。传见《宋史》卷二百七十四。㊾匡国：方镇名，五代后唐置。治所同州，在今陕西大荔。

【校记】

［1］府：原无此字。据章钰校，十二行本、乙十一行本皆有此字，今据补。［2］将兵：原无此二字。据章钰校，十二行本、乙十一行本皆有此二字，今据补。

【语译】

定难节度使李彝殷派出军队屯驻边境，上表说：“三年以前，羌族𠻘毋杀了绥州刺史李仁裕后叛逃，请讨伐他。”庆州官员上奏说：“请求增加兵力进行防备。”汉隐帝下诏称由于主管天象的官员说“今年不利于先兴兵”，劝谕他们停止。

夏，四月初二日辛巳，陕州都监王玉奏报攻克收复了潼关。

汉隐帝和近臣商议，由于太后恼怒李涛挑拨离间，想再提拔任用两位枢密使，以表示以前的事并不是皇帝的意思。近臣也恨二苏专权，想夺取他二人的权力，都劝皇帝这样做。四月初三日壬午，汉隐帝下制书任命枢密使杨邠为中书侍郎兼吏部尚书、同平章事，枢密使依旧，任命副枢密使郭威为枢密使，又加授三司使王章同平章事。

凡是中书省任命官职、各部门奏报公事，汉隐帝都交给杨邠斟酌处理。从此三

决于邠。事有未更邠所可否者，莫敢施行，遂成凝滞[62]。三相每进拟用人，苟不出邠意，虽簿、尉[63]亦不之与。邠素不喜书生，常言："国家府廪实、甲兵强，乃为急务。至于文章礼乐，何足介意[64]！"既恨二苏排己，又以其除官太滥，为众所非，欲矫其弊。由是艰于除拜，士大夫往往有自汉兴至亡不沾一命[65]者，凡门荫[66]及百司入仕[67]者悉罢之。虽由邠之愚蔽，时人亦咎二苏之不公所致云。

以镇宁节度使郭从义充永兴行营都部署，将侍卫兵讨赵思绾。戊子[68]，以保义节度使白文珂为河中行营都部署、内客省使王峻为都监。辛卯[69]，削夺李守贞官爵，命文珂等会兵讨之。乙未[70]，以宁江[71]节度使、侍卫步军都指挥使尚洪迁为西面行营都虞候。

王景崇迁延不之邠州，阅集[72]凤翔丁壮，诈言讨赵思绾，仍牒邠州会兵[73]。

契丹主如辽阳[74]，故晋主[75]与太后[76]、皇后[77]皆谒见。有禅奴利者，契丹主之妻兄也，闻晋主有女未嫁，诣晋主求之，晋主辞以幼。后数日，契丹主使人驰取其女而去，以赐禅奴。

王景崇遗蜀凤州[78]刺史徐彦书，求通互市。壬戌[79]，蜀主使彦复书招之。

契丹主留晋翰林学士徐台符于幽州，台符逃归。

五月乙亥[80]，滑州言河决鱼池[81]。

六月戊寅朔[82]，日有食之。

辛巳[83]，以奉国左厢都虞候刘词[84]充河中行营马步都虞候。

乙酉[85]，王景崇遣使请降于蜀，亦受李守贞官爵。

高从诲既与汉绝，北方商旅不至，境内贫乏，乃遣使上表谢罪，乞修职贡。诏遣使慰抚之。

西面行营都虞候尚洪迁攻长安，伤重而卒。

秋，七月，以工部侍郎李毂充西南面行营都转运使。

庚申[86]，加枢密使郭威同平章事。

位宰相安闲无事，政务完全由杨邠决定。事情未经杨邠提出处理意见的，没有人敢施行，于是政事停滞。三位宰相每次上奏打算录用的人员，如果不是出自杨邠的意思，即使是主簿、县尉这样的小官也不予任用。杨邠向来不喜欢读书人，常常说："国家府库充实、甲兵强盛，才是当务之急。至于礼乐制度，哪里值得放在心上!"杨邠既痛恨二苏排挤自己，又认为他们任命官吏太滥，被众人非议，想要矫正这些弊端。因此很难任命官员，士大夫往往有从后汉兴起一直到灭亡连个小官也当不上的，凡是因为祖先功勋而得官以及流外入仕，全部停止。这虽然是由于杨邠的愚昧，但当时的人也埋怨这是二苏的处事不公所导致的。

汉隐帝任命镇宁节度使郭从义充任永兴行营都部署，率领侍卫兵讨伐赵思绾。四月初九日戊子，任命保义节度使白文珂为河中行营都部署、内客省使王峻为都监。十二日辛卯，削去李守贞的官爵，命令白文珂等人联合兵力讨伐他。十六日乙未，任命宁江节度使、侍卫步军都指挥使尚洪迁为西面行营都虞候。

王景崇拖延时间不到邠州上任，搜集凤翔的丁壮，欺骗说要讨伐赵思绾，还行文邠州会师。

契丹主前往辽阳，原来的后晋主和太后、皇后都去拜见。有一个叫禅奴利的人，是契丹主妻子的哥哥，听说后晋主有一个女儿还没有出嫁，就去向后晋主求婚，后晋主以年纪还小推辞。过了几天，契丹主派人骑着快马把他的女儿抢去，把她赐给禅奴利。

王景崇写信给后蜀凤州刺史徐彦，请求互通贸易。壬戌日，后蜀主命徐彦回信招他投降。

契丹主把后晋的翰林学士徐台符扣留在幽州，徐台符逃了回来。

五月二十七日乙亥，滑州奏报黄河在鱼池决口。

六月初一日戊寅，发生日食。

初四日辛巳，汉隐帝任命奉国左厢都虞候刘词充任河中行营马步都虞候。

初八日乙酉，王景崇派遣使者请求投降后蜀，也接受李守贞授予的官爵。

高从诲与后汉断绝往来以后，北方的商旅不到荆南来了，境内贫乏穷困，于是派遣使者上表谢罪，请求恢复对朝廷的贡纳。汉隐帝下诏派使者去安抚慰问他。

西面行营都虞候尚洪迁攻打长安，伤重而死。

秋，七月，汉隐帝任命工部侍郎李榖充任西南面行营都转运使。

十三日庚申，加授枢密使郭威同平章事。

【段旨】

以上为第二段，写后汉枢密使、同平章事杨邠专权。

【注释】

⑩ 定难：方镇名，五代后梁置。治所夏州，在今陕西靖边西。⑪ 去：已往。⑫ 羌族：古族名，主要分布在今甘肃、青海、四川一带。其后逐渐与西北地区的汉族及其他民族相融合。⑬ 喥毋：胡三省注引《龙龛手镜》云："喥，音夜。毋，读如膜。"⑭ 绥州：州名，治所在今陕西绥德。⑮ 庆州：州名，治所安化，在今甘肃庆阳。⑯ 司天：司天监，掌天文、历数、占候、推步之事。⑰ 辛巳：四月初二日。⑱ 都监：设在州府的都监，掌本城军队的屯戍、训练、器甲、差使等事。⑲ 二苏：苏逢吉与苏禹珪。⑳ 壬午：四月初三日。㉑ 三相拱手：三位宰相清闲无事。三相，窦贞固、苏逢吉、苏禹珪。拱手，两手合抱，引申为闲适。㉒ 凝滞：停滞。㉓ 簿、尉：主簿、县尉，指较低级的官吏。㉔ 介意：在意。㉕ 不沾一命：未得一职；连个小官也没有得到。沾，润泽、得到利益。周代官阶

【原文】

蜀司空兼中书侍郎、同平章事张业[87]，性豪侈，强市[88]人田宅，藏匿亡命于私第，置狱系负债者，或历年至有瘐死[89]者。其子检校左仆射继昭，好击剑，尝与僧归信访善剑者。右匡圣都指挥使孙汉韶与业有隙，密告业、继昭谋反，翰林承旨李昊、奉圣控鹤马步都指挥使安思谦[90]复从而谮之。甲子[91]，业入朝，蜀主命壮士就都堂[92]击杀之，下诏暴其罪恶，籍没其家。

枢密使、保宁[93]节度使兼侍中王处回，亦专权贪纵，卖官鬻狱[94]，四方馈献，皆先输处回，次及内府[95]，家赀巨万。子德钧，亦骄横。张业既死，蜀主不忍杀处回，听归私第。处回惶恐辞位，以为武德[96]节度使兼中书令。

蜀主欲以普丰库使高延昭、茶酒库使王昭远[97]为枢密使，以其名位素轻，乃授通奏使，知枢密院事。昭远，成都人，幼以僧童从其师[98]入府，蜀高祖[99]爱其敏慧，令给事蜀主[100]左右。至是，委以机务，府库金帛，恣其取与，不复会计[101]。

戊辰[102]，以郭从义为永兴节度使、白文珂兼知河中行府事。[103]

蜀主以翰林承旨、尚书左丞李昊为门下侍郎兼户部尚书，翰林学

从一命至九命，一命是最低官阶。⑯门荫：因祖先功勋而补官。⑰百司入仕：指流品以外的人当官。⑱戊子：四月初九日。⑲辛卯：四月十二日。⑳乙未：四月十六日。㉑宁江：方镇名，后唐天成二年（公元九二七年）置。治所夔州，在今重庆奉节。㉒阅集：检阅、集合。㉓仍牒郃州会兵：还行文通知郃州，准备会师讨伐赵思绾。㉔辽阳：府名，治所在今辽宁辽阳。㉕晋主：石重贵。㉖太后：李氏。㉗皇后：冯氏。㉘凤州：州名，治所在今陕西凤县。㉙壬戌：四月庚辰朔，无壬戌。壬戌，当为五月十四日。㉚乙亥：五月二十七日。㉛鱼池：地名，黄河在此决口后谓之鱼池口。在今河南滑县境内。㉜戊寅朔：六月初一日。㉝辛巳：六月初四日。㉞刘词：字好谦，历仕后唐、后晋、后汉、后周，官同中书门下平章事。传见《旧五代史》卷一百二十四、《新五代史》卷五十。㉟乙酉：六月初八日。㊱庚申：七月十三日。

【语译】

后蜀司空兼中书侍郎、同平章事张业，生性奢华，强买百姓的田地和宅第，在私宅里窝藏亡命徒，设立监牢拘押欠债的人，有的被拘押多年，以致有死在监狱里的。他的儿子检校左仆射张继昭，喜欢击剑，曾经与僧人归信一起去寻访击剑好手。右匡圣都指挥使孙汉韶与张业有仇怨，密告张业、张继昭图谋造反，翰林承旨李昊、奉圣控鹤马步都指挥使安思谦也跟着诬陷他们。七月十七日甲子，张业入朝，后蜀主命令壮士在都堂上打死了他，下诏公布他的罪行，清查没收他的家产。

枢密使、保宁节度使兼侍中王处回，也独揽大权，贪婪骄纵，出售官爵，卖讼受贿，四方所进献的财货，都先送到王处回那里，再送到宫内的府库，家财亿万。他的儿子王德钧，也骄奢蛮横。张业死了以后，后蜀主不忍心杀王处回，允许他回家。王处回惊慌恐惧，辞去官位。后蜀主任命他为武德节度使兼中书令。

后蜀主想任命普丰库使高延昭、茶酒库使王昭远为枢密使，因为他们的名声和地位向来很低，于是授任通奏使，主持枢密院的事务。王昭远是成都人，小时候以僧童的身份跟随他的师父进入节度使府，后蜀高祖喜爱王昭远敏捷聪慧，让他在后蜀主的身边供事。到了这个时候，把机要事务交付给他，府库的金钱、布帛，听任他取用，不再核算。

七月二十一日戊辰，汉隐帝任命郭从义为永兴节度使、白文珂兼理河中行府的事务。

后蜀主任命翰林承旨、尚书左丞李昊为门下侍郎兼户部尚书，翰林学士、兵部

士、兵部侍郎徐光溥[104]为中书侍郎兼礼部尚书，并同平章事。

蜀安思谦谋尽去旧将，又谮卫圣都指挥使兼中书令赵廷隐[105]谋反，欲代其位，夜，发兵围其第。会山南西道节度使李廷珪入朝，极言廷隐无罪，乃得免。廷隐因称疾，固请解军职。甲戌[106]，蜀主许之。

凤翔节度使赵晖至长安。乙亥[107]，表王景崇反状益明，请进兵击之。

初，高祖镇河东，皇弟崇为马步都指挥使，与蕃汉都孔目官郭威争权，有隙。及威执政，崇忧之。节度判官郑珙劝崇为自全计，崇从之。珙，青州[108]人也。八月庚辰[109]，崇表募兵四指挥。自是选募勇士，招纳亡命，缮甲兵，实府库，罢上供财赋，皆以备契丹为名。朝廷诏令，多不禀承。

【段旨】

以上为第三段，写后蜀主昏庸，权奸当路，后汉高祖弟刘崇图谋割据河东。

【注释】

⑰张业：后蜀权臣，官左仆射兼中书侍郎、同平章事。孙汉韶告其父子谋反，被诛。⑱强市：强行购买。⑲瘐死：此指死于私狱中。律文中罪犯因饥寒病死狱中称"瘐"。⑳安思谦：后蜀禁军将领，与后主相猜忌，其子依仗父威，横行国中。后被诛。㉑甲子：七月十七日。㉒都堂：尚书省总办公处之称。㉓保宁：方镇名，五代十国后蜀置。治所阆州，在今四川阆中。㉔卖官鬻狱：出卖官爵，卖讼受贿。㉕内府：皇室的仓库。㉖武德：方镇名，五代十国前蜀改剑南东川为武德军。治所梓州，在今四川三台。王处回因为以武德节度使兼中书令，本人仍在朝廷，未赴节镇。㉗王昭远：幼孤贫，以僧童身份随师入宫，侍奉后主得宠，由卷帘使逐步升为山南西道节度使、同平章

【原文】

自河中、永兴、凤翔三镇拒命以来，朝廷继遣诸将讨之。昭义节度使常思[110]屯潼关，白文珂屯同州，赵晖屯咸阳[111]。惟郭从义、王峻置栅近长安，而二人相恶如水火，自春徂[112]秋，皆相仗[113]莫肯攻战。帝

侍郎徐光溥为中书侍郎兼礼部尚书，二人都为同平章事。

后蜀安思谦图谋把旧将全部排挤掉，又诬陷卫圣都指挥使兼中书令赵廷隐谋反，想取代他的官位，晚上发兵包围赵廷隐的住宅。恰逢山南西道节度使李廷珪入朝，极力陈说赵廷隐无罪，才得以免祸。赵廷隐于是借口有病，坚决要求卸去军职。七月二十七日甲戌，后蜀主答应了他的要求。

凤翔节度使赵晖到达长安。七月二十八日乙亥，上表称王景崇谋反的迹象越发明显，请求进兵攻打他。

当初，汉高祖镇守河东，汉隐帝的弟弟刘崇任马步都指挥使，和蕃汉都孔目官郭威争夺权力，产生仇怨。等到郭威掌权，刘崇担忧了。节度判官郑珙劝刘崇做保全自己的打算，刘崇听从郑珙的建议。郑珙是青州人。八月初四日庚辰，刘崇上表招募四个指挥的兵力。从此选拔和募集勇士，招收亡命之徒，修治铠甲兵器，充实府库，停止上交财物赋税，都以防御契丹为借口。朝廷的诏令多不接受。

事。以通兵书、懂方略自诩，及与宋战，临阵股栗，被俘。宋太祖释之，授左领军卫大将军。⑱师：王昭远师父为智諲。⑲蜀高祖：孟知祥（公元八七四至九三四年），五代后蜀国的建立者。历仕太原留守、成都尹、东西川节度使，公元九三四年称帝，不足一年病逝。传见《旧五代史》卷一百三十六、《新五代史》卷六十四。⑩蜀主：后主孟昶（公元九一九至九六五年），孟知祥第三子。公元九三四至九六五年在位。宋乾德三年（公元九六五年）宋兵入成都，降，封秦国公。⑩会计：核算。⑩戊辰：七月二十一日。⑩以郭从义为永兴节度使句：当时河中、永兴、凤翔三镇拒命后汉，后汉高祖派郭从义讨长安，遂任为永兴节度使，派白文珂讨河中，遂命白文珂知河中行府事。⑩徐光溥：博学善诗歌，有辩才，遇事辄发。后因李昊疾之，有议事便熟睡，时号“睡相”。⑩赵廷隐：开封人，后蜀勇将。高祖孟知祥死，同赵季良等受遗诏辅政，官至太师、中书令，封宋王。⑩甲戌：七月二十七日。⑩乙亥：七月二十八日。⑩青州：州名，治所东阳城，在今山东青州。⑩庚辰：八月初四日。

【语译】

自从河中、永兴、凤翔三个藩镇抗拒朝廷的命令以来，朝廷相继派遣众将领去讨伐他们。昭义节度使常思驻扎潼关，白文珂驻扎同州，赵晖驻扎咸阳。只有郭从义、王峻所筑寨栅靠近长安，而二人相互憎恨，如同水火，从春天到秋天，都互相推诿不肯出

患之，欲遣重臣临督。壬午⑭，以郭威为西面军前招慰安抚使，诸军皆受威节度。威将行，问策于太师冯道。道曰："守贞自谓旧将，为士卒所附。愿公勿爱官物，以赐士卒，则夺其所恃矣。"威从之。由是众心始附于威。

诏白文珂趣河中，赵晖趣凤翔。

甲申⑮，蜀主以赵廷隐为太傅，赐爵宋王，国有大事，就第问之。

戊子⑯，蜀改凤翔曰岐阳军⑰。己丑⑱，以王景崇为岐阳节度使、同平章事。

乙未⑲，以钱弘俶为东南兵马都元帅，镇海、镇东节度使兼中书令，吴越国王。

郭威与诸将议攻讨，诸将欲先取长安、凤翔。镇国节度使扈彦珂[3]曰："今三叛连衡，推守贞为主。守贞亡，则两镇自破矣。若舍近而攻远，万一王、赵拒吾前，守贞掎⑳吾后，此危道也。"威善之。于是威自陕州，白文珂及宁江节度使、侍卫步军都指挥使刘词自同州，常思自潼关，三道攻河中。威抚养士卒，与同苦乐，小有功辄厚[4]赏之，微有伤常亲视之。士无贤不肖，有所陈启，皆温辞色而受之。违忤不怒，小过不责。由是将卒咸归心于威。

始，李守贞以禁军皆尝在麾下㉑，受其恩施，又士卒素骄，苦汉法之严，谓其至则叩城奉迎，可[5]坐而待之。既而士卒新受赐于郭威，皆忘守贞旧恩。己亥㉒，至城下，扬旗伐鼓，踊跃诟噪㉓。守贞视之，失色。

白文珂克西关城㉔，栅于河西，常思栅于城南，威栅于城西。未几，威以常思无将领才，先遣归镇。

诸将欲急攻城，威曰："守贞前朝宿将，健斗好施，屡立战功。况城临大河，楼堞完固，未易轻也。且彼冯㉕城而斗，吾仰而攻之，何异帅士卒投汤火乎！夫勇有盛衰，攻有缓急，时有可否，事有后先。不若且设长围而守之，使飞走路绝。吾洗兵牧马，坐食转输㉖，温饱有余。俟城中无食，公帑㉗家财皆竭，然后进梯冲㉘以逼之，飞羽

战。皇帝对此很担忧，想派遣一位朝廷重臣前去监督。八月初六日壬午，任命郭威为西面军前招慰安抚使，各军都受郭威的指挥。郭威将要启程，向太师冯道询问计策。冯道说："李守贞自己以为是旧时将领，被士卒归附。希望您不要吝惜公家的财物，拿来赏赐士卒，这样就可以夺取他所凭借的东西了。"郭威听从了冯道的建议。从此人心开始归附于郭威了。

汉隐帝下诏命令白文珂赶赴河中镇，赵晖赶赴凤翔镇。

八月初八日甲申，后蜀主任命赵廷隐为太傅，赐爵为宋王，国家有重大事情，到宅第询问他。

十二日戊子，后蜀改凤翔为岐阳军。十三日己丑，任命王景崇为岐阳节度使、同平章事。

十九日乙未，后汉任命钱弘俶为东南兵马都元帅，镇海、镇东节度使兼中书令，吴越国王。

郭威和众将商议攻打讨伐之事，众将打算先取长安、凤翔。镇国节度使扈彦珂说："如今三个叛臣联合，推举李守贞为首领。李守贞败亡，那么其他两个藩镇就不攻自破了。如果舍近攻远，万一王景崇、赵思绾在我们的前面抵抗，李守贞在我们的后面夹击，这是危险的策略。"郭威认为扈彦珂的主意好。于是郭威从陕州，白文珂和宁江节度使、侍卫步军都指挥使刘词从同州，常思从潼关，三路一起进攻河中镇。郭威抚慰爱护士卒，和他们同甘共苦，有一点小功劳就重赏他们，稍微受点伤常常亲自去看望他们。士人不论贤能与否，只要有陈说禀告，他都好言好语、和颜悦色地接受。士兵有了冒犯，他不生气，犯了小错，他不责罚。因此将领士卒都心向郭威。

起初，李守贞认为禁军都曾经是自己的部下，受过他的恩惠，而且士卒向来骄纵，苦于后汉法律的严苛，所以他认为禁军一到就会敲城门投靠他，可以静坐着等待他们。前不久士卒们刚刚受到郭威的赏赐，都忘记了李守贞的旧恩。八月二十三日己亥，军队到达城下，挥动旗帜，敲击战鼓，奔腾跳跃，辱骂喧闹。李守贞见了，变了脸色。

白文珂攻克西关城，在黄河西岸筑栅，常思在城南筑栅，郭威在城西筑栅。不久，郭威认为常思没有将领的才能，打发他先回到自己的镇所。

众将想要加紧攻城，郭威说："李守贞是前朝的老将，勇猛善战，好施恩惠，多次建立战功；加之城池紧靠黄河，城楼护墙完好坚固，不可轻视。而且他们倚靠城池作战，我们在城下向上进攻，这和带领士卒投进开水和烈火中有什么两样呢！勇气有盛有衰，进攻有缓有急，时机有适宜不适宜，事情有先有后。不如暂且设置包围圈来防守，使其通往外界的通道都断绝。我们擦洗兵器，放牧战马，安闲地享用后方转送来的粮饷，吃饱穿暖还有富余。等待城中粮食吃完，国库和私人的财物都用光了，然后我们用上云梯、冲车逼迫他们，飞传檄文招降他们。他们的将士各自

檄[129]以招之。彼之将士，脱身逃死，父子且不相保，况乌合之众乎！思绾、景崇，但分兵縻[130]之，不足虑也。”乃发诸州民夫二万余人，使白文珂等帅之，刳长壕[131]、筑连城[132]、列队伍而围之。威又谓诸将曰：“守贞向[133]畏高祖，不敢鸱张[134]。以我辈崛起太原，事功未著，有轻我心，故敢反耳。正宜静以制之。”乃偃旗卧鼓，但循河设火铺[135]，连延数十里，番[136]步卒以守之。遣水军舣舟[137]于岸，寇有潜往来者，无不擒之。于是守贞如坐网中矣。

【段旨】

以上为第四段，写后汉郭威围困李守贞于河中。

【注释】

⑩常思：字克恭，太原人，曾仕后唐、后晋、后汉、后周。郭威少孤无依，食于常家。后周立，郭威以常叔呼之。历任归德、平卢节度使。传见《旧五代史》卷一百二十九、《新五代史》卷四十九。⑪咸阳：县名，县治在今陕西咸阳。⑫徂：到。⑬相仗：互相依仗、推诿。⑭壬午：八月初六日。⑮甲申：八月初八。⑯戊子：八月十二日。⑰改凤翔曰岐阳军：因凤翔在岐山之南，山南为阳，故名。⑱己丑：八月十三日。⑲乙未：八月十九日。⑳掎：从后牵引，引申为夹击。㉑李守贞以禁军皆尝在麾下：李守贞在后晋曾任侍卫亲军都虞候、侍卫亲军都指挥使，掌禁中，这时征讨他的官兵多是他的部下。麾下，本指在主帅的旌麾下，引申为部下。㉒己亥：八月二十三日。㉓诟噪：谩骂、喧

【原文】

蜀武德节度使兼中书令王处回请老[138]，辛丑[139]，以太子太傅致仕。

南汉主[140]遣知制诰宣化锺允章[141]求婚于楚，楚王希广不许。南汉主怒，问允章：“马公复能经略南土乎？”对曰：“马氏兄弟，方争亡于不暇，安能害我！”南汉主曰：“然！希广懦而吝啬，其士卒忘战日久，此乃吾进取之秋也。”

抽身逃死，父子尚且不能相互保护，何况是乌合之众呢！思绾、景崇，你们只要分别派兵牵制住他们，不值得忧虑。”于是征调各州民夫两万多人，让白文珂等人率领，挖掘长长的壕沟、修筑一个一个联结起来的碉堡、排开队伍把李守贞包围起来。郭威又对众将说：“李守贞过去畏惧高祖，不敢过于猖狂。他认为我们从太原起家，功业还不明显，有轻视我们的想法，所以才敢反叛。正应该用静来制服他。”于是放倒军旗，停敲战鼓，只沿着河岸设置瞭望岗亭，延续几十里，派步兵轮番防守。遣令水军把船靠在岸边，敌人有偷偷进出的，没有一个不被抓获。这样一来，李守贞就像困在网中一样了。

哗。⑫④西关城：属河中府，位于黄河西部。⑫⑤冯：“凭”的古字，凭借，依靠。⑫⑥转输：转运输送物资。⑫⑦公帑：国库。此指城中储积。⑫⑧冲：古时用以冲击敌城的战车。⑫⑨羽檄：羽书，古时征调军队的文书，上插鸟羽表示紧急，必须速递。⑬⓪縻：本为牛缰绳，引申为牵制。⑬①刬长壕：挖围城的长壕。⑬②筑连城：修筑相连的围城碉堡。⑬③向：昔时；先前。⑬④鸱张：嚣张、凶暴，像鸱鸟张开翅膀一样。⑬⑤火铺：瞭望岗亭。⑬⑥番：轮番。⑬⑦舣舟：使船靠岸。

【校记】

［3］扈彦珂：原作“扈从珂”。据章钰校，十二行本、乙十一行本皆作“扈彦珂”，今据改。〖按〗《宋史》卷二百五十四有扈彦珂传。［4］厚：原无此字。据章钰校，十二行本、乙十一行本皆有此字，今据补。〖按〗“厚赏之”与下之“亲视之”对仗，补“厚”字义长。［5］可：原作“可以”。据章钰校，十二行本、乙十一行本皆无“以”字，今据删。〖按〗《通鉴纪事本末》无“以”字。

【语译】

后蜀武德节度使兼中书令王处回请求告老辞职。八月二十五日辛丑，以太子太傅的身份退休。

南汉主刘晟派遣知制诰宣化人锺允章向楚国求婚，楚王马希广没有答应。南汉主很生气，问锺允章说：“马希广还能筹划处理南国的事情吗？”回答说：“马氏兄弟正忙于你死我活的争斗，怎么能危害我们！”南汉主说：“是的！马希广懦弱而且吝啬，他的士兵长期没有打过仗，这正是我们谋求进取的好时机啊。”

武平节度使马希萼请与楚王希广各修职贡[142]，求朝廷别加官爵。希广用天策府内都押牙欧弘练[143]、进奏官张仲荀谋，厚赂执政，使拒其请。九月壬子[144]，赐希萼及楚王希广诏书，谕以兄弟宜相辑睦，凡希萼所贡，当附希广以闻。希萼不从。

蜀兵援王景崇，军于散关，赵晖遣都监李彦从袭击，破之，蜀兵遁去。

蜀主以张业、王处回执政，事多壅蔽[145]，己未[146]，始置匦函[147]，后改为献纳函。

王景崇尽杀侯益家属七十余人[148]，益子前天平行军司马[149]仁矩[150]先在外，得免。庚申[151]，以仁矩为隰州[152]刺史。仁矩子延广[153]，尚在襁褓[154]，乳母刘氏以己子易之，抱延广而逃，乞食至于大梁，归于益家。

李守贞屡出兵欲突长围，皆败而返。遣人赍蜡丸求救于唐、蜀、契丹，皆为逻者[155]所获。城中食且尽，殍死者[156]日众。守贞忧形于色，召总伦诘之。总伦曰："大王当为天子，人不能夺。但此分野[157]有灾，待磨灭将尽，只余一人一骑，乃大王鹊起[158]之时也。"守贞犹以为然。

冬，十月，王景崇遣其子德让、赵思绾遣其子怀义，见蜀主[6]于成都。

戊寅[159]，景崇遣兵出西门，赵晖击破之，遂取西关城。景崇退守大城，晖[7]堑而围之，数挑战，不出。晖潜遣千余人擐[160]甲执兵，效蜀旗帜，循南山而下，令诸军声言："蜀兵至矣。"景崇果遣兵数千出迎之，晖设伏掩击，尽殪[161]之。自是景崇不复敢出。

蜀主遣山南西道节度使安思谦将兵救凤翔，左仆射兼门下侍郎、同平章事毋昭裔[162]上疏谏曰："臣窃见庄宗皇帝志贪西顾[163]，前蜀主意欲北行[164]，凡在庭臣，皆贡谏疏，殊无听纳，有何所成！只此两朝，可为鉴诫。"不听。又遣雄武节度使韩保贞引兵出汧阳[165]，以分汉兵之势。

王景崇遣前义成节度使酸枣[166]李彦舜等逆蜀兵。丙申[167]，安思谦屯右界[168]，汉兵屯宝鸡[169]。思谦遣眉州刺史申贵将兵二千趣模壁[170]，设伏于竹林。丁酉旦[171]，贵以兵数百压宝鸡而陈，汉兵逐之，遇伏而败，蜀兵

武平节度使马希萼请求和楚王马希广各自献纳应进的贡品，请朝廷另外加授官爵。马希广采纳天策府内都押牙欧弘练、进奏官张仲荀的计策，重重地贿赂执政大臣，让他们拒绝马希萼的请求。九月初七日壬子，皇帝赐给马希萼和楚王马希广诏书，开导他们兄弟应该和睦相处，所有马希萼进贡的东西，应当随着马希广的贡品上奏。马希萼不听从。

后蜀军队增援王景崇，驻扎在散关。赵晖派遣都监李彦从袭击，大败后蜀军队，后蜀军队逃离。

后蜀主因为张业、王处回执掌朝政，好多事情被阻断隐瞒。九月十四日己未，开始设置让臣民投书的箱子，后来改名献忠言箱。

王景崇把侯益的家属七十多人全部杀死，侯益的儿子前任天平行军司马侯仁矩事前在外面，得以免祸。九月十五日庚申，汉隐帝任命侯仁矩为隰州刺史。侯仁矩的儿子侯延广还在襁褓之中，乳母刘氏用自己的儿子替换了他，抱着侯延广逃走，靠讨饭到了大梁，回到侯益的家里。

李守贞多次出兵想冲出包围圈，都失败而退回。派人带着用蜡丸裹着的密信向南唐、后蜀、契丹求救，全都被巡逻的士兵抓获。城中的粮食将要吃完，饿死的人一天比一天多。李守贞满脸忧愁，把总伦找来质问。总伦说：“大王必定做天子，别人抢不去。可是与这个星次相对应的地域有灾难，等到灾难即将消磨完了，只剩下一个人一匹马，就是大王乘势崛起的时候了。”李守贞还信以为真。

冬，十月，王景崇派遣儿子王德让、赵思绾派遣儿子赵怀义，在成都进见了后蜀主。

十月初三日戊寅，王景崇派兵出西门，赵晖打败他们，于是夺取了西关城。王景崇退守大城，赵晖挖掘壕沟把他包围起来，屡次挑战，王景崇不出来。赵晖暗中派遣一千多人穿着铠甲，拿着兵器，仿照后蜀的旗帜，沿着南山而下，命令各军扬言说：“蜀兵来了。”王景崇果然派出几千士兵出城迎接。赵晖设置伏兵突然出击，把几千人马全部消灭。从此王景崇再也不敢出来。

后蜀主派遣山南西道节度使安思谦率兵救援凤翔，左仆射兼门下侍郎、同平章事毋昭裔上疏劝谏说：“臣看到后唐庄宗皇帝贪图向西征伐，前蜀主一心想要向北方发展，所有在朝廷的臣子都上了劝谏的奏章，可是他们根本听不进去，最后有什么成就！就这两个朝代的事，可以作为鉴戒！”后蜀主不听。又派遣雄武节度使韩保贞领兵从汧阳进发，来分散后汉军队的兵力。

王景崇派遣前任义成节度使酸枣人李彦舜等人迎接后蜀军队。十月二十一日丙申，安思谦驻扎在宝鸡以西，后汉军队驻扎在宝鸡。安思谦派遣眉州刺史申贵率兵两千人奔赴模壁，在竹林中部署伏兵。二十二日丁酉早晨，申贵率领几百名士兵逼近宝鸡摆开阵势，后汉军队驱逐他们，遭遇伏兵被打败，后蜀军队乘胜追击后汉败

逐北，破宝鸡寨。蜀兵去，汉兵复入宝鸡。己亥⑰，思谦进屯渭水⑰，汉益兵五千戍宝鸡。思谦畏之，谓众曰："粮少敌强，宜更为后图。"辛丑⑰，退屯凤州，寻归兴元⑰。贵，潞州人也。

【段旨】

以上为第五段，写李守贞困守河中坐以待毙，王景崇引蜀兵为援苟延残喘。

【注释】

⑬请老：以年老请求辞官退休。⑬辛丑：八月二十五日。⑭南汉主：中宗刘晟。⑭锺允章：其先邕州（治所在今广西南宁）人，博学善文辞，多起草诰词碑记，文思敏捷，操笔立就。官尚书左丞。为人耿直，遭宦官忌恨，诬其谋反，被诛。⑭各修职贡：各自向朝廷献纳应进的贡品。⑭欧弘练：文昭王马希范时为客将，后事废王马希广，善谋划，马氏王位得以延续。⑭壬子：九月初七日。⑭壅蔽：阻断隐瞒。⑭己未：九月十四日。⑭匦函：小箱子，供进书言事者投递用。⑭王景崇尽杀侯益家属七十余人：王景崇与侯益衔恨极深，本年二月就有人劝景崇杀侯益，景崇犹豫不决，至此终于族灭侯益。⑭行军司马：唐代出征将帅及节度使下皆设行军司马，总理所部事务，战时负参谋之责。⑮仁矩：侯益子，官至刺史、左羽林将军。至郡决滞讼，一日释系囚百余，有政声。传见《宋史》卷二百五十四。⑮庚申：九月十五日。⑮隰州：州名，治所隰川，在今山西隰县。⑮延广：侯仁矩子，少有勇。入宋，官宁州团练使、知灵州兼兵马都部署。传见《宋史》卷二百五十四。⑮襁褓：泛指背负小儿所用的东西。此指婴儿。襁，布幅，用以络负。褓，小儿的被，用以裹覆。⑮逻者：巡逻兵。⑮殍死者：饿死的人。⑮分野：我国古代占星术中的一种概念，认为地上各州郡邦国和天上的一定区域相对应，在该天

【原文】

荆南节度使兼中书令[8]南平文献王高从诲寝疾⑰，以其子节度副使保融⑰判内外兵马事。癸卯⑰，从诲卒，保融知留后。

彰武节度使高允权与定难节度使李彝殷有隙，李守贞密求援于彝殷，发兵屯延、丹境上⑰，闻官军围河中，乃退。甲辰⑱，允权以

兵，攻破宝鸡寨。后蜀军队离开以后，后汉军队又进入宝鸡。二十四日己亥，安思谦进兵驻扎在渭水。后汉增兵五千人戍守宝鸡。安思谦害怕，对部众说："我们粮食少，敌人强大，应该另做以后的打算。"二十六日辛丑，退兵屯驻凤州，不久回到兴元。申贵，是潞州人。

区发生的天象预兆着各对应地方的吉凶。⑱鹊起：《太平御览》卷九二一引《庄子》曰，"鹊上高城之绝，而巢于高枝之颠，城坏巢折，陵风而起。故君子之居世也，得时则义行，失时则鹊起也"。本指见机而作，后用为乘时崛起之意。⑲戊寅：十月初三日。⑳擐：套；穿。㉑殪：死。㉒毋昭裔：河中龙门（今山西河津）人，博学有才，勇于进谏，好古文，通经术。倡导印经书，使后蜀文学复盛。㉓庄宗皇帝志贪西顾：指后唐庄宗李存勖荒于政事，不听进谏，伐蜀，后在兵变中被杀。西顾，向西伐蜀。㉔前蜀主意欲北行：前蜀主王衍恣意享乐，欲幸秦州，群臣切谏，不听。后唐军乘机入侵，衍降，前蜀遂亡。北行，指北幸秦州。㉕汧阳：县名，县治在今陕西千阳。㉖酸枣：县名，县治在今河南延津。㉗丙申：十月二十一日。㉘右界：在宝鸡西，蜀、汉分界处。㉙宝鸡：县名，县治在今陕西宝鸡。㉚模壁：又称模壁寨，在今陕西宝鸡西南。㉛丁酉旦：十月二十二日晨。㉜己亥：十月二十四日。㉝渭水：黄河最大支流，在陕西中部。㉞辛丑：十月二十六日。㉟兴元：府名，治所南郑，在今陕西汉中。

【校记】

［6］主：原作"王"。据章钰校，十二行本、乙十一行本皆作"主"，今据改。［7］晖：原无此字。据章钰校，十二行本、乙十一行本皆有此字，张敦仁《通鉴刊本识误》同，今据补。

【语译】

荆南节度使兼中书令南平文献王高从诲卧床病重，命令他的儿子节度副使高保融兼理内外兵马事务。十月二十八日癸卯，高从诲去世，由高保融主持留后事务。

彰武节度使高允权和定难节度使李彝殷有隔阂。李守贞秘密向李彝殷求救，李彝殷发兵驻扎在延州、丹州边境上，听说官军包围河中，于是撤退。十月二十九日

其[9]状闻，彝殷亦自诉，朝廷和解之。

初，高祖入大梁，太师冯道、太子太傅李崧皆在真定[181]，高祖以道第赐苏禹珪、崧第赐苏逢吉。崧第中瘗藏之物[182]及洛阳别业[183]，逢吉尽有之。及崧归朝，自以形迹孤危[184]，事汉权臣，常惕惕[185]谦谨，多称疾杜门。而二弟屿、㠘，与逢吉子弟俱为朝士[186]，时乘酒出怨言，云："夺我居第、家赀。"逢吉由是恶之。未几，崧以两京宅券[187]献于逢吉，逢吉愈不悦。翰林学士陶穀[188]，先为崧所引用，复从而谮[189]之。

汉法既严，而侍卫都指挥使史弘肇尤残忍，宠任孔目官解晖[190]，凡入军狱[191]者，使之随意锻炼[192]，无不自诬[193]。及三叛连兵[194]，群情震动，民间或讹言相惊骇。弘肇掌部[195]禁兵，巡逻京城，得罪人，不问情[10]轻重，于法何如，皆专杀不请，或决口、断舌[11]、斫筋[196]、折胫[197]，无虚日。虽奸盗屏迹，而冤死者甚众，莫敢辩诉。

李屿仆夫葛延遇，为屿贩鬻，多所欺匿[198]。屿抶[199]之，督其负[200]甚急。延遇与苏逢吉之仆李澄，谋上变告屿谋反。逢吉闻而诱致之，因召崧至第，收送侍卫狱[201]。屿自诬云："与兄崧、弟㠘、甥王凝及家僮合二十人，谋因山陵发引[202]，纵火焚京城作乱。又遣人以蜡书入河中城，结李守贞。又遣人召契丹兵。"及具狱上，逢吉取笔改"二十"为"五十"字。十一月甲寅[203]，下诏诛崧兄弟、家属及辞所连及者，皆陈尸于市，仍厚赏葛延遇等，时人无不冤之。自是士民家皆畏惮仆隶，往往为所胁制。

他日，秘书郎真定李昉[204]诣陶穀，穀曰："君于李侍中近远?"昉曰："族叔父。"穀曰："李氏之祸，穀有力焉。"昉闻之，汗出。穀，邠州人也，本姓唐，避晋高祖讳改焉。

史弘肇尤恶文士，常曰："此属轻人难耐[205]，每谓吾辈为卒。"弘肇领归德节度使，委亲吏杨乙收属府公利[206]。乙依势骄横，合境[207]畏之如弘肇，副使以下，望风展敬，乙皆下视之[208]。月率钱万缗[209]以输弘肇，士民不胜其苦。

初，沈丘人舒元[210]、嵩山[211]道士杨讷[212]，俱以游客干[213]李守贞。守

甲辰，高允权把情况上报朝廷，李彝殷也为这件事自行申诉，朝廷为他们进行和解。

当初，后汉高祖进入大梁，太师冯道、太子太傅李崧都还在真定。高祖把冯道在大梁的宅第赐给苏禹珪，把李崧的宅第赐给苏逢吉。李崧宅第中所埋藏的东西以及在洛阳的其他园林田庄，全部归苏逢吉所有。等到李崧归顺朝廷，自认为由于行事而陷于孤危境地，因此奉事后汉权臣，常心存忧惧，谦退谨慎，大多称病不出门。而他的两个弟弟李屿、李䍦，和苏逢吉的子弟都是朝廷的官员，时常乘着酒劲口出怨言，说"夺走我家的住宅、家财"。苏逢吉因此痛恨他们。不久，李崧把洛阳和大梁的房契送给苏逢吉，苏逢吉更加不高兴。翰林学士陶穀，先前由李崧引荐进用，现在又跟着别人来诬陷他。

后汉的法律已经很严酷，而侍卫都指挥使史弘肇尤其残忍。他宠信任用孔目官解晖，凡是被关进军中监狱的人，让他随意罗织罪名，没有不承认妄加之罪的。及至李守贞、王景崇、赵思绾三个叛臣兵力联合，人心恐慌，民间有时散布谣言，人们相互惊慌恐惧。史弘肇掌管禁军，巡逻京城，抓到犯罪的人，不问罪过轻重、在法律上应该怎么处理，都不经请示就擅自处死，有的撕裂嘴巴、截断舌头、挑断脚筋、折断小腿，没有一天停止过。尽管奸人盗贼敛迹，但是被冤屈而死的人很多，没有一个敢辩冤申诉的。

李屿的车夫葛延遇，替李屿贩卖东西，多有欺骗隐瞒。李屿鞭打他，追责他交出所欠的东西，催促得很急。葛延遇和苏逢吉的车夫李澄，密谋向朝廷报告说李屿图谋造反。苏逢吉听说这个事就引诱他们去做。于是把李崧叫到家里，抓起来送到侍卫狱。李屿自我诬陷说："与哥哥李崧、弟弟李䍦、外甥王凝以及僮仆一共二十人，谋划乘先帝的灵柩出殡时，放火焚烧京城，起来造反。又派人携带蜡丸密信到河中城，勾结李守贞。又派人召引契丹兵。"等到定案的案卷呈递上去，苏逢吉拿笔把"二十"改成"五十"。十一月初九日甲寅，汉隐帝下诏诛杀李崧兄弟、家属以及供词所牵连到的人，都暴尸街头，同时重赏葛延遇等人。当时的人无不认为他们是冤枉的。从此士人和百姓家里都害怕车夫家奴，往往被这种人要挟控制。

有一天，秘书郎真定人李昉前往陶穀那里，陶穀说："您和李侍中的关系是近是远?"李昉说："他是我的族叔父。"陶穀说："李氏的灾祸，我出了力啊。"李昉听了这句话，吓得冒出汗来。陶穀，是邠州人，本来姓唐，因为避后晋高祖石敬瑭的名讳而改姓。

史弘肇尤其痛恨文人，常常说："这帮人瞧不起人，让人难以忍受，常称我们这些人是大兵。"史弘肇兼任归德节度使，委托亲信的官吏杨乙替他收取本军府应得的财利。杨乙倚仗权势骄纵蛮横，整个归德境内惧怕他如同惧怕史弘肇一样，节度副使以下的官吏，望见他便施礼致敬，杨乙都把他们当下属看待。每月征敛钱财万缗都献给史弘肇，官吏百姓受不了这种苦。

当初，沈丘人舒元、嵩山道士杨讷，都以游客的身份求得李守贞任用。李守贞

贞为汉所攻，遣元更姓朱，讷更姓李，名平，间道奉表求救于唐。唐谏议大夫查文徽、兵部侍郎魏岑请出兵应之。

唐主命北面行营招讨使李金全[214]将兵救河中，以清淮[215]节度使刘彦贞[216]副之，文徽为监军使，岑为沿淮巡检使，军于沂州[217]之境。金全与诸将方会食，候骑白有汉兵数百在涧[218]北，皆羸弱[219]，请掩之。金全令曰："敢言过涧者斩！"及暮，伏兵四起，金鼓闻十余里，金全曰："向可与之战乎？"时唐士卒厌兵，莫有斗志，又河中道远，势不相及，丙寅[220]，唐兵退保海州[221]。

唐主遗帝书谢[222]，请复通商旅，且请赦守贞，朝廷不报[223]。

壬申[224]，葬睿文圣武昭肃孝皇帝于睿陵[225]，庙号高祖。

十二月丁丑[226]，以高保融为荆南节度使、同平章事。

【段旨】

以上为第六段，写辅臣苏逢吉、节镇史弘肇贪残暴虐。南唐主兵救李守贞败还。

【注释】

⑰⑥寝疾：卧病。寝，卧。⑰⑦保融：高从诲第三子高保融，字德长。父死，即南平王位。性迂缓，无才能，事无大小皆委其弟保勖。公元九四八至九六〇年在位。传见《旧五代史》卷一百三十三、《新五代史》卷六十九、《宋史》卷四百八十三。⑰⑧癸卯：十月二十八日。⑰⑨发兵屯延、丹境上：延州，治所肤施，在今陕西延安东北。丹州，治所宜川，在今陕西宜川。李守贞向李彝殷求援，李彝殷故屯兵于延州、丹州境上声援李守贞。闻官军围河中，李彝殷乃退回夏州。⑱⓪甲辰：十月二十九日。⑱①真定：县名，县治在今河北正定。⑱②瘗藏之物：埋藏在地下的东西。⑱③别业：别置田园于他所称别业。⑱④形迹孤危：李崧由于行事而陷于孤危境地。指在后晋时，李崧与刘知远有嫌隙。先是，刘知远为晋侍卫都指挥使，掌亲军，李崧盛赞杜重威之才而代刘知远，刘以崧排己，深恨之。晋亡，李崧又为耶律德光所器重，拜太子太师。故任汉臣，李崧自感孤危，处处谨小慎微。⑱⑤惕惕：忧惧的样子。⑱⑥朝士：泛指中央的官吏。⑱⑦宅券：房契。⑱⑧陶穀：字秀实，本姓唐，避晋高祖讳改。先祖为北齐、隋、唐望族。善属文，仕后晋，为知制诰，深得李崧器重，后却厚诬李崧。历后汉、后周，入宋，官礼部尚书。传见《宋史》卷二

被后汉攻打，便派遣舒元改姓朱，杨讷改姓李、名叫平，持章表抄小路向南唐请求救兵。南唐谏议大夫查文徽、兵部侍郎魏岑请求出兵，答应救援。

南唐主命令北面行营招讨使李金全率兵救援河中，任命清淮节度使刘彦贞做他的副手，查文徽为监军使，魏岑为沿淮巡检使，驻扎在沂州境内。李金全和众将正在一起吃饭，侦察的骑兵报告说有几百名后汉兵在涧水北岸，都很瘦弱，请求袭击他们。李金全下令说："敢说渡过涧水的人斩首！"等到傍晚，伏兵四起，鸣金击鼓声十几里外都能听到，李金全说："刚才能和他们交战吗？"当时南唐士兵厌战，没有一个人有斗志，加上河中路途遥远，军力不能相救。十一月二十一日丙寅，南唐军队退守海州。

南唐主致信给后汉皇帝谢罪，请求恢复商旅往来，并且请求赦免李守贞，朝廷没有答复。

十一月二十七日壬申，把睿文圣武昭肃孝皇帝安葬在睿陵，庙号为高祖。

十二月初三日丁丑，汉隐帝任命高保融为荆南节度使、同平章事。

百六十九。⑱⑨谮：进谗言；说人坏话。⑲⓪解晖：历仕后晋、后汉、后周、宋，官至右千牛卫上将军。传见《宋史》卷二百七十一。本传未载解晖任孔目官。⑲①军狱：军中监牢。⑲②锻炼：枉法罗织罪名。⑲③自诬：自己受屈招供。⑲④三叛连兵：指李守贞、王景崇、赵思绾三人联合兵力。⑲⑤掌部：掌管。⑲⑥斫筋：断筋。⑲⑦胫：人的小腿。⑲⑧欺匿：指葛延遇替李屿贩卖物品时，多所欺瞒藏匿。⑲⑨抶：笞打；鞭打。⑳⓪负：指所欠的部分。⑳①侍卫狱：侍卫司狱，即所谓军狱。⑳②谋因山陵发引：谋划借皇帝出殡之机。山陵，皇帝的坟，此代皇帝。发引，旧时出殡，柩车启行，送丧者执绋前导称发引。引，挽车之索，又称绋，字或作"靷"。⑳③甲寅：十一月初九日。⑳④李昉：李昉（公元九二五至九九六年），字明远，深州饶阳（今河北饶阳，本文称真定）人，历仕后汉、后周。入宋，官右仆射、中书侍郎平章事。参加编写《旧五代史》，主编《太平御览》《太平广记》《文苑英华》。传见《宋史》卷二百六十五。⑳⑤轻人难耐：轻视人，使人难以忍受。⑳⑥收属府公利：收取本军府应得的财利。史弘肇领归德节度使，而职掌侍卫，人在京师，故使节度副使治理府事，副使为其下属，故谓之"属府"。⑳⑦合境：整个管区。⑳⑧下视之：当下属看待。⑳⑨月率钱万缗：每月收敛的钱上万缗。缗，本指穿钱的绳子，亦指成串的钱。一千文为一缗。㉑⓪舒元：沈丘（今河南沈丘南）人，一度更名朱元。少好学，辩捷强记。仕南唐、后周，入宋，官兵马都监。传见《宋史》卷四百七十八。㉑①嵩山：古称中岳，在今河南登封北。㉑②杨讷：更名李平，赴南唐求救兵，遂留南唐，官永安节度使。后因罪死狱中。㉑③干：求取。㉑④李金全：其先为吐谷浑人，骁勇善骑射。历仕后唐、后晋，后

投南唐。传见《旧五代史》卷九十七、《新五代史》卷四十八。⑮清淮：方镇名，五代南唐置。治所寿州，在今安徽寿县。⑯刘彦贞：仕南唐，官至神武统军。搜刮民财有方，于战事却指挥失措，在与周师作战中大败身亡。⑰沂州：州名，治所临沂，在今山东临沂。⑱涧：两山之间的流水。⑲羸弱：瘦弱。⑳丙寅：十一月二十一日。㉑海州：州名，治所朐山，在今江苏连云港市海州区。㉒唐主遗帝书谢：指南唐元宗李璟给后汉隐帝写信谢罪。㉓不报：搁置不答复。㉔壬申：十一月二十七日。㉕睿陵：在今河南登封东南告成镇。㉖丁丑：十二月初三日。

【原文】

辛巳[227]，南汉主以内常侍[228]吴怀恩[229]为开府仪同三司[230]、西北面招讨使，将兵击楚，攻贺州[231]。楚王希广遣决胜指挥使徐知新等将兵五千救之，未至，南汉人已拔贺州。凿大阱于城外，覆以竹箔[232]，加土，下施机轴，自堑中穿穴通阱中。知新等至，引兵攻城，南汉遣人自穴中发机，楚兵悉陷，南汉出兵从而击之，楚兵死者以千数。知新等遁归，希广斩之。南汉兵复陷昭州[233]。

王景崇累表告急于蜀，蜀主命安思谦再出兵救之。壬午[234]，思谦自兴元[235]引兵屯凤州，请先运粮四十万斛[236]，乃可出境。蜀主曰："观思谦之意，安肯为朕进取！"然亦发兴州[237]、兴元米数万斛以馈之。戊子[238]，思谦进屯散关，遣马步使高彦俦[239]、眉州[240]刺史申贵击汉箭筈[241]安都寨，破之。庚寅[242]，思谦败汉兵于玉女潭[243]，汉兵退屯宝鸡，思谦进屯模壁[244]。韩保贞出新关[245]，壬辰[246]，军于陇州神前，汉兵不出，保贞亦不敢进。

赵晖告急于郭威，威自往赴之。时李守贞遣副使周光逊，裨将王继勋、聂知遇，守城西。威戒白文珂、刘词曰："贼苟不能突围，终为我禽。万一得出，则吾不得复留于此。成败之机，于是乎在。贼之骁锐尽在城西，我去，必来突围。尔曹谨备之！"威至华州，闻蜀兵食尽引去，威乃还。韩保贞闻安思谦去，亦退保弓川寨[247]。

蜀中书侍郎兼礼部尚书、同平章事徐光溥坐以艳辞挑前蜀安康长公主，丁酉[248]，罢守本官[249]。

【校记】

［8］兼中书令：原无此四字。据章钰校，十二行本、乙十一行本皆有此四字，张敦仁《通鉴刊本识误》同，今据补。［9］其：原无此字。据章钰校，十二行本、乙十一行本、孔天胤本皆有此字，今据补。［10］情：原无此字。据章钰校，十二行本、乙十一行本皆有此字，今据补。［11］断舌：原无此二字。据章钰校，十二行本、乙十一行本皆有此二字，张敦仁《通鉴刊本识误》云："'决口断舌'四字不宜夹写。"今据补。

【语译】

十二月初七日辛巳，南汉主任命内常侍吴怀恩为开府仪同三司、西北面招讨使，率兵攻打楚国，进攻贺州。楚王马希广派遣决胜指挥使徐知新等将领率兵五千人救援贺州，还没有到达，南汉人已经攻下贺州。南汉人在城外挖了一个大陷阱，盖上竹帘，加上泥土，下面设置机关，从壕沟里挖地道通到陷阱。徐知新等人到达城外，带兵攻城，南汉派人从地道中发动机关，楚国的士兵全部落入陷阱。南汉接着出兵攻击，楚兵死的人数以千计。徐知新等人逃回，马希广斩杀了他。南汉军队又攻陷了昭州。

王景崇屡次向后蜀上表告急，后蜀主命令安思谦再次出兵救援。十二月初八日壬午，安思谦从兴元领兵屯驻凤州，请求先运送粮食四十万斛，才可以出境。后蜀主说："看安思谦的意思，怎么会肯为朕进攻！"但还是调拨兴州、兴元的米粮几万斛送给安思谦。十四日戊子，安思谦进兵屯驻散关，派遣马步使高彦俦、眉州刺史申贵进攻后汉箭筈岭上的安都寨，攻下了它。十六日庚寅，安思谦在玉女潭打败后汉军队，后汉军队撤退屯驻宝鸡，安思谦进兵屯驻模壁。韩保贞从新关出兵，十八日壬辰，驻扎在陇州神前。后汉军队不出战，韩保贞也不敢进兵。

赵晖向郭威告急，郭威亲自前往。当时李守贞派遣副使周光逊，偏将王继勋、聂知遇，一同防守城西。郭威告诫白文珂、刘词说："敌人如果不能突围，最后终究会被我们抓获。万一能够突围，那么我们就不能再留在这里。成败的关键，就在于此。敌人勇猛精锐的部队全在城西，我离去后，他们必定前来突围。你们要小心谨慎地防备他们！"郭威到达华州，听说后蜀军队粮尽退走了，郭威于是返回。韩保贞听说安思谦离去，也退守弓川寨。

后蜀中书侍郎兼礼部尚书、同平章事徐光溥，因为用有关情爱的话语挑逗前蜀安康长公主，十二月二十三日丁酉，被罢免宰相职务，只担任原来的官职。

【段旨】

以上为第七段，写南汉与楚交兵，后蜀主再次出兵救援王景崇。

【注释】

㉗辛巳：十二月初七日。㉘内常侍：属内侍省，掌宫廷事务，多以宦官充任。㉙吴怀恩：番禺人，南汉中宗时率兵攻下楚贺州、昭州，又北上占有数州，时人誉为最善战者。㉚开府仪同三司：与三司体制、待遇相同，亦可以设官署。实为大臣的加衔，其本身还另有其他职务。古代高级官吏（如三公、大将军等）可以设置府署、自选僚属的制度称开府。三司，即太尉、司徒、司空。三司都自有官署。㉛贺州：州名，治所临

【原文】

隐皇帝上

乾祐二年（己酉，公元九四九年）

春，正月乙巳朔[250]，大赦。

郭威将至河中，白文珂出迎之。

戊申[251]夜，李守贞遣王继勋等引精兵千余人循河而南，袭汉栅[252]。坎岸而登[253]，遂入之，纵火大噪，军中狼狈不知所为。刘词神色自若，下令曰："小盗不足惊也。"帅众击之。客省使[254]阎晋卿[255]曰："贼甲皆黄纸，为火所照，易辨耳。奈众无斗志何！"裨将李韬[256]曰："安有无事食君禄，有急不死斗者邪！"援矟[257]先进，众从之。河中兵退走，死者七百人，继勋重伤，仅以身免。己酉[258]，郭威至，刘词迎马首请罪。威厚赏之，曰："吾所忧正在于此。微[259]兄健斗，几为虏嗤。然虏伎殚[260]于此矣。"晋卿，忻州[261]人也。

守贞之欲攻河西栅也，先遣人出酤酒[262]于村墅，或贳与，不责其直，[263]逻骑[264]多醉。由是河中兵得潜行入寨，几至不守。郭威乃下令："将士非犒宴[265]，毋得私饮！"爱将李审，晨饮少酒，威怒曰："汝为吾帐下，首违军令，何以齐众[266]！"立斩以徇。

甲寅[267]，蜀安思谦退屯凤州，上表待罪，蜀主释不问。

贺，在今广西贺州。㉜竹箔：用苇子或竹子织成的帘子。㉝昭州：州名，治所在今广西平乐。㉞壬午：十二月初八日。㉟兴元：府名，治所南郑，在今陕西汉中东。㊱斛：量器名，亦为容量单位。古代以十斗为一斛，南宋末年改为五斗。㊲兴州：州名，治所顺政，在今陕西略阳。㊳戊子：十二月十四日。㊴高彦俦：太原人，仕后蜀，官至昭武军节度使。北宋军攻夔州，防守失利，拒降，自焚死。㊵眉州：州名，治所通义，在今四川眉山。㊶箭筈：岭名，上有箭筈关，在陕西陇县南岐山最高处。㊷庚寅：十二月十六日。㊸玉女潭：在今陕西宝鸡西南。㊹模壁：又称模壁寨，在今陕西宝鸡西南。㊺新关：在陕西陇县西，唐时称安戎关。㊻壬辰：十二月十八日。㊼弓川寨：在今甘肃秦安东。㊽丁酉：十二月二十三日。㊾罢守本官：罢礼部尚书、同平章事，只任本官中书侍郎。即罢相。

【语译】

隐皇帝上

乾祐二年（己酉，公元九四九年）

春，正月初一日乙巳，实行大赦。

郭威即将到达河中，白文珂出城迎接他。

正月初四日戊申晚上，李守贞派遣王继勋等将领率精兵一千多人，沿着黄河南进，偷袭后汉军队的营寨。在岸边凿坎登上，于是进入营寨，放火焚烧，大声呼喊，后汉军中情急之下不知道怎么办。刘词神色自如，下令说："小小盗贼不值得惊慌嘛。"率领部众反击。客省使阎晋卿说："贼兵的铠甲上面都有黄纸，被火映照，很容易辨认了。可是众人都没有斗志，又有什么办法呢！"偏将李韬说："哪有没事时吃皇上的俸禄，遇有危急却不拼死作战的呢！"举起长矛率先前进，众人跟着他。河中军队退走，死了七百人，王继勋受重伤，仅仅得以脱身。初五日己酉，郭威到达，刘词迎上去在马前请罪。郭威丰厚地奖赏他，说："我所担忧的正是在这里。如果没有老兄的勇猛作战，几乎被敌人嗤笑。不过敌人的招数到此也就用完了。"阎晋卿，是忻州人。

李守贞打算攻击河西栅寨，先派人出城到村庄里卖酒，有时候赊给人家，不索要酒钱，后汉巡逻的骑兵大多喝醉。因此河中军队得以偷偷地进入栅寨，栅寨几乎失守。郭威于是下令："将士除非是犒赏饮宴，不得私下喝酒！"郭威的爱将李审，早上喝了少量的酒，郭威生气地说："你是我的部下，却首先违反军令，教我怎么整治军队！"立即把李审斩首示众。

正月初十日甲寅，后蜀安思谦撤退屯驻凤州，上表等待治罪，后蜀主放过此事没有追问。

诏以静州[268]隶定难军，二月辛未[269]，李彝殷上表谢。彝殷以中原多故，有轻傲之志，每藩镇有叛者，常阴助之，邀[270]其重赂。朝廷知其事，亦以恩泽羁縻[271]之。

淮北[272]群盗多请命于唐，唐主遣神卫都虞候皇甫晖等将兵万人出海、泗[273]以招纳之，蒙城[274]镇将咸师朗等降于晖。徐州将成德钦败唐兵于峒峿镇[275]，俘斩六百级，晖等引归。

晋李太后诣契丹主，请依汉人城寨之侧，给田以耕桑自赡。契丹主许之，并晋主迁于建州[276]。未至，安太妃卒于路。遗令："必焚我骨，南向飏之，庶几魂魄归达于汉。"既至建州，得田五十余顷，晋主令从者耕其中以给食。顷之，述律王[277]遣骑取晋主宠姬赵氏、聂氏而去。述律王者，契丹主德光之子也。

三月己未[278]，以归德牙内指挥使史德珫[279]领忠州[280]刺史。德珫，弘肇之子也，颇读书，常不乐父之所为。有举人呼噪于贡院[281]门，苏逢吉命执送侍卫司[282]，欲其痛棰而黥之[283]。德珫言于父曰："书生无礼，自有台府[284]治之，非军务也。此乃公卿欲彰大人之过[285]耳。"弘肇大然之，即破械遣之。

楚将徐进败蛮于风阳山，斩首五千级。

夏，四月壬午[286]，太白昼见[287]。民有仰视之者，为逻卒所执，史弘肇腰斩之。

河中城中食且尽，民饿死者什五六。癸卯[288]，李守贞出兵五千余人，赍梯桥[289]，分五道以攻长围之西北隅。郭威遣都监吴虔裕[290]引兵横击之，河中兵败走，杀伤太半，夺其攻具。五月丙午[291]，守贞复出兵，又败之，擒其将魏延朗、郑宾。壬子[292]，周光逊、王继勋、聂知遇[293]帅其众千余人来降。守贞将士降者相继，威乘其离散，庚申[294]，督诸军百道攻之。

赵思绾好食人肝，尝面剖而脍[295]之，脍尽，人犹未死。又好以酒吞人胆，谓人曰："吞此千枚，则胆无敌矣。"及长安城中食尽，取妇女、幼稚为军粮，日计数而给之。每犒军，辄屠数百人，如羊豕法[296]。思绾计穷，不知所出。郭从义使人诱之。

初，思绾少时，求为左骁卫上将军致仕李肃仆。肃不纳[297]，曰：

汉隐帝下诏把静州隶属于定难军。二月辛未日，李彝殷上表谢恩。李彝殷因为中原多变故，所以有轻视傲慢的心理，每当藩镇叛乱，常常暗中帮助他们，向他们索取丰厚的贿赂。朝廷知道他的行为，仍然施加恩惠来笼络他。

淮北成群的盗贼大多请求听命于南唐，南唐主派遣神卫都虞候皇甫晖等将领率兵一万人从海州、泗州出发，去招抚接收他们，蒙城守将咸师朗等人向皇甫晖投降。徐州将领成德钦在峒峿镇打败南唐军队，俘虏、斩杀六百人，皇甫晖等人领兵退回。

后晋李太后前往契丹主那里，请求在靠近汉人城寨的旁边，给一块田地来耕田养蚕，养活自己。契丹主答应了她，连同后晋主一起迁到建州。还没有到达，安太妃就死在路上。她临终时嘱咐说："一定要火化我的遗体，面向南扬撒骨灰，魂魄或许能回到汉室。"李太后到了建州以后，得到田地五十多顷，后晋主命令随从人员在田里耕种来供应食物。不久，述律王派遣骑兵抢走后晋主宠爱的姬妾赵氏、聂氏。述律王这人，是契丹主耶律德光的儿子。

三月十六日己未，汉隐帝任命归德牙内指挥使史德珫兼任忠州刺史。史德珫，是史弘肇的儿子，读了很多书，常常不满意他父亲的作为。有一个举人在贡院门前呼喊喧闹，苏逢吉命人把举人抓起来送到侍卫司，想叫侍卫司把他痛打一顿，在他脸上刺上字。史德珫对父亲说："读书人无礼，自然有御史府惩处，不是军中的事务。这是公卿大臣要暴露大人的过失罢了。"史弘肇认为史德珫说得非常对，就立即打开枷锁放走举人。

楚国将领徐进在风阳山打败蛮人，斩首五千级。

夏，四月初九日壬午，太白星在白天出现。百姓有仰面观看它的，被巡逻的士兵抓住，史弘肇把他腰斩了。

河中城里粮食即将吃完，百姓饿死的有十分之五六。四月三十日癸卯，李守贞派出士兵五千多人，携带梯桥，分五路进攻包围圈的西北角。郭威派遣都监吴虔裕领兵拦腰截击。河中兵战败逃走，杀伤李守贞军一大半，夺取了他们的攻城器具。五月初三日丙午，李守贞再次出兵，后汉军队又打败了他们，擒获他们的将领魏延朗、郑宾。初九日壬子，周光逊、王继勋、聂知遇带领他们的部众一千多人前来投降，李守贞的将士前来投降的接连不断。郭威乘他们分崩离析，十七日庚申，督率各军发起全面进攻。

赵思绾喜欢吃人肝，曾经当面把一个人的肝挖出来细切了，细切完后，人还没有死。又喜欢用酒吞人胆，他对人说："把这个吞下一千个，就胆大无敌了。"等到长安城里的粮食吃完了，就拿妇女、小孩充当军粮，每天按数量供给。每次犒赏军队，就屠杀几百人，跟宰杀猪羊一样。赵思绾计谋用尽，不知道怎么办。郭从义派人诱降他。

当初，赵思绾年轻的时候，请求当退休的左骁卫上将军李肃的车夫。李肃没有

“是人目乱而语诞[298]，他日必为叛臣。”肃妻张氏，全义[299]之女也，曰：“君今拒之，后且为患。”乃厚以金帛遗之。及思绾据长安，肃闲居在城中，思绾数就见之，拜伏如故礼。肃曰：“是子亟[300]来，且污[301]我。”欲自杀。妻曰：“曷若劝之归国[302]！”会思绾问自全[303]之计，肃乃与判官程让能说思绾曰：“公本与国家无嫌，但惧罪耳。今国家三道用兵[304]，俱未有功。若以此时翻然改图，朝廷必喜，自可不失富贵。孰与坐而待毙乎！”思绾从之，遣使诣阙请降。乙丑[305]，以思绾为华州留后，都指挥使常彦卿为虢州刺史，令便道之官[306]。

吴越内牙都指挥使钭[307]滔，胡进思之党也，或告其谋叛，辞连丞相弘亿[308]。吴越王弘俶不欲穷治，贬滔于处州[309]。

六月癸酉朔[310]，日有食之。

秋，七月甲辰[311]，赵思绾释甲出城受诏。郭从义以兵守其南门，复遣还城。思绾求其牙兵及铠仗，从义亦给之。思绾迁延，收敛财贿，三改行期。从义等疑之，密白郭威，请图之，威许之。壬子[312]，从义与都监、南院宣徽使[313]王峻按辔[314]入城，处于府舍。召思绾酌别[315]，因执之，并常彦卿及其父兄、部曲[316]三百人，皆斩于市。

甲寅[317]，郭威攻河中，克其外郭[318]。李守贞收余众，退保子城[319]。诸将请急攻之，威曰：“夫鸟穷则啄，况一军乎！涸[320]水取鱼，安用急为！”壬戌[321]，李守贞与妻及子崇勋等自焚，威入城，获其子崇玉等及所署宰相[12]靖峄、孙愿，枢密使刘芮、国师总伦等，送大梁，磔[322]于市。征赵修己为翰林天文[323]。威阅守贞文书，得朝廷权臣及藩镇与守贞交通书，词意悖逆[324]，欲奏之。秘书郎[325]榆次王溥[326]谏曰：“魑魅[327]乘夜争出，见日自消。愿一切焚之，以安反侧[328]。”威从之。

接受，说："这个人目光邪乱而言语荒诞，以后一定是叛臣。"李肃的妻子张氏，是张全义的女儿，说："您现在拒绝了赵思绾，以后会成为祸害。"于是用丰厚的金帛赠送给他。等到赵思绾占据长安以后，李肃闲居在城里，赵思绾几次前去见李肃，跪拜俯伏仍然按照以前的礼节。李肃说："这个人屡次到家里来，将会玷污我。"想要自杀。李肃的妻子说："与其自杀何如劝他归顺朝廷!"恰好赵思绾向李肃请教如何保全自己的计策，李肃便和判官程让能劝赵思绾说："您和国家本来没有仇怨，只是担心获罪而已。现在国家三路用兵，都未见成效。倘若您在这个时候回心转意，朝廷一定喜欢，自然不会失去富贵。比起坐而待毙，哪一种好呢!"赵思绾听从了他们的劝说，派遣使者到朝廷请求投降。五月二十二日乙丑，朝廷任命赵思绾为华州留后，都指挥使常彦卿为虢州刺史，命令他们直接上任。

吴越内牙都指挥使钭滔，是胡进思的党羽，有人告发钭滔图谋叛乱，口供牵连到丞相钱弘亿。吴越王钱弘俶不愿意彻底追究，只把钭滔贬到处州。

六月初一日癸酉，发生日食。

秋，七月初三日甲辰，赵思绾脱下铠甲出城接受汉隐帝的诏书。郭从义派兵把守长安城南门，又把赵思绾送回城里。赵思绾寻找他的卫兵和铠甲武器，郭从义也给了他。但是赵思绾拖延时间，把他的财货搜集到一起，再三改变行期。郭从义等对赵思绾产生了怀疑，秘密报告了郭威，请示对赵思绾采取措施。郭威同意了。十一日壬子，郭从义和都监、南院宣徽使王峻在马上紧扣缰绳，缓步进城，住进官邸。邀请赵思绾一起饮酒话别，趁机把赵思绾抓起来，连同常彦卿和他们的父亲兄弟、家兵一共三百人，全部在街市上斩首。

七月十三日甲寅，郭威进攻河中，攻下河中的外城。李守贞搜集残余部众，退守内城。众将领请求赶快进攻他，郭威说："鸟一旦走投无路就要啄人，何况是一支军队呢!把水舀干了再抓鱼，何必那么性急哩!"二十一日壬戌，李守贞和他的妻子及儿子李崇勋等人自焚而死。郭威进城，抓住李守贞的儿子李崇玉等人以及李守贞所任命的宰相靖崄、孙愿，枢密使刘芮、国师总伦等人，押送到大梁，凌迟于街头。征聘赵脩己为翰林天文。郭威查阅李守贞的公文书信，得到朝廷执政大臣以及藩镇官员与李守贞往来勾结的书信，言辞叛逆，郭威想要奏报。秘书郎榆次人王溥劝谏说："鬼怪乘黑夜才争相出现，一见到阳光自然就会消失。希望全部烧掉这些书信，来安定那反复无常的人。"郭威听从了他的建议。

【段旨】

以上为第八段，写后汉平定李守贞、赵思绾。

【注释】

㉕⓪ 乙巳朔：正月初一日。㉕① 戊申：正月初四日。㉕② 栅：军营的栅栏。㉕③ 坎岸而登：在黄河的陡岸上挖凿坎阶而上。坎，作动词用。㉕④ 客省使：客省长官，掌四方进奉及外族使者朝贡。㉕⑤ 阎晋卿：仕后汉，官至权侍卫马军都指挥使。后因北郊兵败，自杀。传见《旧五代史》卷一百七。㉕⑥ 李韬：河朔人，有勇力胆气，善用矟，仕后汉，任禁军队长。大败李守贞军，官至赵州刺史。传见《宋史》卷二百七十一。㉕⑦ 援矟：举枪。矟，长矛，即槊。㉕⑧ 己酉：正月初五日。㉕⑨ 微：无。㉖⓪ 殚：竭尽。㉖① 忻州：州名，治所秀容，在今山西忻州。㉖② 酤酒：卖酒。㉖③ 或贳与二句：有时赊账，不索要钱。贳，赊欠。直，通"值"。㉖④ 逻骑：巡逻的骑兵。㉖⑤ 犒宴：犒赏宴饮。㉖⑥ 齐众：整饬军队。㉖⑦ 甲寅：正月初十日。㉖⑧ 静州：州名，治所在今陕西米脂西。原为唐静边州，安置党项降者。㉖⑨ 辛未：二月乙亥朔，无辛未，辛未，疑为正月二十七日。㉗⓪ 邀：希求。㉗① 羁縻：笼络。羁，马络头。縻，牛缰绳。㉗② 淮北：泛指淮河以北。㉗③ 泗：州名，治所在今江苏盱眙东北。㉗④ 蒙城：县名，县治在今安徽蒙城。㉗⑤ 峒峿镇：在今安徽宿州北六十里峒峿山下，为北通山东的孔道。峒峿山，也写作司吾山。㉗⑥ 建州：州名，契丹辽太祖置。治所永霸，在今辽宁朝阳西南，大凌河南岸。圣宗时迁大凌河北。㉗⑦ 述律王：辽太宗耶律德光长子耶律璟，小字述律。辽世宗耶律阮死，登基，公元九五一至九六〇年在位。庙号穆宗。㉗⑧ 己未：三月十六日。㉗⑨ 史德珫：乾祐中，授检校司空，领忠州刺史。传见《旧五代史》卷一百七。㉘⓪ 忠州：州名，治所临江，在今重庆忠县。㉘① 贡院：科举时代考试贡士之所。属礼部。㉘② 侍卫司：统领军队的机构。下分马军司、步军司，均设都指挥使、副都指挥使、都虞候各一人。㉘③ 痛棰而黥之：先痛打一顿，然后在他脸上刺字。棰，杖刑。黥，古代肉刑的一种，即墨刑，在脸上刺字。㉘④ 台府：此指御史府。㉘⑤ 彰大人之过：彰显大人（指史弘肇）的过失。㉘⑥ 壬午：四月初九日。㉘⑦ 太白昼见：太白星在白天出现。太白，即金星，我国古代也叫启明、长庚、明星等，是太阳系九大行星之一。金星距地球最近，在天空中的亮度仅次于日月。最亮时甚至在白昼也能看见，夜里照着物体还能有影。由于运行方位不同，晚上出现的叫长庚，早晨出现的叫启明。古人迷信，传说太白星主杀伐，"太白昼见"更不吉利，仰视它就会带来灾祸。见，通"现"。㉘⑧ 癸卯：四月三十日。㉘⑨ 赍梯桥：携带着梯桥。赍，携带。梯桥，拱桥，两端有阶梯供上桥下桥，故名。㉙⓪ 吴虔裕：许州许田（今河南许昌）人，历仕后汉、后周。入宋，官右千牛卫上

将军。性简率，言多轻肆。传见《宋史》卷二百七十一。㉑丙午：五月初三日。㉒壬子：五月初九日。㉓周光逊、王继勋、聂知遇：当时周光逊为李守贞副使，王继勋、聂知遇为李守贞裨将，均为军中核心将领。三人投降郭威，军心动摇，李守贞败势已不可逆转。㉔庚申：五月十七日。㉕脍：细切的鱼肉，此指把人肝切碎。㉖如羊豕法：意为屠杀人就像屠宰猪、羊的方法一样。㉗不纳：不接受。㉘目乱而语诞：眼睛邪乱，说话狂妄荒诞。㉙全义：字国维，濮州临濮（今河南范县）人，初名居言。早年投黄巢军，巢败归唐，又仕后梁、后唐，官至忠武节度使、检校太师、尚书令。传见《旧五代史》卷六十三、《新五代史》卷四十五。㉚亟：屡次。㉛污：污辱。㉜归国：归降朝廷。㉝自全：保全自己。㉞三道用兵：指郭威攻河中，赵晖攻凤翔，郭从义攻赵思绾。㉟乙丑：五月二十二日。㊱令便道之官：让他们不必经过朝廷，直接上任，以不使之生疑。㊲钭：此字仅用于姓。㊳辞连丞相弘亿：据《十国春秋·弘亿传》载，钭滔谋乱，辞连弘亿，吴越王弘俶左右劝王“穷其事”，“王以弘亿故不欲显治”，只是“贬滔处州，而出弘亿为明州刺史”。㊴处州：州名，治所括苍，在今浙江丽水西。㊵癸酉朔：六月初一日。㊶甲辰：七月初三日。㊷壬子：七月十一日。㊸南院宣徽使：胡三省注，“当作‘宣徽南院使’”。宣徽院分南、北两院，各置使一人，总领内诸司、三班内侍之籍及郊祀、朝会、宴享供帐之仪。㊹按辔：扣紧马缰绳，使马慢步前行。㊺酌别：饮酒饯别。㊻部曲：古代军队的编制单位，后又指豪门大族私人的军队。㊼甲寅：七月十三日。㊽外郭：外城。古代在城的外围加筑的一道城墙。㊾子城：大城所属的小城，即内城或附在城垣上的瓮城或月城。㊿涸：水干；枯竭。(321)壬戌：七月二十一日。(322)磔：五代时始置的凌迟酷刑，俗称剐刑。(323)翰林天文：唐代有天文博士、天文生，皆属于司天监。其中有待诏于翰林院的称翰林天文。赵修己善术数，又多次劝阻李守贞反，故被征召任职。(324)词意悖逆：文辞叛逆。(325)秘书郎：专掌图书收藏与抄写事务。(326)王溥：字齐物，榆次（今山西晋中市榆次区）人，五代汉中进士甲科。历仕后汉、后周，官中书舍人、翰林学士、右仆射。入宋，进司空，封祁国公。著《唐会要》《五代会要》。传见《宋史》卷二百四十九。(327)魑魅：古代传说中山泽的鬼怪。(328)反侧：反复无常的人。

【校记】

［12］宰相：原作“丞相”。据章钰校，十二行本、乙十一行本皆作“宰相”，今据改。〖按〗《通鉴纪事本末》作“宰相”。

【原文】

三叛既平[329]，帝浸[330]骄纵，与左右狎昵[331]。飞龙使瑕丘后匡赞[332]、茶酒使太原郭允明[333]以谄媚得幸，帝好与之为廋辞[334]、丑语[335]，太后屡戒之，帝不以为意。癸亥[336]，太常卿[337]张昭[338]上言："宜亲近儒臣，讲习经训。"不听。昭，即昭远，避高祖讳改之。

戊辰[339]，加永兴节度使郭从义同平章事，徙镇国节度使扈从珂为护国节度使，以河中行营马步都虞候刘词为镇国节度使。

唐主复进用魏岑[340]。吏部郎中会稽锺谟[341]、尚书员外郎李德明[342]始以辩慧得幸，参预国政。二人皆恃恩轻躁，虽不与岑为党，而国人皆恶之。户部员外郎范冲敏，性狷介[343]，乃教天威都虞候王建封上书，历诋[344]用事者，请进用正人。唐主谓建封武臣典兵，不当干预国政，大怒，流建封于池州，未至，杀之，冲敏弃市。

唐主闻河中破，以朱元为驾部员外郎[345]，待诏[346]文理院[347]李平为尚书员外郎。

吴越王弘俶以丞相弘亿判明州。

西京留守、同平章事王守恩，性贪鄙，专事聚敛。丧车非输钱不得出城[348]，下至抒厕[349]、行乞之人，不免课率，或纵麾下令盗人财。有富室娶妇，守恩与俳优数人往为宾客，得银数铤[350]而返。

八月甲申[351]，郭威自河中还，过洛阳。守恩自恃位兼将相[352]，肩舆出迎。威怒，以为慢己，辞以浴，不见，即以头子[353]命保义节度使、同平章事白文珂代守恩为留守，文珂不敢违。守恩犹坐客次[354]，吏白："新留守已视事于府矣。"守恩大惊，狼狈而归，见家属数百已逐[13]出府，在通衢矣。朝廷不之问，以文珂兼侍中，充西京留守。

欧阳修论曰："自古乱亡之国，必先坏其法制而后乱从之。此势之然也，五代之际是已。文珂、守恩皆汉大臣，而周太祖以一枢密使头子而易置之，如更戍卒。是时太祖未有无君之志，而所

【语译】

三个叛臣已经平定，汉隐帝逐渐骄奢放纵，与近侍轻佻的亲热玩耍。飞龙使瑕丘人后匡赞、茶酒使太原人郭允明靠巴结讨好而得到皇帝的宠幸，汉隐帝喜欢和他们说谜语、脏话，太后多次训诫他，汉隐帝也不放在心上。七月二十二日癸亥，太常卿张昭进言说:“应该亲近儒臣，讲习经义。”汉隐帝不听。张昭，就是张昭远，因为避高祖刘知远的名讳而改名。

二十七日戊辰，加授永兴节度使郭从义同平章事，调任镇国节度使扈从珂为护国节度使，任命河中行营马步都虞候刘词为镇国节度使。

南唐主又进用魏岑。吏部郎中会稽人锺谟、尚书员外郎李德明最初是靠口才好、聪明而得到宠幸，参与国家政事。两个人都倚仗皇帝的恩宠而浮躁，虽然不和魏岑结党，但是全国的人都痛恨他们。户部员外郎范冲敏性情孤高耿直，便让天威都虞候王建封上书，一一诋毁当权者，请求进用正直的人。南唐主认为王建封是武臣，掌管军队，不应干预国家政事，非常恼怒，把他流放到池州，还没有到达，就把他杀了，范冲敏被斩首示众。

南唐主听说河中被攻破，就任命朱元为驾部员外郎，待诏文理院李平为尚书员外郎。

吴越王钱弘俶任命丞相钱弘亿兼管明州。

西京留守、同平章事王守恩，性情贪婪鄙陋，专门干聚敛财货的事。出殡的车不给钱不准出城，下到刷洗粪桶的、讨饭的，都不免税，有时候还放出手下的人去偷窃别人的钱财。有一富户娶媳妇，王守恩和几个艺人前去做客，弄到几锭银子才回来。

八月十三日甲申，郭威从河中返回，路过洛阳。王守恩倚仗自己位兼将相，坐着轿子出去迎接。郭威很生气，认为怠慢自己，推说洗澡，不见王守恩，就用一张札子任命保义节度使、同平章事白文珂代替王守恩为西京留守，白文珂不敢违抗。王守恩还坐在客位上等候接见，小吏告诉王守恩说:“新任的留守已经在官府办公事了。”王守恩大惊，仓皇返回，看到家属几百人已经被赶出官府，站在大街上了。朝廷不过问这件事，任命白文珂兼任侍中，充任西京留守。

欧阳修评论说:“自古混乱灭亡的国家，一定是先破坏了国家的法律制度，然后跟着乱起来。这是势所必然的，五代的时候正是这样。白文珂、王守恩都是后汉大臣，然而后周太祖郭威用一张枢密使的札子就更换了他们的职位，就像更换戍卒。当时后周太祖尚没有无视君主的野心，但之所以做出这样的事，

为如此者，盖习为常事，故文珂不敢违，守恩不敢拒。太祖既处之不疑，而汉廷君臣亦置而不问，岂非纲纪坏乱之极而至于此欤！是以善为天下虑者，不敢忽于微而常杜其渐也，可不戒哉！”

守恩至大梁，恐获罪，广为贡献，重赂权贵。朝廷亦以守恩首举潞州归汉，故宥之，㉟但诛其用事者数人而已。

【段旨】

以上为第九段，写郭威擅权，更易节镇，标志朝纲法纪败坏，受到欧阳修的批评。

【注释】

㉙三叛既平：此时凤翔犹未平定，此为笼统之言。㉚浸：渐渐。㉛狎昵：轻佻的亲热。㉜后匡赞：瑕丘（今山东济宁市兖州区东北）人，《旧五代史》避宋太祖赵匡胤讳只称后赞。传见《旧五代史》卷一百七、《新五代史》卷三十。㉝郭允明：太原（今山西太原）人。传见《旧五代史》卷一百七、《新五代史》卷三十。㉞廋辞：也叫廋语，谜语的古称。㉟丑语：丑恶低级的语言。㊱癸亥：七月二十二日。㊲太常卿：官名，掌宗庙祭祀之事。㊳张昭：本名昭远，避汉高祖刘知远讳改名。通经史、天文、释老之说；自后唐至宋，专事笔削典章之任，封郑国公。传见《宋史》卷二百六十三。㊴戊辰：七月二十七日。㊵复进用魏岑：南唐李璟保大五年（公元九四七年）四月，魏岑因罪被贬为太子洗马，至此又得进用。㊶锺谟：南唐元宗时官翰林学士、知尚书省事，多次出使后周。

【原文】

马希萼悉调朗州丁壮为乡兵[356]，造号[357]静江军[358]，作战舰七百艘，将攻潭州。其妻苑氏谏曰：“兄弟相攻，胜负皆为人笑。”不听，引兵趣长沙[359]。

马希广闻之曰：“朗州，吾兄也，不可与争，当以国让之而已。”

大概是习以为常，所以白文珂不敢反对，王守恩不敢抗拒。后周太祖毫不迟疑地这样做，而后汉朝廷君臣也置之不问，这难道不是因为国家的法律制度败坏混乱到了极点，才会出现这种情况吗？所以善于为天下考虑的人，不敢忽略细微的事情而常常防微杜渐，这些能不引为鉴戒吗？”

王守恩到了大梁，害怕获罪，便四处进贡，厚赂权贵。朝廷也因为王守恩首先率领潞州归降汉朝，所以宽恕了他，只杀了几个在王守恩手下管事的人就完了。

因建储事得罪元宗，贬为宣州副使。后周亡，赐死于贬所。㉞② 李德明：南唐元宗时官至工部侍郎。因与后周世宗谈判，割地过多，朝臣诬其卖国，被元宗诛杀。㉞③ 狷介：孤高耿直，洁身自好。㉞④ 历诋：一一诋毁。㉞⑤ 驾部员外郎：官名，掌舆辇、传乘、邮驿、厩牧之事。㉞⑥ 待诏：本意为候命，以备待诏，唐以后遂成官名，如翰林待诏等。负责四方表疏批答、应和文章等事。㉞⑦ 文理院：为南唐所设。㉞⑧ 丧车非输钱不得出城：意为出殡的车不交钱也不让出城。输钱，交钱。㉞⑨ 抒厕：刷洗粪桶。㉟⓪ 铤：古代专门铸成的各种形状的金银块。后沿用“锭”字。㉟① 甲申：八月十三日。㉟② 守恩自恃位兼将相：王守恩任留守、节度使，是身为将职，又任同平章事，是身为相职，故云“位兼将相”。㉟③ 头子：唐末至宋，枢密使不经由中书直行下达的札子，事大者称宣，事小者称头子，亦称宣头。㉟④ 坐客次：意为坐在客位上等待接见。㉟⑤ 以守恩首举潞州归汉二句：王守恩原为权潞州巡检使，晋亡，以潞州降汉，故汉隐帝宥之。

【校记】

［13］遂：原作“遂”。据章钰校，乙十一行本、孔天胤本皆作“逐”，熊罗宿《胡刻资治通鉴校字记》同，今据改。

【语译】

马希萼把朗州的丁壮全部征调来当乡兵，创立名号为静江军，建造七百艘战舰，即将攻打潭州。他的妻子苑氏劝谏说：“兄弟互相攻打，不论谁胜谁败，都会被人嗤笑。”马希萼不听，领兵奔赴长沙。

马希广听到这个消息，说：“朗州，那是我的哥哥，不能和他争斗，应当把国家

刘彦瑫、李弘皋等[14]固争以为不可，乃以岳州[360]刺史王赟[361]为都部署战棹指挥使，以彦瑫监其军。己丑[362]，大破希萼于仆射洲，获其战舰三百艘。赟追希萼，将及之，希广遣使召之曰：“勿伤吾兄！”赟引兵还。赟，环[363]之子也。希萼自赤沙湖[364]乘轻舟遁归，苑氏泣曰：“祸将至矣，余不忍见也。”赴井而死。

戊戌[365]，郭威至大梁，入见。帝劳之，赐金帛、衣服、玉带、鞍马，辞曰：“臣受命期年[366]，仅克一城，何功之有！且臣将兵在外，凡镇安京师、供亿所须，使兵食不乏，皆诸大臣居中者之力也，臣安敢独膺[367]此赐！请遍赏之。”又议加领[15]方镇[368]，辞曰：“杨邠位在臣上，未有茅土[369]。且帷幄之臣[370]，不可以弘肇为比[371]。”九月壬寅[372]，遍赐宰相、枢密、宣徽、三司、侍卫使九人，[373]与威如一。帝欲特赏威，辞曰：“运筹建画，出于庙堂。发兵馈粮，资于藩镇。暴露战斗，在于将士。而功独归臣，臣何以堪之！”

乙巳[374]，加威兼侍中、史弘肇兼中书令。辛亥[375]，加窦贞固司徒、苏逢吉司空、苏禹珪左仆射、杨邠右仆射。诸大臣议，以朝廷执政溥加恩，恐藩镇觖望[376]。乙卯[377]，加天雄节度使高行周守太师、山南东道节度使安审琦守太傅、泰宁节度使符彦卿守太保、河东节度使刘崇兼中书令。己未[378]，加忠武节度使刘信、天平节度使慕容彦超、平卢节度使刘铢并兼侍中。辛酉[379]，加朔方节度使冯晖、定难节度使李彝殷兼中书令。冬，十月壬申[380]，加义武节度使孙方简、武宁节度使刘赟同平章事。壬午[381]，加吴越王弘俶尚书令、楚王希广太尉。丙戌[382]，加荆南节度使高保融兼侍中。议者以为：“郭威不专有其功，推以分人，信为美矣。而国家爵位，以一人立功而覃及天下[383]，不亦滥乎！”

让给他就是了。”刘彦瑫、李弘皋等坚决抗争，认为不能这样做。马希广才任命岳州刺史王赟为都部署战棹指挥使，派刘彦瑫督察这支军队。八月十八日己丑，在仆射洲大败马希萼，缴获他的战舰三百艘，王赟追赶马希萼，快要追上时，马希广派使者把王赟叫回来，说：“不要伤害我的哥哥！”王赟于是领兵返回。王赟，是王环的儿子。马希萼从赤沙湖乘轻便小船逃回朗州。苑氏哭着说：“灾祸就要降临了，我不忍心看到。”跳井死了。

八月二十七日戊戌，郭威回到大梁，入朝拜见汉隐帝。汉隐帝慰劳他，赐予金帛、衣服、玉带、鞍马。郭威推辞说：“臣受诏命一年，只攻克一城，哪有功劳！何况臣领兵在外，所有镇守保卫京师、供应军队所需，使军粮不缺乏，都是朝中各位大臣的功劳，臣怎么敢独自接受这些赏赐！请赏给所有大臣吧。”朝廷又拟议加授给他藩镇，郭威推辞说：“杨邠官位在臣之上，尚且没有兼领藩镇。况且国家中枢之臣不能和史弘肇相比。”九月初二日壬寅，普遍赏赐宰相、枢密使、宣徽使、三司使、侍卫使等九人，和郭威一样。汉隐帝想特别赏赐郭威，郭威推辞说：“运筹建策，出自朝廷。发兵运粮，依靠藩镇。暴身作战，在于将士。而把功劳只归于臣，臣怎么承受得起！”

九月初五日乙巳，加授郭威兼任侍中、史弘肇兼任中书令。十一日辛亥，加授窦贞固司徒、苏逢吉司空、苏禹珪左仆射、杨邠右仆射。大臣们议论，认为朝廷的执政大臣普遍加恩，恐怕各藩镇怨望不满。十五日乙卯，加授天雄节度使高行周加官兼署太师、山南东道节度使安审琦兼署太傅、泰宁节度使符彦卿兼署太保、河东节度使刘崇兼任中书令。十九日己未，加授忠武节度使刘信、天平节度使慕容彦超、平卢节度使刘铢都兼任侍中。二十一日辛酉，加授朔方节度使冯晖、定难节度使李彝殷都兼任中书令。冬，十月初三日壬申，加授义武节度使孙方简、武宁节度使刘赟同平章事。十三日壬午，加授吴越王钱弘俶尚书令、楚王马希广太尉。十七日丙戌，加授荆南节度使高保融兼任侍中。议论这件事的人认为：“郭威不独揽功劳，而把功劳分给众人，的确是很好的。但是国家的封爵，因一个人立功而遍赐天下，不也太泛滥了吗？”

【段旨】

以上为第十段，写后汉郭威平定三叛建功，朝廷滥施赏赐遍天下。

【注释】

㉟⑥乡兵：本地域的士兵。㉟⑦造号：创立军号。㉟⑧静江军：方镇名，五代十国楚国置。治所桂州，在今广西桂林。㉟⑨长沙：府名，治所在今湖南长沙。五代时楚国都城。㊱⓪岳州：州名，治所在今湖南岳阳。㊱①王赟：王环子，官岳州刺史、永州刺史。曾大败恭孝王马希萼军，国亡归南唐。㊱②己丑：八月十八日。㊱③环：王环，王赟父，五代十国时楚国名将。曾六破吴兵，两破荆南兵。深受武穆王马殷赏识，官岳州都指挥使。㊱④赤沙湖：在今湖南华容南，洞庭湖西，又名赤亭湖。夏、秋水涨，与洞庭湖相通。㊱⑤戊戌：八月二十七日。㊱⑥期年：一周年。上年七月，郭威为西面军前招慰安抚使，节度诸军讨伐河中、永兴、凤翔三镇，至今年八月，刚过一年。㊱⑦膺：受。㊱⑧议加领方镇：指后汉隐帝拟议使郭威加领节度使。㊱⑨茅土：古代皇帝社祭的坛用五色土建成，东方青，南方赤，西方白，北方黑，中央黄。分封诸侯时，把代表分封方位颜色的泥土用茅草包好，授给受封的人，作为分得土地的象征，后称封诸侯为授茅土。此指封节度使。当时杨邠为枢密使，位在郭威之上，还未曾领节镇。㊲⓪帷幄之臣：指任职中枢之臣。与节度

【原文】

吴越王弘俶募民能垦荒田者，勿收其税，由是境内无弃田。或请纠民遗丁以增赋[384]，仍自掌其事[385]，弘俶杖之国门。国人皆悦。

楚静江节度使马希瞻[386]以兄希萼、希广交争，屡遣使谏止，不从。知终覆族[387]，疽发于背，丁亥[388]，卒。

契丹寇河北，所过杀掠，节度使、刺史各婴城自守[389]。游骑至贝州及邺都之北境，帝忧之。己丑[390]，遣枢密使郭威督诸将御之，以宣徽使王峻监其军。

十一月，契丹闻汉兵渡河，乃引去。辛亥[391]，郭威军至邺都，令王峻分军趣镇、定。戊午[392]，威至邢州。

唐兵渡淮，攻正阳[393]。十二月，颍州将白福进击败之。

杨邠为政苛细[394]。初，邢州人周璨为诸卫将军，罢秩无依[395]，从王景崇西征。景崇叛，遂为之谋主。邠奏："诸前资官[396]，喜摇动藩臣，宜悉遣诣京师。"既而四方云集，日遮宰相马求官。辛卯[397]，邠复奏："前资官宜分居两京[398]，以俟有阙而补之。"漂泊失所者甚众。邠又奏：

使相对。㉟1 不可以弘肇为比：时史弘肇为节度使，又掌侍卫兵，故郭威称不可以和他为比。㉟2 壬寅：九月初二日。㉟3 遍赐宰相句：遍赐，一一赏赐。宰相指窦贞固、苏逢吉、苏禹珪，枢密使指杨邠，宣徽使指王峻、吴虔裕，三司使指王章，侍卫使指史弘肇。文中称九人，仅可查八人，或许包括郭威也未可知。㉟4 乙巳：九月初五日。㉟5 辛亥：九月十一日。㉟6 觖望：不满而怨望。觖，怨望。㉟7 乙卯：九月十五日。㉟8 己未：九月十九日。㉟9 辛酉：九月二十一日。㊳0 壬申：十月初三日。㊳1 壬午：十月十三日。㊳2 丙戌：十月十七日。㊳3 以一人立功而覃及天下：意为国家的爵位由于一个人立功而赏赐延及所有官员。后汉隐帝给文武官员赏赐的司徒、司空、太师、太傅、太保、侍中、同平章事等，都是加官、加衔，并无实际职务。以同平章事加予节度使的，也叫作使相。覃，延及。

【校记】

［14］等：原无此字。据章钰校，十二行本、乙十一行本皆有此字，今据补。［15］领：原无此字。据章钰校，十二行本、乙十一行本、孔天胤本皆有此字，张敦仁《通鉴刊本识误》、张瑛《通鉴校勘记》同，今据补。

【语译】

吴越王钱弘俶招募能够开垦荒地的百姓，不征收他们的租税，因此吴越境内没有闲置的田地。有人建议清查户籍上漏登的男丁，以增加赋税收入，并且由他自己来掌管这件事，钱弘俶命人在都城的大门前杖击提此建议的人。都城的人都很高兴。

楚国静江节度使马希瞻因为哥哥马希萼、马希广互相争斗，多次派遣使者劝阻，他们不听。马希瞻知道总有一天被灭族，他背上毒疮发作，十月十八日丁亥去世。

契丹入侵河北，所过之处杀人抢劫，节度使、刺史各自环城固守。契丹的流动骑兵到达贝州和邺都的北部边境，对此汉隐帝很是担忧。十月二十日己丑，派遣枢密使郭威统率众将抵御契丹，命令宣徽使王峻监督这支军队。

十一月，契丹听说后汉军队渡过黄河，就撤走了。十二日辛亥，郭威的军队到达邺都，命令王峻分一部分兵力奔赴镇、定二州。十九日戊午，郭威到达邢州。

南唐军队渡过淮河，攻打正阳。十二月，颍州将领白福进打败了南唐军队。

杨邠处理政事苛刻琐细。当初，邢州人周璨任诸卫将军，被罢官后无所依靠，随从王景崇西征。王景崇叛乱，他就成为王景崇的主要谋划人。杨邠上奏说："前朝所任命的官吏喜欢煽动藩镇大臣，应该全部安排他们到京师。"不久，前朝官吏从四面八方云集京师，每天拦住宰相的马索要官职。十二月二十二日辛卯，杨邠又上奏说："前朝所任命的官吏应该分别居住在两京，等待有缺额时补官。"漂泊无去处的官

"行道往来者，皆给过所[399]。"既而官司填咽[400]，民情大扰，乃止。

赵晖急攻凤翔，周璨谓王景崇曰："公向与蒲、雍[401]相表里，今二镇已平，蜀儿不足恃[402]，不如降也。"景崇曰："善！吾更思之。"后数日，外攻转急。景崇谓其党曰："事穷矣，吾欲为急计。"乃谓其将公孙辇、张思练曰："赵晖精兵，多在城北。来日五鼓[403]前，尔二人烧城东门诈降，勿令寇入。吾与周璨以牙兵出北门突晖军，纵无成而死，犹胜束手。"皆曰："善！"癸巳[404]，未明，辇、思练烧东门请降，府牙[405]火亦发。二将遣人诇之，景崇已与家人自焚矣。璨亦降。

丁酉[406]，密州[407]刺史王万敢击唐海州荻水镇[408]，残之。

是月，南汉主如英州。

是岁，唐泉州刺史留从效兄南州[409]副使从愿，酖刺史董思安而代之。唐主不能制，置清源军[410]于泉州，以从效为节度使。

【段旨】

以上为第十一段，写吴越主奖励垦荒，境内无弃田。

【注释】

㊳㊹纠民遗丁以增赋：清查已经成年而漏登户籍的男丁，以便增加赋税收入。遗丁，指成丁男子而未著籍纳赋者。㊳㊺仍自掌其事：并且由他自己来掌管此事。仍，又、并且。㊳㊻马希瞻：武穆王马殷庶子。曾因监袁诠军，打败荆南兵，授静江军节度使。㊳㊼覆族：覆灭整个家族。㊳㊽丁亥：十月十八日。㊳㊾婴城自守：环城自守。㊴⓪己丑：十月二十日。㊴①辛亥：十一月十二日。㊴②戊午：十一月十九日。㊴③正阳：地名，又称正阳关。在今安徽寿县西，为南货水运要地。㊴④苛细：苛刻繁细。㊴⑤罢秩无依：罢官无所依靠。㊴⑥前资官：谓官资皆前朝所授者。㊴⑦辛卯：十二月二十二日。㊴⑧两京：西京河南府和东京开封府。㊴⑨过所：古代过关所用的凭照。㊵⓪填咽：意为人多得拥塞不通。㊵①蒲、雍：两州名。蒲州，又称河中府，此指李守贞。雍州，京兆府一带，此指赵思绾。㊵②蜀儿不足恃：王景崇曾求援于蜀，蜀兵不至，故言不足恃。㊵③五鼓：五更。古代将一夜分五更，每更约两小时。五更约在早晨三时至五时，天亮前后。㊵④癸巳：十二月二十四日。㊵⑤府牙：府衙，官署。㊵⑥丁酉：十二月二十八日。㊵⑦密州：州名，治所在今山东诸城。㊵⑧荻水镇：

吏很多。杨邠再次上奏说："在路上过往的官吏，都发给通行证。"不久，负责签发通行证的机构，人员拥挤不堪，民情大为骚动，这才停止。

赵晖加紧攻打凤翔，周璨对王景崇说："您以前和蒲州、雍州互为声援，现在二镇已被平定，蜀国小儿不可依靠，不如投降。"王景崇说："好！我再想想此事。"过了几天，城外的攻势变得更激烈，王景崇对他的党羽说："已经无路可走了，我要做救急的策划。"于是就对他的将领公孙辇、张思练说："赵晖的精锐部队，大多在城北。明天五更以前，你们两人放火烧城东门，假装投降，不要让敌人进城。我与周璨率领卫队出北门冲击赵晖的军队。即使没有成功而死，也比束手就擒好。"二人都说："好！"十二月二十四日癸巳，天还没亮，公孙辇、张思练焚烧城东门请求投降，这时军府衙门内的火也烧了起来。二位将领派人去侦察，王景崇已经和他的家人自焚了。周璨也投降了。

十二月二十八日丁酉，密州刺史王万敢进攻南唐海州荻水镇，毁灭了这个镇。

这个月，南汉主前往英州。

这一年，南唐泉州刺史留从效的哥哥南州副使留从愿，毒死南州刺史董思安，自己取代了他。南唐主不能制止，便在泉州设置清源军，任命留从效为节度使。

在江苏连云港市赣榆区东北七十里，东滨海，又称荻水口镇。㊾南州：州名，治所漳州，在今福建漳州。南唐元宗以董思安为刺史，思安以父名章辞，元宗遂改漳州为南州。宋改回为漳州。㊿清源军：方镇名，五代南唐置。治所晋江，在今福建泉州。

【研析】

本卷研析三镇叛汉、刘崇图谋割据河东、郭威擅权、吴越王钱弘俶募民垦荒四件史事。

第一，三镇叛汉。三镇，指河东节度使李守贞、凤翔节度使王景崇、夺取京兆府永兴军的赵思绾，他们连兵叛汉，史称三镇叛汉。李守贞，河阳人，为晋高祖石敬瑭牙将，官至河东节度使。晋出帝时，李守贞与杜重威以兵降契丹，晋亡。刘知远建汉，李守贞来朝，仍被署为河东节度使。刘知远死后，汉隐帝即位，杀杜重威，李守贞心不自安，而举兵反。王景崇，邢州人，唐明宗镇邢州时为牙将，入晋官至左金吾卫大将军，心常怏怏自认为未尽其用。晋亡，王景崇厚赂契丹人求高官未果，而盗取国家库金往投刘知远，官至凤翔节度使。赵思绾，魏州人，为赵延寿之子赵赞部属。契丹灭晋，赵赞为河中节度使，赵思绾为牙将。入汉，刘知远改任赵赞为永兴军节度使。赵赞入朝，汉高祖刘知远留而不遣，赵思绾疑惧不安。原凤翔节度使侯益与河中节度使赵赞，皆为契丹人所署。赵赞入朝，侯益迟留。刘知远任命王景崇为凤翔节度使取代侯益，授命王景崇可便宜从事。李景崇没有便宜从事杀侯益，纵之东归。刘知远任用侯益为开封尹，侯益进谗说王景崇的坏话，王景崇闻知，心不自安，后悔没有杀侯益。刘知远又征召赵思绾入朝，赵思绾抗命，以永兴军之众首先反叛朝廷，接着王景崇、李守贞也举兵反叛。赵思绾、王景崇共推李守贞为秦王，奉以为主，三镇连兵，连引蜀国、南唐，以及契丹之兵攻击汉朝，一时声势盛大。刘知远调兵遣将，经过两年多的征战，到汉隐帝即位，三镇才被讨平。三镇之叛，固然是李守贞、王景崇、赵思绾三人凶险，亦是刘知远所逼。三人为旧朝之将，李守贞狂妄，王景崇奸险，赵思绾残暴，因手握兵权，在五代乱世的时局下容易反叛，但他们已经降汉，由于汉高祖刘知远仁、信、刑皆失，赏罚不当导致三镇连兵反叛。刘知远不诛杜重威，临终嘱隐帝严防杜重威，隐帝诛杜重威而逼反李守贞，这是用刑不当。杜重威当诛时不诛，猜忌时妄杀，兔死狐悲，李守贞安得不叛。侯益，伪署节镇，拒命不朝，王景崇兵临之，无奈投降，不诛已过，又重用之，是以逼反王景崇。赵赞入朝，已归服，高祖留而不遣，又征赵思绾入朝，困兽犹斗，何况手握兵权的赵思绾。三镇之叛的主因，是刘知远治国无方的经典案例，又一次验证了司马光的评论：刘知远失仁、失信、失刑，汉祚不延，不是很正常的吗?!

第二，刘崇图谋割据河东。刘崇，汉高祖刘知远同母弟，初名崇，后更名旻。刘知远事晋为河东节度使，镇太原，任用刘崇为马步都指挥使，郭威为蕃汉都孔目，即侍卫都虞候。郭威粗通兵法，善战，为刘知远所亲爱，凡重大战役，都有郭威参加。刘知远即皇帝位，任用刘崇为太原尹、北京留守、同中书门下平章事，领大镇，任用郭威为枢密副使，掌兵权。刘崇、郭威是刘知远的左右手，两人争宠有隔阂。刘知远临终，将隐帝刘承祐托孤于郭威和史弘肇。隐帝即位，晋升郭威为枢密使，刘崇心不自安，与判官郑珙谋自安之术。郑珙建言，刘崇扩军，建立四部指挥使，自选勇士，招纳亡命，打造兵器，储备粮秣，停止上贡朝廷的财赋，理由是防御契丹，名正言顺。等到郭威称帝，建立后周，刘崇也称帝于太原，建立北汉政权。刘崇本为自安，强兵足民，做好了割据河东的基础，没有预料到郭威称帝，所以汉隐帝死，刘崇没有举兵入梁。郭威忌刘崇之势，假借拥立刘崇之子武宁军节度使刘赟为嗣，还装模作样派大臣冯道迎请刘赟于徐州，用以麻痹刘崇。当郭威在大梁站稳脚跟后，翻脸露出庐山真面目，诛刘赟，称帝建周，刘崇建北汉也就在情理之中。

第三，郭威擅权。郭威，邢州尧山人，行伍出身，有勇力，使酒好斗，性粗豪，略通兵法，善战，深为刘知远所爱。隐帝立，郭威平定三镇叛乱，建立盖世之功，更是目中无人。郭威从河中还师，路过洛阳。洛阳西京留守、同平章事王守恩自认为位兼将相，坐着轿子慢吞吞出城郊迎。郭威震怒，认为王守恩看不起他，拒绝与王守恩相见，推辞说在洗澡。郭威立即发出枢密使的帖子，命令保义节度使、同平章事白文珂取代王守恩为西京留守，派兵驱赶王守恩家人出府。这时王守恩还在客馆的客位上等着郭威接见。王守恩的部属来报告，说："新任留守上任了。"王守恩狼狈回府，走到大街上，看到家人已被赶出，也都在大街上等王守恩。王守恩不敢责问郭威，赶紧回朝报告，汉隐帝置之不理，还正式任命白文珂兼侍中，充任西京留守。

大臣任免，要通过宰相推荐，皇帝批准，中书令下达，而郭威竟然用枢密使的帖子，随意更换大臣，如同指使部属兵卒。这时候的郭威，未必就有篡位之心，但他擅权逾制，已凌驾在国家之上，比皇帝还皇帝。皇帝更易大臣，还要征询三公九卿的意见，至少过场也是要走的。王守恩贪污受贿，郭威不闻不问，认为冒犯自己，就大张挞伐，瞬间驱赶，如此擅权，古今少有。故欧阳修说："自古混乱灭亡的国家，一定是先破坏了国家的法律制度，然后跟着乱起来。这是势所必然的，五代的时候正是这样……后周太祖毫不迟疑地这样做，而后汉朝廷君臣也置之不问，这难道不是因为国家的法律制度败坏混乱到了极点，才会出现这种情况吗？"其后，郭威篡汉，也就是冰冻三尺，非一日之寒了。

第四，吴越王钱弘俶募民垦荒。吴越王钱弘俶悬赏招募种田能手开垦荒地，不收赋税，因此吴越国境内没有荒地。有人建议悬赏揭发隐瞒成丁男子户籍的人，把他们检举出来可以增加国家赋税的收入。提建议的人还自告奋勇，说他十分胜任这一工作。吴越王十分反感提建议的人，把这个人放在城门口鞭打。这事影响很大，吴越国都的人一传十，十传百，十分高兴。

如何向百姓征税是国家大事。五代十国，各国征税的情况史事记载不详。春秋时鲁国初税亩，已按田亩征税。汉朝实施地亩税和人头税两种制度，地亩征税，三十税一，称为科税，按成丁男子征税，每人每年一百二十文叫赋。从吴越王钱弘俶募民垦荒不交税，以及鞭打要检括户口增加赋税的人这两件事情来看，吴越国实行田税加人头税两种办法。垦荒不征税，说明熟田有税；检括遗漏丁男以增加国家税收，说明吴越国有人头税。吴越王钱弘俶的做法是减轻人民负担的措施，所以国人很高兴。垦荒不加税，国境内无荒田，这样增加了生产，藏富于民，民富则国强，钱弘俶的善政值得肯定。

王夫之批评南唐李氏政权只按田地肥瘠征税，肥田多征税，瘠田少征税。当时战乱频仍，国用不足，时常加税，一次又一次按田亩肥瘠加征，勤劳种地的人交纳没完没了的税，以至于抛荒不种地，让肥田变瘠田，变荒田。王夫之认为按田亩肥瘠征税，则有田不如无田，有良田不如瘠田，是在奖励懒惰之民。王夫之主张只按丁口征税，他说："夫有民不役，而役以田，则等于无民。"（《读通鉴论》卷三十）这也未免极端。只按丁口征税，那么拥有良田万亩的大户无税，无立锥之地的贫民有税，当然更不公平。古代国家收入，主要依靠农业，合理的办法是，对国家贡献和义务，应当是有钱出钱，有力出力，按地亩征税，按人丁出役，最为公平。吴越国征税既按地亩，又按人丁，奖励垦荒不加税，遗漏户口不细究，水清无大鱼，藏富于民，于民于国皆有利，所以是善政，应予肯定。

卷第二百八十九　后汉纪四

上章阉茂（庚戌，公元九五〇年），一年。

【题解】

本卷记载史事一年，公元九五〇年，当后汉隐帝乾祐三年。此一年间，中原又一次发生政权更迭，后汉灭亡，后周建立。后汉隐帝行事乖张，年仅二十，血性用事，群小离间，突然间诛杀枢密使杨邠、中书令史弘肇、三司使王章，举朝惊骇，逼反郭威。隐帝亲征，为乱兵所杀。后汉立国短暂，根基不稳，郭威宿将，兵权在握，制造兵变，拥立自己称帝，后来赵匡胤依样画葫芦，制造陈桥驿兵变夺取后周政权，非郭威始料所及。南唐主闻中原三叛悉平，亦罢兵停止北上。楚国内讧，兄弟交兵，马希萼破长沙，杀马希广而自立。

【原文】

隐皇帝下

乾祐三年（庚戌，公元九五〇年）

春，正月丁未[①]，加凤翔节度使赵晖兼侍中。

密州刺史王万敢请益兵以攻唐，诏以前沂州刺史郭琼[②]为东路行营都部署，帅禁军及齐州[③]兵赴之。

郭威请勒兵北临契丹之境，诏止之。

丙寅[④]，遣使诣河中、凤翔收瘗[⑤]战死及饿殍遗骸，时有僧已聚二十万[⑥]矣。

唐主闻汉兵尽平三叛，始罢李金全北面行营招讨使[⑦]。

唐清淮节度使刘彦贞多敛民财以赂权贵，权贵争誉之。在寿州[⑧]积年，恐被代，欲以警急自固[⑨]，妄奏称汉兵将大举南伐。二月，唐主以东都[⑩]留守燕王弘冀[⑪]为润、宣二州[⑫]大都督，镇润州，宁

【语译】

隐皇帝下

乾祐三年（庚戌，公元九五〇年）

春，正月初九日丁未，加授凤翔节度使赵晖兼任侍中。

密州刺史王万敢请求增兵攻打南唐，汉隐帝下诏任命前任沂州刺史郭琼为东路行营都部署，率领禁卫军和齐州军队前往。

郭威请求整军北临契丹边境，皇帝下诏阻止了他。

二十八日丙寅，朝廷派使者前往河中、凤翔收埋战死将士和饿死百姓的尸骨，当时有僧人已经收聚遗骸二十万具了。

南唐主听说后汉军队彻底平息了三镇的叛乱，这才罢免李金全的北面行营招讨使。

南唐清淮节度使刘彦贞大量搜刮民财来贿赂权贵，权贵争相称赞他。他在寿州多年，恐怕被人替代，想借紧急事变来巩固自己的地位，就虚妄地上奏说后汉军队即将大举南伐。二月，南唐主任命东都留守燕王李弘冀为润、宣二州大都督，镇守

国[13]节度使周宗为东都留守。

朝廷欲移易藩镇，因其请赴嘉庆节[14]上寿，许之。

甲申[15]，郭威行北边还[16]。

福州人或诣建州告唐永安留后查文徽[17]，云吴越兵已弃城去，请文徽为帅。文徽信之，遣剑州[18]刺史陈诲[19]将水军下闽江[20]，文徽自以步骑继之。会大雨，水涨，诲一夕行七百里，至城下，败福州兵，执其将马先进等。庚寅[21]，文徽至福州，吴越知威武军[22]吴程诈遣数百人出迎。诲曰："闽人多诈，未可信也，宜立寨徐图。"文徽曰："疑则变生，不若乘机据其城。"因引兵径进。诲整众鸣鼓，止于江湄[23]。文徽不为备，程勒兵出击之，唐兵大败，文徽坠马，为福人所执，士卒死者万人。诲全军[24]归剑州。程送文徽于钱唐，吴越王弘俶献于五庙[25]而释之。

丁亥[26]，汝州[27]奏防御使刘审交卒。吏民诣阙上书，以审交有仁政[28]，乞留葬汝州，得奉事其丘垄，诏许之。州人相与聚哭而葬之，为立祠，岁时享之。太师冯道曰："吾尝为刘君僚佐[29]，观其为政，无以逾人，非能减其租赋，除其徭役也，但推公廉慈爱之心以行之耳。此亦众人所能为，但他人不为而刘君独为之，故汝人爱之如此。使天下二千石[30]皆效其所为，何患得民不如刘君哉！"

甲午[31]，吴越丞相、昭化节度使、同平章事杜建徽卒。

乙未[32]，以前永兴节度使赵匡赞为左骁卫上将军。

【段旨】

以上为第一段，写南唐主闻中原三叛悉平，罢兵北上；查文徽南犯福州，轻敌冒进，兵败成俘虏。

润州，宁国节度使周宗为东都留守。

朝廷想调换各藩镇节度使，借着他们请求前来参加庆贺皇上生日这一机会，就答应了他们。

二月十六日甲申，郭威巡行北方边境返回京师。

福州人有的到建州向南唐永安留后查文徽报告，说吴越军队已经弃城离去，请查文徽为帅。查文徽相信了，派遣剑州刺史陈诲率领水军顺闽江而下，查文徽自己率步兵和骑兵跟在后面。适逢大雨，江水上涨，陈诲一夜行船七百里，到达福州城下，打败了福州军队，抓住了他们的将领马先进等人。二十二日庚寅，查文徽到达福州，吴越知威武军吴程诈遣几百人出迎。陈诲说："闽人多诈，不可相信，应该设置营寨慢慢谋划。"查文徽说："迟疑就会发生变故，不如乘机占据他们的州城。"于是领兵直进，陈诲整众鸣鼓，在闽江岸边停下来。查文徽不做防备，吴程领兵出击，南唐军队大败，查文徽坠落马下，被福州人抓住，士卒死亡上万人。陈诲保全军队回到剑州。吴程把查文徽押送到钱唐，吴越王钱弘俶把查文徽作为战利品献给祖庙，然后放了他。

十九日丁亥，汝州奏报防御使刘审交去世。官吏和百姓到朝廷上书，因为刘审交有仁政，请求留在汝州安葬，以便能够奉事他的坟墓，汉隐帝下诏同意了。汝州人相互聚集在一起痛哭，安葬了刘审交，为他建立祠堂，每年按时祭祀他。太师冯道说："我曾经做过刘君的僚属，看他治理政事，没有什么过人的地方。不是能够减少百姓的赋税，免除百姓的徭役，只是推行公平、廉洁、慈爱之心而行政罢了。这也是大家所能做到的，只是其他的人不去做而刘君独自做了，所以汝州人这样爱戴他。假使天下食禄二千石的州官们都能仿效他的所作所为，还怕不能像刘君那样得民心吗！"

二十六日甲午，吴越丞相、昭化节度使、同平章事杜建徽去世。

二十七日乙未，任命前任永兴节度使赵匡赞为左骁卫上将军。

【注释】

①丁未：正月初九日。②郭琼：平州卢龙（今河北卢龙）人，有勇力。历仕契丹、后唐、后晋、后汉、后周。入宋，以加右领军卫上将军致仕。传见《宋史》卷二百六十一。③齐州：州名，治所历城，在今山东济南。④丙寅：正月二十八日。⑤瘗：埋葬。⑥有僧已聚二十万：已有僧人在河中、凤翔收集了二十万具尸骨。⑦始罢李金全北面行营招讨使：李金全于乾祐元年（公元九四八年）为北面行营招讨使。⑧寿州：州名，治所寿春，在今安徽寿县。⑨以警急自固：借紧急事变来巩固自己地位。⑩东都：南唐

以江都府为东都，在今江苏扬州。⑪弘冀：南唐元宗李璟长子，封燕王，立为太子。后元宗怒其逾法，欲改立太弟景遂。弘冀便派人将景遂鸩杀，不久弘冀也病死。⑫润、宣二州：润州治所丹徒，在今江苏镇江市，宣州治所在今安徽宣州。⑬宁国：方镇名，五代十国吴国置。治所宣州，在今安徽宣州。⑭嘉庆节：后汉隐帝生日为三月九日，故称这一天为嘉庆节。⑮甲申：二月十六日。⑯郭威行北边还：上年郭威北征，今还。⑰查文徽：南唐元宗李璟时，以江西安抚使率军打败殷主王延政，占领建州，始授任永安军留后。⑱剑州：州名，治所剑浦，在今福建南平。⑲陈诲：初仕闽，后归南唐。任剑州刺史。攻福州，查文徽被俘，陈诲独有功，迁永安军节度使兼侍中。⑳闽江：福建最大的河流，东南流入福州，故陈诲率水军下闽江，以攻福州。㉑庚寅:二月二十二日。㉒知威武军：据《十国春秋·吴程传》载，吴程在天福年间已拜丞相，授威武军节度使。福

【原文】

三月丙午[33]，嘉庆节，邺都留守高行周、天平节度使慕容彦超、泰宁节度使符彦卿[34]、昭义节度使常思、安远节度使杨信、安国节度使薛怀让、成德节度使武行德、彰德节度使郭谨[35]、保大留后王饶皆入朝。

甲寅[36]，诏营寝庙[37]于高祖长陵[38]、世祖原陵[39]，以时致祭。有司以费多，寝其事，以至国亡，二陵竟不沾一奠[40]。

壬戌[41]，徙高行周为天平节度使，符彦卿为平卢[42]节度使。甲子[43]，徙慕容彦超为泰宁节度使。

永安节度使折从阮举族入朝[44]。

夏，四月戊辰朔[45]，徙薛怀让为匡国节度使。庚午[46]，徙折从阮为武胜节度使[47]。壬申[48]，徙杨信为保大节度使，徙镇国节度使刘词为安国节度使、永清节度使王令温[49]为安远节度使。李守贞之乱，王饶潜与之通，守贞平，众谓饶必居散地[50]。及入朝，厚结史弘肇，迁护国节度使，闻者骇之。

杨邠求解枢密使[51]，帝遣中使[52]谕止之。宣徽北院使[53]吴虔裕在旁曰：“枢密重地，难以久居，当使后来者迭为之，相公辞之是也。”帝闻之，不悦，辛巳[54]，以虔裕为郑州防御使。

州一战获胜后，又兼屯田榷酤事。与本文“知威武军”的说法有出入。㉓湄：岸边，水与草交接的地方。㉔全军：保全了自己的军队。㉕五庙：古代诸侯有五庙，即二昭、二穆和太祖庙。左为昭，右为穆。二世、四世、六世等在左；三世、五世、七世等在右。吴越设五庙，这是采用诸侯之制。㉖丁亥：二月十九日。㉗汝州：州名，治所梁县，在今河南汝州。㉘以审交有仁政：据新、旧《五代史》本传载，刘审交任三司使、汝州防御使时，“尽去烦弊，无扰于民”，重视改进农业生产工具，发展生产，故得民心。㉙吾尝为刘君僚佐：刘审交曾在僭号的刘守光手下任兵部尚书，冯道时为参军，故冯道称自己是僚佐。㉚二千石：汉代郡守俸禄为二千石，即月俸百二十斛。后世则以二千石作为郡守的通称。此指地方的州级长官。㉛甲午：二月二十六日。㉜乙未：二月二十七日。

【语译】

三月初九日丙午，嘉庆节，邺都留守高行周、天平节度使慕容彦超、泰宁节度使符彦卿、昭义节度使常思、安远节度使杨信、安国节度使薛怀让、成德节度使武行德、彰德节度使郭瑾、保大留后王饶全都来到朝廷。

十七日甲寅，汉隐帝下诏在高祖长陵、世祖原陵营建寝庙，按时祭祀。有关部门因为费用大，放下了这件事。直到国家灭亡，二陵始终没有享受过一次祭奠。

二十五日壬戌，徙任高行周为天平节度使，符彦卿为平卢节度使。二十七日甲子，徙任慕容彦超为泰宁节度使。

永安节度使折从阮全族入朝。

夏，四月初一日戊辰，徙任薛怀让为匡国节度使。初三日庚午，徙任折从阮为武胜节度使。初五日壬申，徙任杨信为保大节度使，徙任镇国节度使刘词为安国节度使、永清节度使王令温为安远节度使。李守贞之乱，王饶暗中和李守贞串通，李守贞之乱平息后，大家认为王饶一定身居散职。等到王饶入朝，用厚礼与史弘肇相结，升任为护国节度使，听说这件事的人很惊骇。

杨邠要求解除自己枢密使的职务，汉隐帝派遣中使劝慰阻止。宣徽北院使吴虔裕在旁边说：“枢密院是政务重地，难以长久停留，应该让后来的人轮流担任枢密使，相公辞去这个职位是对的。”汉隐帝听了，不太高兴。四月十四日辛巳，任命吴虔裕为郑州防御使。

朝廷以契丹近入寇，横行河北，诸藩镇各自守⑤⑤，无捍御之者，议以郭威镇邺都，使督诸将以备契丹。史弘肇欲威仍领枢密使，苏逢吉以为故事无之⑤⑥。弘肇曰："领枢密使则可以便宜从事，诸军畏服，号令行矣。"帝卒从弘肇议。弘肇怨逢吉异议，逢吉曰："以内制外，顺也。今反以外制内，其可乎！"壬午⑤⑦，制以威为邺都留守、天雄节度使，枢密使如故。仍⑤⑧诏河北，兵甲钱谷，但见郭威文书，立皆禀应⑤⑨。明日，朝贵会饮于窦贞固之第。弘肇举大觞⑥⑩属威，厉声曰："昨日廷议，一何同异⑥①！今日为弟饮之。"逢吉与[1]杨邠亦举觞曰："是国家之事，何足介意！"弘肇又厉声曰："安定国家，在长枪大剑，安用毛锥⑥②！"王章曰："无毛锥，则财赋何从可出？"自是将相始有隙。

癸未⑥③，罢永安军⑥④。

壬辰⑥⑤，以左监门卫将军郭荣⑥⑥为贵州⑥⑦刺史、天雄牙内都指挥使。荣本姓柴，父守礼⑥⑧，郭威之妻兄也，威未有子时养以为子。

五月己亥⑥⑨，以府州蕃汉马步都指挥使折德扆⑦⑩为本州团练使。德扆，从阮之子也。

庚子⑦①，郭威辞行，言于帝曰："太后从先帝久，多历天下事。陛下富于春秋，有事宜禀其教而行之。亲近忠直，放远谗邪，善恶之间，所宜明审。苏逢吉、杨邠、史弘肇皆先帝旧臣，尽忠徇国⑦②，愿陛下推心任之，必无败失。至于疆埸⑦③之事，臣愿竭其愚驽，庶不负驱策。"帝敛容谢之。威至邺都，以河北困弊，戒边将谨守疆埸，严守备，无得出侵掠，契丹入寇，则坚壁清野以待之。

辛丑⑦④，敕防御、团练使，自非军期，无得专奏事，皆先申观察使⑦⑤斟酌以闻。

丙午⑦⑥，以皇弟山南西道节度使承勋⑦⑦为开封尹，加兼中书令，实未出阁⑦⑧。

平卢节度使刘铢贪虐恣横，朝廷欲征之。恐其拒命，因沂、密用兵于唐，遣沂州刺史郭琼将兵屯青州。铢不自安，置酒召琼，伏兵幕下，欲害之。琼知其谋，悉屏左右，从容如⑦⑨会，了无惧色，铢不敢

朝廷因为契丹近来入侵，横行黄河以北，各藩镇各自防守，没有抵抗的，朝议以郭威镇守邺都，让他督率各将领来防备契丹。史弘肇想让郭威仍然兼任枢密使，苏逢吉认为没有这样的旧制。史弘肇说："兼任枢密使可以见机行事，各路军队畏惧服从，号令可以施行。"汉隐帝最终听从了史弘肇的建议。史弘肇埋怨苏逢吉提出不同建议，苏逢吉说："以内朝官节制外朝官，是顺乎情理的。现今反过来以外朝官节制内朝官，那怎么可以！"四月十五日壬午，汉隐帝下制书任命郭威为邺都留守、天雄节度使，依旧担任枢密使。始下诏命令黄河以北地区，武器、钱粮，只要见到郭威所签署的文书，都立即供应。第二天，朝廷权贵在窦贞固的宅第聚会宴饮。史弘肇举着大酒杯盯着郭威，大声地说："昨天的朝廷议论，大家的意见怎么那样不一致！今天特地为老弟干了这一杯。"苏逢吉和杨邠也举起酒杯说："这些都是为了国家的事情，何足介意！"史弘肇又大声说："安定国家，在于长枪大剑，哪里用得着毛笔！"王章说："没有毛笔，那钱财、军赋从哪里来？"从此将相之间开始有了矛盾。

四月十六日癸未，废除永安军。

二十五日壬辰，汉隐帝任命左监门卫将军郭荣为贵州刺史、天雄牙内都指挥使。郭荣本姓柴，父亲柴守礼是郭威妻子的哥哥，郭威没有儿子时收养郭荣为儿子。

五月初二日己亥，汉隐帝任命府州蕃汉马步都指挥使折德扆为本州团练使。折德扆，是折从阮的儿子。

初三日庚子，郭威向汉隐帝辞行，对汉隐帝说："太后跟随先帝很久，经历过许多天下的事情。陛下年轻，有什么事情应该秉承太后的教诲而行动。亲近忠诚正直的人，远离谄媚邪恶的人，善恶之间，应该明察。苏逢吉、杨邠、史弘肇都是先帝时的旧臣，竭尽忠诚，献身国家，希望陛下推心置腹地任用他们，一定不会有失误。至于边疆的事情，臣愿意竭尽低劣的才能，希望不辜负陛下的任用。"汉隐帝严肃地向郭威道谢。郭威到了邺都，因为黄河以北穷困破败，告诫边境将领谨慎把守边疆，严加防备，不得外出侵扰抢劫，契丹入侵，就坚壁清野，以此来对付他们。

初四日辛丑，汉隐帝下敕防御使和团练使，如果不是战争期间，不得擅自直接向朝廷奏报事情，都必须先报告观察使斟酌后再奏报朝廷。

初九日丙午，汉隐帝任命皇弟山南西道节度使刘承勋为开封尹，加官兼任中书令，实际上没有离朝就职。

平卢节度使刘铢贪暴恣横，朝廷想征召他入朝。害怕他违抗命令，就趁着朝廷在沂州、密州对南唐用兵，派遣沂州刺史郭琼率兵屯驻青州。刘铢内心不安，摆酒设宴招请郭琼，在府内埋伏士兵，想杀害郭琼。郭琼知道他的阴谋，屏退全部随从，从容赴会，全无惧色，刘铢不敢下手。郭琼借机向他说明祸福之所在，刘铢被感动

发。琼因谕以祸福，铢感服，诏至即行。庚戌⑧⓪，铢入朝。辛亥⑧①，以琼为颍州团练使。

癸丑⑧②，王章置酒会诸朝贵，酒酣，为手势令⑧③。史弘肇不闲⑧④其事，客省使阎晋卿坐次弘肇，屡教之。苏逢吉戏之曰："旁有姓阎人，何忧罚爵！"弘肇妻阎氏，本酒家倡⑧⑤也，意逢吉讥之，大怒，以丑语诟逢吉⑧⑥，逢吉不应。弘肇欲殴之，逢吉起去。弘肇索剑欲追之，杨邠泣止之曰："苏公宰相，公若杀之，置天子何地，愿孰⑧⑦思之！"弘肇即上马去，邠与之联镳⑧⑧，送至其第而还。于是将相如水火矣。帝使宣徽使王峻置酒和解之，不能得。逢吉欲求出镇以避之，既而中止，曰："吾去朝廷，止烦史公一处分，吾齑粉⑧⑨矣！"王章亦忽忽不乐，欲求外官，杨、史固止之。

闰月⑨⓪，宫中数有怪。癸巳⑨①，大风雨[2]，发屋拔木，吹郑门⑨②扉⑨③起，十余步而落，震死者六七人，水深平地尺余。帝召司天监赵延乂，问以禳祈⑨④之术，对曰："臣之业在天文时日，禳祈非所习也。然王者欲弭⑨⑤灾异，莫如修德。"延乂归，帝遣中使问："如何为修德？"延乂对："请读《贞观政要》⑨⑥而法之。"

六月，河决郑州。

【段旨】

以上为第二段，写后汉将相不和。

【注释】

㉝丙午：三月初九日。㉞符彦卿：字冠侯，勇略有谋，善用兵。符存审第四子，军中称之为"符第四"。历仕后唐、后晋、后汉、后周，入宋，加守太师，封魏王。传见《旧五代史》卷五十六、《新五代史》卷二十五、《宋史》卷二百五十一。㉟郭谨：字守节，善骑射。历仕后晋、后汉，官至彰德节度使加检校太师。传见《旧五代史》卷一百六。㊱甲寅：三月十七日。㊲寝庙：古代宗庙中寝和庙的合称。庙在前，是接神处；寝在后，是藏衣冠处。㊳长陵：前汉高祖刘邦陵，在今陕西咸阳东。㊴原陵：后汉光武帝

折服，诏书到达，立即启程。五月十三日庚戌，刘铢入朝。十四日辛亥，任命郭琼为颍州团练使。

五月十六日癸丑，王章摆设酒宴与朝廷权贵相聚，酒喝到畅快时，做手势来行酒令。史弘肇不熟悉这种酒令，客省使阎晋卿的座位挨着史弘肇，多次教他。苏逢吉戏弄他说："身旁有个姓阎的人，何必担心被罚酒！"史弘肇的妻子阎氏，原本是酒家倡女，史弘肇认为苏逢吉讥笑他，大怒，用脏话骂苏逢吉，苏逢吉不搭理。史弘肇想打他，苏逢吉起身离去。史弘肇找来剑想追赶他，杨邠哭着劝阻史弘肇说："苏公是宰相，您如果杀了他，将置天子于何地，希望您深思熟虑！"史弘肇立刻上马离去，杨邠和他并骑，送他到家里才回来。于是将相之间如同水火了。皇帝让宣徽使王峻设置酒宴来和解，没有成功。苏逢吉想请求出任藩镇来避开史弘肇，不久又作罢，说："我离开朝廷，只要史公一做处理，我便粉身碎骨了！"王章也闷闷不乐，想请求到外地为官，杨邠、史弘肇坚决阻止王章。

闰五月，宫中多次出现怪事。二十七日癸巳，大风雨，掀掉房屋，拔起树木，把大梁城西南的郑门门扇吹了起来，飞出十多步落下来，被震死的有六七个人，平地水深一尺多。皇帝召来司天监赵延乂，问他祈祷消灾的办法，赵延乂回答说："臣的工作在于天象历法，祈祷消灾不是我所熟悉的。不过统治天下的人想要消除灾异，不如修行德政。"赵延乂回去以后，汉隐帝派遣中使询问他："怎样才是修行德政？"赵延乂回答说："请读《贞观政要》而去效法它。"

六月，黄河在郑州决口。

刘秀陵，在今河南孟津西。㊵不沾一奠：没有享受过一次祭奠。沾，沾濡、沾润。奠，祭奠。㊶壬戌：三月二十五日。㊷平卢：方镇名，唐上元二年（公元七六一年）置，治所青州，在今山东青州。㊸甲子：三月二十七日。㊹折从阮举族入朝：此谓折从阮从府州入朝。折从阮，字可久，本名从远，避后汉高祖刘知远讳改从阮。历仕后唐、后晋、后汉、后周，官至静难军节度使加检侍中。乾祐二年（公元九四九年）从府州举族入朝。传见《旧五代史》卷一百二十五、《新五代史》卷五十。㊺戊辰朔：四月初一日。㊻庚午：四月初三日。㊼武胜节度使：即威胜节度使，史书避周太祖郭威讳改。㊽壬申：四月初五日。㊾王令温：字顺之，历仕后唐、后晋、后汉、后周，官至安州节度使，加检校太尉、同平章事。传见《旧五代史》卷一百二十四。㊿散地：本指闲散之地，此处借指闲散的官职。51枢密使：枢密院长官，以宦官充任。掌承受表奏，于内中进呈；皇帝有所处分，则宣付中书门下。权位极重。52中使：皇帝从宫中派出执行帝命的使者，由宦官充任。53宣徽北院使：唐代后期宣徽院分置南北两院，各置使一人主管其事，以宦

官充任，五代时改用士人。54 辛巳：四月十四日。55 诸藩镇各自守：各藩镇节度使各自防守。56 故事无之：按成例，前朝没有带枢密使为节镇的。57 壬午：四月十五日。58 仍：通“乃”。始也。59 禀应：供应。禀，通“廪”，给予。60 觞：古代的盛酒器。61 一何同异：怎么那样不一致。62 安用毛锥：哪用得着毛笔。毛锥，即毛笔。史弘肇认为安定国家靠的是武器，用不着耍笔杆子的。而三司使王章反驳说，没有拿毛笔的人管理财政，财赋从何而来。从此将相关系出现裂痕。63 癸未：四月十六日。64 罢永安军：把永安军降为团练州，隶属于河东节度使。到后周显德元年（公元九五四年）又恢复。65 壬辰：四月二十五日。66 郭荣：即周世宗柴荣（公元九二一至九五九年），邢州龙冈（今河北邢台西南）人，郭威养子。执政期间先后攻取后蜀、南唐、契丹等十七州，为北宋统一奠定了基础。公元九五四至九五九年在位。传见《旧五代史》卷一百十四、《新五代史》卷十二。67 贵州：州名，治所郁林县，在今广西贵港西南。68 守礼：柴守礼，字克让。周太祖皇后柴氏兄，柴荣生父，官至太傅。传见《新五代史》卷二十。69 己亥：五月初二日。70 折德扆：折从阮子，世为大族，自晋、汉以来独居府州，控扼西北。仕后周、宋，官至永安军节度使。传见《宋史》卷二百三十五。71 庚子：五月初三日。72 徇国：献身国家。徇，通“殉”，殉身、献身。73 疆埸：疆界；边界。74 辛丑：五月初四日。75 先申观察使：指防御使、团练使皆受观察使统辖，故有事应先向观察使报告，不得擅自越级直达朝廷，但战争期间除外。76 丙午：五月初九日。77 承勋：刘知远第三子，隐帝承

【原文】

马希萼既败归[97]，乃以书诱辰、溆州[98]及梅山[99]蛮，欲与共击湖南。蛮素闻长沙帑藏之富，大喜，争出兵赴之，遂攻益阳[100]。楚王希广遣指挥使陈璠拒之，战于淹溪，璠败死。

秋，七月，唐归马先进等于吴越以易查文徽。

马希萼又遣群蛮攻迪田，八月戊戌[101]，破之，杀其镇将张延嗣。楚王希广遣指挥使黄处超救之，处超败死。潭人震恐，复遣牙内指挥使崔洪琏将兵七千屯玉潭[102]。

庚子[103]，蜀主立其弟仁毅[104]为夔王，仁贽[105]为雅王，仁裕[106]为彭王，仁操[107]为嘉王。己酉[108]，立子玄喆[109]为秦王，玄珏[110]为褒王。

晋李太后在建州，卧病，无医药，惟与晋主仰天号泣，戟手[111]骂

祐弟。隐帝死，欲立，因病免。广顺元年（公元九五一年）卒。传见《旧五代史》卷一百五、《新五代史》卷十八。⑱ 出阁：皇子出朝任职。又，阁臣外任亦称出阁。⑲ 如：前往。⑳ 庚戌：五月十三日。㉑ 辛亥：五月十四日。㉒ 癸丑：五月十六日。㉓ 手势令：酒令名，以手作各物之势为酒令，比输赢。㉔ 闲：通“娴”。熟习；熟练。㉕ 酒家倡：酒馆的倡女，善行酒令。㉖ 以丑语诟逢吉：用脏话痛骂苏逢吉。丑语，脏话。诟，骂。㉗ 孰：通“熟”，缜密；仔细。㉘ 联镳：马衔相连，意为并骑而行。镳，马具。与衔合用，衔在口内，镳在口旁。㉙ 齑粉：细粉；碎屑。常用以比喻粉身碎骨。㉚ 闰月：闰五月。㉛ 癸巳：闰五月二十七日。㉜ 郑门：大梁城西面南来第一门。梁改为开明门，晋改为金义门，周改为迎秋门。郑门是旧名。㉝ 扉：门扇。㉞ 禳祈：祈祷消灾。㉟ 弭：停止；消除。㊱《贞观政要》：书名，唐吴兢撰，十卷四十篇。分类编辑唐太宗与魏徵、房玄龄、杜如晦等大臣的问答、大臣的诤议和所上劝谏的奏疏，以及政治上的措施，为历代治国者所重视。

【校记】

［1］与：原无此字。据章钰校，十二行本、乙十一行本皆有此字，今据补。〖按〗《通鉴纪事本末》有“与”字。［2］雨：原无此字。据章钰校，十二行本、乙十一行本、孔天胤本皆有此字，张敦仁《通鉴刊本识误》同，今据补。

【语译】

马希萼打了败仗回来后，就写信引诱辰州、溆州和梅山的蛮族，想和他们共同攻打湖南。蛮族一向听说长沙府库财货丰富，大为高兴，争着出兵前往，于是攻打益阳。楚王马希广派遣指挥使陈璠抵抗敌军。两军在淹溪交战，陈璠战败死去。

秋，七月，南唐把马先进等人归还吴越，用来交换查文徽。

马希萼又派遣群蛮攻打迪田。八月初三日戊戌，攻破迪田，杀死守将张延嗣。楚王马希广派遣指挥使黄处超救援迪田，黄处超战败死去。潭州人震恐，楚王马希广又派遣牙内指挥使崔洪琏率兵七千人屯驻玉潭。

八月初五日庚子，后蜀主立他的弟弟孟仁毅为夔王，孟仁贽为雅王，孟仁裕为彭王，孟仁操为嘉王。十四日己酉，立他的儿子孟玄喆为秦王，孟玄珏为褒王。

后晋李太后在建州卧床生病，没有医药，只是和后晋主仰天号哭，用食指与中

杜重威、李守贞曰："吾死不置汝！"戊午[112]，卒。周显德中，有自契丹来者云："晋主及冯后尚无恙，其从者亡归[113]及物故[114]则过半矣。"

马希萼表请别置进奏务[115]于京师。九月辛巳[116]，诏以湖南已有进奏务[117]，不许。亦赐楚王希广诏，劝以敦睦。马希萼以朝廷意佑[118]楚王希广，怒，遣使称藩于唐[119]，乞师攻楚。唐加希萼同平章事，以鄂州[120]今年租税赐之，命楚州[121]刺史何敬洙将兵助希萼。冬，十月丙午[122]，希广遣使上表告急，言："荆南[123]、岭南[124]、江南[125]连谋，欲分湖南之地，乞发兵屯澧州[126]，以扼江南、荆南援朗州之路。"

丁未[127]，以吴越王弘俶为诸道兵马元帅。

楚王希广以朗州与山蛮入寇、诸将屡败，忧形于色。刘彦瑫言于希广曰："朗州兵不满万，马不满千，都府[128]精兵十万，何忧不胜！愿假臣兵万余人，战舰百五十艘，径入朗州缚取希萼，以解大王之忧。"王悦，以彦瑫为战棹都指挥使、朗州行营都统。彦瑫入朗州境，父老争以牛酒犒军，曰："百姓不愿从乱，望都府之兵久矣！"彦瑫厚赏之。战舰过，则运竹木以断其后。是日，马希萼遣朗兵及蛮兵六千、战舰百艘逆战于湄州[129]，彦瑫乘风纵火以焚其舰，顷之，风回，反自焚。彦瑫还走，江路已断，士卒战及溺死者数千人。希广闻之，涕泣不知所为。希广平日罕颁赐，至是，大出金帛以取悦于士卒。

或告天策左司马希崇流言惑众，反状已明，请杀之。希广曰："吾自害其弟，何以见先王于地下！"

马军指挥使张晖将兵自它道击朗州，至龙阳[130]，闻彦瑫败，退屯益阳。希萼又遣指挥使朱进忠等将兵三千急攻益阳，张晖绐[131]其众曰："我以麾下出贼后，汝辈留城中待我，相与合势击之。"既出，遂自竹头市[132]遁归长沙。朗兵知城中无主，急击之，士卒九千余人皆死。

吴越王弘俶归查文徽于唐，文徽得喑[133]疾，以工部尚书致仕。

十一月甲子朔[134]，日有食之。

蜀太师、中书令宋忠武王赵廷隐卒。

楚王希广遣其僚属孟骈说马希萼曰："公忘父兄之仇，北面事唐，何异袁谭求救于曹公[135]邪！"希萼将斩之，骈曰："古者兵交，使在其

指指着，骂杜重威和李守贞说："我死了也不放过你们!"八月二十三日戊午，李太后去世。后周显德年间，有从契丹回来的人说："晋主和冯后身体还好，他们的随从人员逃回来和死亡的则超过一半了。"

马希萼上表请求在京师另设一个进奏务。九月十七日辛巳，皇帝下诏认为马希广在京师已经有了进奏务，没有答应。也赐诏楚王马希广，以敦厚和睦劝他们兄弟。马希萼认为朝廷有意保护楚王马希广，很生气，派使者向南唐称臣，乞请军队攻打楚国。南唐加授马希萼同平章事，把今年鄂州的租税赐给马希萼，命令楚州刺史何敬洙率兵援助马希萼。冬，十月十二日丙午，马希广派遣使者向朝廷上表告急，说："荆南、岭南、江南共同谋划，打算瓜分湖南的土地，请求发兵屯驻澧州，以此来控制江南、荆南援助朗州的道路。"

十月十三日丁未，朝廷任命吴越王钱弘俶为诸道兵马元帅。

楚王马希广因为朗州和山蛮入侵、众将屡次战败，面有忧色。刘彦瑫对马希广说："朗州兵不足一万，马不到一千，首府长沙有精兵十万，还担心不能战胜！希望能给我士兵一万多人，战舰一百五十艘，直接进入朗州捉拿马希萼，以解除您的忧患。"楚王马希广很高兴，任命刘彦瑫为战棹都指挥使、朗州行营都统。刘彦瑫进入朗州界内，父老们争相拿牛、酒来犒劳军队，说："百姓不愿随从叛军作乱，盼望都府的军队很久了!"刘彦瑫重赏他们。战舰通过以后，便运来竹子、木头用来隔断后路。这一天，马希萼派遣朗州军队和蛮族军队六千、战舰一百艘在湄州迎战，刘彦瑫乘着风势放火焚烧对方的战舰，不一会儿，风向逆转，反过来烧到自己的战舰。刘彦瑫往回跑，江上的水路已经被隔断，士兵战死和淹死的有几千人。马希广听到这个消息，哭得不知道该怎么办。马希广平时很少颁赐奖赏，到了这时，也大量地拿出金银、绢帛来取悦于士兵。

有人告发天策左司马马希崇流言蜚语，蛊惑大众，反叛的迹象已经很明显，请求杀掉他。马希广说："我亲自害死自己的弟弟，还有什么脸面在九泉之下见先王!"

马军指挥使张晖率兵从另外的路线攻打朗州，到达龙阳，听说刘彦瑫战败，退兵驻守益阳。马希萼又派遣指挥使朱进忠等人率兵三千急速攻打益阳，张晖欺骗他的部众说："我带领部下出城到贼兵的后面，你们留在城里等我，一起合力夹击他们。"张晖出城后，就从竹头市逃回长沙。朗州兵知道益阳城里没有主帅，紧急攻城，城里的九千多名士兵全部战死。

吴越王钱弘俶把查文徽交给南唐，查文徽得了哑病，以工部尚书的职位退休。

十一月初一日甲子，发生日食。

后蜀太师、中书令宋忠武王赵廷隐去世。

楚王马希广派遣他的僚属孟骈劝马希萼说："您忘记了父兄之仇，臣事南唐，这和袁谭向曹操求救有什么不同呢!"马希萼将要杀掉他，孟骈说："古时两军交战，使

间，骈若爱死，安肯此来！骈之言非私于潭人，实为公谋也。”乃释之，使还报曰：“大义绝矣，非地下不相见也！”朱进忠请希萼自将兵取潭州，辛未[136]，希萼留其子光赞[137]守朗州，悉发境内之兵趣长沙，自称顺天王。

诏侍卫步军都指挥使、宁江[138]节度使王殷[139]将兵屯澶州以备契丹。殷，瀛州人也。

朝廷议发兵，以安远节度使王令温为都部署，以救潭州。会内难[140]作，不果。

【段旨】

以上为第三段，写楚国内讧，兄弟交恶，愈演愈烈。

【注释】

⑰马希萼既败归：指仆射洲之败，事载《资治通鉴》卷二百八十八乾祐二年（公元九四九年）八月。⑱辰、溆州：两州名。辰州，治所在今湖南沅陵。溆州，治所在今湖南怀化。⑲梅山：在今湖南新化东北。⑳益阳：县名，县治在今湖南益阳。㉑戊戌：八月初三日。㉒玉潭：镇名，在今湖南宁乡。㉓庚子：八月初五日。㉔仁毅：孟昶弟，史书无传。㉕仁贽：字忠美，孟昶弟。官至大同军节度使。传见《宋史》卷四百七十九。㉖仁裕：字鸣谦，孟昶弟。官至武泰军节度使。降宋，官右监门卫上将军。传同上。㉗仁操：孟昶弟。官至永宁军节度使。降宋，迁右隆武统军。传同上。㉘己酉：八月十四日。㉙玄喆：字遵圣，孟昶长子。立为皇太子。降宋，官左龙武军统军，封滕国公。传同上。㉚玄珏：孟昶次子，官保宁军节度使。降宋，官右神武统军。传同上。㉛戟手：用食指与中指指点，其状似戟。这是指斥怒骂时的一种情态。㉜戊午：八月二十三日。㉝亡归：逃归。亡，逃亡。㉞物故：死亡。㉟进奏务：官署名，藩镇在京城设的办事处。掌章奏、诏令及

【原文】

帝自即位以来，枢密使、右仆射、同平章事杨邠总机政[141]，枢密使兼侍中郭威主征伐[142]，归德节度使、侍卫亲军都指挥使兼中书令史弘肇

者在双方之间来往，我孟骈如果吝惜一死，怎么肯到这里来！我所说的话并不是为了潭州人，实际上是为您谋划。”于是马希萼放了孟骈，让他回去报告说：“兄弟的情义断绝了，不到九泉不再相见了！”朱进忠请求马希萼亲自率兵夺取潭州。十一月初八日辛未，马希萼留下他的儿子马光赞守卫朗州，发动境内全部军队奔赴长沙，自称顺天王。

汉隐帝诏令侍卫步军都指挥使、宁江节度使王殷率兵屯驻澶州，用来防备契丹。王殷，是瀛州人。

朝廷商议出兵，任命安远节度使王令温为都部署，救援潭州。适逢朝廷发生内乱，没有成行。

各种文书的投递、承转。唐代称进奏院。⑯ 辛巳：九月十七日。⑰ 诏以湖南已有进奏务：汉隐帝下诏马希萼，因马希广已在京师设有进奏务，故不许马希萼再设进奏务。湖南，指马希广。⑱ 意佑：有意保护。⑲ 称藩于唐：向南唐称臣。藩，藩臣。⑳ 鄂州：州名，治所江夏，在今湖北武汉市武昌区。㉑ 楚州：州名，治所山阳，在今江苏淮安。㉒ 丙午：十月十二日。㉓ 荆南：指南平高氏。㉔ 岭南：指南汉刘氏。㉕ 江南：指南唐李氏。㉖ 澧州：州名，治所澧阳，在今湖南澧县。㉗ 丁未：十月十三日。㉘ 都府：都会。此指楚首府长沙。㉙ 湄州：州名，治所在今湖南汉寿西。㉚ 龙阳：旧县名，治所在今湖南汉寿。㉛ 绐：欺骗。㉜ 竹头市：地名，在今湖南益阳东南。㉝ 喑：哑。㉞ 甲子朔：十一月初一日。㉟ 袁谭求救于曹公：袁谭为东汉末年军阀袁绍长子。袁绍素喜少子袁尚，绍死，群臣拥立袁尚代绍位，谭、尚遂相攻击。谭失利，求救于曹操。操先击败袁尚，后又讨谭。谭亡，尚也被公孙康诱杀。孟骈借此事告诫马希萼，北面事唐等于自杀。㊱ 辛未：十一月初八日。㊲ 光赞：楚恭孝王马希萼子。希萼攻占长沙，授光赞为武平军留后，守朗州。王逵之乱起，推光赞从兄光惠知州事，光赞遂被黜。㊳ 宁江：方镇名，后唐天成二年（公元九二七年）置。治所夔州，在今重庆奉节。夔州时属后蜀地，王殷遥领之。㊴ 王殷：大名（今河北大名）人，助郭威反汉隐帝，官天雄军节度使、同中书门下平章事。后郭威疑其有异志，削夺官爵，杀之。传见《旧五代史》卷一百二十四、《新五代史》卷五十。㊵ 内难：指隐帝等杀杨邠，招致郭威起兵之祸。

【语译】

汉隐帝自从即位以来，枢密使、右仆射、同平章事杨邠总理机要政务，枢密使兼侍中郭威主管征讨，归德节度使、侍卫亲军都指挥使兼中书令史弘肇负责京师的典宿卫[143]，三司使、同平章事王章掌财赋[144]。邠颇公忠，退朝，门无私谒[145]，虽不却四方馈遗[146]，有余辄献之[147]。弘肇督察京城，道不拾遗。是时承契丹荡覆之余，公私困竭，章掊摭遗利[148]，吝于出纳，以实府库。属三叛连衡[149]，宿兵累年而供馈不乏。及事平，赐予之外，尚有余积，以是国家粗安。

章聚敛刻急。旧制，田税每斛更输二升，谓之"雀鼠耗[150]"。章始令更输二斗，谓之"省耗[151]"。旧钱出入皆以八十为陌，章始令入者八十，出者七十七，谓之"省陌[152]"。有犯盐、矾、酒曲之禁者[153]，锱铢涓滴[154]，罪皆死。由是百姓愁怨。章尤不喜文臣，尝曰："此辈授之握算[155]，不知纵横[156]，何益于用！"俸禄皆以不堪资军者给之，吏已高其估，章更增之[157]。

帝左右嬖幸[158]浸用事[159]，太后亲戚亦干预朝政，邠等屡裁抑之。太后有故人子求补军职，弘肇怒而斩之。武德使李业，太后之弟也，高祖使掌内帑[160]，帝即位，尤蒙宠任。会宣徽使阙[161]，业意欲之，帝及太后亦讽执政。邠、弘肇以为内使迁补有次，不可以外戚超居[162]，乃止。内客省使阎晋卿次当为宣徽使，久而不补，枢密承旨[163]聂文进、飞龙使后匡赞、翰林茶酒使郭允明皆有宠于帝，久不迁官，共怨执政。文进，并州人也。刘铢罢青州归，久奉朝请[164]，未除官，常戟手于执政。

帝初除三年丧[165]，听乐，赐伶人锦袍、玉带。伶人诣弘肇谢，弘肇怒曰："士卒守边苦战，犹未有以赐之，汝曹何功而得此！"皆夺以还官[166]。帝欲立所幸耿夫人为后，邠以为太速。夫人卒，帝欲以后礼葬之，邠复以为不可。帝年益壮，厌为大臣所制。邠、弘肇尝议事于帝前，帝曰："审图之，勿令人有言[167]！"邠曰："陛下但禁声[168]，有臣等在。"帝积不能平，左右因乘间谮之于帝云："邠等专恣，终当为乱。"帝信之。尝夜闻作坊锻声，疑有急兵[169]，达旦不寐。司空、同平章事苏逢吉既与弘肇有隙，知李业等怨弘肇，屡以言激之。帝遂与业、文进、匡赞、允明谋诛邠等，议既定，入白太后。太后曰："兹事何可轻发！更宜与宰相议之。"业时在旁，曰："先帝尝言，朝廷大事不可谋及书生，懦怯误人。"

防卫，三司使、同平章事王章掌管财赋。杨邠非常公正忠诚，退朝后，门上没有私人请托，虽然不推辞四方的馈赠，但是有多余的就进献上去。史弘肇督察京城，路不拾遗。这时承继契丹荡毁中原之后，公私困竭，王章收取遗漏的小利，节省开支，用来充实府库。适值三个叛臣联合叛乱，用兵多年，而军队供应却没有缺乏。等到事态平息后，赏赐之外，还有剩余，因此国家大致安定。

王章征集赋税，苛刻急促。旧制，田税每斛另外再交二升，叫作“雀鼠耗”。王章开始命令再交二斗，叫作“省耗”。以前旧钱的付出、收入都以八十钱为一陌，王章开始命令收入时以八十钱为一陌，付出时以七十七钱为一陌，叫作“省陌”。有违犯盐、矾和酒曲禁令的，只有点滴，也都处以死罪。因此百姓忧愁怨恨。王章尤其不喜欢文臣，曾经说：“给这些人一些筹码，也不知道摆弄计算，有什么用处！”文官的俸禄全是拿那些不能供军队食用的粟米给他们，官员已经把价格估得很高，王章又提了价。

汉隐帝左右宠爱狎昵的人逐渐掌权，太后的亲戚也干预朝政，杨邠等人对他们一再抑损。太后有一个旧友的儿子请求补任军职，史弘肇很生气，将他斩首。武德使李业是太后的弟弟，高祖让他掌管宫内的府库，汉隐帝即位后，李业特别受到宠爱、任用。适逢宣徽使空缺，李业的意思是想要补缺，皇帝和太后也暗示执政大臣。杨邠、史弘肇认为宫廷内使职的升迁递补是有次序的，不能因为是外戚而越级任职，这件事才作罢。内客省使阎晋卿按升迁次序应当担任宣徽使，长时间没有得到委任，枢密承旨聂文进、飞龙使后匡赞、翰林茶酒使郭允明都受到皇帝的宠信，长期没有升官，都怨恨执政大臣。聂文进，是并州人。刘铢免职从青州回来，久奉朝请，没有拜官，常常用手指着执政大臣骂。

汉隐帝刚解除了三年的丧服，听音乐，赐给乐官锦袍、玉带。乐官到史弘肇那里致谢，史弘肇生气地说：“士兵们守边苦战，还没有拿东西赏赐他们，你们这些人有什么功劳得到这些！”全都夺过来，还给官府。汉隐帝想立他所宠爱的耿夫人为皇后，杨邠认为太快。耿夫人死了，汉隐帝想用皇后的礼仪来安葬她，杨邠又认为不可以。汉隐帝的年纪越来越大了，讨厌被大臣控制。杨邠、史弘肇曾经在汉隐帝的面前讨论政事，汉隐帝说：“仔细地考虑，不要让别人有话说！”杨邠说：“陛下只管不作声，凡事有臣等在。”汉隐帝积郁而心不平，身边的人就趁机在皇帝面前诬陷他们说：“杨邠等人专横，终将作乱。”汉隐帝相信了这些话。汉隐帝曾经在夜晚听到作坊里有打铁的声音，怀疑有紧急的兵事，一直到天亮都没有睡着。司空、同平章事苏逢吉以前就和史弘肇有矛盾，知道李业等人怨恨史弘肇，就多次用言语来激他们。汉隐帝于是和李业、聂文进、后匡赞、郭允明谋划诛杀杨邠等人，商议已定，进宫去禀告太后。太后说：“这件事怎么可以轻易举动！还应该和宰相商议。”李业当时在旁边，说：“先帝曾经说过，朝廷大事不能同书生商议，书生懦弱胆小误人。”

太后复以为言，帝忿曰："国家之事，非闺阁[3]所知！"拂衣而出。乙亥⑰，业等以其谋告阎晋卿，晋卿恐事不成，诣弘肇第欲告之，弘肇以他故辞不见。

丙子旦⑰，邠等入朝，有甲士数十自广政殿⑰出，杀邠、弘肇、章于东庑⑰下。文进亟召宰相、朝臣班于崇元殿，宣云："邠等谋反，已伏诛，与卿等同庆。"又召诸军将校至万岁殿⑰庭，帝亲谕之，且曰："邠等以稚子视朕⑰，朕今始得为汝主，汝辈免横忧矣！"皆拜谢而退。又召前节度使、刺史等升殿谕之，分遣使者帅骑收捕邠等亲戚、党与、傔从⑰，尽杀之。

弘肇待侍卫步军都指挥使王殷尤厚，邠等死，帝遣供奉官孟业赍密诏诣澶州及邺都，令镇宁节度使李洪义⑰杀殷，又令邺都行营马军都指挥使郭崇威⑰、步军都指挥使真定⑰曹威杀郭威及监军、宣徽使王峻。洪义，太后之弟也。又急诏征天平节度使高行周、平卢节度使符彦卿、永兴节度使郭从义、泰宁节度使慕容彦超、匡国节度使薛怀让、郑州防御使吴虔裕、陈州刺史李穀入朝。以苏逢吉权知枢密院事，前平卢节度使刘铢权知开封府，侍卫马军都指挥使李洪建⑱权判侍卫司事，内客[4]省使阎晋卿权侍卫马军都指挥使。洪建，业之兄也。

时中外人情忧骇，苏逢吉虽恶弘肇，而不预李业等谋，闻变惊愕，私谓人曰："事太匆匆，主上傥以一言见问，不至于此！"业等命刘铢诛郭威、王峻之家，铢极其惨毒，婴孺无免者。命李洪建诛王殷之家，洪建但使人守视，仍饮食之。

【段旨】

以上为第四段，写后汉隐帝行事乖张，诛杀大臣。

太后又说此事，汉隐帝愤怒地说：“国家的事情，不是闺房女人所能知道的！”拂衣而出。十一月十二日乙亥，李业等人把他们的谋划告诉了阎晋卿，阎晋卿恐怕事情不成，就前往史弘肇家里，想把这件事告诉史弘肇，史弘肇因为其他的事情推辞不见。

十一月十三日丙子早晨，杨邠等人入朝，有几十名披甲士兵从广政殿出来，把杨邠、史弘肇、王章杀死在东厢房。聂文进赶快召请宰相、朝臣在崇元殿排列好，宣布说：“杨邠等人谋反，已经伏罪处死，与各位共同庆贺。”又召集各军将校到万岁殿庭中，皇帝亲自说明了这件事，并且说：“杨邠等人把朕当幼儿看待，朕现在才能够为你们做主，你们免遭横祸了！”大家都下拜称谢退下。又召请前任各节度使、刺史等人上殿，说明这件事，分别派遣使者率领骑兵收捕杨邠等人的亲戚、党羽、侍从人员，全部杀掉了他们。

史弘肇对待侍卫步军都指挥使王殷特别优厚，杨邠等人死后，汉隐帝派遣供奉官孟业携带密诏前往澶州和邺都，命令镇宁节度使李洪义杀死王殷，又命令邺都行营马军都指挥使郭崇威、步军都指挥使真定人曹威杀死郭威和监军、宣徽使王峻。李洪义是李太后的弟弟。又紧急下诏征召天平节度使高行周、平卢节度使符彦卿、永兴节度使郭从义、泰宁节度使慕容彦超、匡国节度使薛怀让、郑州防御使吴虔裕、陈州刺史李榖入朝。任命苏逢吉主管枢密院事务，前任平卢节度使刘铢代理开封府事务，侍卫马军都指挥使李洪建代理侍卫司事务，内客省使阎晋卿代理侍卫马军都指挥使。李洪建，是李业的哥哥。

当时，朝廷内外人心忧恐，苏逢吉虽然憎恨史弘肇，但是没有参与李业等人的谋划，听到事变很震惊，私下对人说：“事情太急促，皇上如果拿一句话问我，不至于到这种地步！”李业等人命令刘铢杀郭威、王峻的家属，刘铢极其残酷狠毒，婴儿小孩没有幸免的。命令李洪建诛杀王殷的家属，李洪建只是派人把守监视，仍然供应他们饮食。

【注释】

⑭¹ 总机政：总理机要政务。⑭² 主征伐：主掌征讨作战。⑭³ 典宿卫：负责京城保卫。⑭⁴ 掌财赋：掌管全国财政。⑭⁵ 门无私谒：门上没有私人请托。⑭⁶ 馈遗：赠送礼物。⑭⁷ 有余辄献之：礼物赠送多了就献给国家。⑭⁸ 捃摭遗利：收取遗漏小利。⑭⁹ 属三叛连衡：适值三个叛臣联合叛乱。三叛指李守贞、王景崇、赵思绾。⑮⁰ 雀鼠耗：指官府收田税，除交足本税外，每斛还另加二升，以顶损耗，叫雀鼠耗。⑮¹ 省耗：王章下令再交二斗，称省耗。⑮² 省陌：从前旧钱流通使用，无论出入都以八十钱为一陌，王

章则下令缴入公库以八十钱为一陌，从公库发放给百姓，则以七十七钱为一陌，这叫省陌。⑬有犯盐句：当时禁止私人贩盐、矾、酒曲，由国家专卖。⑭锱铢涓滴：形容量极少。锱，古代重量单位，六铢为一锱。铢，一百黍为一铢。也有说九十六黍为一铢，说法不一。⑮握算：计算的筹码。⑯不知纵横：不懂得筹算。纵横，指摆弄筹码进行计算。⑰俸禄皆以不堪资军者给之三句：意为把不能供应给军队食用的禄米发给文臣，官吏已经把价格估得很高，王章又提了价。⑱嬖幸：帝王所宠爱狎昵的人。⑲浸用事：渐渐掌权。⑳内帑：皇宫的府库。㉑宣徽使阙：吴虔裕原为宣徽北院使，后出为郑州防御使，故阙。㉒超居：越级任职。此谓内使递补升迁，有一定次序，不能因为是外戚便越级任职。㉓枢密承旨：官名，五代设枢密院承旨，以诸卫将军充任。㉔奉朝请：朝廷给予退职大臣或宗室外戚的一种特殊政治待遇。退职者虽然无职无权，但可以参加朝会。㉕除三年丧：服完三年的丧期。㉖还官：还给官府。㉗勿令人有言：不要让人有话说。㉘禁声：噤口不出声。㉙闻作坊锻声二句：听到作坊有铸造兵器的声音，怀疑有紧

【原文】

丁丑[181]，使者至澶州，李洪义畏懦，虑王殷已知其事，不敢发，乃引孟业见殷。殷囚业，遣副使陈光穗以密诏示郭威。威召枢密吏魏仁浦，示以诏书曰："奈何？"仁浦曰："公，国之大臣，功名素著，加之握强兵、据重镇，一旦为群小所构[182]，祸出非意，此非辞说之所能解[183]。时事如此，不可坐而待死[5]。"威乃召郭崇威、曹威及诸将，告以杨邠等冤死及有密诏之状，且曰："吾与诸公，披荆棘，从先帝取天下，受托孤之任，竭力以卫国家。今诸公已死，吾何心独生！君辈当奉行诏书，取吾首以报天子，庶不相累。"郭崇威等皆泣曰："天子幼冲，此必左右群小所为，若使此辈得志，国家其得安乎！崇威愿从公入朝自诉，荡涤鼠辈以清朝廷，不可为单使[184]所杀，受千载恶名。"翰林天文赵修己谓郭威曰："公徒死何益！不若顺众心，拥兵而南，此天启[185]也！"郭威乃留其养子荣镇邺都，命郭崇威将骑兵前驱。戊寅[186]，自将大军继之。

慕容彦超方食，得诏，舍匕箸入朝。帝悉以军事委之。己卯[187]，吴虔裕入朝。帝闻郭威举兵南向，议发兵拒之。前开封尹侯益曰："邺都戍兵家属皆在京师，官军不可轻出。不若闭城以挫其锋，使其母妻登

急兵事发生。⑰ 乙亥：十一月十二日。⑰ 丙子旦：十一月十三日早晨。⑰ 广政殿：晋天福四年（公元九三九年）二月辛卯改东京玉华殿为永福殿，周显德四年（公元九五七年）新修永福殿改为广政殿，这里是以后来殿名书之。⑰ 东庑：东厢房。⑰ 万岁殿：梁开平元年（公元九〇七年）改万岁堂为万岁殿。⑰ 以稚子视朕：拿我当作幼儿看待。稚，幼。⑰ 傔从：侍从。⑰ 李洪义：本名洪威，避周太祖郭威讳改。传见《宋史》卷二百五十二。⑰ 郭崇威：初名崇威，避周太祖讳后只称崇。传见《宋史》卷二百五十五。⑰ 真定：府名，治所在今河北正定。⑱ 李洪建：李太后母弟，被郭威杀。传见《旧五代史》卷一百七。

【校记】

［3］阁：原作“门”。据张敦仁《通鉴刊本识误》云：“‘门’作‘阁’。”《通鉴纪事本末》同，今据改。［4］客：原作“侍”。胡三省注云：“‘内侍省’当作‘内客省’。”严衍《通鉴补》改作“客”，当是，今据改。〖按〗本卷前文、上卷、《旧五代史》皆作“客”。

【语译】

十一月十四日丁丑，使者到达澶州，李洪义胆小懦弱，担心王殷已经知道这件事，不敢动手，于是带着孟业去见王殷。王殷囚禁孟业，派遣副使陈光穗把密诏拿给郭威看。郭威叫来枢密院吏魏仁浦，把诏书拿给他看，说：“怎么办?”魏仁浦说：“您是国家的大臣，功勋名声一向显赫，加上掌握强兵、据守重镇，一旦被小人们所构陷，祸患出乎意料，这不是用言语所能解释的。现在事已如此，不能坐着等死。”郭威于是召集郭崇威、曹威以及各位将领，告诉他们杨邠等人冤屈而死以及有秘密诏书的情况，并且说：“我和杨邠等人，披荆斩棘，跟随先帝取得天下，接受托孤重任，尽力保卫今上。现在杨邠等人已死，我还有什么心思独自活着！你们应该奉行诏书，取了我的头回报天子，这样大概可以不受连累。”郭崇威等人都哭着说：“天子年幼，这一定是天子身边的小人们干的，如果让这一帮人得志，国家还能够安宁吗！崇威愿跟随您入朝亲自申诉，扫清那些鼠辈来肃清朝廷，不可被一个使者杀死，蒙受千载恶名。”翰林天文赵修己对郭威说：“您白白死掉有什么好处！不如顺从大家的心愿，领兵南进，这是上天的启示啊!”郭威于是留下他的养子郭荣镇守邺都，命令郭崇威率领骑兵为先锋。十五日戊寅，自己率领大军继踵其后。

慕容彦超正在吃饭，得到诏书，放下汤匙和筷子就入朝。汉隐帝把军事全部委托给他。十一月十六日己卯，吴虔裕入朝。汉隐帝听说郭威举兵南下，商议出兵抵抗他。前任开封尹侯益说：“邺都守兵的家属都在京师，官军不可轻率出兵。不如关闭城门来挫伤他们的锋芒，让他们的母亲、妻子登上城楼招呼他们，可以不战而使

城招之，可不战而下也。”慕容彦超曰：“侯益衰老，为懦夫计耳。”帝乃遣益及阎晋卿、吴虔裕、前保大节度使张彦超将禁军趣澶州。

是日，郭威已至澶州，李洪义纳之。王殷迎谒恸哭，以所部兵从郭威涉河。帝遣内养⑱鸯脱觇⑲郭威，威获之，以表置鸯脱衣领中，使归白帝曰：“臣昨得诏书，延颈俟死。郭崇威等不忍杀臣，云此皆陛下左右贪权无厌者谮臣耳，逼臣南行，诣阙请罪。臣求死不获，力不能制。臣数日当至阙庭，陛下若以臣为有罪，安敢逃刑！若实有谮臣者，愿执付军前以快众心，臣敢不抚谕诸军，退归邺都！”

庚辰⑲，郭威趣滑州。辛巳⑲，义成节度使宋延渥⑲迎降。延渥，洛阳人，其妻晋高祖女永宁公主也。郭威取滑州库物以劳将士，且谕之曰：“闻侯令公⑲已督诸军自南来，今遇之，交战则非入朝之义，不战则为其所屠。吾欲全汝曹功名，不若奉行前诏，吾死不恨！”皆曰：“国家负公，公不负国，所以万人争奋，如报私仇。侯益辈何能为乎！”王峻徇⑲于众曰：“我得公处分⑲，俟克京城，听旬日剽掠。”众皆踊跃。

【段旨】

以上为第五段，写后汉隐帝滥杀，逼反郭威。

【注释】

⑱丁丑：十一月十四日。⑱构：罗织罪名陷害。⑱解：解释清楚。⑱单使：一个使者。⑱天启：上天的启示。⑱戊寅：十一月十五日。⑱己卯：十一月十六日。⑱内养：太监。⑱觇：窥看；刺探。⑲庚辰：十一月十七日。⑲辛巳：十一月十八日。⑲宋延渥：

【原文】

辛巳⑲，鸯脱至大梁。前此帝议欲自往澶州，闻郭威已至河上而止。帝甚有悔惧之色，私谓窦贞固曰：“属者⑲亦太草草。”李业等请

他们降服。”慕容彦超说：“侯益衰老，做出的是懦夫之计罢了。”汉隐帝于是派遣侯益和阎晋卿、吴虔裕、前任保大节度使张彦超率领禁卫军奔赴澶州。

这一天，郭威已经到达澶州，李洪义接纳了他。王殷在迎拜郭威时痛哭，带领所统辖的士兵跟随郭威渡过黄河。皇帝派遣太监鸯脱窥探郭威，郭威抓住了他，把表章放在鸯脱的衣领里，让他回去报告汉隐帝说：“臣昨天得到诏书，伸着脖子等死。郭崇威等人不忍心杀臣，说这些都是陛下身边贪图权势、不知满足的人诬陷臣罢了，逼臣南进，到朝廷请罪。臣求死不得，无力制止他们。臣几天当可到达朝廷，陛下如果认为臣有罪，臣怎么敢逃避刑罚！如果确实有诬陷臣的人，希望把他抓起来交给军前，以使人心大快，臣岂敢不安抚晓谕各军，退回邺都！”

十一月十七日庚辰，郭威奔赴滑州。十八日辛巳，义成节度使宋延渥迎降。宋延渥是洛阳人，他的妻子是后晋高祖的女儿永宁公主。郭威取出滑州府库的财物犒劳将士，并且告知他们说：“听说侯令公已经督率各军从南面而来，如果现在遇到他，与他交战就不是入朝的本意，不战就会被他屠杀。我想成全你们的功名，不如奉行先前的诏书，我死而没有遗恨！”大家都说：“国家辜负了您，您没有辜负国家，所以才万众奋勇，就像报私仇一样。侯益这些人能够有什么作为呢！”王峻对众人宣示说：“我已经得到郭公的吩咐，等到攻克京城，听任你们抢劫十天。”大家都高兴得跳跃。

洛阳（今河南洛阳）人，本名延渥，因其父名廷浩，为“水”旁，故改名偓。本书下文称“其妻晋高祖女永宁公主”，《宋史》则称“偓，汉祖之婿”，未知孰是。传见《宋史》卷二百五十五。⑲³ 侯令公：即侯益。侯益兼中书令，故称令公。⑲⁴ 徇：对众宣示。⑲⁵ 处分：吩咐；嘱咐。

【校记】

［5］死：原作“之”。据章钰校，十二行本、乙十一行本皆作“死”，今据改。〖按〗《通鉴纪事本末》作“死”。

【语译】

十一月十八日辛巳，鸯脱到达大梁。此前，汉隐帝提出想亲自前往澶州，听说郭威已经到了黄河边上才停止。汉隐帝很有些后悔惧怕的神色，私下对窦贞固说：“近日以来做事也太草率！”李业等人请求竭尽府库财物用来赏赐各军，苏禹珪认为

空府库以赐诸军，苏禹珪以为未可。业拜禹珪于帝前，曰：“相公且为天子勿惜府库！”乃赐禁军人二十缗，下军[198]半之，将士在北者[199]给其家，仍[6]使通家信以诱之。

壬午[200]，郭威军至封丘[201]，人情恼惧。太后泣曰：“不用李涛之言，宜其亡也！”慕容彦超恃其骁勇，言于帝曰：“臣视北军犹蠛蠓[202]耳，当为陛下生致其魁！”退，见聂文进，问北来兵数及将校姓名，颇惧，曰：“是亦剧贼[203]，未易轻也！”帝复遣左神武统军袁巙、前威胜节度使刘重进[204]等帅禁军与侯益等会屯赤冈。巙，象先[205]之子也。彦超以大军屯七里店[206]。

癸未[207]，南、北军遇于刘子陂[208]。帝欲自出劳军，太后曰：“郭威吾家故旧，非死亡切身，何以至此！但按兵守城，飞诏谕之，观其志趣，必有辞理，则君臣之礼尚全。慎勿轻出。”帝不从。时扈从军甚盛，太后遣使戒聂文进曰：“大须在意[209]！”对曰：“有臣在，虽郭威百人，可擒也！”至暮，两军不战，帝还宫。慕容彦超大言曰：“陛下来日宫中无事，幸再出观臣破贼。臣不必与之战，但叱散[210]使归营耳！”

甲申[211]，帝欲再出，太后力止之，不可。既陈，郭威戒其众曰：“吾来诛群小，非敢敌天子也，慎勿先动。”久之，慕容彦超引轻骑直前奋击，郭崇威与前博州刺史李荣帅骑兵拒之。彦超马倒，几获之。彦超引兵退，麾下死者百余人，于是诸军夺气[212]，稍稍降于北军。侯益、吴虔裕、张彦超、袁巙、刘重进皆潜往见郭威，威各遣还营。又谓宋延渥曰：“天子方危，公近亲，宜以牙兵[213]往卫乘舆。且附奏陛下，愿乘间早幸臣营。”延渥未至御营，乱兵云扰，不敢进而还。比暮，南军多归于北。慕容彦超与麾下十余骑奔还兖州[214]。

是夕，帝独与三相及从官数十人宿于七里寨[215]，余皆逃溃。乙酉旦[216]，郭威望见天子旌旗在高阪上，下马免胄往从之，至则帝已去矣。帝策马将还宫，至玄化门[217]，刘铢在门上，问帝左右：“兵马何在？”因射左右。帝回辔，西北至赵村[218]，追兵已至，帝下马入民家，为乱兵所弑。苏逢吉、阎晋卿、郭允明皆自杀。聂文进挺身[219]走，军士追斩之。李业奔陕州，后匡赞奔兖州。郭威闻帝遇弑，号恸曰：“老夫之罪也！”

不可。李业在皇帝的面前向苏禹珪下拜，说："相公暂且为了天子不要吝惜府库财物！"于是赏赐禁军每人二十缗钱，禁军以外的其他军队减半，将士在北方的赏赐给他们的家属，并且让家属通家信来诱导他们。

十九日壬午，郭威军队到达封丘，人心恐惧。太后哭着说："不采纳李涛的话，理该要灭亡啊！"慕容彦超倚仗自己勇猛，对皇帝说："臣视北军犹如一群小虫罢了，定当替陛下活着抓来他们的首领！"退下时见到聂文进，问他从北边来的军队数量和将校的姓名，颇为恐惧，说："这些人也是强大的盗贼，不可轻视！"皇帝又派遣左神武统军袁曦、前任威胜节度使刘重进等人率领禁军与侯益等人会合屯驻赤冈。袁曦，是袁象先的儿子。慕容彦超带领大军屯驻七里店。

二十日癸未，南军、北军在刘子陂相遇。汉隐帝想亲自出来慰劳军队，太后说："郭威是我们家的旧臣，如果不是死亡逼迫在身，怎么会到这种地步！只要按兵守城，飞速传诏晓谕他，观察他的想法，一定有他的理由，那么君臣之礼还可以保全。千万不要轻易出去。"汉隐帝不听。当时护卫汉隐帝的军队士气旺盛，太后派遣使者告诫聂文进说："特别需要留心！"聂文进回答说："有臣在，即使一百个郭威，也可以活捉！"到了傍晚，两军没有交战，汉隐帝返回宫中。慕容彦超夸口说："陛下明天宫中无事，希望再出来观看臣打败贼兵。臣不必和他们交战，只需大声呵斥令其散去，让他们返回营地！"

二十一日甲申，汉隐帝想再次出城，太后极力阻止他，汉隐帝不答应。摆好军阵后，郭威训诫他的部众说："我是来诛杀那帮小人的，不敢对抗天子，千万不要先动手。"过了好一会，慕容彦超率领轻骑兵直接向前奋击，郭崇威与前任博州刺史李荣率领骑兵抵挡。慕容彦超的战马倒了，差一点被活捉。慕容彦超领兵撤退，部下死亡一百多人，于是各军丧失斗志，渐渐投降北军。侯益、吴虔裕、张彦超、袁曦、刘重进都暗中前往拜见郭威，郭威分别遣送他们返回军营。又对宋延渥说："天子正面临危急，您是天子的近亲，应该用牙帐卫兵前去保卫天子。并且附带启奏陛下，希望陛下趁空早日亲临臣下的军营。"宋延渥还没有走到皇帝的营帐，乱兵纷乱如云，不敢前进而退回。到了傍晚，南方军队大多归顺北方军队。慕容彦超和他部下的十几名骑兵跑回兖州。

当晚，汉隐帝独自和三位宰相以及随从的几十名官员住宿在七里寨，其余的全部逃溃。二十二日乙酉早晨，郭威望见天子的旌旗在高坡上，便下马脱下头盔，前往跟随，到了那里，汉隐帝已经离去了。汉隐帝策马将要回宫，到了玄化门，刘铢在城门上，问汉隐帝左右的人说："兵马都在哪里？"接着射杀汉隐帝身边的人。汉隐帝回转马头，往西北到达赵村，追兵已经赶上，汉隐帝下马进入百姓家里，为乱兵所杀。苏逢吉、阎晋卿、郭允明全都自杀。聂文进脱身逃跑，军士追上，把他杀了。李业跑往陕州，后匡赞跑往兖州。郭威听说汉隐帝遇害，悲痛地号哭说："这是老夫的罪过啊！"

威至玄化门，刘铢雨射城外。威自迎春门[220]入，归私第，遣前曹州防御使何福进将兵守明德门。诸军大掠，通夕烟火四发。军士入前义成节度使白再荣之第，执再荣，尽掠其财。既而进曰："某等昔尝趋走麾下，一旦无礼至此，何面目复见公！"遂刎其首而去。吏部侍郎张允[221]，家赀以万计，而性吝，虽妻亦不之委，常自系众钥于衣下，行如环珮。是夕，匿于佛殿藻井之上[222]，登者浸多，板坏而坠，军士掠其衣，遂以冻卒。

初，作坊使贾延徽有宠于帝，与魏仁浦为邻，欲并仁浦所居以自广，屡谮仁浦于帝，几至不测[223]。至是，有擒延徽以授仁浦者，仁浦谢曰："因乱而报怨，吾所不为也！"郭威闻之，待仁浦益厚。右千牛卫大将军枣强赵凤[224]曰："郭侍中举兵，欲诛君侧之恶以安国家耳。而鼠辈敢尔，乃贼也，岂侍中意邪！"执弓矢，踞胡床[225]，坐于巷首。掠者至，辄射杀之，里中皆赖以全。

丙戌[226]，获刘铢、李洪建，囚之。铢谓其妻曰："我死，汝且为人婢乎？"妻曰："以公所为，雅[227]当然耳！"王殷、郭崇威言于郭威曰："不止剽掠，今夕止有空城耳。"威乃命诸将分部禁止掠者[228]，不从则斩之。至晡[229]，乃定。

【段旨】

以上为第六段，写郭威犯阙，后汉隐帝为乱军所杀。

【注释】

⑯辛巳：十一月十八日。⑰属者：近时；近日以来。⑱下军：指禁军以外其他各军。⑲将士在北者：指将士在郭威部队中的。⑳壬午：十一月十九日。㉑封丘：县名，县治在今河南封丘。㉒蠛蠓：虫名，体小，喜乱飞，能叮咬人。㉓剧贼：势力强大的盗贼。㉔刘重进：本名晏僧，幽州（今北京西南）人，习契丹语。入宋，官左领军卫上将军。传见《宋史》卷二百六十一。㉕象先：宋州下邑（今河南夏邑）人，梁太祖朱温妹夫，后唐庄宗赐姓名李绍安。官至归德军节度使。传见《旧五代史》卷五十九、《新五代史》卷四十五。㉖七里店：地名，在今河南开封北。㉗癸未：十一月二十日。㉘刘子陂：地名，在今河南封丘南。㉙大须在意：特别需要留心。㉚叱散：大声呵斥使之散去。㉛甲申：十一

郭威到了玄化门，刘铢向城外箭射如雨。郭威从迎春门进城，回到自己的家，派遣前任曹州防御使何福进率兵守卫明德门。各军大肆抢掠，通宵烟火四起。军士进入前任义成节度使白再荣的住宅，抓住白再荣，抢走了他的全部财物。然后上前对他说："我们过去曾经奔走在您的帐下，一旦无礼到这种地步，有什么面目再见到您！"于是砍下白再荣的头离去。吏部侍郎张允家财以万计，而生性吝啬，即使他的妻子也不信任，常常把很多钥匙系在自己的衣服下面，走起路来像佩玉叮当作响。这天晚上，他躲藏在佛殿的藻井上，上去的人越来越多，木板毁坏坠落下来，军士抢走他的衣服，便冻死了。

当初，作坊使贾延徽受到汉隐帝的宠信，他和魏仁浦是邻居，想吞并魏仁浦的房屋来扩充自家住宅，多次在汉隐帝面前谮毁魏仁浦，几乎使魏仁浦死去。到了这时，有人抓到贾延徽，把他交给魏仁浦，魏仁浦谢绝说："趁着变乱而报仇，是我所不做的！"郭威听说这件事，更加厚待魏仁浦。右千牛卫大将军枣强人赵凤说："郭侍中起兵，只是想诛杀天子身边的恶人，以此来安定国家罢了。而鼠辈竟然这样做，就是强盗，哪里是郭侍中的本意呢！"手持弓箭，坐在胡床上，守在里巷门口。抢劫的士兵到来，就射杀他们，里巷全是依赖赵凤而得以保全。

二十三日丙戌，抓到刘铢、李洪建，囚禁了他们。刘铢对他的妻子说："我死了以后，你将会做别人的奴婢吗？"妻子回答说："凭你的所作所为，很是应当这样的！"王殷、郭崇威对郭威说："不禁止抢劫，今天晚上仅有一座空城了。"郭威于是命令各将领部署禁止部下抢劫，不听从就斩首。到了黄昏，才安定下来。

月二十一日。㉑②夺气：因恐惧而丧失斗志。㉑③牙兵：此指宋延渥所领义成牙兵。㉑④兖州：州名，治所在今山东济宁市兖州区。㉑⑤七里寨：即七里店寨。㉑⑥乙酉旦：十一月二十二日早晨。㉑⑦玄化门：在大梁城北偏东第一门。本为酸枣门，后梁改称兴和门，后晋改称玄化门。㉑⑧赵村：在今河南开封西南。㉑⑨挺身：脱身；引身。㉒⓪迎春门：大梁城东偏北第一门。本名曹门，后梁开平元年（公元九〇七年）改称建阳门，后晋天福三年（公元九三六年）改称迎春门。㉒①张允：镇州（今河北正定）人，仕后汉，官吏部侍郎。著《驳赦论》。传见《旧五代史》卷一百八、《新五代史》卷五十七。㉒②匿于佛殿藻井之上：谓张允藏身于佛殿屋顶上。藻井，我国传统建筑中顶棚上的一种装饰处理。一般做成方形、多边形或圆形的凹面，上有各种花纹、雕刻和彩画。㉒③几至不测：几乎至于死去。㉒④赵凤：冀州枣强（今河北枣强）人，初从契丹，汉主立，仕后汉、后周，官单州刺史。传见《旧五代史》卷一百二十九。㉒⑤胡床：又称"交床""交椅""绳床"，是一种可以折叠的轻便坐具。㉒⑥丙戌：十一月二十三日。㉒⑦雅：甚；很。㉒⑧乃命诸将分部禁止掠者：便命令各将领部署禁止部下抢掠。㉒⑨晡：申时，即下午三点到五点。

【校记】

[6] 仍：原无此字。据章钰校，十二行本、乙十一行本皆有此字，今据补。

【原文】

窦贞固、苏禹珪自七里寨逃归，郭威使人访求得之，寻复其位。贞固为相，值杨、史弄权，李业等作乱，但以凝重[230]处其间，自全而已。

郭威命有司迁隐帝梓宫于西宫。或请如魏高贵乡公故事[231]，葬以公礼。威不许，曰："仓猝之际，吾不能保卫乘舆，罪已大矣，况敢贬君乎！"太师冯道帅百官谒见郭威，威见，犹拜之。道受拜如平时[232]，徐曰："侍中此行不易！"

丁亥[233]，郭威帅百官诣明德门起居[234]太后，且奏称："军国事殷[235]，请早立嗣君。"太后诰称："郭允明弑逆，神器[236]不可无主。河东节度使崇、忠武节度使信，皆高祖之弟。武宁节度使赟[237]、开封尹勋，高祖之子。其令百官议择所宜。"赟，崇之子也，高祖爱之，养视如子。郭威、王峻入见太后于万岁宫[238]，请以勋为嗣。太后曰："勋久羸疾不能起。"威出谕诸将，诸将请见之。太后令左右以卧榻举之示诸将，诸将乃信之。于是郭威与峻议立赟。己丑[239]，郭威帅百官表请以赟承大统。太后诰所司，择日，备法驾迎赟即皇帝位。郭威奏遣太师冯道及枢密直学士王度、秘书监赵上交诣徐州奉迎。

郭威之讨三叛[240]也，每见朝廷诏书，处分军事皆合机宜，问使者："谁为此诏？"使者以翰林学士范质[241]对。威曰："宰相器也。"入城，访求得之，甚喜。时大雪，威解所服紫袍衣之，令草太后诰令，迎新君仪注[242]。苍黄[243]之中，讨论撰定，皆得其宜。

初，隐帝遣供奉官押班[244]阳曲张永德赐昭义节度使常思生辰物[245]。永德，郭威之婿也，会杨邠等诛，密诏思杀永德。思素闻郭威多奇异，囚永德以观变，及威克大梁，思乃释永德而谢之。

庚寅[246]，郭威帅百官上言："比皇帝到阙，动涉浃旬[247]，请太后临朝听政。"

【语译】

窦贞固、苏禹珪从七里寨逃回来，郭威派人寻求，找到了他们，不久恢复了他们的职位。窦贞固当宰相时，正逢杨邠、史弘肇玩弄权势，李业等人作乱，他只是以持重的态度处于两者之间，保全自己而已。

郭威命令有关部门把隐帝的灵柩移到西宫。有人请求依照魏高贵乡公的先例，以公礼安葬。郭威不同意，说："仓促之际，我不能保卫天子，罪孽已经很大了，怎么敢贬低国君呢！"太师冯道率领百官进见郭威，郭威见到冯道，仍然向他下拜。冯道像平时一样接受他的拜礼，慢慢地说："侍中这一路不容易！"

十一月二十四日丁亥，郭威率领百官前往明德门向太后问候请安，并且上奏说："军国事重大，请早立嗣位的君主。"太后下诏说："郭允明杀君叛逆，君位不可没有君主。河东节度使刘崇、忠武节度使刘信，都是高祖的弟弟。武宁节度使刘赟、开封尹刘勋，是高祖的儿子。让百官讨论选择合适的人选。"刘赟是刘崇的儿子，高祖喜爱他，把他看作是自己的儿子来养育。郭威、王峻到万岁宫进见太后，请求立刘勋为君主。太后说："刘勋长期虚弱生病，不能起床。"郭威出来向各位将领说明，各位将领请求见到刘勋。太后让身边的人把卧榻抬出来让各位将领看，各位将领这才相信。于是郭威和王峻商议拥立刘赟。二十六日己丑，郭威带领百官上表，请求让刘赟继承帝位。太后诏令有关部门选择日期，准备天子的车驾，迎接刘赟即皇帝位。郭威奏请派遣太师冯道和枢密直学士王度、秘书监赵上交前往徐州奉迎刘赟。

郭威在讨伐三镇叛乱时，每次看到朝廷的诏书，部署军事事务切合实际，就问使者："是谁草拟这些诏书？"使者回答说是翰林学士范质。郭威说："这是当宰相的材料。"进城以后，寻求到了范质，非常高兴。当时下着大雪，郭威脱下自己穿着的紫色袍服给他穿上，让他草拟太后的诏令和迎立新君的礼仪制度。在匆忙之中，讨论写定，都很合适。

当初，汉隐帝派遣供奉官押班阳曲人张永德赐给昭义节度使常思皇帝生日回赐的礼物。张永德，是郭威的女婿。适逢杨邠等人被杀，汉隐帝秘密诏令常思杀掉张永德。常思一向听说郭威有很多奇异的才能，就囚禁了张永德，以观望事态的变化。等到郭威攻克大梁，于是常思释放了张永德，并向张永德谢罪。

十一月二十七日庚寅，郭威率领百官向太后进言："等到皇帝到达京城，行程需要十天，在这期间，请太后临朝听政。"

【段旨】

以上为第七段，写郭威奏请太后临朝。

【注释】

㉚凝重：庄重；严谨持重。㉛如魏高贵乡公故事：三国魏高贵乡公曹髦（魏文帝曹丕孙）不满于司马氏集团专断朝政，不顾势单力薄，率领几百僮仆前往问罪，被司马昭亲信成济刺死，后以公礼埋葬。隐帝死，有人建议也照此处理。㉜道受拜如平时：冯道仍摆出宰相架子像平常一样接受郭威礼拜。郭威拜冯道，希望冯道率百官劝进；冯道端架子，目的是抬高自己身价，又因当时汉高祖刘知远弟刘信在许州、刘崇在河东、崇子刘赟在徐州，三镇尚强，故冯道亦示意郭威不要轻举妄动。此一礼拜极有政治深意，故

【原文】

先是，马希萼遣蛮兵围玉潭，朱进忠引兵会之。崔洪琏兵败，奔还长沙。希萼引兵继进，攻岳州，刺史王赟拒之，五日不克。希萼使人谓赟曰："公非马氏之臣乎？不事我，欲事异国乎？为人臣而怀贰心，岂不辱其先人！"赟曰："亡父环[7]为先王将，六破淮南兵㉘。今大王兄弟不相容，赟常恐淮南坐收其弊，一旦以遗体臣淮南，诚辱先人耳！大王苟能释憾罢兵，兄弟雍睦㉙如初，赟敢不尽死以事大王兄弟，岂有二心乎！"希萼惭，引兵去。辛卯㉚，至湘阴㉛，焚掠而过。至长沙，军于湘西㉜，步兵及蛮兵军于岳麓㉝，朱进忠自玉潭引兵会之。

马希广遣刘彦瑫召水军指挥使许可琼㉞帅战舰五百艘屯城北津，属㉟于南津，以马希崇为监军。又遣马军指挥使李彦温将骑兵屯驼口㊱，扼湘阴路，步军指挥使韩礼将二千人屯杨柳桥㊲，扼栅路。可琼，德勋之子也。

壬辰㊳，太后始临朝，以王峻为枢密使，袁巖为宣徽南院使，王殷为侍卫马步军都指挥使，郭崇威为侍卫马军都指挥使，曹威为侍卫步军都指挥使，陈州㊴刺史李穀权判三司。

刘铢、李洪建及其党皆枭首于市，而赦其家。郭威谓公卿曰："刘

史特书之。㉝丁亥：十一月二十四日。㉞起居：问起居，即请安问好。㉟殷：重大。㊱神器：帝位。㊲赟：刘赟，刘知远弟刘崇子，深受知远喜爱，授徐州节度使。郭威起兵，被拥立为帝，不久又废为湘阴公，幽死于住所。传见《旧五代史》卷一百五、《新五代史》卷十八。㊳万岁宫：后唐以太后宫为长寿宫，后晋、后汉称万岁宫。㊴己丑：十一月二十六日。㊵郭威之讨三叛：事详《资治通鉴》卷二百八十八乾祐元年三二年（公元九四八至九四九年）。㊶范质：字文素，大名宗城（今河北威县东）人，官至侍中。通礼仪，善著文，以廉介自持。传见《宋史》卷二百四十九。㊷仪注：礼仪制度。㊸苍黄：同"仓皇"，匆忙。㊹供奉官押班：供奉官之长。供奉，在皇帝身边供职者的称呼。㊺生辰物：回赠给大臣的皇上生日的礼品。㊻庚寅：十一月二十七日。㊼浃旬：古代以干支纪日，自甲至癸一周十天为浃旬。从徐州至大梁七百里，皇帝刘赟在路上大约走十天。

【语译】

先前，马希萼派遣蛮族军队包围玉潭，朱进忠领兵和他会合。崔洪琏兵败，跑回长沙。马希萼领兵继续前进，攻打岳州，岳州刺史王赟抵抗，五日不能攻下。马希萼派人对王赟说："你不是马氏的臣子吗？不侍奉我，想要侍奉别的国家吗？做人家的臣子而胸怀二心，岂不有辱自己的先人！"王赟说："先父王环做先王的将领，六次打败淮南的军队。现在大王兄弟互不相容，我常常担心淮南坐收你们两败俱伤的好处。一旦我自己臣事淮南，那实在有辱先人了！大王如果能够放弃怨恨，停止用兵，兄弟和睦如初，我敢不尽忠侍奉大王兄弟！怎么会有二心呢！"马希萼很惭愧，带兵离去。十一月二十八日辛卯，马希萼到达湘阴，放火抢劫而过。到了长沙，驻扎在湘西，步兵和蛮兵驻扎在岳麓，朱进忠从玉潭领兵和他会合。

马希广派遣刘彦瑫召令水军指挥使许可琼率领五百艘战舰屯驻城北渡口，连接到城南渡口，任命马希崇为监军。又派遣马军指挥使李彦温率领骑兵屯驻驼口，控制通往湘阴的道路；步军指挥使韩礼率领两千人屯驻杨柳桥，控制并阻拦道路。许可琼，是许德勋的儿子。

十一月二十九日壬辰，太后开始临朝听政，任命王峻为枢密使，袁巙为宣徽南院使，王殷为侍卫马步军都指挥使，郭崇威为侍卫马军都指挥使，曹威为侍卫步军都指挥使，陈州刺史李毂暂时兼管三司。

刘铢、李洪建和他们的党羽都在街市上被斩首，而赦免他们的家属。郭威对公

铢屠吾家，吾复屠其家，怨仇反覆，庸[260]有极乎！”由是数家获免。王殷屡为洪建请免死，郭威不许。后匡赞至兖州，慕容彦超执而献之。李业至陕州，其兄保义节度使洪信不敢匿于家。业怀金将奔晋阳[261]，至绛州，盗杀之而取其金。

蜀施州[262]刺史田行皋奔荆南。高保融[263]曰：“彼贰于蜀，安肯尽忠于我！”执之，归于蜀，伏诛。

镇州、邢州奏：“契丹主将数万骑入寇，攻内丘[264]，五日不克，死伤甚众。有戍兵五百叛应契丹，引契丹入城，屠之。又陷饶阳[265]。”太后敕郭威将大军击之，国事权委窦贞固、苏禹珪、王峻，军事委王殷。十二月甲午朔[266]，郭威发大梁。丁酉[267]，以翰林学士、户部侍郎范质为枢密副使。

初，蛮酋彭师暠降于楚[268]，楚人恶其犷直。楚王希广独怜之，以为强弩指挥使，领辰州[269]刺史，师暠常欲为希广死。及朱进忠与蛮兵合七千余人至长沙，营于江西[270]。师暠登城望之，言于希广曰：“朗人骤胜而骄，杂以蛮兵，攻之易破也。愿假臣步卒三千，自巴溪渡江，出岳麓之后，至水西。令许可琼以战舰渡江，腹背合击，必破之。前军败，则其大军自不敢轻进矣。”希广将从之。时马希萼已遣间使以厚利啖许可琼，许分湖南而治。可琼有贰心，乃谓希广曰：“师暠与梅山[271]诸蛮皆族类，安可信也！可琼世为楚将，必不负大王，希萼竟何能为！”希广乃止。

希萼寻以战舰四百余艘泊江西。希广命诸将皆受可琼节度，日赐可琼银五百两，希广屡造其营计事。可琼常闭垒，不使士卒知朗军进退，希广叹曰：“真将军也，吾何忧哉！”可琼或夜乘单舸[272]诈称巡江，与希萼会水西，约为内应。一旦，彭师暠见可琼，瞋目叱之，拂衣入见希广曰：“可琼将叛国，人皆知之，请速除之，无贻[273]后患。”希广曰：“可琼，许侍中之子，岂有是邪！”师暠退，叹曰：“王仁而不断，败亡可翘足[274]俟也！”

潭州大雪，平地四尺，潭、朗两军久不得战。希广信巫觋[275]及僧语，塑鬼于江上，举手以却朗兵。又作大像于高楼，手指水西，怒目视之。命众僧日夜诵经，希广自衣僧服膜拜[276]求福。

卿们说:“刘铢屠杀我的家属,我又屠杀他的家属,怨仇反复,岂有终结的时候呢!”因此几家都得到免死。王殷多次替李洪建请求免死,郭威不同意。后匡赞到达兖州,慕容彦超把他抓起来献给朝廷。李业到达陕州,他的哥哥保义节度使李洪信不敢把他藏匿在家里。李业带着金钱将跑往晋阳,到了绛州,盗贼杀了李业,拿走他的金钱。

后蜀施州刺史田行皋跑往荆南。高保融说:“他背叛蜀国,怎么肯尽忠于我们!”把他抓起来,归还后蜀,被处以死刑。

镇州、邢州奏言:“契丹主率领几万骑兵入侵,攻打内丘;五天没有攻下,死伤极多。有五百名守兵叛变策应契丹,带领契丹入城,屠杀居民。又攻陷饶阳。”太后敕令郭威率领大军攻打契丹,国事暂时委托给窦贞固、苏禹珪、王峻,军事委托给王殷。十二月初一日甲午,郭威从大梁出发。初四日丁酉,任命翰林学士、户部侍郎范质为枢密副使。

当初,蛮族的酋长彭师暠投降楚国,楚国人讨厌他粗犷率直。楚王马希广独自怜爱他,任命他为强弩指挥使,兼领辰州刺史。彭师暠常常想要为马希广效忠而死。等到朱进忠与蛮兵会合共七千多人到达长沙,在湘江西扎营。彭师暠登城瞭望敌军,对马希广说:“朗州人突然获胜,骄傲起来,又同蛮兵混杂在一起,攻打他们,容易攻破。希望给我三千步兵,从巴溪渡过湘江,从岳麓后面过去,到湘江以西。让许可琼用战舰渡江,前后夹攻,一定打败敌军。前锋部队失败,那么他的大队人马自然不敢轻率进军了。”马希广将要听从他的建议。当时马希萼已经派遣密使以厚利引诱许可琼,答应和他瓜分湖南进行治理。许可琼有了叛变之心,就对马希广说:“彭师暠和梅山诸蛮都是同一族类,怎么可以相信呢!我许可琼世代为楚国的将领,一定不会辜负大王,马希萼最终能有什么作为!”马希广于是停止采用彭师暠的计策。

不久马希萼用战舰四百艘停泊在湘江西岸。马希广命令各位将领都受许可琼的指挥,每天赏赐许可琼五百两银子,马希广多次到他的营帐去商议军事。许可琼经常关闭营垒,不让士兵知道朗州军队的进退情况,马希广赞叹说:“真正的将军啊!我还担忧什么呢!”许可琼有时夜里乘坐一艘小船假称巡视江面,与马希萼在湘江西岸会面,相约做他的内应。一天早晨,彭师暠遇见许可琼,怒目呵斥他,拂衣进见马希广说:“许可琼即将叛国,人人都知道此事,请赶快除掉他,不要留下后患。”马希广说:“许可琼是许侍中的儿子,怎么会有这种事呢!”彭师暠退出,叹息说:“大王仁慈而不果断,败亡举足可待!”

潭州下大雪,平地深四尺,潭州、朗州两军长期不能交战。马希广相信巫师与和尚的话,在江面上塑造鬼像,举着手来使朗州军退却。又在高楼上制作了一个大鬼像,手指着湘江西岸,怒目而视。命令和尚们日夜诵经。马希广自己穿上和尚的服装,向鬼像膜拜求福。

甲辰[277]，朗州步军指挥使武陵何敬真[278]等，以蛮兵三千陈于杨柳桥。敬真望韩礼营旌旗纷错，曰："彼众已惧，击之易破也。"朗人雷晖衣潭卒之服潜入礼寨，手剑击礼，不中，军中惊扰。敬真等乘其乱击之，礼军大溃，礼被创走，至家而卒。于是朗兵水陆急攻长沙，步军指挥使吴宏[279]、小门使杨涤相谓曰："以死报国，此其时矣！"各引兵出战。宏出清泰门，战不利。涤出长乐[280]，战自辰至午[281]，朗兵小却。许可琼、刘彦瑫按兵不救。涤士卒饥疲，退就食。彭师暠战于城东北隅。蛮兵自城东纵火，城上人招许可琼军使救城，可琼举全军降希萼，长沙遂陷。朗兵及蛮兵大掠三日，杀吏民，焚庐舍。自武穆王[282]以来所营宫室，皆为灰烬，所积宝货，皆入蛮落。李彦温望见城中火起，自驼口引兵救之，朗人已据城拒战。彦温攻清泰门，不克，与刘彦瑫各将千余人奉文昭王[283]及希广诸子趣袁州[284]，遂奔唐。张晖降于希萼。左司马希崇帅将吏诣希萼劝进。吴宏战血满袖，见希萼曰："不幸为许可琼所误，今日死，不愧先王矣！"彭师暠投槊于地，大呼请死。希萼叹曰："铁石人也！"皆不杀。

乙巳[285]，希崇迎希萼入府视事，闭城，分捕希广及掌书记李弘皋[286]、弟弘节[287]，都军判官唐昭胤，及邓懿文[288]、杨涤等，皆获之。希萼谓希广曰："承父兄之业，岂无长幼乎？"希广曰："将吏见推，朝廷见命耳。"希萼皆囚之。丙午[289]，希萼命内外巡检侍卫指挥使刘宾禁止焚掠。

丁未[290]，希萼自称天策上将军，武安、武平、静江、宁远[291]等军节度使，楚王。以希崇为节度副使，判军府事。湖南要职，悉以朗人为之。脔食李弘皋、弘节、唐昭胤、杨涤，斩邓懿文于市。戊申[292]，希萼谓将吏曰："希广懦夫，为左右所制耳，吾欲生之，可乎？"诸将皆不对。朱进忠尝为希广所笞，对曰："大王三年血战[293]，始得长沙。一国不容二主，它日必悔之。"戊申，赐希广死。希广临刑，犹诵佛书。彭师暠葬之于浏阳门[294]外。

十二月十一日甲辰，朗州步军指挥使武陵人何敬真等人率领蛮兵三千人在杨柳桥布阵。何敬真望见韩礼的军营旌旗杂乱，说："他们的部众已经害怕，攻打他们，容易打败。"朗州人雷晖穿着潭州士兵的服装暗中进入韩礼的营寨，拿剑刺杀韩礼，没有刺中，军中惊惶。何敬真等人趁他们混乱时进击，韩礼的军队大败，韩礼受伤逃走，回到家就死了。于是朗州军队从水陆两路急攻长沙，步军指挥使吴宏、小门使杨涤互相说："以死报国，这是时候了！"各自领兵出城作战。吴宏从清泰门出，战事不利。杨涤从长乐门出，从辰时战到午时，朗州军队稍稍退后。许可琼、刘彦瑫按兵不救。杨涤的士兵饥饿疲惫，撤退回来吃饭。彭师暠在城东北角作战。蛮兵从城东面放火，城上的人招呼许可琼的军队，让他们支援城上。许可琼率领全军投降了马希萼，于是长沙陷落。朗州兵和蛮兵大肆抢掠三天，杀害官吏百姓，焚烧房舍。从武穆王以来所修建的宫殿房室，全部化为灰烬，所存积的宝物财货，都落入蛮人部族。李彦温望见长沙城中起火，从驼口领兵救援，朗州人已经占领城池抵抗作战。李彦温攻打清泰门，没有攻下，和刘彦瑫各自率领一千多人护卫着文昭王和马希广的几个儿子奔赴袁州，于是投奔南唐。张晖投降了马希萼。左司马马希崇率将领和官吏去见马希萼，劝马希萼即王位。吴宏溅血满袖，见到马希萼说："不幸被许可琼所贻误，今日死了，也不会愧对先王了！"彭师暠把长矛扔到地上，大声叫着请杀死他。马希萼感叹地说："真是铁石一样的人啊！"都没有杀。

十二日乙巳，马希崇迎接马希萼入府办理公务，关闭城门，分头搜捕马希广和掌书记李弘皋、他的弟弟李弘节，都军判官唐昭胤，以及邓懿文、杨涤等人，全都抓获他们。马希萼对马希广说："继承父兄的大业，难道没有长幼顺序吗？"马希广说："我是被将领们推举，被朝廷任命罢了。"马希萼把他们都囚禁起来。十三日丙午，马希萼命令内外巡检侍卫指挥使刘宾禁止士兵纵火抢劫。

十四日丁未，马希萼自称天策上将军，武安、武平、静江、宁远等军节度使，楚王。任命马希崇为节度副使，兼管军府事务。湖南的重要职位，全部用朗州人担任。把李弘皋、李弘节、唐昭胤、杨涤等人剁成碎块吃掉，在街市上把邓懿文斩首。十五日戊申，马希萼对将领和官吏们说："马希广是个懦夫，只是被左右的人所控制罢了，我想让他活命，可以吗？"各位将领都不回答。朱进忠曾经被马希广鞭打，回答说："大王血战三年，才得到长沙。一国不容两主，您以后一定后悔的。"十五日戊申，赐马希广自杀。马希广临刑时，还诵读佛经。彭师暠把他安葬在浏阳门外。

【段旨】

以上为第八段，写马希萼破长沙，杀楚主马希广而自立。

【注释】

[248] 六破淮南兵:《十国春秋》卷七十二《王环传》称:“环前后凡六破吴兵，再破荆南兵，声震一时。”《新五代史》卷六十六《马希广传》亦载王赟事，未言“六破淮南兵”。[249] 雍睦：和睦。[250] 辛卯：十一月二十八日。[251] 湘阴：县名，县治在今湖南湘阴。[252] 湘西：古县名，县治在今湖南株洲南。[253] 岳麓：岳麓山，在今湖南长沙、湘江西岸。当衡山（南岳）之足，故以麓名。[254] 许可琼：楚侍中许德勋子。马希广将，却暗通马希萼，后归附希萼，出为蒙州刺史，后又迁全州刺史。[255] 属：连接。[256] 驼口：在今湖南长沙北，湘水东岸。[257] 杨柳桥：在今湖南长沙西。[258] 壬辰：十一月二十九日。[259] 陈州：州名，治所宛丘，在今河南周口市淮阳区。[260] 庸：岂；难道。[261] 晋阳：古县名，县治在今山西太原西南。[262] 施州：州名，治所沙渠，在今湖北恩施。[263] 高保融：字德长，南平文献王高从诲第三子。从诲死，袭南平王，多次向后汉、后周进贡。周主伐南唐、后蜀，出兵相助，深得嘉奖。死后谥贞懿王。公元九四八至九六〇年在位。传见《旧五代史》卷一百三十三、《新五代史》卷六十九、《宋史》卷四百八十三。[264] 内丘：县名，县治在今河北内丘。汉名中丘县，隋避武元帝讳改。[265] 饶阳：县名，县治在今河北饶阳。[266] 甲午朔：十二月初一日。[267] 丁酉：十二月初四日。[268] 蛮酋彭师暠降于楚：事载《资治通鉴》卷二百八十二天福五年（公元九四〇年）。彭师暠，黔南溪州刺史仕然子，受马希广恩宠，誓死效命。后又感激马希萼不杀之恩，与廖偃拥立希萼为衡山王。后投南唐，官殿直都虞候。[269] 辰州：州名，治所沅陵，在今湖南沅陵。[270] 江西：湘江之西。[271] 梅山：在今湖南安化西南，接新化界。新化为上梅山，安化为下梅山。[272] 单舸：一艘小船。[273] 贻：留

【原文】

武宁节度使赟留右都押牙[295]巩延美、元从[8]教练使[296]杨温守徐州，与冯道等西来。在道仗卫[297]，皆如王者，左右呼万岁。郭威至滑州，留数日，赟遣使慰劳。诸将受命之际，相顾不拜，私相谓曰:“我辈屠陷京城，其罪大矣。若刘氏复立，我辈尚有种乎[298]!”己酉[299]，威闻之，即引兵行，趣澶州。辛亥[300]，遣苏禹珪如宋州迎嗣君。

楚王希萼以子光赞为武平留后，以何敬真为朗州牙内都指挥使，将兵戍之。希萼召拓跋恒，欲用之，恒称疾不起。

壬子[301]，郭威渡河，馆于澶州。癸丑旦[302]，将发，将士数千人忽大噪。

下。㉗④翘足：举足；抬起脚来。形容时间短暂。㉗⑤巫觋：女巫和男巫。觋，男巫。㉗⑥膜拜：举手加额，长跪而拜。是极度恭敬或畏服的礼节。㉗⑦甲辰：十二月十一日。㉗⑧何敬真：据《考异》《湖湘故事》作"何景真"。武陵（今湖南常德）人，事恭孝王马希萼有功，授任静江节度副使。因贪恋享乐，被部将杀。㉗⑨吴宏：废王马希广将，英勇善战，誓以死报国。因许可琼按兵不救，失利被俘。㉘⓪长乐：据胡三省注，二字下当有"门"字。㉘①自辰至午：从早晨七点到中午一点。㉘②武穆王：楚王马殷谥武穆。㉘③文昭王：楚王马希范谥文昭。㉘④袁州：州名，治所宜春，在今江西宜春。㉘⑤乙巳：十二月十二日。㉘⑥李弘皋：文昭王马希范时为天策府十八学士，善著文。拥马希广为王，长沙失守，被杀。㉘⑦弘节：弘皋弟，少有文学，天策府十八学士。长沙失守，被杀。㉘⑧邓懿文：以文学闻名楚中，天策府十八学士。拥立马希广为王，长沙失守，被杀。㉘⑨丙午：十二月十三日。㉙⓪丁未：十二月十四日。㉙①宁远：方镇名，唐乾宁中置。治所容县，在今广西容县。宁远与武安、武平、静江四镇旧属马氏所有，此时宁远军已属南汉。以上官爵是马希萼继承父兄的官爵，并未禀命于中国。㉙②戊申：十二月十五日。㉙③三年血战：天福十二年（公元九四七年）马氏兄弟始争国，第二年交兵，到此时整三年。㉙④浏阳门：潭州城东门。

【校记】

［7］亡父环：原作"赟父环"。据章钰校，十二行本、乙十一行本"赟父"皆作"亡父"，无"环"字，张敦仁《通鉴刊本识误》作"亡父环"，《十国春秋》王赟本传云"都指挥环之子也"。作"亡父环"义长，今据改。

【语译】

武宁节度使刘赟留下右都押牙巩延美、元从教练使杨温守卫徐州，与冯道等人一同从西而来。在路上的仪仗和侍卫，都如同为王的，左右的人高喊万岁。郭威到达滑州，停留数日，刘赟派遣使者慰劳。众将在接受命令时，彼此环视不下拜，私下相互说："我们攻陷京城，屠杀官吏、百姓，罪过太大了。如果刘氏又被立为皇帝，我们还会有子孙后代吗！"十二月十六日己酉，郭威听说这件事，立刻领兵前进，奔赴澶州。十八日辛亥，派遣苏禹珪前往宋州迎接继位的君主。

楚王马希萼任命自己的儿子马光赞为武平留后，任命何敬真为朗州牙内都指挥使，领兵戍守。马希萼叫来拓跋恒，打算任用他，拓跋恒说有病，不肯起身为官。

十二月十九日壬子，郭威渡过黄河，住在澶州。二十日癸丑早晨，将要出发，

威命闭门，将士逾垣登屋而入曰："天子须侍中自为之，将士已与刘氏为仇，不可立也！"或裂黄旗以被威体，共扶抱之，呼万岁震地，因拥威南行。威乃上太后笺[303]，请奉汉[9]宗庙，事太后为母。丙辰[304]，至韦城[305]，下书抚谕大梁士民，以昨离河上，在道秋毫不犯，勿有忧疑。戊午[306]，威至七里店，窦贞固帅百官出迎拜谒，因劝进。威营于皋门村[307]。

武宁节度使赟已至宋州，王峻、王殷闻澶州军变，遣侍卫马军都指挥使郭崇威将七百骑往拒之，又遣前申州[308]刺史马铎将兵诣许州巡检。崇威忽至宋州，陈于府门外，赟大惊，阖门登楼诘之。对曰："澶州军变，郭公虑陛下未察，故遣崇威来宿卫，无他也。"赟召崇威，崇威不敢进。冯道出与崇威语，崇威乃登楼。赟执崇威手而泣，崇威以郭威意安谕之。

少顷，崇威出，时护圣指挥使张令超帅部兵为赟宿卫，徐州判官董裔说赟曰："观崇威视瞻举措[309]，必有异谋。道路皆言郭威已为帝，而陛下深入不止，祸其至哉！请急召张令超，谕以祸福，使夜以兵劫崇威，夺其兵。明日，掠睢阳[310]金帛，募士卒，北走晋阳。彼新定京邑，未暇追我，此策之上也！"赟犹豫未决。是夕，崇威密诱令超，令超帅众归之。赟大惧。

郭威遗赟书，云为诸军所迫。召冯道先归，留赵上交、王度奉侍。道辞行，赟曰："寡人此来所恃者，以公三十年旧相[311]，故无疑耳。今崇威夺吾卫兵，事危矣，公何以为计？"道默然。客将贾贞数目道，欲杀之。赟曰："汝辈勿草草，此无预冯公事。"崇威迁赟于外馆，杀其腹心董裔、贾贞等数人。己未[312]，太后诰，废赟为湘阴公。

马铎引兵入许州，刘信惶惑自杀。

庚申[313]，太后诰，以侍中[314]监国[315]。百官藩镇相继上表劝进。壬戌[316]夜，监国营有步兵将校醉，扬言向者澶州骑兵扶立，今步兵亦欲扶立，监国斩之。

南汉主[317]以宫人卢琼仙、黄琼芝为女侍中，朝服冠带，参决政事。宗室勋旧，诛戮殆尽，惟宦官林延遇[318]等用事。

将士几千人忽然大声喧哗。郭威命令关上房门，将士翻墙登上房顶进入房内说：“天子须由侍中自己来做，将士们已经与刘氏为仇，不可立为君主！”有人撕裂黄旗，拿来披在郭威身上，一起扶抱着他，呼喊万岁，声震大地，接着簇拥郭威向南走。郭威于是向太后上笺表，请求敬奉刘氏的宗庙，侍奉太后为母亲。二十三日丙辰，到达韦城，颁布文告安抚晓谕大梁士民：于昨天离开黄河岸边，在路上秋毫无犯，不要有担忧疑虑。二十五日戊午，郭威到达七里店，窦贞固率领百官出城迎接拜见，趁机劝郭威即皇帝位。郭威在皋门村扎营。

武宁节度使刘赟已经到了宋州，王峻、王殷听说澶州军变，派遣侍卫马军都指挥使郭崇威率领七百名骑兵前往阻挡刘赟，又派遣前任申州刺史马铎率兵前去许州巡察。郭崇威忽然抵达宋州，列阵在府门外，刘赟大惊，关上府门，登楼责问郭崇威。郭崇威说：“澶州军变，郭公怕陛下不明白，所以派遣崇威保卫陛下，没有其他的意思。”刘赟召见郭崇威，郭崇威不敢进去。冯道出来同郭崇威谈话，郭崇威这才上楼。刘赟拉住郭崇威的手哭泣。郭崇威用郭威的意思来安慰刘赟。

不一会儿，郭崇威出来。当时护圣指挥使张令超率领所辖士兵替刘赟担任保卫，徐州判官董裔劝刘赟说：“观察郭崇威的眼神、举止，必有反叛之谋。路上都说郭威已经做了皇帝，而陛下深入不止，祸难恐怕就要到来了！请求紧急召见张令超，晓谕祸福，让他晚上用兵劫持郭崇威，夺取他的军队。次日，掠夺睢阳的金钱布帛，招募士兵，北赴晋阳。他们刚刚平定京城，没有时间追赶我们，这是上策啊！”刘赟犹豫不决。当天晚上，郭崇威秘密引诱张令超，张令超率领部众归降。刘赟大为恐惧。

郭威写信给刘赟，说自己是被各军所逼迫。召请冯道先回京师，留下赵上交、王度服侍。冯道辞行，刘赟说：“寡人这次前来所依靠的，在于您是三十年的老宰相，所以没有疑虑罢了。现在郭崇威夺走了我的卫兵，事情危险了，您有什么计策？”冯道默然不语。客将贾贞多次注视冯道，想要杀死他。刘赟说：“你们不要草率，这不关冯公的事。”郭崇威把刘赟迁到府外馆舍，杀了他的心腹董裔、贾贞等几人。十二月二十六日己未，太后下诏，废刘赟为湘阴公。

马铎带兵进入许州，刘信惶恐自杀。

十二月二十七日庚申，太后下诏以侍中郭威监理国事。百官藩镇相继上表劝郭威即帝位。二十九日壬戌夜里，郭威营中有步兵将校喝醉了，扬言说以前澶州骑兵扶立郭威为帝，现在步兵也打算扶立天子，郭威把他斩首。

南汉主任命官人卢琼仙、黄琼芝为女侍中，穿戴朝服冠带，参与政事决策。朝廷的宗室和功勋旧臣，诛杀殆尽，只有宦官林延遇等人当权。

【段旨】

以上为第九段，写郭威制造兵变，拥立自己称帝。

【注释】

㉙⑤右都押牙：官名，唐代藩镇均置押牙，为衙属内部的亲信武职。主官称都押牙，五代沿用。㉙⑥元从教练使：官名，禁军的教练官。元从，意为自始就相随从的人员。㉙⑦仗卫：仪仗和侍卫。㉙⑧我辈尚有种乎：我们还能有子孙后代吗？即谓被刘氏族灭。㉙⑨己酉：十二月十六日。㉚⓪辛亥：十二月十八日。㉚①壬子：十二月十九日。㉚②癸丑旦：十二月二十日晨。㉚③笺：文体名，书札、奏记一类。奏笺多用以上皇后、太子、诸王。㉚④丙辰：十二月二十三日。㉚⑤韦城：县名，县治在今河南滑县东南。㉚⑥戊午：十二月二十五日。㉚⑦皋门村：皋门，城郭之门。村在汴城郭门之外，遂名皋门村。㉚⑧申州：州名，治所在今河南信阳南。㉚⑨视瞻举措：眼神、举止。㉛⓪睢阳：郡名，治所宋城，在今河南商丘南。㉛①三十年旧相：冯道于后唐明宗天成二年（公元九二七年）为相，到此时仅二十四年。㉛②己未：十二月二十六日。㉛③庚申：十二月二十七日。㉛④侍中：称郭威官职，指代其人。㉛⑤监国：古代君王外出，太子或诸王留守，代行处理国政，称监国。或皇帝年幼，由父、叔摄政，也称监国。㉛⑥壬戌：十二月二十九日。㉛⑦南汉主：即南汉中宗刘晟。㉛⑧林延遇：闽清（今福建闽清）人，原为闽惠宗王鏻的宦官，阴险多谋。惠宗娶南汉高祖刘龑女清远公主，派延遇置邸于番禺，专掌国信。后惠宗被弑，遂留南汉，任甘泉宫使。刘晟诛诸弟，延遇多参与其事。

【校记】

[8]从："从"下原有"都"字。据章钰校，十二行本、乙十一行本皆无"都"字，今据删。〖按〗《旧五代史》《十国春秋》皆无"都"字。[9]汉：原无此字。据章钰校，十二行本、乙十一行本皆有此字，今据补。

【研析】

本卷研析楚国内讧、汉隐帝滥杀大臣、郭威代汉三件史事。

第一，楚国内讧。楚国，指湖南地，都长沙，为马殷所建。马殷，字霸图，许州鄢陵人。马殷原为孙儒裨将。孙儒、刘建峰均是蔡州秦宗权部属。唐末，秦宗权割据淮西，一度称帝。秦宗权遣孙儒、刘建峰入淮南与杨行密征战，孙儒兵败死。刘建峰、马殷领残部流动作战，进入湖南，杀潭州刺史邓处讷，唐僖宗授刘建峰为湖南节度使，授马殷为马步军都指挥使。后刘建峰为部属所杀，众将推马殷为主，唐昭宗授马殷为潭州刺史，时在乾宁三年（公元八九六年）。马殷四出略地，占有湖南全境。乾宁四年，唐昭宗授马殷武安军节度使。入梁，梁太祖朱温拜马殷为侍中兼中书令，封楚王。

马殷建立楚国，自铸铁钱，开发地方特产茶叶与周边贸易，获利十倍。由是，马殷兵强马壮，多次打败淮南杨行密进犯之军，与北边的荆南割据者高季兴、南边岭南割据者刘龑保持和睦关系。入后唐，明宗封马殷为楚国王。马殷承制，自署官属。长兴元年（公元九三〇年）卒，享年七十九岁。后唐明宗下诏，谥为武穆王。马殷自唐昭宗乾宁四年据有湖南，到后唐明宗长兴元年，雄踞一方三十三年。

马殷诸夫人所生有子十余人，嫡子马希振长而贤，母不受宠未得立。次子马希声母袁夫人有美色专宠，希声得立为嗣。马殷遗嘱兄终弟及。第三子马希范与马希声同日生，在诸子中为长，马希声卒后马希范立。希范死后，同母弟马希广立。朗州节度使马希萼，年长于马希广，不服马希广，在公元九四九年起兵争位，与马希广争战三年，破长沙，杀吏民，焚庐舍，马殷立国以来所建造的宫室，尽为灰烬。马希萼诛杀马希广，希广诸子及残部一千余人投奔南唐。马希萼血战从弟手中夺取政权，没有安睡几天，另一弟马希崇起而与马希萼争位，援引南唐兵入楚。南唐将边镐在公元九五一年十月入长沙。十一月初三日，边镐迫令马希崇及其族人一千余口登舟赴金陵，离别者、送行者，全都号啕大哭，响震川谷。马希崇向边镐乞求留在长沙为民，边镐奚落说："我南唐与马氏为世仇近六十年，从来没想到灭亡你的国家。是你们兄弟不争气，相互仇杀，才落得这样的下场。是你走投无路自愿归服，如果不赶快上路，恐怕没机会上路了。"权力之争，宁亡于仇，不容于兄弟。权势扭曲人性，利益使人智昏，马氏兄弟的内讧，是又一生动的案例。

第二，汉隐帝滥杀大臣。汉隐帝刘承祐，汉高祖刘知远次子。刘知远有三子：长子刘承训，早年夭折，第三子刘承勋，患病瘫卧在床。刘知远病死，继承人在儿子中只有刘承祐了，年十七岁。刘知远遗命郭威、杨邠、史弘肇、苏逢吉、王章诸大臣辅政。郭威为枢密使，首辅大臣，其余辅臣皆为同中书门下平章事。郭威权势最高，其次史弘肇，其次苏逢吉、杨邠，王章又次之，个个各显其能，都是辅孤大臣，互不相让。武将以史弘肇为代表，文官以苏逢吉为代表，两人水火不容。汉隐帝刘承祐，年小心气高，顽劣无比，目无尊长，连生母太后都敢顶撞。小皇帝的权力欲一天天膨胀，愤怨辅臣的情绪一天天高涨。周围四大奸佞小人李业、聂文进、后匡赞、郭允明在汉隐帝耳边整日吹邪风，小皇帝对辅臣的积怨日益加重。李业，汉隐帝之舅，是皇亲国戚，关系本就特殊。聂文进是一个仗势欺人、献媚取宠的小人，军卒出身，官至枢密院承旨，是郭威的亲信。郭威出镇邺都，安插聂文进在宫中为耳目，聂文进却背叛郭威，一头栽到汉隐帝小皇帝怀中，一切邪谋诏书，皆聂文进所为。后匡赞，汉高祖刘知远牙将，官至飞龙使，不满杨邠等执政裁制，为久久没有升官而怨恨。郭允明，刘知远的役童，官至飞龙使。四人轮番伴随汉隐帝，不让其他人靠近，以免自己的丑行暴露。诸执政大臣既固执又狂傲，办事没有灵活性，连太后的面子也不给，也是取祸的一个原因。汉隐帝初除三年丧服，好不容易听一次音乐，一高兴，赏赐伶人锦袍、玉带，史弘肇夺回，还恶狠狠地说："士卒守边苦战，还没有得到赏赐，你们这班人安得这些赐物！"俗话说，打狗还看主人面，史弘肇置皇帝颜面于何地。太后朋友的一个儿子想在军中谋一个职位，史弘肇不听就是了，竟一怒之下杀了这个请托的人，实属过分。宣徽使空位，李业想谋求这个职位，太后与隐帝都出面说情，史弘肇认为按资历还轮不到李业，又驳了太后、隐帝的颜面。有一天，汉隐帝与诸执政议论一件事情，汉隐帝说："这件事要慎重办，不要留下受人挑剔的把柄。"杨邠接着说："陛下不要发表意见，有我们大臣在。"汉隐帝忍无可忍了。苏逢吉从中煽火，四小丑诬告诸执政要谋反。汉隐帝决心起大狱，诛大臣。商定以后，汉隐帝向太后报告，太后说："这事要慎重。"汉隐帝发怒说："国家大事，女人有什么见识！"拂袖而出。汉隐帝对太后出言不逊，神志已经发疯。

汉隐帝乾祐三年（公元九五〇年）十一月十三日丙子早晨，大臣入朝，汉隐帝埋伏甲士在宫中，杀史弘肇、杨邠、王章在宫殿厢庑，骇人听闻。诸大臣的亲属、党羽、侍从尽行诛杀。汉隐帝又下诏要诛杀手握重兵在外的郭威等人，逼反郭威，称兵犯阙。汉隐帝出都劳军，官军大溃。隐帝还宫，至玄化门，守门将不纳，隐帝策马逃入民居，为乱兵所杀。一说为郭允明所弑。

汉隐帝滥诛大臣，是各种矛盾的总爆发：将相矛盾，权臣与帝权的矛盾，执政与奸佞的矛盾。汉隐帝年二十，轻率举事，以卵击石，简直就是一场闹剧。这场闹剧，既要了命，又葬送了国家。

第三，郭威代汉。郭威率众入都，太师冯道率百官谒见郭威。郭威见太师，按常礼拜之，冯道公然接受，言于郭威曰："郭侍中这次来京很是劳苦吧。"郭威想象的百官劝进的场面没有出现，直接称帝的条件尚不成熟。郭威上表，太后临朝，议立嗣君。汉高祖刘知远有两弟，刘崇、刘信。刘崇，亲弟，为河东节度使，镇守太原，对郭威早有防范，守大镇，兵强马壮。刘信，刘知远堂弟，无才无识，为许州刺史。刘崇子刘赟，刘知远爱之，养以为子，时任徐州节度使，有相当实力。郭威请立刘赟为嗣，赟实为刘崇之子，立赟，稳定刘崇，又调虎离山，使刘赟北上就位，离开徐州，真是一箭双雕。果然奏效，刘崇在太原按兵不动，刘赟北上，郭威派出高规格使团，由太师冯道率领百官迎接刘赟，而派亲将郭崇威以兵相随。接着传来北方警报，契丹入寇，以太后诏，郭威率领大军征讨。郭威行军至澶州，十二月二十日癸丑，军士哗变，数千将士高声呐喊，说："皇帝要由郭侍中亲自来当，将士们已经与刘家结下仇怨，不可以立刘家的人当皇帝。"有的士兵扯下黄旗披在郭威身上权作黄袍。这时万岁之声，震响大地。郭威率军南返，上表太后，请事为母亲。随后郭崇威在宋州杀了刘赟，又派人到许州杀了刘信。于是郭威称帝，建立后周，取代后汉。郭威的导演十分卓绝。但后周的天下也不长久。郭威的部将赵匡胤看在眼里，仅仅十年后，赵匡胤如法炮制，发动陈桥驿兵变，夺了后周的政权。

郭威代汉在公元九五一年，赵匡胤代周在公元九六〇年。

卷第二百九十　后周纪一

起重光大渊献（辛亥，公元九五一年），尽玄黓困敦（壬子，公元九五二年）八月，凡一年有奇。

【题解】

本卷记事起于公元九五一年，迄于公元九五二年八月，凡一年又八个月，当后周太祖广顺元年至二年八月。郭威受禅代汉建立后周，史称太祖。周太祖识人任贤，礼葬隐帝，和好南唐，不禁两国边民往来。泰宁节度使慕容彦超反叛，御驾亲征，立即扑灭，两败契丹南犯，巩固了后周政权。刘崇即位于晋阳，史称北汉。刘崇效石敬瑭之所为，向契丹主称儿皇帝，乞册命，引援契丹，一年之内两度南犯。因投靠契丹，不得人心，皆大败而逃。北汉之民，内供军国，外奉契丹，民甚苦之。楚国马希萼得志，荒淫暴虐，失士众心，遭遇南唐与南汉夹击，举国沦丧。南唐尽有湖南，楚岭南之地为南汉所有。南唐主李璟好文学，重用文学之士，冯延巳等轻浮文人用事，贤人隐，小人进，诸将不武。南唐侥幸得湖南，不知恤民，大肆掳掠楚国财物，加重赋役，湖南民众大失所望。

【原文】

太祖圣神恭肃文孝皇帝[①]上

广顺元年（辛亥，公元九五一年）

春，正月丁卯[②]，汉太后下诰，授监国符宝，即皇帝位。监国自皋门入宫，即位于崇元殿，制曰："朕周室之裔，虢叔之后，国号宜曰周。"改元，大赦。杨邠、史弘肇、王章等皆赠官，官为敛葬[③]，仍访其子孙叙用[④]之。凡仓场、库务掌纳官吏[⑤]，无得收斗余[⑥]、称耗[⑦]，旧所进羡余物[⑧]，悉罢之[⑨]。犯窃盗及奸者，并依晋天福元年以前刑名。罪人非反逆，无得诛及亲族，籍没家赀。唐庄宗、明宗、晋高祖各置守陵十户，汉高祖陵职员、宫人、时月荐享[⑩]及守陵户并如故。初，唐衰，多盗，不用律文，更定峻法，窃盗赃三匹者死。晋天福中，加至五匹。奸有夫妇人，无问强、和[⑪]，男女并死。汉法，窃盗一钱以上皆死，又罪非反逆，往往族诛、籍没。故帝即位，首革其弊。

【语译】

太祖圣神恭肃文孝皇帝上

广顺元年（辛亥，公元九五一年）

春，正月初五日丁卯，汉太后下诏，授给监国符印宝玺，即皇帝位。监国从皋门进入皇宫，在崇元殿即位，颁布制书说："朕是周室的后裔，虢叔的后代，国号应该叫周。"改年号，大赦天下。杨邠、史弘肇、王章等人都追赠官职，国家为他们安葬，并且寻访他们的子孙分级进用。所有粮仓、府库掌管税收的官吏，不得收取斗余、称耗，以前所规定要缴纳的赋税以外的物资，全部罢除。犯了偷盗罪和奸淫罪的人，都依照后晋天福元年以前的刑法条文处理。犯罪的人不是反叛为逆的，不得株连亲族，没收家产。后唐庄宗、明宗、后晋高祖的陵墓各置十户守陵，后汉高祖陵墓的官吏、官人，一年四季的祭祀以及守陵的户数，一并照旧。当初，唐室衰败，多盗贼，不用法律条文，另外制定严厉的刑法，偷盗赃物达三匹绢帛的处死。后晋天福年间，增加到五匹。奸淫有夫的妇人，不论是强奸、通奸，男女都处以死刑。后汉的法律，窃盗一钱以上的都处死，还有罪行不是谋反叛逆的，往往诛灭全族，没收家产。所以周太祖即位，首先革除这些弊政。

初，杨邠以功臣、国戚为方镇者多不闲吏事，乃以三司军将补都押牙、孔目官、内知客⑫。其人自恃敕补，多专横，节度使不能制。至是悉罢之。

帝命史弘肇亲吏上党李崇矩⑬访弘肇亲族，崇矩言："弘肇弟弘福⑭今存。"初，弘肇使崇矩掌其家赀之籍，由是尽得其产，皆以授弘福。帝贤之，使隶皇子荣帐下。

戊辰⑮，以前复州⑯防御使王彦超⑰权武宁节度使。

汉李太后迁居西宫⑱，己巳⑲，上尊号曰昭圣皇太后。

开封尹兼中书令刘勋卒。

癸酉⑳，加王峻同平章事。

以卫尉卿刘皞㉑主汉隐帝之丧。

初，河东节度使兼中书令刘崇闻隐帝遇害，欲举兵南向。闻迎立湘阴公，乃止，曰："吾儿为帝，吾又何求！"太原少尹㉒李骧㉓阴说崇曰："观郭公之心，终欲自取。公不如疾引兵逾太行㉔，据孟津㉕，俟徐州相公㉖即位，然后还镇，则郭公不敢动矣。不然，且㉗为所卖。"崇怒曰："腐儒，欲离间吾父子！"命左右曳出斩之。骧呼曰："吾负经济㉘之才而为愚人谋事，死固甘心！家有老妻，愿与之同死。"崇并其妻杀之，且奏于朝廷，示无二心。及赟废，崇乃遣使请赟归晋阳。诏报以"湘阴公比在宋州，今方取归京师，必令得所，公勿以为忧。公能同力相辅，当加王爵，永镇河东"。

巩廷美、杨温闻湘阴公赟[1]失位，奉赟妃董氏据徐州拒守，以俟河东援兵㉙。帝使赟以书谕之，廷美、温欲降而惧死。帝复遗赟书曰："爰念斯人尽心于主，足以赏其忠义，何由责以悔尤㉚。俟新节度使㉛入城，当各除刺史，公可更以委曲㉜示之。"

契丹之攻内丘也，死伤颇多，又值月食，军中多妖异。契丹主惧，不敢深入，引兵还，遣使请和于汉。会汉亡，安国节度使刘词送其使者诣大梁，帝遣左千牛卫将军朱宪报聘㉝，且叙革命㉞之由，以金器、玉带赠之。

帝以邺都镇抚河北，控制契丹，欲以腹心处之。乙亥㉟，以宁江

当初，杨邠因为功臣、国戚担任藩镇长官大多不熟悉吏事，于是用三司军将补任都押牙、孔目官、内知客。这些人自恃是由皇帝任命的，大多专横，节度使不能掌控。到这时全部废止。

周太祖命令史弘肇的亲信官吏上党人李崇矩寻访史弘肇的亲族，李崇矩说："史弘肇的弟弟史弘福现在在世。"当初，史弘肇让李崇矩掌管他家产的账簿，因此李崇矩得到他家全部财产，都交给了史弘福。周太祖认为李崇矩贤德，让他隶属在皇子郭荣的部下。

正月初六日戊辰，任命前任复州防御使王彦超代理武宁节度使。

后汉李太后迁徙到西宫居住。初七日己巳，上尊号称昭圣皇太后。

开封尹兼中书令刘勋去世。

十一日癸酉，王峻加授同平章事。

命令卫尉卿刘皞主持后汉隐帝的丧事。

当初，河东节度使兼中书令刘崇听说汉隐帝遇害，打算起兵南下。听说迎立湘阴公刘赟，这才停止，说："我的儿子做皇帝，我还求什么呢！"太原少尹李骧暗中劝刘崇说："观察郭威的心思，最终还是想自己当皇帝。您不如快速领兵越过太行山，占据孟津，等到徐州相公即位，然后返回镇所，这样郭公就不敢动了。不然的话，则会被人出卖。"刘崇生气地说："腐儒！想离间我们父子！"命令身边的人把他拉出去斩首。李骧呼喊说："我怀有经世济民的才能，而为愚昧的人谋划事情，死了固然心甘情愿！家里有年老的妻子，希望跟她一起死。"刘崇连同他的妻子一起杀掉，并且奏报朝廷，表示没有二心。等到刘赟被废黜，刘崇这才派遣使者请求让刘赟回晋阳。周太祖下诏回答："湘阴公近在宋州，现在正取道回京师，一定让他得到一个适当的位置，您不要为此事担忧。您能同心协力辅佐朝廷，应当加封王爵，永远镇守河东。"

巩廷美、杨温听到湘阴公刘赟失去帝位，尊奉刘赟的妃子董氏占据徐州坚守抵抗，以等待河东的援兵。周太祖让刘赟写信劝谕他们，巩廷美、杨温想要投降而又怕死。周太祖又写信给刘赟说："想到这些人尽心主人，就值得奖赏他们的忠义，有什么理由责备他们的过错。等到新节度使进城，应当各自授官刺史，您可以再用亲笔手书谕示他们。"

契丹进攻内丘时，死伤颇多，又遇上发生月食，军中出现很多怪异现象。契丹主恐惧，不敢深入，领兵返回，派遣使者向后汉求和。适逢后汉灭亡，安国节度使刘词送契丹使者到大梁，周太祖派遣左千牛卫将军朱宪回访契丹，并且说明改朝换代的缘由，拿金器、玉带赠送他们。

周太祖因为邺都镇抚黄河以北，控制契丹，打算把心腹安排在那里。正月十三

节度使、侍卫亲军都指挥使王殷为邺都留守、天雄节度使、同平章事，领军如故[36]，仍以侍卫司从赴镇。

丙子[37]，帝帅百官诣西宫，为汉隐帝举哀成服[38]，皆如天子礼。

慕容彦超遣使入贡，帝虑其疑惧，赐诏慰安之，曰："今兄[39]事已至此，言不欲繁，望弟扶持，同安亿兆[40]。"

【段旨】

以上为第一段，写郭威受禅代汉建立后周，史称太祖。

【注释】

①太祖圣神恭肃文孝皇帝：讳郭名威，邢州尧山（今河北隆尧西）人，后周创立者。公元九五一至九五四年在位，庙号太祖。郭威自叙宗谱为西周文王之弟虢叔之后，故建国称周，史称后周。②丁卯：正月初五日。③官为敛葬：杨邠、史弘肇、王章等满门被诛，郭威赠官，举行国葬。④叙用：分级进用。⑤仓场、库务掌纳官吏：粮仓、府库主管税收的官吏。⑥斗余：称量之后，又收取额外部分。⑦称耗：旧时征粮，在规定数量外，借口损耗多收之数。⑧进羡余物：正赋之外的无名税收。中唐以后多有巧取豪夺的杂税。⑨悉罢之：将斗余、王章所立称耗、中唐以来杂税，全部罢除，只收正税。⑩时月荐享：祭祀的时间。荐享，祭祀、进献祭品。⑪强、和：强，指强奸。和，指通奸。⑫内知客：俗称管家。⑬李崇矩：字守则，潞州上党（今山西长治市上党区）人，宋初，官至右千牛卫上将军。传见《宋史》卷二百五十七。⑭弘福：史弘肇弟，后周官至诸卫将军。传见《旧五代史》卷一百七。⑮戊辰：正月初六日。⑯复州：州名，治所景陵，在今湖北天门。⑰王彦超：大名临清（今山东临清）人，入宋，封邠国公，加太子太师。传见《宋史》卷二百五十五。⑱西宫：即后汉太平宫。⑲己巳：正月初七

【原文】

戊寅[41]，杀湘阴公于宋州。

是日，刘崇即皇帝位于晋阳，仍用乾祐年号，所有者并、汾、忻、代、岚、宪、隆、蔚、沁、辽、麟、石十二州之地[42]。以节度判官郑

日乙亥，任命宁江节度使、侍卫亲军都指挥使王殷为邺都留守，天雄节度使、同平章事，依旧兼领侍卫亲军，仍然带着侍卫司的随从去镇所就任。

十四日丙子，皇帝率领百官前往西宫，为汉隐帝发丧、穿丧服，完全和天子的礼仪一样。

慕容彦超派遣使者入朝进贡，周太祖担心他会疑虑恐惧，赐诏书安慰他，说："现在老哥我的事，已经到了这个地步，不打算多说；希望老弟扶持，共同安抚亿万百姓。"

日。⑳癸酉：正月十一日。㉑刘皞：后晋刘昫弟，死于酗酒。传见《旧五代史》卷一百三十一。㉒少尹：官名。唐制，州升为府，其刺史称府尹，下设少尹二人，协助府尹处理府中事务。五代沿用。㉓李骧：真定（今河北正定）人，河东幕僚，辅佐刘崇，死后，刘崇为其立祠，以示悔悟与怀念。㉔太行：山名，在山西高原与河北平原之间。东北至西南走向，北起拒马河谷，南至晋、豫边境黄河沿岸。㉕孟津：古黄河渡口名，在今河南孟津东北、孟州西南。㉖徐州相公：刘赟原为徐州节度使，故称徐州相公。㉗且：则。㉘经济：经世济民。㉙河东援兵：此指太原尹刘崇军队，因居河东，故称。㉚悔尤：犹"尤悔"，过错。㉛新节度使：指王彦超。新授武宁节度使，治所为徐州。㉜委曲：唐末主帅以手书谕示将佐，谓之委曲，犹如批示。㉝报聘：他国来聘，遣使酬答。㉞革命：革故鼎新。古代以为王者受命于天，故称王者易姓、改朝换代为革命。㉟乙亥：正月十三日。㊱领军如故：依旧兼领侍卫亲军。㊲丙子：正月十四日。㊳成服：丧制，人死三日入殡，入殡后第二日，亲属按照与死者关系的亲疏穿上不同的丧服，谓之"成服"。成服后，始歠粥，朝夕哭。㊴今兄：郭威对慕容彦超自称"今兄"，以示亲近。㊵亿兆：指百姓。

【校记】

［1］赟：原无此字。据章钰校，十二行本、乙十一行本、孔天胤本皆有此字，今据补。〖按〗《通鉴纪事本末》有"赟"字。

【语译】

正月十六日戊寅，在宋州杀掉湘阴公刘赟。

这一天，刘崇在晋阳即皇帝位，仍然使用乾祐年号，拥有并州、汾州、忻州、代州、岚州、宪州、隆州、蔚州、沁州、辽州、麟州、石州共十二州之地。任命节

珙[43]为中书侍郎，观察判官荥阳赵华[44]为户部侍郎，并同平章事。以次子承钧[45]为侍卫亲军都指挥使、太原尹。以节度副使李存瓌[46]为代州防御使，裨将武安张元徽[47]为马步军都指挥使，陈光裕为宣徽使。

北汉主谓李存瓌、张元徽曰："朕以高祖之业一朝坠地，今日位号，不得已而称之。顾[48]我是何天子，汝曹是何节度使邪！"由是不建宗庙，祭祀如家人，宰相俸钱月[2]止百缗，节度使止三十缗，自余[49]薄有资给[50]而已，故其国中少廉吏。

客省使[51]河南李光美[52]尝为直省官[53]，颇谙故事，北汉朝廷制度，皆出于光美。

北汉主闻湘阴公死，哭曰："吾不用忠臣之言，以至于此！"为李骧立祠，岁时祭之。

己卯[54]，以太师冯道为中书令，加窦贞固侍中，苏禹珪司空。

王彦超奏遣使赍敕诣徐州，巩廷美等犹豫不肯启关，诏进兵攻之。

帝谓王峻曰："朕起于寒微，备尝艰苦，遭时丧乱，一旦为帝王，岂敢厚自奉养以病下民乎！"命峻疏四方贡献珍美食物，庚辰[55]，下诏悉罢之。其诏略曰："所奉止于朕躬，所损被于甿庶[56]。"又曰："积于有司之中，甚为无用之物。"又诏曰："朕生长军旅，不亲学问，未知治天下之道。文武官有益国利民之术，各具封事[57]以闻。咸宜直书其事，勿事辞藻。"帝以苏逢吉之第赐王峻，峻曰："是逢吉所以族李崧也[58]！"辞而不处。

初，契丹主北归，横海[59]节度使潘聿捻弃镇随之，契丹主以聿捻为西南路招讨使。及北汉主立，契丹主使聿捻遗刘承钧书。北汉主使承钧复书，称："本朝沦亡，绍袭帝位，欲循晋室故事[60]，求援北朝。"契丹主大喜。北汉主发兵屯阴地[61]、黄泽[62]、团柏[63]。丁亥[64]，以承钧为招讨使，与副招讨使白从晖[65]、都监李存瓌将步骑万人寇晋州[66]。从晖，吐谷浑人也。

郭崇威更名崇，曹威更名英[67]。

二月丁酉[68]，以皇子天雄牙内都指挥使荣为镇宁节度使。选朝士[69]为之僚佐，以侍御史[70]王敏[71]为节度判官[72]，右补阙[73]崔颂[74]为观察判官[75]，校书郎[76]王朴[77]为掌书记[78]。颂，协之子。朴，东平人也。

度判官郑珙为中书侍郎，观察判官荥阳人赵华为户部侍郎，都为同平章事。任命次子刘承钧为侍卫亲军都指挥使、太原尹。任命节度副使李存瓌为代州防御使，副将武安人张元徽为马步军都指挥使，陈光裕为宣徽使。

北汉主对李存瓌、张元徽说："朕因为高祖的基业一朝坠毁，所以今天的帝位号，是不得已才称的。但是我是什么天子，你们是什么节度使呢！"因此不建立宗庙，祭祀犹如平常百姓家，宰相俸禄每月仅一百缗，节度使仅三十缗，其他的官吏只有微薄的俸禄而已，所以他的国内很少有廉洁的官吏。

客省使河南人李光美曾经担任直省官，很熟悉朝廷旧事，北汉的朝廷制度，都出自李光美。

北汉主听说湘阴公刘赟死了，哭着说："我不采纳忠臣之言，以至于这个样子！"为李骧建立祠堂，每年按时祭祀。

正月十七日己卯，任命太师冯道为中书令，加授窦贞固侍中，苏禹珪司空。

王彦超上奏请派遣使者携带敕书前往徐州，巩廷美等人犹豫不肯打开城门。周太祖下诏进兵攻打他。

周太祖对王峻说："朕起于寒微，饱尝艰辛，遭遇时世的丧乱，一时间做了帝王，岂敢因为自己丰厚的供养而伤害百姓呢！"命令王峻清理四方所进贡的珍美食物，正月十八日庚辰，下诏全部停止。诏书大略说："所奉养的只是朕一人，所损害的遍及百姓。"又说："贡品储存在有关部门，确实是无用之物。"又下诏说："朕生长于军旅，不接近学问，不懂得治理天下的道理。文武官员如果有利国利民的方法，各自用密封的奏章告诉我。都应该直书其事，不要讲究辞藻。"周太祖把苏逢吉的宅第赐给王峻，王峻说："这座宅第是苏逢吉族灭李崧的原因啊！"推辞不肯居住。

当初，契丹主返回北方，横海节度使潘聿捻丢弃镇所跟随契丹主，契丹主任命潘聿捻为西南路招讨使。等到北汉主称帝，契丹主命潘聿捻给刘承钧写信。北汉主让刘承钧回信，说："本朝沦亡，我继承帝位，打算遵循晋室先例，向北朝求援。"契丹主大为高兴。北汉主发兵屯驻阴地、黄泽、团柏。正月二十五日丁亥，任命刘承钧为招讨使，与副招讨使白从晖、都监李存瓌率领步兵和骑兵一万人侵掠晋州。白从晖，是吐谷浑人。

郭崇威改名郭崇，曹威改名曹英。

二月初五日丁酉，任命皇子天雄牙内都指挥使郭荣为镇宁节度使。挑选朝中官吏做他的幕僚佐吏，任命侍御史王敏为节度判官，右补阙崔颂为观察判官，校书郎王朴为掌书记。崔颂，是崔协的儿子。王朴，是东平人。

戊戌[79]，北汉兵五道攻晋州，节度使王晏闭城不出。刘承钧以为怯，蚁附登城。晏伏兵奋击，北汉兵死伤者千余人。承钧遣副兵马使安元宝焚晋州西城，元宝来降，承钧乃移军攻隰州[80]。癸卯[81]，隰州刺史许迁[82]遣步军都指挥使孙继业迎击北汉兵于长寿村[83]，执其将程筠等，杀之。未几，北汉兵攻州城，数日不克，死伤甚众，乃引去。迁，郓州人也。

【段旨】

以上为第二段，写郭威杀湘阴公刘赟于宋州，刘崇即位于晋阳，史称北汉。刘崇连引契丹，发兵五道南下攻晋州，不胜而还。

【注释】

㊶戊寅：正月十六日。㊷十二州之地：后汉河东节度使刘崇巡属并、汾等十二州之地，当今山西北部、中部及河北西部、陕北沿黄河西岸地。后周建国，刘崇据十二州之地建国北汉，都并州，即太原府，在今山西太原。㊸郑珙：青州（今山东青州）人，刘崇称帝，任中书侍郎。北汉援引契丹，郑珙奉命出使，死于辽。㊹赵华：荥阳（今河南荥阳）人，刘崇称帝，官户部侍郎、同平章事、加仆射。善进谏，却不被采纳。㊺承钧：刘承钧（公元九二六至九六八年），初名承钧，后名钧，刘崇次子。二十九岁即帝位，向契丹述律称儿皇帝，以换取支持。公元九五五至九六八年在位，庙号睿宗。传见《旧五代史》卷一百三十五、《新五代史》卷七十。㊻李存瓌：后唐庄宗从弟，后蜀孟知祥甥。刘崇称帝，官忠武节度使，曾带兵伐周，无所得而还。㊼张元徽：武安（今山西武安）人，北汉大将。刘崇称帝，官武宁节度使。郭威死，率兵伐周，屡获胜。后因气骄轻敌，被周兵杀死，军遂不振。㊽顾：但。㊾自余：此外。这里指中央丞相之外的百官、地方节度使之外的众多官吏。㊿薄有资给：微薄的俸禄。51客省使：掌外国使节的招待供应，实即前代鸿胪寺的职务。52李光美：河南（今河南洛阳）人，熟悉历代典故，时人比之东晋王彪之、唐裴冕。53直省官：中书、门下、尚书三省都设有直省官，负责引接百官拜谒宰相等事。54己卯：正月十七日。55庚辰：正月十八日。56甿庶：平民百姓。甿，古指农村居民。57封事：古代臣下上书奏事，为防止泄露，用袋密封，称封事。58是逢吉所以族李崧也：后汉高祖平汴、洛，以李崧宅第赐苏逢吉，宅中宝货皆被逢吉占有，两家产生矛盾。后来逢吉借故陷害李崧，崧自诬伏罪死，举家遇害。《新五代史》《旧五代史》李崧本传详载其事。《资治通鉴》卷二百八十八后汉乾祐元年（公元九

初六日戊戌，北汉军队分五路攻打晋州，节度使王晏关闭城门不出战。刘承钧认为他胆怯，便让士兵像蚂蚁一样群集攀登城墙。王晏埋伏的士兵奋勇迎击，北汉兵死伤一千多人。刘承钧派遣副兵马使安元宝焚烧晋州西城，安元宝前来投降，刘承钧于是调兵攻打隰州。十一日癸卯，隰州刺史许迁派遣步军都指挥使孙继业在长寿村迎击北汉兵，抓住了他们的将领程筠等人，杀了他们。不久，北汉兵攻打隰州城，几天攻不下，死伤很多，于是带兵离去。许迁，是郓州人。

四八年）记述简略。⑲ 横海：方镇名，唐贞元中置。后梁乾化二年（公元九一二年）改为顺化军节度；后唐同光二年（公元九二四年）复改为横海军节度。治所沧州，在今河北沧县东南。⑳ 晋室故事：指晋高祖石敬瑭向契丹称儿皇帝，以求援助的事。㉑ 阴地：阴地关，在山西灵石西南，俗称南关，因其北有冷泉关。㉒ 黄泽：黄泽岭，在今山西左权东南一百二十里，岭上有关。㉓ 团柏：团柏镇，在今山西汾西东南，又称团柏谷。㉔ 丁亥：正月二十五日。㉕ 白从晖：吐谷浑人，与后周大同节度使白承福、辽云州观察使白可久皆同宗。仕后周官至义成节度使，高平大战后病卒。㉖ 晋州：州名，治所在今山西临汾。㉗ 更名英：郭崇威与曹威更名，皆避后周太祖名讳。㉘ 丁酉：二月初五日。㉙ 朝士：朝中官吏。㉚ 侍御史：官名，在御史大夫之下，掌举劾非法、督察郡县或奉使执行指定任务，属御史台。㉛ 王敏：单州金乡（今山东金乡）人。传见《旧五代史》卷一百二十八。㉜ 节度判官：节度使属吏之一，员二人，职掌兵马钱粮事务。㉝ 右补阙：官名，负责对皇帝进行规谏，并荐举人才，属中书省。㉞ 崔颂：字敦美，河南偃师（今河南偃师）人，父为后唐门下侍郎、平章事崔协。通经义，入宋，判国子监。传见《旧五代史》卷五十八、《宋史》卷四百三十一。㉟ 观察判官：为观察使属吏，职位略低于节度判官。㊱ 校书郎：掌校勘书籍，订正讹误，属秘书省。㊲ 王朴（公元九〇五至九五九年）：字文伯，东平（今山东东平）人，周世宗即位，献《平边策》，深受信任，擢至枢密使兼东京留守。精通历法，著《大周钦天历》。传见《旧五代史》卷一百二十八、《新五代史》卷三十一。㊳ 掌书记：唐代节度使属官，位在判官之下，相当于六朝时的记室参军，负责章表书记文檄。㊴ 戊戌：二月初六日。㊵ 隰州：州名，治所隰川，在今山西隰县。㊶ 癸卯：二月十一日。㊷ 许迁：郓州（今山东东平西北）人，后汉末权知隰州。郭威即位，因守隰州有功，正授隰州刺史。传见《旧五代史》卷一百二十九。㊸ 长寿村：在今山西石楼东，唐长寿县故址。

【校记】

［2］俸钱月：原作“月俸”。据章钰校，十二行本、乙十一行本、孔天胤本皆作“俸钱月”，今据补。〖按〗《通鉴纪事本末》作“俸钱月”。

【原文】

甲辰[84]，楚王希萼遣掌书记刘光辅[85]入贡于唐。

帝悉出汉宫中宝玉器数十，碎之于庭，曰："凡为帝王，安用此物！闻汉隐帝日与嬖宠于禁中嬉戏，珍玩不离侧。兹事不远，宜以为鉴。"仍[86]戒左右，自今珍华悦目之物，无得入宫。

丁未[87]，契丹主遣其臣袅骨支与朱宪偕来，贺即位。

戊申[88]，敕前资官各听自便居外州[89]。

陈思让[90]未至湖南，马希萼已克长沙。思让留屯郢州[91]，敕召令还。

丁巳[92]，遣尚书左丞田敏[93]使契丹。北汉主遣通事舍人李訔[94]使于契丹，乞兵为援。

诏加泰宁节度使慕容彦超中书令，遣翰林学士鱼崇谅[95]诣兖州谕指。崇谅，即崇远也。彦超上表谢。三月壬戌朔[96]，诏报之曰："向以前朝失德，少主用谗，仓猝之间，召卿赴阙。卿即奔驰应命，信宿至京[97]。救国难而不顾身，闻君召而不俟驾。以至天亡汉祚，兵散梁郊，降将败军，相继而至，卿即便回马首，径反[98]龟阴[99]。为主为时[100]，有终有始。所谓危乱见忠臣之节，疾风知劲草之心，若使为臣者皆能如兹，则有国者谁不欲用！所言朕潜龙河朔之际[101]，平难浚郊之时[102]，缘不奉示喻之言，亦不得差人至行阙[103]。且事主之道，何必如斯！若或二三于汉朝，又安肯忠信于周室！以此为惧，不亦过乎！卿但悉力推心，安民体国，事朕之节，如事故君，不惟黎庶获安，抑亦社稷是赖。但坚表率[104]，未议替移[105]。由衷之诚，言尽于此。"

【语译】

二月十二日甲辰，楚王马希萼派遣掌书记刘光辅向南唐进贡。

周太祖把后汉宫中的几十件珍宝玉器全部拿出来，在庭院里砸碎，说："凡是做帝王的，哪里用得着这些东西！听说汉隐帝天天和他所宠爱的人在宫禁中玩乐，珍玩不离身边。这些事情离我们不远，应该作为鉴戒。"于是告诫左右的人，从今以后，凡是珍贵华美、赏心悦目的东西，不得进入宫禁。

二月十五日丁未，契丹主派遣他的臣子袅骨支与朱宪一起前来，祝贺周太祖即位。

十六日戊申，敕令前朝所任命的官吏，允许每人根据自己的方便，居住两京以外的州县。

陈思让还没有到达湖南，马希萼已经攻克长沙。陈思让停下来屯驻郢州，朝廷下敕书让他返回。

二十五日丁巳，朝廷派遣尚书左丞田敏出使契丹。北汉主派遣通事舍人李䛒出使契丹，请求出兵援助。

周太祖下诏加授泰宁节度使慕容彦超中书令，派遣翰林学士鱼崇谅前往兖州宣布诏旨。鱼崇谅，就是鱼崇远。慕容彦超上表谢恩。三月初一日壬戌，周太祖下诏答复他说："不久前由于前朝丧失德政，年少的君主听信谗言，匆忙之中，征召你前往朝廷。你就飞驰接受命令，两天到了京城。拯救国家的危难而不顾自身，听到君主的召唤而不等驾车就动身。等到上天灭亡汉室的国运，军队在大梁郊外逃散，投降的将领，败北的军队，相继到来，你立即掉转马头，直接返回兖州。为了国君，为了时局，有始有终。正所谓在危难时看到了忠臣的节操，在暴风中知道了劲草的心性，如果做臣子的人都能如此，那么拥有国家的人，谁不想任用！你所说的朕寄身黄河以北之际，在大梁郊外平定祸乱之时，因为没有接到指示，你也就没有派人到我的行军驻地。再说，侍奉君主的方法，何必要这样！如果对汉朝三心二意，又怎么肯对周室忠心诚信呢！因此而产生恐惧，不也过分了吗！你只要竭尽全力，全心全意，安抚民众，体恤国家，侍奉我的节操，像侍奉以前的君主一样，不但黎民百姓获得平安，而且国家也依赖于此。朝廷只要你坚定地做群臣的表率，没有议论要撤换你的职务。这些都是发自内心的真诚，话就说到这里。"

【段旨】

以上为第三段，写周太祖下特旨安抚泰宁节度使慕容彦超。

【注释】

⑭甲辰：二月十二日。⑮刘光辅：《考异》引《湖湘故事》"光辅"作"光瀚"。《通鉴》从《十国纪年》。⑯仍：于是。⑰丁未：二月十五日。⑱戊申：二月十六日。⑲敕前资官各听自便居外州：周太祖颁赐特别命令，凡前朝所授的官可以自由选择居住地。后汉隐帝乾祐二年（公元九四九年）冬杨邠曾下令"前资官宜分居两京"，郭威一改此令。⑳陈思让：字后己，幽州卢龙（今河北卢龙）人，累历方镇，家无余财。酷信佛，人称"陈佛子"。传见《宋史》卷二百六十一。㉑郢州：州名，治所长寿，在今湖北钟祥。㉒丁巳：二月二十五日。㉓田敏：淄州邹平（今山东邹平）人，通《春秋》之学。

【原文】

唐以楚王希萼为天策上将军，武安、武平、静江、宁远节度使兼中书令，楚王，以右仆射孙忌[106]、客省使姚凤为册礼使[107]。

丙寅[108]，遣前淄州刺史陈思让将兵戍磁州，扼黄泽路[109]。

楚王希萼既得志，多思旧怨，杀戮无度。昼夜纵酒荒淫，悉以军府事委马希崇。希崇复多私曲，政刑紊乱。府库既尽于乱兵，籍民财[110]以赏赉士卒，或封其门而取之，士卒犹以不均怨望。虽朗州旧将佐从希萼来者，亦皆不悦，有离心。刘光辅之入贡于唐也，唐主待之厚。光辅密言："湖南民疲主骄，可取也。"唐主乃以营屯都虞候边镐[111]为信州刺史，将兵屯袁州[112]，潜图[3]进取。

小门使谢彦颙[113]，本希萼家奴，以首面[114]有宠于希萼，至与妻妾杂坐，恃恩专横。常肩随[115]希崇，或拊[4]其背[116]，希崇衔之[117]。故事，府宴，小门使执兵在门外。希萼使彦颙预坐[118]，或居诸将之上，诸将皆耻之。

希萼以府舍焚荡，命朗州静江指挥使王逵[119]、副使周行逢[120]帅所部兵千余人治之。执役甚劳，又无犒赐，士卒皆怨，窃言曰："囚免死则役作之。我辈从大王出万死取湖南，何罪而囚役之！且大王终日酣歌，岂知我辈之劳苦乎！"逵、行逢闻之，相谓曰："众怨深矣，不早为计，祸及吾曹。"壬申旦[121]，帅其众各执长柯[122]斧、白梃[123]，逃归朗州。时希

官至工部尚书。传见《宋史》卷四百三十一。⑭ 詈："辩"俗字。⑮ 鱼崇谅：楚州山阳（今江苏淮安市淮安区）人，初名崇远，避刘知远讳改。传见《宋史》卷二百六十九。⑯ 壬戌朔：三月初一日。⑰ 信宿至京：指慕容彦超奉汉隐帝诏，两天两夜就从兖州赶到了京城。再宿为信。⑱ 反：通"返"。⑲ 龟阴：龟山之北。龟山在今山东新泰西南四十里，兖州在龟山之北，此指兖州。⑳ 为主为时：为了国君，为了时局。⑳ 潜龙河朔之际：比喻郭威寄身河北的时候。⑳ 平难浚郊之时：指郭威在大梁北郊平定祸乱的时候。大梁有浚水，故名浚郊。⑳ 行阙：郭威的行军驻地。⑳ 但坚表率：只要你（慕容彦超）坚定忠心，为众人做表率。⑳ 未议替移：朝廷从未议论过撤换你的职务。替，更换。

【语译】

南唐任命楚王马希萼为天策上将军，武安、武平、静江、宁远节度使兼中书令、楚王，任命右仆射孙忌、客省使姚凤为册礼使。

三月初五日丙寅，派遣前任淄州刺史陈思让率兵戍卫磁州，扼守黄泽关的路口。

楚王马希萼既然已经得志，想起很多旧时的仇怨，杀戮毫无节制。日夜纵酒荒淫，把军府的事务全部交给马希崇。马希崇又多私心，政刑混乱。官府仓库已被乱兵抢夺一空，只好登记收取百姓财产来赏赐士兵，有时封闭百姓家门而拿走财物，士兵还因为赏赐不均而怨恨。即使是朗州以前的将领和佐吏跟随马希萼一起来的，也都不高兴，有背离的想法。刘光辅前往南唐进贡时，南唐主待他优厚。刘光辅秘密地告诉南唐主说："湖南百姓疲惫，君主骄傲，可以夺取。"南唐主于是任命营屯都虞候边镐为信州刺史，率军屯驻袁州，暗中谋划进兵夺取湖南。

小门使谢彦颙，本是马希萼的家奴，靠貌美有宠于马希萼，以至于跟马希萼的妻妾混坐，依仗恩宠而专横。他常常并肩随从马希崇，有时还拍马希崇的背，马希崇对他怀恨在心。旧例，军府饮宴，小门使拿着兵器站在门外。马希萼让谢彦颙坐在一起，有时候还坐在各位将领的上位，各位将领都感到耻辱。

马希萼因为军府的房舍焚毁一空，命令朗州静江指挥使王逵、副指挥使周行逢率领所辖士兵一千多人进行修建。服役很苦，又没有犒赏，士兵们都怨恨，私下说："只有罪囚免除死刑才罚做苦工。我们跟随大王九死一生夺取湖南，有什么罪而被当作罪囚来役使我们！况且大王整天酣饮歌舞，哪里知道我们的劳苦呢！"王逵、周行逢听到了这些话，相互说："大家的怨恨深了，不早作打算，灾祸就会落到我们头上。"三月十一日壬申早晨，王逵、周行逢率领他们的部众，每人拿着长柄斧头、白

萼醉未醒，左右不敢白。癸酉[124]，始白之。希萼遣湖南指挥使唐师翥将千余人追之，不及，直抵朗州。逵等乘其疲乏，伏兵纵击，士卒死伤殆尽，师翥脱归。

逵等黜留后马光赞[125]，更以希萼兄子光惠[126]知州事。光惠，希振[127]之子也。寻奉光惠为节度使，逵等与何敬真及诸军指挥使张倣[128]参决军府事。希萼具以状言于唐，唐主遣使以厚赏招谕之。逵等纳其赏、纵其使、不答其诏，唐亦不敢诘也。

王彦超奏克徐州，杀巩廷美等。

北汉李𬀩至契丹，契丹主使拽剌梅里报之。

丙子[129]，敕："朝廷与唐本无仇怨，缘淮军镇，各守疆域，无得纵兵民擅入唐境。商旅往来，无得禁止。"

【段旨】

以上为第四段，写楚主马希萼得志，荒淫暴虐，杀戮无度，大失士众心。后周平定徐州。

【注释】

⑯孙忌：即孙晟，初名凤，高密（今山东高密）人，南唐宰相。出使后周，触怒世宗，不屈而死。⑰册礼使：行使册封礼仪的使臣。⑱丙寅：三月初五日。⑲扼黄泽路：控制通往黄泽关的路口。周太祖以陈思让守磁州（在今河北磁县），阻挡北汉从黄泽关东出。黄泽关，在磁州西北黄泽岭上。⑩籍民财：登记百姓财产。籍，登记。⑪边镐：昇州（今江苏南京）人，伐闽、楚有功，官武安军节度使。后因轻敌，复丧楚地。削官，流放饶州。周师犯南唐，被元宗起用为大将。失利被俘，后放归，元宗置而不用。⑫袁州：州名，治所在今江西宜春。⑬谢彦颙：《考异》引《湖湘故事》作"谢彦叙"，引《三楚新录》作"谢延泽"，《资治通鉴》从《十国纪年》。⑭首面：美男子。首，发美。面，貌美。⑮肩随：与人并行而略后，以示敬意。据《礼记·曲礼》："年长以倍，则父事之；十年以长，则兄事之；五年以长，则肩随之。"⑯拊其背：轻拍他的肩背。表示辈分相

木棒，逃回朗州。当时马希萼醉酒未醒，左右的人不敢报告。十二日癸酉，才向他报告。马希萼派遣湖南指挥使唐师翥率领一千多人追赶他们，没有追上，一直到达朗州。王逵等人趁他们疲乏，埋伏士兵，纵兵出击，追兵死伤殆尽，唐师翥脱身逃回。

王逵等人废黜朗州留后马光赞，改用马希萼哥哥的儿子马光惠掌管朗州事务。马光惠是马希振的儿子。不久，拥奉马光惠为节度使。王逵等人与何敬真以及诸军指挥使张倣参与处理军府政务。马希萼把详情报告给南唐，南唐主派遣使者利用丰厚的赏赐招抚劝谕王逵。王逵等人收下赏赐、放回南唐主的使者、不回复南唐主的诏令，南唐也不敢责问。

王彦超奏报攻克徐州，杀了巩廷美等人。

北汉李䛒到了契丹，契丹主派遣拽剌梅里回访北汉。

三月十五日丙子，周太祖敕令："朝廷与唐国本来没有仇怨，挨着淮河的军镇，各自守卫疆域，不得放纵士兵、百姓擅自进入南唐境内。商旅往来，不得禁止。"

同，关系十分亲近。⑪⑦衔之：对谢彦颙怀恨在心。⑪⑧预坐：坐在一起。预，参与。⑪⑨王逵：武陵（今湖南常德）人，楚将。因不满马氏繁重劳役，反，据朗州，奉马殷孙马光惠为节度使。不久投后周，授武平军节度使，兼中书令。终为潘叔嗣杀。⑫⓪周行逢：武陵（今湖南常德）人，楚将。杀潘叔嗣，任武平军节度使。约束简，执法严，收赋税，虽家人不免。⑫①壬申旦：三月十一日早晨。⑫②柯：斧柄。⑫③梃：棍棒。⑫④癸酉：三月十二日。⑫⑤逵等黜留后马光赞：上年马希萼以子光赞镇朗州。⑫⑥光惠：即马光惠，马希萼兄希振子。性愚懦，嗜酒废事。不久被罢黜，同皇族一起送往金陵。⑫⑦希振：即马希振，武穆王嫡长子。官武顺节度使。工诗句，耽吟咏。庶弟马希声因母宠被立后，弃官为道士。⑫⑧张倣：楚将。王逵拥立马光惠，倣任武平节度副使。与何敬真为姻戚，何被杀，王逵疑倣，乘其醉杀之。⑫⑨丙子：三月十五日。

【校记】

［3］图：原作"谋"。据章钰校，十二行本、乙十一行本、孔天胤本皆作"图"，今据改。〖按〗《通鉴纪事本末》作"图"。［4］拊：原作"抚"。据章钰校，十二行本、乙十一行本、孔天胤本皆作"拊"，胡三省注亦云"若拊背，则押之矣"，今据改。

【原文】

己卯[130]，潞州送涉县[131]所获北汉将卒二百六十余人，各赐衫袴巾履遣还。

加吴越王弘俶诸道兵马都元帅。

夏，四月壬辰朔[132]，滨淮州镇上言："淮南饥民过淮籴谷，未敢禁止。"诏曰："彼之生民，与此何异，宜令州县津铺[133]无得禁止。"

蜀通奏使高延昭固辞知枢密院，丁未[134]，以前云安[135]榷盐使太原伊审征[136]为通奏使，知枢密院事。审征，蜀高祖妹褒国公主之子也，少与蜀主相亲狎，及知枢密，政之大小悉以咨之。审征亦以经济为己任，而贪侈回邪，与王昭远相表里，蜀政由是浸衰。

吴越王弘俶徙废王弘倧居东府[137]，为筑宫室，治园圃，娱悦之，岁时供馈甚厚。

契丹主遣使如北汉，告以周使田敏来，约岁输钱十万缗。北汉主使郑珙以厚赂谢契丹，自称"侄皇帝致书于叔天授皇帝"，请行册礼。

五月己巳[138]，遣左金吾将军姚汉英[139]等使于契丹，契丹留之[140]。

辛未[141]，北汉礼部侍郎、同平章事郑珙卒于契丹。

甲戌[142]，义武节度使孙方简避皇考讳，更名方谏[143]。

定难节度[144]李彝殷遣使奉表于北汉。

【段旨】

以上为第五段，写后周和好南唐，不禁两国边民来往，蜀主荒怠政事，吴越王钱弘俶厚待前废主钱弘倧。

【注释】

⑬⓪己卯：三月十八日。⑬①涉县：县名，县治在今河北涉县。⑬②壬辰朔：四月初一日。⑬③津铺：渡口和店铺。⑬④丁未：四月十六日。⑬⑤云安：旧县名，县治在今四川云阳。县东北三十里有云阳场，产盐，唐置云安监。⑬⑥伊审征：字申图，太原（今山西太原）

【语译】

三月十八日己卯，潞州送来涉县所抓获的北汉将领以及士兵二百六十多人，朝廷送给每人衣衫、裤子、头巾、鞋子，遣送回去。

加授吴越王钱弘俶为诸道兵马都元帅。

夏，四月初一日壬辰，濒临淮河的州镇上奏说："淮南的饥民渡过淮河买米，没有敢禁止。"周太祖下诏说："他们那边的百姓，与我们这边的有什么区别，应该下令州县的渡口、商家店铺不得禁止。"

后蜀通奏使高延昭坚决推辞主持枢密院。四月十六日丁未，任命前任云安榷盐使太原人伊审征为通奏使，主持枢密院事务。伊审征是后蜀高祖的妹妹褒国公主的儿子，小时与后蜀主亲近，等到他主持枢密院，大小政事后蜀主都咨询他。伊审征也以经国济民为己任。但他贪婪奢侈，奸诈邪恶，与王昭远互为表里，后蜀政权因此逐渐衰败。

吴越王钱弘俶把被废黜的前王钱弘倧徙居东府，为他建造宫室，修治花园，使他快乐，四季供应馈赠很丰厚。

契丹主派遣使者前往北汉，告诉北汉后周使者田敏前来，约定每年送给契丹钱十万缗。北汉主派遣郑珙用丰厚的钱财答谢契丹，自称"侄皇帝致书于叔父天授皇帝"，请求举行册封典礼。

五月初八日己巳，周太祖派遣左金吾将军姚汉英等人出使契丹，契丹留下了他们。

初十日辛未，北汉礼部侍郎、同平章事郑珙死在契丹。

十三日甲戌，义武节度使孙方简避皇帝之父的名讳，改名为方谏。

定难节度李彝殷派遣使者奉表于北汉。

人，母为后蜀高祖孟知祥女崇华公主（一云褒国公主）。官宁江军节度使，自以经略为己任，宋师入境，却首奉降表，时人多窃笑。⑰ 东府：吴越以越州为东府。⑱ 己巳：五月初八日。⑲ 姚汉英：后周将。出使契丹，用敌国礼，契丹主怒，将其扣留。直到孙姚景行显贵，始出籍，世居兴中（今辽宁朝阳）。⑳ 契丹留之：姚汉英出使契丹，契丹本应遣回。但因契丹与北汉关系深厚，所以扣留后周使者。㉑ 辛未：五月初十日。㉒ 甲戌：五月十三日。㉓ 孙方简避皇考讳二句：周太祖郭威父郭简，故孙方简避其讳改名为方谏。皇考，宋代以前，一般尊称亡父为皇考；元代以后，用为皇帝亡父的专称。普通人亡父则只称考。㉔ 定难节度：胡三省注云"节度"之下应有"使"字。〖按〗节度使史籍中偶或略称"节度"。

【原文】

六月辛亥[145]，以枢密使、同平章事王峻为左仆射兼门下侍郎，枢密副使、兵部侍郎范质，户部侍郎[5]、判三司李穀为中书侍郎，并同平章事，穀仍判三司。司徒兼侍中窦贞固，司空兼中书侍郎、同平章事苏禹珪并罢守本官[146]。癸丑[147]，范质参知枢密院事。丁巳[148]，以宣徽北院使翟光邺兼枢密副使。

初，帝讨河中，已为人望所属。李穀时为转运使，帝数以微言讽[6]之，穀但以人臣尽节为对，帝以是贤之。即位，首用为相。时国家新造，四方多故，王峻夙夜尽心，知无不为，军旅之谋，多所裨益。范质明敏强记，谨守法度。李穀沉毅有器略，在帝前议论，辞气忼慨，善譬谕以开主意。

武平节度使马光惠，愚懦嗜酒，不能服诸将。王逵、周行逢、何敬真谋以辰州刺史庐陵[149]刘言骁勇得蛮夷心，欲迎以为副使。言知逵等难制，曰："不往，将攻我。"乃单骑赴之。既至，众废光惠，送于唐。推言权武平留后，表求旄节[150]于唐，唐人未许。亦称藩于周。

吴越王弘俶以前内外马步都统军使仁俊无罪[151]，复其官爵。

契丹遣燕王述轧等册命北汉主为大汉神武皇帝，妃为皇后。北汉主更名旻。

秋，七月，北汉主遣翰林学士博兴卫融[152]等诣契丹谢册礼，且请兵[153]。

八月壬戌[154]，葬汉隐帝于颍陵[155][7]。

义武节度使孙方谏入朝，壬子[156]，徙镇国节度使，以其弟易州刺史行友[157]为义武留后。又徙建雄节度使王晏镇徐州，以武宁节度使王彦超代之。

戊午[158]，追立故夫人柴氏为皇后。

九月，北汉主遣招讨使李存瓌将兵自团柏入寇。契丹[159]欲引兵会之，与酋长议于九十九泉[160]。诸部皆不欲南寇，契丹主强之。癸亥[161]，行至新州之西[8]火神淀[162]，燕王述轧及伟王之子太宁王沤僧作乱，弑契丹主而立述轧。契丹主德光之子齐王[9]述律[163]逃入南山，诸部奉述

【语译】

六月二十一日辛亥，皇帝任命枢密使、同平章事王峻为左仆射兼门下侍郎，枢密副使、兵部侍郎范质，户部侍郎、判三司李穀为中书侍郎，都为同平章事，李穀仍兼领三司。司徒兼侍中窦贞固，司空兼中书侍郎、同平章事苏禹珪，都罢免宰相职务，只担任原来的职务。二十三日癸丑，范质参与主持枢密院的事务。二十七日丁巳，任命宣徽北院使翟光邺兼任枢密副使。

当初，周太祖征讨河中，已为众望所归。李穀当时为转运使，周太祖一再利用委婉的言语劝告他，李穀只是用人臣应该尽节作答，周太祖因此认为他贤德。即位后，首先任用他为宰相。当时国家初建，四方多事，王峻日夜尽心，知道的事没有不去做的，军事上的谋划，多所补益。范质精明敏捷，记忆力很强，谨守法度。李穀沉着坚毅，有度量，有胆略，在周太祖面前讨论政事，言辞慷慨，善于譬喻，借以启发周太祖的思想。

武平节度使马光惠，愚昧懦弱，嗜好饮酒，不能折服众将。王逵、周行逢、何敬真商议，认为辰州刺史庐陵人刘言勇猛，很得蛮夷的人心，打算迎接他担任节度副使。刘言知道王逵等人难以控制，说："不前往，他们将会攻打我。"于是单人独骑前去朗州。到了朗州后，众将废黜马光惠，把他送给南唐。推举刘言代理武平留后，上表向南唐请求颁赐旌旗和符节，南唐没有同意。刘言也称臣于后周。

吴越王钱弘俶因为前任内外马步都统军使钱仁俊无罪，恢复他的官爵。

契丹派遣燕王述轧等人册封北汉主为大汉神武皇帝，妃子为皇后。北汉主改名为刘旻。

秋，七月，北汉主派遣翰林学士博兴人卫融等人前往契丹，答谢册封礼，并且请求出兵。

八月壬戌日，把后汉隐帝安葬在颍陵。

义武节度使孙方谏入朝。二十三日壬子，徙任孙方谏为镇国节度使，任命他的弟弟易州刺史孙行友担任义武留后。又徙任建雄节度使王晏镇守徐州，任命武宁节度使王彦超代替他。

二十九日戊午，周太祖追立已故的夫人柴氏为皇后。

九月，北汉主派遣招讨使李存瓌领兵从团柏入侵。契丹主打算带兵同他会合，与酋长们在九十九泉商议。各部都不想南侵，契丹主强迫他们。初四日癸亥，契丹军队行至新州西部的火神淀，燕王述轧和伟王的儿子太宁王沤僧作乱，杀了契丹主而拥立述轧。契丹主德光的儿子齐王述律逃进南山，各部拥戴述律来进攻述轧、沤

律以攻述轧、沤僧，杀之，并其族党。立述律为帝，改元应历。自火神淀入幽州，遣使告于北汉。北汉主遣枢密直学士上党王得中⑯如契丹，贺即位，复以叔父事之，请兵以击晋州。

契丹主年少，好游戏，不亲国事。每夜酣饮，达旦乃寐，日中方起，国人谓之睡王。后更名明。

【段旨】

以上为第六段，写周太祖识人任贤，政治粗安，礼葬后汉隐帝。契丹主册命刘崇为北汉皇帝，违众南侵，为部属所杀，述律继任，是为辽国穆宗皇帝。

【注释】

⑭辛亥：六月二十一日。⑭并罢守本官：即解除窦贞固、苏禹珪的宰相职务，窦贞固仍守司徒，苏禹珪仍守司空等。⑭癸丑：六月二十三日。⑭丁巳：六月二十七日。⑭庐陵：旧县名，治所在今江西吉安。⑮求旌节：请求节度使之职。旌节，即旌节，旌旗和符节，朝廷赐予节度使象征权力的信物。⑮仁俊无罪：吴越王弘佐听信宠臣程昭悦诬告钱仁俊与阚播、杜昭达谋反作乱，将他幽于东府，至此冤案始得昭雪。事见《资治通鉴》卷二百八十五齐王开运二年（公元九四五年）。⑮卫融：字明远，博兴（今山东博兴）人，仕北汉，官至中书侍郎、同平章事。为使卢赞与李筠和解，赴潞州，会筠失败，被宋太祖擒。受辱不屈，后久留汴京，官司农卿。传见《宋史》卷四百八十二。⑮请兵：请兵用以攻打后周。⑮壬戌：八月庚寅朔，无壬戌。壬戌，九月初三日。⑮颍陵：在许州阳翟县，即今河南禹州。⑮壬子：八月二十三日。⑮行友：莫州清苑（今河北保定市清苑区）人，与其兄共尊奉狼山尼姑孙深意，收徒聚众。又仕后汉、后周，官定州节度使。入宋，宋太祖焚尼师之尸，行友被削官归私第。不久，起用为右监门卫大将军。传见《宋史》

【原文】

壬申⑯，蜀以吏部尚书、御史中丞范仁恕⑯为中书侍郎兼吏部尚书、同平章事。

楚王希萼既克长沙，不赏许可琼，疑可琼怨望，出为蒙州⑯刺史。

僧，杀死了他们，吞并他们的宗族和党羽。拥立述律为帝，改元应历。从火神淀进入幽州，派遣使者告诉北汉。北汉主派遣枢密直学士上党人王得中前往契丹，祝贺述律即位，又把契丹主当叔父来侍奉，请求契丹出兵攻打晋州。

契丹主年少，喜欢游戏，不亲理国事。每夜畅饮，到天亮才睡，中午才起床，国人称他为睡王。后来改名为明。

卷二百五十三。⑱ 戊午：八月二十九日。⑲ 契丹：据胡三省注，“契丹”之下应有“主”字。⑳ 九十九泉：据胡三省注引《魏土地记》，沮阳城（在今北京市昌平区东南四十里）东八十里有牧牛山，山下有九十九泉。㉑ 癸亥：九月初四日。㉒ 新州之西火神淀：新州，州名，治所在今河北涿鹿。火神淀，新州西郊地名。㉓ 德光之子齐王述律：述律，辽太宗耶律德光长子耶律璟。即位后嗜酒无度，滥用刑罚，朝政荒废，被近侍所杀。公元九五一至九六九年在位。庙号穆宗。传见《新五代史》卷七十三、《辽史》卷六。㉔ 王得中：上党（今山西长治）人，仕北汉刘崇，官枢密直学士。后出使辽求救兵，被周世宗俘获杀死。

【校记】

［5］户部侍郎：原无此四字。据章钰校，十二行本、乙十一行本、孔天胤本皆有此四字，张敦仁《通鉴刊本识误》、张瑛《通鉴校勘记》同，今据补。［6］讽：原作“动”。据章钰校，十二行本、乙十一行本、孔天胤本皆作“讽”，张敦仁《通鉴刊本识误》同，今据改。［7］颍陵：原作“颖陵”。据章钰校，乙十一行本、孔天胤本皆作“颍陵”，今据改。〖按〗《旧五代史·汉书·隐帝纪》作“颍陵”。［8］西：原无此字。据章钰校，十二行本、乙十一行本、孔天胤本皆有此字，张敦仁《通鉴刊本识误》同，今据补。［9］齐王：原无此二字。据章钰校，十二行本、乙十一行本、孔天胤本皆有此二字，张敦仁《通鉴刊本识误》同，今据补。

【语译】

九月十三日壬申，后蜀任命吏部尚书、御史中丞范仁恕为中书侍郎兼吏部尚书、同平章事。

楚王马希萼攻下长沙以后，不赏赐许可琼，怀疑许可琼会怨恨，把他调出担任

遣马步都指挥使徐威、左右军马步使陈敬迁、水军都指挥使鲁公绾、牙内侍卫指挥使陆孟俊帅部兵立寨于城西北隅，以备朗兵，不存抚役者，将卒皆怨怒，谋作乱。希崇知其谋，戊寅[168]，希萼宴将吏，徐威等不预，希崇亦辞疾不至。威等使人先驱踶啮马[169]十余入府，自帅其徒执斧斤、白梃，声言絷马[170]，奄[171]至座上，纵横击人，颠踣[172]满地。希萼逾垣走，威等执囚之。执谢彦颙，自顶及踵锉[173]之。立希崇为武安留后，纵兵大掠。幽希萼于衡山县[174]。

刘言闻希崇立，遣兵趣潭州，声言讨其篡夺之罪。壬午[175]，军于益阳[176]之西。希崇惧，癸未[177]，发兵二千拒之。又遣使如朗州求和，请为邻藩。掌书记桂林李观象[178]说言曰："希萼旧将佐犹在长沙，此必不欲与公为邻。不若先檄希崇取其首，然后图湖南，可兼有也。"言从之。希崇畏言，即断都军判官杨仲敏、掌书记刘光辅、牙内指挥使魏师进、都押牙黄勍等十余人首，遣前辰阳县[179]令李翊赍送朗州。至则腐败，言与王逵等皆以为非仲敏等首，怒责翊，翊惶恐自杀。希崇既袭位，亦纵酒荒淫，为政不公，语多矫妄，国人不附。

初，马希萼入长沙，彭师暠虽免死，犹杖背黜为民。希崇以为师暠必怨之，使送希萼于衡山，实欲师暠杀之。师暠曰："欲使我为弑君之人乎！"奉事逾谨。丙戌[180]，至衡山，衡山指挥使廖偃[181]，匡图[182]之子也，与其季父节度巡官[183]匡凝谋曰："吾家世受马氏恩，今希萼长而被黜，必不免祸，盍相与辅之！"于是帅庄户[184]及乡人悉为兵，与师暠共立希萼为衡山王，以县为行府[185]。断江[186]为栅，编竹为战舰，以师暠为武清节度使[187]，召募徒众，数日，至万余人，州县多应之。遣判官刘虚己求援于唐。

徐威等见希崇所为，知必无成，又畏朗州、衡山之逼，恐一朝丧败，俱及祸，欲杀希崇以自解。希崇微觉之，大惧，密遣客将范守牧奉表请兵于唐，唐主命边镐自袁州将兵万人西趣长沙。

冬，十月辛卯[188]，潞州巡检陈思让败北汉兵于虒亭[189]。

蒙州刺史。派遣马步都指挥使徐威、左右军马步使陈敬迁、水军都指挥使鲁公绾、牙内侍卫指挥使陆孟俊率领所辖军队在城西北设立营寨，用来防备朗州军队。马希萼不体恤安抚这些服役的将士，将士们都生气埋怨，谋划作乱。马希崇知道了他们的谋划，九月十九日戊寅，马希萼宴请将领和官吏，徐威等人没有参加，马希崇也说有病推辞，没有到来。徐威等派人先驱赶十几匹踢人咬人的马进入府内，自己率领部众手拿斧头、白木棒，声称系马，突然来到席位上，四处打人，跌倒的人满地都是。马希萼翻墙逃跑，徐威等人把他抓住囚禁起来。抓到谢彦颙，从头到脚把他铡成碎块。立马希崇为武安留后，放任士兵大肆抢劫。把马希萼幽禁在衡山县。

刘言听说马希崇立为武安留后，派兵奔赴潭州，声言讨伐马希崇篡位夺权的罪行。九月二十三日壬午，驻扎在益阳的西面。马希崇惧怕，二十四日癸未，派兵二千人抵抗刘言。又派遣使者前往朗州求和，请求做刘言的友好邻镇。掌书记桂林人李观象劝刘言说："马希萼原来的将领和僚属还在长沙，这些人一定不愿与您为邻。不如先传送文告给马希崇，取了这些人的首级，然后谋取湖南，可以兼并占有它。"刘言听从了他的建议。马希崇畏惧刘言，立即砍了都军判官杨仲敏、掌书记刘光辅、牙内指挥使魏师进、都押牙黄勍等十几个人的头，派遣前任辰阳县令李翊带着送到朗州。到朗州时人头已经腐烂，刘言与王逵等人都认为不是杨仲敏等人的首级，愤怒地斥责李翊，李翊惶恐自杀。马希崇继位后，也是纵酒荒淫，处理政事不公正，言语大多虚假狂妄，国人不附。

当初，马希萼进入长沙，彭师暠虽然免于一死，还是背上受杖刑，废黜为民。马希崇认为彭师暠一定怨恨马希萼，派彭师暠把马希萼送到衡山，实际上打算让彭师暠杀掉他。彭师暠说："想要让我做弑国君的人吗！"他侍奉马希萼更加恭谨。九月二十七日丙戌，马希萼到达衡山，衡山指挥使廖偃是廖匡图的儿子，和他的叔父节度巡官廖匡凝商议说："我们家世代蒙受马氏的恩德，现在马希萼年长而被废黜，一定免不了灾祸，我们何不一起辅佐他！"于是率领庄户以及乡里百姓，把他们全部组织成军队，和彭师暠共同拥立马希萼为衡山王，以县衙为临时王府。设置栅栏，阻断湘江，用竹子编造战舰，任命彭师暠担任武清节度使，招募部众，数日之间，部众达一万多人，很多州县响应他们。派遣判官刘虚己向南唐求救。

徐威等人看到马希崇的所作所为，知道一定不会成功，又畏惧朗州、衡山的压力，担心一旦马希崇败亡，一起遭受祸乱，打算杀掉马希崇来自我解脱。马希崇稍有觉察，大为恐惧，秘密派遣将领范守牧奉表向南唐请求援兵。南唐主命令边镐率领一万名士兵从袁州西赴长沙。

冬，十月初三日辛卯，潞州巡检陈思让在虒亭打败北汉军队。

唐边镐引兵入醴陵[190]。癸巳[191]，楚王希崇遣使犒军。壬寅[192]，遣天策府学士拓跋恒奉笺诣镐请降。恒叹曰："吾久不死，乃为小儿送降状！"癸卯[193]，希崇帅弟侄迎镐，望尘而拜，镐下马称诏劳之。甲辰[194]，希崇等从镐入城，镐舍于浏阳门楼，湖南将吏毕贺，镐皆厚赐之。时湖南饥馑，镐大发马氏仓粟赈之，楚人大悦。

【段旨】

以上为第七段，写楚国内乱未已，南唐乘势夺取。

【注释】

⑯⑤壬申：九月十三日。⑯⑥范仁恕：后蜀宰相。时逢成都水灾，祷于青羊观，卒。⑯⑦蒙州：州名，治所蒙山县，在今广西蒙山县。⑯⑧戊寅：九月十九日。⑯⑨踶啮马：踢人咬人的马。⑰⓪絷马：系马。⑰①奄：急遽；突然。⑰②颠踣：跌倒；仆倒。⑰③锉：铡碎。⑰④衡山县：县名，县治在今湖南衡山。⑰⑤壬午：九月二十三日。⑰⑥益阳：县名，县治在今湖南益阳。⑰⑦癸未：九月二十四日。⑰⑧李观象：桂州临桂（今广西临桂）人，初仕刘

【原文】

契丹遣彰国节度使萧禹厥将奚、契丹五万会北汉兵入寇。北汉主自将兵二万自阴地关寇晋州，丁未[195]，军于城北，三面置寨，昼夜攻之，游兵至绛州。时王晏已离镇，王彦超未至，巡检使王万敢权知晋州，与龙捷都指挥使[196]史彦超[197]、虎捷指挥使何徽共拒之。史彦超，云州人也。

癸丑[198]，唐武昌[199]节度使刘仁赡[200]帅战舰二百取岳州，抚纳降附，人忘其亡。仁赡，金[201]之子也。唐百官共贺湖南平，起居郎[202]高远曰："我乘楚乱，取之甚易。观诸将之才，但恐守之难耳！"远，幽州人也。司徒致仕李建勋曰："祸其始于此乎！"

唐主自即位以来，未尝亲祠郊庙，礼官以为请。唐主曰："俟天

南唐边镐率军进入醴陵。十月初五日癸巳，楚王马希崇派遣使者犒劳军队。十四日壬寅，派遣天策府学士拓跋恒奉表前往边镐那里请求投降。拓跋恒叹息说：“我这么长时间不死，竟为这个小子送投降书！”十五日癸卯，马希崇率领弟弟侄儿们迎接边镐，望着大军风尘下拜。边镐下马宣读诏书，慰劳他们。十六日甲辰，马希崇等人随从边镐进城。边镐住在浏阳门楼，湖南的将领和官吏全部来道贺，边镐全都重赏他们。当时湖南闹饥荒，边镐大量散发马氏仓库里的粟米赈济百姓，楚人大为高兴。

言，后仕周行逢。行逢死，劝其子保权降宋，深受宋太祖嘉奖，擢为左补阙。传见《宋史》卷四百八十三。⑰⑨ 辰阳县：旧县名，县治在今湖南辰溪县西南。⑱⓪ 丙戌：九月二十七日。⑱① 廖偃：一名仁勇。仕马氏，官至裨将，戍衡山县。与彭师暠拥立马希萼为衡山王，并护送至金陵，唐主授为莱州刺史。后部下叛乱被杀。⑱② 匡图：即廖匡图，廖偃父。仕楚为江南观察判官、天策府学士。⑱③ 节度巡官：节度使属官，位在判官、推官之下。观察使、团练使、防御使之下亦设巡官。⑱④ 庄户：唐代以来地主田庄中的佃农和雇农称庄客，其家庭称庄户。除耕种外，还要服劳役，保卫田庄。⑱⑤ 行府：临时的军府。⑱⑥ 江：谓湘江。⑱⑦ 武清节度使：为廖偃等人所自设。⑱⑧ 辛卯：十月初三日。⑱⑨ 虒亭：即今山西襄垣西虒亭。⑲⓪ 醴陵：县名，县治在今湖南醴陵。⑲① 癸巳：十月初五日。⑲② 壬寅：十月十四日。⑲③ 癸卯：十月十五日。⑲④ 甲辰：十月十六日。

【语译】

契丹派遣彰国节度使萧禹厥率领奚族和契丹兵五万人，会合北汉军队入侵。北汉主亲自率领两万人从阴地关侵犯晋州。十月十九日丁未，驻军城北，在城的三面设置营寨，日夜攻城，游兵到达绛州。当时王晏已经离开藩镇，王彦超又还没有到来，巡检使王万敢暂时代理晋州政务，与龙捷都指挥使史彦超、虎捷指挥使何徽共同抵抗北汉军队。史彦超，是云州人。

十月二十五日癸丑，南唐武昌节度使刘仁赡率领二百艘战舰攻取了岳州，接纳并安抚投降归顺的人，楚人竟然忘记了他们的国家灭亡了。刘仁赡，是刘金的儿子。南唐百官共同庆贺平定湖南，起居郎高远说：“我们乘楚国内乱，很容易夺取它。观察各位将领的才能，只怕难以守住！”高远，是幽州人。以司徒官衔退休的李建勋说：“灾祸大概就要从这里开始了吧！”

南唐主从即位以来，未曾亲自祭祀过天地宗庙，礼官就此事向他请示。南唐主

下一家，然后告谢。”及一举取楚，谓诸国指麾[203]可定。魏岑侍宴言：“臣少游元城[204]，乐其风土，俟陛下定中原，乞魏博[205]节度使。”唐主许之，岑趋下拜谢。其主骄臣佞如此。

马希萼望唐人立己为潭帅，而潭人恶希萼，共请边镐为帅，唐主乃以镐为武安节度使。

王峻有故人曰申师厚，尝为兖州牙将，失职饥寒，望峻马拜谒于道。会凉州[206]留后折逋[207]嘉施上表请帅于朝廷，帝以绝域非人所欲，募率府供奉官[208]愿行者。月余，无人应募，峻荐师厚于帝。丁巳[209]，以师厚为河西[210]节度使。

唐边镐趣马希崇帅其族入朝，马氏聚族相泣，欲重赂镐，奏乞留居长沙。镐微哂曰：“国家[211]与公家世为仇敌，殆六十年[212]，然未尝敢有意窥公之国。今公兄弟斗阋[213]，困穷自归，若复二三[214]，恐有不测之忧。”希崇无以应，十一月辛酉[215]，与宗族及将佐千余人号恸登舟，送者皆哭，响振川谷。

帝以北汉、契丹之兵犹在晋州，甲子[216]，以王峻为行营都部署[217]，将兵救之。诏诸军皆受峻节度，听以便宜从事，得自选择将吏。乙丑[218]，峻行，帝自至城西[219]饯之。

楚静江节度副使、知桂州马希隐[220]，武穆王殷之少子也。楚王希广、希萼兄弟争国，南汉主以内侍吴怀恩为西北招讨使，将兵屯境上，伺间密谋进取，希广遣指挥使彭彦晖将兵屯龙峒[221]以备之。希萼自衡山遣使以彦晖为桂州都监、在城外内巡检使、判军府事，希隐恶之，潜遣人告蒙州刺史许可琼。可琼方畏南汉之逼，即弃蒙州，引兵趣桂州，与彦晖战于城中。彦晖败，奔衡山，可琼留屯桂州。吴怀恩据蒙州，进兵侵掠，桂管[222]大扰，希隐、可琼不知所为，但相与饮酒对泣。

南汉主遗希隐书，言：“武穆王奄有全楚，富强安靖五十余年[223]。正由三十五舅、三十舅[224]兄弟寻戈[225]，自相鱼肉，举先人基业，北面仇雠[226]。今闻唐兵已据长沙，窃计桂林继为所取。当朝世为与国，重以婚姻，睹兹倾危，忍不赴救！已发大军水陆俱进，当令相公舅永拥节旄，常居方面[227]。”希隐得书，与僚佐议降之，支使[228]潘玄珪以为不可。丙

说:“等到天下成为一家，然后感谢天地祖宗。”等到这次一举夺取楚国之后，南唐主认为其他各国指挥可定。魏岑陪侍南唐主饮宴时说:“臣小时候游览元城，喜欢那里的风土人情。等到陛下平定中原，请让我做魏博节度使。”南唐主答应了他，魏岑赶快下拜称谢。南唐君主的骄傲，臣子的谄佞就是这样。

马希萼希望南唐人立自己为潭州的主帅，而潭州人厌恶马希萼，共同请求边镐担任主帅，南唐主于是任命边镐为武安节度使。

王峻有个旧相识叫申师厚，曾经做过兖州牙将，失去了职务，饥寒交迫，看见王峻的马，在道路上下拜谒见。适逢凉州留后折逋嘉施上表朝廷请求任命主帅，周太祖认为那个地方太偏远，没有人愿意去，便在东宫率府的供奉官中招募愿意去的人。一个多月，无人应募，王峻就向周太祖推荐申师厚。十月二十九日丁巳，任命申师厚为河西节度使。

南唐边镐催促马希崇率领他的族人入朝，马氏族人聚在一起相对哭泣，打算重重地贿赂边镐，上奏请求留在长沙居住。边镐微微地笑了笑说:“国家跟你们家世代为仇敌，几乎六十年了，然而未曾有意窥视你们的国家。现在你们兄弟互相争斗，没有出路了自动归降，如果又三心二意，恐怕有无法预测的忧患。”马希崇无话可答。十一月初三日辛酉，马希崇与宗族以及将帅佐吏一千多人号啕痛哭，上了船，送行的人全都哭泣，哭声震动江河山谷。

周太祖因为北汉、契丹的军队还在晋州，十一月初六日甲子，任命王峻为行营都部署，率兵救援晋州。诏命各军都受王峻调度，听任他随机处理事情，可以自行选择将领和官吏。初七日乙丑，王峻上路，周太祖亲自到大梁城西为他饯行。

楚国静江节度副使、知桂州马希隐，是武穆王马殷的小儿子。楚王马希广、马希萼兄弟争夺王位时，南汉主任命内侍吴怀恩为西北招讨使，率军屯驻边境，密谋伺机进兵攻取楚国，马希广派遣指挥使彭彦晖率兵驻守龙峒来防备他。马希萼从衡山派使者任命彭彦晖为桂州都监、在城外内巡检使、判军府事，马希隐痛恨彭彦晖，暗中派人告诉蒙州刺史许可琼。许可琼正怕南汉相逼，立刻放弃蒙州，带兵奔赴桂州，与彭彦晖在城中交战。彭彦晖战败，逃往衡山，许可琼留驻桂州。吴怀恩占据蒙州，进兵侵掠，大肆骚扰桂管。马希隐、许可琼不知道怎么办，只是在一起喝酒，相对哭泣。

南汉主给马希隐写信，说:“武穆王拥有整个楚国，富强安宁五十多年。正是由于三十五舅马希广和三十舅马希萼兄弟日寻干戈，自相残杀，利用先人的基业，向仇人北面称臣。如今听说南唐的军队已经据有长沙，我私下估计桂林也会相继被南唐夺取。本朝与你们世代都是友好的国家，加上婚姻关系，看到这种倾危的局面，岂能忍心不去救援！已经调发大军水陆并进，当让你永远拥有实权，长久占据一方。”马希隐得到书信，与僚属商议投降南汉。支使潘玄珪认为不可。十一月初八日

寅㉙，吴怀恩引兵奄至城下，希隐、可琼帅其众夜斩关奔全州㉚，桂州遂溃。怀恩因以兵略定宜、连、梧、严、富、昭、柳、象、龚[10]等州㉛，南汉始尽有岭南㉜之地。

辛未㉝，唐边镐遣先锋指挥使李承戬将兵如衡山，趣马希萼入朝。庚辰㉞，希萼与将佐士卒万余人自潭州东下。

【段旨】

以上为第八段，写北汉主引援契丹，再次南下攻后周晋州。南汉乘势夺取楚国岭南之地。

【注释】

⑲丁未：十月十九日。⑲龙捷都指挥使：广顺元年（公元九五一年）改侍卫马步军名称，马军旧称护圣，改为龙捷；步军旧称奉国，改为虎捷。⑲史彦超：云州（治所定襄，在今山西忻州）人，勇敢骁捷。仕后周，官至感德军节度使。后与契丹战，阵亡。传见《旧五代史》卷一百二十四、《新五代史》卷三十三。⑲癸丑：十月二十五日。⑲武昌：方镇名，唐元和元年（公元八〇六年）置（后多次罢、立），治所鄂州，在今湖北武汉。⑳刘仁赡：字守惠，彭城（今江苏徐州）人，官至南唐清淮军节度使，镇寿州。周世宗伐南唐，坚守寿州，虽病重拒不投降，其子请降，立斩。传见《旧五代史》卷一百二十九、《新五代史》卷三十二。⑳金：刘仁赡父，事吴杨行密，任濠、滁二州刺史。传同上。⑳起居郎：官名，门下省设起居郎、起居舍人，分记皇帝的言行，修起居注。⑳指麾：同"指挥"，本指手的动作，引申为发令调遣。⑳元城：县名，县治在今河北大名。⑳魏博：方镇名，唐广德元年（公元七六三年）置，为河北三镇之一。治所魏州，在今河北大名东北。⑳凉州：州名，治所在今甘肃武威市凉州区。⑳折逋：本为羌族名，因以为姓。⑳率府供奉官：即在率府供职的官吏。率府，官署名，唐代有十率府，即左右卫率、左右司御率、左右清道率、左右监门率、左右内率，均为太子属官，掌东宫兵仗、仪卫及门禁、徼巡、斥候等事。⑳丁巳：十月二十九日。㉑河西：方镇名，唐景云元年（公元七一〇年）置。治所凉州，在今甘肃武威市凉州区。㉑国家：指南唐君主。㉑殆六十年：几乎六十年。唐僖宗中和三年（公元八八三年），马殷从孙儒攻杨行密，昭宗乾宁三年（公元八九六年）得湖南，自此与江淮为敌国。到后周广顺元年

丙寅，吴怀恩率军突然到达城下，马希隐、许可琼率领他们的部众，晚上破关口奔赴全州，桂州便崩溃了。吴怀恩乘机率兵平定宜州、连州、梧州、严州、富州、昭州、柳州、象州、龚州等地，南汉才全部占有了岭南之地。

十一月十三日辛未，南唐边镐派遣先锋指挥使李承戬率军前往衡山，催促马希萼入朝。二十二日庚辰，马希萼和将帅僚属士兵一万多人从潭州东下。

为五十六年，故云殆六十年。㉑③斗阋：兄弟争斗。阋，相争。㉑④若复二三：如果再三心二意。㉑⑤辛酉：十一月初三日。㉑⑥甲子：十一月初六日。㉑⑦行营都部署：大军出征时设置的最高行营统帅。㉑⑧乙丑：十一月初七日。㉑⑨城西：大梁城西。㉒⓪马希隐：武穆王马殷少子。南汉中宗刘晟乘马氏兄弟内讧，发兵占蒙州，侵管桂，希隐遂奔全州。后入南唐，不久又归后周，授节度行军司马。㉒①龙峒：地名，在广西桂林南南溪山西南的半山上。㉒②桂管：方镇名，唐景云元年（公元七一〇年）置桂管经略使，治所桂州，在今广西桂林。㉒③富强安靖五十余年：自光化元年（公元八九八年）马殷任武安军节度使领有潭、衡等七州，至开运四年（公元九四七年）马希范卒，楚约安定整五十年。㉒④三十五舅、三十舅：三十五舅，指马希广。三十舅，指马希萼。南汉主刘龑曾娶马殷女马氏为皇后，故称希广等为舅。㉒⑤寻戈：日寻干戈。寻，用。㉒⑥北面仇雠：向仇人（指南唐）称臣。北面，面朝北，臣子拜君面朝北。㉒⑦方面：一方；一方的军政事务。后称总督、巡抚等为方面官。㉒⑧支使：官名，唐代节度使、采访使、观察使属官皆有支使，位在副判官之下。掌分使出入、表笺书翰。㉒⑨丙寅：十一月初八日。㉓⓪全州：州名，治所清湘县，在今广西全州。㉓①宜、连、梧、严、富、昭、柳、象、龚等州：除连州外，诸州均在今广西境内，南汉领地。宜州治所龙水，在今广西宜州。连州治所桂阳，在今广东连州。梧州治所苍梧，在今广西梧州。严州治所严州，在今广西来宾。富州治所富州，在今广西昭平。昭州治所昭州，在今广西平乐。柳州治所马平，在今广西柳州。象州治所阳寿，在今广西象州。龚州治所在今广西平南县。㉓②岭南：地区名，即岭表、岭外，指五岭以南地区。㉓③辛未：十一月十三日。㉓④庚辰：十一月二十二日。

【校记】

［10］象、龚：原作“龚象”。据章钰校，乙十一行本、孔天胤本两字皆互乙，今据改。〖按〗《十国春秋·吴怀恩传》列叙各州，亦作“象龚”。

【原文】

王峻留陕州旬日[235]，帝以北汉攻晋州急，忧其不守，议自将由泽州路与峻会兵救之，且遣使谕峻。十二月戊子朔[236]，下诏以三日西征。使者至陕，峻因使者言于帝曰："晋州城坚，未易可拔，刘崇兵锋方锐，不可力争。所以驻兵，待其气衰耳，非臣怯也。陛下新即位，不宜轻动。若车驾出汜水[237]，则慕容彦超引兵入汴，大事去矣！"帝闻之，自以手提耳曰："几败吾事！"庚寅[238]，敕罢亲征。

初，泰宁节度使兼中书令慕容彦超闻徐州平，疑惧愈甚。乃招纳亡命，畜聚薪粮，潜以书结北汉，吏获其书以闻。又遣人诈为商人求援于唐。帝遣通事舍人郑好谦就申慰谕，与之为誓。彦超益不自安，屡遣都押牙郑麟诣阙，伪输诚款[239]，实觇机事[240]。又献天平节度使高行周书，其言皆谤毁朝廷与彦超相结之意，帝笑曰："此彦超之诈也！"以书示行周，行周上表谢恩。既而彦超反迹益露，丙申[241]，遣阁门使张凝将兵赴郓州巡检以备之。

庚子[242]，王峻至绛州。乙巳[243]，引兵趣晋州。晋州南有蒙坑[244]，最为险要，峻忧北汉兵据之。是日，闻前锋已度蒙坑，喜曰："吾事济矣！"

慕容彦超奏请入朝，帝知其诈，即许之。既而复称境内多盗，未敢离镇。

北汉主攻晋州，久不克[245]。会大雪，民相聚保山寨，野无所掠，军乏食。契丹思归，闻王峻至蒙坑，烧营夜遁。峻入晋州，诸将请亟追之，峻犹豫未决。明日，乃遣行营马军都指挥使仇弘超，都排陈使药元福[246]，左厢排陈使陈思让、康延沼[247]将骑兵追之。及于霍邑[248]，纵兵奋击，北汉兵坠崖谷死者甚众。霍邑道隘，延沼畏懦不急追，由是北汉兵得度。药元福曰："刘崇悉发其众，挟胡骑而来，志吞晋、绛。今气衰力惫，狼狈而遁，不乘此翦[249]扑，必为后患。"诸将不欲进，王峻复遣使止之，遂还。契丹比至晋阳，士马什丧三四。萧禹厥耻无功，钉大酋长一人于市，旬余而斩之。北汉主始息意于进取。北汉土瘠民贫，内供军国，外奉契丹，赋繁役重，民不聊生，逃入周境者甚众。

【语译】

王峻在陕州停留十天，周太祖因为北汉攻打晋州紧急，担心晋州失守，商议亲自率军从泽州路与王峻会师救援晋州，并且派遣使者向王峻说明。十二月初一日戊子，周太祖下诏在三日内西征。使者到达陕州，王峻通过使者告诉周太祖说："晋州城池坚固，不容易攻下，刘崇正兵锋锐利，不能和他以力相争。臣之所以驻兵不进，是等待他们士气衰落罢了，不是臣胆怯。陛下刚刚即位，不宜轻易行动。如果陛下从汜水出兵，那么慕容彦超率军进入大梁，大事就完了！"周太祖听了这话，自己用手拉着耳朵说："差点败坏了我的大事！"初三日庚寅，敕命停止亲征。

当初，泰宁节度使兼中书令慕容彦超听说徐州被平定，疑虑恐惧得更加厉害了。于是招收亡命之徒，积聚粮草，暗地用书信勾结北汉，官吏获取他的书信后上报朝廷。慕容彦超又派人假扮成商人求援于南唐。周太祖派遣通事舍人郑好谦前去表达劝谕的意思，和他立下誓约。慕容彦超内心更加不安，多次派遣都押牙郑麟到京城，假装传达诚意，实际上是来打探机密。又献上天平节度使高行周的书信，其中说的都是毁谤朝廷以及和慕容彦超相互勾结的话，周太祖笑着说："这是慕容彦超的欺诈！"拿那些信给高行周看，高行周上表谢恩。不久慕容彦超反叛的迹象更加暴露，十二月初九日丙申，皇帝派遣阁门使张凝率兵前往郓州巡视，借以防备慕容彦超。

十二月十三日庚子，王峻到达绛州。十八日乙巳，带兵奔赴晋州。晋州南面有蒙坑，最为险要，王峻担心北汉兵占据它。这天，听说先锋部队已经过了蒙坑，高兴地说："我的事情成功了！"

慕容彦超上奏请求入朝，周太祖知道是欺诈，当即答应了他。不久慕容彦超又说境内盗贼多，不敢离开镇所。

北汉主攻打晋州，很长时间不能攻克。适逢下大雪，百姓聚在一起保护山寨，野外没有可掠夺的，军中缺乏粮食。契丹军队想回去，听说王峻到达蒙坑，就焚烧营寨，夜里逃走了。王峻进入晋州，众将请求赶快追击契丹军队，王峻犹豫不决。第二天，才派遣行营马军都指挥使仇弘超，都排陈使药元福，左厢排陈使陈思让、康延沼率领骑兵追赶契丹军队。在霍邑追上了，纵兵奋击，北汉兵坠落悬崖深谷死去的很多。霍邑道路狭窄，康延沼怯懦不敢紧追，因此北汉军队得以渡河。药元福说："刘崇全部调发他的部队，挟持胡人骑兵前来，志在吞并晋州和绛州。现在气衰力疲，狼狈逃走，不趁此时消灭他，一定会成为后患。"众将不想进军，王峻又派使者去阻止，于是返回。等到契丹快到晋阳，士卒、战马损失十分之三四。萧禹厥耻于没有功劳，把一名大酋长钉在街市上，十多天后斩杀了他。北汉主开始打消南下进攻的念头。北汉土地贫瘠，民众贫穷，对内要供应军队和国家，对外要供奉契丹，赋税繁多，徭役沉重，民不聊生，很多人逃入后周境内。

【段旨】

以上为第九段，写泰宁节度使慕容彦超蓄谋反叛，北汉主与契丹兵败晋州。北汉人民内供军国，外奉契丹，苦不堪言。

【注释】

㉟旬日：十天。十日为旬。㊱戊子朔：十二月初一日。㊲汜水：旧县名，县治在今河南荥阳。㊳庚寅：十二月初三日。㊴伪输诚款：假装传达诚意。㊵实觇机事：实

【原文】

唐主以镇南节度使兼中书令宋齐丘为太傅，以马希萼为江南西道㉕⓪观察使、守中书令[11]、镇洪州，仍赐爵楚王，以马希崇为永泰㉕①节度使兼侍中[12]、镇舒州。湖南将吏，位高者拜刺史、将军、卿监，卑者以次拜官。唐主嘉廖偃、彭师暠之忠，以偃为左殿直军使、莱州㉕②刺史，师暠为殿直都虞候，赐予甚厚。湖南刺史皆入朝于唐，永州刺史王赟独后至，唐主毒杀之。

南汉主遣内侍省丞㉕③潘崇彻㉕④、将军谢贯㉕⑤将兵攻郴州㉕⑥，唐边镐发兵救之。崇彻败唐兵于义章㉕⑦，遂取郴州。边镐请除全、道二州刺史㉕⑧以备南汉。丙辰㉕⑨，唐主以廖偃为道州刺史，以黑云指挥使张峦知全州。

是岁，唐主以安化节度使鄱阳王王延政为山南西道节度使，更赐爵光山王㉖⓪。

初，蒙城镇将咸师朗将部兵降唐㉖①，唐主以其兵为奉节都㉖②，从边镐平湖南。唐悉收湖南金帛、珍玩、仓粟乃至舟舰、亭馆、花果之美者，皆徙于金陵，遣都官郎中㉖③杨继勋等收湖南租赋以赡戍兵。继勋等务为苛刻，湖南人失望。行营粮料使㉖④王绍颜减士卒粮赐，奉节指挥使孙朗、曹进怒曰："昔吾从咸公㉖⑤降唐，唐待我岂如今日湖南将士之厚哉！今有功不增禄赐，又减之，不如杀绍颜及镐，据湖南，归中原，富贵可图也！"

际是探察机密事。㉔丙申：十二月初九日。㉔庚子：十二月十三日。㉔乙巳：十二月十八日。㉔蒙坑：在今山西襄汾、曲沃二县之间汾河以东。当时蒙坑东西三百余里，路径不通，颇为险要。㉔久不克：北汉主本年十月庚子攻打晋州，至此已有五十多天，所以说“久不克”。㉔药元福：并州晋阳（今山西太原西南）人，五代骁将。曾大败契丹、王景崇、慕容彦超、刘崇等，历数镇节度使。宋初，加检校太师。传见《宋史》卷二百五十四。㉔康延沼：历仕后晋、后周。入宋，官怀州防御使。传见《宋史》卷二百五十五。㉔霍邑：县名，县治在今山西霍州。㉔翦：消灭。

【语译】

南唐主任命镇南节度使兼中书令宋齐丘为太傅，任命马希萼为江南西道观察使、守中书令、驻节洪州，仍旧赐爵位为楚王，任命马希崇为永泰节度使兼侍中、驻节舒州。湖南的将领和官吏，职位高的拜官刺史、将军、卿监，职位低下的依次拜官。南唐主称赞廖偃、彭师暠的忠诚，任命廖偃为左殿直军使、莱州刺史，彭师暠为殿直都虞候，赏赐极为丰厚。湖南刺史全都入朝南唐，只有永州刺史王赟最后到，南唐主用毒药杀死了他。

南汉主派遣内侍省丞潘崇彻、将军谢贯率兵攻打郴州，南唐边镐发兵救援郴州。潘崇彻在义章打败南唐军队，于是夺取了郴州。边镐请求任命全州、道州两州刺史以防备南汉。十二月二十九日丙辰，南唐主任命廖偃为道州刺史，任命黑云指挥使张峦主管全州的事务。

这一年，南唐主任命安化节度使鄱阳王王延政担任山南西道节度使，又赐爵光山王。

当初，蒙城守将咸师朗率领所辖士卒投降南唐，南唐主把他的军队设置为奉节都，随从边镐平定湖南。南唐全部收取湖南的金银绢帛、珍宝古玩、仓库粮食，以及船舰、亭台馆所、花草果木质量优异的，都转移到金陵；又派遣都官郎中杨继勋等人征收湖南的租赋来供养守军。杨继勋等人行事苛刻，湖南人大失所望。行营粮料使王绍颜减少士兵的粮食和赏赐，奉节指挥使孙朗、曹进愤怒地说：“过去我们跟随咸公投降唐国，唐国对待我们哪里像今天对湖南将士这样优厚呢！现在有功劳不增加俸禄和赏赐，又还减少，不如杀了王绍颜和边镐，占据湖南，回归中原，可以求得富贵！”

【段旨】

以上为第十段，写南唐主搒掠楚国财物，又加重赋役，湖南人大失所望。

【注释】

㉕⓪江南西道：方镇名，唐开元中以江南道分置东、西两道。西道治所洪州，在今江西南昌。㉕①永泰：方镇名，五代十国南唐置。治所舒州，在今安徽潜山。㉕②莱州：州名，治所掖县，在今山东莱州。莱州时在周境，彭师暠只是遥领。㉕③内侍省丞：内侍省为官署名，专由宦官充任，供侍殿中，备洒扫杂役。有监、少监，未尝有丞。丞为南汉首置。㉕④潘崇彻：咸宁（今湖北咸宁）人，南汉大将。后降宋，官汝州别驾。㉕⑤谢贯：南汉将领，素有胆略，郴州一战，扩大了南汉土地。㉕⑥郴州：州名，治所郴县，在今湖南郴县。㉕⑦义章：县名，县治在今湖南宜章北。㉕⑧除全、道二州刺史：设置全、道两州刺

【原文】

二年（壬子，公元九五二年）

春，正月庚申[266]，夜，孙朗、曹进帅其徒作乱，束藁潜烧府门，火不然[267]。边镐觉之，出兵格斗，且命鸣鼓角。朗、进等以为将晓，斩关奔朗州。王逵问朗曰："吾昔从武穆王，与淮南战屡捷，淮南兵易与耳。今欲以朗州之众复取湖南，可乎？"朗曰："朗在金陵数年，备见其政事，朝无贤臣，军无良将，忠佞无别，赏罚不当。如此，得国存幸矣，何暇兼人[268]！朗请为公前驱，取湖南如拾芥耳！"逵悦，厚遇之。

壬戌[269]，发开封府民夫五万修大梁城，旬日而罢。

慕容彦超发乡兵入城，引泗水[270]注壕中，为战守之备。又多以旗帜授诸镇将，令募群盗，剽掠邻境，所在奏其反状。甲子[271]，敕沂、密二州不复隶泰宁军。以侍卫步军都指挥使、昭武节度使曹英[272]为都部署，讨彦超，齐州[273]防御使史延超为副部署，皇城使[274]河内[275]向训为都监，陈州[276]防御使药元福为行营马步都虞候。帝以元福宿将，命英、训无得以军礼见之，二人皆父事之。

史。两州为南唐所控，与南汉贺、昭、桂三州连界。道州治所营道，在今湖南道县。㉟㉙ 丙辰：十二月二十九日。260 光山王：王延政本光山（在今河南光山西北）人，故以光山做爵位名。时山南西道在蜀，王延政遥领，所加节度使及王位，都是虚衔。261 蒙城镇将句：事见《资治通鉴》卷二百八十八后汉乾祐二年（公元九四九年）。蒙城，县名，县治在今安徽蒙城。262 奉节都：这是以节操作为部队编制名称。都，部队编制名称。263 都官郎中：隶属刑部，掌徒、流配、隶等事。264 行营粮料使：在军中管粮草供应的官吏。265 咸公：对咸师朗的尊称。

【校记】

［11］守中书令：原无此四字。据章钰校，十二行本、乙十一行本、孔天胤本皆有此四字，张敦仁《通鉴刊本识误》同，今据补。［12］兼侍中：原无此三字。据章钰校，十二行本、乙十一行本、孔天胤本皆有此三字，张敦仁《通鉴刊本识误》同，今据补。

【语译】

二年（壬子，公元九五二年）

春，正月初三日庚申，夜晚，孙朗、曹进率领他们的部众作乱，捆干草暗地焚烧军府大门，火没有燃着。边镐察觉了此事，出兵格斗，并且命令鼓角齐鸣。孙朗、曹进等人以为天就要亮了，冲杀出关跑往朗州。王逵问孙朗说：“我从前跟随武穆王，与淮南作战一再取胜，淮南兵容易对付。现在想用朗州的军队再次夺取湖南，可以吗？”孙朗说：“我在金陵多年，看到了唐国的全部政事情况，朝廷没有贤臣，军队没有良将，忠贞和奸佞没有区别，赏罚不合理。像这样，国家能够存在就是幸运了，哪里还有余力兼并别人！我孙朗请求做你的前锋，夺取湖南就像捡拾小草一样！”王逵很高兴，优厚地对待他。

正月初五日壬戌，朝廷调发开封府民夫五万人修缮大梁城，十天就完成了。

慕容彦超征发地方兵进城，引泗水注入壕沟中，做攻战防守的准备。又把很多旗帜送给各镇的将领，命令他们招募群集的盗贼，抢掠邻近地域，被抢劫的地方奏报慕容彦超反叛的情况。正月初七日甲子，周太祖敕令沂州和密州两州不再隶属泰宁军。任命侍卫步军都指挥使、昭武节度使曹英为都部署，讨伐慕容彦超，齐州防御使史延超为副部署，皇城使河内人向训为都监，陈州防御使药元福为行营马步都虞候。周太祖因为药元福是老将，命令曹英、向训不得用军礼来见他，两人都像对待父亲那样奉侍他。

唐主发兵五千，军于下邳[277]，以援彦超。闻周兵将至，退屯沭阳[278]。徐州巡检使张令彬击之，大破唐兵，杀、溺死者千余人，获其将燕敬权。初，彦超以周室新造，谓其易摇，故北召北汉及契丹，南诱唐人，使侵边鄙，冀朝廷奔命不暇，然后乘间而动。及北汉、契丹自晋州北走，唐兵败于沭阳，彦超之势遂沮。

永兴节度使李洪信[279]，自以汉室近亲，心不自安。城中兵不满千人，王峻在陕，以救晋州为名，发其数百。及北汉兵遁去，遣禁兵千余人戍长安。洪信惧，遂入朝。

壬申[280]，王峻自晋州还，入见。

曹英等至兖州，设长围[281]。慕容彦超屡出战，药元福皆击败之，彦超不敢出。十余日，长围合，遂进攻之[13]。

初，彦超将反，判官崔周度[282]谏曰："鲁，诗书之国，自伯禽[283]以来不能霸诸侯，然以礼义守之，可以长世[284]。公于国家非有私憾，胡为自疑！况主上开谕勤至，苟撤备归诚，则坐享太山之安矣。独不见杜中令[285]、安襄阳[286]、李河中[287]竟何所成乎[288]！"彦超怒。及官军围城，彦超括士民之财以赡军，坐匿财死者甚众。前陕州司马阎弘鲁[289]，宝[290]之子也，畏彦超之暴，倾家为献，彦超犹以为有所匿，命周度索其家。周度谓弘鲁曰："君之死生，系财之丰约，宜无所爱。"弘鲁泣拜其妻妾曰："悉出所有以救吾死。"皆曰："竭矣！"周度以白彦超，彦超不信，收弘鲁夫妻系狱。有乳母于泥中掊[291]得金缠臂[292]，献之，冀以赎其主。彦超曰："果然[14]，所匿必犹多。"榜掠弘鲁夫妻，肉溃而死。以周度为阿庇[293]，斩于市。

北汉遣兵寇府州，防御使折德扆败之，杀二千余人。二月庚子[294]，德扆奏攻拔北汉岢岚军[295]，以兵戍之。

南唐主调发五千士兵，驻扎在下邳，用来增援慕容彦超。听说后周军队即将到来，后退屯驻沭阳。徐州巡检使张令彬攻打南唐军队，把南唐军队打得大败，杀死和淹死的有一千多人，抓获他们的将领燕敬权。当初，慕容彦超因为后周刚建立，认为容易撼动，所以从北边招引北汉和契丹，南边引诱南唐人，让他们侵扰边境，希望朝廷疲于奔命，无暇他顾，然后乘隙动手。等到北汉和契丹从晋州北去，南唐军队败于沭阳，慕容彦超的势力便衰败了。

永兴节度使李洪信，自以为是北汉皇室的近亲，自己心里不安。城中的士兵不满一千人，王峻在陕州，以救援晋州为名，征调了其中几百名士兵。等到北汉军队逃走，朝廷派遣一千多名禁兵戍守长安。李洪信恐惧，于是入朝。

正月十五日壬申，王峻从晋州返回，入见周太祖。

曹英等人到达兖州，部署包围圈。慕容彦超多次出战，药元福都打败了他，慕容彦超不敢出战。十多天，包围圈合围，于是发起进攻。

当初，慕容彦超将要反叛时，判官崔周度劝谏说："鲁地是诗书之国，自从伯禽以来，不能称霸诸侯，然而用礼义守护此地，可以国运长久，您对国家没有私恨，为什么自己多疑！况且皇上开导劝谕非常尽力，如果撤除守备，诚心归附，就可以坐享太山一般的安定生活了。难道没有看见杜重威、安从进、李守贞最终有什么成事的！"慕容彦超很生气。等到官军围城，慕容彦超搜刮士民的钱财来供给军队，因为隐藏财物而被处死的人很多。前任陕州司马阎弘鲁，是阎宝的儿子，畏惧慕容彦超的残暴，倾家财产献了出来，慕容彦超还是认为他有所藏匿，命令崔周度搜索其家。崔周度对阎弘鲁说："您的死生，关键在于财物的多少，应该不要有所爱惜。"阎弘鲁哭着给他的妻妾下拜说："把所有的东西拿出来救我之死。"大家都说："全拿光了！"崔周度把情形告诉了慕容彦超，慕容彦超不相信，逮捕阎弘鲁夫妇，囚禁在牢里。有一个奶妈在泥土中挖到金缠臂，献给慕容彦超，希望用来赎回她的主人。慕容彦超说："果然啊，所匿藏的一定还很多。"拷打阎弘鲁夫妇，肌肉溃烂而死。慕容彦超认为崔周度庇护阎弘鲁，把他在街市上斩首。

北汉派军队入侵府州，防御使折德扆打败了他们，杀死两千多人。二月十四日庚子，折德扆奏报攻取北汉岢岚军，派兵戍守它。

【段旨】

以上为第十一段，写泰宁节度使慕容彦超反叛，引南唐为援，周太祖发兵征讨，围困兖州。

【注释】

㉖⁶庚申：正月初三日。㉖⁷然："燃"的本字。㉖⁸得国存幸矣二句：能维持政权的生存已经很幸运了，哪有余力兼并别人之国。指南唐兼并楚国无力保有。暇，空闲，此指余力。㉖⁹壬戌：正月初五日。㉗⁰泗水：在今山东中部，源出山东泗水县东蒙山南麓，四源并发，故名。㉗¹甲子：正月初七日。㉗²曹英：字德秀，历仕后晋、后汉、后周，官至成德军节度使。传见《旧五代史》卷一百二十九。㉗³齐州：方镇名，唐至德元年（公元七五六年）置。治所齐州，在今山东济南。㉗⁴皇城使：官名，唐昭宗天祐三年（公元九〇六年）置，五代因袭，为皇城司的主官。多由君主亲信担任，掌皇城启闭警卫。㉗⁵河内：县名，县治在今河南沁阳。㉗⁶陈州：方镇名，晋开运二年（公元九四五年）十月升为镇安军节度，后汉天福十二年（公元九四七年）六月降为刺史州，周广顺元年（公元九五一年）正月升为防御州。治所淮阳，在今河南周口市淮阳区。㉗⁷下邳：郡名，治所下邳，在今江苏睢宁西北。㉗⁸沭阳：县名，县治在今江苏沭阳。㉗⁹李洪信：后汉李太后弟。无才术，徒以外戚致位将相，为永兴军节度使，驻节长安。传见《宋史》卷二百五十二。㉘⁰壬申：正月十五日。㉘¹设长围：布置合围。㉘²崔周度：后周泰宁节度判官，性刚烈。郭威平灭慕容彦超，追赠他为秘书少监。传见《旧五代史》卷一百三十。㉘³伯禽：周代鲁国的始祖。姬姓，字伯禽，周公旦长子。周公东征胜利后，成王把殷民六族和旧

【原文】

甲辰[296]，帝释燕敬权等使归唐，谓唐主曰："叛臣，天下所共疾也，不意[297]唐主助之，得无非计[298]乎！"唐主大惭，先所得中国人，皆礼而归之。唐之言事者犹献取中原之策，中书舍人韩熙载曰："郭氏有国虽浅，为治已固，我兵轻动，必有害无益。"唐自烈祖[299]以来，常遣使泛海与契丹相结，欲与之共制中国，更相馈遗，约为兄弟。然契丹利其货，徒以虚语往来，实不为唐用也。

唐主好文学，故熙载与冯延巳、延鲁、江文蔚、潘佑[300]、徐铉之徒皆至美官[301]。佑，幽州人也。当时唐之文雅于诸国为盛，然未尝设科举，多因上书言事拜官。至是，始命翰林学士江文蔚知贡举[302]，进士庐陵王克贞等三人及第。唐主问文蔚："卿取士何如前朝？"对曰："前朝公举、私谒相半，臣专任至公耳！"唐主悦。中书舍人张纬，前朝登

奄国地连同奄民分封给他，国号鲁。传见《史记》卷三十三。㉘④长世：国运长久。㉘⑤杜中令：即杜重威。后汉高祖在杜重威投降后，任命为检校太师、守太傅、兼中书令。此所云“中令”，即中书令。㉘⑥安襄阳：即安从进。安从进曾镇襄阳，反叛后汉高祖时，先引兵攻邓州，不克，进兵湖阳，军大败，率数十骑奔还襄阳，后汉高祖遣军围之，逾年粮尽自焚死。㉘⑦李河中：即李守贞。后汉高祖入京师，李守贞来朝，拜太保、河中节度使。此云“河中”，即指河中节度使。㉘⑧竟何所成乎：终究没有一个人能成事。指杜重威、安从进、李守贞三人皆以反叛失败而死。㉘⑨阎弘鲁：死后被郭威追赠为左骁卫大将军。传见《旧五代史》卷一百三十。㉙⓪宝：弘鲁父。历仕后梁、后唐，官至天平军节度使。传见《旧五代史》卷五十九、《新五代史》卷四十四。㉙①掊：挖掘。㉙②金缠臂：金饰器。形制不详。㉙③阿庇：偏袒、庇护。㉙④庚子：二月十四日。㉙⑤岢岚军：北汉所置军镇名，治所岚谷县，在今山西岚县。

【校记】

［13］之：原无此字。据章钰校，十二行本、乙十一行本、孔天胤本皆有此字，今据补。［14］果然：原无此二字。据章钰校，十二行本、乙十一行本、孔天胤本皆有此二字，张敦仁《通鉴刊本识误》同，今据补。

【语译】

二月十八日甲辰，周太祖释放燕敬权等人，让他们回归南唐，对南唐主说：“叛臣，是天下所共同痛恨的，没想到唐主扶助他们，该不会是失策吧！”南唐主大为惭愧，把从前所得到的中原人，都礼貌地送了回去。南唐议论政事的人仍然进献攻取中原的计策，中书舍人韩熙载说：“郭氏立国虽短，但统治已经稳固，我们的军队轻易出动，一定有害无益。”南唐从烈祖以来，经常派遣使者渡海与契丹勾结，想和契丹一起控制中原，又互相赠送礼物，相约为兄弟。然而契丹贪图南唐的财物，仅用空话往来，实际上不被南唐所用。

南唐主喜好文学，所以韩熙载和冯延巳、冯延鲁、江文蔚、潘佑、徐铉之辈都得到好的官位。潘佑是幽州人。当时，南唐的艺文礼乐比起其他国家来最为兴盛，然而未曾设置科举考试，大多是因为上书言事除授官职。到了这时，才命令翰林学士江文蔚主持科举考试，进士有庐陵人王克贞等三人考中。南唐主问江文蔚：“卿选拔士人比起前朝来怎么样？”回答说：“前朝公开的选拔和私下的请托各占一半，臣专任此事极为公正！”南唐主很高兴。中书舍人张纬，是前朝进士，听到江文蔚所言而

第，闻而衔之。时执政皆不由科第，相与沮毁，竟罢贡举。

三月戊辰[303]，以内客省使、恩州团练使晋阳郑仁诲为枢密副使。

甲戌[304]，改威胜军曰武胜军[305]。

唐主以太弟太保、昭义节度使冯延巳为左仆射，前镇海节度使徐景运为中书侍郎，及右仆射孙晟皆同平章事。既宣制，户部尚书常梦锡众中大言曰："白麻[306]甚佳，但不及江文蔚疏[307]耳！"晟素轻延巳，谓人曰："金杯玉盌，乃贮狗矢[308]乎！"延巳言于唐主曰："陛下躬亲庶务，故宰相不得尽其才，此治道所以未成也！"唐主乃悉以政事委之，奏可而已。既而延巳不能勤事，文书皆仰成胥史[309]，军旅则委之边将。顷之，事益不治，唐主乃复自览之。

大理卿[310]萧俨[311]恶延巳为人，数上疏攻之。会俨坐失入人死罪[312]，锺谟、李德明辈必欲杀之，延巳曰："俨误杀一妇人，诸君以为当死。俨九卿[313]也，可误杀乎？"独上言："俨素有直声[314]，今所坐已会赦，宜从宽宥。"俨由是得免。人亦以此多[315]之。

景运寻罢为太子少傅[316]。

夏，四月丙戌朔[317]，日有食之。

帝以曹英等攻兖州久未克，乙卯[318]，下诏亲征。以李穀权东京留守兼判开封府，郑仁诲权大内都点[15]检[319]，又以侍卫马军都指挥使郭崇充在京都巡检[320]。

唐主既克湖南，遣其将李建期屯益阳[321]以图朗州，以知全州张峦兼桂州招讨使以图桂州，久之，未有功。唐主谓冯延巳、孙晟曰："楚人求息肩[322]于我，我未有以[16]抚其疮痍而虐用其力，非所以副来苏[323]之望。吾欲罢桂林之役，敛益阳之戍，以旌节授刘言，何如？"晟以为宜然[324]。延巳曰："吾出偏将举湖南，远近震惊。一旦三分丧二[325]，人将轻我。请委边将察其形势。"唐主乃遣统军使侯训将兵五千自吉州[326]路趣全州，与张峦合兵攻桂州。南汉伏兵于山谷，峦等始至城下，罢[327]乏，伏兵四起，城中出兵夹击之，唐兵大败，训死，峦收散卒数百奔归全州。

怀恨在心。当时执政大臣都不是经过科举考试，他们一起阻挠诋毁，最后废止了科举选士。

三月十二日戊辰，任命内客省使、恩州团练使晋阳人郑仁诲担任枢密副使。

十八日甲戌，改威胜军称武胜军。

南唐主任命太弟太保、昭义节度使冯延巳为左仆射，前任镇海节度使徐景运为中书侍郎，和右仆射孙晟都为同平章事。宣读制书后，户部尚书常梦锡在众人之中大声说："白麻制书很好，只是比不上江文蔚的奏疏罢了！"孙晟一向看不起冯延巳，对人说："金杯玉碗，竟然装了狗屎啊！"冯延巳进言南唐主说："陛下亲自处理众多的事务，所以宰相不能尽用他们的才能，这是治国之道所以没有成功的原因啊！"南唐主于是把全部政事都委托给他，南唐主对上奏划可而已。不久冯延巳不能勤理政事，文书都依赖小吏写成，军事则委托给边境的将帅。没多长时间，政事更加得不到治理，南唐主才又亲自阅处。

大理卿萧俨讨厌冯延巳的为人，多次上疏攻击他。适逢萧俨犯了错判人死罪的过错，锺谟、李德明一帮人一定要杀掉萧俨，冯延巳说："萧俨误杀一个妇人，诸君就认为应当处死。萧俨是九卿，可以误杀吗？"他独自上言说："萧俨一向有正直的名声，现在他所判的犯人正好已经遇到赦免，应当从宽饶恕他的过失。"萧俨因此得以免死。人们也因此称道冯延巳。

徐景运不久罢免了职务而任太子少傅。

夏，四月初一日丙戌，发生日食。

周太祖因为曹英等人进攻兖州很长时间没有攻下，三十日乙卯，下诏亲征。命李穀代理东京留守兼判开封府，郑仁诲代理大内都点检，又任命侍卫马军都指挥使郭崇充任在京都巡检。

南唐主攻下湖南后，派他的将领李建期屯驻益阳，借此谋取朗州；任命主持全州事务的张峦兼任桂州招讨使，用来谋取桂州，很长时间，没有功绩。南唐主对冯延巳和孙晟说："楚人指望我可以让他们休养生息，我没有抚慰他们的创伤，反而虐用民力，这不符合他们期待复苏的愿望。我打算停止桂林的战役，收回益阳的守兵，把权力交给刘言，怎么样？"孙晟认为应该如此。冯延巳说："我们派出偏将平定湖南，远近震惊。一旦丧失所得到地方的三分之二，人们将轻视我们。请委派边将观察形势后再说。"南唐主于是派遣统军使侯训率领士兵五千人从吉州那条路奔赴全州，与张峦军队会合攻打桂州。南汉在山谷中埋伏军队，张峦等人刚到城下，很疲乏，伏兵四起，城里又出兵，夹击南唐军队，南唐军队大败，侯训战死，张峦收拾散兵几百人逃回全州。

【段旨】

以上为第十二段，写南唐主好文学，多用如冯延巳等文士为大臣，互相轻视。南唐争桂州，为南汉所败。

【注释】

㉖甲辰：二月十八日。㉗不意：不料；没想到。㉘非计：失策。㉙烈祖：南唐李昪，庙号烈祖。㉚潘佑：仕南唐，官知制诰、内史舍人。好神仙，与道士李平相善。多次上疏指陈奸恶，不被后主采纳，愤然自缢。㉛美官：好的官职。㉜知贡举：主持科举考试。㉝戊辰：三月十二日。㉞甲戌：三月十八日。㉟改威胜军曰武胜军：旧以邓州为威胜军，避郭威讳改。㊱白麻：唐代诏书用麻纸誊写，有黄、白麻之分。凡赦书、德音、立后、建储、大诛讨及拜免将相等均用白麻；制、敕用黄麻。㊲江文蔚疏：此指江文蔚弹劾冯延巳、魏岑。此疏略载于《资治通鉴》后汉高祖天福十二年（公元九四七年）四月。㊳矢：通"屎"。㊴胥史：旧时在官府办理文书的小吏。㊵大理卿：官名，掌刑狱诉讼。㊶萧俨：庐陵（今江西吉安）人，仕南唐，官至大理卿。办案秉公执法，弹奏不阿，虽元宗、后主也不得不听从、采纳。㊷失入人死罪：误判人死罪。㊸九卿：泛指

【原文】

五月庚申㉘，帝发大梁。戊辰㉙，至兖州。己巳㉚，帝使人招谕慕容彦超，城上人语不逊。庚午㉛，命诸军进攻。

先是，术者㉜绐彦超云："镇星㉝行至角㉞、亢㉟，角、亢兖州之分，其下有福。"彦超乃立祠而祷之，令民家[17]皆立黄幡㊱。彦超性贪吝，官军攻城急，犹瘗㊲藏珍宝，由是人无斗志，将卒相继有出降者。乙亥㊳，官军克城，彦超方祷镇星祠，帅众力战，不胜，乃焚镇星祠，与妻赴井死。子继勋出走，追获，杀之。官军大掠，城中死者近万人。初，彦超将反，募群盗置帐下，至者二千余人，皆山林犷悍㊴，竟不为用。

帝欲悉诛兖州将吏，翰林学士窦仪㊵见冯道、范质，与之共白帝曰："彼皆胁从耳。"乃赦之。丁丑㊶，以端明殿学士颜衎㊷权知兖州

朝廷大臣。秦汉通常以奉常（太常）、郎中令（光禄勋）、卫尉、太仆、廷尉、典客（大鸿胪）、宗正、治粟内史（大司农）、少府为九卿。后世九卿的范围、职权屡有变化，但大同小异。萧俨为大理卿，当秦、汉之廷尉，为九卿之一。⑭ 直声：正直的名声。⑮ 多：推重；赞美。⑯ 景运寻罢为太子少傅：胡三省注，"唐既置太弟官属，不应复有太子少傅，当考"。⑰ 丙戌朔：四月初一日。⑱ 乙卯：四月三十日。⑲ 大内都点检：官名，守卫皇宫的将领。⑳ 在京都巡检：守卫京城的将领。㉑ 益阳：县名，县治在今湖南益阳。㉒ 息肩：湖南之人苦其主暴敛，而求南唐主免除劳役，休养生息。㉓ 来苏：因其来而获得休养生息。苏，苏息。《尚书·仲虺之诰》："徯予后，后来其苏。"孔传："汤所往之民皆喜曰：'待我君来，其可苏息。'"㉔ 宜然：宜如此；应该这样。㉕ 三分丧二：指得潭州而失掉朗州、桂州。㉖ 吉州：州名，治所庐陵，在今江西吉安。㉗ 罢：疲乏。

【校记】

［15］点：原作"巡"。据章钰校，十二行本、乙十一行本、孔天胤本皆作"点"，张敦仁《通鉴刊本识误》同，今据改。［16］以：原无此字。据章钰校，十二行本、乙十一行本、孔天胤本皆有此字，张敦仁《通鉴刊本识误》、张瑛《通鉴校勘记》同，今据补。

【语译】

五月初五日庚申，周太祖从大梁出发。十三日戊辰，到达兖州。十四日己巳，周太祖派人招抚劝谕慕容彦超，城上的人出言不逊。十五日庚午，命令各军进军攻城。

此前，方士欺骗慕容彦超说："土星运行到角、亢二星宿。角、亢二星宿的分野就是兖州，二星宿下面的地域有福气。"于是慕容彦超立祠祈祷，命令民家都要竖立黄颜色的旗帜。慕容彦超生性贪婪吝啬，官军攻城紧急，他还在埋藏珍宝，因此人们没有斗志，将领和士兵相继有出城投降的。五月二十日乙亥，官军攻下了兖州城，慕容彦超正在土星祠堂祈祷，他率领部众奋力战斗，没有取胜，就烧掉了土星祠堂，和妻子投井而死。他的儿子慕容继勋出逃，后周军队追上抓获了慕容继勋，杀死了他。官军大肆抢掠，城中死亡的将近一万人。当初，慕容彦超即将谋反，招募聚集成群的盗贼安置在自己的帐下，到来的有两千多人，都是山林粗犷强悍之人，最后也没有为他所用。

周太祖想全部杀掉兖州的将领和官吏，翰林学士窦仪去见冯道、范质，和他们一起禀告周太祖说："那些人都是胁从罢了。"于是赦免了他们。五月二十二日丁丑，

事。壬午㉝[18]，赦兖州管内，彦超党与[19]逃匿者期一月听自首，前已伏诛者赦其亲戚。癸未㉞，降泰宁军为防御州㉟。

唐司徒致仕李建勋卒。且死，戒其家人曰："时事如此，吾得良死幸矣！勿封土立碑，听人耕种于其上，免为他日开发之标。"及江南之亡㊻也，诸贵人高大之冢无不发者，惟建勋冢莫知其处。

六月乙酉朔㊼，帝如曲阜㊽，谒孔子祠。既奠，将拜，左右曰："孔子，陪臣㊾也，不当以天子拜之。"帝曰："孔子百世帝王之师，敢不敬乎！"遂拜之。又拜孔子墓，命葺孔子祠，禁孔林樵采。访孔子、颜渊之后，以为曲阜令及主簿。丙戌㊿，帝发兖州。

乙未㉑，吴越顺德太夫人㉒吴氏卒。

【段旨】

以上为第十三段，写周太祖亲征，平定慕容彦超之乱。祠祀孔子。

【注释】

㉘庚申：五月初五日。㉙戊辰：五月十三日。㉚己巳：五月十四日。㉛庚午：五月十五日。㉜术者：指占卜星相等操迷信职业的人。㉝镇星：即土星。我国古代认为土星每二十八年运行一周天，好像每年坐镇二十八宿中的一宿，故名。㉞角：星官名，二十八宿之一，即角宿，苍龙七宿的第一宿。㉟亢：亢宿。二十八宿之一，苍龙七宿的第二宿。㊱黄幡：黄色的旗幡。土色黄，立黄幡以从土的颜色，象征得土地为王。㊲瘗：埋藏。㊳乙亥：五月二十日。㊴犷悍：粗犷凶悍。㊵窦仪：字可象，蓟州渔阳（今天津蓟州区）人，后晋天福进士。官至翰林学士、礼部尚书。通礼仪，所提建议多被采纳。传见《宋史》卷二百六十三。㊶丁丑：五月二十二日。㊷颜衎：字祖德，兖州曲阜（今山东曲阜）人，自言为兖国公四十五世孙。后周官权知开封。传见《宋史》卷二百七

任命端明殿学士颜衎暂时主持兖州的事务。二十七日壬午，在兖州管辖区内实行大赦，慕容彦超的同党逃跑藏匿的，在一个月期限内听任自首，以前已经被处死的人，赦免他们的亲戚。二十八日癸未，把泰宁军降为防御州。

南唐以司徒退休的李建勋去世。即将死去时，告诫他的家人说："时局这个样子，我能善终很幸运了！不要筑坟立碑，任由别人在上面耕种，免得以后成为挖掘的标志。"等到江南灭亡时，各个贵人高大的坟墓没有不被挖掘的，只有李建勋的坟墓没有人知道在什么地方。

六月初一日乙酉，周太祖前往曲阜，拜谒孔子庙。献上祭品以后，将要下拜，身边的人说："孔子只是一个陪臣，不应当以天子的身份向他下拜。"周太祖说："孔子是百代帝王的老师，怎敢不尊敬他呢！"于是向他下拜。又拜孔子墓，命令修缮孔子祠，禁止在孔林打柴草。寻访孔子、颜渊的后代，任命为曲阜县令、主簿。初二日丙戌，周太祖从兖州出发。

十一日乙未，吴越顺德太夫人吴氏去世。

十。㉞㊸壬午：五月二十七日。㉞㊹癸未：五月二十八日。㉞㊺降泰宁军为防御州：因为慕容彦超据守兖州拒绝朝命，所以把节镇降格为防御州。五代时常有这种情况，是朝廷的一种防备后患的措施。㉞㊻江南之亡：指北宋平灭南唐。㉞㊼乙酉朔：六月初一日。㉞㊽曲阜：县名，县治在今山东曲阜。孔子故里，有鲁国故城遗址、孔庙、孔府、孔林等古迹。㉞㊾陪臣：古时指诸侯之臣。大夫之家臣亦可称陪臣。㉟㊿丙戌：六月初二日。351乙未：六月十一日。352顺德太夫人：吴越文穆王妃吴氏，名汉月，忠懿王钱俶生母。性慈惠节俭，尚黄老之学。谥恭懿。

【校记】

[17]家：原作"间"。据章钰校，十二行本、乙十一行本、孔天胤本皆作"家"，其义长，今据改。[18]壬午：原无此二字。据章钰校，十二行本、乙十一行本、孔天胤本皆有此二字，张敦仁《通鉴刊本识误》、张瑛《通鉴校勘记》同，今据补。[19]与：原无此字。据章钰校，十二行本、乙十一行本、孔天胤本皆有此字，今据补。

【原文】

丁酉[353]，蜀大水入成都，漂没千余家，溺死五千余人，坏太庙四室。戊戌[354]，蜀大赦，赈水灾之家。

己亥[355]，帝至大梁[356]。

朔方节度使兼中书令陈留王冯晖卒，其子牙内都虞候[357]继业[358]杀其兄继勋，自知军府事。

太子宾客李涛之弟澣[359]，在契丹为勤政殿学士，与幽州[360]节度使萧海真善。海真，契丹主兀欲之妻弟也。澣说海真内附，海真欣然许之。澣因定州谍者田重霸赍绢表以闻，且与涛书，言："契丹主童骏[361]，专事宴游，无远志，非前人[362]之比。朝廷若能用兵，必克。不然，与和，必得。二者皆利于速，度其情势，它日终不能力助河东[363]者也。"壬寅[364]，重霸至大梁，会中国多事，不果从[365]。

辛亥[366]，以冯继业为朔方留后。

枢密使王峻，性轻躁，多计数[367]，好权利，喜人附己，自以天下为己任。每言事，帝从之则喜，或时未允，辄愠怼[368]，往往发不逊语[369]。帝以其故旧，且有佐命功[370]，又素知其为人，每优容[371]之。峻年长于帝，帝即位，犹以兄呼之，或称其字，峻以是益骄。副使[372]郑仁诲、皇城使向训、恩州团练使李重进[373]，皆帝在藩镇时腹心将佐也，帝即位，稍稍进用。峻心嫉之，累表称疾，求解机务，以诇[374]帝意。帝屡遣左右敦谕，峻对使者辞气亢厉[375]，又遗诸道节度使书求保证[376]。诸道各献其书，帝惊骇久之，复遣左右慰勉，令视事[377]，且曰："卿傥不来，朕且自往。"犹不至。帝知枢密直学士陈观与峻亲善，令往谕指，观曰："陛下但声言临幸其第，严驾以待之[20]，峻必不敢不来。"从之[21]。秋，七月戊子[378]，峻入朝，帝慰劳令视事。重进，沧州人，其母即帝妹福庆长公主也。

李穀足跌，伤右臂，在告月余[379]。帝以穀职业繁剧，趣令入朝，辞以未任趋拜[380]。癸巳[381]，诏免朝参[382]，但令视事。

蜀工部尚书、判武德军郭延钧不礼于监押王承丕，承丕谋作乱。辛丑[383]，左奉圣都指挥使安次孙钦[384]当以部兵[385]戍边，往辞承丕。承

【语译】

六月十三日丁酉，后蜀发大水，水没成都，淹没一千多家，淹死五千多人，毁坏太庙四室。十四日戊戌，后蜀实行大赦，赈济遭受水灾的人家。

十五日己亥，周太祖到达大梁。

朔方节度使兼中书令陈留王冯晖去世，他的儿子牙内都虞候冯继业杀掉他的哥哥冯继勋，自己主持军府的事务。

太子宾客李涛的弟弟李澣，在契丹任勤政殿学士，与幽州节度使萧海真关系好。萧海真是契丹主兀欲妻子的弟弟。李澣劝说萧海真归附周室，萧海真欣然同意了。李澣通过定州间谍田重霸携带送绢表奏报朝廷，并且写信给李涛，说："契丹主年少无知，专门从事饮宴游玩，没有远大志向，不能与他的前人相比。朝廷如果能够用兵，一定取胜。不然的话，与他讲和，一定成功。这两种方法都行动迅速才有利，估计契丹的形势，异日终究不能出力援助河东的汉国。"六月十八日壬寅，田重霸到达大梁，适逢中原多事，结果没有采取李澣的计策。

六月二十七日辛亥，任命冯继业为朔方留后。

枢密使王峻，性情轻浮急躁，多计谋，喜好权力，高兴别人附和他，自己把治理天下作为自身的责任。每次论议政事，周太祖听从他就高兴，有时不同意，就恼怒怨恨，往往说出不恭敬的话。周太祖因为他是旧臣，并且有辅佐自己即帝位之功，又向来知道他的为人，所以常常宽容他。王峻年长于周太祖，周太祖即位，仍然以兄长来称呼他，或者称他的字，王峻因此更加骄横。枢密副使郑仁诲、皇城使向训、恩州团练使李重进，都是周太祖在藩镇时的心腹将佐，周太祖即位后，渐渐提拔任用。王峻心里嫉妒他们，多次上表称病，请求解除枢密使之职，以此来试探周太祖的想法。周太祖多次派遣左右的人谆谆劝慰，王峻回答使者语气高亢严厉，又写信给各道节度使求得保举。诸道节度使各自向周太祖献上保举王峻的书信，周太祖惊骇了很久，又派遣身边的人去慰抚劝勉，让王峻任职治事，并且说："卿倘若不来，朕将亲自前往。"王峻还是不来。周太祖知道枢密直学士陈观与王峻友善，命令他前去说明旨意，陈观说："陛下只要声称说要亲临他的宅第，备好车马来等他，王峻一定不敢不来。"周太祖听从了。秋，七月戊子日，王峻入朝，周太祖慰劳他，让他任职处理政事。李重进是沧州人，他的母亲就是周太祖的妹妹福庆长公主。

李穀失足跌倒，伤了右臂，休假一个多月。周太祖因为李穀的工作繁重，催促他入朝，李穀以不能趋走跪拜而推辞。癸巳日，诏命免去李穀上朝参拜，只让他处理公务。

后蜀工部尚书、判武德军郭延钧对监押王承丕无礼，王承丕图谋作乱。辛丑日，左奉圣都指挥使安次人孙钦应当率领所辖士兵戍守边境，前往向王承丕辞行。王承

丕邀与俱见府公[386]，钦不知其谋，从之。承丕至，则令左右击杀延钧，屠其家，称奉诏处置军府[387]，即开府库赏士卒，出系囚，发屯戍[388]。将吏毕集，钦谓承丕曰："今延钧已伏辜，公宜出诏书以示众。"承丕曰："我能致公富贵，勿问诏书。"钦始知承丕反，因绐曰："今内外未安，我请以部兵为公巡察。"即跃马而出，承丕连呼之，不止。钦至营，晓谕其众，帅以入府，攻承丕。承丕左右欲拒战，钦叱之，皆弃兵走。遂执承丕，斩之，并其亲党，传首成都。

天平节度使、守中书令高行周卒。行周有勇而知义，功高而不矜，策马临敌，叱咤风生，平居与宾僚宴集[389]，侃侃和易[390]，人以是重之。

癸卯[391]，蜀主遣客省使赵季札如梓州[392]，慰抚吏民。

汉法，犯私盐、麹，无问多少抵死。郑州民有以屋税[393]受盐于官，过州城，吏以为私盐，执而杀之，其妻讼冤。癸丑[394]，始诏犯盐、麹者以斤两定刑有差[395]。

【段旨】

以上为第十四段，写后周枢密使王峻恃功跋扈。后蜀武德军监押王承丕用诈计杀节镇，为左奉圣都指挥使孙钦所诛。

【注释】

㉝丁酉：六月十三日。㉞戊戌：六月十四日。㉟己亥：六月十五日。㊱帝至大梁：谓周太祖从兖州返回大梁。㊲牙内都虞候：节度使属官，权位极重。㊳继业：冯继业，字嗣宗，大名（今河北大名东）人，杀兄自领节镇。入宋，为同州节度使，封梁国公。传见《旧五代史》卷一百二十五、《宋史》卷二百五十三。㊴澣：即李澣，字日新，京兆万年（今陕西西安）人，善著文，后晋翰林学士。契丹入汴，没入塞北。传见《宋史》卷二百六十二、《辽史》卷一百三。㊵幽州：方镇名，唐先天二年（公元七一三年）置，天宝元年（公元七四二年）改名范阳节度使，为唐玄宗时边防十节度使之一。宝应元年（公元七六二年）复改为幽州节度使。治所幽州，在今北京市西南。㊶童骙：年少无知。骙，迟钝、不灵敏。㊷前人：指耶律阿保机、耶律德光等。㊸河东：此指北汉。㊹壬

丕邀请他一起去见军府长官郭延钧，孙钦不知道他的阴谋，便跟随着他。王承丕到了以后，就下令左右的人击杀郭延钧，屠杀他的全家，声称奉诏命处理军府的事情，随即打开府库赏赐士兵，放出关押的囚犯，调发他们去戍守。将领和官吏全都聚集起来，孙钦对王承丕说："现在郭延钧已经伏罪，您应当出示诏书给大家看。"王承丕说："我能够使您富贵，不必问诏书了。"孙钦这才知道王承丕谋反，因而欺骗他说："现在内外没有安定，我请求用我所辖的士兵为您巡察。"随即跃马而出，王承丕连声呼喊他，孙钦不停下来。孙钦回到军营，告诉他的部众，率领他们进入府中，攻击王承丕。王承丕左右的人想抵抗，孙钦大声呵斥他们，他们都丢弃武器逃走。于是抓住王承丕，杀掉他和他的亲党，把首级传送成都。

天平节度使、守中书令高行周去世。高行周勇猛而知晓大义，功高而不骄傲，驱马临敌，叱咤风云；平常居家与宾客幕僚饮宴聚会，从容不迫，平易近人，人们因此而敬重他。

癸卯日，后蜀主派遣客省使赵季札前往梓州，抚慰官吏民。

后汉的法律，犯法贩卖私盐、私造酒曲的人，不论数量多少，一律处死。郑州百姓有一人因为交纳屋税而向官府领取食盐，经过州城，官吏以为是私盐，把他抓起来杀了，他的妻子替他申诉冤情。癸丑日，开始发布诏命，犯法走私食盐、酒曲的人，用斤两多少确定刑罚轻重不同的等级。

寅：六月十八日。㉟365 不果从：终于没有实现李澣的计划。366 辛亥：六月二十七日。367 多计数：计谋多。368 愠怼：恼怒怨恨。369 不逊语：不恭敬的话。370 有佐命功：周太祖从邺都入汴以至即帝位，其间王峻功劳居多。371 优容：宽容。372 副使：谓枢密副使。373 李重进：郭威妹福庆长公主之子。历数镇节度使、加检校太尉。宋太祖立，谋反失败，自焚。传见《宋史》卷四百八十四。374 诇：侦察；试探。375 辞气亢厉：语气高亢、严厉。376 又遗句：意谓王峻又写书信给各道节度使求得保举。377 令视事：命他任职治事。378 七月戊子：七月乙卯朔，无戊子。七月，疑为"八月"之误。〖按〗以下之戊子、癸巳、辛丑、癸卯、癸丑皆在八月。又王峻入朝事，《册府元龟》卷一百七十九作"周太祖广顺二年八月……峻入朝"，正作"八月"，知"七月"应即"八月"之误。戊子，应为八月初五日。379 在告月余：告假一个多月。告，古时官吏休假。380 趋拜：趋走跪拜。趋，小步快走，表示恭敬。381 癸巳：七月乙卯朔，无癸巳。癸巳，应为八月初十日。382 朝参：古代指臣下朝见皇帝。383 辛丑：七月乙卯朔，无辛丑。辛丑，应为八月十八日。384 孙钦：幽州安次（今河北廊坊市安次区）人，为人果敢，多权谋。事高祖与后主，官左奉圣都指挥使。385 部兵：所统辖的军队。386 府公：一府之尊者。公，尊称。郭延钧为武德军府最

高长官，位尊，故谓之“府公”。㊳⑦称奉诏处置军府：说奉皇上诏令来处置军府。㊳⑧发屯戍：调发驻扎当地的戍卒。㊳⑨宴集：宴饮聚会。㊴⓪侃侃和易：从容不迫，平易近人。㊴①癸卯：七月乙卯朔，无癸卯。癸卯，应为八月二十日。㊴②梓州：州名，治所昌城，在今四川三台。梓州为武德军节度使驻镇，蜀主派赵季札前往，目的在于抚慰遭遇王承丕之乱的官民。㊴③屋税：房屋税。㊴④癸丑：七月乙卯朔，无癸丑。癸丑，应为八月三十日。㊴⑤以斤两定刑有差：按犯盐、酒曲多少确定轻重不同的刑罚。〖按〗当时规定，所犯一斤以下至一两，杖八十，配役；五斤以下，一斤以上，徒三年；五斤以上，重杖一顿，处死。

【校记】

［20］严驾以待之：原无此五字。据章钰校，十二行本、乙十一行本、孔天胤本皆有此五字，今据补。［21］从之：原无此二字。据章钰校，十二行本、乙十一行本、孔天胤本皆有此二字，今据补。

【研析】

本卷研析周太祖识人任贤、李崇矩仁厚、北汉民苦楚三件史事。

第一，周太祖识人任贤。郭威代汉，礼葬汉隐帝，平反被害汉大臣，国葬史弘肇、杨邠、王章等，又寻访各家幸存子孙录用之。宽待仇家，不泄私愤。刘铢贪婪酷虐，非汉室忠臣，杀灭郭威全家。刘铢被捕，郭威责问，刘铢答曰：“我刘铢为汉家诛杀叛逆的家族，没有计较后果。”郭威怒杀刘铢，但不问其妻子，说：“刘铢杀我全家，我再杀刘铢的全家，冤冤相报，何时是尽头。”表现了郭威的帝王器度。识人与任贤，郭威在五代之君中更是高人一筹。郭威在讨灭李守贞等三镇之叛时，看到朝廷的诏书以及处分军事方略都十分得体，询问使者，得知出自翰林学士范质之手，郭威说：“这个人是当宰相的人才。”郭威入京，找到了范质，非常高兴，当时漫天大雪，郭威立即解下自身的紫袍披到范质身上。郭威即位后，任用王峻为枢密使、同平章事兼左仆射、门下侍郎；范质为兵部侍郎，参知枢密院事；李穀判三司为中书侍郎，参知枢密院事，并同平章事；窦贞固为司徒兼侍中；苏禹珪为司空兼中书侍郎，并同平章事，诸人杰皆一时之选。当时国家新造，四方多故，后周君臣协力，很快步入正轨。慕容彦超反叛，郭威亲征，及时平灭，又两败刘崇连引的契丹南犯。郭威和好南唐，不禁两国边民来往，集中全力打击北汉及契丹，巩固国家政权，后周在五代中是治理得最有条理的朝代，郭威算得上是乱世中的明君。

第二，李崇矩仁厚。李崇矩，上党人，史弘肇故人亲吏，掌管史弘肇的家产和账簿。史弘肇死后，李崇矩得到了史弘肇的全部家产。郭威称帝，平反史弘肇等人的冤案，并派李崇矩寻访史弘肇的亲族。李崇矩说：“史弘肇的弟弟史弘福还活着。”

史弘福得以重见天日。李崇矩把他得到的史弘肇的全部家产完璧归赵，全都移交给了史弘福。周太祖郭威十分称赞李崇矩的高贵品德，特地把李崇矩安排在皇太子柴荣府中为皇太子的宾客和导师，让李崇矩的仁厚品德影响皇太子。五代乱世，弱肉强食成为普遍的现象，人与人之间道德底线衰颓，无官不贪，在这种社会生态中，李崇矩的仁厚品德无比崇高，不仅赢得了一国之君周太祖的尊重，而且还赢得了大史学家司马光的大书一笔。

第三，北汉民苦楚。公元九五一年，刘崇即帝位于晋阳，建立了北汉国，拥有河东十二州之地。刘崇不建宗庙，祭祀祖先用平民礼，宰相月俸仅百缗，节度使才三十缗，君臣节俭，表示出卧薪尝胆、报仇雪耻的决心。刘崇效法石敬瑭，向契丹称侄皇帝，连引契丹兵南犯。公元九五一年，刘崇两次与契丹人大举进攻后周，而结纳契丹，不得人心，两次都大败而回。北汉每年向契丹输钱十万缗，厚赂打点契丹权贵未计在内。北汉土地，本来就贫瘠，民众艰辛，内供军国，外奉契丹，所以赋役繁重。北汉官俸过低，十官九贪，加重民众的负担。北汉民苦楚，陷于水深火热之中，史称“民不聊生，逃入周境者甚众”。

卷第二百九十一　后周纪二

起玄黓困敦（壬子，公元九五二年）九月，尽阏逢摄提格（甲寅，公元九五四年）四月，凡一年有奇。

【题解】

本卷记事起于公元九五二年九月，迄于公元九五四年四月，凡一年又八个月，当后周太祖广顺二年九月至显德元年四月。周太祖减轻赋役，废军屯，以地赐民，贬逐跋扈之臣王峻，抱病祀南郊，临终遗命薄葬，不失明主风采。养子柴荣嗣位，史称周世宗。北汉主刘崇趁周国丧而南侵，周世宗御驾亲征。高平之战，周世宗大破北汉兵，刘崇狼狈逃窜，周世宗乘胜兵围晋阳。是役也，赵匡胤作战，一马当先，初露头角。楚国旧将刘言、王逵逐走南唐兵，尽复楚国之旧，只有郴、连两州落入南汉。湖南局势恢复，王逵杀刘言，称藩于后周。

【原文】

太祖圣神恭肃文武孝皇帝中

广顺二年（壬子，公元九五二年）

九月甲寅朔[①]，吴越丞相裴坚[②]卒，以台州[③]刺史吴延福同参相府事。

庚午[④]，敕北边吏民毋得入契丹境俘掠。

契丹将高谟翰以苇筏[⑤]渡胡卢河[⑥]入寇，至冀州[⑦]。成德节度使何福进遣龙捷都指挥使刘诚诲等屯贝州[⑧]以拒之。契丹闻之，遽引兵北渡。所掠冀州丁壮数百人，望见官军，争鼓噪，欲攻契丹。官军不敢应，契丹尽杀之。

蜀山南西道节度使李廷珪奏周人聚兵关中[⑨]，请益兵为备。蜀主遣奉銮肃卫都虞候赵进将兵趣利州[⑩]。既而闻周人聚兵以备北汉，乃引还。

【语译】

太祖圣神恭肃文武孝皇帝中

广顺二年（壬子，公元九五二年）

九月初一日甲寅，吴越丞相裴坚去世，命台州刺史吴延福共同参与丞相府事务。

十七日庚午，周太祖敕令北方边境的官吏、百姓不得进入契丹境内抢掠人口、财物。

契丹将领高谟翰利用芦苇筏子渡过胡卢河入侵，到达冀州。成德节度使何福进派遣龙捷都指挥使刘诚诲等人屯驻贝州抵抗契丹军队。契丹听到这个消息，急忙率军向北渡过胡卢河。所掠冀州丁壮几百人，望见官军，争相鼓噪，想攻击契丹。官军不敢响应，契丹把他们全部杀掉了。

后蜀山南西道节度使李廷珪上奏说后周人在关中集结军队，请求增兵防备。后蜀主派遣奉銮肃卫都虞候赵进率兵赶往利州。不久听说后周人集结军队用来防备北汉，于是率兵返回。

唐武安节度使边镐昏懦无断，在湖南，政出多门，不合众心。吉水人欧阳广⑪上书，言镐非将帅才，必丧湖南，宜别择良帅，益兵以救其败。不报。唐主使镐经略朗州。有自朗州来者，多言刘言忠顺，镐由是不为备。

唐主召刘言入朝，言不行，谓王逵曰："唐必伐我，奈何？"逵曰："武陵⑫负江湖之险，带甲数万，安能拱手受制于人！边镐抚御无方，士民不附，可一战擒也。"言犹豫未决，周行逢曰："机事贵速，缓则彼为之备，不可图也。"言乃以逵、行逢及牙将何敬真、张倣、蒲公益、朱全琇、宇文琼、彭万和、潘叔嗣、张文表⑬十人皆为指挥使，部分发兵⑭。叔嗣、文表，皆朗州人也。行逢能谋、文表善战、叔嗣果敢，三人多相须成功⑮，情款甚昵⑯。

诸将欲召溆州⑰酋长苻彦通⑱为援，行逢曰："蛮贪而无义，前年从马希萼入潭州，焚掠无遗⑲。吾兵以义举，往无不克。乌用此物，使暴殄百姓哉！"乃止。然亦畏彦通为后患，以蛮酋土团都指挥使刘瑫为群蛮所惮，补西境镇遏使以备之。

冬，十月，逵等将兵分道趣长沙，以孙朗、曹进为先锋使。边镐遣指挥使郭再诚等将兵屯益阳以拒之。戊子⑳，逵等克沅江㉑，执都监刘承遇，裨将李师德帅众五百降之。壬辰㉒，逵等命军士举小舟自蔽，直造㉓益阳，四面斧寨㉔而入，遂克之，杀戍兵二千人。边镐告急于唐。甲午㉕，逵等克桥口㉖及湘阴㉗。乙未㉘，至潭州，边镐婴城自守。救兵未至，城中兵少，丙申㉙夜，镐弃城走，吏民俱溃。醴陵门㉚桥折，死者万余人。道州㉛刺史廖偃为乱兵所杀。丁酉㉜旦，王逵入城，自称武平[1]节度副使、权知军府㉝事，以何敬真为行军司马。遣敬真等追镐，不及，斩首五百级。蒲公益攻岳州，唐岳州刺史宋德权走，刘言以公益权知岳州。唐将守湖南诸州者，闻长沙陷，相继遁去。刘言尽复马氏岭北故地，惟郴、连入于南汉。

契丹瀛、莫、幽州大水，流民入塞散居河北者数十万口，契丹州县亦不之禁。诏所在赈给存处之，中国民先为所掠，得归者什五六。

南唐武安节度使边镐昏庸懦弱，不能决断，在湖南，政出多门，不合民众的心愿。吉水人欧阳广上书，称边镐不是将帅之才，必定会失掉湖南，应该另外选择优秀的主帅，增加军队，用以挽救他的败局。未予批复。南唐主命让边镐筹谋朗州。有从朗州来的人，大多说刘言忠顺朝廷，边镐因此不作防备。

南唐主征召刘言入朝，刘言不去，对王逵说："唐国一定讨伐我，怎么办?"王逵说："武陵依仗长江、洞庭湖的险要，甲士数万，怎么能拱手受别人控制！边镐安抚治理无方，士民不愿意归附，可以一战就擒获他。"刘言犹豫不决，周行逢说："关键之事贵在迅速，迟缓了对方有了防备，就不可谋取了。"刘言于是任命王逵、周行逢以及牙将何敬真、张倣、蒲公益、朱全琇、宇文琼、彭万和、潘叔嗣、张文表十个人都为指挥使，部署发兵。潘叔嗣、张文表都是朗州人。周行逢擅长谋划、张文表善于作战、潘叔嗣果断勇敢，三个人多相辅建功，感情非常亲密。

众将想召请溆州酋长苻彦通作为援助，周行逢说："蛮人贪婪而不讲信义，前年随从马希萼进入潭州，放火抢劫，不留一物。我们的军队是以义起兵，攻无不克。何必用这些人，让他们残暴百姓呢!"于是此事作罢。然而也害怕苻彦通成为后患，因为蛮人酋长土团都指挥使刘瑫为众蛮人所畏惧，便补授他为西境镇遏使，用来防备苻彦通。

冬，十月，王逵等人率兵分路奔赴长沙，任命孙朗、曹进为先锋使。边镐派遣指挥使郭再诚等人率兵屯驻益阳来抵抗敌军。初五日戊子，王逵等人攻下沅江，抓住了都监刘承遇，副将李师德率领部众五百人投降。初九日壬辰，王逵等人命令军士用小船隐蔽自己，直抵益阳，从四面砍破营寨而入，于是攻克益阳，杀死守兵两千人。边镐向南唐告急。十一日甲午，王逵等人攻下桥口和湘阴。十二日乙未，到达潭州，边镐环城自守。救兵没有到来，城里兵少，十三日丙申晚上，边镐弃城逃走，官吏、百姓全部溃散。醴陵门的桥断裂，死的有一万多人，道州刺史廖偃被乱兵所杀。十四日丁酉早晨，王逵进入城内，自称武平节度副使、权知军府事，任命何敬真为行军司马。派遣何敬真等人追赶边镐，没有追上，斩了五百首级。蒲公益攻打岳州，南唐岳州刺史宋德权跑了，刘言任命蒲公益代理主持岳州事务。南唐驻守湖南各州的将领，听说长沙陷落，相继逃走。刘言全部收复马氏岭北的旧地，只有郴、连两州入于南汉。

契丹瀛州、莫州、幽州发生大水，流民进入边塞散居河北的有几十万，契丹的州县也不禁止流民。皇帝下诏命令各地救济安顿流民。中原的百姓以前被掠去的，得以回来的有十分之五六。

【段旨】

以上为第一段，写楚旧将刘言、王逵逐走南唐兵，尽复楚国之旧，唯有郴、连两州落入南汉。

【注释】

① 甲寅朔：九月初一日。② 裴坚：字廷实，湖州（治所在今浙江湖州市吴兴区）人，善属文，任吴越丞相，有善政。③ 台州：州名，治所临海，在今浙江临海。④ 庚午：九月十七日。⑤ 苇筏：用芦苇编成的渡水工具，呈平面形，以竿撑水底前行。⑥ 胡卢河：又名宁晋泊，在今河北宁晋东南，现已成洼地。⑦ 冀州：州名，治所在今河北衡水市冀州区。⑧ 贝州：州名，治所在今河北清河县。⑨ 关中：地区名，相当于今陕西中部，旧说在东函谷关、南武关、西散关、北萧关等四关之中。⑩ 利州：州名，治所兴安，在今四川广元市利州区。⑪ 欧阳广：吉州吉水（今江西吉水县）人，善于洞察时局，有远见。南唐元宗李璟曾想召试他，拟授予官职，他却不肯就试。后出任吉水县令。⑫ 武陵：郡名，

【原文】

丁未㉞，李穀[2]以病臂久未愈㉟，三表辞位。帝遣中使谕指曰："卿所掌至重，朕难其人㊱。苟事功克集，何必朝礼！朕今于便殿待卿，可暂入相见。"穀入见于金祥殿，面陈悃款㊲，帝不许。穀不得已，复视事。穀未能执笔，诏以三司务繁㊳，令刻名印㊴用之。

辛亥㊵，敕："民有诉讼，必先历县州及观察使处决。不直，乃听诣[3]台省㊶。或自不能书牒㊷，倩人㊸书者，必书所倩姓名、居处㊹。若无可倩，听执素纸㊺。所诉必须己事，毋得挟私客诉㊻。"

庆州㊼刺史郭彦钦性贪，野鸡族㊽多羊马，彦钦故扰之以求赂，野鸡族遂反，剽掠纲商㊾。帝命宁、环二州㊿合兵讨之。

刘言遣使奉表[4]来告，称："湖南世事朝廷，不幸为邻寇(51)所陷。臣虽不奉诏，辄(52)纠合义兵，削平旧国(53)。"

唐主削边镐官爵，流饶州(54)。初，镐以都虞候从查文徽克建州(55)，凡所俘获皆全之，建人谓之"边佛子"。及克潭州，市不易肆(56)，潭人

唐天宝、至德时改朗州为武陵郡，治所在今湖南常德。⑬张文表：朗州人，周行逢死，据长沙发动叛乱，后被杨师璠平灭。⑭部分发兵：部署发兵事宜。⑮相须成功：相互配合，取得成功。⑯情款甚昵：感情十分亲密。⑰溆州：州名，治所在今湖南怀化。⑱苻彦通：溆州部族首领，自谓苻秦后代，称王于溪峒间。曾助马希萼攻入长沙，焚掠无遗。后投王逵，授黔中节度使。⑲前年二句：事见《资治通鉴》卷二百八十九汉隐帝乾祐三年（公元九五〇年）。⑳戊子：十月初五日。㉑沅江：县名，县治在今湖南沅江。㉒壬辰：十月初九日。㉓造：抵；到。㉔斧寨：砍破营寨。㉕甲午：十月十一日。㉖桥口：桥口镇，在今湖南长沙西北。㉗湘阴：县名，治所在今湖南湘阴。㉘乙未：十月十二日。㉙丙申：十月十三日。㉚醴陵门：潭州城东门。㉛道州：州名，治所营道，在今湖南道县。㉜丁酉：十月十四日。㉝军府：谓潭州军府。

【校记】

［1］武平：胡三省注云："'武平'当作'武安'。"严衍《通鉴补》改作"武安"。然《十国春秋·何敬真传》作"武平"，未知孰是。

【语译】

十月二十四日丁未，李穀因为手臂有病长久没有治好，三次上表辞职。周太祖派遣中使向他言明旨意说："卿所执掌的事务至为重要，朕难以找到合适的人。倘若事情能够办好，何必要上朝礼拜！朕现在在便殿等待你，你可以马上进宫进见。"李穀入见于金祥殿，当面陈述自己的至诚心意，周太祖不答应。李穀不得已，又处理公务。李穀不能拿笔，周太祖下诏说，因为三司事务繁忙，命刻图章来使用。

十月二十八日辛亥，周太祖敕令："百姓有诉讼，一定先经过县、州及观察使处理决断。如果不公正，才允许向台省上诉。有的人自己不能写诉状，请人书写的，一定写明代写诉状人的姓名、住处，如果找不到人代写，允许只拿白纸起诉。所诉讼的必须是自己的事，不得挟带私情替人诉讼。"

庆州刺史郭彦钦生性贪婪，党项野鸡族有很多羊、马，郭彦钦故意骚扰他们，以此索取贿赂。野鸡族于是反叛，抢劫集团商贩。周太祖命令宁、环二州联合兵力讨伐他们。

刘言派遣使者前来上表，说："湖南世代侍奉朝廷，不幸被邻敌攻陷。臣虽然没有接奉诏命，但已集合义兵，削平旧楚之地。"

南唐主免除边镐的官爵，流放饶州。当初，边镐以都虞候的职位跟随查文徽攻下建州，所有俘获的人全都保全了性命，建州人称他为"边佛子"。等到攻下潭州，

谓之“边菩萨”。既而为节度使，政无纲纪，惟日设斋供[57]，盛修佛事，潭人失望，谓之“边和尚”矣。

左仆射同平章事冯延巳、右仆射同平章事孙晟上表请罪，皆释之。晟陈请不已，乃与延巳皆罢守本官。唐主以比年[58]出师无功，乃议休兵息民。或曰：“愿陛下数十年不用兵，可小康矣！”唐主曰：“将终身不用，何数十年之有！”唐主思欧阳广之言[59]，拜本县令。

【段旨】

以上为第二段，写南唐边镐非将帅才，丢失湖南，冯延巳等引咎辞相位。

【注释】

㉞丁未：十月二十四日。㉟榖以病臂久未愈：《宋史·李榖传》载：“晨起仆阶下，伤右臂。”㊱朕难其人：我很难找到合适的人选。㊲悃款：至诚的心意。㊳三司务繁：李榖此时的职务是中书侍郎、平章事、判三司。㊴刻名印：刻图章。指以盖印章代签字。㊵辛亥：十月二十八日。㊶不直二句：地方判案不公正，才允许向朝廷台省上诉。台省，指御史台和尚书省刑部。㊷牒：公文；凭证。此指上诉的状子。㊸倩人：请人；托人。㊹必书所倩姓名、居处：状上一定写明代写状子人的姓名、住处。㊺若无可倩二句：指不识字又请不到代写状子的人，可手执一张白纸代替状子。素纸，白纸。㊻挟私客诉：不得挟持私情替人诉讼。㊼庆州：州名，治所安化，在今甘肃庆阳。㊽野鸡族：

【原文】

十一月辛未[60]，徙保义节度使折从阮为静难节度使，讨野鸡族。

癸酉[61]，敕：“约每岁民间所输牛皮，三分减二。计田十顷，税取一皮，余听民自用及卖买，惟禁卖于敌国。”先是，兵兴以来[62]，禁民私卖买牛皮，悉令输官受直[63]。唐明宗之世，有司止偿以盐。晋天福中，并盐不给。汉法，犯私牛皮一寸抵死，然民间日用实不可无。帝素知其弊，至是，李榖建议，均于田亩[64]，公私便之。

街市上的店铺没有惊动改变，潭州人称他为“边菩萨”。不久担任节度使，政事没有法度，只是每天摆设供品，盛修佛事，潭州人失望，就称他为“边和尚”了。

左仆射同平章事冯延巳、右仆射同平章事孙晟上表请罪，南唐主都释之不问。孙晟请罪不止，才和冯延巳都免除宰相的职务，只担任原有的官职。南唐主因为连年出兵无功，于是讨论停止用兵，让百姓休养生息。有人说：“希望陛下几十年不用兵，就可以小康了！”南唐主说：“我将终身不用兵，何止几十年呢！”南唐主想起欧阳广的话，任命他为本县县令。

党项族的一支，居庆州北。㊾纲商：往沿边从事贸易的集团商贩。纲，商人结伙发运大宗商品，分批起运，每一批编号称为一纲。㊿宁、环二州：宁州治所定安，在今甘肃宁县。环州治所通远，在今甘肃环县。(51)邻寇：指南唐。(52)辄：则。(53)旧国：指湖南旧楚之地。(54)饶州：州名，治所鄱阳，在今江西鄱阳。(55)从查文徽克建州：事见《资治通鉴》卷二百八十五后晋出帝开运二年、南唐李璟保大三年（公元九四五年）。(56)市不易肆：街上的店铺照常做买卖（未受骚扰）。(57)设斋供：摆设供佛的物品。(58)比年：连年。(59)欧阳广之言：欧阳广言边镐必败。

【校记】

［2］李穀：原无“李”字。胡三省注云：“‘穀’上须有‘李’字。”据章钰校，十二行本、孔天胤本皆有“李”字，今据补。［3］诣：原作“讼于”。据章钰校，十二行本、乙十一行本、孔天胤本皆作“诣”，张敦仁《通鉴刊本识误》同，今据改。［4］奉表：原无此二字。据章钰校，十二行本、乙十一行本皆有此二字，今据补。

【语译】

十一月十九日辛未，徙任保义节度使折从阮为静难节度使，讨伐野鸡族。

十一月二十一日癸酉，周太祖敕令：“规定每年民间所缴纳的牛皮，减免三分之二。共计田地十顷，税取一张牛皮，其余的听任百姓自用和买卖，只是禁止卖给敌国。”此前，战乱以来，禁止百姓私自买卖牛皮，全部要交给政府接受偿值。后唐明宗的时候，官府只用盐补偿。后晋天福年间，连盐也不给予。后汉法令，犯法私卖牛皮一寸就处死，然而民间的日常使用实在不可缺少。周太祖向来知道其中的弊端，到了这时，李穀建议，把应缴纳的牛皮均摊到田亩中，公私都方便。

十二月丙戌⑥⁵，河决郑、滑，遣使行视修塞。

甲午⑥⁶，前静难节度使侯章献买宴⑥⁷绢千匹，银五百两。帝不受，曰："诸侯入觐⑥⁸，天子宜有宴犒⑥⁹，岂待买邪！自今如此比者，皆勿[5]受。"

王逵将兵及洞蛮五万攻郴州，南汉将潘崇彻救之，遇于蚝石⑦⁰。崇彻登高望湖南兵，曰："疲而不整，可破也。"纵击，大破之，伏尸八十里。

翰林学士徐台符请诛诬告李崧者⑦¹葛延遇及李澄，冯道以为屡更赦⑦²，不许。王峻嘉台符之义，白于帝。癸卯⑦³，收延遇、澄，诛之。

刘言表称潭州残破，乞移使府治朗州，且请贡献、卖茶，悉如马氏故事。许之。

唐江西观察使楚王马希萼入朝，唐主留之。后数年，卒于金陵，谥曰恭孝。

初，麟州⑦⁴土豪杨信自为刺史，受命于周。信卒，子重训⑦⁵嗣，以州降北汉。至是，为群羌所围，复归款⑦⁶，求救于夏、府二州⑦⁷。

【段旨】

以上为第三段，写周太祖减轻赋役，南唐遣使入朝。

【注释】

⑥⁰辛未：十一月十九日。⑥¹癸酉：十一月二十一日。⑥²兵兴以来：指唐末战乱以来。⑥³悉令输官受直：民间牛皮全部交纳官府接受偿值。直，价值。牛皮做甲胄，故禁卖敌国，官府垄断收购。⑥⁴均于田亩：把应缴纳的牛皮平均摊到田亩中。⑥⁵丙戌：十二月初四日。⑥⁶甲午：十二月十二日。⑥⁷买宴：五代时方镇入朝以及在朝之臣参加宴会，都要买宴，交纳钱物。⑥⁸觐：古代诸侯朝见天子，春见叫朝，秋见叫觐。此泛指进见天

十二月初四日丙戌，黄河在郑州、滑州决口，周太祖派遣使者巡视，修塞河堤。

十二日甲午，前任静难节度使侯章进献买宴的绢一千匹，银五百两。周太祖不接受，说："诸侯入朝进见天子，天子应该设宴犒劳，岂能让人买呢！从今以后像这样的进贡，全部不予接受。"

王逵率兵和洞蛮人共五万攻打郴州，南汉将领潘崇彻救援郴州，两军在蚝石相遇。潘崇彻登高眺望湖南军队，说："疲乏而不整齐，可以打败。"纵兵攻击，大败湖南军队，伏尸八十里。

翰林学士徐台符请求诛杀诬告李崧的葛延遇和李澄。冯道认为经过了多次赦令，没有同意。王峻赞许徐台符的大义，禀告给周太祖。十二月二十一日癸卯，逮捕葛延遇、李澄，杀了他们。

刘言上表说潭州残破，请求把节度使的府署迁移到朗州，并且请求进贡、卖茶，全都按照马氏的旧例。周太祖答应了他。

南唐江西观察使楚王马希萼入朝，南唐主留下了他。几年后，马希萼死在金陵，谥号为恭孝。

当初，麟州土豪杨信自命为刺史，接受后周的命令。杨信去世，他的儿子杨重训继位，带着州城投降北汉。到这时，被群羌包围，又投诚归附后周，向夏、府二州求救。

子。⑥⑨宴犒：设宴犒劳。⑦⓪蚝石：地名，在今湖南宜章境。⑦①徐台符请诛诬告李崧者：徐台符与李崧相善，故为请诛诬告者。诬告者指葛延遇与李澄两仆夫，事见《资治通鉴》卷二百八十八。⑦②屡更赦：屡次颁布赦令。⑦③癸卯：十二月二十一日。⑦④麟州：州名，治所在今陕西神木北。⑦⑤重训：据《资治通鉴考异》及《考异》所引《世宗实录》，当作"崇训"。⑦⑥归款：诚心归附。⑦⑦求救于夏、府二州：指杨信向夏州镇将李彝殷、府州镇将折德扆二将求救。夏州治所岩绿，在今陕西靖边红墩界白城子。府州治所在今陕西府谷县。

【校记】

［5］勿：原作"不"。据章钰校，十二行本、乙十一行本、孔天胤本皆作"勿"，其义长，今据改。

【原文】

三年（癸丑，公元九五三年）

春，正月丙辰[78]，以武平留后刘言为武平节度使，制置武安、静江等军事，同平章事。以王逵为武安节度使，何敬真为静江节度使，周行逢为武安行军司马。

诏折从阮“野鸡族能改过者，拜官赐金帛，不则进兵讨之”。壬戌[79]，从阮奏“酋长李万全[80]等受诏立誓外，自余犹不服，方讨之”。

前世，屯田皆在边地，使戍兵佃之。唐末，中原宿兵，所在皆置营田以耕旷土。其后，又募高赀户[81]使输课佃之[82]，户部别置官司总领[83]，不隶州县。或丁多无役，或容庇奸盗，州县不能诘。梁太祖击淮南，掠得牛以千万计，给东南诸州农民，使岁输租。自是历数十年，牛死而租不除，民甚苦之。帝素知其弊，会阁门使、知青州[84]张凝上便宜[85]，请罢营田务[86]，李穀亦以为言。乙丑[87]，敕悉罢户部营田务，以其民隶州县。其田、庐、牛、农器，并赐见佃者为永业[88]，悉除租牛课[89]。是岁，户部增三万余户。民既得为永业，始敢葺屋植木，获地利数倍。或言：“营田有肥饶者，不若鬻之，可得钱数十万缗以资国。”帝曰：“利在于民，犹在国也，朕用此钱何为！”

莱州刺史叶仁鲁，帝之故吏也，坐赃绢万五千匹，钱千缗。庚午[90]，赐死。帝遣中使赐以酒食曰：“汝自抵[91]国法，吾无如之何！当存恤汝母。”仁鲁感泣。

帝以河决为忧，王峻请自[6]往行视，许之。镇宁节度使荣屡求入朝，峻忌其英烈[92]，每沮止[93]之。闰月[94]，荣复求入朝，会峻在河上[95]，帝乃许之。

契丹寇定州，围义丰军[96]。定和都指挥使杨弘裕夜击其营，大获，契丹遁去。又寇镇州，本道兵击走之。

丙申[97]，镇宁节度使荣入朝。故李守贞骑士马全乂[98]从荣入朝，帝召见，补殿前指挥使，谓左右曰：“全乂忠于所事，昔在河中，屡挫吾军，汝辈宜效之。”王峻闻荣入朝，遽自河上归。戊戌[99]，至大梁。

【语译】

三年（癸丑，公元九五三年）

春，正月初五日丙辰，任命武平留后刘言为武平节度使，制置武安、静江等军事，同平章事。任命王逵为武安节度使，何敬真为静江节度使，周行逢为武安行军司马。

周太祖诏令折从阮“野鸡族能够改过的，授给官职，赏赐金帛，不然就进兵讨伐他们”。正月十一日壬戌，折从阮上奏“除酋长李万全等人受诏立誓以外，其他人还不服从，正在讨伐他们”。

前朝时候，屯田都在边境，让戍守的士兵耕种。唐朝末年，中原驻守军队，所在之处都设置营田来耕种空地。其后，又招募有钱人家，让他们交纳租税，土地由他们租出去，户部另外设置官署总管，不隶属州县。有的农户成年男子多而没有徭役，有的收容庇护奸邪盗贼，州县不能责问。后梁太祖攻打淮南，掠夺到的牛以千万计，给予东南各州的农民，让他们每年缴纳租税。从这以后，经过几十年，牛死而租税没有免除，百姓深受其苦。周太祖一向知道其中的弊端，适逢阁门使、知青州张凝上奏利国利民之事，请求废除营田机构，李穀也说这件事。正月十四日乙丑，周太祖敕令全部废除户部的营田官署，把它所管辖的民众隶属州县。那些田地、房舍、耕牛、农具，都赐给现在租佃土地的人作为永久的产业，全部废除租牛税。这一年，户部登记的户口增加了三万多户。百姓已经得到这些田产作为永久的产业，才敢开始修缮房屋，栽种树木，得到的地利数倍于前。有人说：“营田中有肥沃富饶的，不如把它卖掉，可以获得几十万缗的钱来资助国家。”周太祖说：“利益在于百姓，就如同在国家，朕用这些钱干什么！”

莱州刺史叶仁鲁是周太祖的旧吏，犯了贪污一万五千匹绢、一千缗钱的罪。正月十九日庚午，赐死。周太祖派遣中使赐以酒食，说：“你自己触犯国法，我没有办法！必当会抚恤你的母亲。”叶仁鲁感动得流泪。

周太祖忧心黄河决口的事，王峻自己请求前往巡视，周太祖答应了。镇宁节度使郭荣多次请求入朝，王峻嫉妒他杰出的功绩，常常阻止他。闰正月，郭荣又请求入朝，正赶上王峻在黄河巡视，周太祖于是答应了郭荣。

契丹入侵定州，包围义丰军。定和都指挥使杨弘裕夜里袭击契丹的营地，大获全胜，契丹人逃走。契丹又侵犯镇州，镇州军队打跑了他们。

闰正月十五日丙申，镇宁节度使郭荣入朝。旧时李守贞的骑士马全义随从郭荣入朝，周太祖召见他，补任为殿前指挥使，周太祖对身边的人说：“马全义忠于他所侍奉的人，过去在河中时，多次挫败我的军队，你们应该效仿他。”王峻听说郭荣入朝，急忙从黄河边赶回。十七日戊戌，到达大梁。

【段旨】

以上为第四段，写周太祖废军屯，以地赐民，镇宁节度使柴荣入朝。

【注释】

⑱丙辰：正月初五日。⑲壬戌：正月十一日。⑳李万全：吐谷浑部人，善左右射，老而不衰。仕后周，官彰武军节度使。入宋，加检校太尉、横海军节度使。传见《宋史》卷二百六十一。㉑高赀户：有钱的人家。㉒使输课佃之：让有钱人家交纳租税，土地由他们租出去。㉓户部别置官司总领：户部另设官署总管租佃土地的事。㉔青州：州名，治所在今山东青州。㉕上便宜：上奏利国利民之事。㉖请罢营田务：请求废除户部营田（屯田）的机构。㉗乙丑：正月十四日。㉘并赐见佃者为永业：都赠给现在租佃土地的

【原文】

彰武节度使高允权卒，其子牙内指挥使绍基谋袭父位，诈称允权疾病，表己知军府事。观察判官李彬切谏，绍基怒，斩之。辛巳[100]，以彬谋反闻。

王峻固求领藩镇，帝不得已，壬寅[101][7]，以峻兼平卢节度使。

高绍基屡奏杂虏犯边，冀得承袭。帝遣六宅使[102]张仁谦诣延州[103]巡检，绍基不能匿，始发父丧。

戊申[104]，折从阮奏降野鸡二十一族。

唐草泽[105]邵棠上言："近游淮上[106]，闻周主恭俭，增修德政。吾兵新破于潭、朗，恐其有南征之志，宜为之备。"

初，王逵既克[8]潭州，以指挥使何敬真为静江节度副使、朱全琇为武安节度副使、张文表为武平节度副使、周行逢为武安行军司马。敬真、全琇各置牙兵，与逵分厅视事[107]，吏民莫知所从。每宴集，诸将使酒，纷拏如市[108]，无复上下之分，唯行逢、文表事逵尽礼，逵亲爱之。敬真与逵不协，辞归朗州，又不能事刘言，与全琇谋作乱。言素忌逵之强，疑逵使敬真伺己，将讨之。逵闻之，甚惧。行逢曰："刘言

人作为永久的产业。⑧⑨悉除租牛课：全部废除租牛税。⑨⓪庚午：正月十九日。⑨①抵：触犯；冒犯。⑨②英烈：杰出的功绩。⑨③沮止：阻止。⑨④闰月：闰正月。⑨⑤会峻在河上：正赶上王峻外出巡视黄河。⑨⑥义丰军：方镇名，治所义丰，在今河北滦州。⑨⑦丙申：闰正月十五日。⑨⑧马全义：幽州蓟（今北京西南）人，长于谋划和骑射。初仕李守贞，不为所用。入周，颇受郭威赏识，屡破强敌，官至江州防御使。传见《宋史》卷二百七十八。⑨⑨戊戌：闰正月十七日。

【校记】

［6］请自：原作“自请”。据章钰校，十二行本、乙十一行本、孔天胤本二字皆互乙，今据改。

【语译】

彰武节度使高允权去世，他的儿子牙内指挥使高绍基图谋承袭父亲的职位，假称高允权病重，上表自己主持军府的事务。观察判官李彬极力劝谏，高绍基很生气，把他斩首。正月三十日辛巳，向朝廷报告说李彬谋反。

王峻再三地请求兼领藩镇，周太祖不得已，闰正月二十一日壬寅，任命王峻兼任平卢节度使。

高绍基多次奏报杂虏侵犯边境，希望能够承袭父职。周太祖派遣六宅使张仁谦到延州巡视检查，高绍基不能隐瞒，才为父亲发丧。

二十七日戊申，折从阮奏报野鸡二十一族投降。

南唐布衣邵棠上言：“近来游览淮河一带，听说周国的君主谦恭节俭，推行德政。我们的军队刚败于潭州和朗州，恐怕周国有南征的想法，应该做好防备。”

当初，王逵攻克潭州后，任命指挥使何敬真为静江节度副使、朱全琇为武安节度副使、张文表为武平节度副使、周行逢为武安行军司马。何敬真和朱全琇各自设置牙兵，与王逵分厅处理政事，官吏百姓不知道听从谁。每当聚会宴饮，众将酗酒任性，互相拉扯，像闹市一样，不再有上下之分，只有周行逢、张文表侍奉王逵礼仪周全，王逵亲近喜欢他们。何敬真与王逵不和，辞别回到朗州，但又不能侍奉刘言，和朱全琇一起图谋作乱。刘言向来顾忌王逵的强大，怀疑王逵派何敬真刺探自己，将要讨伐王逵。王逵听到这个消息，极为害怕。周行逢说：“刘言一向不和我们

素不与吾辈同心，何敬真、朱全琇耻在公下，公宜早图之。”逵喜曰：“与公共除凶党，同治潭、朗，夫复何忧！”

会南汉寇全、道、永州[109]，行逢请：“身至朗州说言，遣敬真、全琇南讨。俟至长沙，以计取之，如掌中物耳。”逵从之。行逢至朗州，言以敬真为南面行营招讨使、全琇为先锋使，将牙兵百余人会潭州兵以御南汉。二人至长沙，逵出郊迎，相见甚欢。宴饮连日，多以美妓饵之，敬真因淹留[110]不进。朗州指挥使李仲迁部兵三千人久戍潭州，敬真使之先发，趣岭北[111]。都头符会等因士卒思归，劫仲迁擅还朗州。逵乘敬真醉，使人诈为言使者，责敬真以“南寇深侵，不亟捍御而专务荒宴，太师[112]命械公归西府[113]”，因收系狱。全琇逃去，遣兵追捕之。二月辛亥朔[114]，斩敬真以徇。未几，获全琇及其党十余人，皆斩之。

癸丑[115]，镇宁节度使荣归澶州。

初，契丹主德光北还，以晋传国宝自随。至是，更以玉作二宝[116]。

王逵遣使以斩何敬真告刘言，言不得已，庚申[117]，斩符会等数人。

枢密使、平卢节度使、同平章事王峻，晚节益狂躁，奏请以端明殿学士颜衎、枢密直学士陈观，代范质、李穀为相。帝曰：“进退宰辅，不可仓猝，俟朕更思之。”峻力论列，语浸不逊。日向中，帝尚未食，峻争之不已。帝曰：“今方寒食，俟假开[118]，如卿所奏。”峻乃退。

癸亥[119]，帝亟召宰相、枢密使入，幽峻于别所。帝见冯道等，泣曰：“王峻陵[120]朕太甚，欲尽逐大臣，翦朕羽翼。朕惟一子，专务间阻[121]，暂令诣阙，已怀怨望。岂有身典枢机[122]，复兼宰相，又求重镇[123]！观其志趣，殊未盈厌[124]。无君如此，谁则堪之！”甲子[125]，贬峻商州[126]司马[127]，制辞略曰：“肉视群后，孩抚朕躬[128]。”帝虑邺都留守王殷不自安，命殷子尚食使承诲诣殷，谕以峻得罪之状。峻至商州，得腹疾，帝犹愍之，命其妻往视之，未几而卒。

同心，何敬真、朱全琇耻于在您手下，您对他们应该早做打算。”王逵高兴地说：“和您一起铲除凶党，共同治理潭州、朗州，又有什么担忧的！”

适逢南汉入侵全州、道州、永州，周行逢请求：“我亲身到朗州劝说刘言，派遣何敬真、朱全琇南伐。等他们到达长沙，利用计策捉拿他们，如同掌中取物而已。”王逵听从他的建议。周行逢到达朗州，刘言任命何敬真为南面行营招讨使、朱全琇为先锋使，率领一百多名牙兵会合潭州兵来抵御南汉。二人到了长沙，王逵出城郊迎，相见非常高兴。连日宴饮，利用许多美貌妓女引诱他们，何敬真因此停留不再前进。朗州指挥使李仲迁所辖士兵三千人长期戍守潭州，何敬真让他们先出发，奔赴大庾岭以北。都头符会等人因为士兵们想回家，劫持李仲迁擅自返回朗州。王逵趁着何敬真醉酒，让人假装成刘言的使者，指责何敬真“南方的敌寇深入边境侵略，不赶快抗御，而专心从事玩乐饮酒，太师命令把您上了械具押回朗州军府”，接着就把他逮捕系狱。朱全琇逃走，王逵派遣士兵追捕他。二月初一日辛亥，把何敬真斩首示众。不久，抓获朱全琇和他的党徒十多人，把他们全部斩首。

二月初三日癸丑，镇宁节度使郭荣返回澶州。

当初，契丹主耶律德光返回北方，把后晋的传国宝随身带着。到了这时，另外用玉制作了两个传国宝。

王逵派遣使者把斩杀何敬真的事告诉刘言，刘言不得已，初十日庚申，斩杀符会等几个人。

枢密使、平卢节度使、同平章事王峻，晚年更加狂躁，上奏请求任用端明殿学士颜衎、枢密直学士陈观，来代替范质、李穀为宰相。周太祖说：“任免宰相，不能仓促，等朕再思考一下。”王峻极力论说他的意见，言语渐渐地不恭逊。时间快到正午，周太祖还没有吃饭，王峻仍然争论不休。周太祖说：“现在正是寒食节，等到休假结束，就按卿上奏的去办理。”王峻这才退下。

二月十三日癸亥，周太祖赶快召请宰相、枢密使入朝，把王峻幽禁在别的地方。周太祖见到冯道等人，流泪说：“王峻欺朕太甚，想驱逐全部大臣，翦除朕的辅佐。朕只有一个儿子，王峻专门琢磨从中阻挠，朕暂时让他进京，王峻已经心怀怨恨。岂有身掌枢密院，又兼任宰相，还要兼领重要藩镇！看他的心意，永远不会满足。如此无视君主，谁能够忍受！”十四日甲子，贬王峻为商州司马，制书的内容大略说：“把群臣看作砧板上的肉，把天子当作年幼无知的小孩。”周太祖考虑邺都留守王殷内心感到不安，命令王殷的儿子尚食使王承诲前往王殷那里，说明王峻获罪的情形。王峻到了商州，得了腹泻病，周太祖还怜悯他，命王峻的妻子前去探望他，不久王峻去世。

【段旨】

以上为第五段，写武安节度使王逵清除异己。后周枢密使、同平章事王峻居功跋扈遭贬逐，忧愤而死。

【注释】

⑩⓪ 辛巳：正月三十日。⑩① 壬寅：闰正月二十一日。⑩② 六宅使：官名，唐朝于诸王府置，五代沿袭。掌诸王第宅之事。⑩③ 延州：州名，治所肤施，在今陕西延安东北。⑩④ 戊申：闰正月二十七日。⑩⑤ 草泽：在野之人；布衣之人。⑩⑥ 淮上：淮河一带。⑩⑦ 分厅视事：各设一厅办公。⑩⑧ 纷拏如市：互相拉扯，像闹市一样。拏，搏持、牵扯。⑩⑨ 全、道、永州：三州名。全州治所清湘，在今广西全州西。道州治所营道县，在今湖南道县西。永州治所零陵，在今湖南永州市零陵区。⑪⓪ 淹留：停留；久留。⑪① 岭北：大庾岭之北。⑪② 太师：此指刘言。⑪③ 西府：朗州军府在潭州之西，故称西府。⑪④ 辛亥朔：二月初一日。⑪⑤ 癸

【原文】

帝命折从阮分兵屯延州，高绍基始惧，屡有贡献。又命供奉官张怀贞将禁兵两指挥屯鄜、延，绍基乃悉以军府事授副使张匡图。甲戌[129]，以客省使向训权知延州。

三月甲申[130]，以镇宁节度使荣为开封尹、晋王。丙戌[131]，以枢密副使郑仁诲为镇宁节度使。

初，杀牛族[132]与野鸡族有隙，闻官军讨野鸡，馈饷迎奉，官军利其财畜而掠之。杀牛族反，与野鸡合，败宁州[133]刺史张建武于包山[134]。帝以郭彦钦扰群胡，致其作乱，黜废于家。

初，解州[135]刺史浚仪[136]郭元昭与榷盐使李温玉有隙。温玉婿魏仁浦为枢密主事[137]，元昭疑仁浦庇之。会李守贞反，温玉有子在河中，元昭收系温玉，奏言其叛，事连仁浦。帝时为枢密使，知其诬，释不问。至是，仁浦为枢密承旨[138]，元昭代归[139]，甚惧。过洛阳，以告仁浦弟仁涤，仁涤曰："吾兄平生不与人为怨，况肯以私害公乎！"既至，丁亥[140]，仁浦白帝，以元昭为庆州刺史。

丑：二月初三日。⑯二宝：指传国宝及受命宝。据《五代会要》卷十三“符宝郎”记载，内司制国宝两座，用白玉，方六寸，螭虎纽，诏冯道书宝文，一为“皇帝承天受命之宝”，一为“皇帝神宝”。⑰庚申：二月初十日。⑱俟假开：等到休假结束。⑲癸亥：二月十三日。⑳陵：欺凌。㉑专务间阻：专门琢磨从中加以阻挠。㉒身典枢机：身掌枢密院。枢机，谓枢密院。枢密院掌军国机务，出纳机密命令，位处枢机。㉓又求重镇：又要求做大镇节度使。㉔殊未盈厌：毫无满足的意思。㉕甲子：二月十四日。㉖商州：州名，治所上洛，在今陕西商洛市商州区。㉗司马：官名，唐、五代司马为州刺史的佐官，多安置被贬斥之官。㉘肉视群后二句：视朝臣如砧板上的肉块，把天子当作年幼无知的孩子。

【校记】

［7］壬寅：原无此二字。据章钰校，十二行本、乙十一行本、孔天胤本皆有此二字，张敦仁《通鉴刊本识误》、张瑛《通鉴校勘记》同，今据补。［8］克：原作“得”。据章钰校，十二行本、乙十一行本、孔天胤本皆作“克”，今据改。

【语译】

周太祖命令折从阮分兵驻守延州，高绍基开始害怕，多次向朝廷进贡。又命令供奉官张怀贞率领禁兵两指挥驻守鄜州、延州，高绍基于是把军府的事全部交给副使张匡图。二月二十四日甲戌，任命客省使向训暂时掌管延州事务。

三月初五日甲申，以镇宁节度使郭荣为开封尹、晋王。初七日丙戌，任命枢密副使郑仁诲担任镇宁节度使。

当初，杀牛族和野鸡族有矛盾，听说官军讨伐野鸡族，杀牛族输送粮饷，迎接官军，官军贪图他们的财货牲畜而抢劫他们。杀牛族造反，与野鸡族联合，在包山打败宁州刺史张建武。周太祖因为郭彦钦骚扰群胡，致使他们叛乱，把郭彦钦罢免在家。

当初，解州刺史浚仪人郭元昭和榷盐使李温玉有矛盾。李温玉的女婿魏仁浦任枢密主事，郭元昭怀疑魏仁浦庇护李温玉。适逢李守贞反叛，李温玉有个儿子在河中，郭元昭拘禁了李温玉，上奏说他反叛，事情牵连到魏仁浦。周太祖当时担任枢密使，知道魏仁浦被诬陷，便把这事放在一边不加追问。到这时，魏仁浦为枢密承旨，郭元昭任职期满调职回来，非常害怕。经过洛阳，把这件事告诉魏仁浦的弟弟魏仁涤。魏仁涤说：“我哥哥平生不和人结仇，怎么肯利用私人恩怨而害您呢！”郭元昭回到京师后，三月初八日丁亥，魏仁浦报告周太祖，任命郭元昭为庆州刺史。

己丑⑭，以棣州⑭团练使太原王仁镐⑭为宣徽北院使兼枢密副使。

唐主复以左仆射冯延巳同平章事。

周行逢恶武平节度副使张做，言于王逵曰："何敬真，做之亲戚，临刑以后事属⑭做，公宜备之。"夏，四月庚申⑭，逵召做饮，醉而杀之。

丙寅⑭，归德节度使兼侍中常思入朝。戊辰⑭，徙平卢节度使。将行，奏曰："臣在宋州，举丝⑭四万余两在民间，谨以上进，请征之。"帝颔⑭之。五月丁亥⑮，敕榜宋州，凡常思所举丝[9]，悉蠲⑮之，已输者复归之[10]。思亦无怍色⑮。

自唐末以来，所在学校废绝。蜀毋昭裔出私财百万营学馆，且请刻板印"九经"⑮，蜀主从之。由是蜀中文学⑮复盛。

六月壬子⑮，沧州⑮奏契丹知卢台军事范阳张藏英⑮来降。

初，唐明宗之世，宰相冯道、李愚⑮请令判国子监田敏⑮校正"九经"，刻板印卖，朝廷从之。丁巳⑯，板成⑯，献之。由是，虽乱世，"九经"传布甚广。

【段旨】

以上为第六段，写五代时《九经》雕版，大行于世。

【注释】

⑫⑨甲戌：二月二十四日。⑬⑩甲申：三月初五日。⑬①丙戌：三月初七日。⑬②杀牛族：党项族的一支。⑬③宁州：州名，治所在今甘肃宁县。⑬④包山：地名，在宁州境。⑬⑤解州：州名，治所在今山西运城市盐湖区。⑬⑥浚仪：旧县名，县治在今河南开封。⑬⑦枢密主事：枢密院属官。⑬⑧枢密承旨：官名，五代置枢密院承旨、副承旨，承传帝命，以诸卫将军充任。⑬⑨元昭代归：郭元昭任职期满调职回来。⑭⑩丁亥：三月初八日。⑭①己丑：三月初十日。⑭②棣州：州名，治所厌次，在今山东惠民东南。⑭③王仁镐：邢州龙冈（今河北邢台西南）人，历仕后唐、后晋、后汉、后周，官至山南东道节度使。崇信佛教，所得俸禄，多奉佛饭僧。传见《宋史》卷二百六十一。⑭④属：托付。⑭⑤庚申：四月十一日。⑭⑥丙寅：四月十七日。⑭⑦戊辰：四月十九日。⑭⑧举丝：先将货物借贷给百姓，到蚕丝熟时，再征收其丝，称举丝。⑭⑨颔：点头。⑮⑩丁亥：五月初九日。⑮①蠲：除去；免除。⑮②怍色：

三月初十日己丑，任命棣州团练使太原人王仁镐担任宣徽北院使兼枢密副使。

南唐主又任命左仆射冯延巳为同平章事。

周行逢憎恶武平节度副使张倣，对王逵说：“何敬真是张倣的亲戚，临刑时把后事托付给张倣，您应该防备他。”夏，四月十一日庚申，王逵叫来张倣饮酒，喝醉了，把他杀掉。

四月十七日丙寅，归德节度使兼侍中常思入朝。十九日戊辰，徙任平卢节度使。常思即将上路，上奏说：“臣在宋州，在民间贷有四万多两丝的债，谨把这些献给皇上，请到时候征收。”周太祖点头答应了他。五月初九日丁亥，敕令宋州公布文告，凡是常思所贷放的丝债全部免除，已上缴的全部退还。常思也没有惭愧神色。

自从唐朝末年以来，各地的学校废弃了。后蜀毌昭裔拿出私人财产一百万营办学馆，并且请求刻版印刷“九经”，后蜀主听从了他的建议。因此蜀地的文献之学又兴盛起来。

六月初四日壬子，沧州奏报契丹知卢台军事范阳人张藏英前来投降。

当初，后唐明宗时，宰相冯道、李愚请求命判国子监田敏校正“九经”，刻版印刷出售，朝廷听从了这一建议。六月初九日丁巳，雕版完成，献给朝廷。因此，虽然是乱世，“九经”流传很广。

惭愧的神色。⑮“九经”：唐代科举取士，在明经科中有“三礼”，《周礼》《仪礼》《礼记》；“三传”，《左传》《公羊传》《穀梁传》；还有《诗》《书》《易》，共九经。⑯文学：文献典籍之学，此指经学。⑯壬子：六月初四日。⑯沧州：州名，治所清池，在今河北沧县东南。⑰张藏英：涿州范阳（今河北涿州）人，唐末举族为贼所杀，后设计报仇，官府不罪，世称“报仇张孝子”。契丹用为卢台军使，不久率众航海归周，屡破契丹。传见《宋史》卷二百七十一。⑱李愚：渤海无棣（今山东无棣）人，好古文。后唐明宗宰相。传见《旧五代史》卷六十七、《新五代史》卷五十四。⑲判国子监田敏：当时田敏任尚书右丞，以本官掌国子监处理权，称之为“判国子监”。云“判某官”者，执掌某官职事，而未正式任命。国子监，国家最高教育管理机关和最高学府。⑯丁巳：六月初九日。⑯板成：“九经”雕版完成。

【校记】

［9］丝：原无此字。据章钰校，十二行本、乙十一行本、孔天胤本皆有此字，今据补。［10］已输者复归之：原无此六字。据章钰校，十二行本、乙十一行本、孔天胤本皆有此六字，张瑛《通鉴校勘记》同，今据补。

【原文】

王逵以周行逢知潭州，自将兵袭朗州，克之。杀指挥使郑珓，执武平[11]节度使、同平章事刘言，幽于别馆。

秋，七月，王殷三表请入朝，帝疑其不诚，遣使止之。

唐大旱，井泉涸，淮水可涉，饥民渡淮而北者相继。濠⑯²、寿发兵御之，民与兵斗而北来。帝闻之曰："彼我之民一也，听籴米过淮⑯³。"唐人遂筑仓，多籴以供军。八月己未⑯⁴，诏唐民以人畜负米者听⑯⁵之，以舟车运载者勿予。

王逵遣使上表，诬"刘言谋以朗州降唐，又欲攻潭州，其众不从，废而囚之。臣已至朗州抚安军府讫⑯⁶"。且请复移使府治潭州⑯⁷。甲戌⑯⁸，遣通事舍人翟光裔诣湖南宣抚，从其所请。逵还长沙，以周行逢知朗州事，又遣潘叔嗣杀刘言于朗州。

九月己亥⑯⁹，义成[12]节度使白重赞⑰⁰奏塞决河。

契丹寇乐寿，齐州戍兵右保宁都头刘彦章[13]杀都监杜延熙，谋应契丹。不克，并其党伏诛。

南汉主立其子继兴⑰¹为卫王，璇兴⑰²为桂王，庆兴⑰³为荆王，保兴⑰⁴为桢王[14]，崇兴⑰⁵为梅王。

【段旨】

以上为第七段，写武安节度使王逵攻杀武平军节度使刘言。南汉主封诸子为王。

【注释】

⑯² 濠：州名，治所锺离，在今安徽凤阳东。⑯³ 听籴米过淮：任凭其自由买米，渡过淮河。⑯⁴ 己未：八月十二日。⑯⁵ 听：听凭；允许。⑯⁶ 抚安军府讫：把军府安抚完毕。⑯⁷ 且请复移使府治潭州：前一年刘言曾上表把节度使府移至朗州，现在王逵又请求把节度使

【语译】

王逵任命周行逢执掌潭州事务，自己率兵袭击朗州，攻下朗州。杀死了指挥使郑珓，抓获武平节度使、同平章事刘言，囚禁在别的馆所。

秋，七月，王殷再三上表请求入朝，周太祖怀疑他没有诚心，派使者阻止他。

南唐大旱，井水、泉水干涸，淮河可以涉水走过，饥民渡过淮河而北者成群结队。濠州、寿州发兵阻拦他们，百姓和士兵争斗，向北奔来。后周太祖听到这件事，说："他们和我们的百姓是一样的，任由他们过淮河买米。"南唐人便修筑仓库，多买米来供应军队。八月十二日己未，后周太祖诏令：南唐百姓用人力和牲畜来拉米的准许，用车船运载粮食的不予出卖。

王逵派遣使者上表，诬告说"刘言图谋以朗州投降唐国，又打算攻打潭州，他的部众不听从，把他废黜而囚禁起来。臣下已经到朗州把军府安抚完毕"。并且请求把节度使府移治潭州。八月二十七日甲戌，周太祖派遣通事舍人翟光裔前往湖南宣谕安抚，答应王逵的请求。王逵返回长沙，任命周行逢执掌朗州事务，又派遣潘叔嗣在朗州杀了刘言。

九月二十二日己亥，义成节度使白重赞奏言堵塞了黄河决口。

契丹寇掠乐寿。齐州守兵右保宁都头刘彦章杀死都监杜延熙，图谋响应契丹。没有成功，连同他的党羽被处死。

南汉主立他的儿子刘继兴为卫王，刘璇兴为桂王，刘庆兴为荆王，刘保兴为桢王，刘崇兴为梅王。

府移至潭州，意在避开刘言的势力范围。⑱ 甲戌：八月二十七日。⑲ 己亥：九月二十二日。⑳ 白重赞：宪州楼烦（今山西娄烦）人，其先为沙陀部族。仕后周、宋，官至左千牛卫上将军。传见《宋史》卷二百六十一。⑰ 继兴：南汉后主，名𬬮，初名继兴，封卫王，中宗刘晟长子。十六岁袭位，年号大宝。即位后，委政事于宦官、女巫，淫戏无度，国势日衰。宋太祖出师南征，举族出降。公元九五八至九七一年在位。传见《旧五代史》卷一百三十五、《新五代史》卷六十五。⑰ 璇兴：南汉中宗次子，被后主杀。⑰ 庆兴：南汉中宗第三子。⑰ 保兴：南汉中宗第四子，宋师至城下，作战失败，逃至民家，被俘。⑰ 崇兴：南汉中宗少子。

【校记】

［11］武平：原作“武安”。胡三省注云：“刘言为武平节度使……‘安’当作‘平’。”严衍《通鉴补》改作“武平”，今据以校正。［12］义成：原作“武成”。胡三省注云：“滑州自唐以来置义成节度使，宋朝太平兴国元年（公元九七六年），以太宗旧名始改为武成

【原文】

东自青、徐[176]，南至安、复[177]，西至丹、慈[178]，北至贝、镇[179]，皆大水。

帝自入秋得风痹疾[180]，害于食饮及步趋，术者言宜散财以禳[181]之。帝欲祀南郊，又以自梁以来，郊祀常在洛阳，疑之。执政曰：“天子所都则可以祀百神，何必洛阳！”于是，始筑圜丘[182]、社稷坛[183]，作太庙于大梁。癸亥[184]，遣冯道迎太庙社稷神主[185]于洛阳。

南汉大赦。

冬，十一月己丑[186]，太常[187]请准洛阳筑四郊诸坛，从之。十二月丁未朔[188]，神主至大梁，帝迎于西郊，祔[189]享于太庙。

邺都留守、天雄节度使兼侍卫亲军都指挥使、同平章事王殷恃功专横，凡河北镇戍兵应用敕处分者[190]，殷即以帖[191]行之，又多掊敛民财。帝闻之不悦，使人谓曰：“卿与国同体，邺都帑庾[192]甚丰，卿欲用则取之，何患无财！”成德节度使何福进素恶殷，甲子[193]，福进入朝，密以殷阴事白帝，帝由是疑之。乙丑[194]，殷入朝，诏留殷充京城内外巡检。

戊辰[195]，府州防御使折德扆奏北汉将乔赟入寇，击走之。

王殷每出入，从者常数百人。殷请量给铠仗[196]以备巡逻，帝难之。时帝体不平，将行郊祀，而殷挟震主之势在左右，众心忌之。壬申[197]，帝力疾御滋德殿，殷入起居，遂执之。下制诬殷谋以郊祀日作乱，流登州[198]，出城，杀之。命镇宁节度使郑仁诲诣邺都安抚，仁诲利殷家财，擅杀殷子，迁其家属于登州。

军，于此时‘武’当作‘义’。”严衍《通鉴补》改作“义成”，今从改。[13]刘彦章：原作“刘汉章”。据章钰校，乙十一行本、孔天胤本皆作“刘彦章”，今据改。〖按〗《旧五代史》卷一百十三作“刘彦章”。[14]桢王：原作“祯王”。张敦仁《通鉴刊本识误》云当作“桢王”，《十国春秋》卷六十正作“桢”，今据改。

【语译】

东起青州、徐州，南到安州、复州，西到丹州、慈州，北到贝州、镇州，都发生大水。

周太祖入秋后得了手足麻木病，妨碍饮食和行走，术士说应该散财祭祷消灾。周太祖想到南郊祭祀天地，又因为从后梁以来，祭祀天地常在洛阳，因此心中怀疑。执政官员说：“天子建都的地方可以祭祀百神，何必要在洛阳！”于是开始修建圜丘、社稷坛，在大梁建造太庙。癸亥日，派遣冯道到洛阳迎来太庙的社稷神主牌位。

南汉实行大赦。

冬，十一月十三日己丑，太常请求按照洛阳修筑四郊各坛，周太祖同意了。十二月初一日丁未，太庙社稷神主牌位到了大梁，周太祖到西郊迎接，附祭于太庙。

邺都留守、天雄节度使兼侍卫亲军都指挥使、同平章事王殷恃功专横，凡是河北藩镇的戍守军队应该由朝廷用敕书来处理的，王殷就用普通公文来处置，又大量搜刮百姓的钱财。周太祖听了这种情况很不高兴，派人对他说：“卿和国家同为一体，邺都的库藏很丰富，卿要用就去拿，何必担心没有钱财！”成德节度使何福进一向厌恶王殷，十八日甲子，何福进入朝，秘密地把王殷的事情禀告周太祖，周太祖因此怀疑王殷。十九日乙丑，王殷入朝，周太祖诏令留下王殷充任京城内外巡检。

二十二日戊辰，府州防御使折德扆奏报北汉将领乔赟入侵，把他打跑了。

王殷每次出入，随从的人员常常几百人。王殷请求酌量供给铠甲、兵器作为巡逻之用，周太祖对此事很为难。当时周太祖身体不好，将要举行祭祀天地的典礼，而王殷挟震主之势留在周太祖左右，大家心里嫉恨他。十二月二十六日壬申，周太祖支撑病体驾临滋德殿，王殷进殿问安，就此把他抓起来。颁布制书诬陷王殷谋划在郊祀日作乱，把他流放到登州，他出了城，就把他杀了。命令镇宁节度使郑仁诲前往邺都安抚，郑仁诲贪图王殷的财产，擅自杀了王殷的儿子，把他的家属迁到登州。

唐祠部郎中[199]、知制诰[200]徐铉言贡举初设，不宜遽罢，乃复行之。先是，楚州刺史田敬洙请修白水塘[201]溉田以实边，冯延巳以为便。李德明因请大辟旷土为屯田，修复所在渠塘堙废者。吏因缘[202]侵扰，大兴力役，夺民田甚众，民愁怨无诉。徐铉以白唐主，唐主命铉按视之，铉籍民田悉归其主[203]。或谮铉擅作威福，唐主怒，流铉舒州。然白水塘竟不成。唐主又命少府监[204]冯延鲁巡抚诸州，右拾遗徐锴[205]表延鲁无才多罪，举措轻浅，不宜奉使。唐主怒，贬锴校书郎[206]、分司东都[207]。锴，铉之弟也。

道州盘容洞[208]蛮酋盘崇聚众自称盘容州都统，屡寇郴、道州。

乙亥[209]，帝朝享太庙，被衮冕[210]，左右掖以登阶。才及一室[211]，酌献[212]，俛首不能拜而退，命晋王荣终礼[213]。是夕，宿南郊，疾尤剧[214]，几不救。夜分，小愈[215]。

【段旨】

以上为第八段，写邺都留守王殷恃功专横，以谋乱被诛。周太祖抱病祀南郊。

【注释】

⑯青、徐：两州名，青州治所在今山东青州，徐州治所在今江苏徐州。⑰安、复：两州名，安州治所在今湖北安陆，复州治所景陵，在今湖北天门。⑱丹、慈：两州名，丹州治所在今陕西宜川县，慈州治所吉乡，在今山西吉县。⑲贝、镇：两州名，贝州治所在今河北清河县，镇州治所在今河北正定。⑳风痹疾：病名，多因风、寒、湿三气侵袭而致。症状多表现为肢体酸痛、关节疼痛、肌肤麻木等。⑱禳：祭祷消灾。⑱圜丘：圆形的高丘，天子祭天之处。圜，同“圆”，象天之圆。丘，谓土之高者。⑱社稷坛：古代帝王、诸侯祭土神与谷神之处。社谓土神，稷谓谷神。⑱癸亥：九月戊寅朔，无癸亥。癸亥，疑为十月十六日。⑱神主：神的牌位。⑱己丑：十一月十三日。⑱太常：官名，掌祭祀礼乐。⑱丁未朔：十二月初一日。⑱祔：祭名，附祭。⑲应用敕处分者：应由朝廷用敕书处置的。指应由朝廷任命。⑲帖：帖子；普通公文。句意指王殷擅自处置。⑲帑庾：国库、粮库。⑲甲子：十二月十八日。⑲乙丑：十二月十九日。⑲戊辰：十二月二

南唐祠部郎中、知制诰徐铉说贡举制度刚刚设立，不应该立刻废止，于是又恢复实行。此前，楚州刺史田敬洙请求整修白水塘灌溉田地，用来充实边疆，冯延巳认为有利。李德明因而建议大量开垦荒地作为屯田，修复各地废弃的水渠、池塘。官吏趁机侵扰，大量征用民力，夺取很多民田，百姓愁怨，无处申诉。徐铉把这种情形报告南唐主，南唐主命令徐铉检查巡视，徐铉把被侵占的民田登记下来归还原主。有人谮毁徐铉擅自作威作福，南唐主很生气，把徐铉流放舒州。这样白水塘终究没有能够整修成功。南唐主又命令少府监冯延鲁巡视安抚各州，右拾遗徐锴上表说冯延鲁没有才能，犯了很多罪，举止轻浮浅薄，不宜奉命出使。南唐主很生气，贬徐锴为校书郎、分司东都。徐锴是徐铉的弟弟。

道州盘容洞蛮的酋长盘崇聚集徒众，自称盘容州都统，一再入侵郴州、道州。

十二月二十九日乙亥，周太祖祭祀太庙，穿戴衮衣、冠冕，由身边的人扶持登上阶梯。才祭祀了一室，斟酒上献，俯首不能下拜而退下，命令晋王郭荣完成祭礼。当天晚上，周太祖住宿南郊，病情极为沉重，几乎不能救治。夜半时候，稍微好了一点。

十二日。⑯ 量给铠仗：酌情供给铠甲及兵器。⑰ 壬申：十二月二十六日。⑱ 登州：州名，治所在今山东蓬莱。⑲ 祠部郎中：官名，与祠部员外郎共掌祠祀、享祭、天文漏刻、国忌庙讳、卜筮、医药、僧尼之事。祠部，东晋始设祠部，掌祭祀之事。后变为礼部，而以祠部为所属四司之一。⑳ 知制诰：官名，掌起草诏令。㉑ 白水塘：三国时邓艾屯田淮南所筑水库名，在今江苏宝应西。㉒ 因缘：趁机会。㉓ 籍民田悉归其主：把被侵占的民田登记下来，全部退还给它的主人。㉔ 少府监：官名，掌宫中百工技巧之事。㉕ 徐锴（公元九二〇至九七四年）：字楚金，扬州广陵（今江苏扬州）人，五代末北宋初文字学家。徐铉弟，世称小徐，官至内史舍人。著有《说文解字系传》。传见《宋史》卷四百四十一。㉖ 校书郎：官名，掌校勘书籍，订正讹误。㉗ 分司东都：唐宋官制，中央职官分到陪都（如唐以洛阳为陪都，或称东都）执行任务称分司。但除御史分司为实职外，其他分司者多为优待退闲之官，并不任实职。南唐陪都为扬州。㉘ 盘容洞：在今湖南道县南。㉙ 乙亥：十二月二十九日。㉚ 被衮冕：身披龙袍，头戴皇冠。㉛ 才及一室：才祭祀了一室。㉜ 酌献：斟酒上献。㉝ 命晋王荣终礼：命晋王柴荣代行典礼直到结束。㉞ 疾尤剧：病情极为沉重。㉟ 夜分二句：到了半夜，才略微好一些。

【原文】

显德元年（甲寅，公元九五四年）

春，正月丙子朔[216]，帝祀圜丘，仅能瞻仰致敬[217]而已，进爵奠币[218]皆有司代之。大赦，改元。听蜀境通商[219]。戊寅[220]，罢邺都[221]，但为天雄军。庚辰[222]，加晋王荣兼侍中，判内外兵马事。时群臣希得见帝，中外恐惧，闻晋王典兵，人心稍安。

军士有流言郊赏薄于唐明宗时者[223]，帝闻之。壬午[224]，召诸将至寝殿[225]，让[226]之曰："朕自即位以来，恶衣菲食，专以赡军为念。府库蓄积、四方贡献，赡军之外，鲜有赢余，汝辈岂不知之！今乃纵凶徒腾口[227]，不顾人主之勤俭、察国之贫乏，又不思己有何功而受赏，惟知怨望，于汝辈安乎！"皆惶恐谢罪，退，索不逞者[228]戮之，流言乃息。

初，帝在邺都，奇爱小吏曹翰[229]之才，使之事晋王荣。荣镇澶州，以为牙将。荣入为开封尹，未即召翰，翰自至，荣怪之。翰请间[230]言曰："大王国之储嗣[231]，今主上寝疾，大王当入侍医药，奈何犹决事于外邪！"荣感悟，即日入止禁中。丙戌[232]，帝疾笃，停诸司细务皆勿奏，有大事，则晋王荣禀进止宣行之。

以镇宁节度使郑仁诲为枢密使、同平章事。戊子[233]，以义武留后孙行友、保义留后韩通[234]、朔方留后冯继业皆为节度使。通，太原人也。

帝屡戒晋王曰："昔吾西征，见唐十八陵[235]无不发掘者，此无他，惟多藏金玉故也。我死，当衣以纸衣，敛以瓦棺，速营葬，勿久留宫中。圹[236]中无用石，以甓[237]代之。工人役徒皆和雇[238]，勿以烦民。葬毕，募近陵民三十户，蠲其杂徭，使之守视。勿修下宫[239]，勿置守陵宫人，勿作石羊、虎、人、马。惟刻石置陵前云：'周天子平生好俭约，遗令用纸衣、瓦棺，嗣天子不敢违也。'汝或吾违，吾不福汝。"又曰："李洪义当与节钺，魏仁浦勿使离枢密院[240]。"

庚寅[241]，诏前登州刺史周训等塞决河。先是，河决灵河[242]、鱼池[243]、酸枣、阳武[244]、常乐驿、河阴[245]、六明镇[246][15]、原武[247]，凡八口[248]。至是，分遣使者塞之。

【语译】

显德元年（甲寅，公元九五四年）

春，正月初一日丙子，周太祖到圜丘祭天，只能瞻仰致敬而已，进酒、奠币都由有关官员代替。大赦天下，改年号为显德。听任后蜀民众在边境通商。初三日戊寅，撤销邺都，仅设置天雄军。初五日庚辰，晋王郭荣兼侍中，判内外兵马事。当时群臣很少能够见到周太祖，朝廷内外恐惧，听说晋王掌握兵权，人心逐渐安定。

军士中有流言说祭天时的赏赐比后唐明宗时候的少，周太祖听说了。正月初七日壬午，召集各将领到寝殿，责备他们说："朕自从即位以来，粗衣薄食，一心想着供应军队。府库的积蓄、四方的贡献，除了供应军队之外，很少有剩余，你们难道不知道这种情况！现在竟然放纵凶恶之徒散布流言蜚语，不顾惜人主的勤俭、体察国家的贫乏，又不想想自己有什么功劳而接受赏赐，只知道抱怨，你们心里安稳吗！"众将都惶恐谢罪，退出，搜寻出为非作歹之徒杀掉，流言这才平息。

当初，周太祖在邺都时，特别喜爱小吏曹翰的才能，让他侍奉晋王郭荣。郭荣镇守澶州，任命他为牙将。郭荣入朝为开封尹，没有立即召用曹翰，曹翰自己前来，郭荣感到这件事很奇怪。曹翰请求屏退左右的人，进言说："大王是皇位的继承人，现在皇上卧病，大王应当入宫侍奉看病吃药，怎么还在外面处理事情呢！"郭荣明白了他的意思，当天进宫住宿。正月十一日丙戌，周太祖病情加重，各部门的琐细小事都停止上奏，如有大事，则由晋王郭荣禀告周太祖，周太祖决定后再宣布施行。

任命镇宁节度使郑仁诲担任枢密使、同平章事。正月十三日戊子，任命义武留后孙行友、保义留后韩通、朔方留后冯继业都为节度使。韩通是太原人。

周太祖多次告诫晋王郭荣说："过去我西征时，看到唐朝十八座陵墓没有不被挖掘的，这没有其他原因，只是藏了很多金玉的缘故。我死了，一定要给我穿纸做的衣服，用瓦棺收殓尸体，迅速安葬，不要久留宫中。墓穴里不要用石头，用砖来代替。工匠和服劳役的人都由官府出钱雇佣，不要烦劳百姓。安葬完了，招募靠近陵墓的百姓三十户，免除他们的各种徭役，让他们看守陵墓。不要修建地下宫室，不要设置守陵宫人，不要制作石羊、石虎、石人、石马。只刻石碑立在陵墓前面，上面刻道：'周天子平生爱好俭约，遗命使用纸衣、瓦棺，继位的天子不敢违背。'你如果违背我的话，我不福祐你。"又说："李洪义应当授予他节钺，不要让魏仁浦离开枢密院。"

正月十五日庚寅，诏命前任登州刺史周训等人堵塞黄河决口。此前，黄河在灵河、鱼池、酸枣、阳武、常乐驿、河阴、六明镇、原武决口，共八个决口。到了这时，分别派遣使者堵塞决口。

帝命趣草制[249]，以端明殿学士、户部侍郎王溥为中书侍郎、同平章事。壬辰[250]，宣制毕，左右以闻，帝曰："吾无恨矣！"以枢密副使王仁镐为永兴军节度使，以殿前都指挥使[251]李重进领武信节度使、马军都指挥使樊爱能领武定节度使、步军都指挥使何徽领昭武节度使。重进年长于晋王荣，帝召入禁中，属以后事，仍[252]命拜荣，以定君臣之分。是日，帝殂于滋德殿，秘不发丧。乙未[253]，宣遗制。丙申[254]，晋王即皇帝位。

初，静海[255]节度使吴权卒，子昌岌立。昌岌卒，弟昌文立。是月，始请命于南汉，南汉以昌文为静海节度使兼安南都护[256]。

【段旨】

以上为第九段，写周太祖驾崩，临终调整人事，遗命薄葬。晋王柴荣即位，史称世宗。

【注释】

㉑⑥丙子朔：正月初一日。㉑⑦瞻仰致敬：抬头仰望表示敬意。周太祖郊祀，因病不能跪拜天帝，只能仰望致意。㉑⑧进爵奠币：进献酒和缯帛等祭品。爵，本指酒器，此代酒。币，古时以缯帛为祭祀或赠送宾客的礼物。㉑⑨听蜀境通商：听任后蜀民众在边境自由贸易。晋天福初年，蜀与中原尚通商。开运年后，由于中原多事，蜀又有吞并关西的企图，方断绝往来。㉒⓪戊寅：正月初三日。㉒①罢邺都：五代后唐同光元年（公元九二三年）改魏州为兴唐府，建号东京。三年，又改东京为邺都。后屡有更改，至此又罢都，建天雄军。㉒②庚辰：正月初五日。㉒③军士有流言句：当时军士有散布流言说，皇上举行祭天典礼，赏赐给士兵的东西比唐明宗时少。㉒④壬午：正月初七日。㉒⑤寝殿：帝王卧内。㉒⑥让：责备。㉒⑦纵凶徒腾口：放纵凶暴之徒散布流言蜚语。㉒⑧不逞者：为非作歹之徒。㉒⑨曹翰：大名（今河北大名）人，阴狡多智数，屡立战功。仕后周，为德州刺史，入宋，为右千牛卫大将军。传见《宋史》卷二百六十。㉓⓪请间：请求屏退左右的人。㉓①储嗣：皇位的继承人，指太子。㉓②丙戌：正月十一日。㉓③戊子：正月十三日。㉓④韩通：并州太原（今山西太原西南）人，仕后汉、后周，官检校太尉、同平章事。刚猛寡谋，号称"韩瞠眼"。陈桥兵变时遇害。传见《宋史》卷四百八十四。㉓⑤唐十八陵：指唐高祖、太宗、高宗、中宗、睿宗、玄宗、肃宗、代宗、德宗、顺宗、宪宗、穆宗、敬宗、文宗、武宗、宣宗、懿宗、僖宗十八个皇帝在关中的陵墓。㉓⑥圹：墓穴。㉓⑦甓：砖。㉓⑧工人役徒皆和雇：谓工匠和服劳役的人都由官府出钱雇佣。㉓⑨下宫：指墓穴地下宫室。㉔⓪李洪义当与节钺二句：乾

周太祖命令赶快草拟制书，任命端明殿学士、户部侍郎王溥为中书侍郎、同平章事。正月十七日壬辰，宣读制书完毕，身边的人把此事上报周太祖，周太祖说："我没有遗憾了！"任命枢密副使王仁镐为永兴军节度使，任命殿前都指挥使李重进兼领武信节度使、马军都指挥使樊爱能兼领武定节度使、步军都指挥使何徽兼领昭武节度使。李重进比晋王郭荣年长，周太祖把他召入宫中，将后事托付给他，于是命李重进下拜郭荣，以此确定君臣的名分。当天，周太祖在滋德殿去世，保守秘密不发丧。二十日乙未，宣布遗制。二十一日丙申，晋王郭荣即皇帝位。

当初，静海节度使吴权去世，儿子吴昌岌继立。吴昌岌去世，弟弟吴昌文继立。这个月，开始向南汉请求任职的命令。南汉任命吴昌文为静海节度使兼安南都护。

祐三年（公元九五〇年），后汉隐帝诛郭威、王峻之家，又命诛王殷之家而未逮。李洪义时任镇宁军节度使，王殷屯澶州，郭威镇邺。隐帝命供奉官携密诏令李洪义杀王殷，又命护圣都指挥使郭崇等害郭威于邺。李洪义未敢行动，把密诏出示给郭威。郭威把密诏拿给随从郭威镇邺的原枢密吏魏仁浦，魏仁浦劝郭威起兵。郭威成就帝业，李洪义、魏仁浦二人功不可没，所以周太祖临终前遗言重用二人。当与节钺，即任命为节度使。周太祖显德元年（公元九五四年）七月，魏仁浦由枢密副使升任枢密使。事见《资治通鉴》卷二百八十九、《宋史》卷二百五十二《李洪义传》、卷二百四十九《魏仁浦传》。㉔¹庚寅：正月十五日。㉔²灵河：旧县名，原名灵昌，五代后唐避李克用父国昌讳改，县治在今河南滑县西南。㉔³鱼池：旧县名，县治在今山东泰安。㉔⁴阳武：旧县名，县治在今河南原阳东南。㉔⁵河阴：旧县名，县治在今河南荥阳东北。㉔⁶六明镇：在今河南滑县东北。㉔⁷原武：旧县名，县治在今河南原阳。㉔⁸凡八口：指黄河在灵河等地总计有八处缺口。㉔⁹趣草制：赶紧起草制书。趣，速、赶快。㉕⁰壬辰：正月十七日。㉕¹都指挥使：统领军队的总指挥使，有三使。殿前都指挥使总领禁军，马军都指挥使总领京师骑兵，步军都指挥使总领京师步兵。三使为全国最高武官。武信、武定、昭武三镇皆属蜀，武信治所遂州（今四川遂宁），武定治所洋州（今陕西西乡），昭武治所利州（今四川广元），三使皆为遥领。㉕²仍：于是。㉕³乙未：正月二十日。㉕⁴丙申：正月二十一日。㉕⁵静海：方镇名，本为安南经略使，唐乾元初改为安南节度使，咸通中改为静海节度使。治所交州，在今越南河内附近。㉕⁶安南都护：是设在安南的最高长官。都护，官名，意为总监。

【校记】

［15］六明镇：据章钰校，十二行本、乙十一行本、孔天胤本皆作"六名镇"，《册府元龟》卷四百九十七同，然《旧五代史》《通鉴纪事本末》皆作"六明镇"，未知孰是。

【原文】

北汉主闻太祖晏驾，甚喜，谋大举入寇，遣使请兵于契丹。二月，契丹遣其武定节度使、政事令[257]杨衮将万余骑如晋阳。北汉主自将兵三万，以义成节度使白从晖为行军都部署、武宁节度使张元徽为前锋都指挥使，与契丹自团柏南趣潞州。

蜀左匡圣马步都指挥使、保宁节度使安思谦，谮杀张业、废赵廷隐[258]，蜀人皆恶之。蜀主使将兵救王景崇，思谦逗桡无功[259]，内惭惧，不自安。自张业之诛，宫门守卫加严，思谦以为疑己，言多不逊。思谦典宿卫，多杀士卒以立威。蜀主阅卫士，有年尚壮而为思谦所斥者，复留隶籍[260]，思谦杀之，蜀主不能平。思谦三子扆、嗣、裔，倚父势暴横，为国人患。翰林使[261]王藻屡言思谦怨望，将反。丁巳[262]，思谦入朝，蜀主命壮士击杀之，及其三子。藻亦坐擅启边奏[263]，并诛之。

北汉兵屯梁侯驿[264]，昭义节度使李筠[265]遣其将穆令均将步骑二千逆战，筠自将大军壁于太平驿[266]。张元徽与令均战，阳[267]不胜而北。令均逐之，伏发，杀令均，俘斩士卒千余人。筠遁归上党，婴城[268]自守。筠，即李荣也，避上名改焉。

世宗闻北汉主入寇，欲自将兵御之。群臣皆曰："刘崇自平阳遁走[269]以来，势蹙气沮，必不敢自来。陛下新即位，山陵有日[270]，人心易摇，不宜轻动，宜命将御之。"帝曰："崇幸我大丧，轻朕年少新立，有吞天下之心。此必自来，朕不可不往。"冯道固争之，帝曰："昔唐太宗定天下，未尝不自行，朕何敢偷安！"道曰："未审陛下能为唐太宗否？"帝曰："以吾兵力之强，破刘崇如山压卵耳！"道曰："未审陛下能为山否？"帝不悦。惟王溥劝行，帝从之。

三月乙亥朔[271]，蜀主加捧圣、控鹤都指挥使兼中书令孙汉韶武信节度使，赐爵乐安郡王，罢军职[272]。蜀主惩安思谦之跋扈，命山南西道节度使李廷珪等十人分典禁兵。

北汉乘胜进逼潞州。丁丑[273]，诏天雄节度使符彦卿引兵自磁州固镇出北汉军后，以镇宁节度使郭崇副之。又诏河中[274]节度使王彦超引兵自晋州东北邀北汉军[16]，以保义节度使韩通副之。又命马军都指挥

【语译】

北汉主听说后周太祖去世，非常高兴，谋划大举入侵，派遣使者到契丹请求兵力支援。二月，契丹派遣武定节度使、政事令杨衮率领一万多名骑兵前往晋阳。北汉主亲自统兵三万，任命义成节度使白从晖担任行军都部署、武宁节度使张元徽担任前锋都指挥使，和契丹军队从团柏南赴潞州。

后蜀左匡圣马步都指挥使、保宁节度使安思谦，进谗言杀掉张业、废黜赵廷隐，蜀人都憎恨他。后蜀主派他率兵救援王景崇，安思谦逗留无功，内心又惭愧又恐惧，自己感到不安。自从张业被杀，宫门的守卫更加严密，安思谦认为这是怀疑自己，言语多不恭逊。安思谦掌管京城宿卫，杀死很多士兵借以树立自己的威信。后蜀主查阅卫兵名册，有年纪还轻而被安思谦所斥退的，就又留在军中并登记在名册上，安思谦杀掉了他们，后蜀主愤愤不平。安思谦的三个儿子安扆、安嗣、安裔，靠着父亲的权势，残暴蛮横，成为国中人的祸患。翰林使王藻一再说安思谦心怀怨恨，将要造反。二月十二日丁巳，安思谦入朝，后蜀主命令壮士击杀了他，以及他的三个儿子。王藻也因为犯有擅自奏报边境事的罪，一起杀死了他。

北汉的军队屯驻梁侯驿，昭义节度使李筠派遣他的部将穆令均率领步兵和骑兵两千人迎战，李筠自己率领大军在太平驿修建营垒。张元徽和穆令均交战，假装不胜而北去。穆令均追赶他，伏兵起来出击，杀了穆令均，俘虏和斩杀士兵一千多人。李筠逃回上党，环城自守。李筠就是李荣，避周太祖的名讳而改名。

周世宗听说北汉主入侵，想要亲自率军抵御敌人。大臣们都说："刘崇自从平阳逃走以来，势力缩小，士气沮丧，一定不敢亲自前来，陛下刚刚即位，安葬先帝之日在即，人心容易动摇，不宜轻易出动，应该命令将领抵御敌军。"周世宗说："刘崇庆幸我国大丧，轻视朕年轻，刚刚即位，有吞并天下之心。这次一定亲自前来，朕不可不去。"冯道再三争辩，周世宗说："过去唐太宗平定天下，未尝不亲自出征，朕怎么敢偷安！"冯道说："不知道陛下能否成为唐太宗？"周世宗说："以我兵力之强，打败刘崇犹如大山压卵而已！"冯道说："不知道陛下能否成为大山？"周世宗不高兴，只有王溥劝周世宗亲征，周世宗听从了他。

三月初一日乙亥，后蜀主加授捧圣、控鹤都指挥使兼中书令孙汉韶武信节度使，赐爵乐安郡王，免除他典掌禁军的职务。后蜀主鉴于安思谦跋扈的教训，命令山南西道节度使李廷珪等十人分典禁兵。

北汉乘胜进逼潞州。三月初三日丁丑，周世宗下诏命令天雄节度使符彦卿带兵从磁州固镇出发到北汉军队的背后，任命镇宁节度使郭崇为他的副手。又诏命河中节度使王彦超带兵从晋州东北拦击北汉军队，任命保义节度使韩通为他的副手。又

使、宁江节度使樊爱能，步军都指挥使、清淮节度使何徽，义成节度使白重赞，郑州防御使史彦超、前耀州㉗⑤团练使符彦能将兵先趣泽州，宣徽使向训监之。重赞，宪州人也。

辛巳㉗⑥，大赦。癸未㉗⑦，帝命冯道奉梓宫㉗⑧赴山陵㉗⑨，以郑仁诲为东京留守。

乙酉㉘⓪，帝发大梁。庚寅㉘①，至怀州。帝欲兼行速进，控鹤都指挥使真定赵晁㉘②私谓通事舍人郑好谦曰："贼势方盛，宜持重以挫之。"好谦言于帝，帝怒曰："汝安得此言！必为人所使，言其人则生，不然必死。"好谦以实对，帝命并晁械于州狱。壬辰㉘③，帝过泽州，宿于州东北。

【段旨】

以上为第十段，写北汉主刘崇因周丧南侵，周世宗柴荣御众北伐。

【注释】

㉗ 政事令：即中书令。辽初中书省称政事省，中书令称政事令。㉘ 谮杀张业、废赵廷隐：二事均见《资治通鉴》卷二百八十八后汉隐帝乾祐二年（公元九四九年），后蜀之广政十二年（公元九四九年）。谮杀，进谗言杀死张业。㉙ 逗桡无功：逗留观望，没有立功。㉚ 复留隶籍：又留于军中，登记在名册上。㉛ 翰林使：即翰林待诏。唐代除文辞经学之士外，凡有医卜等一技之长的人也可待诏命，如画待诏、医待诏等，泛称翰林使。㉜ 丁巳：二月十二日。㉝ 擅启边奏：擅自奏报边境的事。㉞ 梁侯驿：在山西团柏谷（位于祁县东南六十里）南。㉟ 李筠：并州太原（今山西太原西南）人，原名李荣，避柴荣讳改。善骑射。初随契丹，后反，逐契丹麻荅。仕后汉、后周，官至昭义军节度使、同平章事。赵匡胤建宋，起兵征讨，失败，赴水死。传见《宋史》卷四百八十四。㊱ 太

【原文】

北汉主不知帝至，过潞州不攻，引兵而南。是夕，军于高平㉘④之南。癸巳㉘⑤，前锋与北汉兵[17]遇，击之，北汉兵却。帝虑其遁去，趣诸军亟进。北汉主以中军陈于巴公原㉘⑥，张元徽军其东，杨衮军其西，

命令马军都指挥使、宁江节度使樊爱能，步军都指挥使、清淮节度使何徽，义成节度使白重赞，郑州防御使史彦超，前任耀州团练使符彦能率军先奔赴泽州，由宣徽使向训监军。白重赞，是宪州人。

三月初七日辛巳，实行大赦。初九日癸未，周世宗命令冯道奉送先帝的灵柩前往陵墓，任命郑仁诲为东京留守。

三月十一日乙酉，周世宗从大梁出发。十六日庚寅，到达怀州。周世宗打算兼程速进，控鹤都指挥使真定人赵晁私下对通事舍人郑好谦说："贼势正盛，应该保持稳重来挫败他们。"郑好谦对周世宗说了，周世宗生气地说："你怎么说这些话！一定是被别人所指使，你说出那个人来就活命，不然必死。"郑好谦如实回答，周世宗命令把他连同赵晁一起戴上刑具囚禁在怀州监狱。十八日壬辰，周世宗经过泽州，住宿在州城东北。

平驿：在今山西长治西北。㉖⑦阳：通"佯"。㉖⑧婴城：环城。㉖⑨刘崇自平阳遁走：指广顺元年（公元九五一年）攻围晋州之败，事见《资治通鉴》卷二百九十。平阳，郡名，治所在今山西临汾西南。㉗⓪山陵有日：安葬先帝之日在即。山陵，旧称皇帝的坟墓。郭威山陵在今河南新郑，称嵩陵。㉗①乙亥朔：三月初一日。㉗②罢军职：免除孙汉韶掌禁军的职务。㉗③丁丑：三月初三日。㉗④河中：方镇名，唐至德二年（公元七五七年）置。治所蒲州，在今山西永济蒲州镇。后期号护国军。㉗⑤耀州：州名，治所华原，在今陕西铜川市耀州区。㉗⑥辛巳：三月初七日。㉗⑦癸未：三月初九日。㉗⑧梓宫：皇帝的灵棺。㉗⑨赴山陵：前往周太祖坟墓，在今河南新郑。㉘⓪乙酉：三月十一日。㉘①庚寅：三月十六日。㉘②赵晁：真定（今河北正定）人，仕周，官至河阳三城节度使。宋初，加检校太尉。传见《宋史》卷二百五十四。㉘③壬辰：三月十八日。

【校记】

［16］军：原无此字。据章钰校，十二行本、乙十一行本、孔天胤本皆有此字，张敦仁《通鉴刊本识误》、张瑛《通鉴校勘记》同，今据补。

【语译】

北汉主不知道周世宗到来，经过潞州没有进攻，带兵南去。当天晚上，驻扎在高平的南面。三月十九日癸巳，后周前锋和北汉军队遭遇，攻击北汉军队，北汉军队后退。周世宗担心他们逃走，督促各军急速前进。北汉主以中军在巴公原列阵，

众颇严整。时河阳节度使刘词将后军未至，众心危惧。而帝志气益锐，命白重赞[287][18]与侍卫马步都虞候李重进将左军居西，樊爱能、何徽将右军居东，向训、史彦超将精骑居中央，殿前都指挥使张永德[288]将禁兵卫帝。帝介马[289]自临陈督战。

北汉主见周军少，悔召契丹，谓诸将曰："吾自用汉军可破也，何必契丹！今日不惟克周，亦可使契丹心服。"诸将皆以为然。杨衮策马前望周军，退谓北汉主曰："勍敌[290]也，未可轻进！"北汉主奋髯[291]曰："时不可失，请公勿言，试观我战。"衮默然不悦。时东北风方盛，俄而忽转南风，北汉副枢密使王延嗣使司天监李义白北汉主云："时可战矣！"北汉主从之。枢密直学士王得中扣马谏[292]曰："义可斩也！风势如此，岂助我者邪！"北汉主曰："吾计已决，老书生勿妄言，且斩汝！"麾东军先进，张元徽将千骑击周右军。

合战[293]未几，樊爱能、何徽引骑兵先遁，右军溃，步兵千余人解甲呼万岁，降于北汉。帝见军势危，自引亲兵犯矢石督战。太祖皇帝[294]时为宿卫将，谓同列曰："主危如此，吾属何得不致死！"又谓张永德曰："贼气骄，力战可破也！公麾下多能左射者，请引兵乘高西[19]出为左翼，我引兵为右翼以击之。国家安危，在此一举！"永德从之，各将二千人进战。太祖皇帝身先士卒，驰犯其锋，士卒死战，无不一当百，北汉兵披靡。内殿直[295]夏津马仁瑀[296]谓众曰："使乘舆[297]受敌，安用我辈！"跃马引弓大呼，连毙数十人，士气益振。殿前右番行首[298]马全乂言于帝曰："贼势极矣，将为我擒，愿陛下按辔勿动，徐观诸将破之。"即自变量百骑进陷陈。

北汉主知帝自临陈，褒赏张元徽，趣使乘胜进兵。元徽前略陈[299]，马倒，为周兵所杀。元徽，北汉之骁将也，北军由是夺气。时南风益盛，周兵争奋，北汉兵大败，北汉主自举赤帜[300]以收兵，不能止。杨衮畏周兵之强，不敢救，且恨北汉主之语，全军而退。

樊爱能、何徽自变量千骑南走，控弦露刃，剽掠辎重，役徒惊走，失亡甚多。帝遣近臣及亲军校追谕止之，莫肯奉诏，使者或为军士所

张元徽驻扎在他的东边，杨衮驻扎在他的西边，部众颇为严整。当时河阳节度使刘词率领后军还没有到达，大家心里很恐惧。而周世宗的口气越发旺盛，命令白重赞与侍卫马步都虞候李重进率领左军处在西面，樊爱能、何徽率领右军处在东面，向训、史彦超率领精锐骑兵处在中央，殿前都指挥使张永德率领禁兵保卫周世宗。周世宗披甲骑马亲自临阵督战。

北汉主看到后周军队人数少，后悔叫来契丹，对众将说："我自己利用汉兵就可打败他们，何必要契丹！今天不只是战胜后周，也可以使契丹心服。"众将都认为对。杨衮策马前去眺望后周军队，退回来后对北汉主说："这是劲敌啊！不可轻率进兵！"北汉主长须震动，说："机不可失，请你不要说了，试看我交战。"杨衮默然不高兴。当时东北风正大，一会儿忽然转成南风，北汉副枢密使王延嗣派司天监李义禀告北汉主说："现在可以作战了！"北汉主听从了他的话。枢密直学士王得中拉住北汉主的马缰绳劝谏说："李义该斩首！风势这个样子，哪里是帮助我们的呢！"北汉主说："我的计策已定，老书生不要胡说，再说就杀了你！"北汉主指挥东军首先进兵，张元徽率领一千名骑兵攻打后周右军。

交战不久，樊爱能、何徽带领骑兵首先逃走，右军溃败，步兵一千多人脱下铠甲呼喊万岁，向北汉投降。周世宗看到军队形势危急，亲自率领亲兵冒着箭矢、飞石督战。太祖皇帝赵匡胤当时为宿卫兵的将领，对同伴们说："主上如此危急，我们怎么敢不拼死命！"又对张永德说："贼兵士气骄傲，拼力作战可以打败敌军！您部下有很多能左手射箭的，请领兵向西登上高地作为左翼，我领兵作为右翼来攻击敌军。国家安危，在此一举！"张永德听从了他的话，各率两千人进军交战。太祖皇帝赵匡胤身先士卒，驱马冲击北汉军队的锋线，士卒死战，无不以一当百，北汉军队溃败。内殿直夏津人马仁瑀对大家说："让天子遭受敌人攻击，还要我们这些人有什么用！"跃马拉弓大呼，一连射死几十个人，士气更加振奋。殿前右番行首马全乂对周世宗说："贼兵的气势到极限了，将要被我们擒获，希望陛下勒住缰绳不动，慢慢地观看众将打败他们。"马全乂立即率领几百名骑兵前进，深入敌阵。

北汉主知道周世宗亲自临阵，就奖赏张元徽，催促他乘胜进军。张元徽前往巡视军阵，马倒了，被后周士兵杀死。张元徽是北汉的勇将，北军因此而丧失了士气。当时南风越来越大，后周士兵争相奋战，北汉军队大败，北汉主亲自举起红旗来合拢军队，但不能制止士兵的溃散。杨衮惧怕后周军队的强大，不敢救援，并且痛恨北汉主所说的话，全军完整地撤退了。

樊爱能、何徽带领几千名骑兵南逃，拉着弓弦，外露刀锋，抢劫军用物资，运送的人惊慌逃走，跑失死亡的人很多。周世宗派遣近臣和军校追上去，劝告他们停止，没有人肯接受周世宗的诏令，使者有的被军士杀死，扬言说："契丹军队大批来

杀，扬言:“契丹大至，官军败绩，余众已降虏矣。”刘词遇爱能等于涂，爱能等止之，词不从，引兵而北。时北汉主尚有余众万余人，阻涧而陈[301]。薄暮[302]，词至，复与诸军击之。北汉兵又败，杀王延嗣，追至高平，僵尸满山谷，委弃御物及辎重、器械、杂畜不可胜纪。

是夕，帝宿于野次，得步兵之降敌者，皆杀之。樊爱能等闻周兵大捷，与士卒稍稍复还，有达曙[303]不至者。甲午[304]，休兵于高平，选北汉降卒数千人为效顺指挥，命前武胜[305]行军司马唐景思[306]将之，使戍淮上，余二千余人赐赀装[307]纵遣之。李穀为乱兵所迫，潜窜山谷，数日乃出。丁酉[308]，帝至潞州。

北汉主自高平被褐戴笠[309]，乘契丹所赠黄骝[310]，帅百余骑由雕窠岭[311]遁归。宵迷[312]，俘村民为导，误之[313]晋州。行百余里，乃觉之，杀导者。昼夜北走，所至，得食未举箸[314]，或传周兵至，辄苍黄[315]而去。北汉主衰老力惫，伏于马上，昼夜驰骤，殆不能支，仅得入晋阳。

帝欲诛樊爱能等以肃军政，犹豫未决。己亥[316]，昼卧行宫帐中，张永德侍侧。帝以其事访之，对曰:“爱能等素无大功，忝冒节钺[317]，望敌先逃，死未塞责。且陛下方欲削平四海，苟军法不立，虽有熊罴之士、百万之众，安得而用之!”帝掷枕于地，大呼称善。即收爱能、徽及所部军使以上七十余人，责之曰:“汝曹皆累朝宿将，非不能战。今望风奔遁者，无他，正欲以朕为奇货，卖与刘崇耳!”悉斩之。帝以何徽先守晋州有功，欲免之，既而以法不可废，遂并诛之，而给槥车归葬[318]。自是骄将惰卒始知所惧，不行姑息之政矣。

庚子[319]，赏高平之功，以李重进兼忠武节度使[320]、向训兼义成节度使、张永德兼武信节度使、史彦超为镇国节度使。张永德盛称太祖皇帝之智勇，帝擢太祖皇帝为殿前都虞候[321]、领严州[322]刺史。以马仁瑀为控鹤弓箭直指挥使、马全义为散员指挥使。自余将校迁拜者凡数十人，士卒有自行间擢主军厢者[323]。释赵晁之囚。

到，官军战败，余下的士兵已经投降胡虏了。”刘词在路上遇上樊爱能等人，樊爱能等人要他停下来，刘词不听，带兵北去。当时北汉主还有残余的士兵一万多人，依靠涧水之险布阵。临近黄昏，刘词到达，又和各军攻击北汉军队。北汉军队又失败，后周军队杀死王延嗣，追到高平，僵卧的尸体满山谷，丢弃的御用物品和辎重、器械、各种牲畜数都数不尽。

当天晚上，周世宗在野外住宿，抓到投降敌人的步兵，全部杀掉。樊爱能等人听说后周军队大捷，和士兵又渐渐地返回，有的直到天亮还没有到。三月二十日甲午，后周在高平整休军队，挑选北汉降卒数千人组成效顺指挥，命令前任武胜行军司马唐景思率领他们，让他们戍守淮上，余下的两千多人赐给路费、衣服，把他们放掉并遣送回北汉。李毂被乱兵逼迫，潜逃山谷，几天后才出来。二十三日丁酉，周世宗到达潞州。

北汉主从高平，穿着粗布衣服，戴着斗笠，骑着契丹赠送的黄骝马，率领一百多名骑兵由雕窠岭逃回。夜行迷路，抓住村民作为向导，误往晋州。走了一百多里路才发觉，杀死了引路的人。日夜向北走，每到一个地方，得到食物还没有拿起筷子，有人传说后周军队到了，就狼狈而去。北汉主衰老力疲，伏在马上，日夜不停地奔驰，几乎不能支撑，勉勉强强得以回到晋阳。

周世宗想要杀掉樊爱能等人来整肃军中政令，犹豫不决。三月二十五日己亥，白天躺在行宫的帐篷中，张永德侍立身边。周世宗拿这件事来征询他的意见，张永德回答说：“樊爱能等人向来没有重大功劳，忝任节度使，望见敌人首先逃走，处死也不能抵偿责任。况且陛下正想平定天下，如果不能树立军法，虽然有勇猛的士兵、百万的部众，怎么能够使用他们！”周世宗把枕头扔到地上，大声说“好”，立即收捕樊爱能、何徽以及所辖军使以上七十多人，斥责他们说：“你们都是几朝的老将，不是不能作战。现在所以望风而逃，没有其他的原因，只是想把朕当作稀有的货物卖给刘崇罢了！”把他们全部斩首。周世宗因为何徽以前守卫晋州有功，想让他免死，后来又认为军法不可废弃，于是连同他一起杀掉，而赐给运载棺柩的车子把他的尸首送回安葬。从此，骄傲的将领、懒惰的士兵开始知道有所畏惧，后周不再实行迁就姑息的政令了。

三月二十六日庚子，周世宗奖赏高平之战的功劳，任命李重进兼任忠武节度使、向训兼任义成节度使、张永德兼任武信节度使、史彦超为镇国节度使。张永德大为称赞太祖皇帝赵匡胤的机智勇敢，周世宗提升太祖皇帝赵匡胤为殿前都虞候、兼任严州刺史。任命马仁瑀为控鹤弓箭直指挥使、马全乂为散员指挥使。其余的将校迁升的共有几十人，士兵有从行伍中提升为军厢主帅的。解除对赵晁的囚禁。

【段旨】

以上为第十一段，写高平之战周世宗大败北汉主，整肃军纪。赵匡胤初露头角。

【注释】

㉔高平：县名，县治在今山西高平。㉕癸巳：三月十九日。㉖巴公原：地名，在今山西晋城市北。㉗白重赞：宪州楼烦（今山西娄烦）人。出自沙陀部族。作战勇猛，周世宗亲征北汉，白重赞以鄜州节度使为随驾副部署。传见《宋史》卷二百六十一。㉘张永德：字抱一，并州阳曲（今山西阳曲）人，郭威女婿。善骑射，随柴荣南征北战，屡立战功，官至忠武军节度使。入宋，官泰宁军节度使兼侍中。传见《宋史》卷二百五十五。㉙介马：披甲骑马。㉚勍敌：强敌。㉛髯：颊上长须。㉜扣马谏：拉住马缰绳进谏。㉝合战：交战。㉞太祖皇帝：宋太祖赵匡胤（公元九二七至九七六年），涿州（今河北涿州）人，后周时任殿前都检点，领归德军节度使。公元九六〇年发动陈桥兵变，即帝位，国号宋。先后平灭荆南、湖南、后蜀、南汉、南唐等国，收回诸将兵权，使中原重归统一。公元九六〇至九七六年在位。事见《宋史》卷一。㉟内殿直：殿前司骑军属官。殿前司为后周统率军队的机构。㊱马仁瑀：大名夏津（今山东夏津）人，善射，二百步远皆中的。事见《宋史》卷二百七十三。㊲乘舆：帝王所用的车舆。此做帝王的代称。㊳殿前右番行首：官名，居殿前右番班行之首。马全义初被郭威召见，补殿前指挥使。柴荣即位，迁殿前右番行首。高平之战后，因功又迁散员指挥使。可见殿前右番行首还在散员指挥使之下。㊴略陈：巡阵；督战。㊵赤帜：汉高祖刘邦斩白蛇，蛇为白

【原文】

北汉主收散卒、缮甲兵、完城堑，以备周。杨衮将其众北屯代州，北汉主遣王得中送衮，因求救于契丹。契丹主遣得中还报，许发兵救晋阳。

壬寅[324]，以符彦卿为河东行营都部署兼知太原行府事[325]，以郭崇副之、向训为都监、李重进为马步都虞候、史彦超为先锋都指挥使，将步骑二万发潞州。仍诏王彦超、韩通自阴地关入，与彦卿合军而进。又以刘词为随驾部署[326]，保大节度使白重赞副之。

汉昭圣皇太后李氏殂于西宫。

帝子，刘邦为赤帝子，祠黄帝，祭蚩尤，旗帜尚赤。北汉自认为是汉高帝刘氏之后，故旗帜亦尚赤。㉛阻涧而陈：依靠涧水之险布阵。㉜薄暮：临近黄昏。㉝达曙：通夜，直到天亮。㉞甲午：三月二十日。㉟武胜：方镇名，原为威胜，避郭威讳改。㊱唐景思：秦州（治所在今甘肃秦安）人，从周世宗战高平，伐淮南，以功领饶州刺史。传见《旧五代史》卷一百二十四、《新五代史》卷四十九。㊲赐赀装：赐给路费及服装。㊳丁酉：三月二十三日。㊴被褐戴笠：身穿粗布衣，头戴斗笠。被，后作"披"。褐，褐衣，粗毛或粗麻织成的短衣，质地粗劣，贫苦人所穿。㊵黄骝：黄色近于赤色的战马。㊶雕窠岭：在今山西长子西南。㊷宵迷：夜行迷路。㊸之：往。㊹未举箸：没有拿起筷子。㊺苍黄：通"仓皇"，狼狈。㊻己亥：三月二十五日。㊼忝冒节钺：有愧于充当节度使。㊽给槥车归葬：送一辆灵车拉回去安葬。槥车，运载棺柩的车子。㊾庚子：三月二十六日。㊿兼忠武节度使：以本职兼节镇，禄赐优于遥领者。321殿前都虞候：官名，位在殿前都指挥使和副指挥使之下，同掌殿前班值，分领禁军。322严州：州名，治所在今广西来宾。323士卒句：意为士兵有从行伍中提拔为军厢主帅的。当时诸军皆分左、右厢，厢各有主帅。擢，提拔。

【校记】

［17］兵：原作"军"。据章钰校，十二行本、乙十一行本、孔天胤本皆作"兵"，今据改。［18］白重赞：原作"白重进"。胡三省注云："'白重进'当作'白重赞'。"据章钰校，十二行本、乙十一行本、孔天胤本皆作"白重赞"，张敦仁《通鉴刊本识误》、张瑛《通鉴校勘记》同，今据改。［19］西：原无此字。据章钰校，十二行本、乙十一行本、孔天胤本皆有此字，张敦仁《通鉴刊本识误》同，今据补。

【语译】

北汉主收拾溃散的士兵、修治铠甲兵器、加固城墙壕沟，来防备后周。杨衮率领他的部众向北屯驻代州，北汉主派遣王得中护送杨衮，乘机向契丹求救。契丹主派遣王得中回来答复，允诺发兵救援晋阳。

三月二十八日壬寅，任命符彦卿为河东行营都部署兼知太原行府事，以郭崇做他的副手、向训为都监、李重进为马步都虞候、史彦超为先锋都指挥使，率领步兵和骑兵两万人从潞州出发。于是下诏命令王彦超、韩通从阴地关进入，与符彦卿会师前进。又任命刘词为随驾部署，保大节度使白重赞做他的副手。

后汉昭圣皇太后李氏在西宫去世。

夏，四月，北汉盂县[327]降，符彦卿军晋阳城下。王彦超攻汾州，北汉防御使董希颜降。帝遣莱州防御使康延沼[328]攻辽州、密州防御使田琼攻沁州，皆不下。供备库副使太原李谦溥[329]单骑说辽州刺史张汉超，汉超即降。

乙卯[330]，葬圣神恭肃文武孝皇帝于嵩陵[331]，庙号太祖。

南汉主以高王弘邈[332]为雄武节度使，镇邕州[333]。弘邈以齐、镇二王相继死于邕州，固辞，求宿卫，不许。至镇，委政僚佐，日饮酒、祷鬼神。或上书诬弘邈谋作乱，戊午[334]，南汉主遣甘泉宫使林延遇赐鸩杀之。

初，帝遣符彦卿等北征，但欲耀兵于晋阳城下，未议攻取。既入北汉境，其民争以食物迎周师，泣诉刘氏赋役之重，愿供军须，助攻晋阳，北汉州县继有降者。帝闻之，始有兼并之意，遣使往与诸将议之。诸将皆言刍粮[335]不足，请且班师以俟再举，帝不听。既而诸军数十万聚于太原城下，军士不免剽掠，北汉民失望，稍稍保山谷自固。帝闻之，驰诏禁止剽掠，安抚农民，止征今岁租税，及募民入粟拜官有差[336]，仍发泽、潞、晋、绛、慈、隰及山东近便诸州民运粮以馈军。己未[337]，遣李穀诣太原计度[338]刍粮。

【段旨】

以上为第十二段，写周世宗乘胜大举北伐，围攻晋阳。

【注释】

㉔壬寅：三月二十八日。㉕以符彦卿句：周世宗对符彦卿诸人的任命，都是在部署攻取晋阳。㉖刘词为随驾部署：胡三省注，"'随驾'之下当有'都'字"。据《旧五代史》卷一百二十四、《新五代史》卷五十刘词本传，"随驾"下皆有"都"字。㉗盂县：县名，

【原文】

庚申[339]，太师、中书令瀛文懿王冯道卒。道少以孝谨知名，唐庄宗世始贵显，自是累朝不离将、相、三公、三师[340]之位。为人清俭宽弘，

夏，四月，北汉盂县投降，符彦卿驻扎在晋阳城下。王彦超攻打汾州，北汉防御使董希颜投降。周世宗派遣莱州防御使康延沼攻打辽州，密州防御使田琼攻打沁州，都没有攻下。供备库副使太原人李谦溥单枪匹马去劝说辽州刺史张汉超，张汉超立刻投降。

四月十二日乙卯，把神圣恭肃文武孝皇帝安葬在嵩陵，庙号太祖。

南汉主任命高王刘弘邈为雄武节度使，镇守邕州。刘弘邈因为齐王和镇王相继死在邕州，坚决推辞，要求宿卫京城，南汉主没有同意。刘弘邈到了镇所，委政僚佐，自己每天饮酒、祈祷鬼神。有人上书诬告刘弘邈图谋作乱。四月十五日戊午，南汉主派遣甘泉宫使林延遇赐给毒酒，毒死了刘弘邈。

当初，周世宗派遣符彦卿等人北征，只是打算在晋阳城下炫耀兵力，没有商议攻取。进入北汉境内以后，当地的民众争相拿着食物迎接后周军队，哭诉刘氏赋税和徭役繁重，愿意供给军队所需，帮助攻打晋阳，北汉的州县相继有投降的。周世宗听到这一情况，开始有了兼并北汉的想法，派遣使者前去与众将商议。众将都说粮草不足，请暂且回师，等待时机再行动，周世宗没有听从。不久各路军队几十万人集中在太原城下，军士不免抢劫，北汉百姓失望，渐渐地退守山谷，自我保护。周世宗听说了此事，飞速传送诏书，禁止抢掠，安抚农民，停止征收今年的租税，又招募百姓缴纳粮食，授予不同等级的官职。于是征发泽州、潞州、晋州、绛州、慈州、隰州以及山东路近方便的各州百姓运送粮食供应军队。四月十六日己未，派遣李穀到太原核算各地输送的粮草。

县治大盂城，在今山西阳曲东北。㉘康延沼：少从军，后从郭威、柴荣出征有功，历任蔡、齐、郑、楚四州防御使。传见《宋史》卷二百五十五。㉙李谦溥：并州盂县（今山西阳曲大盂镇）人，性慷慨，重然诺，从柴荣出征，多立功。入宋，官济州团练使。传见《宋史》卷二百七十三。㉚乙卯：四月十二日。㉛嵩陵：在今河南新郑境内。㉜弘邈：南汉高祖刘龑第十二子，封高王。㉝邕州：州名，治所宣化，在今广西南宁南。㉞戊午：四月十五日。㉟刍粮：粮草。刍，喂牲口的草。㊱入粟拜官有差：根据捐献粮食的多少，授予高低不等的官职。㊲己未：四月十六日。㊳计度：核算。

【语译】

四月十七日庚申，太师、中书令瀛文懿王冯道去世。冯道少年时以孝顺恭谨闻名，后唐庄宗时期开始位高显达，从此数朝不离将帅、宰相、三公、三师的职位。

人莫测其喜愠，滑稽多智，浮沉取容[341]。尝著《长乐老叙》，自述累朝荣遇之状，时人往往以德量推[342]之。

欧阳修论曰："'礼义廉耻，国之四维[343]。四维不张，国乃灭亡。'礼义，治人之大法。廉耻，立人之大节。况为大臣而无廉耻，天下其有不乱，国家其有不亡者乎！予读冯道《长乐老叙》，见其自述以为荣，其可谓无廉耻者矣，则天下国家可从而知也。

"予于五代得全节之士三[344]，死事之人十有五[345]，皆武夫战卒，岂于儒者果无其人哉[346]？得非[347]高节之士恶时之乱，薄其世[348]而不肯出欤？抑君天下者不足顾，而莫能致之欤[349]？

"予尝闻五代时有王凝者，家青、齐之间，为虢州司户参军，以疾卒于官。凝家素贫，一子尚幼。妻李氏，携其子、负其遗骸以归。东过开封，止于旅舍，主人不纳。李氏顾天已暮，不肯去，主人牵其臂而出之。李氏仰天恸曰：'我为妇人，不能守节，而此手为人所执邪！'即引斧自断其臂，见者为之嗟泣。开封尹闻之，白其事于朝，厚恤李氏而笞其主人。呜呼！士不自爱其身而忍耻以偷生[350]者，闻李氏之风，宜少知愧哉！"

臣光曰："天地设位，圣人则之，以制礼立法[351]，内有夫妇，外有君臣。妇之从夫，终身不改，臣之事君，有死无贰。此人道之大伦也，苟或废之，乱莫大焉！范质称冯道厚德稽古[352]、宏才伟量，虽朝代迁贸[353]，人无间言[354]，屹若巨山[355]，不可转也。臣愚以为正女[356]不从二夫，忠臣不事二君。为女不正，虽复华色[357]之美、织纴[358]之巧，不足贤矣。为臣不忠，虽复材智之多、治行之优，不足贵矣。何则？大节已亏故也。道之为相，历五朝、八姓[359]，若逆旅之视过客[360]，朝为仇敌、暮为君臣，易面变辞[361]，曾无愧怍。大节如此，虽有小善，庸足称乎！

"或以为自唐室之亡，群雄力争。帝王兴废，远者十余年，近

为人清静俭约，宽容大度，别人不能推测他的喜怒，能言善辩，足智多谋，随世沉浮，求容于世。他曾经写了《长乐老叙》，自述数朝受到荣宠礼遇的情形，当时的人往往用有德行雅量来推崇他。

欧阳修评论说："'礼、义、廉、耻，是国家的四大纲要。四大纲要不伸张，国家就要灭亡。'礼义，是治理民众的重大法则。廉耻，是树立人格的重大节操。况且担任大臣而没有廉耻，天下哪有不乱，国家哪有不亡的呢！我读冯道的《长乐老叙》，看他自述以为自己很荣耀，真可说是没有廉耻的人了，那么天下国家的状况也就从而可知了。

"我在五代这段历史中找到三位保全节操的人，十五位殉职的人，全是武夫战卒，难道在文人中间果真没有那样的人吗？莫不是节操高尚的士人痛恨时世的混乱，看轻当世而不肯出仕吗？或者是君临天下的人没有充分顾及，而没有招致他们前来呢？

"我曾经听说五代时有个叫王凝的人，家在青州、齐州之间，担任虢州司户参军，因病死在任上。王凝家里一向贫穷，一个孩子还小。他的妻子李氏，带着孩子、背着他的遗骸返乡。东行经过开封，要在旅馆留宿，主人不接纳。李氏看天色已晚，不肯离去，主人拉她的手臂让她出去。李氏仰天痛哭说：'我作为妇人，不能守节，这只手臂被人抓了！'当即持斧自己砍掉了手臂，见到的人都为她叹息流泪。开封尹听说此事，把事情报告朝廷，优厚地抚恤李氏，鞭打那个店主人。啊呀！士人不珍惜自身而忍受耻辱苟且偷生的，听到李氏的风节，应当稍稍知道惭愧了吧！"

司马光说："天地各设其位，圣人作为准则，制定礼仪，建立法度，内有夫妇，外有君臣。妇人随从丈夫，终身不变，臣子侍奉君主，至死没有二心。这是做人之道的最大伦常，如果废弃了伦常，祸乱就没有比这更大的！范质称赞冯道道德深厚、研习古道、才识广博、度量宏大，虽然朝代变更，别人没有责备之言，犹如一座大山屹立，不可移动。臣的愚见认为，守正的女子不跟从两个丈夫，忠诚的臣子不侍奉两个君主。女子不正派，虽然面容一样的美丽、纺织的手工灵巧，也不值得认为是贤惠的了。为臣不忠，虽然才智很高、政绩很好，也不值得看重了。为什么呢？是大节已经亏损了的缘故。冯道任宰相，经历过五个朝代、八姓君主，就像在旅馆里观看来往的旅客，早晨还是仇敌、傍晚就成为君臣，更换面孔、改变词语，一点也不觉得惭愧。大节像这个样子，虽然有一点小优点，哪里值得称道呢！

"有人认为自从唐室灭亡后，群雄以力相争。帝王的兴亡，长的十几年，短

者四三年，虽有忠智，将若之何！当是之时，失臣节者非道一人，岂得独罪道哉！臣愚以为忠臣忧公如家、见危致命㊷，君有过则强谏力争、国败亡则竭节致死。智士邦有道则见、邦无道则隐㊸，或灭迹山林，或优游下僚㊹。今道尊宠则冠三师、权任则首诸相，国存则依违拱嘿㊺、窃位素餐㊻，国亡则图全苟免、迎谒劝进。君则兴亡接踵，道则富贵自如，兹乃奸臣之尤㊼，安得与他人为比哉！或谓道能全身远害于乱世，斯亦贤已。臣谓君子有杀身成仁、无求生害仁，岂专以全身远害为贤哉！然则盗跖病终而子路醢㊽，果谁贤乎？

"抑此非特道之愆也㊾，时君亦有责焉。何则？不正之女，中士羞以为家。不忠之人，中君羞以为臣。彼相前朝，语其忠则反君事雠，语其智则社稷为墟。后来之君，不诛不弃，乃复用以为相，彼又安肯尽忠于我而能获其用乎！故曰，非特道之愆，亦时君之责也。"

【段旨】

以上为第十三段，写欧阳修、司马光论人臣之节。

【注释】

㊴庚申：四月十七日。㊵三公、三师：唐制，太尉、司徒、司空为三公，太师、太傅、太保为三师。三公、三师均为虚衔，无实际职务。㊶浮沉取容：俯仰随俗，取容于世。㊷推：推崇。㊸四维：旧指治理国家的四大纲维，即礼、义、廉、耻。维，本指系物的大绳，以喻治理国家的重要法纪。㊹全节之士三：保全节操的有三人，即后梁王彦章、后唐裴约、南唐刘仁赡。㊺死事之人十有五：殉国、殉职的有十五人，即后梁张源德、后唐夏鲁奇、后唐姚洪、后唐王思同、后唐张敬达、后晋翟进宗、后晋沈斌、后晋王清、后周史彦超、南唐孙晟、后唐宋令珣、后晋李遐、南唐张彦卿、南唐郑昭业、后唐马彦超。㊻岂于儒者果无其人哉：难道在儒士中果真没有死事的人吗？㊼得非：莫不是。设论之辞。㊽薄其世：看轻当世。㊾抑君天下者不足顾二句：意谓或者是君临天下的人没有充分顾及，而没有招致他们来呢。抑，选择连词，表示还是、或是。㊿忍耻

的三四年，即使有忠诚多智的人，又能怎么样呢！在那时，丧失臣子节操的不是冯道一个人，怎么可以单独指责冯道呢！臣的愚见认为忠臣忧心公事如同家事、见到危难就献出生命，国君有过失就强争力谏、国家败亡就尽节效死。明智之士，国家有道就出来、国家无道就隐居，或者隐迹山林，或者悠然地做下级小吏。现在冯道尊贵荣宠在三师之上、权力职位则为诸宰相之首，国家存在就随意依违、拱手沉默、窃居高位、白拿俸禄，国家灭亡就图谋保全性命、苟且免死、迎谒新君、劝主即帝位。君主兴亡接踵，冯道则富贵依旧，这乃是奸臣之最，怎么可以和其他的人相提并论呢！有人说冯道能够在乱世中保全自身，远离祸害，这也是贤能了。臣认为君子只有牺牲生命以成全仁义、不能为了求得生存而危害仁德，怎么能只以保全自身远离祸害为贤能呢！那么盗跖病死，而子路被剁成肉酱，到底谁才是贤能呢？

"然而这不只是冯道的过错，当时的君主也有责任。为什么呢？不正派的女子，中等的士人都羞于娶她为妻。不忠诚的人，中等的君主都羞于用以为臣。冯道为相前朝，说他忠诚，但背叛君主侍奉仇敌，说他智慧，但国家变成废墟。后来的君主，对他不诛杀不遗弃，仍然又用以为相，他又怎么肯向我尽忠，而能为我所用呢！所以说，这不只是冯道的过错，当时的君主也有责任。"

以偷生：如冯道辈，忍受耻辱而苟活于世。㉟ 天地设位三句：天尊地卑，各设其位，圣人作为准则，制定礼仪，建立法度。㊱ 厚德稽古：道德深厚，研习古道。㊲ 迁贸：变易。㊳ 间言：责难的话。㊴ 屹若巨山：像大山一样屹立。㊵ 正女：正派女人；守正的女子。㊶ 华色：花色。指貌美如花。华，通"花"。㊷ 织纴：纺织。㊸ 历五朝、八姓：五朝，后唐、后晋、辽、后汉、后周。八姓，指历仕八姓帝王，为唐庄宗、明宗、潞王、后晋、耶律、刘汉、郭威、柴荣。后唐庄宗、明宗、潞王，各为一姓，加仕唐闵帝、晋出帝，共八姓十帝。㊹ 若逆旅之视过客：像在旅馆里看来往的旅客。㊺ 易面变辞：更换面孔，改变词语，侍奉新主人。㊻ 见危致命：见到危难，就献出生命。㊼ 邦有道则见、邦无道则隐：语出《论语·卫灵公》孔子之言。见，通"现"。㊽ 优游下僚：悠然地做职务低微的属吏。㊾ 依违拱嘿：随意依违，拱手沉默。㊿ 窃位素餐：窃居高位，白拿俸禄。素餐，本意为不劳而食。(367) 奸臣之尤：奸臣中最坏的。尤，突出的。(368) 盗跖病终而子路醢：盗跖生病而死，终其天年；子路被人杀害，剁成了肉酱。跖，一作蹠，相传生活在春秋末期，柳下屯（今山东西部）人，曾聚众为盗。子路，孔子学生，仲氏，名由，又字季路。孔子任鲁国司寇时，他任季孙氏家臣。后任卫大夫孔悝的家臣，在贵族内讧中被杀。(369) 抑此非特道之愆也：意谓话又说回来，这不是冯道单方面的过错。愆，过失。

【原文】

辛酉㊲⑩，符彦卿奏北汉宪州刺史太原韩光愿、岚州㊲⑪刺史郭言皆举城降。

初，符彦卿有女适李守贞之子崇训，相者言其贵当为天下母。守贞喜曰："吾妇犹母天下，况我乎！"反意遂决。及败，崇训先自[20]刃其弟妹，次及符氏。符氏匿帏下，崇训仓猝求之不获，遂自刭。乱兵既入，符氏安坐堂上，叱乱兵曰："吾父与郭公为昆弟，汝曹勿无礼！"太祖遣使归之于彦卿。及帝镇澶州，太祖为帝娶之。壬戌㊲⑫，立为皇后。后性和惠而明决，帝甚重之。

王彦超、韩通攻石州㊲⑬，克之，执刺史安彦进。癸亥㊲⑭，沁州刺史李廷诲降。庚午㊲⑮，帝发潞州，趣晋阳。癸酉㊲⑯，北汉忻州监军李勍杀刺史赵皋及契丹通事杨耨姑，举城降。以勍为忻州刺史。

王逵表请复徙使府治朗州。

【段旨】

以上为第十四段，写周世宗符皇后的人生经历。

【注释】

㊲⑩辛酉：四月十八日。㊲⑪岚州：州名，治所在今山西岚县。㊲⑫壬戌：四月十九日。㊲⑬石州：州名，治所在今山西吕梁市离石区。㊲⑭癸亥：四月二十日。㊲⑮庚午：四月二十七日。㊲⑯癸酉：四月三十日。

【校记】

[20]自：原无此字。据章钰校，十二行本、乙十一行本、孔天胤本皆有此字，今据补。

【语译】

四月十八日辛酉，符彦卿奏言北汉宪州刺史太原人韩光愿、岚州刺史郭言都率州城投降。

当初，符彦卿有一个女儿嫁给李守贞的儿子李崇训，看相的人说她尊贵，将成为天下的国母。李守贞高兴地说："我的儿媳妇都能当天下的国母，何况是我！"于是反叛的主意决定下来。等到李守贞失败，李崇训先用刀杀了他的弟弟和妹妹，下一个轮到符氏。符氏藏匿在帷帐下，李崇训仓促之间找不到她，就自杀了。乱兵进来以后，符氏安坐在堂上，斥责乱兵说："我的父亲和郭公为兄弟，你们不要无礼！"后周太祖派遣使者把她送归符彦卿。等到周世宗镇守澶州，太祖皇帝为周世宗娶符氏为妻。四月十九日壬戌，立为皇后。皇后性情温和贤惠，而又聪明果断，周世宗很看重她。

王彦超、韩通攻打石州，攻了下来，抓住了刺史安彦进。四月二十日癸亥，沁州刺史李廷诲投降。二十七日庚午，周世宗从潞州出发，奔赴晋阳。三十日癸酉，北汉忻州监军李勍杀死刺史赵皋和契丹通事杨耨姑，率州城投降。朝廷任命李勍为忻州刺史。

王逵上表请求再把节度使的治所迁到朗州。

【研析】

本卷研析周太祖废屯田、版刻《九经》行于世、不倒翁冯道三件史事。

第一，周太祖废屯田。东汉末战乱，破坏了生产力，魏、蜀、吴三国都实行屯田恢复生产，积聚国力，取得了很大的成功。曹魏屯田最早，规模最大。曹操屯田令说："夫定国之术，在于强兵足食，秦人以急农兼天下，孝武以屯田定西域，此先代之良式也。"自汉武屯田以来，各代大都在边境地区实行军屯，士兵战时打仗，平时耕地。曹操大规模屯田在内部腹地，最早屯田在许下，主要形式为民屯。屯民按军事编制，土地、牛、耕具、种子由政府供给，管理机构为典农中郎将和屯田都尉，不隶属地方。收获物过半交纳国家。屯民没有自由，如同农奴。当时战乱制造的流民一无所有，他们在死亡线上挣扎，能够获得一块土地进行生产，得以生存，是很高兴的。因此屯田之初，产量很高，因为屯民有生产积极性。屯田解决军粮，支持战争，可以称之为古代的战时经济。随着生产的恢复，国家政治稳定，战争减少，或没有了战争，出现和平环境，处于农奴地位的屯民就没有了生产积极性。屯民集中营式的劳作不符人情，不符历史进步，必然要瓦解。公元二六四年，司马氏篡魏，为了争取民心，解散了屯田。

唐朝末年，长年累月的战乱，制造了大批流民和荒地。中原驻守的军队，所在之处都设置营田来耕种，属军屯。其后招募高门大户来承包营田，农民租种，向国家纳租赋，已是民屯形式。户部另设管理机构管理营田，不属地方。营田大户收容庇护奸邪盗贼，州县不能过问，租地的农户男子没有徭役，加重了户籍民的负担。梁太祖攻淮南，抢掠淮南民耕牛以万计，供给营田民租用，几十年后，牛死了而牛租不免，百姓深受其害。周太祖郭威征战四方，一向知道其中弊端。周太祖广顺三年（公元九五三年），宣布废除营田，把耕种营田的人重新编入户籍，由地方管理。田地、房舍、耕牛、农具，全部赐给耕作人为永久的产业，废除全部租牛税。这一年，周境户口增加了三万户。耕户民得到了永业田，于是修整房屋，栽种树木，精耕细作，亩产量增加了好几倍。有人建议，把肥沃的营田出卖，可以获得几十万缗的钱来充实国库。周太祖说："利益归百姓，如同藏在国家。"懂得藏富于民，民富而国强的帝王，是政治境界最高的帝王。周太祖废屯田，惩贪官，薄民赋，是五代时难得的一位开明之君。

第二，版刻"九经"行于世。我国雕版印刷术发明于唐初，雕版图书始于五代冯道主持的版刻"五经"，又称版刻"九经"。"五经"为《易》《礼》《诗》《书》《春秋》。《礼》有《周礼》《仪礼》《礼记》，又称"三礼"，《春秋》有《左氏传》《公羊传》《穀梁传》，又称《春秋》三传，是以合而为五经，分而为九经。后唐明宗长兴三年（公元九三二年），冯道任宰相，倡议在国子监校定"九经"，版刻印刷传于世。这项学术大工程，历经后唐、后晋、后汉、后周四朝，至后周广顺三年完成，历时二十三年，学术界称为五代监本。从此，雕版书大行于世，官印书在此后的历朝历代大规模展开。冯道历任五朝唐、晋、汉、周及契丹宰相、太师，能在频繁改朝换代的乱世，完成这一学术工程，是一个奇迹，在学术上，推动雕版图书的发展与普及，意义重大。冯道对于学术文化事业的贡献，在历史上留下了光辉的一页。

第三，不倒翁冯道。冯道，字可道，五代时大臣，瀛州景城（在今河北泊头交河镇东北）人。少好学，奉亲至孝。冯道初事刘守光为参军，守光败，事晋王李存勖河东监军张承业为巡官。张承业以冯道长于文学推荐于晋王，为河东掌书记。从此，冯道飞黄腾达，历仕后唐、后晋、后汉、后周，以及契丹主耶律德光，历经五朝、八姓、十皇帝，成为乱世之中的一位不倒翁。所事十皇帝为：后唐庄宗、明宗 、愍帝、末帝；后晋高祖、出帝；戎王耶律德光；后汉高祖；后周太祖、世宗。十帝共有八姓。冯道在后唐历任集贤殿、弘文馆大学士、司空等职，归晋任司徒、中书令，契丹灭晋，任戎主太傅，后汉时任太师，入周任太师兼中书令，终官周太祖山陵使。公元九五四年卒，享年七十三岁。当时人都尊仰冯道为元老，叹其与孔子同寿，喜为之延誉。冯道自号长乐老。

人生乱世或处于昏暴之朝，往往朝不保夕，而冯道处乱世，历五朝八姓，事十君，为相二十余年不倒而安如泰山，在中国古代史上是一个奇迹。冯道明哲保身的处世之道有过人之处，亦有不为人齿之处。其过人者有三。其一，生性宽厚，冯道不与任何人结怨，他没有损人害人的记录，力所能及，以救人为己任。诸将掳掠美女奉献给冯道，冯道阳受之，而暗中遣送还回家。其二，冯道大富大贵，而生活俭约，不事张扬。其三，持重，遇事临危不惧，往往化险为夷。史臣曰："道之履行，郁有古人之风；道之宇量，深得大臣之体。"（《旧五代史》冯道本传史臣曰）其不为人齿者，谓冯道不忠。一女事二夫，人之不幸，何况冯道事五朝、相十帝。王夫之《读通鉴论》诛其心曰："李存勖之灭梁而骄，狎倡优、吝粮赐也，而道不言；忌郭崇韬，激蜀兵以反，而道不言；李从珂挑石敬瑭以速祸，而道不言；石重贵不量力固本以亟与虏争，而道不言；刘承祐狎群小、杀大臣，而道不言；数十年民之憔悴于虐政，流离死亡以濒尽，而道不言；其或言也，则摘小疵以示直，听则居功，不听而终免于斥逐，视人国之存亡，若浮云之聚散，真所谓谗谄面谀之臣也。"从尽忠尽节立场看，王夫之的评论十分中肯。冯道从不犯颜直谏，对昏君暴主，只说一些不痛不痒的话，以尽臣直，事关国家安危，黎民疾苦，昏暴之主不听，冯道则不言。试问，桀纣之主，自己不爱江山，有十比干，无如之何。刘守光、唐废帝、晋出帝、刘承祐之流，是扶不起的阿斗，冯道委曲求全，以求自保，无可厚非。王夫之认为冯道是一个伪君子，"真所谓谗谄面谀之臣"似过也。冯道没有谗谄之行，而尽力做一些善事。例如冯道建言雕版"五经"，说契丹主耶律德光为当今救民活佛，史称"人皆以谓契丹不夷灭中国之人者，赖道一言之善也"（《新五代史》冯道本传）。冯道处乱世，以他不倒翁的持重大臣身份，做了一些好事，还是值得称道的。

卷第二百九十二　后周纪三

起阏逢摄提格（甲寅，公元九五四年）五月，尽柔兆执徐（丙辰，公元九五六年）二月，凡一年有奇。

【题解】

本卷记事起于公元九五四年五月，迄于公元九五六年二月，凡一年又十个月，当后周世宗显德元年五月至显德三年二月。契丹主发兵救北汉，周世宗不胜退军。周世宗锐意兴革，实行多项强国政治。其一，整训禁军，沙汰羸弱；其二，清盗贼，重民生；其三，塞黄河决口，使民安居；其四，下诏荐贤、求言，比部郎中王朴献统一之策，被升职为左谏议大夫；其五，裁撤佛寺三万余所，只留二千余所，十之八九被裁撤；其六，毁铜佛像，以之制钱，废无用为有用。司马光称赞周世宗是五代时最有民望的仁明之君。后周兵西征，夺取后蜀秦、凤、阶、成四州。周世宗对新区民众，只收正税，一切苛细全部废除。北方稳固，周世宗立即挥师南指，兵伐南唐，第一次亲征淮南。湖南、吴越奉命夹击南唐，周师进展顺利；突然间湖南兵变，王逵被杀，后周失去了攻唐的侧翼。

【原文】

太祖圣神恭肃文武孝皇帝下

显德元年（甲寅，公元九五四年）

五月甲戌朔[①]，王逵自潭州迁于朗州，以周行逢知潭州事，以潘叔嗣为岳州团练使[②]。

丙子[③]，帝至晋阳城下，旗帜环城四十里。杨衮疑北汉代州防御使郑处谦贰于周[④]，召与计事，欲图之。处谦知之，不往。衮使胡骑数十守其城门，处谦杀之，因闭门拒衮。衮奔归契丹，契丹主怒其无功，囚之。处谦举城来降。丁丑[⑤]，置静塞军[⑥]于代州，以郑处谦为节度使。

契丹数千骑屯忻、代之间，为北汉之援。庚辰[⑦]，遣符彦卿等将步骑万余击之。彦卿入忻州，契丹退保忻口[⑧]。丁亥[⑨]，置宁化军[⑩]于汾州，以石、沁二州隶之。代州将桑珪、解文遇杀郑处谦，诬奏云潜通契丹。

【语译】

太祖圣神恭肃文武孝皇帝下

显德元年（甲寅，公元九五四年）

五月初一日甲戌，王逵从潭州迁到朗州，任命周行逢主持潭州事务，任命潘叔嗣为岳州团练使。

初三日丙子，周世宗到达晋阳城下，旗帜环绕晋阳城四十里。杨衮怀疑北汉代州防御使郑处谦暗地勾结后周，召请郑处谦和他商量军事，打算杀死郑处谦。郑处谦知道杨衮的企图，没有前去。杨衮派遣几十名胡人骑兵看守城门，郑处谦杀掉胡兵，接着关闭城门抵抗杨衮。杨衮逃回契丹，契丹主恼怒他没有功劳，囚禁了他。郑处谦率州城前来投降。初四日丁丑，后周在代州设置静塞军，任命郑处谦为节度使。

契丹几千名骑兵屯驻忻州、代州之间，作为北汉的援军。五月初七日庚辰，派遣符彦卿等人率领步兵和骑兵一万多人攻打契丹。符彦卿进入忻州，契丹退守忻口。十四日丁亥，后周在汾州设置宁化军，把石、沁两州隶属于宁化军。代州将领桑珪、解文遇杀死郑处谦，诬奏说他暗通契丹。

符彦卿奏请益兵，癸巳⑪，遣李筠、张永德将兵三千赴之。契丹游骑时至忻州城下，丙申⑫，彦卿与诸将陈⑬以待之。史彦超将二十骑为前锋⑭，遇契丹，与战，李筠引兵继之，杀契丹二千人。彦超恃勇轻进，去大军浸远，众寡不敌，为契丹所杀，筠仅以身免，周兵死伤甚众。彦卿退保忻州，寻引兵还晋阳。

府州防御使折德扆将州兵来朝。辛丑⑮，复置永安军⑯于府州，以德扆为节度使。

时大发兵夫，东自怀、孟，西及蒲⑰、陕，以攻晋阳，不克。会久雨，士卒疲病，及史彦超死[1]，乃议引还。

初，王得中返自契丹⑱，值周兵围晋阳，留止代州。及桑珪杀郑处谦，囚得中，送于周军。帝释之，赐以带、马，问："虏兵何时当至？"得中曰："臣受命送杨衮，他无所求。"或谓得中曰："契丹许公发兵，公不以实告，契丹兵即至，公得无危乎？"得中太息曰："吾食刘氏禄，有老母在围中，若以实告，周人必发兵据险以拒之，如此，家国两亡，吾独生何益！不若杀身以全家国，所得多矣！"甲辰⑲，帝以得中欺罔，缢杀之。

乙巳⑳，帝发晋阳。匡国节度使药元福言于帝曰："进军易，退军难。"帝曰："朕一以委卿。"元福乃勒兵成列而殿㉑。北汉果出兵追蹑，元福击走之。然军还匆遽㉒，刍粮数十万在城下者[2]，悉焚弃之。军中讹言相惊，或相剽掠，军须㉓失亡不可胜计。所得北汉州县，周所置刺史等皆弃城走。惟代州桑珪既叛北汉，又不敢归周，婴城自守，北汉遣兵攻拔之。

【段旨】

以上为第一段，写契丹救北汉，周世宗从晋阳败归。

符彦卿上奏请求增兵。五月二十日癸巳，周世宗派遣李筠、张永德率兵三千前往。契丹的游动骑兵时常到忻州城下。二十三日丙申，符彦卿和众将列阵来等待他们。史彦超率领二十名骑兵为前锋，遭遇契丹，与之交战，李筠领兵增援，杀死契丹两千人。史彦超靠着勇猛，轻率前进，距离大军渐渐地远了，寡不敌众，被契丹军所杀，李筠仅幸免一死，后周军队死伤很多。符彦卿退守忻州，不久带兵返回晋阳。

府州防御使折德扆率领州兵前来朝见周世宗。五月二十八日辛丑，后周又在府州设置永安军，任命折德扆为节度使。

当时大量征发士兵和民夫，东自怀州、孟州，西到蒲州、陕州，用来攻打晋阳，没有攻下。适逢久雨，士卒疲劳生病，等到史彦超过世，于是商议率军返回。

当初，王得中从契丹回来，正值后周军队包围晋阳，便停下留在代州。等到桑珪杀了郑处谦，就囚禁了王得中，把他送到后周军中。周世宗释放了他，赐给玉带、马匹，问他说："胡人军队什么时候会到？"王得中说："臣受命送杨衮，没有提其他要求。"有人对王得中说："契丹答应您发兵，您不以实告知，契丹军队立即到来，您能够没有危险吗？"王得中叹息说："我吃刘氏的俸禄，又有老母在被包围之中，如果以实相告，周人一定发兵据险来抵抗契丹。这样，家国两亡，我独自活着有什么用！不如杀身来保全家和国，所得到的多了！"甲辰日，周世宗因为王得中欺骗蒙蔽，绞杀了他。

乙巳日，周世宗从晋阳出发。匡国节度使药元福对周世宗说："进军容易，退军困难。"周世宗说："朕全部委托给你。"药元福于是布军成阵断后。北汉果然出兵追踪，药元福把他们打跑了。然而军队返回匆促，几十万的粮草在晋阳城下，全焚毁丢弃。军中谣言惊扰，或相抢劫，军用物资损失无法计算。所得到的北汉州县，后周设置的刺史等全都弃城逃走。只有代州桑珪既已背叛北汉，又不敢归附后周，便环城自守，北汉派遣军队攻取了代州。

【注释】

① 甲戌朔：五月初一日。② 团练使：不设节度使之州，则以团练使总领军务。③ 丙子：五月初三日。④ 贰于周：明属北汉，暗通北周。⑤ 丁丑：五月初四日。⑥ 静塞军：方镇名，后周显德元年五月置。治所代州，在今山西代县。⑦ 庚辰：五月初七日。⑧ 忻口：地名，在今山西忻州北，两山相夹，滹沱水流经其中。⑨ 丁亥：五月十四日。⑩ 宁化军：方镇名，后周显德元年（公元九五四年）五月置。治所汾州，在今山西汾阳。⑪ 癸巳：五月二十日。⑫ 丙申：五月二十三日。⑬ 陈：同"阵"。⑭ 二十骑为前锋：胡三省

注："二十太少，恐当作'二千'。"⑮辛丑：五月二十八日。⑯永安军：方镇名，后汉天福十二年（公元九四七年）置永安军，乾祐三年（公元九五〇年）四月降为团练州，周显德元年（公元九五四年）五月复置永安军。治所府州，在今陕西府谷县。⑰蒲：州名，治所河中府，在今山西永济西蒲州镇。⑱王得中返自契丹：北汉主曾派遣王得中向契丹求援，事毕返回北汉。⑲甲辰：五月甲戌朔，无甲辰。甲辰，应为六月初二日。⑳乙巳：五月甲戌朔，无乙巳。乙巳，应为六月初三日。㉑殿：行军走在最后。㉒军还匆遽：军队撤退过于匆忙仓促。㉓军须：即军需，军用物资。

【原文】

乙酉㉔，帝至潞州。甲子㉕，至郑州。丙寅㉖，谒嵩陵。庚午㉗，至大梁。

帝违众议破北汉，自是政事无大小皆亲决，百官受成于上而已。河南府㉘推官㉙高锡㉚上书谏，以为："四海之广、万机之众，虽尧、舜不能独治，必择人而任之。今陛下一以身亲之，天下不谓陛下聪明睿智、足以兼百官之任，皆言陛下褊迫疑忌、举不信群臣㉛也！不若选能知人公正者以为宰相，能爱民听讼者以为守令，能丰财足食者使掌金谷，能原情守法者使掌刑狱。陛下但垂拱明堂㉜，视其功过而赏罚之，天下何忧不治！何必降君尊而代臣职，屈贵位而亲贱事，无乃失为政之本乎！"帝不从。锡，河中人也。

北汉主忧愤成疾，悉以国事委其子侍卫都指挥使承钧。

河西㉝节度使申师厚不俟诏，擅弃镇入朝，署其子为留后。秋，七月癸酉朔㉞，责授㉟率府副率㊱。

丁丑㊲，加吴越王钱弘俶天下兵马都元帅。

癸巳㊳，加门下侍郎、同平章事范质守司徒，以枢密直学士、工部侍郎长山景范㊴为中书侍郎、同平章事、判三司，加枢密使、同平章事郑仁诲兼侍中。乙未㊵，以枢密副使魏仁浦为枢密使。范质既为司徒，司徒窦贞固归洛阳，府县㊶以民视之㊷，课役皆不免。贞固诉于留守向训，训不听。

【校记】

［1］及史彦超死：原无此五字。据章钰校，十二行本、乙十一行本、孔天胤本皆有此五字，张敦仁《通鉴刊本识误》、张瑛《通鉴校勘记》同，今据补。［2］者：原无此字。据章钰校，十二行本、乙十一行本、孔天胤本皆有此字，今据补。〖按〗《通鉴纪事本末》有“者”字。

【语译】

乙酉日，周世宗到达潞州。甲子日，到达郑州。丙寅日，拜谒嵩陵。庚午日，到达大梁。

周世宗违反大家的建议打败了北汉，从此政事不论大小都亲自决断，百官只是从周世宗那里接受成命而已。河南府推官高锡上书劝谏，认为：“四海之广、政务之多，即使是尧、舜也不能单独治理，一定要选拔人才而任用他们。现在陛下全部亲自处理，天下人不说陛下聪明睿智、足以兼任百官的职责，都说陛下心胸狭隘、怀疑猜忌、完全不信任群臣！不如选拔能够了解人、公正无私的来担任宰相，能够爱护百姓、善理诉讼的人来担任太守、县令，能够使财富丰盈、粮食充足的人来执掌钱粮，能够推究人情、遵守法令的人来掌管刑狱。陛下只要在明堂垂衣拱手，看他们的功过而赏罚他们，天下何愁不能治理好！何必降低君主的尊严而代替臣下的职责，委屈高贵的地位而亲历贱事，这岂不是失去了为政的根本吗！”周世宗不听从。高锡是河中人。

北汉主忧愁愤恨而生病，把国事全部委托给他的儿子侍卫都指挥使刘承钧。

河西节度使申师厚不等接到诏令，擅自离开镇所进京入朝，任命他的儿子为留后。秋，七月初一日癸酉，周世宗授给他率府副率，以示谴责。

初五日丁丑，加授吴越王钱弘俶为天下兵马都元帅。

二十一日癸巳，加授门下侍郎、同平章事范质守司徒，任命枢密直学士、工部侍郎长山人景范为中书侍郎、同平章事、判三司，加授枢密使、同平章事郑仁诲兼任侍中。二十三日乙未，任命枢密副使魏仁浦为枢密使。范质既已担任司徒，原任司徒窦贞固返回洛阳，河南府和洛阳县把他视作平民，租税、徭役都不免除。窦贞固向留守向训诉说，向训不听他的。

初，帝与北汉主相拒于高平，命前泽州刺史李彦崇将兵守江猪岭㊸，遏北汉主归路。彦崇闻樊爱能等南遁，引兵退，北汉主果自其路遁去。八月己酉㊹，贬彦崇率府副率。

己巳㊺，废镇国军㊻。

初，太祖以建雄节度使王晏有拒北汉之功，其乡里在滕县㊼，徙晏为武宁节度使。晏少时尝为群盗，至镇，悉召故党，赠之金帛、鞍马。谓曰："吾乡素名多盗，昔吾与诸君皆尝为之，想后来者无能居诸君之右㊽。诸君幸为我语之，使勿复为，为者吾必族之！"于是一境清肃。九月，徐州人请为之立衣锦碑㊾，许之。

冬，十月甲辰㊿，左羽林大将军孟汉卿坐纳藁税[51]，场官[52]扰民，多取耗余[53]，赐死。有司奏汉卿罪不至死，上曰："朕知之，欲以惩众耳。"

己酉[54]，废安远、永清军[55]。

【段旨】

以上为第二段，写周世宗精明强干，事无巨细，大权独揽，奖惩鲜明。

【注释】

㉔乙酉：胡三省注，"以乙巳发晋阳，甲子至郑州考之，中间不应以乙酉至潞州，恐是乙卯"。乙卯，六月十三日。㉕甲子：五月甲戌朔，无甲子。甲子，应为六月二十二日。㉖丙寅：五月甲戌朔，无丙寅。丙寅，六月二十四日。㉗庚午：五月甲戌朔，无庚午。庚午，六月二十八日。㉘河南府：府名，治所在今河南洛阳。㉙推官：官名，节度使、观察使、团练使、防御使下皆置，员一人，掌勘问刑狱。㉚高锡：字天赐，河中虞乡（今山西永济）人，宋初，官至左拾遗、知制诰。传见《宋史》卷二百六十九。㉛褊迫疑忌、举不信群臣：心胸狭小，怀疑猜忌，完全不信任群臣。《左传》哀公六年，僖子曰："君举不信群臣乎？"杜预注曰："举，皆也。"㉜垂拱明堂：垂拱，垂衣拱手，古代形容太平无事，无为而治。明堂，古代天子宣明政教的地方，凡朝会、祭祀、庆赏、选士、养老、教学等大典，均在其中举行。㉝河西：方镇名，唐景云元年（公元七一〇年）置。治所凉州，在今甘肃武威。㉞癸酉朔：七月初一日。㉟责授：授较低的官职，以示谴责。㊱率府副率：唐制，东宫有十率府，即左右卫率、左右司御率、左右清道率、左

当初，周世宗和北汉主在高平对抗，命令前任泽州刺史李彦崇领兵守卫江猪岭，阻遏北汉主回去的道路。李彦崇听说樊爱能等人南逃，便率军撤退，北汉主果然从那条路逃走。八月初八日己酉，把李彦崇贬为率府副率。

二十八日己巳，撤销镇国军。

当初，太祖因为建雄节度使王晏有抵御北汉的功劳，他的家乡在滕县，便调任王晏为武宁节度使。王晏年轻时曾经做过强盗，到达镇所，召集全部旧党，赠送他们金帛、鞍马。对他们说："我们家乡向来以强盗多而闻名，过去我和各位都曾干过，我想后来的人没有能超过各位的。请各位替我转告其他的强盗，让他们不要再做强盗，再做的人我一定族灭他！"于是整个境内清静安宁。九月，徐州人请求为王晏竖立衣锦还乡碑，朝廷答应了。

冬，十月初三日甲辰，左羽林大将军孟汉卿因为交纳藁税时，藁场收税官侵扰百姓，多取耗余，被赐死。有关官员上奏说孟汉卿的罪不至于处死，周世宗说："朕知道这些，是想以此惩戒大家罢了。"

初八日己酉，撤销安远、永清军。

右监门率、左右内率，每率府设率各一人，副率各二人。均为太子属官，掌东宫兵仗、仪卫及门禁、徼循、斥候等事。㊲丁丑：七月初五日。㊳癸巳：七月二十一日。㊴景范：淄州长山（今山东邹平）人，初为东京副留守，为人厚重刚正。传见《旧五代史》卷一百二十七。㊵乙未：七月二十三日。㊶府县：指河南府和洛阳县。㊷以民视之：把致仕的司徒窦贞固当普通民众一样对待。㊸江猪岭：在今山西长子西南四十里，近长平关。㊹己酉：八月初八日。㊺己巳：八月二十八日。㊻废镇国军：后梁以华州为感化军，后唐同光元年（公元九二三年）改为镇国军，至后周显德元年（公元九五四年）八月，降为刺史州。㊼滕县：即今山东滕州。㊽居诸君之右：处在各位的上面。古人以右为上，居右即谓处在前位。㊾立衣锦碑：竖立衣锦还乡碑。衣锦，穿锦绣衣服，表示富贵。㊿甲辰：十月初三日。51纳藁税：收受禾秆税。52场官：藁场收税官。53耗余：旧时收税，正额之外又多收取，以备耗损的部分，称耗余。54己酉：十月初八日。55废安远、永清军：后唐同光元年（公元九二三年）以安州为安远军节度，至后晋天福五年（公元九四〇年）七月，降为防御州。至天福十二年六月，复为安远军节度。至后周显德元年（公元九五四年）十月，又降为防御州。后晋天福三年十二月，以贝州为永清军节度，至后周显德元年十月，降为防御州。

【原文】

初，宿卫之士，累朝相承，务求姑息，不欲简阅[56]，恐伤人情，由是羸老者居多。但骄蹇[57]不用命，实不可用，每遇大敌，不走即降，其所以失国，亦多由此。帝因高平之战，始知其弊。癸亥[58]，谓侍臣曰："凡兵务精不务多，今以农夫百未能养甲士一，奈何浚[59]民之膏泽[60]，养此无用之物乎！且健懦不分，众何所劝！"乃命大简诸军，精锐者升之上军，羸者斥去之。又以骁勇之士多为诸[3]藩镇所蓄，诏募天下壮士，咸遣诣阙，命太祖皇帝选其尤者为殿前诸班[61]，其骑步诸军，各命将帅选之。由是士卒精强，近代无比，征伐四方，所向皆捷，选练之力也。

戊辰[62]，帝谓侍臣曰："诸道盗贼颇多，讨捕终不能绝，盖由累朝分命使臣巡检，致藩侯、守令皆不致力。宜悉召还，专委节镇、州县，责其清肃[63]。"

河自杨刘至于博州百二十里，连年东溃，分为二派[64]，汇为大泽，弥漫数百里。又东北坏古堤而出，灌齐、棣[65]、淄[66]诸州，至于海涯，漂没民田庐不可胜计。流民采菰稗[67]、捕鱼以给食，朝廷屡遣使者不能塞。十一月戊戌[68]，帝遣李榖诣澶、郓、齐按视堤塞，役徒[69]六万，三十日而毕。

北汉主疾病[70]，命其子承钧监国[71]，寻殂[72]。遣使告哀于契丹。契丹遣骠骑大将军、知内侍省事刘承训册命承钧为帝，更名钧。北汉孝和帝[73]性孝谨，既嗣位，勤于为政，爱民礼士，境内粗安。每上表于契丹主称男，契丹主赐之诏，谓之"儿皇帝"。

【段旨】

以上为第三段，写周世宗整训禁军，沙汰羸弱，清盗贼，塞黄河决口，关心民生。北汉主效石敬瑭向契丹称儿皇帝。

【语译】

当初，宫禁的警卫士兵，历朝相袭，一味地迁就姑息，不愿检查，恐怕伤害人情，因此年老体衰的占大多数。但是这些人傲慢不逊，不听从命令，实际上不能使用，每遇大敌，不是逃走就是投降，前朝之所以亡国，也是大多由于这个原因。周世宗通过高平之战，开始知道其中的弊端。十月二十二日癸亥，周世宗对侍从的大臣们说："大凡军队求精不求多，现在一百个农夫不能养一名甲士，为什么要榨取民脂民膏，来养活这些没有用的东西呢！况且勇健和懦弱不加区分，用什么去激励大家呢！"于是命令全面检查各军，精锐的提升到上军，体弱的裁掉他们。又因为勇猛的士兵大多为各藩镇所蓄养，所以下诏招募天下壮士，全部前往京城，命令太祖皇帝赵匡胤挑选其中优秀的组成殿前各班，其他骑兵和步兵各军，分别命令将帅挑选。从此士兵精锐强干，近代无与伦比，征伐四方，兵锋所向，全都获胜，这都是挑选训练士兵的功效。

十月二十七日戊辰，周世宗对侍从的大臣说："各道盗贼很多，讨伐抓捕，不能断绝，这大概是由于历朝分别派使者到各地去巡视检查，致使藩镇节度使、州县官员都不尽力。应该全部召回使臣，专门委任藩镇、州县，责令他们肃清强盗。"

黄河从杨刘到博州一百二十里，连年东边堤坝崩溃，分成两条支流，汇聚成大泽，弥漫几百里。还有东北边冲坏旧堤，河水流出，灌没齐、棣、淄各州，直到海滨，冲走淹没民田房舍无法计算。流民靠采摘菰米、稗子，捕鱼来充食，朝廷多次派遣使者都不能堵塞。十一月二十八日戊戌，皇帝派遣李穀前往澶州、郓州、齐州审查巡视堤防的堵塞情况，使用工徒六万人，三十天堵塞完毕。

北汉主病重，命令他的儿子刘承钧监理国事，不久去世。北汉派遣使者向契丹报丧。契丹派遣骠骑大将军、知内侍省事刘承训册命刘承钧为皇帝，改名为刘钧。北汉孝和帝刘钧性情孝顺恭谨，继位后，勤于治理政事，爱护民众，礼遇士人，境内大体安定。他每次上表给契丹主都自称"男"，契丹主赐给他诏书，称他为"儿皇帝"。

【注释】

㊻简阅：检查。㊼骄蹇：傲慢不逊。㊽癸亥：十月二十二日。㊾浚：榨取。㊿膏泽：犹言民脂民膏。(61)殿前诸班：殿廷的侍卫兵士。据《五代会要》卷十二，周世宗鉴于高平之战，决定改组宿卫之士，下诏选募天下豪杰，帝亲自选拔其中武艺超绝者分署为殿前诸班，于是有散员、散指挥使、内殿前直、散都头、铁骑、控鹤之号。(62)戊辰：十月

二十七日。㊸责其清肃：责令他们肃清自己境内的盗贼。㊹二派：分成两条水路。㊺棣：州名，治所厌次，在今山东惠民东南。㊻淄：州名，治所淄川，在今山东淄博。㊼菰稗：菰米（又名雕胡米）和稗籽。㊽戊戌：十一月二十八日。㊾役徒：役使工徒。㊿疾病：病情加重。古代有病称疾，病重为病。(71)监国：古代君主因故不能亲政，由其嗣子或近亲代行职务，称监国。(72)寻殂：不久死去。(73)孝和帝：刘承钧死后谥号孝和皇帝，庙号睿宗。

【原文】

马希萼之帅群蛮破长沙也，府库累世之积，皆为溆州蛮酋苻彦通所掠。彦通由是富强，称王于溪洞间。王逵既得湖南，欲遣使抚之，募能往者，其将王虔朗请行。既至，彦通盛侍卫(74)而见之，礼貌甚倨(75)。虔朗厉声责之曰："足下自称苻秦苗裔(76)，宜知礼义，有以异于群蛮。昔马氏在湖南，足下祖父皆北面事之。今王公尽得马氏之地，足下不早往乞盟，致使者先来，又不接之以礼，异日得无悔乎！"彦通惭惧，起，执虔朗手谢之。虔朗知其可动，因说之曰："溪洞之地，隋、唐之世皆为州县(77)，著在图籍。今足下上无天子之诏，下无使府(78)之命，虽自王于山谷之间，不过蛮夷一酋长耳！曷若去王号，自归于王公，王公必以天子之命授足下节度使，与中国侯伯等夷，岂不尊荣哉！"彦通大喜，即日去王号，因虔朗献铜鼓(79)数枚于王逵。逵曰："虔朗一言胜数万兵，真国士也！"承制以彦通为黔中(80)节度使，以虔朗为都指挥使，预闻府政。虔朗，桂州人也[4]。逵虑西界镇遏使、锦州(81)刺史刘瑫为边患，表为镇南节度副使，充西界都招讨使。

是岁，湖南大饥，民食草木实。武清(82)节度使、知潭州事周行逢开仓以赈之，全活甚众。行逢起于微贱，知民间疾苦，励精为治，严而无私。辟署僚属(83)，皆取廉介之士，约束简要，吏民便之[5]。其自奉甚薄，或讥其太俭，行逢曰："马氏父子穷奢极靡，不恤百姓，今子孙乞食于人，又足效乎！"

【校记】

［3］诸：原无此字。据章钰校，十二行本、乙十一行本、孔天胤本皆有此字，今据补。

【语译】

马希萼率领各蛮族打败长沙时，府库中几代积蓄的财物，都被溆州蛮族酋长苻彦通所掠，苻彦通因此富强，在溪洞间自称为王。王逵得到湖南以后，打算派遣使者安抚他，便招募能够前去的人，他的部将王虔朗请求前去。王虔朗到了以后，苻彦通部署了大量的侍卫接见他，举止十分傲慢。王虔朗大声地斥责苻彦通说："足下自称是苻秦的后裔，应该知晓礼义，以区别于蛮族。从前马氏在湖南，足下的祖父、父亲都北面称臣侍奉马氏。现在王公得到了马氏的全部土地，足下不早些前去请求结盟，致使他的使者先来，又对使者不以礼相待，以后能够不后悔吗！"苻彦通又惭愧又害怕，站起身来，拉着王虔朗的手向他道歉。王虔朗知道他可以说动，乘机劝他说："溪洞这些地方，隋、唐之世都是州县，记载在图籍中。现今足下上没有天子的诏书，下没有节度使府的命令，虽然自己在山谷之间称王，不过是蛮夷的一个酋长罢了！不如去掉王号，自己归附王公，王公一定用天子的命令授给足下节度使之职，与中原的侯伯等同，难道不尊贵荣耀吗！"苻彦通大为高兴，当天去掉王号，通过王虔朗进献几个铜鼓给王逵。王逵说："王虔朗的一句话胜过几万士兵，真是国中的人才啊！"于是以天子的制命任命苻彦通为黔中节度使，任命王虔朗为都指挥使，参与湖南都府的政事。王虔朗，是桂州人。王逵担心西界镇遏使、锦州刺史刘瑫为害边境，上表请求朝廷任命刘瑫为镇南节度副使，充任西界都招讨使。

这一年，湖南发生大饥荒，百姓吃草木的果实。武清节度使、知潭州事周行逢开仓赈济灾民，救活了很多人。周行逢起于贫贱，了解民间的疾苦，励精图治，严正无私。征召任用僚属，都选取廉洁公正的人，规约简要，治下的百姓都觉得方便。对自己的奉养微薄，有人讥笑他太节俭，周行逢说："马氏父子极尽奢侈浪费，不体恤百姓，今日他的子孙向人讨饭，又值得效法吗！"

【段旨】

以上为第四段，写湖南王逵抚定溪洞蛮夷，周行逢开仓赈济饥民。

【注释】

⑭盛侍卫：摆出盛大的侍卫场面，意在炫耀和震慑。⑮礼貌甚倨：行为举止十分傲慢。⑯自称苻秦苗裔：苻坚死后，其子苻宏归东晋。桓玄篡位，以宏为梁州刺史，活动于荆、楚间，故苻彦通自称是苻宏后代。⑰隋、唐之世皆为州县：溪洞之地，隋、唐时属黔中道。⑱使府：指湖南都府。⑲铜鼓：在蛮地，铜鼓极为重要。部落欲相攻杀，则击铜鼓，至者如云。⑳黔中：方镇名，唐大历十二年（公元七七七年）置，大顺元年（公元八九〇年）号武泰军节度，治所在今重庆市彭水苗族土家族自治县。㉑锦州：州名，

【原文】

世宗睿武孝文皇帝[84]上

显德二年（乙卯，公元九五五年）

春，正月庚辰[85]，上以漕运自晋、汉以来不给斗耗[86]，纲吏[87]多以亏欠抵死，诏自今每斛给耗一斗[88]。

定难节度使李彝兴[89]，以折德扆亦为节度使，与己并列，耻之[90]，塞路不通周使。癸未[91]，上谋于宰相，对曰："夏州边镇，朝廷向来每加优借，府州褊小，得失不系重轻。且宜抚谕彝兴，庶全大体。"上曰："德扆数年以来，尽忠戮力以拒刘氏，奈何一旦弃之！且夏州惟产羊马，贸易百货悉仰中国，我若绝之，彼何能为！"乃遣供奉官齐藏珍赍诏书责之，彝兴惶恐谢罪。

戊子[92]，蜀置威武军于凤州[93]。

辛卯[94]，初令翰林学士、两省[95]官举令、录[96]。除官之日，仍署举者姓名，若贪秽败官，并当连坐[97]。

契丹自晋、汉以来屡寇河北[98]，轻骑深入，无藩篱之限，郊野之民每困杀掠。言事者称深、冀之间有胡卢河，横亘数百里，可浚之以限其奔突[99]。是月，诏忠武节度使王彦超、彰信[100]节度使韩通，将兵夫浚胡卢河，筑城于李晏口[101]，留兵戍之。帝召德州[102]刺史张藏英，问以备边之策。藏英具陈地形要害，请列置戍兵，募边人骁勇者，厚其禀给，

治所在今湖南麻阳西。㉜ 武清：方镇名，五代十国楚置，治所在今湖南衡山县。㉝ 辟署僚属：征召任用僚佐。

【校记】

［4］虔朗桂州人也：原无此六字。据章钰校，十二行本、乙十一行本、孔天胤本皆有此六字，张敦仁《通鉴刊本识误》、张瑛《通鉴校勘记》同，今据补。［5］吏民便之：原无此四字。据章钰校，十二行本、乙十一行本、孔天胤本皆有此四字，张敦仁《通鉴刊本识误》同，今据补。

【语译】

世宗睿武孝文皇帝上

显德二年（乙卯，公元九五五年）

春，正月初十日庚辰，周世宗因为水路运粮从后晋、后汉以来不考虑运粮的损耗，运粮的官吏很多因为亏欠而被处死，下诏从今以后每斛损耗一斗。

定难节度使李彝兴因为折德扆也担任了节度使，与自己同列，感到羞耻，便堵塞道路，不与后周通使来往。正月十三日癸未，周世宗和宰相商议，宰相回答说："夏州是边疆的镇所，朝廷向来都从优宽待；府州狭小，得失不关轻重。暂时应该安抚李彝兴，以顾全大局。"周世宗说："折德扆多年以来，尽忠朝廷，努力作战，以抵抗刘氏，怎么能一朝抛弃他！况且夏州只产羊、马，百货交易全赖中原，我们如果与李彝兴断绝关系，他还能干什么！"于是周世宗派遣供奉官齐藏珍带着诏书责问李彝兴，李彝兴惶恐认罪。

正月十八日戊子，后蜀在凤州设置威武军。

二十一日辛卯，朝廷开始命令翰林学士、中书和门下两省官员推举县令、录事参军。授予官职时，同时签署推举人的姓名，如果所推举的人贪污而失职，连同推举人一起都要定罪。

契丹从后晋、后汉以来一再侵犯河北，轻装骑兵深入境内，没有屏障的阻隔，郊野的民众往往陷入困境而被杀戮抢掠。上言国事的人说深州和冀州之间有胡卢河，横亘几百里，可以疏通河道以限制契丹的奔驰冲突。当月，诏命忠武节度使王彦超、彰信节度使韩通率领士兵和民夫疏通胡卢河，在李晏口筑城，留下部队戍守。周世宗召见德州刺史张藏英，向他询问备边策略。张藏英详细地讲述地形要害，请求设置戍守的军队，招募边境百姓中勇猛的人，厚加供给，张藏英自己请求率领这些人，

自请将之，随便宜讨击。帝皆从之，以藏英为沿边巡检招收都指挥使。藏英到官数月，募得千余人。王彦超等行视役者[103]，尝为契丹所围。藏英引所募兵驰击，大破之。自是契丹不敢涉胡卢河，河南[104]之民始得休息。

二月庚子朔[105]，日有食之。

蜀夔恭孝王仁毅[106]卒。

壬戌[107]，诏群臣极言得失，其略曰："朕于卿大夫，才不能尽知，面不能尽识。若不采其言而观其行，审其意而察其忠，则何以见器略之浅深，知任用之当否！若言之不入，罪实在予。苟求之不言，咎将谁执！"

唐主以中书侍郎、知尚书省严续[108]为门下侍郎、同平章事。

【段旨】

以上为第五段，写周世宗下诏荐贤、求言，抗御契丹侵扰河北的游骑。

【注释】

[84]世宗睿武孝文皇帝：讳柴名荣，为郭威妻兄之子，自幼从姑，郭威养为己子。公元九五五至九五九年在位，庙号世宗。[85]庚辰：正月初十日。[86]斗耗：往来运送粮食合理的损耗。[87]纲吏：运送大宗货物，分批启行，每批计其车辆船只，编立字号，名为一纲。纲吏即负责成批运送货物的官吏。[88]每斛给耗一斗：每斛允许扣减损耗一斗。斛，古代十斗为一斛，南宋末改为五斗。[89]李彝兴：夏州（治所在今陕西靖边）人，本姓拓跋氏，原名彝殷，避宋宣祖讳改。传见《旧五代史》卷一百三十二、《新五代史》卷四十、《宋史》卷四百八十五。[90]与己并列二句：李彝兴镇夏州，夏州为缘边大郡，李氏世

【原文】

三月辛未[109]，以李晏口为静安军[110]。

帝常愤广明[111]以来中国日蹙[112]，及高平既捷，慨然有削平天下之志。会秦州民夷[113]有诣大梁献策请恢复旧疆[114]者，帝纳其言。

随机出击讨伐。周世宗听从了他的全部建议，任命张藏英为沿边巡检招收都指挥使。张藏英到任几个月，招募到一千多人。王彦超等人巡视治河服役的人，曾经被契丹包围。张藏英带领所招募来的士兵飞奔出击，大败契丹军队。从此契丹不敢渡过胡卢河，胡卢河以南的百姓才得以休养生息。

二月初一日庚子，日食。

后蜀夔恭孝王孟仁毅去世。

二月二十三日壬戌，周世宗诏命群臣尽情地陈述朝政得失，诏书大略说："朕对于各位卿大夫，不能知道全部才能，不能认识全部面孔。如果不搜集大家的言论而观察大家的行为，明白大家的想法而观察大家的忠诚，那么利用什么看出大家器识才略的高低，知道任用的是否得当！如果大家说了而我听不进，那么罪过确实在我的身上。如果我搜求而大家不说，那么过错在谁呢！"

南唐主任命中书侍郎、知尚书省严续为门下侍郎、同平章事。

代为节度使。而折德扆镇府州，府州很晚才置为节镇，折氏又刚为节度使，所以李彝兴以与折氏并列为耻。㉛癸未：正月十三日。㉜戊子：正月十八日。㉝凤州：州名，治所在今陕西凤县。㉞辛卯：正月二十一日。㉟两省：中书省和门下省。㊱举令、录：推举县令和州郡录事参军。㊲连坐：牵连入罪。㊳河北：道名，治所魏州，在今河北大名东北。㊴奔突：奔驰冲突。⑩⓪彰信：方镇名，后晋开运二年（公元九四五年）以曹州为威信节度，至后汉天福十二年（公元九四七年）六月降为刺史州，后周广顺二年（公元九五二年）七月，复升为彰信军节度。治所左城，在今山东曹县西北。⑩①李晏口：即李晏镇，在今河北景县东北。与县西宋门镇均为大镇。⑩②德州：州名，治所在今山东德州市陵城区。⑩③行视役者：巡视为治河工程服役的人。⑩④河南：此指胡卢河之南。⑩⑤庚子朔：二月初一日。⑩⑥仁毅：蜀后主孟昶弟。⑩⑦壬戌：二月二十三日。⑩⑧严续：字兴宗，吴相严可求子，南唐烈祖李昪婿。敢于直言，常遭群小斥逐。官至门下侍郎、同平章事、镇海军节度使。

【语译】

三月初二日辛未，后周在李晏口设置静安军。

周世宗常常为唐僖宗广明以来中原疆域日渐缩小而愤慨，等到高平之战获胜后，慨然有平定天下之志。适逢秦州的百姓有人前往大梁献策，请求恢复旧有疆域，周世宗采纳了他的意见。

蜀主闻之，遣客省使赵季札按视边备。季札素以文武才略自任，使还，奏称："雄武节度使韩继勋、凤州刺史王万迪非将帅才，不足以御大敌。"蜀主问："谁可往者?"季札请自行。丙申[115]，以季札为雄武监军使，仍[116]以宿卫精兵千人为之部曲。

帝以大梁城中迫隘[117]，夏，四月乙卯[118]，诏展外城，先立标帜[119]，俟今冬农隙兴板筑[120]。东作[121]动则罢之，更俟次年，以渐成之。且令自今葬埋皆出所标七里之外，其标内俟县官[122]分画街衢、仓场、营廨[123]之外，听民随便筑室。

丙辰[124]，蜀主命知枢密院王昭远按行[125]北边城寨及甲兵[126]。

上谓宰相曰："朕每思致治之方[127]，未得其要，寝食不忘。又自唐、晋以来，吴、蜀、幽、并[128]皆阻声教[129]，未能混壹[130]。宜命近臣著《为君难为臣不易论》及《开边策》各一篇，朕将览焉。"

比部郎中[131]王朴献策，以为："中国之失吴、蜀、幽、并，皆由失道[132]。今必先观所以失之之原，然后知所以取之之术。其始失之也，莫不以君暗臣邪，兵骄民困，奸党内炽，武夫外横，因小致大，积微成著[133]。今欲取之，莫若反其所为而已！夫进贤退不肖，所以收其才也。恩隐诚信，所以结其心也。赏功罚罪，所以尽其力也。去奢节用，所以丰其财也。时使[134]薄敛[135]，所以阜[136]其民也。俟群才既集、政事既治、财用既充、士民既附，然后举而用之，功无不成矣！彼之人观我有必取之势，则知其情状者愿为间谍、知其山川者愿为乡导，民心既归，天意必从矣。

"凡攻取之道，必先其易者。唐与吾接境几二千里[137]，其势易扰也。扰之当以无备之处为始，备东则扰西，备西则扰东，彼必奔走而救之。奔走之间，可以知其虚实强弱，然后避实击虚、避强击弱。未须大举，且以轻兵扰之。南人懦怯，闻小有警，必悉师以救之。师数动则民疲而财竭，不悉师则我可以乘虚取之。如此，江北诸州将悉为我有。既得江北，则用彼之民、行我之法，江南亦易取也。得江南则岭南、巴

后蜀主听到这个消息，便派遣客省使赵季札巡视边疆的守备状况。赵季札向来以文武才略自许，出使回来，上奏说："雄武节度使韩继勋、凤州刺史王万迪都不是将帅之才，不足以抵御大敌。"后蜀主问道："谁可以前往？"赵季札请求亲自前去。三月二十七日丙申，后蜀主任命赵季札为雄武监军使，于是以京城警卫精兵一千人作为他的部属。

周世宗因为大梁城里狭窄，夏，四月十七日乙卯，下诏扩展外城，先立下标志，等到今年冬天农闲时动工。春耕开始就停止，再等到下一年冬天施工，逐渐完成。并且命令从今以后埋葬死人全都在离所立标志七里之外，标志以内，等到朝廷分别规划出街道、仓场、营房官舍之后，其余地方任由百姓随便盖房。

四月十八日丙辰，后蜀主命令知枢密院王昭远检查巡视北方边境上的城池要塞以及铠甲兵器。

周世宗对宰相说："朕常常考虑能使国家治平的方略，没有得到其中的要领，睡觉吃饭都不能忘记。还有从唐、晋以来，吴地、蜀地、幽州、并州等地都被隔断了政令和教化，没有能够统一。应该命令身边近臣撰写《为君难为臣不易论》以及《开边策》各一篇，朕将览阅。"

比部郎中王朴进献计策，认为："中原失去吴地、蜀地、幽州、并州，都是由于丧失道义。现在必须首先考察丧失土地的原因，然后就知道取得失地的方法。最初丧失土地，没有不是因为君主昏庸、臣子奸邪，士兵骄横、百姓困穷，奸党在朝内势力强盛，武将在外横行，由小到大，积微成著。现在打算取得失地，不过反其道而行之罢！进用贤人，斥退小人，以此来搜罗人才。恩及隐士，讲求诚信，以此来结交人心。赏赐功劳，惩罚罪过，以此来人尽其力。去除奢侈，节省财用，以此来增加财富。依时使民，减少赋税，以此来使百姓富足。等到大量的人才已经聚集、国家政事已经治理、财富用度已经充足、士人百姓已经亲附，然后推举而任用他们，事业没有不成功的了！对方的百姓看到我们有必然取胜的形势，那么知道其中情形的人愿意当间谍、了解他们山川形势的人愿意当向导，民心已经归附，上天的意志必然顺从了。

"大凡攻取之道，一定把容易的放在前面。唐与我们接境之地差不多二千里，形势上很容易扰乱它。扰乱它应当从没有防备的地方开始，它防备东面，我们就扰乱西面，它防备西面，我们就扰乱东面，对方一定奔走救援。在奔走之间，可以知道它的虚实强弱，然后就避实击虚、避强击弱。不需大举出兵，暂且用轻装士兵去扰乱对方。南方人懦弱胆怯，听到小小的警情，一定用所有的军队来救援。军队频繁出动，就会百姓疲乏，财用枯竭，如果不出动所有的军队，那么我们就可以乘虚夺取土地。这样，长江以北的各州将全部归我们所有。得到长江以北以后，就利用他们的百姓、实行我们的方法，长江以南也容易取得了。得到长江以南，那么岭南、

蜀可传檄而定。南方既定，则燕地必望风内附。若其不至，移兵攻之，席卷可平矣。惟河东必死之寇(138)，不可以恩信诱，必[6]当以强兵制之。然彼自高平之败，力竭气沮，必未能为边患。宜且以为后图，俟天下既平，然后伺间(139)，一举可擒也。今士卒精练，甲兵有备(140)，群下畏法(141)，诸将效力，期年(142)之后可以出师，宜自夏秋蓄积实边(143)矣。”

上欣然纳之。时群臣多守常偷安，所对少有可取者。惟朴神峻气劲(144)，有谋能断，凡所规画，皆称上意，上由是重其器识(145)[7]。未几，迁左谏议大夫，知开封府事。

【段旨】

以上为第六段，写比部郎中王朴献统一治安之策，被升职为左谏议大夫。

【注释】

(109)辛未：三月初二日。(110)静安军：本名李晏口，又名李晏镇，在今河北深州东南，夹胡卢河为垒。(111)广明：唐僖宗年号（公元八八〇至八八一年）。(112)中国日蹙：由于藩镇割据，中原王朝控制的地区日益缩小。(113)民夷：百姓和少数民族。此指秦州的进言者代表当地民夷。(114)旧疆：指唐时疆域。(115)丙申：三月二十七日。(116)仍：于是。(117)迫隘：指城区局促狭窄。(118)乙卯：四月十七日。(119)诏展外城二句：下诏拓展大梁外城，先立下标记。(120)板筑：造泥墙的工具。板，夹墙板。筑，捣土的杵。(121)东作：春耕生产。东方为春。作，耕作。(122)县官：朝廷。(123)营廨：军营和官署。(124)丙辰：四月十八日。(125)按行：巡视检查。(126)甲兵：盔甲和兵器。(127)致治之方：导致天下治平的方略。(128)吴、蜀、幽、并：吴，指徐氏、李氏。蜀，指孟氏。幽，指契丹。并，指北汉。(129)声教：政令和教化。(130)混壹：混为一体，即天下统一。(131)比部郎中：刑部属官，职掌复核朝中及地

【原文】

上谋取秦、凤，求可将者。王溥荐宣徽南院使、镇安节度使向训。上命训与凤翔节度使王景、客省使高唐昝居润(146)偕行。五月戊辰朔(147)，

巴蜀就可以传檄而定。南方既已平定，那么燕地一定望风内附。如果他不前来归附，就调动军队进攻，可用席卷之势加以平定。只有河东是一定以死相抗的敌人，不能用恩德诚信来诱导，必应以强大的兵力来制服。然而他们自从高平战败后，力量衰竭，士气沮丧，未必能成为边患。应该暂且把河东放在后面考虑，等到天下已经平定，然后等待时机，一举就可以擒获。现在士卒精练，战甲、兵器有了准备，部众畏服军法，众将尽力效劳，一年以后可以出兵，应当从夏、秋开始蓄积粮草，充实边塞了。”

周世宗欣喜地采纳了他的计策。当时群臣大多墨守成规，苟且偷生，所回答的策略很少有可取的。只有王朴精神豪迈，气势强劲，有谋略，有决断，凡是有所谋划，都符合周世宗的想法，周世宗因此看重他的器量和见识。不久，升任他为左谏议大夫，知开封府事。

方上报的统计与账簿。⑬² 失道：丧失了道义。⑬³ 积微成著：细小的积累而成显明的大事。⑬⁴ 时使：使民以时。⑬⁵ 薄敛：减少赋税。⑬⁶ 阜：丰足。⑬⁷ 唐与吾接境几二千里：唐与后周以淮河为界，淮河从源头桐柏山至洪泽湖，再由洪泽湖流入长江至海，全长约二千里。⑬⁸ 必死之寇：一定以死相抗的仇敌。此指北汉。与周为深仇，应置之后取。⑬⁹ 伺间：寻求机会。⑭⁰ 甲兵有备：铠甲、兵器有了准备。⑭¹ 群下畏法：部众畏服军法。⑭² 期年：一年。⑭³ 宜自夏秋蓄积实边：应该从夏、秋开始，储备好粮草，充实边塞，为用兵做准备。⑭⁴ 神峻气劲：精神豪迈，气势强劲。⑭⁵ 上由是重其器识：周世宗十分重视王朴的器量和见识。器识，器度、识见。

【校记】

［6］必：原无此字。据章钰校，十二行本、乙十一行本、孔天胤本皆有此字，今据补。〖按〗《通鉴纪事本末》有“必”字。［7］器识：原作“气识”。据章钰校，十二行本、乙十一行本、孔天胤本皆作“器识”，张瑛《通鉴校勘记》同，今据改。

【语译】

周世宗谋划夺取秦州和凤州，寻找可以统领军队的人。王溥推荐宣徽南院使、镇安节度使向训。周世宗命令向训与凤翔节度使王景、客省使高唐人昝居润一起同

景出兵自散关趣秦州。

敕天下寺院，非敕额者悉废之[148]。禁私度僧尼，凡欲出家者必俟祖父母、父母、伯叔父〔8〕之命。惟两京[149]、大名府、京兆府、青州听设戒坛[150]。禁僧俗舍身[151]、断手足、炼指[152]、挂灯[153]、带钳[154]之类幻惑流俗[155]者。令两京及诸州每岁造僧帐[156]，有死亡、归俗，皆随时开落[157]。是岁，天下寺院存者二千六百九十四、废者三万三百三十六，见僧[158]四万二千四百四十四、尼一万八千七百五十六。

王景拔黄牛等〔9〕八寨[159]。戊寅[160]，蜀主以捧圣控鹤都指挥使、保宁节度使李廷珪为北路行营都统，左卫圣步军都指挥使高彦俦[161]为招讨使、武宁节度使吕彦珂[162]副之，客省使赵崇韬[163]为都监。

蜀赵季札至德阳，闻周师入境，惧不敢进，上书求解边任还奏事，先遣辎重及妓妾西归。丁亥[164]，单骑驰入成都，众以为奔败，莫不震恐。蜀主问以机事，皆不能对。蜀主怒，系之御史台[165]，甲午[166]〔10〕，斩之于崇礼门。

六月庚子[167]，上亲录囚[168]于内苑[169]。有汝州民马遇，父及弟为吏所冤死，屡经覆按[170]，不能自伸。上临问，始得其实，人以为神。由是诸长吏无不亲察狱讼。

壬寅[171]，西师与蜀李廷珪等战于威武城[172]东，不利，排陈使濮州刺史胡立等为蜀所擒。丁未[173]，蜀主遣间使[174]如北汉及唐，欲与之俱出兵以制周，北汉主、唐主皆许之。

己酉[175]，以彰信节度使韩通充西南行营马步军都虞候。

戊午[176]，南汉主杀祯州[177]节度使通王弘政[178]，于是高祖之诸子尽矣。

壬戌[179]，以枢密院承旨清河张美[180]为右领军大将军、权点检三司事[181]。初，帝在澶州，美掌州之金谷隶三司者[182]，帝或私有所求，美曲为供副[183]。太祖闻之怒，恐伤帝意，但徙美为濮州马步军都虞候。美治财精敏，当时鲜及，故帝以利权授之[184]。帝征伐四方，用度不乏，美之力也〔11〕。然思其在澶州所为，终不以公忠待之。

秋，七月丁卯朔[185]，以王景兼西南行营都招讨使、向训兼行营兵马

行。五月初一日戊辰，王景从散关出兵奔赴秦州。

敕令天下寺院，不是朝廷敕令名额之内的全部废除。禁止私下剃度和尚和尼姑，凡是想出家的人一定要得到祖父母、父母、伯叔父的同意。只有东京、西京、大名府、京兆府、青州允许设置戒坛。禁止僧俗舍身、断手足、炼指、挂灯、带钳这一类惑乱世俗的行为。命令东、西两京和各州每年编制和尚名册，如果有死亡、还俗的，都随时注销。当年，天下寺院保留下来的有两千六百九十四座、被废除的有三万零三百三十六座，现有的和尚为四万二千四百四十四人、尼姑为一万八千七百五十六人。

王景攻取黄牛等八个营寨。五月十一日戊寅，后蜀主任命捧圣控鹤都指挥使、保宁节度使李廷珪为北路行营都统，左卫圣步军都指挥使高彦俦为招讨使、武宁节度使吕彦珂为副招讨使，客省使赵崇韬为都监。

后蜀赵季札到达德阳，听说后周军队进入境内，害怕不敢前进，上书请求解除边地职任返回京城奏报情况，先遣送装载财货的车辆和妓女、侍妾西行。五月二十日丁亥，单枪匹马奔入成都，大家以为他是败逃回来，没有不震惊恐惧的。后蜀主问他军机事务，他都不能回答。后蜀主很生气，把他关押在御史台，二十七日甲午，在崇礼门把他斩首。

六月初三日庚子，周世宗亲自在内苑审理囚犯。有一个汝州民众马遇，父亲和弟弟被官吏冤枉致死，多次经过复审，自己不能申冤。周世宗亲自问讯，才得到事情的真相，人们认为周世宗神明。从此各个长官无不亲自审查诉讼案件。

初五日壬寅，西征的军队与后蜀李廷珪等人在威武城的东面交战，不顺利，排陈使濮州刺史胡立等人被后蜀抓获。初十日丁未，后蜀主派遣密使前往北汉和南唐，打算和他们共同出兵来制服后周，北汉主、南唐主都同意了。

十二日己酉，任命彰信节度使韩通充任西南行营马步军都虞候。

二十一日戊午，南汉主杀死祯州节度使通王刘弘政，于是高祖诸子都死了。

二十五日壬戌，后周任命枢密院承旨清河人张美为右领军大将军、权点检三司事。当初，周世宗在澶州时，张美掌管澶州隶属于三司的钱粮，周世宗有时私下有所需求，张美想尽办法供应满足需求。太祖听到此事很生气，不愿伤了周世宗的心意，仅调任张美为濮州马步军都虞候。张美理财精明敏捷，当时很少有人赶得上他，所以周世宗把财利之权交给他。周世宗四处用兵，但财用未曾匮乏，都是张美的功劳。然而想到他在澶州的作为，终究不把他当作公正忠诚的人来看待。

秋，七月初一日丁卯，任命王景兼任西南行营都招讨使、向训兼任行营兵马都

都监。宰相以景等久无功，馈运不继，固请罢兵。帝命太祖皇帝往视之，还，言秦、凤可取之状，帝从之。

【段旨】

以上为第七段，写周世宗裁撤佛寺十之八九，平反冤狱，用王溥策西征后蜀。

【注释】

⑭昝居润：博州高唐（今山东高唐）人，善书计，从周世宗出征有功，官至左领军卫上将军。入宋，拜义武军节度使。传见《宋史》卷二百六十二。⑭戊辰朔：五月初一日。⑭非敕额者悉废之：不在敕令名额之内的全部废除。敕额，指制书明令的佛寺，如慈恩、安国、兴唐等寺。⑭两京：指东京开封府和西京河南府。⑮戒坛：僧尼受戒的坛台。⑮舍身：自杀。⑮炼指：束香手指而燃之。⑮挂灯：裸体，以小铁钩钩遍皮肤，钩上挂小灯而燃之，俗称燃肉身灯。⑮带钳：类似带枷。⑮幻惑流俗：迷惑世俗的人们。〖按〗僧俗信徒用上述折磨自身的行动表示对佛的虔诚。⑮造僧帐：编造和尚名册。⑮开落：注销。⑮见僧：现有和尚。见，通“现”。⑮黄牛等八寨：此八寨均在当时秦州界内。黄牛，又称黄牛铺，在今陕西凤县东北。⑯戊寅：五月十一日。⑯高彦俦：并州太原（今山西太原市晋源区）人，后蜀昭武军节度使。宋师攻夔州，守城失利，自焚死。传见《宋史》卷四百七十九。⑯武宁节度使吕彦珂：当时武宁军属徐州，吕彦珂遥领。⑯赵崇韬：并州太原人，后蜀勇将，蜀后主姻亲。宋师入蜀，被擒。传见《宋史》卷四百七十九。⑯丁亥：五月二十日。⑯御史台：掌纠察百官。长官为御史大夫、御史中丞。⑯甲午：五月二十七日。⑯庚子：六月初三日。⑯录囚：审理囚犯。⑯内苑：宫

【原文】

八月丁未[186]，中书侍郎、同平章事景范罢判三司，寻以父丧罢政事。

王景等败蜀兵，获将卒三百。己未[187]，蜀主遣通奏使、知枢密院、武泰节度使伊审征[188]如行营慰抚，仍督战。

帝以县官久不铸钱，而民间多销钱为器皿及佛像，钱益少。九月

监。宰相因为王景等人长期没有战功，军需的运送跟不上，所以再三请求罢兵。周世宗命太祖皇帝赵匡胤前往观察，回来以后，说明秦、凤两州可以夺取的情形，周世宗听从了他的意见。

内的园庭，即禁苑。⑰ 屡经覆按：多次复审。⑰ 壬寅：六月初五日。⑰ 威武城：前蜀所筑，在今陕西凤县东北。⑰ 丁未：六月初十日。⑰ 间使：暗中派出的秘密使者。⑰ 己酉：六月十二日。⑰ 戊午：六月二十一日。⑰ 祯州：州名，五代南汉改循州为祯州，宋朝避仁宗赵祯讳，改为惠州，治所在今广东惠阳。⑰ 弘政：南汉高祖刘龑第十八子，封通王。⑰ 壬戌：六月二十五日。⑱ 张美：字玄圭，贝州清河（今河北清河县）人，善书计，任宣徽北院使、判三司，世宗连年征伐，赖其筹划，粮馈不乏。宋初，加检校太尉。传见《宋史》卷二百五十九。⑱ 权点检三司事：暂代点检三司事的官职，未授正式职务。⑱ 掌州之金谷隶三司者：意为掌管澶州隶属于三司的金谷业务。⑱ 曲为供副：想尽办法满足供应。副，称意、满足。⑱ 以利权授之：把理财大权授给他。⑱ 丁卯朔：七月初一日。

【校记】

［8］父：原无此字。据章钰校，十二行本、乙十一行本、孔天胤本皆有此字，今据补。〖按〗《通鉴纪事本末》有"父"字。［9］王景拔黄牛等：原作"王景等拔黄牛"。据章钰校，十二行本、乙十一行本、孔天胤本皆作"王景拔黄牛等"，其义长，今据改。［10］甲午：原作"庚午"。据章钰校，十二行本、乙十一行本、孔天胤本皆作"甲午"，今据改。〖按〗五月戊辰朔，无庚午。［11］帝征伐四方用度不乏美之力也：原无此十三字。据章钰校，十二行本、乙十一行本、孔天胤本皆有此十三字，张敦仁《通鉴刊本识误》、张瑛《通鉴校勘记》同，今据补。

【语译】

八月十一日丁未，中书侍郎、同平章事景范被罢免判三司的职务，不久因为父丧而免除政事。

王景等人打败后蜀军队，俘获将卒三百人。二十三日己未，后蜀主派遣通奏使、知枢密院、武泰节度使伊审征前往行营慰抚士卒，并且督战。

周世宗因为朝廷长期没有铸造钱币，而民间大多销毁钱币来铸造器皿和佛像，

丙寅朔[189]，敕始立监采铜铸钱[190]。自非县官法物[191]、军器及寺观钟、磬、钹、铎[192]之类听留外，自余民间铜器、佛像，五十日内悉令输官，给其直。过期隐匿不输，五斤以上其罪死，不及者论刑有差[193]。上谓侍臣曰："卿辈勿以毁佛为疑。夫佛以善道化人，苟志于善，斯奉佛矣。彼铜像岂所谓佛邪！且吾闻佛志[12]在利人，虽头目犹舍以布施[194]，若朕身可以济民，亦非所惜也。"

臣光曰："若周世宗，可谓仁矣，不爱其身而爱民。若周世宗，可谓明矣，不以无益废有益。"

蜀李廷珪遣先锋都指挥使李进据马岭寨[195]，又遣奇兵出斜谷[196]、屯白涧[197]，又分兵出凤州之北唐仓镇[198]及黄花谷[199]，绝周粮道。闰月[200]，王景遣裨将张建雄将兵二千抵黄花，又遣兵[13]千人趣唐仓，扼蜀归路。蜀染院使王峦将兵出唐仓，与建雄战于黄花，蜀兵败，奔唐仓。遇周兵，又败，虏峦及其将士三千人。马岭、白涧兵皆溃，李廷珪、高彦俦等退保青泥岭[201]。蜀雄武节度使兼侍中韩继勋弃秦州，奔还成都，观察判官赵玭[202]举城降，斜谷援兵亦溃。成、阶二州皆降，蜀人震恐。玭，澶州人也。帝欲以玭为节度使，范质固争以为不可，乃以为郢州刺史。

壬子[203]，百官入贺，帝举酒属王溥曰："边功之成，卿择帅之力也！"甲子[204]，上与将相食于万岁殿，因言："两日大寒，朕于宫中食珍膳，深愧无功于民而坐享天禄。既不能躬耕而食，惟当亲冒矢石为民除害，差可自安耳[205]！"

乙丑[206]，蜀李廷珪上表待罪[207]。冬，十月壬申[208]，伊审征至成都请罪，皆释之[14]。

蜀主致书于帝请和，自称大蜀皇帝，帝怒其抗礼[209]，不答。蜀主愈恐，聚兵粮于剑门[210]、白帝[211]，为守御之备。募兵既多，用度不足，始铸铁钱，榷境内铁器[212]，民甚苦之。

钱币越来越少。九月初一日丙寅，周世宗敕令开始设立官署，采铜铸造钱币。除了天子的仪仗、军器以及佛寺道观的钟、磬、钹、铎之类允许留用外，其余的民间铜器、佛像，命令五十天内全部送到官府，付给相当的价钱。过了期限隐藏不交的，重量在五斤以上的判死罪，不到五斤的判刑有不同的等级。周世宗对侍从大臣说："你们不要因为我毁佛像感到疑惑。佛用善道教化民众，如果有志于为善，那就是尊奉佛了。那些铜像难道就是所谓的佛吗！况且我听说佛立志要利于世人，即使是头颅、眼睛都可以舍弃布施，如果朕的身体可以救济百姓，朕也不会有所吝惜的。"

司马光说："像周世宗，可以说是仁爱了，不吝惜自己的身体而爱护民众。像周世宗，可以说得上英明了，不用无益之物来废弃有益之物。"

后蜀李廷珪派遣先锋都指挥使李进据守马岭寨，又派遣奇兵从斜谷出发、屯驻白涧，又分兵从凤州北面的唐仓镇和黄花谷出发，阻断后周的运粮通道。闰九月，王景派遣副将张建雄率领两千名士兵到达黄花谷，又派遣一千人奔赴唐仓镇，控制后蜀兵的归路。后蜀染院使王峦率军从唐仓镇而出，和张建雄在黄花谷交战，后蜀军队战败，逃往唐仓镇。遇到后周军队，又战败，后周军队俘获了王峦和他的将士三千人。马岭、白涧的后蜀军队全都溃散，李廷珪、高彦俦等人退守青泥岭。后蜀雄武节度使兼侍中韩继勋放弃秦州，跑回成都，观察判官赵玭以城投降，斜谷的援兵也崩溃了。成、阶二州都投降了，后蜀百姓震恐。赵玭，是澶州人。周世宗打算任用赵玭为节度使，范质再三争辩，认为不可以，于是任命他为郢州刺史。

闰九月十七日壬子，百官入朝庆贺，周世宗举起酒杯对着王溥说："边疆战事的成功，是你选择将帅的功劳啊！"二十九日甲子，周世宗和将相们在万岁殿进餐，借此机会说："这两天十分寒冷，朕在宫中吃珍美的食物，深感惭愧的是对百姓没有功劳而坐享上天赐予的福禄。既然不能亲自耕种来供养自己，就只有亲冒矢石来为民除害，略可让自己安心罢了！"

乙丑日，后蜀李廷珪上表等候处罚。冬，十月初八日壬申，伊审征到成都请罪，蜀主都不予问罪。

后蜀主写信给周世宗请求讲和，信中自称大蜀皇帝，周世宗恼怒他用对等的礼节，不做回复。后蜀主更加恐惧，在剑门、白帝聚集兵马、粮食，做防守抵御准备。招募的士兵已经很多，费用不足，开始铸造铁钱，境内的铁器由政府专卖，百姓因此极为困苦。

【段旨】

以上为第八段，写周世宗毁铜佛铸钱，废无益补有益，司马光称其为仁明之君。后周西征军大败蜀军，夺取代、阶两州。

【注释】

⑱丁未：八月十一日。⑱己未：八月二十三日。⑱伊审征：字申图，并州人，蜀后主姻亲。官至宁江军节度使、同平章事。宋师入蜀，首奉降表诣军前。传见《宋史》卷四百七十九。⑱丙寅朔：九月初一日。⑲立监采铜铸钱：设立官署，采铜铸造钱币。监，官署名，古代铸钱属少府监。⑲县官法物：天子仪仗。⑲钟、磬、钹、铎：乐器名。钟，青铜制，悬于架上，以槌叩击发音。磬，用玉或石雕成，悬于架上，击之而鸣。钹，铜钹，圆形，两片为一副，相击发声。铎，形如铙、钲而有舌，是大铃的一种。⑲不及者论刑有差：谓隐藏铜器不足五斤的，按重量多少量刑。当时朝廷下令，隐藏铜器和埋窖使用者，一两至一斤，徒刑两年，一斤至五斤处死。如果交纳熟铜，每斤官府付钱一百五十，生铜每斤一百。不及，不足。⑲头目犹舍以布施：只要对人有利，即便是脑袋、眼睛都可舍弃用来做布施。⑲马岭寨：在今陕西凤县西，又称马岭关。⑲斜谷：在今陕西眉县西南。谷口有关称斜谷关。⑲白涧：白涧镇，在今陕西凤县东北。⑲唐仓镇：在

【原文】

唐主性和柔，好文章[15]，而喜人佞己㉑[16]，由是谄谀之臣㉑多进用，政事日乱。既克建州、破湖南，益骄，有吞天下之志。李守贞、慕容彦超之叛，皆为之出师，遥为声援㉑。又遣使自海道通契丹及北汉，约共图中国。值中国多事，未暇与之校。

先是，每冬淮水浅涸，唐人常发兵戍守，谓之"把浅"。寿州监军吴廷绍以为疆埸无事，坐费资粮，悉罢之。清淮节度使刘仁赡上表固争，不能得。十一月乙未朔㉑，帝以李穀为淮南道㉑前军行营都部署兼知庐、寿㉑等行府㉑事，以忠武节度使王彦超副之，督侍卫马军都指挥使韩令坤㉒等十二将以伐唐。令坤，磁州武安人也。

汴水自唐末溃决，自埇桥㉒东南悉为污泽。上谋击唐，先命武宁

今陕西凤县北。⑲黄花谷：在今陕西凤县北。⑳闰月：闰九月。㉑青泥岭：在今陕西略阳西北，为入蜀要路。㉒赵玭：澶州人，家富于财。官至秦、成、阶等州观察判官，周师入蜀，举城降。宋初，任左监门卫大将军、判三司。传见《宋史》卷二百七十四。㉓壬子：闰九月十七日。㉔甲子：闰九月二十九日。㉕差可自安耳：略可以让自己安心罢了。㉖乙丑：闰九月丙申朔，无乙丑。乙丑，疑为十月初一。㉗待罪：等候处罚。㉘壬申：十月初八日。㉙抗礼：以彼此对等的礼节相待。㉚剑门：古县名，县治在今四川剑阁东北，因境内有剑门山得名。守剑门以防后周兵从岐州、雍州攻入。㉛白帝：古城名，在今重庆奉节东。守白帝以防后周兵溯长江三峡而上。㉜榷境内铁器：境内铁器由官府专卖。榷，专利、专卖。

【校记】

［12］志：原无此字。据章钰校，十二行本、乙十一行本、孔天胤本皆有此字，今据补。［13］兵：原无此字。据章钰校，乙十一行本、孔天胤本皆有此字，今据补。［14］皆释之：原无此三字。据章钰校，十二行本、乙十一行本、孔天胤本皆有此三字，张瑛《通鉴校勘记》同，今据补。〖按〗张敦仁《通鉴刊本识误》云"'皆释之'作'皆以釁国丧师也'"，又云"无注本与吴本同"，然"皆以釁国丧师也"七字实系胡三省注文，张氏误以之为夹行正文，《十国春秋》卷四十九同事"请罪"下正作"释之"可证。

【语译】

南唐主性情温和柔顺，爱好文辞，而喜欢人奉承自己，因此谄谀之臣大多受任用，政事日益混乱。攻克建州、打败湖南以后，更加骄傲，有吞并天下的志向。李守贞、慕容彦超叛乱时，南唐都为此出兵，遥为声援。又派遣使者从海路联络契丹和北汉，相约一起谋取中原。适逢中原多事，后周没有时间跟他们较量。

此前，每年冬天淮河水浅干涸，南唐人经常派兵戍守，称为"把浅"。寿州监军吴廷绍认为边疆无事，白白地浪费钱粮，便全部停止了。清淮节度使刘仁赡上表再三力争，没有成功。十一月初一日乙未，周世宗任命李穀为淮南道前军行营都部署，兼知庐、寿等行府事，任命忠武节度使王彦超为他的副手，督领侍卫马军都指挥使韩令坤等十二位将领讨伐南唐。韩令坤是磁州武安人。

汴水从唐朝末年溃决，自埇桥东南方起全是污泥沼泽。周世宗谋划攻打南唐，

节度使武行德发民夫，因故堤疏导之，东至泗上㉒。议者皆以为难成，上曰："数年之后，必获其利。"丁未㉓，上与侍臣论刑赏，上曰："朕必不因怒刑人，因喜赏人㉔。"先是，大梁城中民侵街衢为舍，通大车者盖寡。上命悉直而广之，广者至三十步，又迁坟墓于标外。上曰："近广京城，于存殁扰动诚多㉕。然[17]怨谤之语，朕自当之，他日终为人利㉖。"

王景等围凤州，韩通分兵城固镇以绝蜀之援兵。戊申㉗，克凤州，擒蜀威武节度使王环㉘及都监赵崇溥㉙等将士五千人。崇溥不食而死。环，真定人也。乙卯㉚，制曲赦㉛秦、凤、阶、成境内，所获蜀将士，愿留者优其俸赐，愿去者给资装而遣之。诏曰："用慰众情，免违物性㉜，其四州之民，二税征科㉝之外，凡蜀人所立诸色科徭㉞，悉罢之。"

唐人闻周兵将至而惧，刘仁赡神气自若，部分守御，无异平日，众情稍安。唐主以神武统军刘彦贞为北面行营都部署，将兵二万趣寿州，奉化㉟节度使、同平章事皇甫晖㊱为应援使，常州㊲团练使姚凤为应援都监，将兵三万屯定远㊳。召镇南节度使宋齐丘还金陵，谋国难，以翰林承旨、户部尚书殷崇义㊴为吏部尚书、知枢密院。

李穀等为浮梁㊵，自正阳㊶济淮。十二月甲戌㊷，穀奏王彦超败唐兵二千余人于寿州城下。己卯㊸，又奏先锋都指挥使白延遇败唐兵千余人于山口镇㊹。

丙戌㊺，枢密使兼侍中韩忠正公郑仁诲卒。上临其丧，近臣奏称岁道非便㊻，上曰："君臣义重，何日时之有！"往哭尽哀。

吴越王弘俶遣元帅府判官㊼陈彦禧入贡，帝以诏谕弘俶，使出兵击唐。

先命令武宁节度使武行德征发民夫，利用旧堤疏导汴水，向东流入泗水。廷议的人都认为难以成功，周世宗说："几年之后，必得其利。"十一月十三日丁未，周世宗和侍从大臣议论处罚和奖赏的事，周世宗说："朕一定不因为生气处罚人，因为高兴奖赏人。"此前，大梁城里的百姓侵占街道盖房子，通行大车的街道很少。周世宗命令把所有的街道拉直拓宽，宽的达到三十步，又命令把坟墓迁到标志以外的地方。周世宗说："近来拓宽京城，对活着的人和死去的人骚扰实在太多。但怨恨毁谤的话，朕自己承当，将来终究对人有好处。"

王景等人包围凤州，韩通分出部分军队修筑固镇城池来断绝后蜀的援兵。十一月十四日戊申，攻克凤州，抓获后蜀威武节度使王环和都监赵崇溥等将士五千人。赵崇溥不食而死。王环是真定人。二十一日乙卯，周世宗下制书曲赦秦州、凤州、阶州、成州境内，对于所俘获的后蜀将士，愿意留下来的给予优厚的俸禄和赏赐，愿意离去的送给路费和服装遣送他们。诏书说："为了安慰民众的情绪，避免违背众人的本性，那四州的百姓，在征收夏、秋二税以外，凡是蜀人所立的各种杂税徭役差遣，全部废除。"

南唐人听说后周军队即将到达，很害怕，刘仁赡神情自如，部署军队守卫，和平常没有不同，大家的情绪才逐渐安定。南唐主任命神武统军刘彦贞为北面行营都部署，率兵两万奔赴寿州，奉化节度使、同平章事皇甫晖为应援使，常州团练使姚凤为应援都监，率兵三万屯驻定远。召镇南节度使宋齐丘返回金陵，谋划应对国难，任命翰林承旨、户部尚书殷崇义为吏部尚书、知枢密院。

李穀等人修建浮桥，从正阳渡过淮河。十二月初十日甲戌，李穀奏报王彦超在寿州城下打败南唐军队二千多人。十五日己卯，又奏报先锋都指挥使白延遇在山口镇打败南唐军队一千多人。

二十二日丙戌，枢密使兼侍中韩忠正公郑仁诲去世。周世宗要亲自吊丧，身边的大臣奏言从岁星的轨迹来看，不便亲临丧事，周世宗说："君臣情意深重，哪里还有时日有利无弊的限制！"前往临哭尽哀。

吴越王钱弘俶派遣元帅府判官陈彦禧入朝进贡，周世宗用诏书晓谕钱弘俶，让他出兵攻打南唐。

【段旨】

以上为第九段，写后周西征军取蜀秦、凤、阶、成四州，对四州之民只征正税，蜀人所立杂税悉免之。后周兵伐南唐。

【注释】

㉑③ 佞己：喜欢别人奉承自己。㉑④ 谄谀之臣：当指冯延巳兄弟、魏岑、陈觉之辈。㉑⑤ 遥为声援：李守贞、慕容彦超叛乱，南唐援李守贞事在汉隐帝乾祐元年（公元九四八年），援慕容彦超事在北周太祖广顺二年（公元九五二年）。㉑⑥ 乙未朔：十一月初一日。㉑⑦ 淮南道：道名，唐贞观初置。治所扬州，在今江苏扬州。时扬州为南唐东都，李穀只是遥领。㉑⑧ 庐、寿：庐、寿二州当时也在南唐境内。庐，州名，治所合肥，在今安徽合肥。寿，州名，治所寿春，在今安徽寿县。㉑⑨ 行府：中央官署派出在外代行指定事务的机构。㉒⓪ 韩令坤：磁州武安（今河北武安）人。传见《宋史》卷二百五十一。㉒① 埇桥：汴水桥名，又名符离桥，在今安徽宿州北。㉒② 东至泗上：往东流入泗水。泗水在山东东部，源出山东泗水县东蒙山南麓，四源并发，故名。㉒③ 丁未：十一月十三日。㉒④ 不因怒刑人二句：不因为生气而处罚人，不因为高兴而奖赏人。㉒⑤ 近广京城二句：近来拓宽京城，对活着的和死去的人骚扰得实在太多。㉒⑥ 他日终为人利：将来终究会给人带来好处。㉒⑦ 戊申：十一月十四日。㉒⑧ 王环：镇州真定（今河北正定）人，后蜀威武军节度使。周师伐凤州，坚守百余日方被擒。周世宗奖其忠于所事，授右骁卫将军。传见《旧五代史》卷一百二十九、《新五代史》卷五十。㉒⑨ 赵崇溥：威武军都监。周师伐凤州，不肯降，被俘，饿数日而死。㉓⓪ 乙卯：十一月二十一日。㉓① 曲赦：因特殊情况而赦免。㉓② 用慰众情二句：为了安慰民众的情绪，避免违背人性。㉓③ 二税征科：夏、秋两次征税。㉓④ 诸色科

【原文】

三年（丙辰，公元九五六年）

春，正月丙午[248]，以王环为右骁卫大将军，赏其不降[249]也。

丁酉[250]，李穀奏败唐兵千余人于上窑[251]。

戊戌[252]，发开封府、曹、滑、郑州之民十余万筑大梁外城。

庚子[253]，帝下诏亲征淮南，以宣徽南院使、镇安节度使向训权东京留守，端明殿学士王朴副之，彰信节度使韩通权点检侍卫司及在京内外都巡检。命侍卫都指挥使、归德节度使李重进将兵先赴正阳，河阳节度使白重赞将亲兵三千屯颍上[254]。壬寅[255]，帝发大梁。

李穀攻寿州，久不克。唐刘彦贞引兵救之，至来远镇[256]，距寿州二百里。又以战舰数百艘趣正阳，为攻浮梁之势。李穀畏之，召将佐

徭：各种杂税和徭役差遣。㉟奉化：方镇名，南唐置。治所江州，在今江西九江。㊱皇甫晖：魏州人，南唐奉化军节度使、同平章事。周师攻滁州，被俘，伤重不屈而死。㊲常州：州名，治所在今江苏常州。㊳定远：县名，县治在今安徽定远。㊴殷崇义：陈州西华（今河南西华）人，官至南唐枢密使、右仆射。博洽能文章，撰《扬州孝先寺碑》，受到周世宗赞赏。入宋，避宣祖庙讳，易姓名汤悦。参与编修《太平御览》等书。㊵浮梁：浮桥。㊶正阳：正阳镇，有二：在今安徽颍上东南七十里，淮水西土著所居之处称西正阳，即古颍口；在今安徽寿县西六十里，商贾所聚之处称东正阳，又名正阳关。两地夹淮相对。此句当指西正阳。㊷甲戌：十二月初十日。㊸己卯：十二月十五日。㊹山口镇：镇名，在六安境。㊺丙戌：十二月二十二日。㊻岁道非便：意为从岁星所经过的星空看，不利于到有丧事的人家吊唁。㊼元帅府判官：后汉乾祐元年（公元九四八年）曾册封吴越王弘俶为东南面兵马都元帅，故置元帅府判官。

【校记】

［15］章：据章钰校，十二行本、乙十一行本、孔天胤本皆作“华”，《通鉴纪事本末》同。［16］佞己：据章钰校，十二行本、乙十一行本、孔天胤本皆作“顺己”，张敦仁《通鉴刊本识误》同。［17］然：原无此字。据章钰校，十二行本、乙十一行本、孔天胤本皆有此字，今据补。

【语译】

三年（丙辰，公元九五六年）

春，正月十二日丙午，任命王环为右骁卫大将军，对他的不投降予以奖赏。

初三日丁酉，李穀上奏说在上窑打败南唐军队一千多人。

初四日戊戌，征调开封府、曹州、滑州、郑州的十多万名民众修筑大梁外城。

初六日庚子，周世宗下诏亲征淮南，任命宣徽南院使、镇安节度使向训代理东京留守，端明殿学士王朴做他的副手，彰信节度使韩通代理点检侍卫司及在京内外都巡检。命令侍卫都指挥使、归德节度使李重进率领亲兵先前往正阳，河阳节度使白重赞率领亲兵三千人屯驻颍上。初八日壬寅，周世宗从大梁出发。

李穀攻打寿州，长时间没有攻下。南唐刘彦贞率军救援，到达来远镇，距离寿州二百里。又派遣战舰几百艘奔赴正阳，作出要进攻浮桥的态势。李穀畏惧，叫来

谋曰："我军不能水战，若贼断浮梁，则腹背受敌，皆不归矣！不如退守浮梁以待车驾。"上至圉镇[257]，闻其谋，亟遣中使乘驿止之。比至，已焚刍粮，退保正阳。丁未[258]，帝至陈州，亟遣李重进引兵趣淮上。

辛亥[259]，李穀奏："贼舰中流而进，弩炮所不能及。若浮梁不守，则众心动摇，须至退军。今贼舰日进、淮水日涨，若车驾亲临，万一粮道阻绝，其危不测。愿陛下且驻跸[260]陈、颍，俟李重进至，臣与之共度[261]贼舰可御、浮梁可完，立具奏闻。但若厉兵秣马[262]，春去冬来，足使贼中疲弊，取之未晚。"帝览奏，不悦。

刘彦贞素骄贵，无才略，不习兵。所历藩镇，专为贪暴，积财巨亿[263]，以赂权要。由是魏岑等争誉之，以为治民如龚、黄[264]，用兵如韩、彭[265]，故周师至，唐主首用之。其裨将咸师朗等皆勇而无谋，闻李穀退，喜，引兵直抵正阳，旌旗辎重数百里，刘仁赡及池州刺史张全约固止之。仁赡曰："公军未至而敌人先遁，是畏公之威声也，安用速战！万一失利，则大事去矣！"彦贞不从。既行，仁赡曰："果遇，必败。"乃益兵乘城为备。李重进度淮，逆战于正阳东，大破之，斩彦贞，生擒咸师朗等，斩首万余级，伏尸三十里，收军资器械三十余万。是时江、淮久安，民不习战，彦贞既败，唐人大恐，张全约收余众奔寿州，刘仁赡表全约为马步左厢都指挥使。皇甫晖、姚凤退保清流关[266]，滁州刺史王绍颜委城走。

壬子[267]，帝至永宁镇[268]，谓侍臣曰："闻寿州围解，农民多归村落，今闻大军至，必复入城。怜其聚为饿殍，宜先遣使存抚，各令安业。"甲寅[269]，帝至正阳，以李重进代李穀为淮南道行营都招讨使，以穀判寿州行府事。丙辰[270]，帝至寿州城下，营于淝水之阳[271]，命诸军围寿州，徙正阳浮梁于下蔡镇[272]。丁巳[273]，征宋、亳、陈、颍、徐、宿、许、蔡等州丁夫[274]数十万以攻城，昼夜不息。唐兵万余人维舟于淮[275]，营于涂山[276]之下。庚申[277]，帝命太祖皇帝击之。太祖皇帝遣百余骑薄其营而伪遁，伏兵邀之，大败唐兵于涡口[278]，斩其都监何延锡等，夺战舰五十余艘。

诏以武平节度使兼中书令王逵为南面行营都统，使攻唐之鄂州[279]。

将领僚佐谋划说："我军不能在水上作战，如果贼兵截断浮桥，那么我们前后受敌，全部不能回去了！不如退兵防守浮桥来等候皇上。"周世宗到了圉镇，听到李穀的谋划，立刻派遣中使乘驿车去阻止他。中使到达寿州时，李穀已经烧掉粮草，退守正阳。正月十三日丁未，周世宗到达陈州，立刻派遣李重进领兵奔赴淮河边。

正月十七日辛亥，李穀奏言："敌人的战舰在河的中间前进，弓弩石炮不能射及。如果浮桥失守，军心就会动摇，致使退兵。现在敌人的战舰每天前进、淮河水每天上涨，如果皇上亲临前线，万一粮道断绝，那危险就很难预测。希望陛下暂时驻留陈州和颍州，等到李重进到达后，臣下和他一起商量如何阻止敌寇战舰，如何保全浮桥，到时候立即详细上奏报告。如果我们做好战斗准备，冬去春来，足以使得敌人疲困，再攻取也不晚。"周世宗看了奏疏，不高兴。

刘彦贞向来骄傲显贵，没有才干谋略，不熟悉军事。历职藩镇，专门干贪污残暴之事，积财亿万，用来贿赂权贵。因此魏岑等人争相夸奖他，认为他治理百姓如同龚遂、黄霸，用兵就像韩信、彭越，所以后周军队到来，南唐主首先任用他。他的副将咸师朗等人全都有勇无谋，听说李穀撤退，高兴起来，带兵直接抵达正阳，旗帜和货车几百里，刘仁赡和池州刺史张全约坚决阻止他。刘仁赡说："您的军队没有到达，敌人就先逃走了，这是害怕您的声威，怎么能够采用速战的方法！万一失利，那么大事就完了！"刘彦贞不听从。出兵后，刘仁赡说："如果遇到敌人，一定失败。"于是增兵登城进行防备。李重进渡过淮河，在正阳的东面迎战，大败刘彦贞军，斩杀了他，活捉了咸师朗等人，斩首一万多级，伏尸三十里，收缴军用物资、器械三十多万。当时长江、淮河一带长期安定，民不习战，刘彦贞失败以后，南唐人大为恐慌，张全约收拾残余部众奔赴寿州，刘仁赡上表荐举张全约为马步左厢都指挥使。皇甫晖、姚凤退守清流关，滁州刺史王绍颜弃城逃走。

正月十八日壬子，周世宗到达永宁镇，对侍从大臣说："听说寿州解除了包围，农民大多返回村落，现在听到大军到来，必定又进入城内。可怜他们聚集起来成为饿死的人，应该先派遣使者安抚，让他们各自安心居业。"二十日甲寅，周世宗到达正阳，任命李重进代替李穀为淮南道行营都招讨使，任命李穀为判寿州行府事。二十二日丙辰，周世宗到达寿州城下，在淝水的北岸扎营，命令各军包围寿州，把正阳的浮桥迁移到下蔡镇。二十三日丁巳，征调宋州、亳州、陈州、颍州、徐州、宿州、许州、蔡州等地的成年民工几十万人用以攻打寿州城，昼夜不停。南唐军队一万多人把船系在淮河边上，在涂山之下扎营。二十六日庚申，周世宗命令太祖皇帝赵匡胤攻打南唐军队。太祖皇帝派遣一百多名骑兵靠近敌人的军营后假装逃跑，埋伏士兵拦截敌人，在涡口大败南唐军队，斩杀了南唐都监何延锡等人，夺取战舰五十多艘。

周世宗下诏任命武平节度使兼中书令王逵为南面行营都统，派他攻打南唐的鄂

逵引兵过岳州，岳州团练使潘叔嗣厚具燕犒，奉事甚谨。逵左右求取无厌，不满望者谮叔嗣于逵，云其谋叛，逵怒形于词色，叔嗣由是惧而不自安。

唐主闻湖南兵将至，命武昌节度使何敬洙㉘徙民入城，为固守之计。敬洙不从，使除地㉘为战场，曰："敌至，则与兵[18]民俱死于此耳！"唐主善之。

二月丙寅㉘，下蔡浮梁成，上自往视之。

【段旨】

以上为第十段，写周世宗第一次亲征南唐，前锋初战告捷。

【注释】

㉘丙午：正月十二日。据下文，当为丙申，正月初二日。㉙赏其不降：王环坚守凤州不降，城陷被擒，忠于事君，因此获得奖赏。㉚丁酉：正月初三日。㉛上窑：上窑镇，在今安徽淮南市大通区。㉜戊戌：正月初四日。㉝庚子：正月初六日。㉞颍上：县名，县治在今安徽颍上。㉟壬寅：正月初八日。㊱来远镇：在今安徽寿县西南。㊲圉镇：在今河南杞县南。㊳丁未：正月十三日。㊴辛亥：正月十七日。㊵驻跸：帝王出行，中途暂为宿止。跸，帝王的车驾。㊶度：商量；计议。㊷厉兵秣马：磨砺兵器，喂饱战马。意为做好战斗准备。厉，磨砺。㊸巨亿：万万为亿，亿亿为巨亿，极言其多。㊹龚、

【原文】

戊辰㉘，庐、寿、光、黄㉘巡检使元城[19]司超㉘奏败唐兵三千余人于盛唐㉘，擒都监高弼等，获战舰四十余艘。

上命太祖皇帝倍道袭清流关。皇甫晖等陈于山下，方与前锋战，太祖皇帝引兵出山后。晖等大惊，走入滁州㉘，欲断桥自守，太祖皇帝跃马麾兵涉水，直抵城下。晖曰："人各为其主，愿容成列而战。"太祖皇帝笑而许之。晖整众而出，太祖皇帝拥马颈突陈而入，大呼曰：

州。王逵率军经过岳州，岳州团练使潘叔嗣准备了丰厚的酒宴来犒劳，侍候得十分恭敬。王逵身边的人索求无厌，没有满足而心怀怨恨的人在王逵面前诋毁潘叔嗣，说他图谋反叛。王逵的神情和言辞都表露出愤怒，潘叔嗣因此恐惧而内心不安。

南唐主听说湖南的军队即将到来，命令武昌节度使何敬洙把百姓迁进城里，准备做坚持防守的打算。何敬洙没有听从，让百姓清理地面作为战场，说："敌人到来，就和军民一起死在这里罢了！"南唐主称赞他。

二月初三日丙寅，下蔡的浮桥建成，周世宗亲自前往视察。

黄：龚遂、黄霸，西汉良吏。传见《汉书》卷八十九。㉖⑤韩、彭：韩信、彭越，西汉名将。韩信传见《史记》卷九十二，彭越传见《史记》卷九十。㉖⑥清流关：在今安徽滁州西南。㉖⑦壬子：正月十八日。㉖⑧永宁镇：在今安徽阜阳境。㉖⑨甲寅：正月二十日。㉗⓪丙辰：正月二十二日。㉗①淝水之阳：淝水之北。㉗②下蔡镇：在今安徽凤台。㉗③丁巳：正月二十三日。㉗④丁夫：征发的成年民工。㉗⑤维舟于淮：把船系在淮河边上。㉗⑥涂山：在今安徽蚌埠西淮河东岸，又名当涂山。与荆山隔淮相对。㉗⑦庚申：正月二十六日。㉗⑧涡口：涡河入淮处，在今安徽怀远东北。㉗⑨鄂州：州名，治所江夏，在今湖北武汉市武昌区。㉘⓪何敬洙：广陵人，善射，官武昌军节度使，治政有方。曾击退袭击江南的王逵，因功加镇国将军、中书令。㉘①除地：清理地面。㉘②丙寅：二月初三日。

【校记】

［18］兵：原作"军"。据章钰校，十二行本、乙十一行本、孔天胤本皆作"兵"，今据改。〖按〗《十国春秋》卷十六作"兵"。

【语译】

二月初五日戊辰，庐、寿、光、黄巡检使元城人司超上奏说在盛唐打败南唐军队三千多人，抓获都监高弼等人，缴获战舰四十多艘。

周世宗命令太祖皇帝赵匡胤兼程进军袭击清流关。皇甫晖等人列阵山下，正与后周前锋部队交战，太祖皇帝领兵从山后出来。皇甫晖等人大惊，逃入滁州，打算切断护城河桥自我防守，太祖皇帝跃马指挥军队渡水，直抵城下。皇甫晖说："每人各为自己的主子效力，希望等我部署好阵势，然后再战。"太祖皇帝笑着答应了他。皇甫晖整顿好部众出城，太祖皇帝抱着马颈冲入阵中，大声呼喊说："我只抓皇甫晖，

“吾止取皇甫晖，他人非吾敌也！”手剑击晖，中脑，生擒之，并擒姚凤，遂克滁州。后数日，宣祖皇帝㉘为马军副都指挥使，引兵夜半至滁州城下，传呼开门。太祖皇帝曰：“父子虽至亲，城门王事也，不敢奉命。”明旦，乃得入[20]。

上遣翰林学士窦仪㉙籍滁州帑藏㉚，太祖皇帝遣亲吏取藏中绢。仪曰：“公初克城时，虽倾藏取之，无伤㉛也。今既籍为官物，非有诏书，不可得也。”太祖皇帝由是重仪。诏左金吾卫将军马崇祚知滁州。

初，永兴节度使刘词遗表荐其幕僚蓟人赵普㉜有才可用。会滁州平，范质荐普为滁州军事判官，太祖皇帝与语，悦之。时获盗百余人，皆应死，普请先讯鞫㉝然后决，所活什[21]七八。太祖皇帝益奇之。

太祖皇帝威名日盛，每临陈，必以繁缨饰马㉞，铠仗鲜明。或曰：“如此，为敌所识。”太祖皇帝曰：“吾固欲其识之耳！”

【段旨】

以上为第十一段，写宋太祖赵匡胤在征战中智勇双全，地位声望日益隆盛。

【注释】

㉓戊辰：二月初五日。㉔光、黄：两州名。光州治所定城，在今河南潢川县，黄州治所在今湖北黄冈。㉕司超：大名元城（今河北大名东）人，周世宗伐江南，屡立战功。入宋，官至蕲州防御使。传见《宋史》卷二百七十二。㉖盛唐：旧县名，县治在今安徽六安。㉗滁州：州名，治所清流，在今安徽滁州。㉘宣祖皇帝：宋太祖赵匡胤生父赵弘殷，后周时，官至检校司徒、天水县男。庙号宣祖。传见《宋史》卷一。㉙窦仪：蓟州渔阳（今北京市密云区西南）人，后周太祖广顺初年为翰林学士，后周世宗时拜端明殿学士，宋太祖建隆元年（公元九六〇年）迁工部尚书，罢学士，兼判大理寺。因被赵普所忌而未至相位。传见《宋史》卷二百六十三。㉚籍滁州帑藏：登记滁州官库里的财

其他的人不是我的敌手!”手持剑攻击皇甫晖，击中他的脑袋，活捉了他，并抓获了姚凤，于是攻下了滁州。几天以后，宣祖皇帝赵弘殷为马军副都指挥使，率军在半夜到达滁州城下，传令呼喊开门。太祖皇帝说:“父子虽然是最亲近的，但是城门开关是国家大事，不敢奉命。”第二天早上，才让赵弘殷进城。

周世宗派遣翰林学士窦仪登记滁州府库的财物，太祖皇帝派亲信小吏拿取府里的绢布。窦仪说:“您在刚刚攻下州城时，即使把所藏的东西都拿走，也没有妨碍。现今既已登记为官府的东西，没有诏书，是不能得到的。”太祖皇帝因此器重窦仪。周世宗下诏任命左金吾卫将军马崇祚负责滁州事务。

当初，永兴节度使刘词送表推荐他的幕僚蓟州人赵普有才干，可以任用。适逢滁州平定，范质推荐赵普为滁州军事判官，太祖皇帝与他交谈，很喜欢他。当时抓获强盗一百多人，都应该处死，赵普请求先审问然后处决，他全活下来的人有十分之七八。太祖皇帝更加认为他是个奇才。

太祖皇帝的威望名声一天比一天大，每次临阵，一定使用鲜艳的络头马绳饰装战马，铠甲和武器都锃亮耀眼。有人说:“这个样子，就被敌人认出来。”太祖皇帝说:“我本来就是打算让他们认出我!”

物。㉙1 无伤:没有妨碍。㉙2 赵普(公元九二二至九九二年):字则平，祖籍幽州蓟县(今天津市蓟州区)人，后迁镇州(今河北正定)，再迁洛阳。初为赵匡胤幕僚，陈桥兵变有佐命之功，累官枢密使、同平章事。宋初削弱地方武力，加强中央集权，多为其参与谋划。传见《宋史》卷二百五十六。㉙3 讯鞫:审讯。㉙4 繁缨饰马:用鲜艳的络头马绳装饰坐骑。缨，套马的革带。

【校记】

[19] 元城:原无此二字。据章钰校，十二行本、乙十一行本、孔天胤本皆有此二字，今据补。[20] 明旦乃得入:原无此五字。据章钰校，十二行本、乙十一行本、孔天胤本皆有此五字，张瑛《通鉴校勘记》、张敦仁《通鉴刊本识误》同，今据补。〖按〗张敦仁《通鉴刊本识误》“得”误作“付”，应为误刻所致。[21] 什:原作“十”。据章钰校，十二行本、乙十一行本、孔天胤本皆作“什”，今据改。

【原文】

唐主遣泗州[295]牙将王知朗赍书抵徐州，称："唐皇帝奉书大周皇帝，请息兵修好，愿以兄事帝，岁输货财以助军费。"甲戌[296]，徐州以闻，帝不答[297]。戊寅[298]，命前武胜节度使侯章等攻寿州水寨，决其壕之西北隅，导壕水入于淝。

太祖皇帝遣使献皇甫晖等，晖伤甚，见上，卧而言曰："臣非不忠于所事，但士卒勇怯不同耳。臣向日屡与契丹战，未尝见兵精如此。"因盛称太祖皇帝之勇。上释之，后数日卒。

帝诇知扬州无备，己卯[299]，命韩令坤等将兵袭之。戒以毋得残民，其李氏陵寝[300]，遣人与李氏人共守护之。

唐主兵屡败，惧亡，乃遣翰林学士、户部侍郎锺谟，工部侍郎、文理院学士李德明奉表称臣，来请平[301]，献御服、茶[22]药及金器千两，银器五千两，缯锦二千匹，犒军牛五百头，酒二千斛。壬午[302]，至寿州城下。谟、德明素辩口[303]，上知其欲游说，盛陈甲兵而见之，曰："尔主自谓唐室苗裔[304]，宜知礼义，异于他国。与朕止隔一水[305]，未尝遣一介[306]修好，惟泛海通契丹[307]，舍华事夷，礼义安在？且汝欲说我令罢兵邪？我非六国愚主[308]，岂汝口舌所能移邪！可归语汝主：亟[309]来见朕，再拜谢过，则无事矣。不然，朕欲观金陵城，借府库以劳军，汝君臣得无悔乎！"谟、德明战栗不敢言。

吴越王弘俶遣兵屯境上以俟周命。苏州营田指挥使陈满言于丞相吴程曰："周师南征，唐举国惊扰，常州无备，易取也。"会唐主有诏抚安江阴[310]吏民，满告程云："周诏书已至。"程为之言于弘俶，请亟发兵从其策。丞相元德昭[311]曰："唐大国，未可轻也。若我入唐境而周师不至，谁与并力？能无危乎！请姑俟之。"程固争，以为时不可失，弘俶卒从程议。癸未[312]，遣程督衢州[313]刺史鲍修让、中直都指挥使罗晟趣常州。程谓将士曰："元丞相不欲出师。"将士怒，流言欲击德昭。弘俶匿德昭于府中，令捕言者，叹曰："方出师而士卒欲击丞相，不祥甚哉！"

乙酉[314]，韩令坤奄至扬州。平旦，先遣白延遇以数百骑驰入城，城

【语译】

南唐主派遣泗州牙将王知朗携带书信到达徐州，说："唐皇帝奉送书信给大周皇帝，请求息兵修好，愿意以侍奉兄长的礼节来侍奉大周皇帝，每年输送财物来资助军费。"二月十一日甲戌，徐州把情况上报周世宗，周世宗不答复。十五日戊寅，周世宗命令前任武胜节度使侯章等人攻打寿州的水军营寨，挖开壕沟的西北角，把壕沟的水引入淝水。

太祖皇帝赵匡胤派遣使者献上皇甫晖等人，皇甫晖伤势严重，见到周世宗，卧着说："臣下不是不忠于自己所侍奉的君主，只是士卒勇敢和怯懦有不同罢了。臣以前一再和契丹交战，未曾看到士兵这样精良。"因而大为称赞太祖皇帝的勇敢。周世宗放了他，几天以后皇甫晖死了。

周世宗侦察得知扬州没有防备，二月十六日己卯，命令韩令坤等人率军袭击。告诫他不得残害民众，那里的李氏陵墓，派人与李氏的族人共同守护。

南唐主的军队多次失败，担心亡国，于是派遣翰林学士、户部侍郎锺谟和工部侍郎、文理院学士李德明奉表称臣，前来请求讲和，进献御服、茶药以及金器一千两，银器五千两，缯锦两千匹，犒劳军队的牛五百头，酒两千斛。二月十九日壬午，到达寿州城下。锺谟、李德明一向能言善辩，周世宗知道他们想要游说，便大规模列阵甲卒来接见他们，说："你们的君主自称是唐室的后裔，应该知道礼义，不同于其他国家。与朕仅一水相隔，未曾派遣一个使者前来通好，只是渡海联络契丹，舍弃华夏，侍奉夷狄，礼义在哪里？而且你们打算游说我，让我罢兵吗？我不是六国的愚昧君主，难道是你们口舌所能打动的吗！可以回去告诉你们的君主：赶快来见朕，向朕再三下拜谢罪，就没事了。不然的话，朕想去观看金陵城，借用你们府库所藏来犒劳军队，你们君臣该不会后悔吧！"锺谟、李德明颤抖，不敢说话。

吴越王钱弘俶派遣军队屯守边境，等待后周的命令。苏州营田指挥使陈满对丞相吴程说："周人军队南征，唐全国惊慌骚乱，常州没有防备，容易夺取。"适逢南唐主有诏书安抚江阴的官吏和百姓，陈满告诉吴程说："周的诏书已经到了。"吴程为此向钱弘俶上言，请求赶快依从陈满的计策发兵。丞相元德昭说："唐是个大国，不能轻视。如果我们进入唐境内，而周人军队没有到来，谁与我们合力作战？能够没有危险吗！请暂且等一等。"吴程坚决力争，认为时机不可丧失，钱弘俶最终听从了吴程的建议。二月二十日癸未，派遣吴程督领衢州刺史鲍修让、中直都指挥使罗晟奔赴常州。吴程对将士们说："元丞相不打算出兵。"将士们很生气，散布流言说想要攻击元德昭。钱弘俶把元德昭藏匿在府中，命令逮捕散布流言的人，并叹息说："正要出兵而士卒想攻击丞相，太不吉利了啊！"

二月二十二日乙酉，韩令坤突然到达扬州。天刚亮，首先派遣白延遇利用几百

中不之觉。令坤继至，唐东都营屯使贾崇[315]焚官府民舍，弃城南走，副留守[316]工部侍郎冯延鲁髡发[317]被僧服，匿于佛寺，军士执之。令坤慰抚其民，使皆安堵。

【段旨】

以上为第十二段，写南唐主向周世宗求和，不允。

【注释】

[295]泗州：州名，治所临淮，在今江苏泗洪东南。[296]甲戌：二月十一日。[297]帝不答：周世宗之所以不回复南唐主，是因为来书中，南唐主云"唐皇帝奉书大周皇帝"，以平等的兄弟之国自居。[298]戊寅：二月十五日。[299]己卯：二月十六日。[300]李氏陵寝：指南唐烈祖李昪等人的陵寝。[301]来请平：前来请求讲和。[302]壬午：二月十九日。[303]素辩口：一向能言善辩。[304]唐室苗裔：南唐自称是唐太宗之子吴王李恪的后代。[305]一水：指淮水。周与南唐以淮水为界。[306]一介：一个使者。介，同"个"。[307]泛海通契丹：自从徐温执吴

【原文】

庚寅[318]，王逵奏拔鄂州长山寨[319]，执其将陈泽等，献之。

辛卯[320]，太祖皇帝奏唐天长[321]制置使耿谦降，获刍粮二十余万。

唐主遣园苑使尹延范如泰州，迁吴让皇[322]之族于润州[323]。延范以道路艰难，恐杨氏为变，尽杀其男子六十人。还报，唐主怒，腰斩之。

韩令坤等攻唐[23]泰州，拔之，刺史方讷奔金陵[324]。

唐主遣人以蜡丸求救于契丹。壬辰[325]，静安军使何继筠[326]获而献之。

以给事中高防权知泰州。

癸巳[327]，吴越王弘俶遣上直都指挥使路彦铢攻宣州，罗晟帅战舰屯江阴。唐静海[328]制置使姚彦洪帅兵民万人奔吴越。

潘叔嗣属将士而告之曰："吾事令公[329]至矣，今乃信谗疑怒，军还，

名骑兵飞驰进城，城中的人没有察觉。韩令坤相继到达，南唐东都营屯使贾崇焚烧官府、民房，弃城南逃。副留守工部侍郎冯延鲁剃光头发，披着僧服，藏在佛寺里，军士抓住了他。韩令坤抚慰百姓，让他们都安定。

国国政到南唐烈祖以及元宗，一直派使者泛海欲联合契丹，共同图谋中原。㉚⑧ 六国愚主：指战国时六国国君。㉚⑨ 亟：急；赶快。㉛⓪ 江阴：军镇名，南唐李昪置江阴军，治所在今江苏江阴。㉛① 元德昭：抚州南城（今江西南城东南）人，本姓危，字明远，因恶危姓，改为元氏。厚重多谋，深受钱俶信任，官至吴越丞相。㉛② 癸未：二月二十日。㉛③ 衢州：州名，治所西安，在今浙江衢州。㉛④ 乙酉：二月二十二日。㉛⑤ 贾崇：南唐烈祖侍卫都虞候，元宗时为东都营屯使。周师入境，弃城而逃，被流放抚州。㉛⑥ 副留守：谓扬州副留守。南唐以扬州为东都，故有留守、副留守之职。㉛⑦ 髡发：剃去头发。

【校记】

［22］茶：原作“汤”。据章钰校，十二行本、乙十一行本、孔天胤本皆作“茶”，今据改。〖按〗《十国春秋》卷二十六作“茶”。

【语译】

二月二十七日庚寅，王逵奏报攻取鄂州的长山寨，抓获了他们的将领陈泽等人，献给朝廷。

二十八日辛卯，太祖皇帝赵匡胤上奏说南唐天长制置使耿谦投降，缴获粮草二十多万。

南唐主派遣园苑使尹延范前往泰州，把吴让皇的家族迁往润州。尹延范因为道路艰难，恐怕杨氏家族发生变乱，杀掉了全部的杨氏男子六十人。然后回去报告，南唐主很生气，腰斩了尹延范。

韩令坤等人攻打唐的泰州，攻取了泰州，刺史方讷跑往金陵。

南唐主派人带着蜡丸密信向契丹求救。二十九日壬辰，静安军使何继筠截获交给朝廷。

任命给事中高防暂时代理泰州事务。

二月三十日癸巳，吴越王钱弘俶派遣上直都指挥使路彦铢攻打宣州，罗晟率领战舰屯驻江阴。南唐静海制置使姚彦洪带领士兵和百姓一万人跑往吴越。

潘叔嗣集合将士，告诉他们说：“我侍奉王逵到了极点，如今竟然听信谗言，对

必击我。吾不能坐而待死，汝辈能与吾俱西乎?”众愤怒，请行，叔嗣帅之西袭朗州。逵闻之，还军追之，及于武陵城外，与叔嗣战，逵败死。

或劝叔嗣遂据朗州，叔嗣曰：“吾救死耳，安敢自尊[330]，宜以督府[331]归潭州太尉[332]，岂不以武安见处乎[333]！”乃归岳州，使团练判官李简帅朗州将吏迎武安节度使周行逢。众谓行逢：“必以潭州授叔嗣。”行逢曰：“叔嗣贼杀主帅，罪当族。所可恕者，得武陵[334]而不有，以授吾耳。若遽用为节度使，天下谓我与之同谋，何以自明！宜且以为行军司马，俟逾年，授以节钺可也。”乃以衡州[335]刺史莫弘万权知潭州，帅众入朗州，自称武平、武安留后，告于朝廷，以叔嗣为行军司马。叔嗣怒，称疾不至。行逢曰：“行军司马，吾尝为之，权与节度使相埒耳，叔嗣犹不满望，更欲图我邪！”

或说行逢：“授叔嗣武安节钺以诱之，令至都府受命，此乃机上[336]肉耳！”行逢从之。叔嗣将行，其所亲止之。叔嗣自恃素以兄事行逢，相亲善，遂行不疑。行逢遣使迎候，道路相望，既至，自出郊劳[337]，相见甚欢。叔嗣入谒[338]，未至听事[339]，遣人执之，立于庭下，责之曰：“汝为小校无大功，王逵用汝为团练使，一旦反杀主帅。吾以畴昔[340]之情，未忍斩汝，以为行军司马，乃敢违拒吾命而不受乎！”叔嗣知不免，以宗族为请[341]。遂斩之。

【段旨】

以上为第十三段，写湖南兵变，后周失去了征伐南唐的侧翼。

【注释】

[318]庚寅：二月二十七日。[319]长山寨：在今湖北通城南。[320]辛卯：二月二十八日。[321]天长：县名，县治在今安徽天长。[322]吴让皇：十国吴睿帝杨溥，吴太祖杨行密第四子。武义二年（公元九二〇年）即吴王位，由太师、齐王徐知诰（李昪）专国政。天祚三年（公元九三七年）徐知诰篡位，号杨溥为让皇帝，吴亡。昇元二年（公元九三八年）遇害。事见《旧五代史》卷一百三十四《僭伪列传》、《新五代史》卷六十一《吴世家》。[323]润州：

我怀疑发怒，军队回来，必定攻击我。我不能坐而待毙，你们能和我一同西去吗？”大家很愤怒，请求跟他走，于是潘叔嗣率领部众西进袭击朗州。王逵听说，回军追赶他们，在武陵城外追上了，与潘叔嗣交战，王逵战败死去。

有人劝潘叔嗣就此占据朗州，潘叔嗣说：“我是救命罢了，怎么敢自立称尊，应该把朗州督府交给潭州太尉，难道他不安排我做武安节度使吗！”于是返回岳州，派团练判官李简率领朗州的将领、官吏迎接武安节度使周行逢。大家对周行逢说：“一定把潭州授给潘叔嗣。”周行逢说：“潘叔嗣杀戮主帅，罪当灭族。可以宽恕的是，得到武陵而不占有，把它交给我而已。如果很快任用他为节度使，天下说我和他同谋，我用什么来自我申明！应该暂且任命他为行军司马，等过了一年，可以授给他节度使了。”于是命衡州刺史莫弘万暂时主持潭州事务，自己率领部众进入朗州，自称武平、武安留后，向朝廷报告，任命潘叔嗣为行军司马。潘叔嗣很生气，称病不到任。周行逢说：“行军司马，我曾经当过，权力和节度使相等，潘叔嗣还不满足所望，难道又想算计我吗！”

有人劝说周行逢：“授给潘叔嗣武安节度使来引诱他，让他到都府来接受命令，他就是几案上的一块肉罢了！”周行逢听从了这个建议。潘叔嗣即将启程，他所亲信的人阻止他。潘叔嗣自恃一向以侍奉兄长的礼节侍奉周行逢，相互亲善，于是前去，不加怀疑。周行逢派遣使者迎接等候，一路上不间断，到达以后，周行逢亲自出城到郊外慰劳，相互见面非常高兴。潘叔嗣进去拜见，还没有走到厅堂，周行逢派人把他抓了，站在厅堂下，周行逢斥责他说：“你是一个小军校，没有大功劳，王逵任用你为团练使，你却突然反过来杀死主帅。我因为往日的情谊，不忍心杀你，任命你为行军司马，你竟敢违抗我的命令而不接受吗！”潘叔嗣知道自己不免一死，请求赦免他的宗族。于是杀了潘叔嗣。

州名，治所丹徒，在今江苏镇江。后晋天福四年（公元九三九年），唐烈祖从润州迁吴让皇之族于泰州，现在又因周军攻逼，再迁回润州。㉔金陵：府名，治所上元，在今江苏南京，后改名江宁府。㉕壬辰：二月二十九日。㉖何继筠：字化龙，河南人，仕后周，官西北面行营都监。宋初因抵御契丹有功，拜建武军节度使。传见《宋史》卷二百七十三。㉗癸巳：二月三十日。㉘静海：军镇名，后周置，治所静海县，在今江苏南通。㉙令公：王逵兼中书令，故称“令公”。㉚吾救死耳二句：我只是挽救自己，免得被害罢了，哪里敢自立称尊。㉛督府：军府。当时以朗州为督府。㉜太尉：指周行逢。㉝岂不以武安见处乎：难道（周行逢）能不安排我做武安军节度使吗。㉞武陵：旧县名，为朗州治所，在今湖南常德。㉟衡州：州名，治所在今湖南衡阳。㊱机上：几案之上。机，通“几”。㊲自出郊劳：亲自到郊外迎候慰劳。㊳入谒：进去拜见。㊴听事：厅堂，指官府治事之所。㊵畴昔：往日。㊶以宗族为请：请求赦免同族的人。

【校记】

［23］唐：原无此字。据章钰校，十二行本、乙十一行本、孔天胤本皆有此字，张瑛《通鉴校勘记》同，今据补。

【研析】

本卷研析周世宗改革、王朴献统一治安之策两件史事。

第一，周世宗改革。周世宗柴荣，周太祖郭威圣穆皇后兄柴守礼之子，从姑长于郭威家，郭威爱其英武，于是养以为子，封晋王，继嗣郭威为帝，史称周世宗。显德元年（公元九五四年）正月二十日乙未，周世宗即位，至显德六年六月十九日辞世，享年三十九岁，在位不足六年，是一位不幸英年辞世的圣明之君。短短五年多的时间，文治武功不比历史上任何一位英武之君逊色。天若假周世宗数年寿命，必能统一中国，建立盛大的新一个周王朝。但历史没有假设，就实论事，周世宗是一位圣明的改革之君。其改革成就，范围广，政治、经济、军事全面改革，都获得了显著的成绩。政治改革大端有五：一是下诏求言，任用贤才；二是清盗贼，抚流民，使人民生活安定；三是减轻租税徭役，以纾民困；四是规范刑律，以解民忧；五是营建汴京，成为全国新的政治、经济、文化中心。经济改革最有成效者有三：一是均赋税，取消大户特权，即便历代享有免税特权的曲阜圣人后裔孔氏也要交税；二是兴修水利，塞黄河决口，既有利交通运输，又防止了水患；三是抑制寺院经济，裁汰三万三百六十所寺庙，迫使僧人大批还俗，毁铜佛以铸钱，有利通货流通，推动工商发展。军事上，整训禁军，沙汰羸弱，节制藩镇，既增加了军队的战斗力，又基本消除了尾大不掉之势，为国家的统一奠定了基础。周世宗还三征南唐，两度北征，弱北汉，败契丹，又西取蜀边地数州之地，大长中原天子气势。司马光评论五代时有两位最为雄武的皇帝，一是唐庄宗李存勖，以弱胜强，灭梁建唐，但唐庄宗只会打仗，不会治国，数年间断送了江山，不圣，不贤，不明，及身而亡，是一个不成功的君主。二是周世宗柴荣，他用兵所向无敌，为后继者奠定了统一的基础，他的改革使国家欣欣向荣，是五代时最有民望的仁明之君。司马光的评价，一点也不过分。

第二，王朴献统一治安之策。周世宗即位之初就下诏求言，要求群臣极言得失，命朝官大臣每人撰写《为君难为臣不易论》和《开边策》各一篇，供作决策参考。比部郎中王朴献统一治安之策，切中时弊，策略得当，受到周世宗的高度重视，付诸实行，成为北周进行政治改革和统一的基本国策。王朴的统一治安策，分为战略和战术两个部分，下面分别评说。

从战略上，王朴指出，首先找出国家四分五裂的原因，即周边群雄割据和契丹入侵的根本原因。王朴列出四条主因：一是君主昏庸；二是臣子奸邪；三是士兵骄横；四是百姓困穷。奸邪朋党在朝内恃势乱政，将帅在外横行霸道，人民困穷受害，国家怎能不四分五裂呢？统一的办法就是要把颠倒的是非再倒过来，使之恢复正道。一是君主要信用贤人，斥退小人，这是搜罗人才的办法；二是恩及穷困，讲求诚信，这是收拾人心的办法；三是赏赐功劳，惩罚罪过，这是要文臣武将尽力为国家做贡献的办法；四是勤俭节约，这是增加财富的方法；五是减少赋税，使民以时，这是让百姓富足的办法。这些都做到了，群贤满朝，国家政治上轨道，国库充实，人民亲附，再任用能人统兵征讨，大功即可告成。周边的割据势力，他们的部属民众，眼看大势已去，争相效顺立功，一定会成为我方的间谍和向导，这叫作民心归顺，天命也一定追随民心。王朴的战略思想，立足于改革政治，这叫纲举目张。周世宗是一个志向远大又务实的国君，雷厉风行进行了政治改革，后周国力大增。

从战术上讲，王朴所言为用兵统一的步骤。王朴提出用兵统一，要先易后难，先南后北的方针。具体步骤，先下江南，收岭南，次巴蜀，次幽燕，河东最其后。王朴说，契丹兵强，河东北汉国是周朝的死敌，这两块硬骨头最难啃，暂且放在一边。江南李唐是最大的割据国，与周疆界二千多里，是北伐的后顾之忧。首先征服唐国，则巴蜀、岭南会胆战心惊，发一封通告檄文就可以平定。征李唐，又分为两步，先吞其江北，再徐图江南。王朴之策，大体不误，周世宗三次亲征李唐，夺了江北之地，李唐臣服而罢兵，解除了北伐后顾之忧，然后统大军亲征契丹，一举夺了三关，兵临幽州城下，契丹气馁。眼看大功告成，周世宗不幸染病，功亏一篑。其后宋太祖统一中国的用兵方略，基本上是遵循王朴之策，完成了周世宗的未竟之功，大略是先南后北，江南悉平，然后用兵北方，灭北汉，伐契丹。宋太祖收江南，是先灭蜀后灭唐，此乃效秦灭楚、晋灭吴、隋灭陈的经验，修正了王朴策之不足。从地理言，据巴蜀顺流而下，江南不守，势理之必然，此是先易后难。当时后蜀孟氏政权不得人心，李唐尚有人气，先攻李唐，后取巴蜀，此是先难后易，因此周世宗三次大举亲征，也未达灭唐之效，只得江北地而已。这是王朴策之未精留下的遗憾。

比部郎中，是刑部比部司的长官，当今正司级，掌管财务审计，在朝中大臣眼里，算不上一个人物，众公卿大臣，那些正部级、副部级长官多的是。但他们墨守成规，思想守旧，提不出治国方略。一个很不起眼的王朴，有识见，有创见，洞察时势，潜心研究，提出了很好的治国方略，一统天下之策，完全符合周世宗的心意。不久，周世宗升任王朴为左谏议大夫，知开封府事。左谏议大夫，是门下省的重要属官，实职兼任开封知府，即京都市长。王朴官至枢密使，荣耀无比。

卷第二百九十三　后周纪四

起柔兆执徐（丙辰，公元九五六年）三月，尽强圉大荒落（丁巳，公元九五七年），凡一年有奇。

【题解】

本卷记事起于公元九五六年三月，迄于公元九五七年，凡一年又十个月，当后周世宗显德三年三月到显德四年。此时期最大的历史事件是后周与南唐两国在淮南大规模进行主力决战。南唐全线败退，丧师失地，但南唐主不愿割江北之地请和，所恃寿州屹立不动，周世宗北还，大发诸州之民城下蔡。周世宗第二次亲征淮南，大破南唐援兵，寿春城破，周世宗北还，但南唐主屡败屡战，仍在江北抗击周军。南唐左仆射司空孙晟出使后周求和，周世宗逼其劝说寿州南唐守将出降，孙晟激励南唐守将忠义报国，不亏臣节，不辱使命，虽死犹荣，周世宗悔杀孙晟。后周中书舍人窦俨上疏论为政之本，大要为制礼作乐，任贤择相，沙汰冗官，治盗贼，安民生，周世宗称善。吴越夹击南唐取常州，南唐将柴克宏，名将柴再用之子，天生将才，以羸弱之兵，大败吴越劲兵，克复常州，入援寿州，卒于半道，寿州是以不救。周世宗释蜀俘，制《刑统》，第三次亲征南唐。北汉主引契丹南犯，不胜而还。

【原文】

世宗睿武孝文[1]皇帝中

显德三年（丙辰，公元九五六年）

三月甲午朔①，上行视水寨，至淝桥②，自取一石，马上持之至寨以供炮③，从官过桥者人赍一石。太祖皇帝乘皮船入寿春壕中，城上发连弩④射之，矢大如屋椽⑤，牙将馆陶张琼⑥遽以身蔽之，矢中琼髀⑦，死而复苏。镞著骨不可出，琼饮酒一大卮⑧，令人破骨出之，流血数升，神色自若。

唐主复以右仆射孙晟为司空，遣与礼部尚书王崇质奉表入见，称："自天祐⑨以来，海内分崩，或跨据一方⑩，或迁革异代⑪。臣绍袭先业，奄⑫有江表，顾以瞻乌未定，附凤何从⑬！今天命有归，声教远被⑭，愿比两浙、湖南，仰奉正朔⑮，谨守土疆。乞收薄伐⑯之威，赦

【语译】

世宗睿武孝文皇帝中

显德三年（丙辰，公元九五六年）

三月初一日甲午，周世宗巡视水边的营寨，行至淝桥，自己捡了一块石头，骑在马上拿到营寨来用作炮石，随从官员过桥的每人携带一块石头。太祖皇帝乘坐牛皮船进入寿春的护城河中，城上发射连弩箭射他，箭粗大得像屋椽；牙将馆陶人张琼急忙用身体遮挡太祖皇帝，箭射中张琼的大腿，昏死过去又苏醒过来。箭头插进骨头里不能拔出，张琼喝下一大杯酒，让人破骨取出箭头，流血数升，神情镇定自若。

南唐主又任命右仆射孙晟为司空，派遣他和礼部尚书王崇质奉表进见周世宗，表中说："自从天祐年间以来，天下分崩离析，有的占据一方，有的改朝换代。臣继承先人的基业，拥有江南之地，只因流离的民众没有安定，又从哪里归附一人呢！如今天命已有归属，天子的政声和教化传遍远方。我愿意比照两浙、湖南的先例，尊奉天子颁行的正朔历法，谨守疆土。请求免除征讨的声威，赦免臣下归附在后的

其后服之罪，首于下国[17]，俾作外臣，则柔远之德，云谁不服！”又献金千两，银十万两，罗绮二千匹。晟谓冯延巳曰：“此行当在左相[18]，晟若辞之，则负先帝。”既行，知不免，中夜，叹息谓崇质曰：“君家百口，宜自为谋。吾思之熟矣，终不负永陵[19]一抔[2]土，余无所知！”

南汉甘泉宫使林延遇阴险多计数，南汉主倚信之。诛灭诸弟，皆延遇之谋也。乙未[20]，卒，国人相贺。延遇病甚，荐内给事[21]龚澄枢[22]自代，南汉主即日擢澄枢知承宣院[23]及内侍省[24]。澄枢，番禺人也。

光、舒、黄招安巡检使、行光州刺史何超以安、随、申、蔡[25]四州兵数万攻光州。丙申[26]，超奏唐光州刺史张绍弃城走，都监张承翰以城降。丁酉[27]，行舒州刺史郭令图拔舒州，唐蕲州将李福杀其知州王承巂，举州来降。遣六宅使齐藏珍攻黄州。

彰武留后李彦頵[28]，性贪虐，部民[29]与羌胡作乱，攻之。上召彦頵还朝[30]。

秦、凤之平也，上赦所俘蜀兵以隶军籍[31]，从征淮南，复亡降于唐。癸卯[32]，唐主表献[33]百五十人，上悉命斩之。

舒州人逐郭令图，铁骑都指挥使洛阳王审琦[34]选轻骑夜袭舒州，复取之，令图乃得归[35]。

马希崇及王延政之子继沂[36]皆在扬州，诏抚存之。

丙午[37]，孙晟等至上所。庚戌[38]，上遣中使以孙晟诣寿春城下示刘仁赡[3]，且招谕之。仁赡见晟，戎服拜于城上[39]。晟谓仁赡曰：“君受国厚恩，不可开门纳寇。”上闻之，甚怒，晟曰：“臣为唐[4]宰相，岂可教节度使外叛邪！”上乃释之。

【段旨】

以上为第一段，写南唐左仆射司空孙晟出使后周求和，不亏臣节，不辱使命。

罪过。点头同意我们小国，作为天子的外臣，那么天子安抚远方的恩德，哪个人不敬服！”又献上黄金一千两、银子十万两、罗绮两千匹。孙晟对冯延巳说：“这一次应该由左相您出使，我若推辞不去，那就辜负了先帝。”动身以后，知道不能免于一死，半夜，叹息着对王崇质说：“您家人口众多，应该自己做好打算。我考虑得很成熟了，终究不辜负先帝的在天之灵，其他的我就一无所知了！”

南汉甘泉宫使林延遇阴险计谋多，南汉主信任依靠他。南汉主诛灭自己的各位兄弟，都是林延遇的谋划。三月初二日乙未，林延遇死了，国中人互相庆贺。林延遇病重时，推荐内给事龚澄枢代替自己，南汉主当天就提升龚澄枢主持承宣院和内侍省。龚澄枢，是番禺人。

光、舒、黄招安巡检使、行光州刺史何超利用安州、随州、申州、蔡州四州军队几万人攻打光州。三月初三日丙申，何超上奏说南唐光州刺史张绍弃城逃走，都监张承翰献城投降。初四日丁酉，行舒州刺史郭令图攻取舒州，南唐蕲州将领李福杀掉知州王承巂，率领州城前来投降。后周派遣六宅使齐藏珍攻打黄州。

彰武留后李彦頵生性贪婪暴虐，所统属的百姓与羌胡作乱，攻打李彦頵。周世宗召李彦頵回朝。

秦州、凤州平定的时候，周世宗赦免所俘获的后蜀士兵，把他们编入军籍，从征淮南，他们又逃走投降南唐。三月初十日癸卯，南唐主上表献上一百五十人，周世宗下令把他们全部斩杀。

舒州人驱逐郭令图，铁骑都指挥使洛阳人王审琦挑选轻骑兵夜里偷袭舒州，又夺取了舒州，郭令图才得以回去。

马希崇和王延政的儿子王继沂都在扬州，周世宗下诏抚慰他们。

三月十三日丙午，孙晟等人到达周世宗驻留的地方。十七日庚戌，周世宗派遣中使带领孙晟前往寿春城下以威慑刘仁赡，并且让他招抚刘仁赡。刘仁赡见到孙晟，在城上穿着军服向他下拜。孙晟对刘仁赡说：“您深受国家厚恩，不能打开城门接纳贼寇。”周世宗听说这件事，非常愤怒。孙晟说：“臣为唐宰相，怎么可以让节度使背叛呢！”周世宗于是放过了他。

【注释】

①甲午朔：三月初一日。②淝桥：淝水上的桥。③炮：古代发射石头的火器。④连弩：装有机栝，可以连续发射的弓。⑤椽：椽子，安在梁上，支架屋面和瓦片的木条。⑥张琼：馆陶（今河北馆陶）人，有勇力，善射。周师攻寿春，城上连弩遽发，琼以身蔽赵匡胤，有功。宋初，官殿前都虞候。后遭诬陷致死。传见《宋史》卷二百五十

九。⑦髀：大腿。⑧卮：古代的一种盛酒器。⑨天祐：唐昭宗和唐哀帝年号（公元九〇四至九〇七年）。⑩跨据一方：占据一方疆土。此指一方的割据政权。⑪迁革异代：指中原不断改朝换代。⑫奄：包括。⑬瞻乌未定二句：意为流离的民众漂泊不定，该归附哪一人呢。《诗经·小雅·正月》："瞻乌爰止，于谁之屋。"意谓看那下飞的乌鸦，将停落在谁家的屋顶。后世以瞻乌比喻流离失所的民众。凤，比喻真命天子。⑭声教远被：政声和教化传播远方。⑮愿比两浙、湖南二句：愿意比照两浙、湖南的先例，尊奉天子颁布的正朔历法。意为归顺后周。两浙，浙东和浙西的合称。仰奉正朔，谓谨奉中原历法，听从中原号令。正朔，一年第一天的开始，正月元日。这里以正朔代指象征天命及政权的历法。正，一年的开始。朔，一月的开始。⑯薄伐：征伐。薄，发语词。语出《诗经·小雅·出车》："赫赫南仲，薄伐西戎。"⑰首于下国：让（我们）小国。首，首肯、点头同意。⑱左相：指左仆射冯延巳，其位在孙晟之上。⑲永陵：南唐烈祖李昪陵墓。⑳乙未：三月初二日。㉑内给事：内侍省属官，由宦官充任。㉒龚澄枢：广州番禺（今广东番禺）人，南汉宦官，深受后主宠信，官至特进、开府仪同三司、内太师。总揽军政大事。与女巫樊胡子内外作奸。宋师入境，被处死。㉓承宣院：官署名，总领宫内诸司事务。㉔内侍省：官署名，掌宫廷内部事务。承宣院与内侍省多由宦官担任。㉕安、随、申、蔡：皆州名。四州呈半圆形环绕光州。蔡州在光州之北，申州在光州西，随、蔡在光州西南。安州治所在今湖北安陆，随州治所在今湖北随县，申州治所在今河南信阳，蔡州治所在今河南汝南县，光州治所在今河南潢川县。㉖丙申：三月初三日。㉗丁

【原文】

唐主使李德明、孙晟言于上，请去帝号，割寿、濠、泗、楚、光、海六州㊵之地，仍岁㊶输金帛百万，以求罢兵。上以淮南之地已半为周有，诸将捷奏日至，欲尽得江北之地，不许。德明见周兵日进，奏称："唐主不知陛下兵力如此之盛，愿宽臣五日之诛，得归白唐主，尽献江北之地。"上乃许之。晟因奏遣王崇质与德明俱归。上遣供奉官安弘道送德明等归金陵，赐唐主诏书[5]，其略曰："但存帝号，何爽岁寒㊷！傥坚事大之心，终不迫人于险㊸。"又曰："俟诸郡之悉来㊹，即大军之立罢。言尽于此，更不烦云㊺。苟曰未然，请从兹绝㊻。"又赐其将相书，使熟议而来。唐主复上表谢。

李德明盛称上威德及甲兵之强，劝唐主割江北之地，唐主不悦。

酉：三月初四日。㉘李彦頵：字德循，太原人，本以商贾为业，仕后周，官榷易使、延州兵马留后。贪图财利，侵凌掠夺蕃、汉百姓，群情大扰，世宗不得不将其调回京城任职。传见《旧五代史》卷一百二十九。㉙部民：所统属的百姓。㉚召彦頵还朝：把李彦頵从延州召还。㉛以隶军籍：编入军籍。军籍，军人名册。据《五代会要》卷十二载，显德二年（公元九五五年）十二月，“以新收复秦、凤州所擒获川军，署为怀恩军”。此即俘蜀兵“以隶军队”。㉜癸卯：三月初十日。㉝表献：上表献出俘虏。㉞王审琦：字仲宝，其先辽西人，后徙家洛阳。厚重有方略，随周世宗征北汉、南唐，屡立战功。官睦州防御使，宋初，拜同平章事。传见《宋史》卷二百五十。㉟令图乃得归：郭令图才又回到了舒州。㊱继沂：即王继沂，闽天德帝王延政子。南唐灭闽后，囚于扬州。周师破扬州，故加以安抚。㊲丙午：三月十三日。㊳庚戌：三月十七日。㊴拜于城上：边帅见宰相，依礼当拜。

【校记】

［1］武孝文：原作“文孝武”。据章钰校，十二行本、乙十一行本、孔天胤本皆作“武孝文”，今据改。［2］抔：原作“培”。胡三省注云：“欧《史》作‘一抔土’。”据章钰校，乙十一行本、孔天胤本皆作“抔”，严衍《通鉴补》同，今据改。［3］示刘仁赡：原无此四字。据章钰校，十二行本、乙十一行本、孔天胤本皆有此四字，张瑛《通鉴校勘记》同，今据补。［4］唐：原无此字。据章钰校，十二行本、乙十一行本、孔天胤本皆有此字，张瑛《通鉴校勘记》同，今据补。

【语译】

南唐主让李德明、孙晟对周世宗说，请求取消自己的皇帝称号，割让寿州、濠州、泗州、楚州、光州、海州六州土地，每年送交黄金绢帛百万，用来求得停止用兵。周世宗因为淮南之地已经一半归后周所有，诸将捷报每天传来，想要全部获得江北之地，所以不答应南唐主的请求。李德明看见后周军队一天一天地推进，上奏说：“唐主不知道陛下的兵力如此强盛，希望给臣下五天不作讨伐的宽限，能回去报告唐主，全部献出江北之地。”周世宗这才答应了他。孙晟便奏请周世宗派王崇质和李德明一起回去。周世宗派供奉官安弘道送李德明等人回金陵，赐给南唐主诏书，诏书中大略说：“即使保留皇帝的称号，也不因岁寒而失约！倘若你能坚定侍奉大国的决心，朕终究不会把你逼入险恶境地。”又说：“等到江北各郡全部割让过来，大军就立即撤退。话就说到这里，不用再反复述说了。如果说不这样，请从此断绝关系。”又赐给南唐将相们书信，让他们考虑成熟了再来。南唐主又上表称谢。

李德明大为称赞周世宗的声威和德行以及军队的强大，劝说南唐主割让长江以

宋齐丘以割地为无益。德明轻佻，言多过实，国人亦不之信。枢密使陈觉、副使李徵古㊼素恶德明及[6]孙晟，使王崇质异其言，因谮德明于唐主曰："德明卖国求利。"唐主大怒，斩德明于市。

吴程攻常州，破其外郭，执唐常州团练使赵仁泽㊽，送于钱唐。仁泽见吴越王弘俶不拜，责以负约㊾。弘俶怒，决其口至耳㊿。元德昭怜其忠，为傅51良药，得不死。

【段旨】

以上为第二段，写南唐主不忍割江北之地以求和于后周。吴越王夹击南唐取常州。

【注释】

㊵寿、濠、泗、楚、光、海六州：六州之地当今江苏江北及安徽东北部地区。寿州治所在今安徽寿县。濠州治所在今安徽凤阳东北。泗州治所临难，在今江苏泗洪东南。楚州治所山阳，在今江苏淮安。光州治所在今河南潢川县。海州治所海州镇，在今江苏连云港西南。㊶仍岁：连年；每年。㊷何爽岁寒：不因岁寒而失约。爽，差。岁寒，取"岁寒知松柏之后凋"之意，意为经得住考验。㊸傥坚事大之心二句：谓如果能坚定侍奉大国的决心，终究不会逼迫人陷于险境。傥，如果。㊹俟诸郡之悉来：谓等到江北各郡全部

【原文】

唐主以吴越兵在常州，恐其侵逼润州，以宣、润大都督燕王弘冀年少，恐其不习兵，征还金陵。部将赵铎言于弘冀曰："大王元帅，众心所恃，逆自退归，所部必乱。"弘冀然之，辞不就征，部分诸将，为战守之备。

龙武都虞候柴克宏52，再用53之子也，沉默好施，不事家产。虽典宿卫，日与宾客博弈54饮酒，未尝言兵，时人以为非将帅材。至是，

北的土地，南唐主不高兴。宋齐丘认为割让土地没有益处。李德明为人轻浮，大多言过其实，国中人也不相信他。枢密使陈觉、副使李徵古一向厌恶李德明和孙晟，让王崇质跟他说得不一样，借机在南唐主面前诬陷李德明说："李德明出卖国家求取私利。"南唐主大怒，在街市上把李德明斩首。

吴程攻打常州，攻破常州外城，抓获了南唐常州团练使赵仁泽，押送到钱唐。赵仁泽见了吴越王钱弘俶不下拜，斥责他违背盟约。钱弘俶很生气，把他的嘴巴一直撕裂到耳朵。元德昭怜惜他的忠诚，替他敷上好药，得以不死。

割让过来。㊺更不烦云：不用再反复述说了。㊻苟曰未然二句：如果说不这样，就请从此断绝一切关系。㊼李徵古：袁州宜春（今江西宜春）人，南唐宋齐丘表亲，与陈觉等结为朋党。官枢密副使。在元宗面前议事，"横甚，无人臣礼"。后被削夺官爵，流放洪州，赐死。㊽赵仁泽：南唐常州团练使。周师南侵，吴越乘机攻常州，被俘。在吴越王面前宁死不屈，后遇吴越丞相元德昭相救，免死。㊾责以负约：南唐与吴越本来互通友好。吴越奉后周之命攻南唐，故仁泽责备其负约。㊿决其口至耳：撕裂他的嘴，一直到耳根。(51)傅：通"敷"。

【校记】

［5］诏书：原无"诏"字。据章钰校，十二行本、乙十一行本、孔天胤本皆有"诏"字，今据补。［6］及：原作"与"。据章钰校，十二行本、乙十一行本、孔天胤本皆作"及"，今据改。

【语译】

南唐主因为吴越军队在常州，害怕他们侵逼润州，又因为宣、润大都督燕王李弘冀年纪小，担心他不熟悉军事，便召回金陵。部将赵铎对李弘冀说："大王是元帅，是众人心中的依靠，自己反倒退回金陵，所辖部众一定大乱。"李弘冀认为他说得对，推辞而不接受征召，部署众将，进行战斗防守的准备。

龙武都虞候柴克宏，是柴再用的儿子，沉默寡言，喜欢施舍，不治家产。虽然负责宫廷警卫，但是天天和宾客下棋、饮酒，未曾谈论军事，当时的人认为他不是

有言克宏久不迁官者，唐主以为抚州刺史。克宏请效死行陈，其母亦表称克宏有父风，可为将，苟不胜任，分甘孥戮㊺。唐主乃以克宏为右武卫将军，使将兵会袁州刺史陆孟俊救常州。

时唐精兵悉在江北，克宏所将数千人皆羸老，枢密使李徵古复以铠仗之朽蠹者给之。克宏诉于徵古，徵古慢骂之，众皆愤恚，克宏怡然㊻。至润州，徵古遣使召还，以神卫[7]统军朱匡业㊼代之。燕王弘冀谓克宏曰[8]："君但前战，吾当论奏。"乃表克宏才略可以成功，常州危在旦莫㊽，不宜中易主将。克宏引兵径趣常州，征古复遣使召之。克宏曰："吾计日破贼，汝来召吾，必奸人也！"命斩之。使者曰："受李枢密命而来。"克宏曰："李枢密来，吾亦斩之！"

初，鲍脩让、罗晟在福州㊾，与吴程有隙。至是，程抑挫之，二人皆怨。先是，唐主遣中书舍人乔匡舜㊿使于吴越，壬子(61)，柴克宏至常州，蒙其船以幕，匿甲士于其中，声言迎匡舜。吴越逻者以告，程曰："兵交，使在其间，不可妄以为疑。"唐兵登岸，径薄吴越营，罗晟不力战，纵之使趣程帐，程仅以身免。克宏大破吴越兵，斩首万级。朱匡业至行营，克宏事之甚谨。吴程至钱唐，吴越王弘俶悉夺其官。

甲寅(62)，蜀主以捧圣控鹤都指挥使(63)李廷珪为左右卫圣诸军马步都指挥使。仍分卫圣、匡圣步骑为左右十军(64)，以武定节度使吕彦琦等为使(65)，廷珪总之(66)，如赵廷隐之任(67)。

初，柴克宏为宣州巡检使，始至，城堑不修，器械皆阙。吏云："自田頵(68)、王茂章(69)、李遇(70)相继叛，后人无敢治之者。"克宏曰："时移事异，安有此理！"悉缮完之。由是路彦铢攻之不克，闻吴程败，乙卯(71)，引归。唐主以克宏为奉化节度使，克宏复请将兵救寿州，未至而卒。

将帅之才。到了这个时候，有人说柴克宏长期没有升官，于是南唐主任命他为抚州刺史。柴克宏请求献身军阵，他的母亲也上表说柴克宏有他父亲的风范，可以担任将领，如果不能胜任，甘愿和儿子一同被杀。南唐主于是任命柴克宏为右武卫将军，命令他率兵会合袁州刺史陆孟俊救援常州。

当时南唐的精锐部队全在长江以北，柴克宏所率领的几千人都是老弱残兵，枢密使李徵古又把铠甲、兵器中腐朽破烂的给柴克宏。柴克宏向李徵古诉说，李徵古傲慢地痛骂他，大家都很愤恨，柴克宏处之安然。柴克宏到达润州，李徵古派遣使者召他返回，让神卫统军朱匡业代替柴克宏。燕王李弘冀对柴克宏说："您只管进兵作战，我自会向皇上奏报。"于是上表说柴克宏的才能谋略可以成就功业，常州危在旦夕，不宜中途改换主将。柴克宏率军直接奔赴常州，李徵古又派遣使者去召他回来。柴克宏说："我算定几天内就要攻破贼兵，你来召我，一定是奸人！"命令斩杀使者。使者说："我接受李枢密的命令而来。"柴克宏说："李枢密来了，我也要斩杀他！"

当初，鲍脩让、罗晟在福州时，与吴程有隔阂。到了这时，吴程压制他们，二人都心怀怨恨。此前，南唐主派遣中书舍人乔匡舜出使吴越。三月十九日壬子，柴克宏到达常州，用布幕把船蒙起来，把身穿铠甲的士兵藏在船里，声称去迎接乔匡舜。吴越巡逻的士兵报告这件事，吴程说："两国交战，使者来往其间，不可妄加怀疑。"南唐士兵登上岸，直接逼近吴越的军营，罗晟不奋力作战，放纵南唐士兵，让他们跑往吴程的营帐，吴程自己仅免一死。柴克宏大败吴越军队，斩首一万级。朱匡业到达军营，柴克宏侍奉他十分恭谨。吴程到了钱唐，吴越王钱弘俶剥夺了他的全部官职。

三月二十一日甲寅，后蜀主任命捧圣控鹤都指挥使李廷珪为左右卫圣诸军马步都指挥使。仍旧分卫圣、匡圣步骑兵为左右十个军，任命武定节度使吕彦琦等人为军使。由李廷珪总领，如同赵廷隐当年的职务。

最初，柴克宏担任宣州巡检使，刚到任时，城池失修，兵器用具全都破损。官吏说："自从田頵、王茂章、李遇相继叛乱，后来的人没有敢修治城池兵械的。"柴克宏说："时迁事异，哪有这种道理！"把城池兵械全部修缮完好。因此路彦铢攻不下来他，听说吴程失败，三月二十二日乙卯，带兵返回。南唐主任命柴克宏为奉化节度使，柴克宏又请求率兵救援寿州，还没到达就去世了。

【段旨】

以上为第三段，写南唐柴克宏有大将才，以羸兵击败吴越劲兵，收复常州。将兵救寿州，惜卒于道。

【注释】

㉜柴克宏：吴功臣柴再用子。性豪爽，博弈纵酒，不事家产。吴越侵常州，自请效死行阵，官右武卫将军。不畏奸臣干扰，终于智胜吴越军，拜奉化军节度使。㉝再用：柴再用，汝阳（今河南汝阳）人，吴名将。曾击败梁王朱全忠、吴越将张仁杰以及楚师等。官至德胜军节度使兼中书令。㉞博弈：博戏、围棋。㉟分甘孥戮：甘愿与儿子一同受诛戮。分、甘，均作甘愿讲。孥，儿子。㊱怡然：安然。㊲朱匡业：吴奉国节度使吴延寿子。周师侵淮南，任内外巡检使。严而无私，四郊肃然。官至神武统军、加中书令。㊳莫：傍晚，"暮"的古字。㊴鲍脩让、罗晟在福州：后汉天福十二年（公元九四七年），吴越派鲍脩让戍福州，同年吴程镇福州，以丞相知威武节度事。㊵乔匡舜：字亚元，高邮（今江苏高邮）人，直率，能属文。仕南唐烈祖、元宗，主持贡举，使乐史（后来成为文学家、地理学家）等久滞名场者及第，时称得人。官至刑部侍郎。㊶壬子：三月十九日。㊷甲寅：三月二十一日。㊸捧圣控鹤都指挥使：与下文之左右卫圣诸军马步都指挥使皆为禁卫军官名。㊹卫圣、匡圣步骑为左右十军：禁卫军名，分左右卫圣步军、左右卫圣骑军、左右匡圣步军、左右匡圣骑军等。㊺为使：任军使。㊻总之：总领他们。㊼如

【原文】

河阳节度使白重赞以天子南征，虑北汉乘虚入寇，缮完守备，且请兵于西京。西京留守王晏初不之与，又虑事出非常，乃自将兵赴之。重赞以晏不奉诏而来，拒不纳，遣人谓之曰："令公昔在陕服[72]，已立大功，河阳小城，不烦枉驾！"晏惭怍[73]而还。孟、洛之民，数日惊扰[74]。

唐主命诸道兵马元帅齐王景达将兵拒周，以陈觉为监军使、前武安节度使边镐为应援都军使[75]。中书舍人韩熙载上书曰："信莫信于亲王，重莫重于元帅，安用监军使为！"唐主不从。遣鸿胪卿[76]潘承祐[77]诣泉、建召募骁勇。承祐荐前永安节度使许文稹，静江指挥使陈德诚[78]，建州人郑彦华[79]、林仁肇[80]。唐主以文稹为西面行营应援使，彦华、仁肇皆为将。仁肇，仁翰之弟也。

夏，四月甲子[81]，以侍卫亲军都指挥使、归德节度使李重进为庐、寿等州招讨使，以武宁节度使武行德为濠州城下都部署。

赵廷隐之任：像赵廷隐的职务一样。后蜀赵廷隐在高祖孟知祥时任左匡圣步军都指挥使，后主孟昶立，加兼侍中，为六军副使，即任禁卫军副统帅。⑱田頵：字德臣，庐州合肥（今安徽合肥）人，初事杨行密，官宁国军节度使。因求池、歙二州，行密不许，遂于天复三年（公元九〇三年）据宣州反。遣使通好梁王朱全忠。后被行密将台蒙打败，为乱军所杀。传见《新唐书》卷一百八十九、《旧五代史》卷十七。⑲王茂章：庐州合肥（今安徽合肥）人，从杨行密起兵，后因得罪杨渥，天祐二年（公元九〇五年）叛归吴越，又降梁王朱全忠。避朱全忠家讳（全忠曾祖名茂琳），更名景仁。官至宁国军节度使。⑳李遇：合肥人，吴宣州观察使。因不满徐温专国政，于后梁乾化二年（公元九一二年）据宣州反，后被柴再用杀。传见《旧唐书》卷一百十六、《新唐书》卷八十二。㉑乙卯：三月二十二日。

【校记】

［7］神卫：严衍《通鉴补》改作"武卫"。〖按〗《陆氏南唐书》一作"神卫"，一作"神武卫"，未知孰是。［8］曰：原无此字。据张敦仁《通鉴刊本识误》云："'宏'下脱'曰'字。"当是，今据补。

【语译】

河阳节度使白重赞因为天子南征，担心北汉乘虚入侵，便整修城池防守，并且向西京请求援兵。西京留守王晏最初不肯给予军队，又担心发生意外，于是亲自率兵前往。白重赞因为王晏没有接到诏令前来，拒不接纳他，派人对他说："您以前在陕州归服，已经立下大功，河阳小城，不敢烦劳您的大驾！"王晏惭愧返回。孟州和洛阳的百姓，惊扰了好几天。

南唐主命令诸道兵马元帅齐王李景达率军抵御后周军队，任命陈觉为监军使、前任武安节度使边镐为应援都军使。中书舍人韩熙载上书说："论信任没有比亲王更值得信任的，论重要没有比元帅更重要的，哪里还用得上监军使！"南唐主不听从。南唐主派遣鸿胪卿潘承祐前往泉州、建州招募勇猛将士。潘承祐推荐前任永安节度使许文稹，静江指挥使陈德诚，建州人郑彦华和林仁肇。南唐主任命许文稹为西面行营应援使，郑彦华、林仁肇都为将领。林仁肇，是林仁翰的弟弟。

夏，四月初二日甲子，周世宗任命侍卫亲军都指挥使、归德节度使李重进担任庐、寿等州招讨使，任命武宁节度使武行德担任濠州城下都部署。

唐右卫将军陆孟俊自常州将兵万余人趣泰州，周兵遁去，孟俊复取之，遣陈德诚戍泰州。孟俊进攻扬州，屯于蜀冈⑫，韩令坤弃扬州走。帝遣张永德将兵救之，令坤复入扬州。帝又遣太祖皇帝将兵屯六合⑬。太祖皇帝令曰："扬州兵有过六合者，折其足！"令坤始有固守之志。

帝自至寿春以来，命诸军昼夜攻城，久不克。会大雨，营中水深数尺，攻具及士卒失亡颇多，粮运不继，李德明失期不至，乃议旋师。或劝帝东幸濠州，声言寿州已破，从之。己巳⑭，帝自寿春循淮而东。乙亥⑮，至濠州。

韩令坤败唐兵于城东⑯，擒陆孟俊。初，孟俊之废马希萼立希崇也，灭故舒州⑰刺史杨昭恽⑱之族而取其财，杨氏有女美，献于希崇。令坤入扬州，希崇以杨氏遗令坤，令坤嬖⑲之。既获孟俊，将械送帝所。杨氏在帘下，忽抚膺恸哭，令坤惊问之，对曰："孟俊昔在潭州，杀妾家二百口，今日见之，请复其冤。"令坤乃杀之。

唐齐王景达将兵二万自瓜步⑳济江，距六合二十余里，设栅不进。诸将欲击之，太祖皇帝曰："彼设栅自固，惧我也。今吾众不满二千，若往击之，则彼见吾众寡矣。不如俟其来而击之，破之必矣！"居数日，唐出兵趣六合。太祖皇帝奋击，大破之，杀获近五千人，余众尚万余，走渡江，争舟[9]溺死者甚众。于是唐之精卒尽矣。是战也，士卒有不致力者。太祖皇帝阳㉑为督战，以剑斫其皮笠㉒。明日，遍阅其笠[10]，有剑迹者数十人，皆斩之，由是部兵莫敢不尽死。

先是，唐主闻扬州失守，命四旁发兵取之。己卯㉓，韩令坤奏败楚州[11]兵万余人于湾头堰㉔，获涟州㉕刺史秦进崇，张永德奏败泗州兵[12]万余人于曲溪堰㉖。

丙戌㉗，以宣徽南院使向训为淮南节度使兼沿江招讨使。

涡口奏新作浮梁成。丁亥㉘，帝自濠州如涡口。

帝锐于进取，欲自至扬州，范质等以兵疲食少，泣谏而止。帝尝怒翰林学士窦仪，欲杀之。范质入救之，帝望见，知其意，即起避之。质趋前伏地，叩头谏曰："仪罪不至死，臣为宰相，致陛下枉杀近臣，罪皆在臣。"继之以泣。帝意解，乃释之。

南唐右卫将军陆孟俊从常州率兵一万多人奔赴泰州，后周兵逃走，陆孟俊又收复泰州，派陈德诚戍守泰州。陆孟俊进攻扬州，驻扎在蜀冈，韩令坤丢弃扬州城跑走了。周世宗派遣张永德带兵去救援，韩令坤又进入扬州。周世宗又派遣太祖皇帝赵匡胤率军驻扎在六合。太祖皇帝命令说："扬州兵如果有经过六合的，折断他的脚！"韩令坤这才有固守的想法。

周世宗自从到寿春以来，命令各军日夜攻城，很久没有攻下。适逢大雨，军营中水深数尺，攻城的器具和士兵流失、死亡的很多，粮食的运送供应不上，李德明逾期未至，于是商议回师。有人劝周世宗东临濠州，声称寿州已经攻下，周世宗听从了。四月初七日己巳，周世宗从寿春沿着淮河东进。十三日乙亥，到达濠州。

韩令坤在扬州城东打败南唐军队，抓获了陆孟俊。当初，陆孟俊废黜马希萼立马希崇的时候，族灭原舒州刺史杨昭恽，夺取了他的财产。杨氏有个女儿很漂亮，陆孟俊把她献给马希崇。韩令坤进入扬州，马希崇把杨氏送给韩令坤，韩令坤很宠爱她。抓获了陆孟俊后，准备加上械具送往周世宗的住处。杨氏站在竹帘下面，忽然捶胸痛哭，韩令坤惊讶地问她，杨氏回答说："陆孟俊过去在潭州，杀了妾家人二百口，今天见到他，请报冤仇。"韩令坤于是杀死了陆孟俊。

南唐齐王李景达率领两万士兵从瓜步渡过长江，距离六合二十多里，设置栅栏不再前进。众将打算攻打南唐军队，太祖皇帝说："他们设置栅栏自己固守，是害怕我们。现在我们的部众不足两千人，如果前去攻打他们，那么他们就会看见我们兵力少了。不如等待他们前来再攻击他们，一定可以打败他们！"过了几天，南唐出兵奔赴六合。太祖皇帝奋力攻击，大败南唐军队，杀死和俘虏将近五千人，南唐剩下的士兵还有一万多人，逃跑渡江，争夺船只淹死的人很多。于是南唐的精锐士卒全都没有了。这次战役，士卒有不尽力作战的。太祖皇帝假装督战，用剑砍那些不尽力作战士兵的皮斗笠。第二天，遍查士兵的斗笠，上面有剑砍痕迹的几十人，全部将他们斩首，因此部众没有敢不拼死作战的。

先前，南唐主听说扬州失守，命令扬州的四邻州县发兵夺回扬州。四月十七日己卯，韩令坤上奏说在湾头堰打败楚州兵一万多人，擒获涟州刺史秦进崇，张永德上奏说在曲溪堰打败泗州兵一万多人。

二十四日丙戌，任命宣徽院使向训为淮南节度使兼沿江招讨使。

涡口奏报新修的浮桥建成。二十五日丁亥，周世宗从濠州前往涡口。

周世宗锐意进取，打算亲自到扬州，范质等人认为军队疲惫，粮食缺少，哭着劝谏，这才作罢。周世宗曾恼怒翰林学士窦仪，想要杀掉他。范质入朝救他，周世宗望见范质，知道他的意思，立即起身避开他。范质快走向前伏在地上，磕头劝谏说："窦仪的罪过不至于死，臣任宰相，致使陛下枉杀近臣，罪过都在臣的身上。"接着哭起来。周世宗的怒气消了，就放了窦仪。

北汉葬神武帝⑨⑨于交城⑩⑩北山，庙号世祖。

五月壬辰[13]朔⑩①，以涡口为镇淮军。

丙申⑩②，唐永安节度使陈诲败福州兵于南台江⑩③，俘斩千余级。唐主更命永安曰忠义军⑩④。诲，德诚之父也。

戊戌⑩⑤，帝留侍卫亲军都指挥使李重进等围寿州，自涡口北归。乙卯⑩⑥，至大梁。

六月壬申⑩⑦，赦淮南诸州系囚，除李氏非理赋役⑩⑧，事有不便于民者委长吏以闻⑩⑨。

【段旨】

以上为第四段，写周世宗在淮南与南唐兵全线大交战，南唐军溃败，多数州城失守，但寿州屹立不动，周世宗留军北还。

【注释】

⑫令公昔在陕服：王晏原为后晋军官，契丹灭后晋，晏杀契丹将刘愿，率陕州归附刘知远，后汉亡，又投郭威。世宗时，兼中书令。⑬惭怍：惭愧。⑭孟、洛之民二句：孟、洛百姓因见白重赞拒纳王晏兵，担心交战，故惊扰。⑮前武安节度使边镐句：边镐因失潭州后被免去节度使之职，至此又起用。⑯鸿胪卿：官名，掌朝祭礼仪等事。⑰潘承祐：晋安（今福建南安）人，初仕吴，后归闽。王延政建殷，官吏部尚书、同平章事。因上书十事，被削官爵。南唐破建州，颇受元宗重用。官鸿胪卿。⑱陈德诚：南唐名将陈诲子，才兼文武。后周师南侵，率兵赴难，未尝受挫，号百胜军。官至和州刺史。⑲郑彦华：建州（今福建建瓯，《十国春秋》称福州）人，南唐镇海军节度使。后主末年，宋师自采石渡江，杜贞率军迎战，彦华拥兵不救，导致国破。宋初，官左千牛卫大将军。⑳林仁肇：建阳（今福建南平市建阳区）人，闽南廊承旨林仁翰弟。文身为虎形，军中称他为"林虎子"。初仕闽，为裨将。周师南侵，被荐为将，率军抵抗。与士卒均食、同服，颇得士心。后遭诬陷，被南唐后主鸩杀。㉑甲子：四月初二日。㉒蜀冈：在今江苏扬州市江都区西北。上有蜀井，相传地脉通蜀，故名。蜀冈位置极为重要，占据蜀冈便可切断后周军队对扬州的援路，所以把韩令坤吓得丢弃扬州逃跑。㉓六合：县名，县治在今江苏南京市六合区，是扬州往西北归的必经之路。㉔己巳：四月初七日。㉕乙亥：四月十三日。㉖城东：扬州城东。㉗舒州：据胡三省注所引薛居正《旧五代史》，当作"衡州"。㉘杨昭恽：长

北汉在交城北山安葬神武帝，庙号世祖。

五月初一日壬辰，把涡口改为镇淮军。

初五日丙申，南唐永安节度使陈诲在南台江打败福州军队，俘获和斩杀了一千多人。南唐主把永安军改名为忠义军。陈诲，是陈德诚的父亲。

初七日戊戌，周世宗留下侍卫亲军都指挥使李重进等人包围寿州，自己从涡口向北返回。二十四日乙卯，到达大梁。

六月十一日壬申，赦免淮南各州囚禁的罪犯，免除李氏不合理的徭役、赋税，事情有不方便民众的委托地方长吏奏报。

沙人，父杨谥，事马殷为楚节度行军司马。杨谥仲女为衡阳王马希声夫人。马希声袭位，昭恽迁衡州刺史，成为地方豪富。⑧⑨嬖：爱幸。⑨⓪瓜步：瓜步镇，在今江苏南京市六合区东南二十里瓜步山下。⑨①阳：通“佯”。⑨②皮笠：皮制的笠帽。⑨③己卯：四月十七日。⑨④湾头堰：即湾头镇，在今江苏扬州市江都区东北，运河分流处。⑨⑤涟州：州名，治所涟水县，在今江苏涟水北。⑨⑥曲溪堰：又名新河堰，在今江苏盱眙西南十里。⑨⑦丙戌：四月二十四日。⑨⑧丁亥：四月二十五日。⑨⑨神武帝：北汉皇帝刘旻（初名崇）的谥号。⑩⓪交城：县名，县治在今山西交城。⑩①壬辰朔：五月初一日。⑩②丙申：五月初五日。⑩③南台江：闽江经南台山下一段称南台江。⑩④唐主更命永安曰忠义军：南唐保大三年（公元九四五年）取建州，升为永安军节度，至此又改为忠义军。⑩⑤戊戌：五月初七日。⑩⑥乙卯：五月二十四日。⑩⑦壬申：六月十一日。⑩⑧除李氏非理赋役：免除南唐李氏政权不合理的徭役与赋税。⑩⑨委长吏以闻：委托地方行政长官（如县令、长、丞、尉等）向上级报告。

【校记】

［9］走渡江争舟：原作“争舟走渡江”。据章钰校，十二行本、乙十一行本、孔天胤本皆作“走渡江争舟”，张敦仁《通鉴刊本识误》、张瑛《通鉴校勘记》同，今据改。［10］笠：原作“皮笠”。据章钰校，十二行本、乙十一行本、孔天胤本皆无“皮”字，张敦仁《通鉴刊本识误》同，今据删。［11］楚州：原作“扬州”。据章钰校，十二行本、乙十一行本、孔天胤本皆作“楚州”，张敦仁《通鉴刊本识误》同，今据改。〖按〗《旧五代史》卷一百十六此系楚州贼将马在贵部，“楚州”义长。［12］兵：原无此字。据章钰校，十二行本、乙十一行本、孔天胤本皆有此字，今据补。［13］壬辰：原作“丙辰”。据章钰校，十二行本、乙十一行本、孔天胤本皆作“壬辰”，张敦仁《通鉴刊本识误》同，今据改。

【原文】

侍卫步军都指挥使、彰信节度使李继勋⑩营于寿州城南。唐刘仁赡伺继勋无备，出兵击之，杀士卒数百人，焚其攻具。

唐驾部员外郎⑪朱元因奏事论用兵方略，唐主以为能，命将兵复江北诸州。

秋，七月辛卯朔⑫，以周行逢为武平节度使，制置武安、静江等军事。行逢既兼总湖、湘，乃矫前人之弊，留心民事，悉除马氏横赋⑬，贪吏猾民为民害者皆去之，择廉平吏为刺史、县令。

朗州民夷杂居，刘言、王逵旧将卒[14]多骄横，行逢壹⑭以法治之，无所宽假⑮，众怨怼⑯且惧。有大将与其党十余人谋作乱，行逢知之，大会诸将，于座中擒之，数曰："吾恶衣粝⑰食，充实府库，正为汝曹，何负而反！今日之会，与汝诀也！"立挝杀之，座上股栗⑱。行逢曰："诸君无罪，皆宜自安。"乐饮而罢。

行逢多计数，善发隐伏⑲，将卒有谋乱及叛亡者，行逢必先觉，擒杀之，所部凛然。然性猜忍⑳，常散遣人密诇诸州事，其之邵州㉑者，无事可复命，但言刺史刘光委多宴饮。行逢曰："光委数聚饮，欲谋我邪！"即召还，杀之。亲卫指挥使、衡州刺史张文表恐获罪，求归治所㉒，行逢许之。文表岁时馈献甚厚，及谨事左右㉓，由是得免。

行逢妻郧国夫人邓氏㉔，陋而刚决，善治生㉕。尝谏行逢用法太严，人无亲附者，行逢怒曰："汝妇人何知！"邓氏不悦，因请之㉖村墅视田园，遂不复归府舍㉗。行逢屡遣人迎之，不至。一旦，自帅僮仆来输税，行逢就见之，曰："吾为节度使，夫人何自苦如此！"邓氏曰："税，官物也。公为节度使，不先输税，何以率下！且独不记为里正㉘代人输税以免楚挞㉙时邪？"行逢欲与之归，不可，曰："公诛杀太过，常恐一旦有变，村墅易为逃匿耳。"行逢惭怒，其僚属曰："夫人言直，公宜纳之。"

行逢婿唐德求补吏，行逢曰："汝才不堪为吏，吾今私汝则可矣。汝居官无状㉚，吾不敢以法贷㉛汝，则亲戚之恩绝矣。"与之耕牛、农具而遣之。

【语译】

侍卫步军都指挥使、彰信节度使李继勋在寿州城南扎营。南唐刘仁赡伺机李继勋没有防备，出兵攻打他，杀死士兵几百人，烧掉他们攻城的器具。

南唐驾部员外郎朱元藉奏事时，谈论用兵策略，南唐主认为他有才能，命令他率兵收复江北各州。

秋，七月初一日辛卯，周世宗任命周行逢为武平节度使，辖理武安、静江等军事。周行逢兼管湖、湘地区后，便矫正前人的弊端，留心百姓的事情，全面废除马氏横加的赋税，贪官污吏侵扰百姓成为百姓祸害的全部废黜，选择清廉公正的官吏担任刺史、县令。

朗州汉民和蛮夷混杂居住，刘言、王逵的旧将卒大多骄横，周行逢一律依法处置他们，无所宽容，众人既怨恨又害怕。有一名大将和他的党羽十多人图谋叛乱，周行逢知道了这件事，大量召集诸将会饮，在座位中抓了他，责备他说："我穿破旧的衣服，吃粗糙的饭食，充实府库，正是为了你们，为什么辜负我而造反！今天的聚会，是和你诀别！"立即打死了他，座位上的众将双腿颤抖。周行逢说："各位没有罪，都应该自己安心。"大家高兴地喝酒而散去。

周行逢多计谋，善于发觉隐秘的非法行为，将帅士卒有图谋作乱以及叛变逃亡的，周行逢一定能事先察觉，抓住杀掉，所辖部下对他很敬畏。然而他生性多疑残忍，常常分别派人秘密刺探各州的情况，其中前往邵州的人，没有什么事情可以报告，只说刺史刘光委宴饮很多。周行逢说："刘光委频繁聚会饮酒，想要图谋我吗！"立即召回来，杀掉了他。亲卫指挥使、衡州刺史张文表害怕获罪，请求解除兵权返回治所，周行逢同意了。张文表一年四季馈赠进献非常丰厚，同时很谨慎地服侍周行逢左右的人，因此得以免罪。

周行逢的妻子郧国夫人邓氏，丑陋而刚强果断，善于操持生计。曾经谏阻周行逢用法太严，没有亲附的人。周行逢生气地说："你妇道人家知道什么！"邓氏不高兴，因而请求去往乡村看视田园，就不再返回朗州府舍。周行逢一再派人去接她，都不肯来。有一天，邓氏自己带着僮仆来缴纳赋税，周行逢前去见她，说："我身为节度使，夫人何必这样自找苦吃！"邓氏说："租税是公家的东西。您身为节度使，不先缴纳赋税，靠什么做下民的表率！而且您难道不记得您当里正时替人家缴纳赋税来免除拷打的时候了吗？"周行逢想和她返回府舍，邓氏不肯，说："您诛杀太过分，我常常担心有朝一日发生变乱，那时乡村草房容易逃匿。"周行逢又惭愧又恼怒，他的僚属说："夫人的话很直率，您应该接受。"

周行逢的女婿唐德请求补任吏职。周行逢说："你的才干不能胜任吏职，我如今对你偏私则是可以的。你居官没有成绩，我不敢用法令来宽待你，那么亲戚之间的恩情就断绝了。"送给他耕牛、农具，打发他走了。

行逢少时尝坐事黥⑫，隶辰州铜坑⑬，或说行逢："公面有文，恐为朝廷使者所嗤，请以药灭之。"行逢曰："吾闻汉有黥布⑭，不害为英雄，吾何耻焉！"

自刘言、王逵以来，屡举兵，将吏积功及所羁縻蛮夷，检校⑮官至三公者以千数。前天策府学士徐仲雅⑯，自马希广之废⑰，杜门不仕[15]，行逢慕之，署节度判官。仲雅曰："行逢昔趋事我，奈何为之幕吏！"辞疾不至。行逢迫胁固召之，面授文牒，终辞不取。行逢怒，放之邵州，既而召还。会行逢生日，诸道各遣使致贺，行逢有矜色，谓仲雅曰："自吾兼镇三府⑱，四邻亦畏我乎？"仲雅曰："侍中⑲境内，弥天太保，遍地司空，四邻那得不畏！"行逢复放之邵州，竟不能屈。有僧仁及，为行逢所信任，军府事皆预之，亦加检校司空，娶数妻，出入导从⑳如王公。

辛亥㉑，宣懿皇后符氏㉒殂。

【段旨】

以上为第五段，写湖南武平节度使周行逢多智略，但性情残忍苛暴，夫人规谏不听。

【注释】

⑩李继勋：大名元城（今河北大名东）人，从周世宗、宋太祖出征南唐、北汉与契丹，官至同平章事、加兼侍中。传见《宋史》卷二百五十四。⑪驾部员外郎：官名。驾部为兵部第三司，长官为郎中，副长官为员外郎，掌车舆、驿传、马政、监牧等事。⑫辛卯朔：七月初一日。⑬横赋：横行征收的赋税。⑭壹：一律。⑮宽假：宽贷；宽容。⑯怨怼：怨恨。⑰粝：粗米。⑱股栗：大腿发抖，形容十分恐惧。⑲善发隐伏：善于发觉别人隐秘的非法行为。⑳猜忍：多疑而残忍。㉑邵州：州名，治所邵阳，在今湖南邵阳。㉒求归治所：张文表要求解除兵权，回到衡州。㉓谨事左右：谨慎地服事周行逢身边亲近的人。㉔邓氏：《宋史》卷四百八十三作"潘氏"；《新五代史》卷六十六及《九国志》卷十一作"严氏"。㉕善治生：善于治理生计。㉖之：往。㉗府舍：朗州府舍。㉘里正：古代乡官。历代制度不同，隋畿外二十五家为里，置里正；百家为党，置党长。唐以百户为里，置里正一人。㉙楚挞：拷打。㉚无状：无功状；无成绩。㉛贷：饶恕；宽

周行逢年轻时候曾经犯事遭受黥刑，隶属辰州铜矿。有人劝说周行逢：“您脸上有刺字，恐怕会被朝廷的使者所嘲笑，请用药把它除掉。”周行逢说：“我听说汉朝有个黥布，并不妨碍他成为英雄，我有什么羞耻的呢！”

自从刘言、王逵以来，一再起兵，将领、官吏累积功劳以及所笼络的蛮夷部落首领，检校官至三公的人数以千计。前任天策府学士徐仲雅，自从马希广被废以来，闭门不出仕，周行逢仰慕他，委任他为节度判官。徐仲雅说：“周行逢过去趋走奉侍我，我为什么要做他的幕僚！”借口生病没有前来。周行逢强迫威胁，坚持召请他，当面给他任职文书，徐仲雅始终推辞不接受。周行逢很生气，把他流放到邵州，不久召回。适逢周行逢的生日，诸道各自派遣使者致贺，周行逢面有骄色，对徐仲雅说：“自从我兼领武平、武安、静江三府，四邻也畏惧我吗？”徐仲雅说：“侍中的境内，满天太保，遍地司空，四邻哪能不畏惧！”周行逢又把徐仲雅流放到邵州，最终也没有让他屈服。有个僧人叫仁及，被周行逢所信任，军府的事情他都参与，也加官检校司空，娶了几个妻子，进出的时候和王公一样，有人开道随从。

七月二十一日辛亥，宣懿皇后符氏去世。

恕。⑬² 黥：古代的一种肉刑。用刀刺刻额颊处，再涂上墨，故又称墨刑。⑬³ 铜坑：采铜矿的洞坑。即铜矿场。⑬⁴ 黥布：西汉初诸侯王英布（？至公元前一九五年），曾因犯法被黥面，故又名黥布。传见《史记》卷九十一、《汉书》卷三十四。⑬⁵ 检校：官名。唐、宋均有检校官，从检校司空、检校太师至检校各部员外郎。实为加官。⑬⁶ 徐仲雅：字东野，其先秦中人，后徙长沙。长于诗文，年十八即为天策府十八学士之一。性滑稽，重气节，地方豪强也胁迫不得。⑬⁷ 马希广之废：马希广被废之事见《资治通鉴》卷二百八十九后汉乾祐二年（公元九四九年）。⑬⁸ 三府：指武平、武安、静江三军府。⑬⁹ 侍中：此指周行逢。周行逢加侍中。⑭⁰ 出入导从：出入门庭，前面都有人给他开道。⑭¹ 辛亥：七月二十一日。⑭² 宣懿皇后符氏：出身于将相之家。祖父为符存审，父为符彦卿。果决有大志。初嫁李守贞子李崇信，崇信死，为周世宗所娶，册封为皇后。

【校记】

［14］卒：原无此字。据章钰校，十二行本、乙十一行本、孔天胤本皆有此字，今据补。［15］仕：原作“出”。据章钰校，十二行本、乙十一行本、孔天胤本皆作“仕”，今据改。

【原文】

唐将朱元取舒州，刺史郭令图弃城走。李平取蕲州。唐主以元为舒州团练使，平为蕲州刺史。元又取和州。初，唐人以茶盐强民而征其粟帛⑭³，谓之博征⑭⁴，又兴营田⑭⁵于淮南，民甚苦之。及周师至，争奉牛酒迎劳。而将帅不之恤，专事俘掠，视民如土芥。民皆失望，相聚山泽，立堡壁自固，操农器为兵，积纸为甲，时人谓之“白甲军”。周兵讨之，屡为所败，先所得唐诸州，多复为唐有。

唐之援兵营于紫金山⑭⁶，与寿春城中烽火相应。淮南节度使向训奏请以广陵⑭⁷之兵并力攻寿春，俟克城，更图进取，诏许之。训封府库以授扬州主者⑭⁸，命扬州牙将分部按行⑭⁹城中，秋毫不犯，扬州民感悦，军还，或负糗糒⑮⁰以送之。滁州守将亦弃城去，皆引兵趣寿春。

唐诸将请据险以邀周师，宋齐丘曰：“如此，则怨益深。不如纵之，以德于敌，则兵易解也[16]。”乃命诸将各自保守，毋得擅出击周兵。由是寿春之围益急。齐王景达军于濠州，遥为寿州声援，军政皆出于陈觉，景达署纸尾而已⑮¹，拥兵五万，无决战意，将吏畏觉，无敢言者。

八月戊辰⑮²，端明殿学士王朴、司天少监王处纳⑮³撰《显德钦天历》⑮⁴，上之。诏自来岁行之。

殿前都指挥使、义成节度使张永德屯下蔡，唐将林仁肇等[17]以水陆军援寿春，永德与之战。仁肇以船实薪刍，因风纵火，欲焚下蔡浮梁，俄而风回，唐兵败退。永德为铁绠⑮⁵千余尺，距浮梁十余步，横绝淮流，系以巨木，由是唐兵不能近。

九月丙午⑮⁶，以端明殿学士、左散骑常侍、权知开封府事王朴为户部侍郎，充枢密副使。

冬，十月癸酉⑮⁷，李重进奏唐人寇盛唐，铁骑都指挥使王彦昇⑮⁸等击破之，斩首三千余级。彦昇，蜀人也。

丙子⑮⁹，上谓侍臣：“近朝⑯⁰征敛谷帛，多不俟收获、纺绩之毕。”乃诏三司⑯¹，自今夏税以六月，秋税以十月起征，民间便之。

山南东道节度使、守太尉兼中书令安审琦镇襄州十余年，至是入

【语译】

南唐将领朱元取得了舒州，刺史郭令图弃城逃走。李平取得了蕲州。南唐主任命朱元为舒州团练使，李平为蕲州刺史。朱元又取得了和州。当初，南唐强行百姓购买茶、盐，而征收他们的粮食和布帛，称为"博征"，又在淮南兴办营田，百姓深受其苦。等到后周军队到来，百姓争相奉献牛肉、酒菜来迎接慰劳。而后周将帅并不体恤安抚他们，专门从事抢劫，把百姓看作粪土和草芥。百姓都很失望，相聚山泽，修筑堡垒自己固守，拿农具当兵器，聚集纸片当铠甲，当时的人称之为"白甲军"。后周军队讨伐他们，屡次被他们打败，以前所得到的南唐各州，大多又为南唐所有。

南唐援兵在紫金山扎营，与寿春城中烽火相呼应。淮南节度使向训上奏请求派广陵的军队合力攻打寿春，等到攻克寿春城，再图谋进取，周世宗下诏同意了。向训封好府库，把它交给扬州主掌府库的人，命令扬州牙将部署巡视城里，秋毫无犯，扬州百姓感动欢喜，军队返回时，有的人背着干粮去送他们。滁州守将也弃城离去，都带兵奔赴寿春。

南唐众将领请求占据险要的地方来截击后周军队，宋齐丘说："像这样的话，两国的仇怨就更深了。不如放任后周进军，来让敌人感恩，那战事就易于结束了。"于是命令众将各自守卫，不得擅自出击后周军队。因此寿春被围困得更加紧急。齐王李景达驻扎在濠州，遥为寿州声援，军事政令都出自陈觉，李景达在纸尾署名而已，拥兵五万，没有决战的意思，将帅官吏害怕陈觉，没有敢说话的。

八月初九日戊辰，端明殿学士王朴、司天少监王处纳编撰了《显德钦天历》，上呈周世宗。周世宗下诏，从来年开始实行。

殿前都指挥使、义成节度使张永德屯驻下蔡，南唐将领林仁肇等率领水军陆军救援寿春，张永德和他交战。林仁肇用船装满柴草，趁风纵火，打算烧掉下蔡的浮桥，一会儿风向回转，南唐军队败退。张永德制作一条一千多尺长的铁索，距离浮桥十几步，拦腰隔断淮河水流，系上大木头，因此南唐兵不能接近浮桥。

九月十七日丙午，周世宗任命端明殿学士、左散骑常侍、权知开封府事王朴为户部侍郎，充任枢密副使。

冬，十月十四日癸酉，李重进奏报南唐军队侵犯盛唐，铁骑都指挥使王彦昇等人打败了他们，斩首三千多级。王彦昇是蜀人。

十七日丙子，周世宗对侍臣说："近几朝征收粮食、布帛，大多不等到收获、纺织完毕。"于是下诏三司，从现在起，夏税在六月，秋税在十月开始征收，民间感到很方便。

山南东道节度使、守太尉兼中书令安审琦镇守襄州十多年，到了这时入朝，拜

朝，除守太师，遣还镇。既行，上问宰相："卿曹送之乎？"对曰："送至城南，审琦深感圣恩。"上曰："近朝多不以诚信待诸侯，诸侯虽有欲效忠节者，其道无由。王者但能毋失其信，何患诸侯不归心哉！"

壬午⑯²，张永德奏败唐兵于下蔡。是时唐复以水军攻永德，永德夜令善游者没其船下，縻以铁锁，纵兵击之，船不得进退，溺死者甚众。永德解金带以赏善游者。

甲申⑯³，以太祖皇帝为定国⑯⁴节度使兼殿前都指挥使。太祖皇帝表滑州⑯⁵军事判官赵普为节度推官。

张永德与李重进不相悦，永德密表重进有二心，帝不之信。时二将各拥重兵，众心忧恐。重进一日单骑诣永德营⑯⁶，从容宴饮，谓永德曰："吾与公幸以肺附⑯⁷俱为将帅，奚相疑若此之深邪？"永德意乃解，众心亦安。唐主闻之，以蜡书[18]遗重进，诱以厚利，其书皆谤毁及反间之语，重进奏之。

【段旨】

以上为第六段，写南唐宋齐丘误国，后周侍卫亲军都指挥使李重进顾全大局，释私嫌，重公义，将士一心。

【注释】

⑭³以茶盐强民而征其粟帛：强迫百姓购买茶、盐，而征收他们的粮食和布帛。⑭⁴博征：意为以茶、盐换取粮、帛。博，易也。⑭⁵营田：屯田。⑭⁶紫金山：在今安徽凤台东南。⑭⁷广陵：古县名，县治在今江苏扬州。⑭⁸主者：指主管府库的人。⑭⁹分部按行：部署巡视。分部，部署、安排。⑮⁰糗糒：干粮。⑮¹署纸尾而已：在公文纸末端签个名罢了。⑮²戊辰：八月初九日。⑮³王处纳：河南洛阳人，通星历、占候之学。宋初，官司农少卿、并判司天事，后除司天监。据《宋史》卷四百六十一本传，"纳"当作"讷"。⑮⁴撰《显德钦天历》：据《宋史·王处讷传》，《钦天历》为王朴所作，王处讷曾指出其中的不足。宋太祖建隆二年（公元九六一年），下诏令王处讷另造新历，历三年而成，六卷，宋太祖亲自撰序，名为《应天历》。⑮⁵铁绠：铁索。⑮⁶丙午：九月十七日。⑮⁷癸酉：十月

官守太师，派还镇所。上路以后，周世宗询问宰相："你们送他了吗?"回答说："送到城南，安审琦深感圣恩。"周世宗说："近来各朝大多不用诚信对待藩镇，藩镇虽然有想要效忠尽节的，也没有途径。称王天下的人只要能不失诚信，怕什么藩镇不真心地归服呢!"

十月二十三日壬午，张永德上奏说在下蔡打败南唐军队。这时，南唐又利用水师攻打张永德，张永德命令善于游泳的人夜里潜入南唐军队的船下，用铁锁系船，然后纵兵进攻，船只不能进退，淹死的人很多。张永德解下金带赏给善于游泳的人。

二十五日甲申，任命太祖皇帝赵匡胤为定国节度使兼殿前都指挥使。太祖皇帝上表推荐渭州军事判官赵普为节度推官。

张永德和李重进关系不好，张永德秘密上表说李重进有二心，周世宗不相信此事。当时这两位将领各自拥有重兵，大家心里忧惧。李重进有一天单枪匹马前往张永德的营中，从容饮酒，对张永德说："我与您有幸因为是皇上的亲戚都做了将帅，为什么相互猜疑如此之深呢?"张永德的心结这才解开了，大家心里也安定了。南唐主听说这件事，把装有密信的蜡丸送给李重进，用重利引诱他，信中全是毁谤朝廷和离间的话，李重进把书信上奏。

十四日。⑱王彦昇：字光烈，本为蜀人，后唐同光中徙家洛阳。性残忍，善击剑，号"王剑儿"。宋初，官至原州防御使。宋太祖因其擅杀韩通，终身不授节钺。传见《宋史》卷二百五十。⑲丙子：十月十七日。⑳近朝：近代。㉑三司：五代、北宋以盐铁、户部、度支为三司，长官称三司使，掌管统筹国家财政。㉒壬午：十月二十三日。㉓甲申：十月二十五日。㉔定国：即定国军，原名同州匡国军，避宋太祖赵匡胤讳，史书遂改军号。㉕渭州：州名，治所平凉，在今甘肃平凉。㉖单骑诣永德营：当时李重进扎营寿州城下，张永德扎营在下蔡镇。㉗肺附：指帝王的近亲。李重进是后周太祖的外甥，张永德是周太祖的女婿。

【校记】

［16］不如纵之以德于敌则兵易解也：原无此十三字。据章钰校，十二行本、乙十一行本、孔天胤本皆有此十三字，张瑛《通鉴校勘记》同，今据补。［17］等：原无此字。据章钰校，十二行本、乙十一行本、孔天胤本皆有此字，今据补。［18］书：原作"丸"。据章钰校，十二行本、乙十一行本、孔天胤本皆作"书"，今据改。

【原文】

初，唐使者孙晟、锺谟从帝至大梁，帝待之甚厚。每朝会，班于中书省官之后⑯，时召见，饮以醇酒，问以唐事。晟但言："唐主畏陛下神武，事陛下无二心。"及得唐蜡书，帝大怒，召晟，责以所对不实。晟正色抗辞，请死而已。问以唐虚实，默不对。十一月乙巳⑯，帝命都承旨⑰曹翰送晟于右军巡院⑰，更以帝意问之。翰与之饮酒数行，从容问之，晟终不言。翰乃谓曰："有敕，赐相公⑰死。"晟神色怡然，索靴[19]笏⑰，整衣冠，南向拜曰："臣谨以死报国。"乃就刑。并从者百余人皆杀之⑰，贬锺谟耀州⑰司马。既而帝怜晟忠节，悔杀之，召谟，拜卫尉少卿⑰。

帝召华山⑰隐士真源陈抟⑰，问以飞升⑰、黄白⑱之术，对曰："陛下为天子，当以治天下为务，安用此为！"戊申⑱，遣还山，诏州县长吏常存问之。

十二月壬申⑱，以张永德为殿前都点检⑱。

分命中使发陈、蔡、宋、亳、颍、兖⑱、曹、单⑱等州丁夫数万[20]城下蔡。

是岁，唐主诏淮南营田害民尤甚者罢之。遣兵部郎中陈处尧持重币浮海诣契丹乞兵。契丹不能为之出兵，而留处尧不遣。处尧刚直有口辩，久之，忿怼⑱，数面责契丹主，契丹主亦不之罪也。

蜀陵⑱、荣州⑱獠⑱反，弓箭库使赵季文讨平之。

吴越王弘俶括境内民兵，劳扰颇多，判明州钱弘亿手疏切谏，罢之。

【段旨】

以上为第七段，写周世宗悔杀南唐使孙晟，大发诸州之民城下蔡。

【语译】

当初，南唐使者孙晟、锺谟随从周世宗到大梁，周世宗待他们很优厚。每次朝会，班次排在中书省官员的后面，时常召见，让他们喝美酒，询问南唐的事情。孙晟只说："唐主畏惧陛下神明威武，侍奉陛下没有二心。"等到得到南唐蜡丸中的书信，周世宗大怒，叫来孙晟，斥责他回答不真实。孙晟神情严肃，言辞慷慨，请求一死而已。询问他南唐虚实，他默然不答。十一月十七日乙巳，周世宗命令都承旨曹翰送孙晟到右军巡院，再拿周世宗的意思来询问他。曹翰和孙晟饮酒数巡，曹翰心平气和地问他，孙晟始终不说。曹翰于是对他说："有敕令，赐相公死。"孙晟神色安然和悦，索要官靴朝笏，整理衣冠，向南方下拜说："臣谨以死报国。"于是赴刑，连同随从的一百多人全部杀掉。贬锺谟为耀州司马。不久周世宗怜惜孙晟的忠诚守节，后悔杀了他，召回锺谟，任命他为卫尉少卿。

周世宗召见华山隐士真源人陈抟，问他羽化升仙、炼白银为黄金的方法，陈抟回答说："陛下是天子，应当以治理天下为事，哪里用得着这些呢！"十一月二十日戊申，把陈抟遣送回山，诏命州县长官常去看望慰问他。

十二月十四日壬申，任命张永德为殿前都点检。

周世宗分别派遣中使征调陈州、蔡州、宋州、亳州、颍州、兖州、曹州、单州等州的数万民夫修筑下蔡城。

这一年，南唐主诏命废除淮南营田损害百姓特别严重的做法。派遣兵部郎中陈处尧携带丰厚的钱财渡海到契丹请求援兵。契丹不能为南唐出兵，却留下陈处尧不遣送回来。陈处尧刚直善辩，过了很久，心中怨怼，多次当面斥责契丹主，契丹主也不加罪于他。

后蜀陵州、荣州的獠人造反，弓箭库使赵季文讨伐平定了他们。

吴越王钱弘俶搜求境内的百姓当兵，骚扰颇多，判明州钱弘亿亲为奏疏痛切劝谏，吴越王停止了这件事。

【注释】

⑯⑧班于中书省官之后：班次排列在中书省官员的后面。⑯⑨乙巳：十一月十七日。⑰⓪都承旨：官名，属枢密院。有都承旨、副都承旨，掌承宣旨命，通领院务。⑰①右军巡院：侍卫亲军分左、右军，每军各有巡院，用来审讯关押犯人。⑰②相公：孙晟在南唐与冯延巳并为宰相。⑰③索靴笏：索求官靴和朝笏。⑰④从者百余人皆杀之：《旧五代史》卷一百三十一孙晟本传云"从者百余人皆诛之"，与此同。而《新五代史》卷三十三孙晟本传则云"从者二百余人皆杀之"，被杀人数有异。⑰⑤耀州：州名，治所在今陕西铜川市耀州

区。⑯卫尉少卿：官名。唐制，卫尉设寺卿一人、少卿二人、丞二人，掌军器、仪仗、帐幕等事。⑰华山：在陕西东部，北临渭河平原，属秦岭东段。古称“西岳”。⑱陈抟：字图南，亳州真源（今河南鹿邑）人，五代、宋初道士。自号扶摇子。后唐长兴中举进士不第，隐居华山。著有《无极图》《先天图》。传见《宋史》卷四百五十七。⑲飞升：所谓羽化而升仙。⑳黄白：所谓炼白银为黄金。㉑戊申：十一月二十日。㉒壬申：十二月十四日。㉓殿前都点检：殿前司长官，为后周最高军职之一，位在都指挥使之上。宋太祖赵匡胤以殿前都点检之职登极，此后虽有其名，但不再除授。㉔兖：州名，治所在今山东兖州。㉕单：州名，治所单父，在今山东单县。㉖忿怼：怨怼。㉗陵：州名，治所仁寿，在今四川仁寿。㉘荣州：州名，治所旭川，在今四川荣县。㉙獠：对仡佬族的侮称。

【原文】

四年（丁巳，公元九五七年）

春，正月己丑朔[190]，北汉大赦，改元天会[191]。以翰林学士卫融为中书侍郎、同平章事，内客省使段恒[192]为枢密使。

宰相屡请立皇子为王，上曰：“诸子皆幼，且功臣之子皆未加恩，而独先朕子，能自安乎！”

周兵围寿春，连年未下[193]，城中食尽。齐王景达自濠州遣应援使、永安节度使许文稹，都军使边镐，北面招讨使朱元将兵数万，溯淮救之。军于紫金山，列十余寨如连珠，与城中烽火晨夕相应。又筑甬道抵寿春，欲运粮以馈之，绵亘数十里。将及寿春，李重进邀击，大破之，死者五千人，夺其二寨。丁未[194]，重进以闻。戊申[195]，诏以来月幸淮上。

刘仁赡请以边镐守城，自帅众决战，齐王景达不许。仁赡愤邑[196]成疾。其幼子崇谏夜泛舟度淮北，为小校所执，仁赡命腰斩之，左右莫敢救。监军使周廷构哭于中门以救之，仁赡不许。廷构复使求救于夫人，夫人曰：“妾于崇谏非不爱也，然军法不可私，名节不可亏。若贷之，则刘氏为不忠之门[197]，妾与公何面目见将士乎！”趣[198]命斩之，然后成丧[199]。将士皆感泣。

议者以唐援兵尚强，多请罢兵，帝疑之。李穀寝疾在第，二月丙

【校记】

［19］靴：原作“袍”。据章钰校，十二行本、乙十一行本、孔天胤本皆作“靴”，今据改。〖按〗《通鉴纪事本末》作“靴”。［20］数万：原无此二字。据章钰校，十二行本、乙十一行本、孔天胤本皆有此二字，张敦仁《通鉴刊本识误》同，今据补。

【语译】

四年（丁巳，公元九五七年）

春，正月初一日己丑，北汉大赦，改年号为天会。任命翰林学士卫融为中书侍郎、同平章事，内客省使段恒为枢密使。

宰相多次请求立皇子为王，周世宗说：“诸子全都年幼，况且功臣的儿子都还没有加封，而单独先封朕的儿子，能安心吗！”

后周军队包围寿春，连年没有攻下，城中粮尽。齐王李景达从濠州派遣应援使、永安节度使许文稹和都军使边镐、北面招讨使朱元率兵几万人，逆淮河而上救援寿春。驻扎在紫金山，排列十几个营寨，如同串联的珠子，与城中的烽火早晚相呼应。又修筑甬道抵达寿春，打算运送粮食供应城里，甬道绵延几十里。甬道即将通到寿春，李重进截击，大败南唐军队，南唐兵死了五千人，李重进夺取南唐两个营寨。正月十九日丁未，李重进把这件事奏报周世宗。二十日戊申，周世宗下诏，下个月临幸淮上。

刘仁赡请求让边镐守城，自己率领部众决战，齐王李景达没有同意。刘仁赡忧愤成疾。他的小儿子刘崇谏夜里划船渡淮水北去，被小校抓到。刘仁赡下令把他腰斩，身边的人没有敢救护的。监军使周廷构在中门哭着来救他，刘仁赡不答应。周廷构又派人向夫人求救，夫人说：“我对崇谏不是不怜爱，但是军法不可徇私，名节不可亏损。如果宽恕了他，那么刘氏就成为不忠之家，我与公有什么脸面去见将士们呢！”催促刘仁赡下令把他腰斩，然后办丧事。将士们都感动得流泪。

议事的人认为南唐的援兵还很强大，多数人请求撤兵，周世宗迟疑。李穀卧病

寅[200]，帝使范质、王溥就与之谋。穀上疏，以为寿春危困，破在旦夕，若銮驾亲征，则将士争奋，援兵震恐，城中知亡，必可下矣！上悦。

庚午[201]，诏有司更造祭器[202]、祭玉[203]等，命国子博士[204]聂崇义[205]讨论制度，为之图。

甲戌[206]，以王朴权东京留守兼判开封府事，以三司使张美为大内都巡检[207]，以侍卫都虞候韩通为京城内外都巡检[208]。

乙亥[209]，帝发大梁。先是周与唐战，唐水军锐敏，周人无以敌之，帝每以为恨。返自寿春，于大梁城西汴水侧造战舰数百艘，命唐降卒教北人水战，数月之后，纵横出没，殆胜唐兵。至是，命右骁卫大将军王环将水军数千自闵河[210]沿颍[211]入淮，唐人见之大惊。

【段旨】

以上为第八段，写周师围南唐寿春，连年不下，周世宗第二次亲征，以唐降卒编练为周军水师，南唐人见之大惊。

【注释】

⑲⓪己丑朔：正月初一日。⑲①天会：北汉睿宗刘钧年号（公元九五七至九六八年）。⑲②段恒：《新五代史》避宋真宗赵恒讳，又写作段常。北汉枢密使。王隐等作乱，辞连段恒，被睿宗缢杀。⑲③连年未下：北周围寿春在显德二年（公元九五五年）年末，至此一年有余。⑲④丁未：正月十九日。⑲⑤戊申：正月二十日。⑲⑥愤邑：忧愤。邑，通

【原文】

乙酉[212]，帝至下蔡。三月己丑[213]夜，帝渡淮，抵寿春城下。庚寅[214]旦，躬擐[215]甲胄，军于紫金山南。命太祖皇帝击唐先锋寨及山北一寨，皆破之，斩获三千余级，断其甬道，由是唐兵首尾不能相救。至暮，帝分兵守诸寨，还下蔡。

在家，二月初八日丙寅，周世宗派范质、王溥前去与他商议。李穀上疏，认为寿春困危，破在旦夕。如果皇上亲征，那么将士争相奋战，援兵惊恐，城里守军知道将要灭亡，一定可以攻下了！周世宗很高兴。

十二日庚午，周世宗下诏让有关部门另外制造祭器、祭玉等物，命令国子博士聂崇义讨论规制，画出图样。

十六日甲戌，周世宗任命王朴暂时代理东京留守兼判开封府事，任命三司使张美担任大内都巡检，任命侍卫都虞候韩通担任京城内外都巡检。

十七日乙亥，周世宗从大梁出发。此前，后周与南唐交战，南唐水军犀利敏捷，后周人无法抵抗，周世宗常常以此为憾。从寿春回来后，在大梁城西汴水岸边打造战舰数百艘，命令南唐降兵教北方人水战，数月后，纵横出没，差不多胜过南唐水军。到了这时，周世宗命令右骁卫大将军王环率领水军几千人从闵河沿颍河进入淮河，南唐人见了北周水军大为吃惊。

“悒”，忧郁不乐。⑲⑦不忠之门：不忠的门第。⑲⑧趣：催促。⑲⑨成丧：办丧礼。⑳⓪丙寅：二月初八日。⑳①庚午：二月十二日。⑳②祭器：如樽、彝、簠、簋、笾、豆之类。⑳③祭玉：如苍璧（礼天）、黄琮（礼地）、青圭（礼东方）、赤璋（礼南方）、白琥（礼西方）、玄璜（礼北方）。⑳④国子博士：国子监中的教授官。有“五经”博士、律学博士、医学博士、算学博士等。⑳⑤聂崇义：河南洛阳人，善礼学，通经旨，累迁国子司业兼太常博士。传见《宋史》卷四百三十一。⑳⑥甲戌：二月十六日。⑳⑦大内都巡检：官名，负责皇宫安全的最高指挥官。⑳⑧京城内外都巡检：官名，负责京城内外安全的最高指挥官。⑳⑨乙亥：二月十七日。㉑⓪闵河：又名蔡河、惠民河。起自新郑，东北流入开封，又折东南出城，经淮阳入颍河。今故道已湮。㉑①颍：颍河，淮河最大支流。源出今河南登封嵩山西南，东南流到商水县，至安徽寿县正阳关入淮河。

【语译】

二月二十七日乙酉，周世宗到达下蔡。三月初二日己丑的夜里，周世宗渡过淮河，到达寿春城下。初三日庚寅早晨，周世宗亲自穿上铠甲，戴上头盔，驻扎在紫金山南面。命令太祖皇帝赵匡胤攻打南唐的先锋寨和山北的一个营寨，全都攻了下来，斩杀俘虏三千多人，切断他们的甬道，因此南唐军队首尾不能相救。到了傍晚，周世宗分兵守卫各寨，自己返回下蔡。

唐朱元恃功，颇违元帅节度。陈觉与元有隙，屡表元反覆，不可将兵，唐主以武昌节度使杨守忠代之。守忠至濠州，觉以齐王景达之命，召元诣[21]濠州计事，将夺其兵。元闻之，愤怒，欲自杀，门下客宋垍说元曰："大丈夫何往不富贵，何必为妻子死乎！"辛卯⑯夜，元与先锋壕寨使朱仁裕等举寨万余人降，裨将时厚卿不从，元杀之。

帝虑其余众沿流东溃，遽命虎捷左厢都指挥使⑰赵晁将水军数千沿淮而下。壬辰⑱旦，帝军于赵步⑲，诸将击唐紫金山寨，大破之，杀获万余人，擒许文稹、边镐、杨守忠。余众果沿淮东走，帝自赵步将骑数百循北岸追之，诸将以步骑循南岸追之，水军自中流而下，唐兵战溺死及降者殆四万人，获船舰粮仗以十万数。晡时，帝驰至荆山洪⑳，距赵步二百余里。是夜，宿镇淮军㉑。癸酉㉒，从官始至。刘仁赡闻援兵败，扼吭叹息。

甲午㉓，发近县丁夫数千[22]城镇淮军，为二城，夹淮水，徙下蔡浮梁于其间，扼濠、寿应援之路。会淮水涨，唐濠州都监彭城郭廷谓㉔以水军溯淮，欲掩不备，焚浮梁。右龙武统军赵匡赞觇知之，伏兵邀击，破之。

唐齐王景达及陈觉皆自濠州奔归金陵，惟静江指挥使陈德诚全军而还。

戊戌㉕，以淮南节度使向训为武宁节度使、淮南道行营都监，将兵戍镇淮军。

己亥㉖，上自镇淮军复如下蔡。庚子㉗，赐刘仁赡诏，使自择祸福。

唐主议自督诸将拒周，中书舍人乔匡舜上疏切谏，唐主以为沮众，流抚州。唐主问神卫统军朱匡业、刘存忠以守御方略，匡业诵罗隐㉘诗曰："时来天地皆同力，运去英雄不自由㉙。"存忠以匡业言为然。唐主怒，贬匡业抚州副使，流存忠于饶州㉚。既而竟不敢自出[23]。

甲辰㉛，帝耀兵㉜于寿春城北。唐清淮节度使兼侍中刘仁赡病甚，不知人㉝。丙午㉞，监军使周廷构、营田副使孙羽等作仁赡表，遣使奉之来降。丁未㉟，帝赐仁赡诏，遣阁门使万年张保续㊱入城宣谕，仁赡子崇让复出谢罪。戊申㊲，帝大陈甲兵，受降于寿春城北。廷构等舁㊳仁赡出城，仁赡卧不能起，帝慰劳赐赉，复令入城养疾。

南唐朱元依仗功劳，常常违抗元帅的指挥。陈觉和朱元有隔阂，多次上表说朱元反复无常，不能统领军队。南唐主以武昌节度使杨守忠代替朱元。杨守忠到达濠州，陈觉以齐王李景达的命令，叫朱元到濠州议事，将要剥夺他的兵权。朱元听说这件事，很愤怒，想自杀。门下的宾客宋垍劝朱元说："大丈夫到哪里不能富贵，何必为了妻子、儿女去死呢！"三月初四日辛卯夜里，朱元和先锋壕寨使朱仁裕等人率领营寨中一万多人投降，副将时厚卿不肯听从，朱元杀了他。

周世宗担心南唐残余的部众沿着淮河向东溃逃，急速命令虎捷左厢都指挥使赵晁率领水军数千人顺淮河而下。三月初五日壬辰早晨，周世宗扎营赵步，众将攻打南唐紫金山的营寨，大败南唐军队，杀死俘获一万多人，抓获了许文稹、边镐、杨守忠。残余的部众果然沿着淮河东逃，周世宗从赵步率领几百名骑兵沿着北岸追赶南唐残部，众将率领步兵和骑兵沿南岸追赶南唐残部，水军从淮河中流而下，南唐军队战死、淹死和投降的近四万人，缴获船舰、粮草、武器以十万计数。傍晚时分，周世宗驰马到达荆山洪，距离赵步两百多里。当天夜里，住宿在镇淮军。癸酉日，随从的官员才到达。刘仁赡听说援兵失败，扼腕叹息。

三月初七日甲午，后周征发附近县城的数千民夫修建镇淮军城，修建了两座城，夹着淮河，把下蔡的浮桥移到两城之间，控制濠州、寿州接应援助的通道。适逢淮河河水上涨，南唐濠州都监彭城人郭廷谓率领水军逆淮河而上，想乘后周不备突然袭击，焚烧浮桥。右龙武统军赵匡赞侦察得知此事，埋伏军队截击，打败了郭廷谓的军队。

南唐齐王李景达和陈觉都从濠州跑回金陵，只有静江指挥使陈德诚全军返还。

三月十一日戊戌，任命淮南节度使向训为武宁节度使、淮南道行营都监，率兵戍守镇淮军。

十二日己亥，周世宗从镇淮军又去往下蔡。十三日庚子，赐诏刘仁赡，让他自己选择吉凶祸福。

南唐主讨论亲自督领众将抵抗后周，中书舍人乔匡舜上疏深切劝谏，南唐主认为他使大家丧气，把他流放抚州。南唐主询问神卫统军朱匡业、刘存忠守御策略，朱匡业诵读罗隐的诗说："时来天地皆同力，运去英雄不自由。"刘存忠认为朱匡业的话很对。南唐主很生气，把朱匡业贬为抚州副使，把刘存忠流放到饶州。后来南唐主终究没有亲自出征。

三月十七日甲辰，周世宗在寿春城北炫耀兵力。南唐清淮节度使兼侍中刘仁赡病得很重，不省人事。十九日丙午，监军使周廷构、营田副使孙羽等人为刘仁赡作表，派遣使者奉表前来投降。二十日丁未，周世宗赐给刘仁赡诏书，派遣阁门使万年人张保续进城宣旨安抚，刘仁赡的儿子刘崇让又出城谢罪。二十一日戊申，周世宗大规模地陈列甲兵，在寿春城北接受投降。周廷构等人抬着刘仁赡出城，刘仁赡躺着不能起身，周世宗慰劳赏赐，又命他进城养病。

【段旨】

以上为第九段，写周师大破南唐援兵，寿春城破。

【注释】

㉑② 乙酉：二月二十七日。㉑③ 己丑：三月初二日。㉑④ 庚寅：三月初三日。㉑⑤ 擐：套；穿。㉑⑥ 辛卯：三月初四日。㉑⑦ 虎捷左厢都指挥使：《五代会要》卷十二云："周广顺元年四月，改侍卫马军曰龙捷左、右军，步军曰虎捷左、右军。"左厢都指挥使系左军最高统帅。㉑⑧ 壬辰：三月初五日。㉑⑨ 赵步：赵步镇。在今安徽凤台东北，淮河北岸，以赵氏居其地而得名。㉒⓪ 荆山洪：地名，在今安徽怀远西南。㉒① 镇淮军：为征淮南所置军镇，驻节涡口。㉒② 癸酉：三月戊子朔，无癸酉，疑为癸巳。癸巳，三月初六日。㉒③ 甲午：三月初七日。㉒④ 郭廷谓：字信臣，彭城（今江苏徐州）人，南唐濠州都监，屡破周兵。后因援兵不至，降周。传见《宋史》卷二百七十一。㉒⑤ 戊戌：三月十一日。㉒⑥ 己亥：三月十二日。㉒⑦ 庚子：三月十三日。㉒⑧ 罗隐：唐末五代余杭（今浙江余杭）人，相貌丑陋，诗

【原文】

庚戌[239]，徙寿州治下蔡[240]，赦州境死罪以下。州民受唐文书聚山林者，并召令复业，勿问罪，有尝为其杀伤者，毋得雠讼。向日政令有不便于民者，令本州条奏。辛亥[241]，以刘仁赡为天平节度使兼中书令，制辞略曰："尽忠所事，抗节无亏[242]，前代名臣，几人堪比！朕之伐叛，得尔为多[243]。"是日，卒，追赐爵彭城郡王。唐主闻之，亦赠太师。帝复以清淮军为忠正军以旌仁赡之节，以右羽林统军杨信为忠正节度使、同平章事。

前许州司马韩伦[244]，侍卫马军都指挥使令坤之父也。令坤领镇安节度使，伦居于陈州，干预政事，贪污不法，为公私患，为人所讼，令坤屡为之泣请。癸丑[245]，诏免伦死，流沙门岛[246]。

伦后得赦还，居洛阳，与光禄卿[247]致仕[248]柴守礼及当时将相王溥、王晏、王彦超之父游处，恃势恣横，洛阳人畏之，谓之"十阿父"。帝既为太祖嗣，人无敢言守礼子者，但以元舅[249]处之，优其俸给，未尝

才闻名天下，尤长于咏史。在诗中多所讽刺，故不中第。初仕钱镠，后梁开平初任给事中，有文集传世。传见《旧五代史》卷二十四。㉙ 时来天地皆同力二句：意为时机到来，天地都齐力相助；失去运气，英雄也无能为力。㉚ 饶州：州名，治所鄱阳，在今江西鄱阳。㉛ 甲辰：三月十七日。㉜ 耀兵：炫耀兵威。㉝ 不知人：不省人事。㉞ 丙午：三月十九日。㉟ 丁未：三月二十日。㊱ 张保续：字嗣光，京兆万年（今陕西西安市长安区）人，性耿直俭朴，善宣赞辞，在阁门前后四十年，未尝有过。传见《宋史》卷二百七十四。㊲ 戊申：三月二十一日。㊳ 舁：抬。

【校记】

［21］诣：原作“至”。据章钰校，十二行本、乙十一行本、孔天胤本皆作“诣”，今据改。［22］数千：原无此二字。据章钰校，十二行本、乙十一行本、孔天胤本皆有此二字，张敦仁《通鉴刊本识误》同，今据补。［23］出：原作“行”。据章钰校，十二行本、乙十一行本、孔天胤本皆作“出”，张敦仁《通鉴刊本识误》，今据改。〖按〗《通鉴纪事本末》作“出”。

【语译】

三月二十三日庚戌，把寿州的治所迁到下蔡，赦免州境内死罪以下的囚犯。州民遭受南唐法律追责而聚集山林的，一起召回，让他们恢复生计，不追究罪责，有曾被他们杀伤的，不得报仇打官司。过去的政令有不便于百姓的，命令本州条陈上奏。二十四日辛亥，周世宗任命刘仁赡为天平节度使兼中书令，制书的内容大略说：“对所侍奉的君主竭尽忠诚，坚守节操，没有缺陷，前代名臣，有几人能与你相比！朕讨伐叛国，得到你，收获多多。”当天，刘仁赡去世，追赐爵位为彭城郡王。南唐主听到这个消息，也赠他为太师。周世宗又把清淮军改为忠正军，用以表彰刘仁赡的节操，任命右羽林统军杨信为忠正节度使、同平章事。

前许州司马韩伦，是侍卫马军都指挥使韩令坤的父亲。韩令坤兼任镇安节度使，韩伦身处陈州，干预政事，贪污违法，成为官府和百姓的祸患，被人诉讼，韩令坤一再替他哭泣求情。三月二十六日癸丑，周世宗诏令免除韩伦死罪，流放到沙门岛。

韩伦后来得到赦免返回，住在洛阳，与光禄卿致仕柴守礼以及当时将相王溥、王晏、王彦超等人的父亲交游相处，恃势肆意横行，洛阳人畏惧他们，称他们为“十阿父”。周世宗成了太祖的继承人后，没有人敢说他是柴守礼的儿子，只是把柴守礼当作大舅来看待，给他优厚的俸禄，未曾到过大梁。他曾经因为一点小怨恨杀

至大梁。尝以小忿杀人，有司不敢诘，帝知而不问。

诏开寿州仓振饥民。丙辰㉕₀，帝北还。夏，四月己巳㉕₁，至大梁。

诏修永福殿，命宦官孙延希董其役。丁丑㉕₂，帝至其所，见役徒有削柿为匕㉕₃、瓦中啖饭㉕₄者，大怒，斩延希于市。

【段旨】

以上为第十段，写周世宗安抚新得淮南之民，北还京师，诛杀虐待工役的宦官孙延希。

【注释】

㉓₉庚戌：三月二十三日。㉔₀徙寿州治下蔡：隋、唐时寿州治所在寿春（今安徽寿县），今徙下蔡（今安徽凤台）。㉔₁辛亥：三月二十四日。㉔₂尽忠所事二句：意为尽忠于

【原文】

帝之克秦、凤也，以蜀兵数千人为怀恩军。乙亥㉕₅，遣怀恩指挥使萧知远等将士八百余人西还㉕₆。

壬午㉕₇，李穀扶疾入见，帝命不拜，坐于御坐之侧。穀恳辞禄位，不许。

甲申㉕₈，分江南降卒为六军、三十指挥，号怀德军。

乙酉㉕₉，诏疏汴水北入五丈河㉖₀，由是齐、鲁舟楫皆达于大梁。

五月丁酉㉖₁，以太祖皇帝领义成节度使。

诏以律令文古难知，格敕㉖₂烦杂不壹，命侍[24]御史知杂事㉖₃张湜等训释删[25]定为《刑统》。

唐郭廷谓将水军断涡口浮梁，又袭败武宁节度使武行德于定远㉖₄，行德仅以身免。唐主以廷谓为濠州[26]团练使，充上淮㉖₅水陆应援使。

了人，有关部门不敢追问，周世宗知道也不过问。

周世宗下诏打开寿州仓库赈济饥民。三月二十九日丙辰，周世宗北上返回。夏，四月十二日己巳，到达大梁。

周世宗下诏修缮永福殿，命令宦官孙延希主管这项工程。二十日丁丑，周世宗到修缮场所，看到役徒有削木片为勺子、用瓦片盛饭吃的，大怒，在街市上斩杀了孙延希。

所侍奉的君主，坚持节操，没有缺陷。㊸朕之伐叛二句：我讨伐叛国，得到你，收获多多。㊹韩伦：磁州武安（今河北武安）人，入宋，任亳州防御使。传见《宋史》卷二百五十一。㊺癸丑：三月二十六日。㊻沙门岛：在今山东蓬莱西北。㊼光禄卿：官名，专管皇室祭品、膳食及招待酒宴。唐一度改称司宰寺卿，旋复旧称。㊽致仕：辞官；退休。㊾元舅：大舅。㊿丙辰：三月二十九日。(251)己巳：四月十二日。(252)丁丑：四月二十日。(253)削柿为匕：削木片为勺子。柿，果木名，落叶乔木。匕，勺、匙类取食物的用具。(254)瓦中啖饭：用瓦片盛饭吃。啖，吃或给人吃，此作“吃”解。

【语译】

周世宗攻克秦州和凤州时，把几千名后蜀兵编为怀恩军。四月十八日乙亥，派遣怀恩指挥使萧知远等将士八百多人西还蜀国。

二十五日壬午，李穀抱病入朝拜见周世宗，周世宗让他不用下拜，坐在御座的旁边。李穀恳切地请求辞去禄位，周世宗没有答应。

二十七日甲申，后周把江南投降的士兵分编为六军、三十指挥，号称怀德军。

二十八日乙酉，周世宗下诏疏通汴水向北流入五丈河，从此齐、鲁的船只都通到大梁。

五月十一日丁酉，任命太祖皇帝赵匡胤兼任义成节度使。

周世宗下诏因为法律条文的文字古奥难懂，格式、敕令繁杂不一，便命令侍御史知杂事张湜等人解释删定为《刑统》。

南唐郭廷谓率领水军切断涡口的浮桥，又在定远袭击打败了武宁节度使武行德，武行德仅仅自己免祸。南唐主任命郭廷谓为濠州团练使，充任淮水上游水陆应援使。

蜀人多言左右卫圣马步都指挥使、保宁节度使、同平章事李廷珪为将败覆[266]，不应复典兵，廷珪亦自请罢去。六月乙丑[267]，蜀主加廷珪检校太尉，罢军职。李太后[268]以典兵者多非其人，谓蜀主曰："吾昔见庄宗跨河与梁战，及先帝[269]在太原、平二蜀[270]，诸将非有大功，无得典兵，故士卒畏服。今王昭远出于厮养[271]，伊审征、韩保贞、赵崇韬皆膏粱乳臭子[272]，素不习兵，徒以旧恩寘于人上。平时谁敢言者，一旦疆埸有事，安能御大敌乎！以吾观之，惟高彦俦太原旧人，终不负汝，自余无足任者。"蜀主不能从。

【段旨】

以上为第十一段，写周世宗释蜀俘，制《刑统》，任命赵匡胤为义成节度使。后蜀主不听嘉言，不能任用贤将。

【注释】

㉕⑤乙亥：四月十八日。㉕⑥西还：西返蜀国。北周之所以遣送后蜀兵八百多人返蜀，意在显示威德。㉕⑦壬午：四月二十五日。㉕⑧甲申：四月二十七日。㉕⑨乙酉：四月二十八日。㉖⓪五丈河：在今河南开封北。北河东流于定陶，入于济水，以通齐、鲁运路。河宽五丈，故名。宋开宝六年（公元九七三年）更名广济河。㉖①丁酉：五月十一日。㉖②格敕：法令；格式、敕令。㉖③侍御史知杂事：官名，御史台属官，掌御史台日常事务。㉖④定远：县名，治所在今安徽定远。㉖⑤上淮：淮水上游。㉖⑥败覆：此指李廷珪兵败丧失秦、凤、

【原文】

丁丑[273]，以前华州刺史王祚为颍州团练使。祚，溥之父也。溥为宰相，祚有宾客，溥常朝服侍立，客坐不安席，祚曰："豚犬[274]不足为起。"

秋，七月丁亥[275]，上治[276]定远军[277]及寿春城南之败，以武宁节度使兼中书令武行德为左卫上将军、河阳节度使李继勋为右卫大将军。

北汉主初立七庙[278]。

后蜀人很多说左右卫圣马步都指挥使、保宁节度使、同平章事李廷珪担任将领而兵败丧地，不应该再掌管军事，李廷珪也自己请求罢免。六月初十日乙丑，后蜀主加授李廷珪检校太尉，罢免军职。李太后因为掌管军队的人大多不称职，便对后蜀主说："我从前看见唐庄宗跨越黄河与梁朝交战，以及先帝在太原，后来平定西川、东川，众将没有大的功劳，不得掌管军队，所以士卒敬畏服从。如今王昭远出身仆役，伊审征、韩保贞、赵崇韬全是乳臭未干的富贵子弟，向来不熟悉军事，只是依靠旧日的恩宠而被安置在他人之上。平时哪一个人敢说，一旦边疆有事，怎么能够抵抗大敌呢！依我看来，只有高彦俦是太原时的旧人，终究不会辜负你，其余的没有值得任用的。"后蜀主不能听从。

阶、成四州之地。㉖⑦乙丑：六月初十日。㉖⑧李太后：太原人，原为后唐庄宗妃，赐后蜀高祖，生孟昶，尊为皇太后。后蜀亡，归宋，盛加礼遇，呼为国母。孟昶殁，不食而死。㉖⑨先帝：后蜀高祖孟知祥。㉗⓪二蜀：东川、西川。㉗①厮养：干粗杂活的奴隶，泛指为人驱使的奴仆。王昭远曾为东郭禅师童子，执杂役。㉗②膏粱乳臭子：意为出身于富贵人家的不懂事的子弟。膏粱，精美的食物。乳臭，口中尚有乳味，比喻幼稚。

【校记】

［24］侍：原无此字。据章钰校，十二行本、乙十一行本皆有此字，张敦仁《通鉴刊本识误》同，今据改。［25］删：原作"详"。据章钰校，十二行本、乙十一行本、孔天胤本皆作"删"，其义长，今据改。［26］濠州：原作"滁州"。严衍《通鉴补》改作"濠州"，今据以校正。〖按〗《宋史·郭廷谓传》载郭氏自仕后唐至降后周，皆在濠州任官。

【语译】

六月二十二日丁丑，周世宗任命前华州刺史王祚担任颍州团练使。王祚是王溥的父亲。王溥当宰相，王祚有宾客，王溥常常穿着朝服陪侍身边，客人坐在席上不安。王祚说："不值得为犬子起身。"

秋，七月初二日丁亥，周世宗追究定远军和寿春城南之败，任命武宁节度使兼中书令武行德为左卫上将军、河阳节度使李继勋为右卫大将军。

北汉主开始设立祖宗七庙。

司空兼门下侍郎、同平章事李穀卧疾二年，凡九表辞位。八月乙亥[279]，罢守本官，令每月肩舆一诣便殿议政事[280]。

以枢密副使、户部侍郎王朴检校太保，充枢密使。

怀恩军至成都，蜀主遣梓州别驾胡立等八十人东还，且致书为谢，请通好。癸未[281]，立等至大梁。帝以蜀主抗礼，不之答。蜀主闻之，怒曰："朕为天子郊祀天地时，尔犹作贼，何敢如是！"

九月，中书舍人窦俨[282]上疏，请令有司讨论古今礼仪，作《大周通礼》[283]，考正钟律[284]，作《大周正乐》[285]。又以为："为政之本，莫大择人，择人之重，莫先宰相。自有唐之末，轻用名器[286]，始为辅弼[287]，即兼三公、仆射之官。故其未得之也，则以趋竞为心[288]，既得之也，则以容默为事[289]。但思解密勿之务[290]，守崇重之官[291]，逍遥林亭，保安宗族[292]。乞令[27]即日宰相[293]于南宫[294]三品[295]、两省给、舍[296]以上，各举所知。若陛下素知其贤，自可登庸[297]，若其未也，且令以本官权知政事[298]。期岁之间，察其职业，若果能堪称，其官已高，则除平章事。未高，则稍更迁官，权知如故。若有不称，则罢其政事，责其举者[299]。又，班行之中[300]，有员无职者太半[301]，乞量其才器，授以外任，试之于事。还，则[28]以旧官登叙[302]，考其治状，能者进之，否者黜之。"又请："令盗贼自相纠告[303]，以其所告赀产之半赏之。或亲戚为之首[304]，则论其徒侣而赦其所首者[305]。如此，则盗不能聚矣。又，新郑[306]乡村团为义营，各立将佐，一户为盗，累其一村，一户被盗，罪其一将。每有盗发，则鸣鼓举火，丁壮云集，盗少民多，无能脱者。由是邻县充斥而一境独清。请令它县皆效之，亦止盗之一术也。又，累朝已来，屡下诏书，听民多种广耕，止[29]输旧税。及其既种，则有司履亩而增之[307]，故民皆疑惧而田不加辟。夫为政之先，莫如敦信，信苟著矣，则田无不广，田广则谷多，谷多则藏之民犹藏之官也。"又言："陛下南征江、淮，一举而得八州[308]，再驾而平寿春，威灵所加，前无强敌。今以众击寡，以治伐乱，势无不克，但行之贵速，则彼民免俘馘之灾[309]，此民息转输之困[310]矣。"帝览而善之。俨，仪之弟也。

司空兼门下侍郎、同平章事李穀卧床生病两年，共九次表请辞去相位。八月二十一日乙亥，解除他的宰相职务，只任本官，命他每一个月乘坐轿子到便殿讨论政事一次。

周世宗任命枢密副使、户部侍郎王朴为检校太保，充任枢密使。

怀恩军到达成都，后蜀主派遣梓州别驾胡立等八十人返回东方，并且写信道谢，请求通使友好。八月二十九日癸未，胡立等人到达大梁。周世宗因为后蜀主采用对等的礼节，所以不答复他。后蜀主听到这个消息，生气地说："朕做天子在南郊祭祀天地的时候，你还在当强盗，怎么敢如此！"

九月，中书舍人窦俨上疏，请求命令有关部门的官员讨论古今的礼仪，制作《大周通礼》，考正乐器的音律，制作《大周正乐》。窦俨又认为："处理政事的根本，没有比选择人才更为重要的，选择人才的重要，没有比选择宰相更为重要的。自从唐朝末年以来，轻易授予禄位，刚刚到任宰相，就兼任三公、仆射的官职。所以当他还没有得到官位的时候，就一心奔走争逐，得到官位以后，就遇事沉默，取容当世。只想解脱机要政务，担任尊崇重要的官职，逍遥在园林亭榭之中，保护宗族平安。请求命令现任宰相在尚书省的六部尚书、中书省和门下省的给事中、中书舍人以上的官员中，各自推荐所知的人才。如果陛下平时就知道他贤能，自然可以提拔任用，如果不知道，暂且命令他以原来的官职暂时主持政事。一年之间，考察他的职责业绩，如果能够胜任，那么他的官位已经高了，就授予平章事。官位不高的，就再稍加提升，照旧暂且代理政事。如果不称职，就去除他的政事，追究荐举者的责任。另外，在百官班位中，有员额而无职务的占了大半，请求衡量他们的才能，授给他们外任官，在实际事务中试用他们。回京后，按照原来的官职铨叙录用，考察他们的政绩，有才能的人提拔，无能的人罢黜。"又请求："让盗贼互相检举告发，把所告发盗贼财产的一半赏给告发者。或者有亲戚替盗贼自首的，那就处罚盗贼的同伙而赦免代为自首的盗贼。像这样，盗贼就不能聚集了。另外，新郑县的乡村组成义营，各自设立将佐，一户当盗贼，连累一村，一户被盗窃，加罪他那一营的主将。每当有盗贼发生，就鸣鼓举火，丁壮聚集，盗贼少，百姓多，没有一个盗贼能逃脱。因此邻县盗贼充斥而新郑全境独自很清静。请求让其他县全都效法新郑，这也是制止盗贼的一种方法。还有，历朝以来，屡次颁布诏书，任由百姓多种广耕，只缴纳旧税。等到农民耕种以后，官吏就踏视田亩而增加赋税，所以百姓都又怀疑又害怕，而田地不另加开辟。治理政务的先决条件，没有比诚信更重要的了。如果明示卓著，那么田地没有不扩大的；田地扩大了粮食就增多；粮食增多，藏之于民，也就犹如藏在官府。"又说："陛下南征江、淮，一举而得八州，再次亲征而平定寿春，神威所到之处，前面没有强劲的对手。如今以多击少，以治伐乱，势必攻无不克。只是行动贵在迅速，那么敌国的百姓就可免于被俘虏斩杀的灾祸，我们的百姓则可停止运输粮饷的困苦了。"周世宗看了，认为他说得好。窦俨是窦仪的弟弟。

冬，十月戊午[311]，设贤良方正直言极谏、经学优深可为师法、详闲吏理达于教化[312]等科。

癸亥[313]，北汉麟州[314]刺史杨重训举城降[315]，以为麟州防御使。

己巳[316]，以王朴为东京留守，听以便宜从事。以三司使张美充大内都点检。

【段旨】

以上为第十二段，写后周中书舍人窦俨上疏论为政之本，制礼作乐、任贤择相、沙汰冗官、治盗贼以重民生，周世宗称善。

【注释】

[273]丁丑：六月二十二日。[274]豘犬：旧时用为称自己儿子的谦词。豘，小猪，也泛指猪。[275]丁亥：七月初二日。[276]治：追究；惩处。武行德与李继勋因守备失利均被降职。[277]定远军：定远，县名，属濠州。胡三省注认为"军"字为衍文。[278]七庙：七庙为天子之制。[279]乙亥：八月二十一日。[280]每月肩舆一诣便殿议政事：指让李穀每一个月乘坐轿子到便殿议政事一次。肩舆，人抬的轿子。诣，到。[281]癸未：八月二十九日。[282]窦俨：字望之，窦仪弟，通音律法令。后周世宗时官中书舍人、翰林学士。宋初转礼部侍郎，祠祀乐章、宗庙谥号多为其撰定。传见《宋史》卷二百六十三。[283]《大周通礼》：《宋史·窦俨传》云："未及编纂而卒。"[284]考正钟律：考正乐器的音律。[285]《大周正乐》：《宋史·窦俨传》云："所撰《周正乐》成一百二十卷，诏藏于史阁。"[286]轻用名器：轻易授予禄位。名器，本指表示等级的称号和车服、仪制。[287]始为辅弼：刚开始辅佐国君。[288]趋竞为心：为争得它而奔走争逐。[289]容默为事：遇事保持缄默，取容当世。[290]但思解密勿之务：只想解脱机要事务。密勿，机要、机密。[291]守崇重之官：只担任尊崇重要的官职。[292]逍遥林亭二句：逍遥于山林亭榭之中，保护宗族太平无事。[293]即日宰相：现任宰

【原文】

壬申[317]，帝发大梁。十一月丙戌[318]，至镇淮军，是夜五鼓[319]，济淮。丁亥[320]，至濠州城西。濠州东北十八里有滩，唐人栅于其上，环水自固，谓周兵必不能涉。戊子[321]，帝自攻之，命内殿直康保裔[322]帅甲士

冬，十月初五日戊午，后周设立贤良方正直言极谏、经学优深可为师法、详闲吏理达于教化等科。

初十日癸亥，北汉麟州刺史杨重训献城投降，朝廷任命他为麟州防御使。

十六日己巳，任命王朴为东京留守，允许他根据情况随机行事。任命三司使张美充任大内都点检。

相。㉙④南宫：尚书省。南宫本为南方列宿，汉代用它比拟尚书省。㉙⑤三品：指六部尚书。㉙⑥两省给、舍：中书省和门下省的给事中、中书舍人。㉙⑦登庸：提拔任用。㉙⑧以本官权知政事：以本官代理主持政事。㉙⑨责其举者：追究荐举者。㉚⓪班行之中：百官的班位中。㉚①有员无职者太半：有员额而无职务的占了一大半。㉚②登叙：铨叙录用。㉚③自相纠告：互相检举告发。㉚④或亲戚为之首：有的亲戚替自家盗贼自首。㉚⑤则论其徒侣而赦其所首者：那就惩治他的同伙，而赦免代为自首的人。㉚⑥新郑：县名，县治在今河南新郑北。㉚⑦履亩而增之：踏视田亩，增加税额。㉚⑧八州：指光、黄、舒、蕲、和、扬、滁、泰八州。㉚⑨免俘馘之灾：免除被俘虏斩杀的灾祸。馘，本指古代作战时割取所杀敌人的左耳，用以计功。㉛⓪转输之困：运输粮饷的困苦。㉛①戊午：十月初五日。㉛②贤良方正直言极谏句：均为选拔统治人才的科举科目。㉛③癸亥：十月初十日。㉛④麟州：州名，治所在今陕西神木北。㉛⑤杨重训举城降：据《资治通鉴》卷二百九十一后周太祖广顺二年（公元九五二年）十二月载，杨信自为麟州刺史，听命于后周。信卒，子重训嗣，以州降北汉，被群羌所围，又归附后周。此言"杨重训举城降"，可见中间重训曾背周归汉。㉛⑥己巳：十月十六日。

【校记】

［27］令：原作"今"。据章钰校，十二行本、乙十一行本、孔天胤本皆作"令"，今据改。［28］则：原无此字。据章钰校，十二行本、乙十一行本、孔天胤本皆有此字，张敦仁《通鉴刊本识误》同，今据补。［29］止：原作"上"。据章钰校，十二行本、乙十一行本、孔天胤本皆作"止"，今据改。

【语译】

十月十九日壬申，周世宗从大梁出发。十一月初四日丙戌，到达镇淮军，当夜五更，渡过淮河。初五日丁亥，到达濠州城西。濠州东北十八里有个水滩，南唐人在上面设置栅栏，环水固守，认为后周军队一定不能渡过。初六日戊子，周世宗亲自攻打栅

数百，乘橐驼㉓涉水，太祖皇帝帅骑兵继之，遂拔之。李重进破濠州南关城。癸巳㉔，帝自攻濠州，王审琦拔其水寨。唐人屯战船数百于城北，植[30]巨木于淮水，以限周兵。帝命水军攻之，拔其木，焚战船七十余艘，斩首二千余级，又攻拔其羊马城㉕，城中震恐。丙申㉖夜，唐濠州团练使郭廷谓上表言："臣家在江南，今若遽降，恐为唐所种族㉗。请先遣使诣金陵禀命，然后出降。"帝许之。辛丑㉘，帝闻唐有战船数百艘在涣水㉙东，欲救濠州，自将兵夜发水陆击之。癸卯㉚，大破唐兵于洞口㉛，斩首五千余级，降卒二千余人，因鼓行而东，所至皆下。乙巳㉜，至泗州城下，太祖皇帝先攻其南，因焚城门，破水寨及月城㉝。帝居于月城楼，督将士攻城。

北汉主自即位以来㉞，方安集境内，未遑外略。是月，契丹遣其大同节度使、侍中崔勋将兵来会北汉，欲同入寇。北汉主遣其忠武节度使㉟、同平章事李存瓌将兵会之，南侵潞州，至其城下而还。北汉主知契丹不足恃而不敢遽与之绝，赠送勋甚厚。

十二月乙卯㊱，唐泗州守将范再遇举城降，以再遇为宿州㊲团练使。上自至泗州城下，禁军中刍荛者㊳毋得犯民田，民皆感悦，争献刍粟。既克泗州，无一卒敢擅入城者。帝闻唐战船数百艘泊洞口，遣骑诇之，唐兵退保清口㊴。

戊午㊵旦[31]，上自将亲军自淮北进，命太祖皇帝将步骑自淮南进，诸将以水军自中流进，共追唐兵。时淮滨久无行人，葭苇㊶如织，多泥淖㊷沟堑，士卒乘胜气茇涉㊸争进，皆忘其劳。庚申㊹，追及唐兵，且战且行，金鼓声闻数十里。辛酉㊺，至楚州㊻西北，大破之。唐兵有沿淮东下者，帝自追之，太祖皇帝为前锋，行六十里，擒其保义节度使㊼，濠、泗、楚、海都应援使陈承昭㊽以归。所获战船烧沉之余得三百余艘，士卒杀溺之余得七千余人。唐之战船在淮上者，于是尽矣。

郭廷谓使者自金陵还，知唐不能救，命录事参军㊾鄱阳㊿李延邹草降表。延邹责以忠义，廷谓以兵临之，延邹掷笔曰："大丈夫终不负国为叛臣作降表！"廷谓斩之，举濠州降，得兵万人，粮数万斛。唐主赏李延邹之子以官。

壬戌(351)，帝济淮，至楚州，营于城西北。

寨，命令内殿直康保裔率领甲士几百人，骑着骆驼涉水，太祖皇帝赵匡胤率领骑兵继踵其后，于是攻取了栅寨。李重进攻破濠州的南关城。十一日癸巳，周世宗亲自攻打濠州，王审琦攻下南唐军队的水寨。南唐人在城北停驻几百艘战舰，在淮河中竖起巨大的木头，来阻挡后周军队。周世宗命令水军进攻敌军，拔掉大木头，焚烧战舰七十多艘，斩首两千多级，又攻取了城外的羊马城，城中惊恐。十四日丙申夜晚，南唐濠州团练使郭廷谓上表说："臣的家在江南，现在如果立刻投降，恐怕会被南唐屠灭全族。请让我先派使者前往金陵请命，然后出城投降。"周世宗答应了他。十九日辛丑，周世宗听说南唐有战舰几百艘在涣水东岸，打算援救濠州，于是亲自率兵在夜里分别从水路和陆路攻击敌人。二十一日癸卯，在洞口大败南唐军队，斩首五千多级，投降的士兵两千多人，接着击鼓东进，所到之处全都攻克。二十三日乙巳，到达泗州城下，太祖皇帝赵匡胤先进攻泗州城南，趁机烧毁城门，攻破水寨和月城。周世宗处在月城楼上，督领将士攻城。

北汉主自从即位以来，正在安抚境内，无暇图谋外事。这个月，契丹派遣他的大同节度使、侍中崔勋率兵来和北汉会合，打算一起入侵。北汉主派遣忠武节度使、同平章事李存瓌率兵与崔勋会合，南侵潞州，到达潞州城下而回。北汉主知道契丹不能完全依靠，但又不敢马上和他断绝关系，便赠送崔勋很丰厚的礼物。

十二月初三日乙卯，南唐泗州守将范再遇献城投降，周世宗任命范再遇为宿州团练使。周世宗亲自到泗州城下，禁止军中割草打柴的人侵犯民田，百姓都欣悦感激，争着奉献粮草。攻克泗州以后，没有一名士兵敢擅自进城。周世宗听说几百艘南唐战舰停泊在洞口，派遣骑兵侦察。南唐军队退守清口。

十二月初六日戊午早晨，周世宗亲自率领亲军沿淮河的北岸前进，命令太祖皇帝率领步兵和骑兵沿淮河南岸前进，众将率领水军从淮河中流前进，一起追赶南唐军队。当时淮河岸边长久没有行人，芦苇茂密如织，有很多泥沼沟坑，士兵们乘着胜利的气势，踏草涉水，争相前进，都忘记了劳苦。初八日庚申，追赶上南唐军队，边战边进，金鼓声几十里都能听到。初九日辛酉，到达楚州西北，大败南唐军队。南唐军队有沿着淮河向东而下的，周世宗亲自追赶敌军，太祖皇帝赵匡胤为前锋，行进了六十里，抓获南唐保义节度使，濠、泗、楚、海都应援使陈承昭而返回。所缴获的战舰除了烧毁、沉没的以外，共有三百多艘，士兵除了杀死、淹死的以外，共俘虏七千多人。南唐战船在淮河上的，这次完全被消灭了。

郭廷谓的使者从金陵回来，知道南唐不能派兵救援，便命令录事参军鄱阳人李延邹草拟降表。李延邹以忠义来责备郭廷谓，郭廷谓用兵器逼迫他。李延邹投笔说："大丈夫最终不辜负国家而替叛臣写降表！"郭廷谓斩杀了他，献出濠州投降，后周得到士兵一万人，粮食几万斛。南唐主把官职赏赐给李延邹的儿子。

十二月初十日壬戌，周世宗渡过淮河，到达楚州，在城西北扎营。

乙丑[352]，唐雄武军使、知涟水县[353]事崔万迪降。

丙寅[354]，以郭廷谓为亳州防御使。

戊辰[355]，帝攻楚州，克其月城。

庚午[356]，郭廷谓见于行宫[357]，帝曰："朕南征以来，江南诸将败亡相继，独卿能断涡口浮梁，破定远寨，所以报国足矣。濠州小城，使李璟自守，能守之乎！"使将濠州兵攻天长[358]。帝遣铁骑左厢都指挥使武守琦将骑数百趋扬州，至高邮[359]，唐人悉焚扬州官府民居，驱其人南渡江。后数日，周兵至，城中余癃病[360]十余人而已。癸酉[361]，守琦以闻。帝闻泰州无备，遣兵袭之，丁丑[362]，拔泰州。

南汉中书侍郎、同平章事卢膺[363]卒。

南汉主闻唐屡败，忧形于色，遣使入贡于周，为湖南所闭[364]，乃治战舰，修武备。既而纵酒酣饮，曰："吾身得免，幸矣，何暇虑后世哉！"

唐使者陈处尧在契丹，白契丹主请南游太原，北汉主厚礼之。留数日，北还，竟卒于契丹。

【段旨】

以上为第十三段，写周世宗第三次亲征南唐，周师连战皆捷。北汉连引契丹南犯，不胜而还。

【注释】

[317]壬申：十月十九日。[318]丙戌：十一月初四日。[319]五鼓：一夜分五鼓，也叫五更。第五鼓相当于后半夜三至五时。[320]丁亥：十一月初五日。[321]戊子：十一月初六日。[322]康保裔：河南洛阳人，祖、父均死于战阵。袭父职，仕后周、宋，屡立战功。传见《宋史》卷四百四十六。[323]橐驼：即骆驼。[324]癸巳：十一月十一日。[325]羊马城：又称羊马墙、羊马垣，城外加筑的矮墙。当敌兵逼近时，城外居民可用来暂时安泊羊马，故名。[326]丙申：十一月十四日。[327]种族：屠灭全族。[328]辛丑：十一月十九日。[329]涣水：古水名，自今河南开封东分狼汤渠水东南流经杞县、睢县南、柘城北入安徽境，即今浍河。[330]癸卯：十一月二十一日。[331]洞口：即浮山洞口。在今江苏盱眙西，安徽五河县东，处在两县分界处。据《太平寰宇记》载："山下有水穴，淮水泛滥，其穴即高；水减，其穴还低，有似山浮，亦号浮山。"[332]乙巳：十一月二十三日。[333]月城：临水筑城，两头抱水，形如半圆形的月亮，称月城。[334]北汉主自

十三日乙丑，南唐雄武军使、知涟水县事崔万迪投降。

十四日丙寅，任命郭廷谓为亳州防御使。

十六日戊辰，周世宗攻打楚州，攻克月城。

十八日庚午，郭廷谓在行宫进见周世宗。周世宗说：“朕南征以来，江南众将相继败亡，只有你能切断涡口的浮桥，攻破定远的营寨，以此来报效国家已经足够了。濠州是个小城，让李璟自己防守，能守得住吗！”命令他率领濠州军队攻打天长。周世宗派遣铁骑左厢都指挥使武守琦率领几百名骑兵奔赴扬州，到达高邮。南唐人把扬州的官府民房全部烧掉，驱赶那里的民众南渡长江。几天以后，后周军队到来，城中剩下衰弱疲病的十几个人而已。二十一日癸酉，武守琦奏报了这些情况。周世宗听说泰州没有防备，派兵袭击，二十五日丁丑，攻取泰州。

南汉中书侍郎、同平章事卢膺去世。

南汉主听说南唐屡次战败，面有忧色，派遣使者向后周进贡，但是道路在湖南被阻隔，于是建造战舰，整顿军备。后来便纵酒狂饮，说：“我自己得以免祸，够幸运了，还有什么闲暇考虑后代啊！”

南唐使者陈处尧在契丹，禀告契丹主请求南游太原，北汉主以厚礼相待；停留了几天，北上返回，最后死在契丹。

即位以来：后周世宗显德元年（公元九五四年）十一月，北汉主刘钧嗣立，契丹遣使册命为帝。㉟北汉主遣其忠武节度使：忠武军在许州，为后周之地，北汉李存瓌任忠武节度使，只是遥领而已。㊱乙卯：十二月初三日。㊲宿州：州名，治所古符离城，在今安徽宿州。㊳刍荛者：割草、打柴的人。㊴清口：古泗水入淮河之口，又名清河口。在今江苏淮安市淮阴区西南。㊵戊午：十二月初六日。㊶葭苇：芦苇。葭，本指初生的芦苇。㊷泥淖：泥沼。㊸茇涉：踏草涉水。草行为茇，水行为涉。茇，本意为草根。㊹庚申：十二月初八日。㊺辛酉：十二月初九日。㊻楚州：州名，治所山阳，在今江苏淮安。㊼保义节度使：保义军在陕州，地属后周，北汉陈承昭为保义节度使，系遥领。㊽陈承昭：江表人，南唐保义军节度使。被周世宗俘获后，因习知水利，督治惠民、五丈两河，又修畿内河堤，使京城大受其利。传见《宋史》卷二百六十一。㊾录事参军：刺史属官，掌各曹文书、纠察府事。㊿鄱阳：县名，县治鄱阳，在今江西鄱阳，临鄱阳湖。(351)壬戌：十二月初十日。(352)乙丑：十二月十三日。(353)涟水县：县名，县治在今江苏涟水北。(354)丙寅：十二月十四日。(355)戊辰：十二月十六日。(356)庚午：十二月十八日。(357)行宫：古代京城以外供帝王出行时居住的宫室。(358)天长：县名，县治在今安徽天长。(359)高邮：县名，县治在今江苏高邮。(360)瘫病：手足不灵活的病。(361)癸酉：十二月二十一日。(362)丁丑：十二月二十五日。(363)卢膺：南汉高祖时为工部侍郎。才干出众，善著文章，中宗时官至中书侍郎、同平章事。(364)闭：塞；塞其道不得通。

【校记】

［30］植："植"上原有"又"字。据章钰校，十二行本、乙十一行本、孔天胤本皆无"又"字，熊罗宿《胡刻资治通鉴校字记》同，今据删。［31］旦：原无此字。据章钰校，十二行本、乙十一行本、孔天胤本皆有此字，今据补。

【研析】

本卷研析南唐多忠臣义士、宋齐丘误国、周世宗制《刑统》三件史事。

第一，南唐多忠臣义士。周世宗三次亲征南唐，全力以赴，全线进攻，南唐屡战屡败，但南唐主李璟绝不屈服，最终以和议收场。南唐主去帝号，称唐主臣服周朝，割江北之地与周，总算是保全了宗庙社稷。南唐政权奉行保境安民政策，不随群雄力争中原，国力足，民心安。唐主李氏父子中庸，虽无善政，亦无殃民之祸；虽有奸佞，亦兼用贤才，是以将相大臣多忠臣死义之士，是以不灭。南唐忠臣，以司空孙晟、寿州节度使刘仁赡、右武卫将军柴克宏、楚州防御使张彦卿等四人最为人称道，青史留名。试分述之。

孙晟使周，不亏臣节，不辱君命。后周显德三年三月，唐主再次遣使求和于周。司空孙晟奉命出使，礼部尚书王崇质为副使。孙晟对左丞相冯延巳说："这趟差事应当由你左相出使，可是我若推辞，就对不起先帝。"启程后，孙晟对王崇质说："这次出使我已经做好了准备，绝不辜负先帝的在天之灵。你家有一百多口，考虑好该怎么办。"孙晟决心以一死捍卫国家尊严和使命。周世宗要孙晟说出南唐虚实，孙晟拒绝不说话。周军久攻寿州不克，周世宗派出宫中使者送孙晟到寿州城下劝降刘仁赡。刘仁赡在城楼上穿着军服向孙晟下拜。孙晟对刘仁赡坚定地说："将军深受国家厚恩，绝不要开城门接纳贼寇。"周世宗十分震怒。孙晟说："臣身为宰相，怎么可以教唆节度使背叛国家呢！"周世宗百般劝降孙晟，孙晟不从，索袍笏，整衣冠，大义凛然面对死亡，南向拜谢说："谨以死报国。"从容就义。王夫之《读通鉴论》卷三十比孙晟为唐之颜真卿，极为中肯。

刘仁赡守寿州，大义灭子。周世宗亲征南唐，南唐淮南州县大部陷落，寿州节度使刘仁赡坚守，岿然不动。在重围中，刘仁赡之子刘崇谏犯军禁，意欲北走周军，刘仁赡数其罪腰斩于众，是以全军感佩，誓死不降，团结如一人。周军屡攻不克，周世宗留将困守，返回大梁。周世宗休整后，第二次亲征南唐，周军大破南唐援军，刘仁赡扼腕叹息。此时刘仁赡卧病不省人事，寿州监军使周廷构、营田副使孙羽等作降表，寿州最终城破，江北之地尽为后周所有。刘仁赡以一旅之众，孤军守城一年有余，可与古之名将比肩。

柴克宏以弱胜强，光复常州。周世宗攻南唐，命吴越王钱弘俶夹攻南唐，吴越夺取了南唐常州。南唐名将柴再用之子柴克宏为唐主宿卫兵龙武都虞候，自请效死行阵。其母亦上表称克宏像他父亲一样可为将，如不胜任，甘受军法赴死。柴克宏母子赴国难的行动义薄云天。当时南唐精兵都在江北，柴克宏受命为右武卫将军，只率领老弱兵数千人，光复常州，枢密使李徵古又发给破败的兵器。柴克宏口无怨言，智计取常州，大破吴越军。唐主任命柴克宏为奉化节度使，柴克宏再次请命率兵救寿州。天不假南唐，柴克宏半道病卒，英年早逝，是以寿州城破。

此外，南唐楚州守将张彦卿，一千余众，坚守孤城四十余日，全军战没，无一人生降。周世宗见南唐王气犹存，亦不敢贸然过江，于是接受南唐主去帝号，称国主，举国内附，划江为界的条件，议和班师。

第二，宋齐丘误国。有忠义，就必有奸佞。南唐不乏忠义之士，更不乏奸佞之臣，南唐未灭于周，而后灭于宋，君昏臣奸是最终败亡根本原因。唐中主李璟、后主李煜，皆中庸之主，好文学，放纵声色。冯延巳等文学之士当国，拉帮结派，歌舞升平，丧失了趁中原多事的进取机会；排斥忠良，使南唐国势日衰。两朝宰相宋齐丘，是李氏建唐的主要谋士，但不懂军事，又争权不已，大敌当前，不以保国为己任，而是留后路，思谋叛国投敌。寿州保卫战，南唐救援的各路大军云集，江北所失州县大部回归南唐。各路援军请求据险截击周军，时任唐太傅兼中书令之宋齐丘说："如此，则怨益深。不如纵之，以德于敌，则兵易解也。"两国交兵不是你死就是我亡，何来结怨之说。这一谬论，唐主不能辨，诸将各保实力有了借口。宋齐丘下令诸将各自保地盘，不许擅自出击，于是寿州告急。等到周师部署停当，各个击破，打败南唐各路援军，于是寿州不守，江北之地全部沦陷于周。枢密使陈觉、李师古皆宋齐丘之党。柴克宏抗李师古之命收复常州，保住了南唐江南的稳定，使周师止步于江水，南唐才又苟延了岁月。

第三，周世宗制《刑统》。南唐臣服后，周世宗深化政治改革，让社会趋于和谐，为大举北伐契丹做准备。在刑法方面花了大力气。《册府元龟》卷九十六《赦宥》记载，周世宗要求做到"狱讼无冤，刑戮不滥"。周世宗亲自裁决政事，执掌赏罚大权，还要求臣下提醒，他不以自己因怒而杀人，因喜而滥施赏赐。周世宗议和南唐后，北返大梁京都，办的第一件事就是诛杀了克扣工役的亲信宦官孙延希，整肃纲纪。周世宗对五代相沿的律、令、格、敕进行删节，再作注释和评议，详定为《大周刑统》二十一卷，颁行全国。但是任何一个封建帝王，只能做到开明，做不到公平，不可能一视同仁。许州司马韩伦，是周世宗爱将侍卫马军都指挥使韩令坤之父，韩令坤在南伐南唐中又立有大功。韩伦有恃无恐，在陈州贪污不法，干预政事，成为公众的大害，被人告发，当死。韩令坤在周世宗面前哭诉，韩伦被宽大免死，流放沙门岛，随后又赦免回到洛阳。周世宗之生父柴守礼以光禄卿致仕，家居洛阳。当时将相王溥、王晏、王彦超等人的父亲，也闲居洛阳。韩伦与这帮人在洛阳结伙游宴，共十人，恃势横恣，洛阳人闻风胆寒，称他们为"十阿父"。柴守礼以小过杀人，当局不敢问责，周世宗也装聋作哑，不予过问。周世宗让这些权势之家的生父闲居洛阳，给予丰厚的俸禄，不许他们在京城大梁干预政事，已经是一个开明帝王的最大底线，他们犯法、欺压小民，周世宗就不加追究了。

卷第二百九十四　后周纪五

起著雍敦牂（戊午，公元九五八年），尽屠维协洽（己未，公元九五九年），凡二年。

【题解】

本卷记事起于公元九五八年，迄于公元九五九年，凡二年，当后周世宗显德五年至显德六年。南唐楚州守将张彦卿，一千余众，坚守孤城四十日，全军战没，无一人生降。周世宗连年暴众，亦不愿侥幸过江，于是接受南唐主去帝号，称国主，举国内附，划江为界，周世宗取得南唐江北之地后班师。南唐主惩治宋齐丘之党，幽囚宋齐丘于九华山，宋齐丘自缢而死。周世宗以一统天下，北逐胡虏为己任，稍事休整，举众北伐，亲征契丹，又分兵伐蜀。周师士气高昂，初战节节取胜，瓦桥关之南诸州望风归降。周世宗进兵幽州，不幸染病，还师大梁，随即辞世，统一之业半道而废。周世宗在位六年，勤于政事，精力过人，征伐四方，亲历战阵，将士效命，攻必取，战必胜，声威远扬，司马光称其为英武之君。惜其天不假年，功业不就。世宗前三子为后汉隐帝所诛，第四子柴宗训年七岁嗣位，孤儿寡母，是以社稷不守。《资治通鉴》终于柴宗训继位而止，为宋太祖禅位讳也。

【原文】

世宗睿武孝文[1]皇帝下

显德五年（戊午，公元九五八年）

春，正月乙酉①，废匡国军②。

唐改元中兴③。

丁亥④，右龙武将军王汉璋奏克海州⑤。

己丑⑥，以侍卫马军都指挥使韩令坤权扬州军府事。

上欲引战舰自淮入江，阻北神堰⑦，不得渡。欲凿楚州西北鹳水⑧以通其道，遣使行视，还言地形不便，计功甚多⑨。上自往视之，授以规画，发楚州民夫浚之，旬日而成，用功甚省，巨舰数百艘皆达于江。唐人大惊，以为神。

壬辰⑩，拔静海军⑪，始通吴越之路。先是帝遣左谏议大夫⑫长安

【语译】

世宗睿武孝文皇帝下

显德五年（戊午，公元九五八年）

春，正月初三日乙酉，废除匡国军。

南唐改年号为中兴。

初五日丁亥，右龙武将军王汉璋上奏说攻克海州。

初七日己丑，任命侍卫马军都指挥使韩令坤代理扬州军府事务。

周世宗想率领战船从淮河进入长江，被北神堰阻断，不能渡过。打算开凿楚州西北的鹳水来打通进入长江的通道，便派使者去巡视。使者回来说地形不利，估计费工太多。周世宗亲自前往观察，给予规划，征发楚州的民夫去疏通河道，十天就完成，所费的人工很节省，几百艘巨大战船都到达了长江。南唐人大惊，认为神奇。

正月初十日壬辰，攻取静海军，开始打通前往吴越的道路。此前，周世宗派遣

尹日就等使吴越，语之曰："卿今去虽泛海，比还，淮南已平，当陆归耳。"已而果然。

甲辰⑬，蜀右补阙⑭章九龄⑮见蜀主，言政事不治，由奸佞在朝。蜀主问奸佞为谁，指李昊、王昭远以对。蜀主怒，以九龄为毁斥大臣，贬维州⑯录事参军。

周兵攻楚州逾四旬，唐楚州防御使张彦卿⑰固守不下。乙巳⑱，帝自督诸将攻之，宿于城下。丁未⑲，克之。彦卿与都监郑昭业犹帅众拒战，矢刃皆尽，彦卿举绳床以斗而死，所部千余人，至死无一人降者。

高保融遣指挥使魏璘将战船百艘东下会伐唐，至于鄂州。

庚戌⑳，蜀置永宁军于果州㉑，以通州㉒隶之。

唐以天长为雄州㉓，以建武军㉔使易文赟为刺史。二月甲寅㉕，文赟举城降。

戊午㉖，帝发楚州。丁卯㉗，至扬州，命韩令坤发丁夫万余，筑故城之东南隅㉘为小城以治之。

乙亥㉙，黄州刺史司超奏与控鹤右厢都指挥使王审琦攻唐舒州，擒其刺史施仁望。

丙子㉚，建雄节度使真定杨廷璋㉛奏败北汉兵于隰州城下。时隰州刺史孙议暴卒，廷璋谓都监、闲厩使李谦溥曰："今大驾南征，隰州[2]无守将，河东必生心。若奏请待报，则孤城危矣。"即牒谦溥权隰州事，谦溥至则修守备。未几，北汉兵果至，诸将请速救之，廷璋曰："隰州城坚将良，未易克也。"北汉攻城久不下，廷璋度其疲困无备，潜与谦溥约，各募死士百余，夜袭其营。北汉兵惊溃，斩首千余级，北汉兵遂解去。

左谏议大夫长安人尹日就等人出使吴越，告诉他们说："你们今日前去虽然航行海上，但是等到你们回来时，淮南已经平定，应当从陆路返回了。"后来果然如此。

正月二十二日甲辰，后蜀右补阙章九龄进见后蜀主，说政事没有治理好，是由于有奸诈谄谀的臣子在朝廷。后蜀主问奸诈谄谀的臣子是谁，章九龄指着李昊、王昭远来回答。后蜀主很生气，认为章九龄是毁谤大臣，把他贬为维州录事参军。

后周军队攻打楚州超过了四十天，南唐楚州防御使张彦卿坚守，没有攻下。正月二十三日乙巳，周世宗亲自督领众将攻城，住宿在城下。二十五日丁未，攻下楚州。张彦卿和都监郑昭业仍然率领部众抵抗作战，弓箭和刀剑都没有了，张彦卿举起绳床战斗而死，所辖部下一千多人，到死没有一个人投降。

高保融派遣指挥使魏璘率领一百艘战船顺长江东下，和后周军队会合讨伐南唐，战船到达鄂州。

二十八日庚戌，后蜀在果州设置永宁军，将通州隶属于它。

南唐把天长改为雄州，任命建武军使易文赟为刺史。二月初二日甲寅，易文赟献城投降。

初六日戊午，周世宗从楚州出发。十五日丁卯，到达扬州，命令韩令坤征发民夫一万多人，在旧城的东南角修筑小城用来治理扬州。

二十三日乙亥，黄州刺史司超奏报与控鹤右厢都指挥使王审琦攻打南唐舒州，活捉刺史施仁望。

二月二十四日丙子，建雄节度使真定人杨廷璋奏报在隰州城下打败北汉军队。当时隰州刺史孙议突然死亡，杨廷璋对都监、闲厩使李谦溥说："如今皇上南征，隰州没有守将，河东必生异心。如果奏报请示朝廷，等待回复，那么这座孤城就危险了。"便立刻发公文命李谦溥代理隰州的事务，李谦溥到达隰州就整顿守备。不久，北汉军队果然到了，众将请求迅速救援，杨廷璋说："隰州城池坚固，将领优秀，不容易攻下来。"北汉攻打州城，长时间不能攻下。杨廷璋估计敌人疲困，没有防备，暗中和李谦溥约定，各自招募敢死士兵一百多人，夜里袭击敌人的军营。北汉军队惊溃，被斩首一千多级，于是撤军离去。

【段旨】

以上为第一段，写南唐楚州守将张彦卿坚守四十日抗击周师，全军败没。后周隰州守将大败北汉兵。

【注释】

①乙酉：正月初三日。②匡国军：军镇名，后梁名忠武军，后唐改名匡国军。治所同州，在今陕西大荔。③中兴：南唐李璟年号（公元九五八年）。④丁亥：正月初五日。⑤海州：州名，治所朐县，在今江苏连云港市海州区。⑥己丑：正月初七日。⑦北神堰：在今江苏淮安北。又名平水堰。⑧鹳水：又名老鹳河，在江苏淮安西，今已堙。⑨计功甚多：估计费工太多。⑩壬辰：正月初十日。⑪静海军：军镇名，南唐立静海制置院，后周置为静海军。治所静海，在今江苏南通。⑫左谏议大夫：官名，掌侍从规谏。唐代左谏议大夫属门下省，右谏议大夫属中书省。⑬甲辰：正月二十二日。⑭右补阙：官名，唐武则天时始置左、右补阙，对皇帝进行规谏，并荐举人才。左补阙属门下省，右补阙属中书省，五代沿用。⑮章九龄：后蜀右补阙，慷慨直言，不避权贵，遂遭贬谪。⑯维州：州名，治所薛城，在今四川理县东北。⑰张彦卿：南唐楚州防御使。周世宗伐楚州，率部下顽强抵抗，至死不屈。南唐元宗嘉其忠，诏赠侍中。⑱乙巳：正

【原文】

三月壬午朔㉜，帝如泰州。

丁亥㉝，唐大赦，改元交泰㉞。

唐太弟景遂前后凡十表辞位，且言："今国危不能扶，请出就藩镇。燕王弘冀嫡长有军功㉟，宜为嗣，谨奏上太弟宝册。"齐王景达亦以败军辞元帅。唐主乃立景遂为晋王，加天策上将军、江南西道㊱兵马元帅、洪州大都督、太尉、尚书令，以景达为浙西道㊲元帅、润州大都督。景达以浙西方用兵，固辞，改抚州大都督。立弘冀为太子，参决庶政。弘冀为人猜忌严刻，景遂左右有未出东宫者，立斥逐之。其弟安定公从嘉㊳畏之，不敢预事，专以经籍自娱。

辛卯㊴，上如迎銮镇㊵，屡至江口，遣水军击唐兵，破之。上闻唐战舰数百艘泊东沛州㊶，将趣海口扼苏、杭路，遣殿前都虞候慕容延钊㊷将步骑、右神武统军宋延渥将水军，循江而下。甲午㊸，延钊奏大破唐兵于东沛州，上遣李重进将兵趣庐州。

唐主闻上在江上，恐遂南渡，又耻降号称藩，乃遣兵部侍郎陈觉

月二十三日。⑲丁未：正月二十五日。⑳庚戌：正月二十八日。㉑果州：州名，治所在今四川南充北。㉒通州：州名，治所通川，在今四川达州。㉓雄州：州名，治所天长，在今安徽天长。㉔建武军：军镇名，五代南唐置。治所在今安徽天长。㉕甲寅：二月初二日。㉖戊午：二月初六日。㉗丁卯：二月十五日。㉘故城之东南隅：扬州旧城的东南角。㉙乙亥：二月二十三日。㉚丙子：二月二十四日。㉛杨廷璋：镇州真定（今河北正定）人，后周太祖妃杨氏兄。历任晋州、邢州、鄜州节度使。传见《旧五代史》卷一百二十一、《宋史》卷二百五十五。

【校记】

［1］睿武孝文：原作“睿文孝武”。据章钰校，乙十一行本、孔天胤本皆作“睿武孝文”，今据改。［2］隰州：原作“泽州”。胡三省注云：“‘泽州’当作‘隰州’。”严衍《通鉴补》改作“隰州”，今据以校正。

【语译】

三月初一日壬午，周世宗前往泰州。

初六日丁亥，南唐大赦，改年号为交泰。

南唐皇太弟李景遂前后共十次上表请求辞去皇位继承人，并且说：“如今国家危难不能救助，请求出外就任藩镇节度使。燕王弘冀是嫡长子，有军功，应为皇位继承人，谨奏上太弟的宝册。”齐王李景达也因为兵败，请求辞去元帅的职务。于是南唐主立李景遂为晋王，加授天策上将军、江南西道兵马元帅、洪州大都督、太尉、尚书令，任命李景达为浙西道元帅、润州大都督。李景达因为浙西正在用兵，坚决推辞，改任抚州大都督。立李弘冀为太子，参与决断各种政事。李弘冀为人猜忌严刻，李景遂的身边人没有离开东宫的，立即赶走。李弘冀的弟弟安定公李从嘉害怕他，不敢预闻政事，专门以经籍自我娱乐。

三月初十日辛卯，周世宗前往迎銮镇，多次到长江口，派遣水军攻打南唐军队，打败了他们。周世宗听说南唐几百艘战船停泊在东沛州，准备奔赴入海口控制通往苏州、杭州的航道，便派遣殿前都虞候慕容延钊率领步兵和骑兵、右神武统军宋延渥率领水军，顺江而下。十三日甲午，慕容延钊奏报在东沛州大败南唐军队，周世宗派遣李重进率兵奔赴庐州。

南唐主听说周世宗在长江岸边，担心他顺势渡江南下，又耻于降帝号改称藩属，

奉表，请传位于太子弘冀，使听命于中国。时淮南惟庐、舒、蕲、黄未下，丙申㊹，觉至迎銮，见周兵之盛，白上，请遣人渡江取表，献四州之地，画江为境，以求息兵，辞指甚哀。上曰："朕本兴师止取江北，今[3]尔主能举国内附，朕复何求！"觉拜谢而退。丁酉㊺，觉请遣其属阁门承旨㊻刘承遇如金陵，上赐唐主书，称"皇帝恭问江南国主"，慰纳之。

戊戌㊼，吴越奏遣上直都[4]指挥使、处州㊽刺史邵可迁，秀州㊾刺史路彦铢以战舰四百艘，士卒万七千人屯通州南岸。

唐主复遣刘承遇奉表称唐国主，请献江北四州，岁输贡物数[5]十万。于是江北悉平，得州十四㊿，县六十。庚子(51)，上赐唐主书，谕以："缘江诸军及两浙、湖南、荆南兵并当罢归，其庐、蕲、黄三道，亦令敛兵近外(52)。俟彼将士及家属皆[6]就道(53)，可遣人召将校以城邑付之(54)。江中舟舰有须往来者，并令就北岸引之(55)。"辛丑(56)，陈觉辞行，又赐唐主书，谕以不必传位于子。

壬寅(57)，上自迎銮复如扬州。

癸卯(58)，诏吴越、荆南军各归本道，赐钱弘俶犒军帛三万匹、高保融一万匹。

甲辰(59)，置保信军(60)于庐州，以右龙武统军赵匡赞为节度使。

丙午(61)，唐主遣冯延巳献银、绢、钱、茶、谷共百万(62)以犒军。

己酉(63)，命宋延渥将水军三千溯江巡警。

庚戌(64)，敕故淮南(65)节度使杨行密(66)、故升府(67)节度使徐温(68)等墓并量给守户。其江南群臣墓在江北者，亦委长吏以时检校(69)。

【段旨】

以上为第二段，写南唐主举国内附称藩，唐与周划江为界。

于是派遣兵部侍郎陈觉奉持表章，请求传位给太子李弘冀，让他听命中原。当时淮南只有庐州、舒州、蕲州、黄州没有攻下。三月十五日丙申，陈觉到达迎銮镇，看到后周军队强盛，禀告周世宗，请求派人渡江拿取表章，献出四州之地，划江为界，以此来请求周世宗罢兵，辞意非常悲哀。周世宗说："朕本来发兵只取江北之地，现在你的君主能够率领全国归附中原，朕还要求什么呢！"陈觉下拜称谢后退下。十六日丁酉，陈觉请求派遣他的属下阁门承旨刘承遇前往金陵，周世宗赐给南唐主书信，说"皇帝恭问江南国主"，安慰接纳他。

三月十七日戊戌，吴越王奏报派遣上直都指挥使、处州刺史邵可迁和秀州刺史路彦铢率领战舰四百艘、士兵一万七千人屯驻通州南岸。

南唐主又派遣刘承遇奉持表章自称唐国主，请求献上江北四州，每年输送贡品数十万。于是江北全部平定，得到十四个州、六十个县。三月十九日庚子，周世宗赐给南唐主书信，告诉他："沿长江的各军以及两浙、湖南、荆南的军队都应撤回，攻打庐、蕲、黄三道的军队，也下令他们收兵退到近郊之外。等到那些将士和他们的家属全都上了路，可派人去召请我军将校，把城邑交给他们。长江的船舰如果有需要来往的，都允许由北岸引向南岸。"二十日辛丑，陈觉辞行，周世宗又赐给南唐主书信，晓谕他不必传位于儿子。

三月二十一日壬寅，周世宗从迎銮镇又前往扬州。

二十二日癸卯，周世宗诏命吴越和荆南的军队各自回归本地，赐给钱弘俶犒劳军队的布帛三万匹、高保融一万匹。

二十三日甲辰，后周在庐州设置保信军，任命右龙武统军赵匡赞为节度使。

二十五日丙午，南唐主派遣冯延巳进献银、绢、钱、茶、谷共一百万，用来犒劳军队。

二十八日己酉，周世宗命令宋延渥率领水军三千人逆行长江巡逻警戒。

二十九日庚戌，敕令对已故淮南节度使杨行密、已故升府节度使徐温等人的坟墓酌量分配守陵民户。那些江南群臣的坟墓在江北的，也委托地方长官按时察看。

【注释】

㉜ 壬午朔：三月初一日。㉝ 丁亥：三月初六日。㉞ 交泰：南唐元宗李璟年号（公元九五八年）。㉟ 有军功：指后周世宗显德三年（公元九五六年）三月，吴越兵围南唐常州，燕王弘冀力荐柴克宏以解常州之围。㊱ 江南西道：方镇名，唐开元中以江南道分置。治所洪州，在今江西南昌。㊲ 浙西道：方镇名，唐至德元年（公元七五六年）始置。治所润州，在今江苏镇江。㊳ 安定公从嘉：即李煜（公元九三七至九七八年），字重光，初名

从嘉。元宗李璟第六子，封安定公。即位后荒于政事。公元九七五年宋兵破金陵，出降，后被毒死。公元九六一至九七五年在位，世称李后主。通诗文、音乐、书画，尤以词著称于世。传见《旧五代史》卷一百三十四、《新五代史》卷六十二、《宋史》卷四十。㊴辛卯：三月初十日。㊵迎銮镇：地名，唐时称白沙镇，五代吴睿帝杨溥到白沙镇，检阅舟师，徐温自金陵来见，遂改白沙镇名迎銮镇。在今江苏仪征。㊶东洲州：地名，在今江苏泰州东南大江中，原为海屿沙岛之地。㊷慕容延钊：太原人，仕后周，屡随世宗出征，官镇军节度使。与赵匡胤素友善，宋初，加检校太尉。传见《宋史》卷二百五十一。㊸甲午：三月十三日。㊹丙申：三月十五日。㊺丁酉：三月十六日。㊻阁门承旨：官名，职掌同阁门使。㊼戊戌：三月十七日。㊽处州：州名，治所丽水，在今浙江丽水西。㊾秀州：州名，治所嘉兴，在今浙江嘉兴。㊿得州十四：指光、寿、庐、舒、蕲、黄、滁、和、濠、泗、楚、扬、泰、通十四州。㉛庚子：三月十九日。㉜其庐、蕲、黄三道二句：意为攻打庐、蕲、黄三道的军队，也命令他们收兵退到近郊之外。㉝俟彼将士及家属皆就道：指南唐将士和家属上了路（退回江南）。㉞可遣人召将校以城邑付之：指派人召后周的将校，把南唐退出的城邑交给他们驻防。㉟令就北岸引之：指南唐船舰在北岸的，都允许由北岸引向南岸。㊱辛丑：三月二十日。㊲壬寅：三月二十一日。㊳癸卯：三月二十二日。㊴甲辰：三月二十三日。㊵保信军：方镇名，五代后周置，治所庐州，在今

【原文】

辛亥⑩，唐主遣其临汝公徐辽代己来上寿⑪。

是月，浚汴口，导河流达于淮，于是江、淮舟楫始通。

夏，四月乙卯⑫，帝自扬州北还。

新作太庙成。庚申⑬，神主入庙⑭。

辛酉⑮夜，钱唐城南火，延及内城，官府庐舍几尽。壬戌⑯旦，火将及镇国仓，吴越王弘俶久疾，自强出救火⑰。火止，谓左右曰："吾疾因灾而愈。"众心稍安。

帝之南征也，契丹乘虚入寇。壬申⑱，帝至大梁，命镇宁节度使[7]张永德将兵备御北边。

五月辛巳朔⑲，日有食之。

诏赏劳南征士卒及淮南新附之民。

安徽合肥。㉑ 丙午：三月二十五日。㉒ 献银、绢、钱、茶、谷共百万：指银两、绢匹、钱贯、茶斤、谷石各以万计，共值百万。㉓ 己酉：三月二十八日。㉔ 庚戌：三月二十九日。㉕ 淮南：方镇名，唐至德元年（公元七五六年）置，治所在今江苏扬州。㉖ 杨行密：杨行密（公元八五二至九〇五年），字化源，庐州合淝（今安徽合肥）人。唐末为淮南节度使，五代吴国建立者，公元九〇二至九〇五年在位。传见《新唐书》卷一百八十八、《旧五代史》卷一百三十四、《新五代史》卷六十一。㉗ 升府：方镇名，五代十国吴置，治所金陵，在今江苏南京。㉘ 徐温：字敦美，海州朐山（今江苏东海县）人，吴国大丞相，封东海郡王，奸诈多疑，专吴国政。养子徐知诰（李昪）为南唐创建者。传见《新五代史》卷六十一。㉙ 以时检校：按时加以检阅、察看。

【校记】

［3］今：原无此字。据章钰校，乙十一行本有此字，张敦仁《通鉴刊本识误》同，今据补。［4］都：原无此字。据章钰校，乙十一行本、孔天胤本皆有此字，今据补。〖按〗《吴越备史》有“都”字。［5］数：原无此字。据章钰校，乙十一行本、孔天胤本皆有此字，今据补。［6］皆：原无此字。据章钰校，乙十一行本、孔天胤本皆有此字，今据补。

【语译】

三月三十日辛亥，南唐主派遣他的临汝公徐辽代替自己前来敬酒祝贺。

这个月，疏浚汴口，引导黄河水流入淮河，于是长江、淮河的船只开始通航。

夏，四月初四日乙卯，周世宗从扬州北上返回大梁。

新修的太庙建成。初九日庚申，把神主迎入太庙。

四月初十日辛酉夜里，钱唐城南发生火灾，延及内城，官府民舍焚毁殆尽。十一日壬戌早晨，大火将要烧及镇国仓，吴越王钱弘俶久病，亲自勉强出来救火。大火熄灭了，钱弘俶对身边的人说：“我的病因这场火灾而痊愈了。”大家的心情渐渐安定下来。

周世宗南征时，契丹乘虚入侵。四月二十一日壬申，周世宗到达大梁，命令镇宁节度使张永德率兵防备北方边境。

五月初一日辛巳，发生日食。

周世宗下诏奖赏慰劳南征的士兵和淮南最近归附的百姓。

辛卯[80]，以太祖皇帝领忠武节度使，徙安审琦为平卢节度使。

成德节度使郭崇攻契丹束城[81]，拔之，以报其入寇[82]也。

唐主避周讳，更名景[83]。下令去帝号，称国主，凡天子仪制皆有降损，去年号，用周正朔[84]，仍告于太庙。左仆射、同平章事冯延巳罢为太子太傅，门下侍郎、同平章事严续罢为少傅，枢密使、兵部侍郎陈觉罢守本官[85]。

初，冯延巳以取中原之策说唐主，由是有宠。延巳尝笑烈祖戢兵为龌龊[86]，曰："安陆所丧才数千兵，为之辍食咨嗟者旬日，此田舍翁识量[87]耳，安足与成大事！岂如今上暴师[88]数万于外，而击球宴乐无异平日，真英主也！"延巳与其党谈论，常以天下为己任，更相唱和。翰林学士常梦锡屡言延巳等浮诞[89]，不可信，唐主不听。梦锡曰："奸言似忠，陛下不悟，国必亡矣！"及臣服于周，延巳之党相与言，有谓周为大朝者，梦锡大笑曰："诸公常欲致君尧、舜[90]，何意今日自为小朝邪！"众默然。

自唐主内附，帝止因其使者赐书，未尝遣使至其国。己酉[91]，始命太仆卿[92]冯延鲁、卫尉少卿[93]锺谟使于唐，赐以御衣、玉带等及犒军帛十万，并今年《钦天历》[94]。

刘承遇之还自金陵也，唐主使陈觉白帝，以江南无卤田[95]，愿得海陵盐[8]监南属以赡军[96]。帝曰："海陵在江北，难以交居[97]，当别有处分[98]。"至是，诏岁支盐三十万斛以给江南，所俘获江南士卒，稍稍归之。

六月壬子[99]，昭义节度使李筠奏击北汉石会关[100]，拔其六寨。乙卯[101]，晋州奏都监李谦溥击北汉，破孝义[102]。

高保融遣使劝蜀主称藩于周，蜀主报以前岁遣胡立致书于周而不答。

秋，七月丙戌[103]，初行《大周刑统》[104]。

帝欲均田租，丁亥[105]，以元稹[106]《均田图》遍赐诸道。

闰月[107]，唐清源节度使兼中书令留从效遣牙将蔡仲赟衣商人服，以绢表置革带中，间道来称藩。

唐江西元帅晋王景遂之赴洪州[108]也，以时方用兵，启求大臣以自

十一日辛卯，任命太祖皇帝赵匡胤兼任忠武节度使，调安审琦为平卢节度使。

成德节度使郭崇攻打契丹的束城，攻取了它，用来报复契丹的入侵。

南唐主避后周的名讳，改名为李景，下令取消皇帝的称号，称国主，所有天子的礼仪制度都有所降低减损，取消年号，改用后周的历法，但仍祭告于太庙。左仆射、同平章事冯延巳罢免宰相职务为太子太傅，门下侍郎、同平章事严续免职为少傅，枢密使、兵部侍郎陈觉免去宰相职务，担任原来的兵部侍郎之职。

当初，冯延巳用夺取中原的计策来劝说南唐主，因此受到南唐主的宠幸。冯延巳曾经嘲笑烈祖息兵有些拘于小节，他说："安陆所丧亡的才几千士兵，烈祖就为此辍食叹息了十天，这是乡村老农的见识和度量罢了，怎么能够与他成就大事！他怎么比得上当今皇上，几万军队在外面风餐露宿，而自己打球饮宴玩乐与平时没有两样，真是英明的君主啊！"冯延巳和他的同党谈论，常常以天下为己任，互相一唱一和。翰林学士常梦锡多次说冯延巳等人浮夸荒诞，不能听信，南唐主不听。常梦锡说："奸臣的话好像是忠言，陛下不觉悟，必定亡国！"等到南唐臣服于后周，冯延巳的同党互相谈论，有称后周为大朝的，常梦锡大笑说："诸公常常想使皇上成为尧、舜，怎么今天自己作为小朝廷了！"众人默不作声。

自从南唐主归顺后周，周世宗只是通过南唐主的使者赐给他书信，未曾派遣使者到他的国家去。五月二十九日己酉，周世宗才命令太仆卿冯延鲁、卫尉少卿锺谟出使于南唐，赐给南唐主御衣、玉带等，以及犒劳军队的布帛十万匹，还有当年的《钦天历》。

刘承遇从金陵回来的时候，南唐主让陈觉禀告周世宗，因为江南没有盐田，希望能把海陵盐监归属江南来供应军队。周世宗说："海陵在江北，难以让两国的官吏交错在一起，应当另作安排。"到了这时，诏命每年拨出三十万斛盐给江南，所俘虏的江南士兵，逐渐让他们回去。

六月初二日壬子，昭义节度使李筠上奏说攻打北汉的石会关，攻取了他们的六个营寨。初五日乙卯，晋州上奏说都监李谦溥攻打北汉，攻破了孝义。

高保融派遣使者劝说后蜀主向后周称臣，后蜀主回答说去年曾派胡立致书后周，后周没有回答。

秋，七月初七日丙戌，开始实行《大周刑统》。

周世宗打算平均田租，初八日丁亥，把元稹的《均田图》遍赐各道。

闰七月，南唐清源节度使兼中书令留从效派遣牙将蔡仲赟穿着商人服装，把绢表藏在皮带中间，从小路前来称臣。

南唐江西元帅晋王李景遂前往洪州时，因为当时正在用兵，请求朝廷派一位大

副⑩⑨，唐主以枢密副使、工部侍郎李徵古为镇南节度副使。徵古傲很专恣，景遂虽宽厚，久而不能堪，常欲斩徵古，自拘于有司⑪⓪，左右谏而止，景遂忽忽不乐。

太子弘冀在东宫多不法，唐主怒，尝以球杖击之曰："吾当复召景遂。"昭庆宫使袁从范从景遂为洪州都押牙，或谮从范之子于景遂，景遂欲杀之，从范由是怨望。弘冀闻之，密遣从范毒之。八月庚辰⑪①，景遂击球渴甚，从范进浆⑪②，景遂饮之而卒。未殡，体已溃。唐主不之知，赠皇太弟，谥曰文成。

辛巳⑪③，南汉中宗殂，长子卫王[9]继兴即帝位，更名𬬮⑪④，改元大宝。𬬮年十六，国事皆决于宦官玉清宫使⑪⑤龚澄枢及女侍中卢琼仙⑪⑥等，台省⑪⑦官备位而已。

甲申⑪⑧，唐始置进奏院⑪⑨于大梁。

壬辰⑫⓪，命西上阁门使灵寿曹彬⑫①使于吴越，赐吴越王弘俶骑军钢甲⑫②二百，步军甲五千及他兵器。彬事毕亟返，不受馈遗。吴越人以轻舟追与之，至于数四，彬曰："吾终不受，是窃名也⑫③。"尽籍其数，归而献之。帝曰："向之奉使者[10]，乞丐无厌⑫④，使四方轻朝命⑫⑤。卿能如是，甚善。然彼以遗卿，卿自取之。"彬始拜受，悉以散于亲识，家无留者。

【段旨】

以上为第三段，写南唐主去帝号称国主，君臣黯然。南唐太子李弘冀忌杀前皇太弟李景遂。南汉中宗殂，长子刘继兴即位，权落宦官之手。

【注释】

⑰辛亥：三月三十日。⑱上寿：敬酒祝贺；奉酒上寿。此非生日祝寿，周世宗生于九月二十四日。⑲乙卯：四月初四日。⑳庚申：四月初九日。㉑神主入庙：把祖先的牌位安置入太庙。有郭威的高祖璟，睿和皇帝，庙号信祖；曾祖谌，明宪皇帝，庙号僖祖；祖蕴，翼顺皇帝，庙号义祖；考简，章肃皇帝，庙号庆祖。后周修建太庙，始于太祖广顺三年（公元九五三年）九月，至是始成。㉒辛酉：四月初十日。㉓壬戌：四月十一

臣做自己的副帅，南唐主任命枢密副使、工部侍郎李徵古为镇南节度副使。李徵古傲慢凶狠，专权恣横，李景遂虽然宽厚，时间久了也不能忍受，常常想杀了李徵古，自己再到有关部门去自首，身边的人劝谏，他才作罢。李景遂从此郁郁不乐。

太子李弘冀在东宫做了很多不法的事，南唐主很生气，曾经用击球的木棍打他说："我应当再召回李景遂。"昭庆宫使袁从范跟从李景遂任洪州都押牙，有人在李景遂的面前说袁从范儿子的坏话，李景遂想杀了他，袁从范由此怨恨李景遂。李弘冀听到此事，秘密差遣袁从范毒杀李景遂。八月初二日庚辰，李景遂打球口渴得厉害，袁从范送上酒，李景遂喝下就死了。还没有等到入殡，尸体已经溃烂了。南唐主不知道此事，追赠他为皇太弟，谥号为文成。

八月初三日辛巳，南汉中宗刘晟去世，长子卫王刘继兴即帝位，改名为刘𬬮，改年号为大宝。刘𬬮十六岁，国事都由宦官玉清宫使龚澄枢和女侍中卢琼仙等人裁决，御史台和三省的官员聊以充数而已。

初六日甲申，南唐开始在大梁设置进奏院。

十四日壬辰，周世宗命令西上阁门使灵寿人曹彬出使吴越，赐给吴越王钱弘俶二百副骑兵钢铠甲，五千副步兵铁铠甲以及其他的武器。曹彬在事情完毕后迅速返回，不接受馈赠。吴越人乘轻快的小船追上来送给他礼物，坚持了好几次，曹彬说："我始终不接受，似是沽名钓誉了。"全部清点登记礼品数量，回来献给周世宗。周世宗说："以往奉命出使的人，索求没有满足，致使四方国家轻视朝廷的命令。卿能够如此，非常好。然而他们拿这些礼物送给你，你就拿走。"曹彬这才下拜接受，全部散发给亲戚熟人，家中没有留下来的。

日。⑦⑦ 自强出救火：自己勉强出来救火。⑦⑧ 壬申：四月二十一日。⑦⑨ 辛巳朔：五月初一日。⑧⓪ 辛卯：五月十一日。⑧① 束城：县名，在今河北河间东北。⑧② 以报其入寇：用来报复契丹的入侵。⑧③ 唐主避周讳二句：周信祖名璟，故唐元宗李璟为避讳，改为景。⑧④ 去年号二句：去掉交泰年号（公元九五八年），用周正朔，即用显德年号。⑧⑤ 罢守本官：罢枢密使职务，只任兵部侍郎。⑧⑥ 延巳尝笑烈祖戢兵为龌龊：后晋高祖天福五年（公元九四〇年），南唐将李承裕在安州（治所在今湖北安陆）被晋将马全节击败，承裕和一千五百名士兵被杀，失亡数千。烈祖李昪为此辍食长吁短叹十多天。戢兵，息兵。龌龊，器量狭小，拘泥于小节。⑧⑦ 田舍翁识量：庄稼汉的见识和度量。⑧⑧ 暴师：军队战戍在外，蒙受风日霜露。⑧⑨ 浮诞：浮夸虚妄。⑨⓪ 致君尧、舜：使国君成为像尧、舜一样的圣君。⑨① 己酉：五月二十九日。⑨② 太仆卿：官名，太仆寺长官，掌舆马和牧畜之事。⑨③ 卫尉少卿：官名。唐设卫尉寺，卿一人，少卿二人。掌邦国器械文物。五代沿袭。⑨④ 并今

年《钦天历》：后周世宗显德三年（公元九五六年）八月，王朴撰定《钦天历》，呈上，世宗下诏来年即显德四年施行。世宗赐给南唐《钦天历》时，此历已施行一年。胡三省注云显德五年始行王朴所上《钦天历》，不可信据。⑮ 卤田：盐碱地，可煮盐。⑯ 愿得海陵盐监南属以赡军：希望把海陵盐监归属江南，用来供应军队。海陵盐监，又称西溪盐仓，在今江苏泰州市姜堰区东北。⑰ 难以交居：难以让周和南唐的官吏杂居在一起。⑱ 当别有处分：应另作处理。指南唐主的请求以另外办法处理，即下文“诏岁支盐三十万斛以给江南”。⑲ 壬子：六月初二日。⑳ 石会关：在今山西榆社西。(101) 乙卯：六月初五日。(102) 孝义：县名，县治在今山西孝义。(103) 丙戌：七月初七日。(104) 初行《大周刑统》：后周世宗显德四年（公元九五七年）五月，下诏让御史知杂事张湜等人整理训释旧律，审定为《刑统》，至此诏令施行于世。《刑统》为后周律令法典，宋朝仍加袭用。(105) 丁亥：七月初八日。(106) 元稹（公元七七九至八三一年）：唐代诗人，字微之，河南（今河南洛阳）人，官至同中书门下平章事。与白居易友善，世称“元、白”，其诗称“元和体”。著有《元氏长庆集》。传见《旧唐书》卷一百六十六、《新唐书》卷一百七十四。(107) 闰月：闰七月。(108) 洪州：州名，治所南昌，在今江西南昌。(109) 启求大臣以自副：请求朝廷派一名大臣做自己的副帅。(110) 自拘于有司：指景遂计划斩李徵古后，亲自到主管机关自首擅诛大臣之罪。(111) 庚辰：八月初二日。(112) 浆：酒。(113) 辛巳：八月初三日。(114) 鋹：南汉后主，初名继兴，即帝位后更名鋹，封卫王，中宗长子。公元九五八至九六九年在位。传见《旧五代史》卷一百三十五、《新五代史》卷六十五、《宋史》卷四百八十一。(115) 玉

【原文】

辛丑(126)，冯延鲁、锺谟来自唐，唐主手表谢恩(127)，其略曰：“天地之恩厚矣，父母之恩深矣，子不谢父，人何报天，惟有赤心，可酬大造(128)。”又乞比藩方，赐诏书(129)。又称有情事令锺谟上奏，乞令早还。唐主复令谟白帝，欲传位太子。九月丁巳(130)，以延鲁为刑部侍郎，谟为给事中。己未(131)，先遣谟还，赐书谕以未可传位之意[11]。唐主复遣吏部尚书、知枢密院殷崇义来贺天清节(132)。

帝谋伐蜀，冬，十月己卯(133)，以户部侍郎高防为西南面水陆制置使、右赞善大夫(134)李玉为判官。

甲午(135)，帝归冯延鲁及左监门卫上将军许文稹、右千牛卫上将军边镐、卫尉卿周廷构于唐。唐主以文稹等皆败军之俘，弃不复用。

清宫使：南汉主为了游猎，建有南宫、大明、昌华、甘泉、玩华、秀华、玉清、太微等离宫，每宫都设宫使统领。⑯ 卢琼仙：南汉中宗宫人，与黄琼芝并为女侍中。后主继位，进为才人，朝政一决于琼仙。琼仙与女巫樊胡子、宦官龚澄枢等内外勾结，朝纲日益败坏。⑰ 台省：唐代尚书省称中台，门下省称东台，中书省称西台，总称台省。一说三省及御史台合称台省。五代沿袭。⑱ 甲申：八月初六日。⑲ 进奏院：官署名，唐代藩镇在京城设的办事处，称上都留后院。大历十二年（公元七七七年）改为上都进奏院。⑳ 壬辰：八月十四日。㉑ 曹彬：字国华，真定灵寿（今河北灵寿）人，以廉洁著称。从征北汉、后蜀、南唐、契丹等有功，官至同平章事。传见《宋史》卷二百五十八。㉒ 钢甲：钢铠甲。㉓ 吾终不受二句：我若始终不接受，就好像我在沽名钓誉。㉔ 乞丐无厌：一味索求人家的财物，永不满足。㉕ 使四方轻朝命：致使四方国家轻视朝廷的命令。

【校记】

［7］镇宁节度使：原无此五字。据章钰校，乙十一行本、孔天胤本皆有此五字，张瑛《通鉴校勘记》同，今据补。［8］盐：原无此字。据章钰校，乙十一行本、孔天胤本皆有此字，张瑛《通鉴校勘记》同，今据补。［9］卫王：原无此二字。据章钰校，乙十一行本、孔天胤本皆有此二字，张敦仁《通鉴刊本识误》同，今据补。［10］者：原无此字。据章钰校，乙十一行本有此字，其义长，今据补。

【语译】

八月二十三日辛丑，冯延鲁、锺谟来到南唐，南唐主亲自写表谢恩，表章大略说："天地的恩德深厚啊，父母的恩情深厚啊，儿子不感恩父亲，人又怎么报答上天，只有赤诚之心，可以报答大恩大德。"又请求比照藩镇那样，颁赐诏书。还说有事情让锺谟上奏，乞求让他早些回来。南唐主又让锺谟禀告周世宗，想传位给太子。九月初九日丁巳，周世宗任命冯延鲁为刑部侍郎，锺谟为给事中。十一日己未，周世宗先派遣锺谟返回南唐，赐下诏书传达让南唐主不必传位的意思。南唐主又派遣吏部尚书、知枢密院殷崇义前来祝贺周世宗的寿辰。

周世宗谋划讨伐后蜀，冬，十月初二日己卯，任命户部侍郎高防为西南面水陆制置使、右赞善大夫李玉为判官。

十七日甲午，周世宗把冯延鲁和左监门卫上将军许文稹、右千牛卫上将军边镐、卫尉卿周廷构送回南唐。南唐主因为许文稹等人都是军败被俘，所以弃置不再任用。

高保融再遗蜀主书，劝称臣于周。蜀主集将相议之，李昊曰："从之则君父之辱，违之则周师必至，诸将能拒周乎？"诸将皆曰："以陛下圣明，江山险固，岂可望风屈服！秣马厉兵，正为今日。臣等请以死卫社稷！"丁酉⑬⑥，蜀主命昊草书，极言拒绝之。

诏左散骑常侍⑬⑦须城⑬⑧艾颖等三十四人分行诸州，均定田租。庚子⑬⑨，诏诸州并乡村，率以百户为团，团置耆长三人⑭⓪。帝留心农事，刻木为耕夫、蚕妇，置之殿庭。

命武胜节度使宋延渥以水军巡江。

高保融奏，闻王师将伐蜀，请以水军趣三峡⑭①，诏褒之。

十一月庚戌⑭②，敕窦俨编集《大周通礼》《大周正乐》。

辛亥⑭③，南汉葬文武光明孝皇帝于昭陵，庙号中宗。

乙丑⑭④，唐主复遣礼部侍郎锺谟入见。

李玉至长安，或言蜀归安镇⑭⑤在长安南三百余里，可袭取也。玉信之，牒永兴节度使王彦超，索兵二百。彦超以为归安道阻隘难取，玉曰："吾自奉密旨。"彦超不得已与之，玉将以往。十二月，蜀归安镇遏使李承勋据险邀之，斩玉，其众皆没。

乙酉⑭⑥，蜀主以右卫圣步军都指挥使赵崇韬为北面招讨使，丙戌⑭⑦，以奉銮肃卫都指挥使、武信节度使兼中书令孟贻业为昭武⑭⑧、文州⑭⑨都招讨使，左卫圣马军都指挥使赵思进为东面招讨使，山南西道节度使韩保贞为北面都招讨使，将兵六万，分屯要害以备周。

【段旨】

以上为第四段，写周世宗谋伐蜀，蜀主命将率兵六万分屯要害。

【注释】

⑫⑥辛丑：八月二十三日。⑫⑦手表谢恩：亲手写表文谢恩。⑫⑧可酬大造：可以报答大恩大德。⑫⑨乞比藩方二句：请求比照藩镇那样，颁赐诏书。⑬⓪丁巳：九月初九日。⑬①己未：九月十一日。⑬②天清节：周世宗生于九月二十四日，这一天定为天清节。⑬③己卯：

高保融又送信给后蜀主，劝他向后周称臣。后蜀主召集将相讨论此事，李昊说："听从他的话就是君父受辱，违背他的话后周军队就一定到来，众将能够抵抗后周军队吗?"众将都说："以陛下的圣明，江山的险固，岂能望风屈服！厉兵秣马，正是为了今天。臣等请求以死来保卫国家!"十月二十日丁酉，后蜀主命令李昊起草书信，尽情陈词拒绝了高保融。

周世宗诏命左散骑常侍须城人艾颖等三十四人分别巡行各州，均定田租。十月二十三日庚子，诏命各州合并乡村，一律以一百户为一团，每团设置年老的团长三人。周世宗留心农事，用木头雕刻成耕夫、蚕妇，安放在殿庭。

周世宗命令武胜节度使宋延渥率领水军巡视长江。

高保融奏言，听说王师将要征伐后蜀，请求率领水军奔赴三峡，周世宗下诏褒奖他。

十一月初四日庚戌，下敕书让窦俨编纂《大周通礼》《大周正乐》。

初五日辛亥，南汉把文武光明孝皇帝安葬在昭陵，庙号中宗。

十九日乙丑，南唐主又派遣礼部侍郎锺谟入朝觐见周世宗。

李玉到达长安，有人说蜀国的归安镇在长安南面三百多里，可以袭取。李玉相信了此话，发公文给永兴节度使王彦超，索求士兵二百人。王彦超认为归安道路险阻，难以攻取。李玉说："我自己奉有秘密的诏书。"王彦超不得已给他士兵，李玉率领士兵前往归安镇。十二月，后蜀归安镇遏使李承勋据险截击，斩杀李玉，他的部众全部覆没。

十二月初九日乙酉，后蜀主任命右卫圣步军都指挥使赵崇韬为北面招讨使。初十日丙戌，任命奉銮肃卫都指挥使、武信节度使兼中书令孟贻业为昭武、文州都招讨使，左卫圣马军都指挥使赵思进为东面招讨使，山南西道节度使韩保贞为北面都招讨使，率领士兵六万，分别驻扎要害之地来防备后周。

十月初二日。⑬④ 右赞善大夫：官名，东宫右春坊属官，掌侍从献纳启奏。⑬⑤ 甲午：十月十七日。⑬⑥ 丁酉：十月二十日。⑬⑦ 左散骑常侍：官名，隶门下省。在皇帝左右规谏过失，以备顾问，无实际职权。⑬⑧ 须城：县名，原为唐须昌县，避后唐献祖庙讳改须城，县治在今山东东平。⑬⑨ 庚子：十月二十三日。⑭⓪ 团置耆长三人：每团以老者三人为之长。耆，老。⑭① 三峡：指长江上游的瞿塘峡、巫峡和西陵峡。⑭② 庚戌：十一月初四日。⑭③ 辛亥：十一月初五日。⑭④ 乙丑：十一月十九日。⑭⑤ 归安镇：地名，在今陕西安康北，又名香獐坝。⑭⑥ 乙酉：十二月初九日。⑭⑦ 丙戌：十二月初十日。⑭⑧ 昭武：昭武军，治所利州，在今四川广元。⑭⑨ 文州：州名，治所曲水，在今甘肃文县西。

【校记】

[11] 己未先遣谟还赐书谕以未可传位之意：原无此十六字。据章钰校，乙十一行本、孔天胤本皆有此十六字，张敦仁《通鉴刊本识误》、张瑛《通鉴校勘记》同，今据补。

【原文】

丙戌[150]，诏凡诸色课户[151]及俸户[152]并勒归州县，其幕职[153]、州县官自今并支俸钱及米麦。

初，唐太傅兼中书令楚公宋齐丘多树朋党，欲以专固朝权，躁进之士争附之，推奖以为国之元老。枢密使陈觉、副使李徵古恃齐丘之势，尤骄慢。及许文稹等败于紫金山，觉与齐丘、景达自濠州遁归，国人恟惧。唐主尝叹曰："吾国家一朝至此！"因泣下。徵古曰："陛下当治兵以捍敌，涕泣何为！岂饮酒过量邪，将乳母不至邪？"唐主色变，而征古举止自若。会司天奏"天文有变，人主宜避位禳灾"。唐主乃曰："祸难方殷[154]，吾欲释去万机[155]，栖心冲寂[156]，谁可以托国者？"徵古曰："宋公，造国手[157]也，陛下如厌万机，何不举国授之！"觉曰："陛下深居禁中，国事皆委宋公，先行后闻，臣等时入侍，谈释、老[158]而已。"唐主心愠，即命中书舍人豫章陈乔[159]草诏行之。乔惶恐请见，曰："陛下一署此诏，臣不复得见矣！"因极言其不可。唐主笑曰："尔亦知其非邪？"乃止。由是因晋王[160]出镇，以徵古为之副，觉自周还，亦罢近职[161]。

锺谟素与李德明善，以德明之死怨齐丘。及奉使归唐，言于唐主曰："齐丘乘国之危，遽谋篡窃，陈觉、李徵古为之羽翼，理不可容。"陈觉之自周还，矫以帝命谓唐主曰："闻江南连岁拒命，皆宰相严续之谋，当为我斩之。"唐主知觉素与续有隙，固未之信。锺谟请覆[162]之于周，唐主乃因谟复命，上言："久拒王师，皆臣愚迷，非续之罪。"帝闻之，大惊曰："审[163]如此，则续乃忠臣，朕为天下主，岂教人杀忠臣乎！"谟还，以白唐主。

唐主欲诛齐丘等，复遣谟入禀于帝。帝以异国之臣，无所可否。

【语译】

十二月初十日丙戌，周世宗下诏，所有各种课户和俸户一律勒令回归各自的州县，幕僚和州县官从今以后都由官府开支俸钱和米麦。

当初，南唐太傅兼中书令楚公宋齐丘多建同党，想以此巩固对朝政的垄断，急于提升的朝官争相攀附，推誉宋齐丘为国家的元老。枢密使陈觉、副使李徵古依仗宋齐丘的势力，尤其骄横傲慢。等到许文稹等人在紫金山兵败，陈觉和宋齐丘、李景达从濠州逃回来，国人恐惧。南唐主曾经叹息说："我的国家一下子竟到了这种地步！"因而流下眼泪。李徵古说："陛下应当整顿军队来抵抗敌人，哭泣流泪有什么用！难道是饮酒过量了吗，还是奶妈没来呢？"南唐主脸色大变，而李徵古举止自如。恰巧司天监官员上奏"天象发生变化，人主应该避开帝位祈求消灾"。南唐主于是说："祸难正多，我想放弃所有的政务，让我的心胸处于清静之中，可以把国家托付给谁呢？"李徵古说："宋公是缔造国家的元老，陛下如果厌烦政务，何不把整个国家交给他！"陈觉说："陛下深居宫禁之中，国事都交给宋公，先处理后奏闻，臣等按时入侍陛下，谈说佛学与老子而已。"南唐主心中怨恨，立即命令中书舍人豫章人陈乔草拟诏书实行。陈乔惊恐，请求进见，陈乔说："陛下一签署这道诏书，臣就不能再见到陛下了！"接着极力说明不能这样做。南唐主笑着说："你也知道那样做不对吗？"于是此事作罢。因此借晋王出任藩镇的机会，任命李徵古做他的副手；陈觉从后周回来，也罢免了近臣的职务。

锺谟向来与李德明友好，因为李德明的死而怨恨宋齐丘。等到他奉命出使回到南唐，进言南唐主说："宋齐丘趁着国家危难，马上谋划篡国窃位，陈觉、李徵古做他的帮手，按理不可宽容。"陈觉从后周回来，假借周世宗的命令对南唐主说："听说江南连年违抗命令，都是宰相严续的谋划，应当替我斩杀了他。"南唐主知道陈觉向来与严续有隔阂，本来就不相信他的话。锺谟请求向后周复核此事，南唐主于是由锺谟向周世宗复命，上言说："长时间抵抗王师，都是我的愚昧迷惑，不是严续的罪过。"周世宗听说后，大为惊讶，说："果真是这样的话，那么严续乃是忠臣，朕为天下的君主，怎么能让人杀忠臣啊！"锺谟回来，把情况告诉了南唐主。

南唐主想要杀死宋齐丘等人，又派遣锺谟入朝禀告周世宗。周世宗认为宋齐丘

己亥[164]，唐主命知枢密院殷崇义草诏暴齐丘、觉、徵古罪恶，听齐丘归九华山[165]旧隐，官爵悉如故；觉责授国子博士，宣州安置；徵古削夺官爵，赐自尽；党与皆不问。遣使告于周。

丙午[166]，蜀以峡路巡检制置使高彦俦为招讨使。

平卢节度使、太师、中书令、陈王安审琦仆夫安友进与其嬖妾通，妾恐事泄，与友进谋杀审琦。友进不可，妾曰："不然，我当反告汝。"友进惧而从之。

【段旨】

以上为第五段，写南唐主惩治宋齐丘之罪。

【注释】

⑮⓪丙戌：十二月初十日。⑮①课户：有纳税丁口的民户。《新唐书》卷五十一《食货志一》云："凡主户内有课口者为课户。"⑮②俸户：替官府放债收息，提供俸禄的富

【原文】

六年（己未，公元九五九年）

春，正月癸丑[167]，审琦醉熟寝[168]，妾取审琦所枕剑授友进而杀之，仍尽杀侍婢在帐下者以灭口。后数日，其子守忠[169]始知之，执友进等剐[170]之。

初，有司将立正仗[171]，宿设[172]乐县[173]于殿庭，帝观之，见锺磬有设而不击者，问乐工，皆不能对。乃命窦俨讨论古今，考正雅乐[174]。王朴素晓音律，帝以乐事询之，朴上疏，以为：

"礼以检形[175]，乐以治心[176]。形顺于外[177]，心和于内[178]，然而天下不治者未之有也。是以礼乐修于上，而[12]万国化于下，圣人之教不肃而成，其政不严而治[179]，用此道也。夫乐生于人心而声成于物，物声既

等人是他国的臣子，不置可否。十二月二十三日己亥，南唐主命令知枢密院殷崇义草拟诏书，揭露宋齐丘、陈觉、李徵古的罪恶，允许宋齐丘回到九华山旧时隐居处，官职爵位全部依旧；陈觉贬降为国子博士，安置在宣州；李徵古削夺官职爵位，赐他自杀；他们的党羽都不加追究。派遣使者向后周报告。

十二月三十日丙午，后蜀主任命峡路巡检制置使高彦俦为招讨使。

平卢节度使、太师、中书令、陈王安审琦的车夫安友进和安审琦的宠妾私通，妾怕事情泄露，就和安友进谋划杀死安审琦。安友进认为不可，她说："不这样的话，我必定反过来告发你。"安友进恐惧而听从了她的话。

户。⑬幕职：幕僚。⑭殷：众多。⑮万机：旧指皇帝日常处理的纷繁的政务。⑯栖心冲寂：让心胸处于清静。冲寂，虚静。⑰造国手：国家的缔造者。⑱释、老：佛学和老庄学说。⑲陈乔：字子乔，庐陵玉笥（在今江西峡江县东南）人，善文辞，官至门下侍郎兼枢密使。宋太祖围金陵，不肯降，自缢死。⑳晋王：即李昇第三子景遂。㉑近职：近臣的职务；重要职务。㉒覆：核察虚实。㉓审：果真；确实。㉔己亥：十二月二十三日。㉕九华山：在今安徽青阳西南。㉖丙午：十二月三十日。

【语译】

六年（己未，公元九五九年）

春，正月初七日癸丑，安审琦酒醉熟睡，侍妾取出安审琦所枕的剑交给安友进，杀死了安审琦，又把在帐下服侍的婢女全部杀死灭口。几天以后，安审琦的儿子安守忠才知道这件事，抓住安友进等人凌迟处死。

当初，有关部门准备设立正式的仪仗，前一天晚上在殿庭悬挂乐器，周世宗观看乐器，见钟磬有摆在那里而不敲打的，询问乐工，乐工都不能回答。于是命令窦俨讨论古今，考定校正雅乐。王朴一向通晓音律，周世宗就有关音乐的事询问他。王朴上疏，认为：

"礼仪是用来约束行为的，音乐是用来陶冶心灵的。外在的行为顺于情理，内在的心灵和谐融洽，这样而天下治理得不好的从来没有过。所以朝廷在上整饬礼乐，而万国感化于下，圣人的教化不严急而能成功，政令不严厉而治理得好，都是由于这个道理。大抵音乐产生于人的心灵而声音形成于物体，物体的声音既已形成，又

成，复能感人之心。

“昔者[13]黄帝吹九寸之管，得黄钟[180]正声[181]，半之为清声[182]，倍之为缓声[183]，三分损益[184]之以生十二律[185]。十二律旋相为宫[186]以生七调，为一均[187]。凡十二均、八十四调[188]而大备。遭秦灭学[189]，历代治乐者罕能用之。唐太宗之世，祖孝孙[190]、张文收[191]考正大乐，备八十四调[192]。安、史之乱，器与工什亡八九，至于黄巢，荡尽无遗。时有太常博士殷盈孙[193]，按《考工记》[194]，铸镈钟[195]十二，编钟[196]二百四十。处士[197]萧承训校定石磬，今之在县者是也。虽有钟磬之状，殊无相应之和[198]，其镈钟不问音律，但循环而击，编钟、编磬徒悬而已。丝[199]、竹[200]、匏[201]、土[202]仅有七声[203]，名为黄钟之宫[204]，其存者九曲[205]。考之三曲协律，六曲参涉诸调[206]。盖乐之废缺，无甚于今。

“陛下武功既著，垂意礼乐，以臣尝学律吕，宣示古今乐录[207]，命臣讨论。臣谨如古法，以秬黍定尺[208]，长九寸径三分为黄钟之管[209]，与今黄钟之声相应，因而推之，得十二律。以为众管互吹，用声不便，乃作律准[210]，十有三弦，其长九尺，皆应黄钟之声，以次设柱，为十一律[211]，及黄钟清声，旋用七律[212]以为一均。为均之主者，宫也[213]，徵、商、羽、角、变宫、变徵次焉[214]。发其均主之声，归乎[14]本音之律，迭应不乱[215]，乃成其调，凡八十一调。此法久绝，出臣独见[216]，乞集百官校其得失。”

诏从之。百官皆以为然，乃行之。

唐宋齐丘至九华山，唐主命锁其第[217]，穴墙给饮食[218]。齐丘叹曰：“吾昔献谋幽让皇帝族于泰州，宜其及此！”乃缢而死。谥曰丑缪。

初，翰林学士常梦锡知宣政院，参预机政，深疾齐丘之党，数言于唐主曰：“不去此属，国必危亡。”与冯延巳、魏岑之徒日有争论。久之，罢宣政院，梦锡郁郁不得志，不复预事，日[15]纵酒成疾而卒。及齐丘死，唐主曰：“常梦锡平生欲杀齐丘，恨不使见之！”赠梦锡左仆射。

能感化人的心灵。

“从前黄帝吹九寸长的竹管，得到黄钟的正声，把它截成一半成为清声，把它加长一倍成为缓声，再增加或减少三分之一，便产生十二音律。十二个音律轮流定为官声，便可产生七个调，成为一均。一共十二均，八十四宫调，这就完全齐备了。遇上秦朝毁灭学术，历代研习演奏音乐的人很少能够运用它。唐太宗的时候，祖孝孙、张文收考订校正大乐，设置了八十四宫调。安史之乱，乐器和乐师损失十分之八九。到了黄巢之乱，完全损失，毫无遗留。当时有太常博士殷盈孙，根据《考工记》，铸造出十二枚大钟，二百四十枚编钟。处士萧承训校订石磬，现在悬挂的就是。虽然有钟和磬的形状，却一点没有相应的和声，对镈钟也不问音律，只是循环敲打，编钟、编磬只是白白地挂着罢了。丝、竹、匏、土等各种乐器只有七声，名为黄钟之宫，存世的有九支曲子。考察九支曲子，三支曲子合于音律，六支曲子混杂各种音调。音乐的缺失，没有比今天更严重的了。

“陛下武功已经卓著，垂意礼乐，因为臣曾经学过律吕，展示古今的音乐记载，命令臣下研讨。臣谨慎地依照古代的方法，用黑黍粒定出尺寸，长九寸、直径三分的作为黄钟之管，与今天的黄钟之声相应，以此来推算，得出十二音律。因为用许多律管相互吹奏，使用和发声都不方便，于是制作律准，一共有十三长弦，长九尺，都和黄钟的声音相应，在弦上依次设置弦枕木，调成十一个音律和黄钟清声，轮番使用七声成为一均。作为均的主音，首先是宫，其次是徵、商、羽、角、变宫、变徵。首先发出一均主音的声音，最后回归到本音的音律，七个音调重叠应和而不杂乱，于是才成为一个音调，一共八十一调。这一古法音律久已失传，出于臣的独自见解，请求召集百官考校得失。”

周世宗诏令采纳王朴的建议。百官都认为是正确的，于是实行。

南唐宋齐丘到了九华山，南唐主命令封闭他的住宅，在墙上挖洞供给食物。宋齐丘叹息说：“我以前献计把让皇帝的全族幽禁在泰州，应该到这个地步！”于是上吊而死，谥号为丑缪。

当初，翰林学士常梦锡主持宣政院，参与机要政务，对宋齐丘一伙深为痛恨，一再向南唐主进言说：“不除掉这些人，国家一定倾亡。”与冯延巳、魏岑一帮人天天都有争论。过了很久，常梦锡被罢免宣政院的职务，郁郁不得志，不再参与政事，每天纵酒成疾而死去。等到宋齐丘死的时候，南唐主说：“常梦锡一生都要杀掉宋齐丘，遗憾的是没有让他看见宋齐丘的死！”追赠常梦锡左仆射。

【段旨】

以上为第六段，写周世宗正音律。南唐宋齐丘被贬九华山，自缢而死。

【注释】

⑯⑦癸丑：正月初七日。⑯⑧醉熟寝：醉酒沉睡。⑯⑨守忠：即安守忠，字信臣，并州晋阳（今山西太原）人，官至濮州团练使，为治简静。因父以爱妾之故被害，所以终身不畜伎妾。传见《宋史》卷二百七十五。⑰⓪剐：割肉离骨，即凌迟。⑰①正仗：正式的仪仗。⑰②宿设：前一夕设置称宿设。⑰③乐县：悬挂的钟磬一类的打击乐器。县，同“悬”。⑰④雅乐：古代帝王祭祀天地、祖先及朝贺、宴享等大典所用的乐舞。音乐中正和平，歌词典雅纯正，故名雅乐。⑰⑤礼以检形：礼是用来约束行为的。⑰⑥乐以治心：音乐是用来陶冶心灵的。⑰⑦形顺于外：外在的行为顺乎情理。⑰⑧心和于内：内在的心灵和谐融洽。⑰⑨圣人之教不肃而成二句：语见《孝经·圣治章》，为孔子之言。圣人的教化不严急而能成功，政令不严厉而治理得好。⑱⓪黄钟：十二律中第一律。⑱①正声：音阶中居核心地位的五声，即宫、商、角、徵、羽。⑱②半之为清声：将九寸的竹管减半，则为清声，即高音。⑱③倍之为缓声：将竹管加倍则为缓声，即低音。⑱④三分损益：我国古代生律的方法。其所生各律形成一种律制，称三分损益律，也叫三分法。具体方法是用三分损益法生成十二律。阳生阴为下生，即三分去一，数学公式为乘以三分之二；阴生阳为上生，即三分益一，数学公式为乘以三分之四。以黄钟为基数，“三分损一，下生林钟。三分林钟益一，上生太簇。三分太簇损一，下生南吕。三分南吕益一，上生姑洗。三分姑洗损一，下生应钟。三分应钟益一，上生蕤宾。三分蕤宾损一，下生大吕。三分大吕益一，上生夷则。三分夷则损一，下生夹钟。三分夹钟益一，上生无射。三分无射损一，下生中吕”。⑱⑤十二律：中国古代乐律学名词。律，定音的竹管。竹管的长度用三分损益法定出十二支长度不同的律管吹出十二个不同高度的标准音，叫十二律。十二律分阴阳两类，各有特定的名称。由低到高的排列是：黄钟，大吕，太簇，夹钟，姑洗，中吕，蕤宾，林钟，夷则，南吕，无射，应钟。奇数六律为阳律，叫六律，偶数六律为阴律，叫六吕，合称律吕，也统称六律。⑱⑥旋相为宫：指一定宫调系统中，宫（调高）的转换与调（调式）的转换。十二律轮流作为宫音，就构成不同的五声（五调）、七声（七调）。⑱⑦均：通“钧”，表明音高的分组或音区高低的名词。一钧包括七种调式。⑱⑧八十四调：一钧包括七种调式，十二钧，故得八十四调。⑱⑨遭秦灭学：遭遇到秦始皇焚书坑儒，灭绝学术。⑲⓪祖孝孙：幽州范阳（今河北涿州）人，隋、唐之际乐律学家。隋开皇年间任协律郎，入唐历任著作郎、吏部郎、太常少卿。曾奉命与秘书监窦琎修订雅乐，实践了八十四调的理论。传见《旧唐书》卷七十九。⑲①张文收：贝州武城（今河北南宫）人，唐初音乐家。通音律，能作曲。历任协律郎、太子率更令。唐初沿用隋乐，但太乐有古钟十

二，只击七钟，另五钟设而不击，俗号哑钟，无人知晓。文收断竹为十二律，用以吹调上述五钟，声皆响彻，实践了祖孝孙的理论。传见《旧唐书》卷八十五、《新唐书》卷一百十三。⑲考正大乐二句：考订校正大乐，设置八十四调，本书载于唐太宗贞观二年（公元六二八年）四月，此次对雅乐的整理，以太常少卿祖考孙为主，协律郎张文收参与修定，完成《唐雅乐》，凡八十四调、三十一曲、十二和。但据《新唐书》卷二十一《礼乐志》十一记载，唐高祖武德九年（公元六二六年），已诏令祖孝孙定乐，成六十声、八十四调。唐初厘定雅乐，应该始于唐高祖末年，唐太宗初年成为定制。⑲殷盈孙：唐末太常博士、秘书少监。通礼仪，时值安史之乱后，礼乐俱废。盈孙参照古礼，制定了祭祀太庙和应穿的服饰制度。传见《旧唐书》卷一百六十五、《新唐书》卷一百六十四。⑲《考工记》：先秦古籍中重要的科技著作。作者不详。据后人考证，是一部春秋末年齐国人记录手工技术的官书。⑲镈钟：大钟。⑲编钟：十六个小钟同悬在虡上，称编钟。虡，悬挂钟磬的木柱。⑲处士：古时称有才德而隐居不仕的人。⑲和：和声。⑲丝：弦乐器，如琵琶、二胡等。⑳竹：竹制乐器，如箫、笛等。⑳匏：葫芦类所制乐器，如笙、竽等。⑳土：陶制乐器，如埙等。⑳七声：又称七音，分旧、新两种。七声旧音阶为：宫、商、角、变徵、徵、羽、变宫。七声新音阶为：宫、商、角、清角、徵、羽、变宫。⑳黄钟之宫：即黄钟钧的宫调式。⑳九曲：九支曲子。⑳考之三曲协律二句：所存九曲，详加考核，只有三支曲子合符音律，九支曲子夹杂各种音调。⑳乐录：有关乐律的记载、资料及乐谱。⑳以秬黍定尺：以黑黍校定尺度。⑳黄钟之管：以黄钟钧为基调的竹管。㉑律准：按弦发音原理而定的律法。㉑十一律：除黄钟外的林钟、太簇等十一律。㉑七律：先秦称宫、商等七音为七律。十二律的每一律，轮番使用七音就成为一钧。故十二钧总计八十四调。㉑为均之主者二句：意为宫声是音阶组织中最重要的一个音级，故成为钧中的主音。其次是徵、商、羽、角、变宫、变徵。㉑徵、商、羽、角、变宫、变徵次焉：意为徵、商、羽、角、变宫、变徵与宫声相比，在其次。㉑迭应不乱：指一钧中宫、徵等七音重叠应和而不杂乱。㉑此法久绝二句：古法音律早已失传，上述见解出自臣的见解。㉑锁其第：封闭宋齐丘的宅第，即幽囚宋齐丘于自己的私宅中。㉑穴墙给饮食：墙上穿洞供给饮食。

【校记】

［12］而：原无此字。据章钰校，乙十一行本、孔天胤本皆有此字，今据补。［13］者：原无此字。据章钰校，乙十一行本有此字，张敦仁《通鉴刊本识误》同，今据补。［14］乎：原作“于”。据章钰校，乙十一行本、孔天胤本皆作“乎”，今据改。〖按〗《旧五代史·乐志》作“乎”。［15］日：原无此字。据章钰校，乙十一行本、孔天胤本皆有此字，今据补。

【原文】

二月丙子朔[219]，命王朴如[220]河阴[221]按行河堤，立斗门[222]于汴口[223]。壬午[224]，命侍卫都指挥使韩通、宣徽南院使吴廷祚[225][16]，发徐、宿、宋、单等州丁夫数万浚汴水。甲申[226]，命马军都指挥使韩令坤自大梁城东导汴水入于蔡水[227]，以通陈、颍之漕。命步军都指挥使袁彦[228]浚五丈渠[229]东过曹、济、梁山泊[230]，以通青、郓之漕。发畿内及滑、亳等州[17]丁夫数千以供其役。

丁亥[231]，开封府奏田税旧一十万二千余顷，今按行得羡田[232][18]四万二千余顷。敕减三万八千顷，诸州行田[19]使[233]还，所奏羡田，减之仿此。

淮南饥，上命以米贷之。或曰：“民贫，恐不能偿。”上曰：“民，吾子也。安有子倒悬[234]而父不为之解哉！安在责其必偿也！”

庚申[235]，枢密使王朴卒。上临其丧，以玉钺[236]卓地[237]，恸哭数四，不能自止。朴性刚而锐敏，智略过人，上以是惜之。

甲子[238]，诏以北鄙未复，将幸沧州，命义武节度使孙行友捍[239]西山路[240]，以宣徽南院使吴廷祚权东京留守、判开封府事，三司使张美权大内都部署。丁卯[241]，命侍卫亲军都虞候韩通等将水陆军先发。甲戌[242]，上发大梁。

夏，四月庚寅[243]，韩通奏自沧州治水道入契丹境，栅于乾宁军[244]南，补坏防，开游口[245]三十六，遂通瀛、莫。辛卯[246]，上至沧州，即日帅步骑数万发沧州，直趋契丹之境。河北州县非车驾所过，民间皆不之知。壬辰[247]，上至乾宁军，契丹宁州[248]刺史王洪举城降。

乙未[249]，大治水军，分命诸将水陆俱下，以韩通为陆路都部署、太祖皇帝为水路都部署。丁酉[250]，上御龙舟沿流而北，舳舻相连数十里。己亥[251]，至独流口[252]，溯流而西。辛丑[253]，至益津关[254]，契丹守将终廷辉以城降。自是以西，水路渐隘，不能胜巨舰，乃舍之。壬寅[255]，上登陆而西，宿于野次[256]，侍卫之士不及一旅[257]，从官皆恐惧。胡骑连群出其左右，不敢逼。

【语译】

二月初一日丙子，周世宗命令王朴前往河阴巡视黄河的堤防，在汴水入河口建立闸门。初七日壬午，命令侍卫都指挥使韩通、宣徽南院使吴廷祚征发徐州、宿州、宋州、单州等州的民夫数万人疏通汴水。初九日甲申，命令马军都指挥使韩令坤从大梁城东引导汴水流入蔡水，以此打通陈州、颍州的漕运。命令步军都指挥使袁彦疏浚五丈渠向东经过曹州、济州、梁山泊，以此打通青州、郓州的漕运，征发京畿之内以及滑州、亳州等地的民夫几千人从事这些工程。

二月十二日丁亥，开封府奏报旧时征税田地十万两千多顷，如今核查多出的田地四万两千多顷。周世宗敕令减免租税三万八千顷，各州的行田使回来，所奏的多余田地，依照这个比例来减免租税。

淮南发生饥荒，周世宗命令把米粮借贷给百姓，有人说:“百姓贫穷，恐怕不能偿还。”周世宗说:“百姓是我的子女，哪有子女身遭倒悬之苦而做父母的不去解救他们呢！哪里要责求他们一定偿还呢!”

庚申日，枢密使王朴去世。周世宗亲临他的丧礼，用玉钺击打地面，多次痛哭，不能自已。王朴生性刚直而敏锐，智慧才略超过常人，周世宗因此怜惜他。

甲子日，周世宗下诏，因为北部边疆没有收复，准备亲临沧州。命令义武节度使孙行友防御西山路，任命宣徽南院使吴廷祚代理东京留守、判开封府事，三司使张美代理大内都部署。丁卯日，命令侍卫亲军都虞候韩通等人率领水陆军队先行出发。甲戌日，周世宗从大梁出发。

夏，四月十五日庚寅，韩通奏报从沧州疏通水路进入契丹境内，在乾宁军的南面设置栅栏，修补毁坏的堤防，开挖排水口三十六个，于是可以通到瀛州和莫州。十六日辛卯，周世宗到达沧州，当天率领步兵骑兵几万人从沧州出发，直接奔赴契丹国境。河北的州县不是周世宗所过之地，民间百姓都不知道此事。十七日壬辰，周世宗到达乾宁军，契丹宁州刺史王洪献城投降。

四月二十日乙未，周世宗大力整饬水军，分别命令诸将水陆一起出发，任命韩通为陆路都部署、太祖皇帝赵匡胤为水路都部署。二十二日丁酉，周世宗乘坐龙船顺流北进，船只相连几十里。二十四日己亥，到达独流口，逆水西进。二十六日辛丑，到达益津关，契丹守将终廷辉献城投降。从益津关往西，水路渐渐地狭窄，不能通行大船，于是放弃舰船。二十七日壬寅，周世宗登陆西进，住在野外，侍卫的士兵不足五百人，随从官员都很害怕。胡人的骑兵成群结队地出现在他们的左右，但是不敢逼近。

癸卯[258]，太祖皇帝先至瓦桥关[259]，契丹守将姚内斌[260]举城降，上入瓦桥关。内斌，平州人也。甲辰[261]，契丹莫州刺史刘楚信举城降。五月乙巳朔[262]，侍卫亲军都指挥使、天平节度使李重进等始引兵继至，契丹瀛州刺史高彦晖[263]举城降。彦晖，蓟州人也。于是关南[264]悉平。

【段旨】

以上为第七段，写周世宗北进亲征契丹，河北瓦桥关以南诸州望风归降于周。

【注释】

⑲ 丙子朔：二月初一日。⑳ 如：往。㉑ 河阴：旧县名，县治在今河南荥阳北古汴河口。㉒ 斗门：古代指堤、堰上所设的放水闸门，或横截河渠，用以壅高水位的闸门。㉓ 汴口：汴河口。㉔ 壬午：二月初七日。㉕ 吴廷祚：字庆之，并州太原（今山西太原西南）人，周世宗时，治汴水、黄河有功，官枢密使。宋初，官至雄武军节度使。传见《宋史》卷二百五十七。㉖ 甲申：二月初九日。㉗ 蔡水：在今河南上蔡东南三十里，即涡河上游，东入颍河。㉘ 袁彦：河中河东（今山西永济蒲州镇）人，随周世宗攻南唐，屡立战功。官彰信军节度使，宋初加检校太尉。传见《宋史》卷二百六十一。㉙ 五丈渠：又名五丈河，在今河南开封北。㉚ 曹、济、梁山泊：曹、济，皆州名。曹州治所在今山东曹县。济州治所巨野，在今山东巨野南。梁山泊，在今山东梁山、郓城等县间。南部梁山以南本系大野泽的一部分，五代时泽水北移，环梁山皆成巨浸，始称梁山泊。泊，一作泺。㉛ 丁亥：二月十二日。㉜ 羡田：多余的土地。㉝ 行田使：临时设置的派往各州巡视按查农田数量及农事情况的官员，事罢即撤置。㉞ 倒悬：比喻处境痛苦和危急，像人被倒挂一样。㉟ 庚申：二月丙子朔，无庚申。庚申，应为三月十五日。㊱ 玉钺：玉杖。㊲ 卓地：椎击地面。㊳ 甲子：二月丙子朔，无甲子。甲子，三月十九日。㊴ 捍：防卫；封锁。㊵ 西山路：在定州（今河北正定）境。封锁西山路，以防北汉救契丹。㊶ 丁

【原文】

丙午[265]，宴诸将于行宫[266]，议取幽州。诸将以为："陛下离京四十二日，兵不血刃，取燕南之地，此不世之功也。今虏骑皆聚幽州之北，

四月二十八日癸卯，太祖皇帝赵匡胤先到瓦桥关，契丹守将姚内斌献城投降，周世宗进入瓦桥关。姚内斌是平州人。二十九日甲辰，契丹莫州刺史刘楚信献城投降。五月初一日乙巳，侍卫亲军都指挥使、天平节度使李重进等人才领兵相继到达，契丹瀛州刺史高彦晖献城投降。高彦晖是蓟州人。于是瓦桥关以南全部平定。

卯：二月丙子朔，无丁卯。丁卯，三月二十二日。㉔②甲戌：二月丙子朔，无甲戌。甲戌，三月二十九日。㉔③庚寅：四月十五日。㉔④乾宁军：军镇名，当时在沧州永安县设置，治所在今河北青县。㉔⑤游口：排水口，在水不到之处开凿，以备涨水时泄洪。㉔⑥辛卯：四月十六日。㉔⑦壬辰：四月十七日。㉔⑧宁州：契丹在乾宁军设置宁州。㉔⑨乙未：四月二十日。㉕⓪丁酉：四月二十二日。㉕①己亥：四月二十四日。㉕②独流口：在今天津市静海区北，运河与潮河在此汇合，称独流口，为水陆往来要冲。㉕③辛丑：四月二十六日。㉕④益津关：在今河北霸州。㉕⑤壬寅：四月二十七日。㉕⑥野次：野外。㉕⑦旅：五百人为一旅。㉕⑧癸卯：四月二十八日。㉕⑨瓦桥关：在今河北雄县南易水上，为五代后周河北三关之一。㉖⓪姚内斌：平州卢龙（今河北卢龙）人，仕契丹，为关西巡检、瓦桥关使。降后周，官至庆州刺史兼青、白两池榷盐制置使，以武猛著称。传见《宋史》卷二百七十三。㉖①甲辰：四月二十九日。㉖②乙巳朔：五月初一日。㉖③高彦晖：蓟州渔阳（今天津市蓟州区）人，原为契丹瀛州刺史，降周世宗，伐蜀失利，与部下十余骑皆阵亡。传见《宋史》卷二百五十五。㉖④关南：瓦桥关南。

【校记】

［16］吴廷祚：胡三省注云“‘廷祚’当作‘延祚’”。据章钰校，孔天胤本作“吴延祚”，张敦仁《通鉴刊本识误》同。严衍《通鉴补》亦改作“吴延祚”。〖按〗新、旧《五代史》多作“吴延祚”，《宋史》皆作“吴廷祚”。陈尚君《旧五代史新辑会证》云应作“吴廷祚”，当是。［17］等州：原无此二字。据章钰校，乙十一行本、孔天胤本皆有此二字，今据补。［18］羡田：原作“羡苗”。据章钰校，乙十一行本作“羡田”，今据改。下同。［19］田：原作“苗”。据章钰校，乙十一行本作“田”，当是，今据改。

【语译】

五月初二日丙午，周世宗在行营宴请众将，商议夺取幽州。众将认为：“陛下离开京城四十二天，兵不血刃，取得了燕南之地，这是世上没有的功绩。如今胡虏的

未宜深入。”上不悦。是日，趣先锋都指挥使刘重进先发，据固安[267]。上自至安阳水[268]，命作桥，会日暮，还宿瓦桥。是日，上不豫而止。契丹主遣使者日驰七百里诣晋阳，命北汉主发兵挠周边，闻上南归，乃罢兵。

戊申[269]，孙行友奏拔易州，擒契丹刺史李在钦，献之，斩于军市[270]。

己酉[271]，以瓦桥关为雄州[272]，割容城[273]、归义二县隶之。以益津关为霸州[274]，割文安[275]、大城[276]二县隶之。发滨[277]、棣丁夫数千城霸州，命韩通董[278]其役。

庚戌[279]，命李重进将兵出土门，击北汉。

辛亥[280]，以侍卫马步都指挥使韩令坤为霸州都部署、义成节度留后陈思让为雄州都部署，各将部兵以戍之。

壬子[281]，上自雄州南还。

己巳[282]，李重进奏败北汉兵于百井[283]，斩首二千余级。

甲戌[284]，帝至大梁。

六月乙亥朔[285]，昭义节度使李筠奏击北汉，拔辽州[286]，获其刺史张丕[287]。

丙子[288]，郑州奏河决原武[289]，命宣徽南院使吴廷祚发近县二万余夫塞之。

【段旨】

以上为第八段，写周世宗欲进取幽州，因病还京，敕令堵塞黄河决口。

【注释】

[265]丙午：五月初二日。[266]行宫：本指宫禁之外建造的供皇帝居处的宫殿。此指世宗行营。[267]固安：县名，县治在今河北固安。[268]安阳水：在今河南安阳北。[269]戊申：五月初四日。[270]军市：军中贸易场所，听任士兵各以自己的物品进行买卖。[271]己酉：五月初五日。[272]雄州：州名，治所归义县，在今河北雄县。[273]容城：县名，县治在今河北容

骑兵都聚集在幽州的北面，不宜深入。”周世宗不高兴。当天，催促先锋都指挥使刘重进先出发，占据固安。周世宗亲自到达安阳水，命令建桥，适逢天色已晚，返回瓦桥住宿。当天，周世宗身体不舒服而停止建桥。契丹主派遣使者每天奔驰七百里前往晋阳，命令北汉主出兵扰乱后周的边境，听说周世宗南下返回，这才罢兵。

五月初四日戊申，孙行友上奏说攻取了易州，抓获契丹易州刺史李在钦，献给朝廷，斩于军市。

初五日己酉，把瓦桥关建置为雄州，划出容城、归义两县隶属于它。把益津关建置为霸州，划出文安、大城两县隶属于它。征发滨州、棣州民夫数千人修筑霸州城，命令韩通督察这项工程。

初六日庚戌，周世宗命令李重进率领军队从土门出发，攻打北汉。

初七日辛亥，周世宗任命侍卫马步都指挥使韩令坤担任霸州都部署、义成节度留后陈思让担任雄州都部署，各自率领所部士兵戍守。

初八日壬子，周世宗从雄州南下返回。

二十五日己巳，李重进上奏说在百井打败北汉军队，斩首二千多级。

三十日甲戌，周世宗到达大梁。

六月初一日乙亥，昭义节度使李筠上奏说攻打北汉，攻取了辽州，抓获辽州刺史张丕。

初二日丙子，郑州上奏说黄河在原武决口，周世宗命令宣徽南院使吴廷祚征发附近州县的民夫两万多人堵塞决口。

城。㉗④霸州：州名，治所永清县，在今河北霸州。㉗⑤文安：县名，县治在今河北文安东。㉗⑥大城：县名，县治在今河北大城。㉗⑦滨：州名，治所渤海县，在今山东滨州。㉗⑧董：督察。㉗⑨庚戌：五月初六日。㉘⓪辛亥：五月初七日。㉘①壬子：五月初八日。㉘②己巳：五月二十五日。㉘③百井：即百井镇，在今山西阳曲北四十里。㉘④甲戌：五月三十日。㉘⑤乙亥朔：六月初一日。㉘⑥辽州：州名，治所辽山，在今山西左权。㉘⑦张丕：后周忠武军节度使张永德曾祖。传见《宋史》卷二百五十五。㉘⑧丙子：六月初二日。㉘⑨原武：旧县名，县治在今河南原阳。

【原文】

唐清源节度使留从效遣使入贡，请置进奏院于京师，直隶中朝[290]。戊寅[291][20]，诏报以“江南近服，方务绥怀[292]，卿久奉金陵[293]，未可改图。若置邸上都，与彼抗衡，受而有之，罪在于朕。卿远修职贡，足表忠勤，勉事旧君，且宜如故。如此，则于卿笃始终之义，于朕尽柔远之宜，惟乃通方，谅达予意[294]。”

唐主遣其子纪公从善[295]与锺谟俱入贡，上问谟曰：“江南亦治兵，修守备乎？”对曰：“既臣事大国，不敢复尔。”上曰：“不然！向时则为仇敌，今日则为一家，吾与汝国大义已定，保无他虞。然人生难期，至于后世，则事不可知。归语汝主：可及吾时完城郭，缮甲兵，据守要害，为子孙计。”谟归，以告唐主。唐主乃城金陵，凡诸州城之不完者葺之，戍兵少者益之。

臣光曰：“或问臣：五代帝王，唐庄宗、周世宗皆称英武，二主孰贤？臣应之曰：夫天子所以统治万国，讨其不服，抚其微弱，行其号令，壹其法度，敦明信义，以兼爱兆民者也。庄宗既灭梁，海内震动，湖南马氏遣子希范入贡[296]，庄宗曰：‘比闻马氏之业，终为高郁[297]所夺。今有儿如此，郁岂能得之哉？’郁，马氏之良佐也。希范兄希声闻庄宗言，卒矫其父命而杀之。此乃市道商贾之所为，岂帝王之体哉！盖庄宗善战者也，故能以弱晋胜强梁。既得之，曾不数年，外内离叛，置身无所[298]。诚由知用兵之术[299]，不知为天下[300]之道故也。世宗以信令御群臣，以正义责诸国，王环以不降受赏，刘仁赡以坚守蒙褒，严续以尽忠获存，蜀兵以反覆就诛，冯道以失节被弃，张美以私恩见疏。江南未服，则亲犯矢石，期于必克，既服，则爱之如子，推诚尽言，为之远虑[301]。其宏规大度，岂得与庄宗同日语哉！《书》曰：‘无偏无党，王道荡荡[302]。’又曰：‘大邦畏其力，小邦怀其德[303]。’世宗近之矣。”

【语译】

南唐清源节度使留从效派遣使者入朝进贡，请求在京师设置进奏院，直接隶属于后周。六月初四日戊寅，周世宗下诏回复说："江南最近归服，朝廷正致力于安抚。卿长久侍奉金陵，不可改变主意。如果在京师设置进奏院，与南唐抗衡，朝廷接受而拥有此地，过错就在朕的身上。卿从远地前来进贡，足以表示忠诚勤勉，努力地侍奉过去的君主，最好应该一切如故。这样，对于卿来说可以加深始终如一的情义，对于朕来说可以尽到安抚四方的义务。您通情达理，想必能体会我的心意。"

南唐主派遣他的儿子纪公李从善与锺谟一起入朝进贡。周世宗问锺谟说："江南也治理军队，整修守备吗？"锺谟回答说："既已臣事大国，不敢再这样了。"周世宗说："不对！以往我们是仇敌，如今则为一家。我和你们国家大的原则已经确定，保证没有其他的意外。然而人生难以预料，到了后世，那么事情就不能预知。回去告诉你的君主：可以趁我还在的时候使城池完备，整治甲兵，据守要害地方，为子孙谋划。"锺谟返回，把这些话告诉了南唐主。南唐主于是修筑金陵城，凡是各州的城池不完备的进行修葺，戍守士兵数量少的补充增加。

司马光说："有人问臣：五代的帝王，唐庄宗、周世宗都号称英明勇武，这两位君主谁更贤明？臣回答他说：天子之所以能统治万国，是他能讨伐不服，安抚弱小，推行号令，统一法度，重视昭明信义，用以兼爱亿万百姓的缘故。唐庄宗灭掉梁以后，天下震动。湖南马殷派遣他的儿子马希范入朝进贡，庄宗说：'最近听说马氏的基业，终将要被高郁所夺，如今他有这样的儿子，高郁怎么可能夺得了呢？'高郁，是马氏的优秀辅佐大臣。马希范的哥哥马希声听到庄宗所说的话，最终假托他父亲的命令而杀掉了高郁。这只是市场上商人的做法，哪里是帝王的原则啊！唐庄宗是一个善于作战的人，所以能够以弱小的晋国战胜强大的梁国。得了天下以后，连几年都不到，内外叛离，没有容身之处。这实在是因为只知道用兵的方法，而不知道治理天下道理的缘故啊。周世宗以诚信驾驭群臣，以正义要求各国，王环因为不投降而受到奖赏，刘仁赡因为坚守城池而受到表扬，严续因为竭尽忠诚而得以生存，蜀兵因为反复无常而被杀，冯道因为丧失节操而被遗弃，张美因为私人恩惠而被疏远。江南没有归附，就亲自冒着飞矢流石，期望一定要攻克。江南降服以后，就像对子女那样爱护，推心置腹，知无不言，替人家作长远的打算。他那宏伟的规划，博大的胸怀，哪是唐庄宗能同日而语的呢！《尚书》上说：'不偏袒，不结党，王者之道平坦辽阔。'又说：'大国敬畏他的威力，小国感念他的恩德。'周世宗与此相近了。"

【段旨】

以上为第九段，写周世宗示信南唐，受到司马光的高度评价，称之为英武之君，其德“王道荡荡”。

【注释】

㉚直隶中朝：直属中国。留从效因为南唐势衰，不欲臣事，而愿隶属于后周。㉛戊寅：六月初四日。㉜绥怀：安抚怀柔。㉝卿久奉金陵：南唐李璟保大四年（公元九四六年），泉州都指挥使留从效废刺史王继勋，代理军府事，上表依附南唐，南唐主任命为泉州刺史。从此时起，留从效奉事南唐已十四年。㉞惟乃通方二句：意为你通达事理，想必能体会我的心意。乃，汝、你。谅，料想。㉟纪公从善：南唐元宗李璟第七子，后主李煜同母弟，字子师，初封纪国公，深得元宗宠爱，官太尉、中书令。宋初留京师，官

【原文】

辛巳[304]，建雄节度使杨廷璋奏击北汉，降堡寨一十三。

癸未[305]，立皇后符氏[306]，宣懿皇后之女弟也。

立皇子宗训[307]为梁王、领左卫上将军，宗让[308]为燕公、领左骁卫上将军。

上欲相枢密使魏仁浦，议者以仁浦不由科第[309]，不可为相。上曰：“自古用文武才略为辅佐者[21]，岂尽由科第邪！”己丑[310]，加王溥门下侍郎，与范质皆参知枢密院事。以仁浦为中书侍郎、同平章事，枢密使如故。仁浦虽处权要而能谦谨，上性严急，近职有忤旨者，仁浦多引罪归己以救之，所全活什七八，故虽起刀笔吏，致位宰相，时人不以为忝[311]。又以宣徽南院使吴廷祚[22]为左骁卫上将军，充枢密使。加归德节度使、侍卫亲军都虞候韩通，镇宁节度使兼殿前都点检张永德并同平章事，仍以通充侍卫亲军副都指挥使。以太祖皇帝兼殿前都点检。

上尝问大臣可为相者于兵部尚书张昭[312]，昭荐李涛。上愕然曰：“涛轻薄无大臣体，朕问相而卿首荐之，何也？”对曰：“陛下所责者细行[313]也，臣所举者大节也。昔晋高祖之世，张彦泽虐杀不辜，涛累疏请诛之[314]，以为不杀必为国患。汉隐帝之世，涛亦上疏请解先帝兵

泰宁军节度使。传见《宋史》卷四百七十八。㉖希范入贡：马希范入朝后唐，事见《资治通鉴》卷二百七十二。㉗高郁：扬州人，楚武穆王马殷谋主。楚国收茶丝之利，能与诸镇抗衡，多出于他的谋划。但性奢侈，终被衡阳王马希声以谋反罪名灭族。事见《资治通鉴》卷二百七十六。㉘置身无所：没有容身之地。㉙诚由知用兵之术：指唐庄宗实在是因为只知道用兵打仗的方法。诚，实在、真的。㉚不知为天下：不懂治国之道。㉛推诚尽言二句：推心置腹，知无不言，为人作长远打算。㉜无偏无党二句：语出《尚书·洪范》。意为不偏袒，不结党，王者之道平坦辽阔。㉝大邦畏其力二句：语出《尚书·武成》。意为大国敬畏周文王的威力，小国思念周文王的美德。

【校记】

［20］戊寅：原无此二字。据章钰校，乙十一行本、孔天胤本皆有此二字，张敦仁《通鉴刊本识误》、张瑛《通鉴校勘记》同，今据补。

【语译】

六月初七日辛巳，建雄节度使杨廷璋奏报攻打北汉，降服十三个堡寨。

初九日癸未，立皇后符氏，她是宣懿皇后的妹妹。

立皇子柴宗训为梁王、兼任左卫上将军，柴宗让为燕公、兼任左骁卫上将军。

周世宗想任命枢密使魏仁浦为宰相，议论的人认为魏仁浦不是从科第出身，不能担任宰相。周世宗说："自古以来，任用具有文武才略的人作为辅佐，哪里全是从科第出身的呢！"六月十五日己丑，加授王溥门下侍郎，与范质都参知枢密院事务。任命魏仁浦为中书侍郎、同平章事，枢密使职务依旧。魏仁浦虽然身居权力中枢而能谦虚谨慎。周世宗生性严厉而急迫，近臣有违反周世宗旨意的，魏仁浦多是把罪过归于自己而解救他人，所保全救活的有十分之七八，所以虽然他出身于文书小吏，而致位宰相，当时的人并不认为他愧居官位。又任命宣徽南院使吴廷祚为左骁卫上将军，充任枢密使。归德节度使、侍卫亲军都虞候韩通，镇宁节度使兼殿前都点检张永德，都加官同平章事，仍旧任命韩通充任侍卫亲军副都指挥使。任命太祖皇帝赵匡胤兼任殿前都点检。

周世宗曾经询问兵部尚书张昭大臣中谁可以当宰相，张昭推荐李涛。周世宗惊愕地说："李涛轻薄，没有大臣的原则，朕问宰相人选，而你首先推荐他，为什么？"张昭回答说："陛下追究的是生活细节，臣所举出的是臣子的重大节操。以前晋高祖时，张彦泽残杀无辜，李涛多次上奏请求诛杀他，认为不杀必定成为国家的祸患。汉隐帝时，李涛也上疏请求解除先帝的兵权。国家的安危还没有形成而能够预见，

权[315]。夫国家安危未形而能见之，此真宰相器也，臣是以荐之。”上曰：“卿言甚善且至公，然如涛者，终不可置之中书。”涛喜诙谐，不修边幅[316]，与弟澣俱以文学著名，虽甚友爱，而多谑浪[317]，无长幼体，上以是薄之。

上以翰林学士单父王著[318]，幕府旧僚，屡欲相之，以其嗜酒无检[319]而罢。癸巳[320]，大渐[321]，召范质等入受顾命。上曰：“王著藩邸故人，朕若不起，当相之。”质等出，相谓曰：“著终日游醉乡，岂堪为相！慎勿泄此言。”是日，上殂。

上在藩，多务韬晦[322]，及即位，破高平之寇，人始服其英武。其御军，号令严明，人莫敢犯。攻城对敌，矢石落其左右，人皆失色而上略不动容。应机决策[323]，出人意表。又勤于为治，百司簿籍，过目无所忘，发奸擿伏[324]，聪察如神。闲暇则召儒者读前史，商榷大义。性不好丝竹珍玩之物，常言太祖养成王峻、王殷之恶，致君臣之分不终，故群臣有过则面质责之，服则赦之，有功则厚赏之。文武参用，各尽其能，人无不畏其明而怀其惠，故能破敌广地，所向无前。然用法太严，群臣职事小有不举[325]，往往置之极刑，虽素有才干声名，无所开宥，寻亦悔之，末年浸宽[326]。登遐[327]之日，远迩[328]哀慕焉。

甲午[329]，宣遗诏，命梁王宗训即皇帝位[330]，生七年矣。

【段旨】

以上为第十段，写周世宗辞世，赵匡胤被受命为殿前都点检。周世宗第四子梁王柴宗训继位，史称恭帝。

这是真正宰相的人才啊，所以臣推荐他。”周世宗说：“你说得很好而且极为公正，但是像李涛这样的人，终究不能安置在中书省。”李涛喜欢戏谑逗趣，不修边幅，和他的弟弟李澣都以文章闻名，虽然相互很友爱，但是常常戏谑放荡，没有长幼的规矩，周世宗因此轻视他。

周世宗因为翰林学士单父人王著是旧时幕府僚属，多次想用他为宰相，因为他嗜好喝酒，行为不检点而作罢。六月十九日癸巳，周世宗病危，召见范质等人入宫接受临终的遗命。周世宗说：“王著是我在藩王府邸的旧人，朕如果去世，应当任用他为宰相。”范质等人出来，互相说：“王著整天遨游醉乡，哪里堪任宰相！千万不要泄露这些话。”当天，周世宗去世。

周世宗在藩镇的时候，很注意韬光晦迹，等到即位以后，打败高平的敌寇，人们才开始佩服他的英明勇武。他统率军队，号令严明，没有人敢违犯，攻打城池，对峙敌人，箭石落在他的身边，别人都惊慌失色，而周世宗一点也不动声色。顺应时机，果断决策，出人意料之外。又勤于治理政事，各个部门的簿籍，过目没有忘记的；举发奸邪揭露隐恶，聪睿明察犹如神明。闲暇时就召儒生阅读前朝史，商讨大义。生性不喜好音乐和珍玩之物，常常说太祖姑息养成王峻、王殷的罪恶，以致君臣的情分不能维持到最后，所以群臣有过失就当面质问指责，服罪就赦免他，有功劳就重赏他。文武参用，各尽其能，人们没有不畏惧他的严明而怀念他的恩惠的，所以能够打败敌人，扩充土地，所向无敌。然而使用刑法太严厉，群臣职内诸事，稍有一点没有成功，往往处以极刑；虽然一向有才干名望，也无所宽恕，不久自己也后悔，晚年时逐渐宽缓。周世宗去世之日，远近哀悼仰慕。

六月二十日甲午，宣布遗诏，命令梁王柴宗训即皇帝位，他年已七岁了。

【注释】

㉚④ 辛巳：六月初七日。㉚⑤ 癸未：六月初九日。㉚⑥ 符氏：周世宗宣懿皇后符氏妹。传见《新五代史》卷二十。㉚⑦ 宗训：周世宗第四子，七岁封梁王，特进左卫上将军。显德六年（公元九五九年）六月，世宗死即位。翌年正月退位，谥恭帝。传见《旧五代史》卷一百二十、《新五代史》卷十二。㉚⑧ 宗让：周世宗第五子。封燕国公、左骁卫上将军。恭帝即位，避其字，改名熙让，封曹王。传见《旧五代史》卷一百二十二、《新五代史》卷二十。㉚⑨ 仁浦不由科第：据《宋史》卷二百四十九魏仁浦本传，仁浦幼时家贫，后晋末年为枢密院小吏，追随后周太祖郭威，为兵房主事。郭威即帝位，以仁浦为枢密院承旨。后周世宗即位，授右监门卫大将军、枢密副使，不久拜检校太保、枢密使。仕途起自小吏，未由科第。㉛⓪ 己丑：六月十五日。㉛① 忝：辱；有愧于。㉛② 张昭：字潜夫，本名

昭远，避汉高祖刘知远讳，只称昭。博通经史，宋初官至吏部尚书。传见《宋史》卷二百六十三。313 细行：生活小节。314 涛累疏请诛之：事见《资治通鉴》卷二百八十三后晋高祖天福七年（公元九四二年）四月。当时李涛为刑部郎中，伏阁极论张彦泽之罪，词语激烈。315 涛亦上疏请解先帝兵权：事见《资治通鉴》卷二百八十八后汉高祖乾祐元年（公元九四八年）三月。316 边幅：本指布帛的边缘，借以比喻人的仪表、衣着。文中指不事修饰，不拘小节。317 谑浪：戏谑放荡。318 王著：字成象，单州单父（今山东单父）人，周世宗幕府旧僚。世宗即位，官至翰林学士。因嗜酒，始终未能任相。传见《宋史》卷二百六十九。319 无检：行为不检点。320 癸巳：六月十九日。321 大渐：病情加剧；病危。322 韬晦：收敛锋芒，隐藏才能行迹。韬，韬光。晦，晦迹。323 应机决策：随机应变，果断决策。324 发奸擿伏：揭发奸邪和隐恶。325 不举：不成功。326 浸宽：逐渐放宽。327 登遐：古代帝王死的讳称。328 远迩：远近。329 甲午：六月二十日。330 梁王宗训即皇帝位：梁王宗训本是周世宗第四子，周世宗前三子皆为后汉隐帝所杀。周世宗辞世前十天柴宗训始封为梁王。

【原文】

秋，七月壬戌[331]，以侍卫亲军都指挥使李重进领淮南节度使，副都指挥使韩通领天平节度使，太祖皇帝领归德节度使。以山南东道节度使、同平章事向拱[332]为西京留守，庚申[333]，加拱兼侍中。拱，即向训也，避恭帝名改焉。

丙寅[334]，大赦。

唐主以金陵去周境才隔一水[335]，洪州险固居上游[336]，集群臣议徙都之。群臣多不欲徙，惟枢密副使、给事中唐镐劝之，乃命经营豫章[337]为都城之制。

唐自淮上用兵及割江北，臣事于周，岁时贡献，府藏空竭，钱益少，物价腾贵[338]。礼部侍郎锺谟请铸大钱，一当五十，中书舍人韩熙载请铸铁钱。唐主始皆不从，谟陈请不已，乃从之。是月，始铸当十大钱，文曰“永通泉货”，又铸当二钱，文曰“唐国通宝”，与开元钱[339]并行。

八月戊子[340]，蜀主以李昊领武信节度使。右补阙李起上言：“故事[341]，宰相无领方镇者。”蜀主曰：“昊家多冗费[342]，以厚禄优之耳。”

【校记】

［21］才略为辅佐者：原作“才略者为辅佐”。据章钰校，乙十一行本、孔天胤本皆作“才略为辅佐者”，其义长，今据改。［22］吴廷祚：原作“吴延祚”。本卷他处皆作“吴廷祚”，而“吴延祚”仅此一见，且陈尚君《旧五代史新辑会证》云当作“吴廷祚”，其义长，今据改。

【语译】

秋，七月十九日壬戌，任命侍卫亲军都指挥使李重进兼任淮南节度使，副都指挥使韩通兼任天平节度使，太祖皇帝赵匡胤兼任归德节度使。任命山南东道节度使、同平章事向拱为西京留守；十七日庚申，加授向拱兼任侍中。向拱就是向训，避恭帝的讳而改名。

二十三日丙寅，实行大赦。

南唐主因为金陵离后周国境仅隔一条长江，而洪州地势险要坚固，处在金陵的上游，召集群臣商议迁都洪州。群臣大多不想迁都，只有枢密副使、给事中唐镐劝说迁都，于是命令营建豫章，使它具备都城的规模。

南唐自从在淮上用兵和割让江北之地，臣服后周，每年按时向后周进贡，府库所藏空竭，钱币越来越少，物价飞涨。礼部侍郎锺谟请求铸造大钱，以一当五十，中书舍人韩熙载请求铸造铁钱。南唐主开始都不采纳，锺谟陈请不已，于是同意了他的建议。当月，开始铸造以一当十的大钱，钱上文字为“永通泉货”，又铸造以一当二的钱，钱上文字为“唐国通宝”，与开元钱同时通行。

八月十五日戊子，后蜀主任命李昊兼任武信节度使。右补阙李起进言：“旧例，宰相没有兼领方镇的。”后蜀主说：“李昊家里有许多繁杂的费用，用丰厚的俸禄优待

起，邛州[343]人，性婞直[344]，李昊尝语之曰："以子之才，苟能慎默[345]，当为翰林学士。"起曰："俟无舌，乃不言耳[346]！"

庚寅[347]，立皇弟宗让为曹王，更名熙让；熙谨[348]为纪王，熙诲[349]为蕲王。

九月丙午[350]，唐太子弘冀卒，有司引浙西之功[351]，谥曰武宣[352]。句容[353]尉全椒张洎[354]上言："太子之德，主于孝敬，今谥以武功，非所以防微而慎德[355]也。"乃更谥曰文献[356]，擢洎为上元尉[357]。

唐礼部侍郎、知尚书省事锺谟数奉使入周，传世宗命于唐主，世宗及唐主皆厚待之，恃此骄横于其国，三省[358]之事皆预焉。

文献太子[359]总朝政，谟求兼东宫官不得，乃荐其所善阎式为司议郎[360]，掌百司关启[361]。李德明之死[362]也，唐镐预其谋，谟闻镐受赇，尝面诘之，镐甚惧。谟与天威都虞候张峦善，数于私第屏人语至夜分，镐谮诸唐主曰："谟与峦气类不同[363]，而过相亲狎，谟屡使上国，峦北人，恐其有异谋。"又言："永通大钱民多盗铸，犯法者众。"及文献太子卒，唐主欲立其母弟郑王从嘉[364]。谟尝与纪公从善同奉使于周，相厚善，言于唐主曰："从嘉德轻志懦，又酷信释氏，非人主才。从善果敢凝重，宜为嗣。"唐主由是怒。寻徙从嘉为吴王、尚书令、知政事，居东宫。冬，十月，谟请令张峦以所部兵巡徼[365]都城。唐主乃下诏暴谟侵官[366]之罪，贬国子司业，流饶州[367]，贬张峦为宣州副使，未几，皆杀之。废永通钱。

十一月壬寅朔[368]，葬睿武孝文皇帝于庆陵[369]，庙号世宗。

【段旨】

以上为第十一段，写赵匡胤领归德节度使。南唐主畏周之逼，经营豫章为京城之制以备迁都，后周葬周世宗于庆陵。

他而已。”李起是邛州人，生性刚直，李昊曾经对他说：“以你的才能，如果能够谨慎沉默，应该任翰林学士。”李起说：“等到我没有舌头，才不说话！”

八月十七日庚寅，立皇弟柴宗让为曹王，改名为柴熙让；立柴熙谨为纪王，柴熙诲为蕲王。

九月初四日丙午，南唐太子李弘冀去世，有关官员援引他在浙西打败吴越兵的功劳，谥为武宣。句容县尉全椒人张洎进言：“太子的德行，主要在于孝敬，如今以武功为谥，不是用来防微杜渐、慎修德行的原则。”于是改谥号为文献，提拔张洎为上元县尉。

南唐礼部侍郎、知尚书省事锺谟多次奉命出使到后周，向南唐主传达周世宗的命令，周世宗和南唐主都厚待他。锺谟依仗这些，骄横国内，三省的事情都参与。

文献太子总理朝政的时候，锺谟请求兼任东宫的官职没有得到，于是推荐与他关系好的人阎式为司议郎，掌管各部门的禀报启奏。李德明死的时候，唐镐参与其中的谋划，锺谟听说唐镐接受贿赂，曾经当面责问他，唐镐十分害怕。锺谟和天威都虞候张峦关系好，多次在私宅中屏退旁人谈到半夜。唐镐向南唐主诬陷锺谟说：“锺谟和张峦气味不相投，却来往非常亲密，锺谟屡次出使中原，张峦是北方人，恐怕他们有反叛的打算。”又说：“永通大钱民间很多人盗铸，犯法的人众多。”文献太子去世后，南唐主想立他的同母弟弟郑王李从嘉。锺谟曾经和纪公李从善一起奉命出使于后周，互相亲厚友善，锺谟对南唐主说：“从嘉德行轻浮，心志懦弱，又酷信佛教，不是当人主的材料。从善果敢持重，应该做继承人。”南唐主因此很生气，不久徙封李从嘉为吴王、尚书令、知政事，居住在东宫。冬，十月，锺谟请求命令张峦率领所部军队巡察都城。南唐主于是下诏公布锺谟越职侵权的罪行，贬为国子司业，流放饶州；贬张峦为宣州副使。不久，把他们都杀掉了。废止永通钱。

十一月初一日壬寅，把睿武孝文皇帝安葬在庆陵，庙号为世宗。

【注释】

㉛壬戌：七月十九日。㉜向拱：字星民，怀州河内（今河南沁阳）人，初名训，避周恭帝讳改。官至加检校太师、河南尹、西京留守，宋初封秦国公。传见《宋史》卷二百五十五。㉝庚申：七月十七日。㉞丙寅：七月二十三日。㉟一水：指长江水。㊱上游：指洪州地居金陵上游。㊲豫章：古县名，隋唐时为洪州治所，在今江西南昌。㊳腾贵：价格飞涨。㊴开元钱：开元通宝，古钱币名，唐高祖武德四年（公元六二一年）废五铢后开始铸造。币面上下左右有“开元通宝”四字，“开元”意为开辟新纪元。㊵戊子：八月十五日。㊶故事：成例；旧日的典章制度。㊷冗费：繁多杂乱的开支。㊸邛

州：州名，治所临邛，在今四川邛崃。㉞④婞直：刚直。㉞⑤慎默：谨慎沉默。㉞⑥俟无舌二句：等到我没有舌头那一天，才不说话。意谓绝不做慎默保身的庸人。㉞⑦庚寅：八月十七日。㉞⑧熙谨：周世宗第六子，官右武卫大将军，封纪王。传见《旧五代史》卷一百二十二、《新五代史》卷二十。㉞⑨熙诲：周世宗第七子，官左领军卫大将军，封蕲王。传同上。㉟⓪丙午：九月初四日。㉟①浙西之功：指弘冀遣柴克宏在常州击败吴越兵一事。见《资治通鉴》卷二百九十三后周显德三年（公元九五六年）三月。㉟②武宣：《谥法》："克定祸乱曰武，圣善周闻曰宣。"㉟③句容：县名，县治在今江苏句容。㉟④张洎：滁州全椒（今安徽全椒）人，博涉经史，多知典故，尤善建议。初官南唐中书舍人，入宋为参知政事。传见《宋史》卷二百六十七。㉟⑤防微而慎德：防微杜渐，慎修德行。㉟⑥文献：《谥法》："慈惠爱民曰文，聪明睿哲曰献。"㉟⑦擢洎为上元尉：提拔张洎为上元县的县尉。上

【原文】

南汉主以中书舍人锺允章藩府旧僚，擢为尚书右丞、参政事，甚委任之。允章请诛乱法者数人以正纲纪，南汉主不能从，宦官闻而恶之。南汉主将祀圜丘[370]，前三日，允章帅礼官登坛，四顾指挥设神位。内侍监许彦真[371]望之曰："此谋反也！"即带剑登坛，允章叱之。彦真驰入宫，告允章欲于郊祀日作乱。南汉主曰："朕待允章厚，岂有此邪！"玉清宫使龚澄枢、内侍监李托[372]等共证之，以彦真言为然，乃收允章，系含章楼下，命宦者与礼部尚书薛用丕杂治之。用丕素与允章善，告以必不免，允章执用丕手泣曰："老夫今日犹几上肉耳，分为仇人所烹。但恨邕、昌幼，不知吾冤，及其长也，公为我语之。"彦真闻之，骂曰："反贼欲使其子报仇邪！"复白南汉主曰："允章与二子共登坛，潜有所祷。"俱斩之。自是宦官益横。李托，封州人也。

辛亥[373]，南汉主祀圜丘，大赦。未几，以龚澄枢为左龙虎观军容使、内太师，军国之事皆取决焉。凡群臣有才能及进士状头[374]或僧道可与谈者，皆先下蚕室[375]，然后得进。亦有自宫以求进者，亦有免死而宫者，由是宦者近二万人。贵显用事之人，大抵皆宦者也，谓士人为门外人，不得预事，卒以此亡国[376]。

元，县名，县治在今江苏南京。唐代县有赤、畿、望、紧、上、中、下七等的差别。京都所治为赤县，京都附近的县为畿县。上元为唐都金陵所治县，为赤县；句容为畿县，张洎从句容到上元，均任县尉，有提升之意，故称“擢”。㊿358 三省：尚书省、门下省、中书省。359 文献太子：即弘冀。360 司议郎：东宫属官，掌侍从规谏、驳正启奏、并录东宫记注，职拟给事中。361 掌百司关启：指司议郎掌握各部门的奏报文书。关启，通报启奏。362 李德明之死：后周世宗显德三年三月，李德明奉南唐主之命出使北周，返回后，劝南唐主割让江北之地给后周，南唐主不悦。枢密使陈觉、副使李徵古素恶德明，乘机谮毁，南唐主大怒，斩德明于市。363 气类不同：气味不相投。364 郑王从嘉：即李煜，初名从嘉，即位前封郑王。365 巡徼：巡察。366 侵官：越职侵权。367 饶州：州名，治所鄱阳，在今江西鄱阳。368 壬寅朔：十一月初一日。369 庆陵：周世宗陵，在今河南郑州。

【语译】

南汉主因为中书舍人锺允章是自己当太子时的幕府旧僚，提升他为尚书右丞、参政事，非常重用他。锺允章请求诛杀扰乱法纪的几个人来肃正朝廷纲纪，南汉主没有听从，宦官们听说后憎恨锺允章。南汉主将要在圜丘祭天，前三天，锺允章带领礼官登上祭坛，四处察看，指挥设置神位。内侍监许彦真看到这些情况说：“这是谋反啊！”立刻带剑登上祭坛，锺允章斥责他。许彦真飞驰入宫，报告锺允章想在祭天那一天作乱。南汉主说：“朕对待锺允章很优厚，哪里能有这种事呢！”玉清宫使龚澄枢、内侍监李托等人一起做证这件事，认为许彦真的话是对的，于是收捕锺允章，关押在含章楼下，命令宦官和礼部尚书薛用丕共同审问他。薛用丕向来和锺允章关系好，告诉他一定不能免死。锺允章拉着薛用丕的手哭着说：“老夫今日就像砧板上的肉而已，本应该被仇人所烹煮。只恨儿子锺邕、锺昌年幼，不知道我的冤屈，等到他们长大了，您替我告诉他们。”许彦真听说这些话，骂道：“叛贼想让他的儿子报仇啊！”又禀告南汉主说：“锺允章和两个儿子一起登上祭坛，暗中有所祈祷。”便把他们全部斩首。从此宦官更加专横。李托是封州人。

十一月初十日辛亥，南汉主在圜丘祭天，实行大赦。不久，任命龚澄枢为左龙虎观军容使、内太师，军务国政都取决于他。凡是群臣中有才能的人以及进士第一名，或者和尚、道士可以谈论的人，都先送到蚕室，然后才能进用。也有自宫以求进用的，也有免死而接受宫刑的，因此宦官将近两万人。尊贵显赫当权的人，大多是宦官，他们称士人为门外人，不得参与政事，最终南汉因此而亡国。

唐更命洪州曰南昌府，建南都，以武清节度使㊲何敬洙为南都留守，以兵部尚书陈继善为南昌尹。

周人之攻秦、凤也，蜀中恟惧。都官郎中㊳徐及甫自负才略，仕不得志，阴结党与，谋奉前蜀高祖㊴之孙少府少监王令仪为主以作乱，会周兵退而止。至是，其党有告者，收捕之，及甫自杀。十二月甲午㊵，赐令仪死。

端明殿学士、兵部侍郎窦仪使于唐，天雨雪，唐主欲受诏于庑下㊶。仪曰："使者奉诏而来，不敢失旧礼。若雪沾服，请俟他日。"唐主乃拜诏于庭。

契丹主遣其舅使于唐，泰州团练使荆罕儒㊷募刺[23]客使杀之。唐人夜宴契丹使者于清风驿，酒酣，起更衣，久不返。视之，失其首矣。自是契丹与唐绝。罕儒，冀州人也。

【段旨】

以上为第十二段，写南汉主杀贤良、任宦官，弹丸小国宦者近两万人。南唐更命洪州为南昌府，建南都。

【注释】

㉟祀圜丘：即祭天。圜丘，祭天的土坛。㊱许彦真：南汉内侍监，仕中宗父子。向中宗进谗言杀害锺允章后，与龚澄枢共专国政。后因龚澄枢要审查他通先朝李丽姬事，又欲谋杀澄枢，反被澄枢以谋反罪名下狱，族诛。㊲李托：封州封川（今广东封开）人，南汉内侍监。纳二养女于后主，遂专国政，官骠骑上将军、内太师。宋师伐南汉，被俘，杀于汴京。传见《宋史》卷四百八十一。㊳辛亥：十一月初十日。㊴状头：进士第一人称状头。㊵蚕室：古时受宫刑的牢狱。㊶卒以此亡国：宋太祖开宝四年（公元九七一年）南汉亡。㊲武清节度使：武清军在衡州，治所在今湖南衡阳，何敬洙为武清节度使，系遥领。㊳都官郎中：官名，属刑部，掌徒流配隶。㊴前蜀高祖：指前蜀王建。王建庙号高祖。㊵甲午：十二月二十三日。㊶庑下：堂周的廊屋。㊷荆罕儒：冀州信都（今河北冀州）人，仕后周，官泰州团练使。入宋，为郑州防御使。后因恃勇轻敌，死于战场。传见《宋史》卷二百七十二。

南唐改名洪州为南昌府，建立南都，任命武清节度使何敬洙为南都留守，任命兵部尚书陈继善为南昌尹。

后周军队攻打秦州和凤州时，后蜀国中震恐。都官郎中徐及甫自负有才略，仕途不得志，暗中组织党羽，谋划拥立前蜀高祖的孙子少府少监王令仪为君主来发动叛乱，适逢后周军队撤退而作罢。到了这个时候，徐及甫的党羽中有向朝廷告发的，便收捕了徐及甫，徐及甫自杀。十二月二十三日甲午，后蜀主赐王令仪自杀。

端明殿学士、兵部侍郎窦仪出使南唐，天下雪，南唐主想在廊檐下接受诏书。窦仪说："使者奉持诏书而来，不敢失去旧时礼仪。如果怕雪打湿衣服，请求等待他日。"南唐主于是在庭中下拜接受诏书。

契丹主派遣他的舅舅出使南唐，泰州团练使荆罕儒重赏招募刺客，派去刺杀他。南唐官员夜里在清风驿宴请契丹使者，酒喝得酣畅时，契丹使者起身解手，很久没有回来。前去看视，契丹使者已经掉了脑袋。从此契丹与南唐断绝关系。荆罕儒是冀州人。

【校记】

［23］刺：原无此字。据章钰校，乙十一行本、孔天胤本皆有此字，张敦仁《通鉴刊本识误》同，今据补。

【研析】

本卷研讨周世宗示信南唐、南唐主李璟贬逐奸佞、《资治通鉴》杀青于周恭帝即位三件史事。

第一，周世宗示信南唐。周世宗南伐南唐，三次亲征，用兵三载，夺得江北之地，即议和而罢兵。周世宗对南唐议和使者说："朕本兴师止取江北，今尔主能举国内附，朕复何求！"和议成，周世宗赐给南唐主书信慰问，说："沿长江的各支军队，以及两浙、湖南、荆南的军队都要撤走，正在围攻南唐庐州、蕲州、黄州的三支军队停止围攻，后撤到郊外，南唐三州的将士和家属回归南唐，上路后周军才来接管三州城市。长江上的南唐船只，如需往来，可以靠在北岸。"周世宗如所承诺，诏命吴越和荆南的军队各回本地。周世宗没有一气灭江南，也是对王朴之策的修正，不是统一了江南以后再北向用兵契丹。契丹是中国之大敌，据有燕云十六州，居高以临中原，不逐走契丹，不收复燕云之地，则中国国防不固。两宋积贫积弱，导致蒙元入主中国，是其证也。自朱温以来，梁、唐、晋、汉，只有中原两河及关中之地，四围强敌，正如王夫之所说“守不固，兵不强，食不裕”（《读通鉴论》卷三十），则无力与契丹争胜负。石重贵之覆亡是其证也。周世宗不是不想混一江南，由于李唐拒战坚决，人心尚固，必欲灭之，耗费时日，有误北伐契丹，所以得江北之地而停止用兵。江北之地尽归中国，周朝地广兵强，所降南唐之兵收编为六军，南唐效顺，厚奉资财以足财用，示信南唐，全境平安，北伐无后顾之忧，所以周世宗一年后就强力大举北伐契丹，不幸染病而功不成。其后宋太祖一统江南之后再欲北伐，连机会都没有了。周世宗之志，重在逐契丹，收燕云，一雪中国之耻，是一位难得的雄略之主。他没有能够继汉、唐之盛，此天不佑中国也夫！

第二，南唐主李璟贬逐奸佞。当初，冯延巳以取中原之策邀宠于唐主，自谓不凡，夸夸其谈，常以天下为己任。翰林学士常梦锡多次奏言冯延巳浮诞，不可信任。常梦锡说：“奸言似忠，陛下不悟，国必亡矣！”等到唐主臣服于周，南北和议成，冯延巳及其党，盛称周主为大朝，常梦锡讥讽说：“诸公常常说要使皇上成为尧、舜，怎么今天自甘为小朝廷呢！”又，唐太傅兼中书令宋公宋齐丘多结党羽，枢密使陈觉、副使李徵古皆其党羽骨干，仗着宋齐丘的势力骄横傲慢。宋齐丘、陈觉、李徵古等误国，导致南唐兵败，割地议和，唐主叹息流泪，说：“没想到我的国家沦落到这个地步。”李徵古不仅不安慰唐主，还目无尊长地说：“陛下哭有什么用，是酒喝多了，还是找奶妈子，哭哭啼啼像啥话。”唐主脸色大变，李徵古仍有恃无恐，举止自若。这时司天监奏报：“天象变化，人主应当避开帝位祈求消灾。”唐主说：“我正想让出帝位，国家托付给谁呢？”李徵古说：“宋公是缔造国家的元老，国事可以交给他。”这时陈觉出使周朝回来，矫传周主之命诛杀主张抗击周师的宰相严续。唐主怀疑陈觉公报私仇，他知道二人一向不和。唐主没有贸然听陈觉的话，而是请示周主，陈觉借刀杀人的阴谋败露。唐主醒悟，将冯延巳、宋齐丘，以及其党陈觉、李徵古悉皆贬逐，幽囚宋齐丘于九华山。宋齐丘不堪其辱，自缢而亡。这时常梦锡已死，唐主叹息说：“常梦锡劝朕除掉宋齐丘，遗憾的是他没有看到宋齐丘今天的下场！”

第三，《资治通鉴》杀青于周恭帝即位。周世宗柴荣有七子。前三子在郭威起兵时为后汉所杀，第四子柴宗训嗣位，史称恭皇帝，第五子柴熙让、第六子柴熙谨、第七子柴熙诲。恭帝即位，封三皇弟为王，熙让封曹王，熙谨封纪王，熙诲封蕲王。纪王熙谨卒于宋太祖乾德二年（公元九六四年），熙让、熙诲，不知所终。周世宗显德六年（公元九六〇年）六月十九日癸巳，周世宗辞世，第二日，六月二十日甲午，梁王柴宗训立，年仅七岁。周世宗病逝之前十日，才立宗训为梁王。《新五代史》载，显德七年春正月初四日甲辰，“逊于位，宋兴”。恭帝七岁即位，在位半年亡国。欧阳修，宋臣，不书恭帝禅位之事，及其所终，只书“逊于位，宋兴”五个字。逊，顺也，谓恭帝能顺乎天命，让出帝位，为宋讳也。薛居正仕后周入宋，所修《旧五代史》记述赵匡胤发动陈桥驿兵变夺位，恭帝禅让后封郑王，建隆三年

（公元九六二年）出周郑王于房陵，开宝六年（公元九七三年）周郑王殂，年二十岁。恭帝归葬于周世宗庆陵之侧，陵曰顺陵，有司拟谥曰恭。司马光作《资治通鉴》五代史事终止于周恭帝即位，也是全书终篇，避免了周亡宋兴的记述，为宋避讳也。载述一代王朝，没有结尾，不符史例。司马光为了宋讳，不顾其他了。史官言事，应以实录示信，薛居正的做法，才是应当肯定的。

当然，司马光把《资治通鉴》的下限只写到五代，也避免了写宋朝当代史，少了触犯禁忌的风险。

进资治通鉴表[383]

臣光言：先奉敕[384]编集历代君臣事迹，又奉圣旨[385]赐名《资治通鉴》，今已了毕者。

伏念臣性识愚鲁[386]，学术荒疏，凡百事为[387]，皆出人下。独于前史，粗尝尽心[388]，自幼至老，嗜之不厌。每患迁、固以来[389]，文字繁多，自布衣之士[390]，读之不遍，况于人主，日有万机，何暇周览[391]！臣常不自揆[392]，欲删削冗长，举撮机要[393]，专取关国家盛衰，系生民休戚[394]，善可为法，恶可为戒者，为编年一书，使先后有伦[395]，精粗不杂，私家力薄，无由可成。

伏遇英宗皇帝，资睿智之性，敷[396]文明之治，思历览古事，用恢张大猷[397]，爰诏下臣，俾之编集。臣夙昔所愿，一朝获伸，踊跃奉承，惟惧不称。先帝仍命自选辟官属，于崇文院[398]置局[399]，许借龙图[400]、天章阁[401]、三馆[402]、秘阁[403]书籍，赐以御府笔墨缯帛及御前钱以供果饵[404]，以内臣为承受，眷遇[405]之荣，近臣莫及。不幸书未进御，先帝违弃[406]群臣。陛下绍膺大统，钦承先志，宠以冠序，锡之嘉名，每开经筵[407]，常令进读。臣虽顽愚，荷两朝知待如此其厚，陨身丧元，未足报塞，苟智力所及，岂敢有遗！会差知永兴军[408]，以衰疾不任治剧[409]，乞就冗官[410]。陛下俯从所欲，曲赐容养[411]，差判西京[412]留司[413]御史台[414]及提举[415]西京嵩山崇福宫，前后六任[416]，仍听以书局自随[417]，给之禄秩，不责职业[418]。臣既无他事，得以研精极虑[419]，穷竭所有，日力不足，继之以夜。遍阅旧史，旁采小说，简牍盈积，浩如烟海，抉擿

【语译】

臣司马光说：先前奉敕命编纂历代君臣事迹，又奉圣旨赐名《资治通鉴》。如今，书稿已经完成了。

臣的性情愚昧迟钝，学问荒疏，大凡做任何事情，都是在众人之下。唯独对于以前的历史，稍微尽心尽力，从幼到老，爱好于此而不感厌烦。时常苦于从司马迁、班固编纂史书以来，文字繁多，即使是无职任的读书人，也无法通读，何况是一国之君，日理万机，哪有空余的时间一一遍读！臣曾经不自量力，想要删减冗长的文句，摘取大略要旨，专门收录有关国家兴亡盛衰，有关民生祸福，好的可以作为典范，坏的可以引以为戒的史事，编成一部编年史，使内容先后有序，精华与糟粕不相混杂。但是私人的能力有限，没办法完成。

幸蒙英宗皇帝在位，凭着聪明睿智的天性，施行圣明的政策，想要历览古代的史事，用以施展伟大的谋划，于是诏命臣下，让臣进行编纂工作。臣昔日的愿望，突然间得到实践，欢欣鼓舞，欣然奉命，生怕不能胜任。先帝还命臣自己挑选官员，在崇文院设立修史机构，允许向龙图阁、天章阁、三馆、秘阁借阅图书，赏赐皇家的笔墨纸砚和御前钱，用以供给果品糕饼，任命内臣担任联络传递的工作。臣所受到的宠遇，是亲近大臣所不及的。不幸书还没来得及进呈御览，先帝弃群臣而去。陛下继位大统，继承先帝遗志，宠以书前撰序，颁赐本书美名。每当开设讲解经传的讲席，常命臣宣读。臣虽然顽劣愚昧，但受到两朝圣上如此的厚爱，杀身陨首，也不足以报答，如果才智所及，怎敢有丝毫懈怠！期间刚好被指派到永兴军任职，臣以身体衰弱染疾，无法从事繁重难办的工作为由，请求就任散职。陛下俯允所欲，委曲赐给包容养护，改派臣担任西京留司御史台和管理西京嵩山崇福宫的官职，前后共六任，并且准许写作机构跟臣一起调动，发给俸禄，不过问所职之事。臣既然没有其他的职事，得以精心研究，极力思考，竭尽心力来编修。白天的时间不够用，就继之以黑夜。臣遍览旧史，旁采野史杂说，书稿图籍堆积，浩如烟海，从中发掘

幽隐[420]，校计豪厘。上起战国，下终五代，凡一千三百六十二年，修成二百九十四卷。又略举事目，年经国纬[421]，以备检寻，为《目录》三十卷。又参考群书，评其同异，俾归一涂，为《考异》三十卷。合三百五十四卷。自治平开局，迨今始成[422]，岁月淹久，其间抵牾[423]，不敢自保，罪负之重，固无所逃。臣光诚惶诚惧，顿首顿首。

重念臣违离阙庭，十有五年，虽身处于外，区区之心，朝夕寤寐，何尝不在陛下之左右！顾以驽蹇[424]，无施而可，是以专事铅椠[425]，用酬大恩，庶竭涓尘[426]，少裨海岳[427]。臣今筋骸[24]癯瘁[428]，目视昏近，齿牙无几，神识衰耗[429]，目前所为，旋踵遗忘[430]，臣之精力，尽于此书。伏望陛下宽其妄作之诛[431]，察其愿忠之意，以清闲之宴[432]，时赐省览，监前世之兴衰，考当今之得失，嘉善矜恶[433]，取是舍非，足以懋稽古之盛德[434]，跻[435]无前之至治，俾四海群生[436]，咸蒙其福，则臣虽委骨九泉[437]，志愿永毕矣。

谨奉表陈进以闻。臣光诚惶诚惧，顿首顿首，谨言。

端明殿学士兼翰林侍读学士大中大夫提举西京嵩山崇福宫上柱国河内郡开国公食邑二千六百户食实封一阡户臣司马光上表元丰七年十一月进呈。

检阅文字承事郎臣　司马康[438]
同修奉议郎臣　范祖禹[439]
同修秘书丞臣　刘恕[440]
同修尚书屯田员外郎充集贤校理臣　刘攽[441]
编集端明殿学士兼翰林侍读学士太中大夫臣　司马光

细微可用的资料，核校细微的差异。上起战国，下至五代，总计一千三百六十二年，撰成二百九十四卷。又略举事件条目，以编年为纲，以分国的事件为内容，以备检索，作成《目录》三十卷。又参考群书，判断其中的异同之处，使其殊途同归，作成《考异》三十卷。共三百五十四卷。从治平三年开设书局，到如今才完成，岁月漫长，书中矛盾之处，不敢保证没有，自知负罪深重，实在无所逃避。臣司马光诚惶诚恐，顿首顿首。

恳请陛下念臣离开朝廷，十有五年，虽然身在外地，但区区之心，无论早上或黄昏，无论清醒或睡着，何曾不在陛下左右！只因才能低下，无从效力，所以专职于笔墨，以此报答陛下大恩，希望能竭尽薄力，对天下稍有裨益。臣如今瘦弱病困，眼睛模糊不清，牙齿没剩几颗，精神与记忆力减退，眼前刚做过的事，转身就忘掉了。臣的精力，全部投入到这部书中了。期望陛下对臣宽恕随意撰述的惩罚，鉴察臣的尽忠之意，在清闲安乐的时候，能够顺手翻阅。镜鉴前代王朝的兴衰，考察当今政治的得失，扬善黜恶，取是去非，足以发扬古代的大德，进入前所未有的太平盛世，使天下的黎民百姓，都能蒙受福祉。那么，臣虽然埋骨九泉，毕生的心愿终于完成了。

谨奉表陈述，进呈此书，以奏知陛下。臣司马光诚惶诚恐，顿首顿首，谨言。

端明殿学士兼翰林侍读学士太中大夫提举西京嵩山崇福宫上柱国河内郡开国公食邑二千六百户食实封一千户臣司马光上表元丰七年十一月进呈。

检阅文字承事郎臣　　司马康
同修奉议郎臣　　范祖禹
同修秘书丞臣　　刘恕
同修尚书屯田员外郎充集贤校理臣　　刘攽
编集端明殿学士兼翰林侍读学士太中大夫臣　　司马光

【说明】

以上记进呈《通鉴》年月，及列署之衔名。衔名自司马康至司马光，年岁递长，职衔递尊。

【注释】

㊳㊱进资治通鉴表：原无此标题。〖按〗司马光《传家集》卷十七同收此表，题作“进资治通鉴表”，谨迻录为题。㊳㊲先奉敕：指奉宋英宗之命。㊳㊸又奉圣旨：指奉宋神宗之命。司马光原题名《通典》，宋神宗赐名《资治通鉴》。㊳㊹愚鲁：愚昧迟钝。鲁，鲁钝、迟钝。㊳㊺凡百事为：大凡做任何事情。㊳㊻尽心：用全力。㊳㊼迁、固以来：从司马迁、班固以来。司马迁著《史记》，班固著《汉书》，创纪传史，文字浩繁。迁、固以来至司马光，纪传史积数已达十五部，司马光删繁化简而为编年史《资治通鉴》。㊳㊽布衣之士：此指无职任的读书人。㊳㊾何暇周览：没有时间一一读完纪传史。周览，一一遍读。㊳㊿不自揆：即不自量力。揆，度量、揣度。393举撮机要：摘取大略要旨。394休戚：福和祸；喜乐与忧虑。395先后有伦：指编年体使历史事件先后有序。396敷：布；施。397大猷：大的谋划。398崇文院：官署名，宋初沿唐制，以史馆、昭文馆、集贤院并秘阁总为崇文院，掌图书经籍、修史等事。399置局：设立修史机构。400龙图：龙图阁，官署名。设学士、直学士、待制等官，掌太宗御书、御制文集、典籍图画、宝瑞之物及宗正寺所进属籍、世谱等。401天章阁：官署名。设学士、直学士、待制等官，掌真宗御制。后亦掌图籍、符瑞、宝玩之物。402三馆：史馆、昭文馆、集贤院，总称三馆。403秘阁：宋太宗端拱元年（公元九八八年），于崇文院建秘阁，选三馆真本书籍、古画墨迹及国史、宗正寺所进属籍等藏其中。404果饵：果品、糕饼，泛指食物。405眷遇：爱重礼遇。406违弃：死亡的讳称。407经筵：宋代为皇帝讲解经传史鉴特设的讲席。408永兴军：路名，治所京兆，在今陕西西安。当时司马光以端明殿学士身份出知永兴军。409治剧：处理繁重难办的事务。410冗官：无专职的闲散官员。411曲赐容养：这是委婉的说法，意为委曲赐给包容养护。412西京：宋以开封为东京，洛阳为西京。413留司：留守衙署。414御史台：官署名，主纠察。司马光任此职，实为闲职。415提举：官名，管理专门事务的职官。提举嵩山崇福宫，即管理嵩山崇福宫的长官。崇福宫在河南嵩山，为道士庙。416前后六任：西京留司御史台两任，提举嵩山崇福宫四任，共六任。417书局自随：书局，《资治通鉴》的写作班子，由司马光点名当时史学大家刘攽、刘恕、范祖禹等。原在都城开封，司马光到西京洛阳，称书局自随。418不责职业：不过问所职之事。419研精极虑：精心研究，极力思考。420抉擿幽隐：从浩如烟海的古籍中发掘出细微有用的资料。421年经国纬：以编年为纲，以分国的事件为内容。422自治平开局二句：司马光修《资治通鉴》始于仁宗嘉祐年间，英宗治平三年四月十八日正式置书局，至神宗元丰七年十一月全书告竣，以设书局起计日，前后历时十九年，即公元一〇六六至一〇八四年。423其间抵牾：指书中的矛盾。424驽蹇：驽马和蹇驴，比喻才能低下。蹇，跛足。425铅椠：古代用以书写的工具。铅，铅粉笔，写字用。椠，古代用木削成以备书写的版片。426庶竭涓尘：竭尽微薄的力量。涓尘，比喻微末。427少裨海岳：对天下稍有裨益。428瘽瘁：因劳累而瘦弱困

病。㊹神识衰耗：精神与记忆力减退。㊿旋踵遗忘：转身就忘。旋踵，转动脚后跟，即转身，形容时间短暂。431妄作之诛：处罚写得不好。妄作，随随便便的创作，谦辞，谓《资治通鉴》写得不好。432清闲之宴：清闲安乐的时候。433嘉善矜恶：扬善黜恶。矜，自夸，此指贬斥。434足以懋稽古之盛德：足以发扬古代的大德。懋，盛大、褒美。稽古，考古。435跻：登；升。436四海群生：全天下的黎民百姓。437委骨九泉：埋骨地下。死的委婉语。438司马康：字公休，陕州夏县（今山西夏县）人，本司马光兄司马旦之子，后过继为光子。学识容止俱有父风，司马光修《资治通鉴》时，奏为“检阅文字”。传见《宋史》卷三百三十六。439范祖禹：字淳甫，成都华阳（今四川成都市双流区）人，范镇从孙，世为史家，其所撰《唐鉴》为学者所尊，因称其为“唐鉴公”。从司马光于洛阳编修《资治通鉴》，“首尾一十五年”，于同修诸人中，在书局时间最久，主修唐代部分。传见《宋史》卷三百三十七。440刘恕：字道原，筠州（今江西高安）人，英宗命司马光自择英才共修《资治通鉴》，司马光独独推许刘恕，称“专精史学……唯刘恕耳”。恕自撰《十国纪年》，主修魏晋南北朝与五代部分。传见《宋史》卷四百四十四。441刘攽：字贡父，临江新喻（今江西新余）人，与兄敞、敞子奉世称为“三刘”。攽撰有《两汉书刊误》，主修两汉部分的长编。传见《宋史》卷三百十九。

【校记】

［24］筋骸：原作“骸骨”。据章钰校，乙十一行本作“筋骸”，四库馆臣校陈仁锡本同，其义长，今据改。

奖谕诏书[442]

敕司马光修《资治通鉴》成事：

史学之废久矣！纪次无法[443]，论议不明[444]，岂足以示惩劝[445]，明久远哉！卿博学多闻，贯穿今古，上自晚周，下迄五代，发挥缀缉，成一家之书[446]，褒贬去取，有所据依。省阅[447]以还，良深嘉叹[448]！今赐卿银绢、对衣、腰带、鞍辔马，具如别录[449]，至可领也。故兹奖谕，想宜知悉。

冬寒，卿比平安好，遣书指不多及[450]。

十五日。

【说明】

以上为宋神宗奖谕司马光修成《资治通鉴》所下诏书。

【注释】

㊷ 奖谕诏书：此四字篇题为底本原标题。㊸ 纪次无法：史书的编次没有法度。纪次，指纪传编次。㊹ 论议不明：史论不足以彰显善恶。㊺ 惩劝：惩戒过恶，劝勉善行。㊻ 成

【语译】

就司马光修《资治通鉴》完毕事所下诏书：

史学已经衰败很久了啊！前此的史书往往编次紊乱、法度荡然，其史论又含混不清、不足以彰显善恶，哪里能够用作惩恶劝善、通达古今啊！您博学多闻、学贯古今，将上起晚周、下迄五代的史事，拣选发挥、编次连缀，从而作成《资治通鉴》，得以自成一家，其中的褒贬取舍，也都有所依据。我审读以来，实在是深深地为之赞叹！现特别赏赐给您银绢、对衣、腰带、鞍辔马，正如另一封书牒上所写明的那样，到了就可以领取。特地以诏书奖谕您写成《资治通鉴》的勋劳，希望您能够知道。

冬天寒冷，祝您近来平安安好，诏书言不尽意。

十五日。

一家之书：化用司马迁《报任安书》"究天人之际，通古今之变，成一家之言"语，以赞誉司马光修史能够自成一家。㊼省阅：审读、阅览。㊽良深嘉叹：深深地为之赞叹。良，确实、诚然。㊾具如别录：正如另一封书牒上所写明的那样。别录，另一封书牒。㊿冬寒三句：后两句为宋代文书习语，如《宋大诏令集》载《赐高丽玺书》亦有"春暄，卿比平安好，遣书指多不及"。比，近来。遣书，所寄达的书信。指多不及，即言不尽意。指，通"旨"。意旨、心意。

校勘人员姓名

元丰八年[451]九月十七日，准尚书省劄子，奉圣旨重行校定。

元祐元年[452]十月十四日，奉圣旨下杭州镂板[453]。

校对宣德郎秘书省正字臣　张　耒[454]

校对宣德郎秘书省正字臣　晁补之[455]

校对朝奉郎行秘书省正字上骑都尉臣　宋匪躬[456]

校对朝奉郎行秘书省校书郎充集贤校理武骑尉赐绯鱼袋臣　盛次仲[457]

校定奉议郎[25]充秘阁校理武骑尉赐绯鱼袋臣　张舜民[458]

校定奉议郎秘书省校书郎充集贤校理武骑尉赐绯鱼袋臣　孔武仲[459]

校定修实录[26]检讨官朝奉郎行秘书省著作佐郎武骑尉赐绯鱼袋臣　黄庭坚[460]

校定宣德郎守右正言臣　刘安世[461]

校定奉议郎行秘书省著作佐郎兼侍讲赐绯鱼袋臣　司马康

校定修实录检讨官承议郎秘书省著作郎兼侍讲上骑都尉赐绯鱼袋臣　范祖禹

中大夫守尚书右丞上柱国汲郡开国侯食邑一千八百户食实封二百户赐紫金鱼袋臣　吕大防[462]

通议大夫守尚书左丞上柱国平原郡开国公食邑二千五百户食实封七百户臣　李清臣[463]

金紫光禄大夫守尚书右仆射兼中书侍郎上柱国东平郡开国公食邑七千一百户食实封二千三百户臣　吕公著[464]

【语译】

元丰八年九月十七日，依照尚书省的札子，遵奉圣旨，重新校定《资治通鉴》。

元祐元年十月十四日，遵奉圣旨，将《资治通鉴》下杭州刻版印刷。

校对宣德郎秘书省正字臣　张　耒

校对宣德郎秘书省正字臣　晁补之

校对朝奉郎行秘书省正字上骑都尉臣　宋匪躬

校对朝奉郎行秘书省校书郎充集贤校理武骑尉赐绯鱼袋臣　盛次仲

校定奉议郎充秘阁校理武骑尉赐绯鱼袋臣　张舜民

校定奉议郎秘书省校书郎充集贤校理武骑尉赐绯鱼袋臣　孔武仲

校定修实录检讨官朝奉郎行秘书省著作佐郎武骑尉赐绯鱼袋臣　黄庭坚

校定宣德郎守右正言臣　刘安世

校定奉议郎行秘书省著作佐郎兼侍讲赐绯鱼袋臣　司马康

校定修实录检讨官承议郎秘书省著作郎兼侍讲上骑都尉赐绯鱼袋臣　范祖禹

中大夫守尚书右丞上柱国汲郡开国侯食邑一千八百户食实封二百户赐紫金鱼袋臣　吕大防

通议大夫守尚书左丞上柱国平原郡开国公食邑二千五百户食实封七百户臣　李清臣

金紫光禄大夫守尚书右仆射兼中书侍郎上柱国东平郡开国公食邑七千一百户食实封二千三百户臣　吕公著

【说明】

以上记哲宗初年高太后临朝时，下诏校刻《资治通鉴》事，及所附列衔名。衔名分两层：自张耒至范祖禹，为奉旨校对、校定《资治通鉴》者；吕公著、李清臣、吕大防三人，为元祐初宰相，因署名校刻者。

绍兴二年七月初一日，两浙东路提举茶盐司公使库⁴⁶⁵下绍兴府余姚县刊板。绍兴三年十二月二十日，毕工，印造进入。

左迪功郎绍兴府司法参军主管本司文字兼造帐官臣　边　智[466][27]
右迪功郎充提举茶盐司干办公事臣　常任佚[467]
右文林郎充提举茶盐司干办公事臣　强公彻
右修职郎充提举茶盐司干办公事臣　石公宪[468]
右奉议郎提举两浙东路茶盐司公事臣　韩　协[469]
降授右朝奉郎前提举两浙东路茶盐司公事臣　王　然[470]

校勘监视

嵊　县进士　娄　谔　　进士　茹赞廷
进士　唐　弈[28]　　进士　娄时升
进士　娄时敏　　进士　石　衮
进士　茹　升[29]　　进士　王　悆
进士　张　纲[471]
右迪功郎新虔州兴国县主簿　唐　自
余姚县进士　叶汝士[472]　　进士　杜邦彦
进士　钱移哲[473]　　进士　陆　寘
进士　顾大冶　　进士　吕克勤
进士　张彦衡　　进士　朱国辅
进士　杜　绂　　进士　孙　彬
右迪功郎绍兴府余姚县主簿　王　细
右从事郎绍兴府嵊县尉　薛　镃
右修职郎绍兴府嵊县丞　桂祐之[474]
左迪功郎绍兴府府学教授　晏　肃[475]
右承务郎知绍兴府余姚县丞　冯荣叔[476]
左宣教郎知绍兴府余姚县丞　晏敦临[477]
右承奉郎知绍兴府嵊县主管劝农公事兼兵马监押　范仲将[478]
右宣义郎知绍兴府余姚县主管劝农公事兼监石堰盐场　徐端礼[479]
左奉议郎签书镇东军节度判官厅公事　张九成[480]

绍兴二年七月初一日，两浙东路提举茶盐司公使库下绍兴府余姚县刊板。绍兴三年十二月二十日，毕工，印造进入。

左迪功郎绍兴府司法参军主管本司文字兼造帐官臣　边　智
右迪功郎充提举茶盐司干办公事臣　常任佚
右文林郎充提举茶盐司干办公事臣　强公彻
右修职郎充提举茶盐司干办公事臣　石公宪
右奉议郎提举两浙东路茶盐司公事臣　韩　协
降授右朝奉郎前提举两浙东路茶盐司公事臣　王　然

校勘监视

嵊　县进士　娄　谔　　进士　茹赞廷
进士　唐　弈　　进士　娄时升
进士　娄时敏　　进士　石　衮
进士　茹　升　　进士　王　悆
进士　张　纲
右迪功郎新虔州兴国县主簿　唐　自
余姚县进士　叶汝士　　进士　杜邦彦
进士　钱移哲　　进士　陆　寘
进士　顾大冶　　进士　吕克勤
进士　张彦衡　　进士　朱国辅
进士　杜　绂　　进士　孙　彬
右迪功郎绍兴府余姚县主簿　王　细
右从事郎绍兴府嵊县尉　薛　镃
右修职郎绍兴府嵊县丞　桂祐之
左迪功郎绍兴府府学教授　晏　肃
右承务郎知绍兴府余姚县丞　冯荣叔
左宣教郎知绍兴府余姚县丞　晏敦临
右承奉郎知绍兴府嵊县主管劝农公事兼兵马监押　范仲将
右宣义郎知绍兴府余姚县主管劝农公事兼监石堰盐场　徐端礼
左奉议郎签书镇东军节度判官厅公事　张九成

【说明】

以上记南宋高宗绍兴初年，由两浙东路提举茶盐司公使库总责，以嵊县、余姚县的进士、官吏承担校勘、监刻工作，重新校刻《资治通鉴》一事，及参与者的衔名题署。

【注释】

㊿①元丰八年：公元一〇八五年。是年三月，宋神宗赵顼驾崩，时年三十八岁。第六子赵煦九岁即位，即宋哲宗。㊿②元祐元年：公元一〇八六年。元祐，宋哲宗即位次年改元。时哲宗年幼，高太后临朝称制，闰二月，起用司马光为相，大举辟用旧党臣僚，尽去熙宁以来新法而改行旧法，史称“元祐更化”。㊿③下杭州镂板：王国维《两浙古刊本考序》云：“及宋有天下，南并吴越，嗣后国子监刊书，若《七经正义》，若《史》《汉》三史，若南北朝七史，若《唐书》，若《资治通鉴》，若诸医书，皆下杭州镂板。北宋监本刊于杭者，殆居泰半。”章钰以为《资治通鉴》在“杭本之外别有监本”，实则“杭本”即“监本”。㊿④张耒：字文潜，楚州淮阴（今属江苏淮安市淮阴区）人，苏门四学士之一。少而能文，“范纯仁以馆阁荐试”，遂受诏校《资治通鉴》。传见《宋史》卷四百四十四。㊿⑤晁补之：字无咎，济州巨野（今属山东菏泽）人，苏门四学士之一。状元及第，李清臣荐入馆阁，因校《资治通鉴》。传见《宋史》卷四百四十四。㊿⑥宋匪躬：《宋史》无传，李焘记其为名臣宋绶之孙。文彦博有《举宋匪躬札子》（《潞公文集》卷四十），荐其入秘书省。㊿⑦盛次仲：《宋史》无传，据李焘《续资治通鉴长编》，元祐元年（公元一〇八六年）六月，司马光荐次仲任馆阁。㊿⑧张舜民：字芸叟，邠州（今陕西彬州）人，因党争贬官，元祐元年赦归，与盛次仲俱为司马光荐入馆阁。传见《宋史》卷三百四十七。㊿⑨孔武仲：字常父，临江新喻（今江西新余）人，与兄文仲、弟平仲号为“三孔”，并有文名，元祐初入馆阁。传见《宋史》卷三百四十四。㊻⓪黄庭坚：字鲁直，号山谷道人，洪州分宁（今江西修水）人，苏门四学士之一，“学问文章，天成性得”。元祐元年，司马光上《乞黄庭坚同校资治通鉴札子》，称其“好学有闻”，因校定《通鉴》。传见《宋史》卷四百四十四。㊻①刘安世：字器之，魏州（今河北馆陶）人，从学于司马光，元祐元年，光入相，以其“才而自晦，愿而有立，立学修己，恬于进取”，自河南府左军巡判官任上荐入馆阁。传见《宋史》卷三百四十五。㊻②吕大防：字微仲，京兆蓝田（今陕西蓝田）人，元祐元年拜相，后提举修《神宗实录》。绍圣中，以党争贬死。传见《宋史》卷三百四十。㊻③李清臣：字邦直，魏州（今河北馆陶）人，为文“简重宏放”，然“志在利禄，不公于谋国”，为时人所轻。传见《宋史》卷三百二十八。㊻④吕公著：字晦叔，寿州（今安徽凤台）人，名相吕夷简第三子，高太后主政，召其入朝，与司马光并为左、右相。传见《宋史》卷三百三十六。㊻⑤两浙东路提举茶盐司公使库：两浙东路，南宋初

分两浙路东南部置，治所在绍兴府（今浙江绍兴）。提举茶盐司，各路所辖管理地方茶、盐事务的机构。公使库，补贴公务往来的机构，常以余资刻书，东南大州的公使库甚或辖有专门的雕造所。㊻边智：史籍失载，疑系“边知白”。边知白，字公式，吴县（今江苏苏州）人。宣和六年进士。绍兴中，历为郎官、侍郎、直学士。㊼常任佚：史籍失载。据晁说之撰《苏过墓志铭》，苏过长女“适将仕郎常任佚”，疑即其人。苏过，苏轼幼子。㊽石公宪：史籍失载。《史记》版本亦有“石公宪本”，题“绍兴三年四月十二日右修职郎充提举茶盐司干办公事石公宪发刊”。㊾韩协：据《会稽志》，绍兴三年（公元一一三三年）三月二十七日以右奉议郎到任，绍兴五年四月初七日得替。㊿王然：据《会稽志》，绍兴二年二月初十日以右朝奉大夫到任，绍兴三年三月初六日罢。(471)张纲：疑即南宋名臣张纲，字彦正，润州丹阳（今江苏丹阳）人。徽宗时，“三中首选”，擢为第一。绍兴二年至三年，由江东提刑累迁中书舍人。传见《宋史》卷三百九十。(472)叶汝士：据明万历《绍兴府志》，叶汝士为绍兴十二年进士。(473)钱移哲：据明万历《绍兴府志》，钱移哲与叶汝士同榜，亦绍兴十二年进士。(474)桂祐之：疑即“季祐之”。南宋高似孙《剡录》县丞题名以“季祐之”为首，无“桂祐之”，《浙江通志》记宣和六年（公元一一二四年）榜亦有“季祐之”。疑“桂祐之”即“季祐之”，不知孰误。(475)晏肃：抚州临川（今属江西）人，晏殊曾孙，宣和三年进士。其兄晏敦复《宋史》卷三百八十一有传。(476)冯荣叔：数见于《建炎以来系年要录》，累知军州，以贪鄙罢。(477)晏敦临：抚州临川（今江西抚州市临川区）人，晏殊曾孙，晏敦复弟，政和五年（公元一一一五年）进士。(478)范仲将：时任嵊县地方长官。(479)徐端礼：时任余姚地方长官。(480)张九成：字子韶，钱塘（今属浙江杭州）人，南宋名臣。绍兴二年进士第一，授镇东军签判。因与秦桧不和，谪居南安军，因号横浦居士，开宗学脉，祖述二程，后世称为“横浦学派”。传见《宋史》卷三百七十四。

【校记】

［25］奉议郎：据章钰校，乙十一行本作“承议郎”，熊罗宿《胡刻资治通鉴校字记》同。〖按〗据司马光《传家集》卷五十三《举张舜民等充馆阁札子》云：“臣窃见奉议郎张舜民”，似仍以“奉”为是。［26］修实录：“录”下原有“院”字。据章钰校，乙十一行本无“院”字，今据删。〖按〗下文范祖禹衔亦有“修实录检讨官”，无“院”字。司马光《传家集》卷五十一《乞黄庭坚同校资治通鉴札子》：“其范祖禹近差充修神宗皇帝实录检讨官”，亦无“院”字。［27］边智：据章钰校，乙十一行本“智”字作“知白”二字。［28］唐弈：据章钰校，乙十一行本“弈”作“奕”。［29］茹升：据章钰校，乙十一行本“升”作“开”。